KUCHNIA POLSKA

1001

przepisów

EWA ASZKIEWICZ

KUCHNIA POLSKA

1001
przepisów

publicat
WYDAWNICTWO

Za pomoc w przygotowaniu fotografii autorzy i wydawca składają serdeczne podziękowania sklepom:

Rosenthal, ul. Paderewskiego 8, Poznań
Ceramica, ul. Ratajczaka 44, Poznań
Ceramika artystyczna Beata Bączek, ul. Woźna 4, Poznań
Pachnidło, ul. Dąbrowskiego 65, Poznań
Cepelia, ul. Woźna 12, Poznań
Cepelia, ul. Klasztorna 21, Poznań
Monetti – Urszula Monetti, ul. Zamenhofa 133, Poznań
ABC Gallery, ul. Wroniecka 17, Poznań
Kowalik – szkło, porcelana, Auchan-Swadzim, Poznań
oraz
Hurtowni Witek's, ul. Poznańska 140 (Top Shopping), Poznań – Komorniki, www.witeks.com.pl
Hurtowni Patera, pl. Wiosny Ludów 2, Poznań
Kwiaciarni Salonik, ul. Rynkowa 156, Przeźmierowo

Zdjęcia i aranżacja – Mirosław Baryga
Redakcja i koordynacja prac – Małgorzata Krzyżanek
Redakcja techniczna – Zbigniew Wera
Projekt graficzny – Hanna Polkowska
Realizacja komputerowa projektu – Ewelina Michalska
Skanowanie i edycja fotografii – Marek Nitschke, Jakub Witczak
Korekta – Małgorzata Matuszewska

ISBN 83-245-0671-3, ISBN 978-83-245-0671-2
ISBN 83-245-0961-5, ISBN 978-83-245-0961-4
ISBN 83-245-1142-3, ISBN 978-83-245-1142-6
Publicat S.A.
61-003 Poznań, ul. Chlebowa 24
tel. (0-61) 652 92 52, fax (0-61) 652 92 00
e-mail: office@publicat.pl
www.publicat.pl

Wstęp

„Zawsze lubiłam kuchnię, niepowtarzalne, pobudzające apetyt i wyobraźnię zapachy, a szczególnie celebrowany przez Babcię ceremoniał «próbowania» z odwiecznym, pełnym zatroskania pytaniem – czego by może jeszcze dodać, aby poprawić wygląd i smak?". Te słowa Pani Ewy Aszkiewicz najlepiej charakteryzują książkę, którą oddajemy dzisiaj do rąk tych wszystkich, którzy uwielbiają smaczne jedzenie, i dla których gotowanie to nie tylko codzienne zło konieczne, ale przede wszystkim niesamowita przyjemność tworzenia. Autorka w swoich przepisach korzystała z „Rodzinnego skarbczyka wiedzy", książek – albumów ręcznie pisanych przez Babcię oraz Ciocię Godziszewską, nie wspominając ogromnej liczby zebranych przez lata i pieczołowicie przechowywanych przepisów, uzyskanych od zaprzyjaźnionych z nimi pań. Do rąk Państwa trafia zatem zupełnie wyjątkowa książka kucharska, dziedzictwo rodzinne kilku pokoleń miłośników polskiej, domowej kuchni w najlepszym wydaniu!

Na kartach tej publikacji znajdziecie Państwo 1001 przepisów na pyszne dania. Będą to zarówno potrawy urozmaicone, jak i niewymagające zbyt wiele czasu na przygotowanie. A co najważniejsze, wszystkie można przyrządzić z dostępnych w Polsce produktów. Wśród tradycyjnych dań kuchni staropolskiej znajdują się potrawy na każdą okazję, zarówno pomagające zaplanować codzienne menu, jak i przyjęcia świąteczne, różnego rodzaju uroczystości oraz na wytworne spotkania towarzyskie. Polecamy obszerne działy z przekąskami, zupami, sosami, daniami głównymi, deserami, ciastami, napojami, zimowymi zapasami, nalewkami oraz przyprawami własnego pomysłu czy aromatyzowanymi octami.

Aby ułatwić korzystanie z przepisów, przy każdym podaliśmy czas przygotowania danej potrawy, jej kaloryczność, liczbę porcji, a także szacunkowy koszt wykonania.

Mamy nadzieję, że nasza książka pozwoli Państwu wydobyć z zaproponowanych dań niepowtarzalny smak i aromat, a towarzyszące wszystkim recepturom kolorowe fotografie zachęcą do kulinarnych eksperymentów. Namawiamy wszystkich Czytelników do częstego gotowania w domu, by zachować dla następnych pokoleń fenomen polskiej kuchni, w której te same potrawy, często przyrządzane w różnych regionach i na różne sposoby – chociażby czerwony barszcz – w każdym domu są pyszne i wspaniałe.

Zatem do dzieła i smacznego!
Autorka i Wydawca

Przekąski zimne

▆ Przekąski gorące

SPIS TREŚCI

Dania z warzyw. Surówki

Dania z warzyw. Purée

■ Zupy pożywne

■ Zupy świąteczne

■ Dania z cielęciny

Dania z ryb i owoców morza

Dania z jajek

Dania z ziemniaków

Dania z kasz

Dania mączne

■ Desery. Kompoty

■ Desery mleczne

■ Desery z kaszy manny

Desery z ryżu

Desery. Kisiele

Desery. Leguminy

Desery. Kremy i musy

Desery. Kompozycje z lodami

Desery różne

Desery świąteczne

Desery. Słodkie sosy

Ciasta drożdżowe

Ciasta biszkoptowe

Napoje z kuchni staropolskiej

Napoje ze świeżych owoców

Napoje kawowe

Napoje z herbaty

Napoje różne

Przetwory. Konfitury

Przetwory. Dżemy wysokosłodzone

Sałatka pikantna
z serów

liczba porcji / 8
czas przygotowania / 20 min
stopień trudności / średniotrudne
kaloryczność / średniokaloryczne
koszt / średniodrogie

s k ł a d n i k i : 20 dag sera ementalera
• 10 dag sera górskiego • 10 dag sera gouda (rodzaje
sera można dobrać według własnych upodobań)
• mała kiść jasnych winogron • mała kiść ciemnych
winogron (razem 25 dag) • duża filiżanka grubo
posiekanych orzechów włoskich

s o s : 15 dag sera pleśniowego (rokpol)
• szklanka gęstej śmietany • 1/2 małego kieliszka
wytrawnego sherry • świeżo zmielony pieprz
• gałka muszkatołowa

Opłukane winogrona kroimy na połowę,
usuwamy pestki, dodajemy orzechy i pokrojone w drobną kostkę sery, składniki lekko mieszamy.
Przygotowujemy sos: ser pleśniowy rozcieramy widelcem, dodajemy śmietanę, sherry,
pieprz i gałkę muszkatołową.
Sałatkę nakładamy do szklanych pucharków,
sos podajemy oddzielnie w sosjerce.

Camembert
na jeden kęs

s k ł a d n i k i : ser camembert (miękki)
• niepełna szklanka orzechów włoskich łuskanych
• łyżka orzechów włoskich drobno posiekanych
• mały kieliszek białego, wytrawnego wina
• liście selera naciowego lub lubczyku

Ser kroimy na 6 części (jak tort), układamy
na małym, okrągłym półmisku wyłożonym
zieleniną. W każdy kawałek sera wciskamy
(z boków) połówki orzechów, polewamy
łyżką wina i posypujemy posiekanymi orzechami. Zakąskę podajemy 20 min po przygotowaniu, w każdą porcję wkładamy wy-
kałaczkę.

liczba porcji / 6
czas przygotowania / 10 min
stopień trudności / łatwe
kaloryczność / średniokaloryczne
koszt / średniodrogie

Sałatka serowa

s k ł a d n i k i : 2 plastry żółtego sera (po 15 dag o różnych smakach, np. ementaler i gouda) • 2 jajka ugotowane na twardo • 2 czerwone cebule • 2 ogórki konserwowe • 2 kopiaste łyżki posiekanej zieleniny (może być kompozycja) • 1/2 szklanki majonezu • 1/2 szklanki gęstej, kwaśnej śmietany • sól • pieprz • liście sałaty

Sery kroimy w „makaronik", ogórki w kostkę, cebule w cienkie piórka, jajka siekamy. Składniki łączymy z majonezem wymieszanym ze śmietaną, dodajemy zieleninę, doprawiamy. Całość delikatnie, ale dokładnie mieszamy. Płaską salaterkę wykładamy liśćmi sałaty, nakładamy sałatkę, wstawiamy na 15 min do lodówki. Przed podaniem posypujemy paseczkami z pozostałych liści sałaty.

Pikantny przekładaniec serowy

s k ł a d n i k i : 8 średniej grubości plasterków sera salami • 4 okrągłe plastry kiełbasy szynkowej lub krakowskiej parzonej • 4 plasterki świeżego ogórka • łyżka pasty pomidorowej • łyżka gęstej, kwaśnej kremówki • łyżka posiekanego koperku • pomidor i zielenina do przybrania

Pomiędzy plasterki sera wkładamy plaster wędliny i ogórka, lekko uciskamy, wierzch smarujemy pastą pomidorową, przybieramy dekoracyjnie dużym kleksem śmietany wymieszanej z koperkiem. Podajemy nie później niż 15 min po przygotowaniu, na porcjowym talerzyku przybranym cząstkami pomidora i zieleniną.

liczba porcji / 6
czas przygotowania / 20 min
stopień trudności / średniotrudne
kaloryczność / średniokaloryczne
koszt / średniodrogie

liczba porcji / 4
czas przygotowania / 10 min
stopień trudności / średniotrudne
kaloryczność / średniokaloryczne
koszt / średniodrogie

Pomidory faszerowane na sposób francuski

liczba porcji / 8
czas przygotowania / 25 min
stopień trudności / średniotrudne
kaloryczność / średniokaloryczne
koszt / średniodrogie

s k ł a d n i k i : 8 dojrzałych, jędrnych pomidorów • liście sałaty • liście selera • migdały (obrane z łupinek) • sól • pieprz • zielenina

f a r s z : seler średniej wielkości • 2 winne jabłka • sok z cytryny • 1/2 szklanki majonezu • szklanka niezbyt drobno posiekanych migdałów (sparzonych, obranych z łupinek) • sól • pieprz • cukier puder

Z pomidorów ścinamy wierzchy, łyżeczką usuwamy miąższ i pestki, oprószamy solą i pieprzem, odstawiamy w chłodne miejsce.
Przygotowujemy farsz: seler ucieramy na tarce do jarzyn z małymi otworami i natychmiast kropimy sokiem z cytryny, by nie ściemniał. Dodajemy utarte jabłka, posiekane migdały, składniki łączymy z majonezem, gdy trzeba, doprawiamy do smaku. Nadziewamy przygotowane pomidory, układamy na liściach sałaty, posypujemy zieleniną, przybieramy liśćmi selera i migdałami. Podajemy zaraz po przygotowaniu.

Zakąska z pomidorów po staropolsku

s k ł a d n i k i : 8 średnich (lub 6 dużych), jędrnych pomidorów • 3 świeże ogórki • 6 małych, słodkich cebulek (szalotki) • szklanka lekko kwaśnej kremówki • liście sałaty • zielenina

z a l e w a : 3 łyżki octu ziołowego • 3 łyżki niegazowanej wody stołowej • czubata łyżka cukru • sól • 1/2 łyżeczki mielonego pieprzu

Składniki zalewy zagotowujemy, dodajemy posiekane cebulki, od razu zdejmujemy z ognia, odstawiamy do wychłodzenia. Ogórki obieramy, kroimy w niezbyt cienkie plasterki, układamy na spodzie salaterki, na wierzchu kładziemy plasterki obranych ze skórki pomidorów, całość zalewamy zimną zalewą, przykrywamy, odstawiamy na 15 min w chłodne miejsce.
Na półmisku rozkładamy liście sałaty, na nich odsączoną z zalewy sałatkę, wierzch przykrywamy ubitą śmietaną, całość oprószamy zieleniną. Podajemy zaraz po przygotowaniu.

* o p r ó c z   c z a s u   n a   l e ż a k o w a n i e   s a ł a t k i

liczba porcji / 6
czas przygotowania / 25 min*
stopień trudności / średniotrudne
kaloryczność / średniokaloryczne
koszt / średniodrogie

liczba porcji / 8

czas przygotowania / 20 min

stopień trudności / **średniotrudne**

kaloryczność / **średniokaloryczne**

koszt / **średniodrogie**

Szparagi w pomidorowym grzybku

s k ł a d n i k i : 8 dojrzałych, jędrnych pomidorów • puszka szparagów w zalewie • liście sałaty • sól • zmielony pieprz • łyżeczka gęstego majonezu

s o s : 4 łyżki gęstej, kwaśnej śmietany • 2 łyżki keczupu • 1/2 małego kieliszka winiaku • sok z cytryny • szczypta pieprzu cayenne

Z pomidorów ścinamy wierzchy, łyżeczką usuwamy miąższ i pestki, wnętrza oprószamy solą i pieprzem, odstawiamy w chłodne miejsce. Przygotowujemy sos: składniki mieszamy w salaterce, dodajemy odsączone, pokrojone na małe cząstki szparagi.
Nadziewamy przygotowane pomidory, układamy na liściach sałaty, nakładamy ścięte wierzchy ozdobione kropkami z majonezu. Podajemy zaraz po przygotowaniu.

Pikantna zakąska z pomidora

s k ł a d n i k i : 6 plasterków sera salami • 6 cienkich plastrów wędzonej szynki • 6 liści sałaty • pomidor • liście selera naciowego • oliwki lub połówki orzechów włoskich • posiekane migdały

s a ł a t k a : 2 pomidory • mała (do 20 cm) cukinia • 3 małe, słodkie cebulki (szalotki) • 2 jajka ugotowane na twardo • 4 łyżki majonezu • czubata łyżka posiekanego koperku • sól • pieprz

Składniki sałatki drobno kroimy, łączymy z majonezem i doprawiamy, by miała wyraźny, lekko pikantny smak.
Na liściach sałaty układamy plasterek sera, na nim plaster szynki i porcję sałatki. Wierzch przybieramy oliwkami lub połówkami orzechów, a boki cząstkami pomidora posypanymi migdałami. Podajemy zaraz po przygotowaniu.

liczba porcji / 6

czas przygotowania / 15 min

stopień trudności / **łatwe**

kaloryczność / **średniokaloryczne**

koszt / **średniodrogie**

Faszerowane pomidory

liczba porcji / 8
czas przygotowania / 20 min
stopień trudności / średniotrudne
kaloryczność / średniokaloryczne
koszt / średniodrogie

s k ł a d n i k i : 8 dojrzałych, jędrnych pomidorów • puszka zielonego groszku konserwowego • 25 dag żółtego, pikantnego sera • 1/2 szklanki majonezu • sól • pieprz • 8 średniej wielkości liści sałaty • posiekana natka pietruszki

Z pomidorów ścinamy wierzchy, łyżeczką usuwamy miąższ i pestki, wnętrza lekko oprószamy solą i pieprzem, odstawiamy w chłodne miejsce.
Przygotowujemy farsz: ser kroimy w drobną kostkę (nie większą niż ziarenka groszku), groszek odsączamy, składniki łączymy z majonezem, doprawiamy do smaku. Przygotowane pomidory nadziewamy farszem, układamy na liściach sałaty, posypujemy zieleniną. Podajemy zaraz po przygotowaniu.

Pomidory z nadzieniem kukurydzianym

s k ł a d n i k i : 8 dojrzałych, jędrnych pomidorów • 8 liści sałaty • natka pietruszki • 4 przepiórcze jajeczka ugotowane na twardo

f a r s z : puszka kukurydzy w zalewie • duży ząbek czosnku • 2 jajka ugotowane na twardo • płaska łyżka posiekanych korniszonów • kopiasta łyżka posiekanych marynowanych grzybków • 1/2 szklanki majonezu • łyżka zieleniny

Z pomidorów ścinamy wierzchy, łyżeczką usuwamy miąższ i pestki, wnętrza lekko oprószamy solą i pieprzem, odstawiamy w chłodne miejsce.
Przygotowujemy farsz: jajka siekamy, łączymy z odsączoną kukurydzą, korniszonami, grzybkami, zieleniną, posiekanym czosnkiem i majonezem, gdy trzeba, całość lekko doprawiamy do smaku. Przygotowane pomidory nadziewamy farszem, na wierzchu układamy kompozycję z natki pietruszki, w środek wkładamy połówkę przepiórczego jajeczka, układamy na liściach sałaty. Podajemy zaraz po przygotowaniu.

liczba porcji / 8
czas przygotowania / 25 min
stopień trudności / średniotrudne
kaloryczność / średniokaloryczne
koszt / średniodrogie

Fasolka szparagowa
według Cioci Godziszewskiej

s k ł a d n i k i : 1 kg fasolki szparagowej (waga po obcięciu końcówek)
• sól • cukier • łyżka oliwy • gałązka cząbru • 8 liści sałaty • 4 pomidory
• zielenina

z a l e w a : 2 łyżki octu winnego • 3 łyżki wody • mała, drobno
posiekana cebula • 3 łyżki oliwy • sól • szczypta białego pieprzu

Do gorącej wody z dodatkiem soli, cukru, oliwy i gałązki cząbru wkładamy opłukaną fasolkę szparagową, gotujemy w odkrytym naczyniu (powinna być miękka, ale nierozgotowana), cedzimy na sicie, hartujemy zimną wodą, dokładnie odsączamy. Przygotowujemy zalewę: w rondelku gotujemy wodę z octem winnym i cebulą, gdy się zeszkli, odstawiamy do wychłodzenia, dodajemy oliwę i przyprawy w takich ilościach, by miała wyraźny, pikantny smak.

Na talerzykach rozkładamy liście sałaty, na nich, w równych ilościach, uformowaną w zgrabny kopczyk fasolkę, otaczamy półplasterkami pomidorów, polewamy niepełną łyżką zalewy i oprószamy zieleniną.

liczba porcji / 8
czas przygotowania / 15 min•
stopień trudności / łatwe
kaloryczność / średniokaloryczne
koszt / tanie

• o p r ó c z   c z a s u   n a   g o t o w a n i e   f a s o l k i

Zielony krąg

s k ł a d n i k i : 8 przepiórczych jajeczek ugotowanych na twardo • puszka zielonego groszku konserwowego • 8 ziarenek czarnego pieprzu • liście selera naciowego lub lubczyku • miniaturowe pomidory lub rzodkiewki • gęsty majonez

g a l a r e t a : 2 szklanki esencjonalnego rosołu (może być z koncentratu) • 1/2 szklanki białego, wytrawnego wina • łyżka octu winnego lub jabłkowego • 2 kopiaste łyżeczki żelatyny

Przygotowujemy galaretę: żelatynę moczymy w niewielkiej ilości zimnej wody, gdy napęcznieje, rozprowadzamy w niewielkiej ilości wrzątku. Rosół zagotowujemy razem z winem i octem winnym, gdy trzeba, lekko doprawiamy, zdejmujemy z ognia, łączymy z rozpuszczoną żelatyną, całość dokładnie mieszamy. Na spód salaterki wylewamy warstwę galarety (na wysokość centymetra), wstawiamy na kilka minut do zamrażalnika. Na stężonej galarecie układamy przepiórcze jajeczka z wbitym w czubek ziarenkiem pieprzu, zalewamy następną porcją galarety i ponownie wstawiamy do lodówki. Gdy stężeje, posypujemy odsączonym groszkiem, zalewamy pozostałą galaretą i jeszcze raz wstawiamy do lodówki do całkowitego stężenia. Na okrągłym półmisku układamy liście selera lub lubczyku, by utworzyły zielony krąg, otaczający brzeg. Na liście wykładamy galaretę pokrojoną w romby w taki sposób, by w każdej porcji było jajko, przybieramy miniaturowymi pomidorami lub rzodkiewkami w kształcie „różyczek".

liczba porcji / 8
czas przygotowania / 55 min
stopień trudności / trudne
kaloryczność / średniokaloryczne
koszt / średniodrogie

Nadziewane awokado

s k ł a d n i k i : 3 awokado • sok wyciśnięty z 2 dużych cytryn • szklanka śmietany • 2 płaskie łyżeczki żelatyny • puszka krewetek w zalewie • sól • pieprz • 2 łyżki gorącego mleka • zielenina do przybrania

Żelatynę moczymy w niewielkiej ilości zimnej wody, gdy napęcznieje, rozprowadzamy w gorącym mleku, mieszamy, aż się dokładnie rozpuści. Awokado kroimy wzdłuż na połowę, odrzucamy pestki, delikatnie wyjmujemy miąższ, miksujemy z dodatkiem soku z cytryn, soli, pieprzu i łyżki śmietany. Pozostałą śmietanę lekko ubijamy, łączymy z rozpuszczoną żelatyną, dodajemy do musu wraz z odsączonymi krewetkami i od razu napełniamy miseczki owocu. Powierzchnię wyrównujemy w sposób dekoracyjny, porcje wstawiamy na godzinę (lub nieco dłużej) do lodówki. Podajemy wychłodzone, przybrane listkami zieleniny.

liczba porcji / 6

czas przygotowania / 25 min

stopień trudności / średniotrudne

kaloryczność / średniokaloryczne

koszt / średniodrogie

Kolorowe jarzynki w galarecie

s k ł a d n i k i : puszka zielonego groszku konserwowego • 20 małych, jędrnych rzodkiewek • 20 małych pieczarek z zalewy • liście selera • rzodkiewki do przybrania • gęsty majonez

g a l a r e t a : 2 szklanki esencjonalnego rosołu z kury (może być z koncentratu) • 1/2 szklanki białego, wytrawnego wina • łyżka octu winnego lub jabłkowego • 2 łyżeczki żelatyny

Przygotowujemy galaretę: żelatynę moczymy w niewielkiej ilości zimnej wody, gdy napęcznieje, rozprowadzamy w niewielkiej ilości wrzątku. Rosół zagotowujemy z winem, octem winnym, gdy trzeba, lekko doprawiamy do smaku. Po zdjęciu z ognia łączymy z rozpuszczoną żelatyną, dokładnie mieszamy. Do szklanej formy z kominkiem wlewamy niewielką ilość galarety, wstawiamy na kilka minut do zamrażalnika, gdy stężeje, rozsypujemy odsączony groszek, zalewamy galaretą, by groszek był przykryty, i ponownie wstawiamy do lodówki. Gdy całość stężeje, układamy (jedno na drugim) pieczarki i rzodkiewki, zalewamy pozostałą galaretą i znowu wstawiamy do lodówki.

Na okrągłym półmisku układamy liście selera, by utworzyły zielony krąg, wykładamy dobrze wystudzoną galaretę, brzeg przybieramy „różyczkami" z rzodkiewek, wnętrze, jakie utworzył kominek, napełniamy majonezem. Porcje kroimy w taki sposób, by w każdej była pieczarka i rzodkiewka.

liczba porcji / 20

czas przygotowania / 20 min

stopień trudności / średniotrudne

kaloryczność / średniokaloryczne

koszt / średniodrogie

Śledziki Pani Asi

s k ł a d n i k i : opakowanie filetów śledziowych (matiasy) w zalewie z oliwą • 8 liści sałaty • 4 dorodne pomidory • gęsty majonez • cebula • posiekany szczypiorek lub natka pietruszki

Na liściach sałaty układamy grube plasterki pomidora (kroimy w poprzek na połowę, ścinamy wierzch i miejsce, gdzie łączył się z gałązką), każdy smarujemy majonezem, posypujemy szczypiorkiem lub natką pietruszki, na nich kładziemy porcję śledzia. Całość posypujemy dość obficie pokrojoną w cienkie piórka cebulą. Podajemy zaraz po przygotowaniu.

Śledzie po królewsku

s k ł a d n i k i : opakowanie filetów śledziowych (matiasy) w zalewie z oliwą • puszka zielonego groszku konserwowego • 4 jajka ugotowane na twardo • mały pęczek szczypiorku wraz z młodą cebulką • szklanka majonezu • 2 łyżki gęstej, kwaśnej śmietany • sól • pieprz • liście sałaty • cebula • natka pietruszki

Posiekane jajka i szczypiorek łączymy z odsączonym groszkiem, dodajemy majonez i śmietanę. Składniki mieszamy, lekko przyprawiamy solą i pieprzem. Na płaskim półmisku układamy liście sałaty, na nich – w równych ilościach – sałatkę, na sałatce porcje śledzia. Całość posypujemy dość obficie piórkami cebuli i przybieramy natką pietruszki.

Śledziowe koreczki

liczba porcji / **12**

czas przygotowania / **15 min**

stopień trudności / **łatwe**

kaloryczność / **średniokaloryczne**

koszt / **tanie**

s k ł a d n i k i : duży, zielony ogórek • 4 filety
śledziowe (matiasy) w zalewie z oliwą • duża cebula
• kopiasta łyżka masła • 1/2 szklanki majonezu
• pieprz • czerwona papryka • zielenina

Ogórek kroimy na niezbyt cienkie, ukośne
plasterki, na każdym układamy dekoracyjnie
paseczki papryki, tak aby wychodziły poza
krążek ogórka.

Przygotowujemy krem: masło, drobno posiekaną cebulę i filety rozdrabniamy w malakserze na jednolitą, puszystą masę, łączymy z majonezem, doprawiamy pieprzem. Krem przekładamy do woreczka z końcówką lub szpryc-
ki. Na przygotowanych krążkach ogórka formujemy zgrabne kopczyki, przybieramy zieleniną. Podajemy nie później niż 10 min po
przygotowaniu.

Śledzie w sosie wiosennym

s k ł a d n i k i : opakowanie filetów śledziowych
(matiasy) w zalewie z oliwą

s o s : szklanka gęstej, kwaśnej śmietany
• szklanka drobno posiekanych lub utartych na tarce
z dużymi otworami rzodkiewek • szklanka posiekanej
młodej cebulki ze szczypiorkiem • kopiasta łyżka
posiekanej natki pietruszki • sól • pieprz • rzodkiewki
do dekoracji • natka pietruszki i posiekany szczypiorek
do przybrania

Przygotowujemy sos: śmietanę łączymy
z pozostałymi składnikami, mieszamy, doprawiamy do smaku.

Filety dzielimy na porcje, układamy na półmisku, zalewamy sosem. Brzegi półmiska
obsypujemy szczypiorkiem, całość przybieramy natką i „różyczkami" z rzodkiewek.

liczba porcji / **8**

czas przygotowania / **15 min**

stopień trudności / **łatwe**

kaloryczność / **niskokaloryczne**

koszt / **tanie**

liczba porcji / 8

czas przygotowania / 15 min

stopień trudności / średniotrudne

kaloryczność / średniokaloryczne

koszt / średniodrogie

Śledzie w pikantnym sosie

s k ł a d n i k i : opakowanie filetów śledziowych (matiasy) w zalewie z oliwą • zielenina do przybrania

s o s : 3 jajka ugotowane na twardo • sok z cytryny • szklanka gęstej, kwaśnej śmietany • 2 kopiaste łyżki drobno posiekanej lub roztartej cebuli • płaska łyżka świeżego chrzanu • sól • pieprz • cukier puder

Przygotowujemy sos: żółtka rozcieramy z sokiem z cytryny na jednolitą masę, dodajemy śmietanę. Gdy składniki się połączą, dodajemy cebulę, chrzan, przyprawy, drobno posiekane białka, całość delikatnie mieszamy. Ułożone na półmisku porcje śledzi zalewamy sosem, półmisek zawijamy szczelnie w folię aluminiową i wkładamy do lodówki na 2-3 godz. Przed podaniem przybieramy zieleniną.

Zakąska ze śledzi po cygańsku

s k ł a d n i k i : opakowanie filetów śledziowych (matiasy) w zalewie z oliwą

s o s : 1/3 szklanki oliwy lub oleju • 2 cebule • 2 ogórki warszawskie • łyżka posiekanych korniszonów • 2 łyżki pikantnego keczupu • sól • pieprz • cukier • zielenina • cząstki pomidora do dekoracji

Przygotowujemy sos: pokrojone w cienkie piórka cebule parzymy na sicie wrzątkiem, hartujemy zimną wodą, odsączamy. Oliwę łączymy z keczupem, dodajemy przyprawy, cebule, posiekane ogórki warszawskie i korniszony, mieszamy. Odsączone z zalewy filety dzielimy na zgrabne porcje, układamy na półmisku, zalewamy sosem. Półmisek zawijamy szczelnie w folię i wstawiamy na 2 godz. do lodówki. Przed podaniem przybieramy świeżą zieleniną i cząstkami pomidora.

liczba porcji / 8

czas przygotowania / 15 min

stopień trudności / łatwe

kaloryczność / niskokaloryczne

koszt / tanie

Śledzie
w czerwonym winie

liczba porcji / **8**

czas przygotowania / **40 min**

stopień trudności / **średniotrudne**

kaloryczność / **niskokaloryczne**

koszt / **tanie**

s k ł a d n i k i : 2 opakowania filetów śledziowych (matiasy)
w zalewie z oliwą

z a l e w a : szklanka czerwonego, wytrawnego wina • szklanka
octu winnego • szklanka wody • 2 łyżki cukru • łyżeczka nasion
gorczycy • 2 goździki • 2 duże cebule • 10 ziaren jałowca
• 10 ziaren ziela angielskiego • 2 liście laurowe • 1/2 łyżeczki
pieprzu ziarnistego

Przygotowujemy zalewę: do naczynia wlewamy wodę,
dodajemy cukier, pokrojoną w grubsze talarki cebulę
i przyprawy. Zagotowujemy i trzymamy na niewielkim
ogniu przez minutę. Zestawiamy z ognia, dodajemy wino, ocet winny, mieszamy, ponownie stawiamy na ogniu
i podgrzewamy, nie dopuszczając do zagotowania. Odstawiamy do wychłodzenia.
W szklanym słoju lub pojemniku z przykryciem rozkładamy pokrojone na porcje filety, zalewamy wychłodzoną zalewą, szczelnie zamykamy i wstawiamy do lodówki. Najsmaczniejsze będą po 48 godz. marynowania. Podajemy na liściach sałaty, przybrane krążkami cebuli
z marynaty i zieleniną.

Śledzie
w sosie śliwkowym

s k ł a d n i k i : opakowanie filetów śledziowych (matiasy)
w zalewie z oliwą • 2 opakowania suszonych śliwek kalifornijskich
• filiżanka migdałów • 4 łyżki oliwy • sok z 1/2 cytryny • szczypta
cukru • zielenina • plastry cytryny do dekoracji

Filety wyjmujemy z opakowania i rozkładamy na warstwie bibuły, by odsączyć oliwę. Śliwki moczymy w letniej wodzie przez godzinę (można nieco dłużej), migdały parzymy wrzątkiem, obieramy ze skórki; najładniejsze odkładamy do przybrania półmiska, pozostałe grubo siekamy. Śliwki gotujemy w wodzie, w której się
moczyły (10-12 min), przecieramy przez sito, łączymy
z oliwą, migdałami, doprawiamy do smaku solą, cukrem
oraz sokiem z cytryny.
Filety (gdy są szerokie) kroimy wzdłuż na połowę, zwijamy w ciasny rulonik, spinamy wykałaczką, układamy
na głębokim półmisku i polewamy sosem. Szczelnie przykryte, wstawiamy do lodówki na godzinę lub nieco dłużej. Przed podaniem usuwamy wykałaczki, przybieramy
plasterkami cytryny i zieleniną.

*o p r ó c z   c z a s u   n a   m o c z e n i e   i   g o t o w a n i e   ś l i w e k

liczba porcji / **8**

czas przygotowania / **25 min** •

stopień trudności / **średniotrudne**

kaloryczność / **niskokaloryczne**

koszt / **średniodrogie**

liczba porcji / 12

czas przygotowania / 20 min•

stopień trudności / średniotrudne

kaloryczność / średniokaloryczne

koszt / tanie

Zielone śledzie marynowane

s k ł a d n i k i : 2 kg świeżych śledzi

m a r y n a t a   1: 2 szklanki wody • 1/2 szklanki octu • płaska łyżeczka soli • łyżeczka cukru

m a r y n a t a   2: słoik marynowanych grzybków (0,3 l; mogą być pieczarki) • 6 dużych cebul • pieprz ziołowy mielony • mielona papryka słodka i ostra • musztarda • sok z kilku cytryn (ilość według własnych upodobań smakowych) • oliwa lub dobry olej

Umyte śledzie układamy w naczyniu i zalewamy pierwszą marynatą przygotowaną z wody, octu, soli i cukru. Naczynie szczelnie zamykamy i stawiamy w chłodnym miejscu. Śledzie duże trzymamy w marynacie 24 godz., małe – 12 godz. Po tym czasie śledzie wyjmujemy z zalewy, filetujemy, odcinamy głowy i ość grzbietową, kroimy w dzwonka. Marynujemy: cebulę kroimy w niezbyt grube piórka, grzybki siekamy. W dużym słoju układamy warstwami cebulę, grzyby, dzwonka śledzi. Każdą warstwę śledzi smarujemy cienko musztardą, posypujemy pieprzem oraz słodką i ostrą papryką. Na wierzchu powinna być warstwa cebuli. Całość zalewamy sokiem z cytryn i oliwą, lekko podważając warstwy widelcem, aby oliwa przedostała się na spód słoja. Słój przykrywamy i odstawiamy w chłodne miejsce na 2-3 dni. Porcje śledzi podajemy na półmisku wyłożonym liśćmi sałaty, lekko polane sosem z marynaty lub spienioną, gęstą, kwaśną śmietaną.

* o p r ó c z   c z a s u   n a   m a r y n o w a n i e

Pikantna sałatka ze śledzi

s k ł a d n i k i : opakowanie filetów śledziowych (matiasy) w zalewie z oliwą • 3 ogórki konserwowe • filiżanka zielonego groszku konserwowego • słoik (0,3 l) marynowanych buraczków • słoik (0,3 l) marynowanych pieczarek • 2 jabłka • 2 czerwone cebule • sól • pieprz • liście sałaty

s o s : 1/3 szklanki oliwy lub oleju • 1/3 szklanki octu winnego • łyżeczka cukru pudru • łyżeczka musztardy delikatesowej • sól • pieprz

liczba porcji / 10

czas przygotowania / 20 min

stopień trudności / średniotrudne

kaloryczność / średniokaloryczne

koszt / średniodrogie

Odsączone filety kroimy w paseczki, ogórki i cebulę siekamy, obrane ze skórki, pozbawione gniazd nasiennych jabłka, odsączone buraczki i pieczarki kroimy w zgrabną kostkę, dodajemy odsączony zielony groszek, składniki mieszamy, gdy trzeba, oprószamy przyprawami.

Przygotowujemy sos: olej ucieramy z octem winnym i musztardą, aż powstanie lekki majonez, dodajemy przyprawy, by sos nabrał wyraźnego, lekko pikantnego smaku. Zalewamy sosem sałatkę, wstawiamy na 15 min do lodówki. Podajemy w kokilkach lub na liściach sałaty.

Paluszki rybne
w pikantnym sosie

liczba porcji / 8
czas przygotowania / 35 min *
stopień trudności / średniotrudne
kaloryczność / średniokaloryczne
koszt / średniodrogie

s k ł a d n i k i : 50 dag filetów z białej, morskiej ryby
• 2 cebule • 2 ząbki czosnku • jajko • 2 łyżki tartej bułki • szklanka
mleka • szklanka wody • 2 łyżki posiekanej natki pietruszki • sól
• pieprz • mąka krupczatka do panierowania • oliwa lub olej
• zielenina

s o s : 2 jajka ugotowane na twardo • 2 łyżki oliwy lub oleju
• łyżka soku z cytryny • szczypta pieprzu cayenne • płaska łyżeczka
cukru pudru • duża łyżeczka musztardy • sól

Rybę moczymy w mleku pół na pół z wodą przez godzinę. Lekko odsączamy, przepuszczamy przez maszynkę lub
rozbijamy w malakserze wraz z rozdrobnioną cebulą i czosnkiem. Dodajemy jajko, tartą bułkę, przyprawy, natkę pietruszki i wyrabiamy. Gdy masa będzie zbyt luźna, dosypujemy trochę więcej tartej bułki, a następnie formujemy
zgrabne paluszki. Panierujemy je w mące i smażymy w tzw.
głębokim tłuszczu, rumieniąc ze wszystkich stron. Usmażone odsączamy z nadmiaru tłuszczu na warstwie bibuły.
Układamy na półmisku, wystudzone zalewamy sosem.
Przygotowujemy sos: z jajek wyjmujemy żółtka, białka
drobno siekamy, żółtka ucieramy z musztardą i oliwą.
Gdy sos będzie gładki i jednolity, dodajemy sok z cytryny, przyprawy i drobno posiekane białka. Całość przybieramy zieleniną.

* o p r ó c z   c z a s u   n a   m o c z e n i e   f i l e t ó w

Ryba w pomidorowej
galarecie

s k ł a d n i k i : 50 dag filetów z białej, morskiej ryby
(kergulena) • cebula • liść laurowy • ząbek czosnku • 2 goździki
• 3 ziarna ziela angielskiego • łyżeczka przyprawy do ryb • sok
z dużej cytryny • puszka zielonego groszku konserwowego
• szklanka soku pomidorowego • szczypta mielonej, czerwonej
papryki • 2 łyżeczki żelatyny • piórka koperku i plasterki cytryny
do przybrania

Do 1,5 l wody wkładamy przekrojoną cebulę i przyprawy, gdy płyn zacznie wrzeć, kładziemy oczyszczone z wewnętrznych błon filety, gotujemy na niewielkim ogniu
przez ok. 15 min (ryba powinna być miękka, ale nierozgotowana), studzimy w wywarze.
Żelatynę moczymy w niewielkiej ilości zimnej wody, by napęczniała. Chłodną rybę wyjmujemy łyżką cedzakową, dzielimy na średniej wielkości kawałki, dokładnie obieramy z najmniejszych nawet
ości, kropimy obficie sokiem z cytryny. Groszek odsączamy. Wywar cedzimy przez gęste, wyłożone
gazą sito, odlewamy 2 szklanki, podgrzewamy, w gorącym rozpuszczamy żelatynę, dokładnie mieszamy, łączymy z sokiem pomidorowym.
Porcje groszku i ryby wkładamy do kokilek, zalewamy tężejącą galaretą, wstawiamy do lodówki.
Przed podaniem przybieramy plasterkami cytryny i piórkami koperku.

liczba porcji / 8
czas przygotowania / 50 min
stopień trudności / trudne
kaloryczność / średniokaloryczne
koszt / średniodrogie

Fileciki rybne
w delikatesowym sosie

s k ł a d n i k i : 6 średniej wielkości filetów z białej, morskiej ryby • szklanka mleka • szklanka wody • sól • pieprz • olej lub oliwa do smażenia • zielenina • strąk czerwonej i zielonej papryki • liście sałaty

s o s : 2 cebule • 2 ząbki czosnku • strąk czerwonej papryki • 5 dużych pieczarek • 3 łyżki cukru • 1/2 szklanki octu winnego • płaska łyżeczka mielonego imbiru • biały pieprz

Filety moczymy w wodzie z mlekiem przez 20 min, osuszamy, nacieramy z obu stron solą i pieprzem. Smażymy, rumieniąc, na głębokim tłuszczu. Odsączamy na warstwie bibuły.

Przygotowujemy sos: pozostały ze smażenia ryb tłuszcz uzupełniamy, smażymy na nim pokrojoną w piórka cebulę oraz posiekany czosnek. Gdy składniki się zeszklą, dodajemy cienko pokrojone pieczarki i paprykę. Zasmażamy na średnim ogniu przez 3 min, dodajemy przyprawy, ocet, zagotowujemy i ponownie trzymamy na ogniu przez 3 min, często mieszając. Do gorącego sosu wkładamy filety, gotujemy przez minutę, potem naczynie przykrywamy i odstawiamy w chłodne miejsce – nawet do następnego dnia. Porcje ryby podajemy na zimno, na półmisku wyłożonym liśćmi sałaty, lekko polane sosem, przybrane zieleniną i paseczkami kolorowej papryki.

* o p r ó c z   c z a s u   n a   m o c z e n i e   f i l e t ó w

liczba porcji / 6
czas przygotowania / 50 min*
stopień trudności / średniotrudne
kaloryczność / niskokaloryczne
koszt / średniodrogie

liczba porcji / 10
czas przygotowania / 35 min*
stopień trudności / średniotrudne
kaloryczność / średniokaloryczne
koszt / średniodrogie

Sałatka rybna wyborna

s k ł a d n i k i : 1 kg filetów z białej, morskiej ryby • 2 łyżki octu ziołowego • liść laurowy • ziele angielskie • ziarna pieprzu • sól • cebula • świeże zioła • rzodkiewka • świeży ogórek • papryka

s o s : szklanka kwaśnej śmietany • szklanka majonezu • sok z cytryny • pęczek młodej cebulki ze szczypiorkiem • kopiasta łyżka posiekanej natki pietruszki • sól • biały pieprz

Zagotowujemy 2 l wody z dodatkiem przypraw i pokrojonej na części cebuli, do wrzątku kładziemy filety i gotujemy na niewielkim ogniu, aż ryba będzie miękka, ale nierozgotowana (ok. 10 min). Pozostawiamy w wodzie do wychłodzenia.

Przygotowujemy sos: do miseczki wlewamy śmietanę, dodajemy majonez, sok z cytryny, drobno pokrojone cebulki ze szczypiorkiem i natkę pietruszki. Dodajemy rozdrobnione, dobrze oczyszczone z najmniejszych nawet ości kawałki ryby, składniki łączymy i, gdy trzeba, lekko doprawiamy. Sałatkę szczelnie owijamy w folię aluminiową i odstawiamy w chłodne miejsce nawet na kilka godzin. Przed podaniem nakładamy do szklanych pucharków, wyłożonych zieleniną, równej wielkości porcje, przybieramy świeżymi ziołami, rzodkiewką, ogórkiem lub papryką.

* o p r ó c z   c z a s u   n a   g o t o w a n i e   r y b y

Dorsz
w pomidorowych
miseczkach

s k ł a d n i k i : 2 filety ze świeżego dorsza (ok. 50 dag)
• kieliszek białego, wytrawnego wina • 1/2 kieliszka octu winnego
• 4 kieliszki wody • po kilka ziaren pieprzu i ziela angielskiego
• sól • cebula • puszka zielonego groszku konserwowego
• 6 dużych pomidorów • zielenina

s o s : szklanka majonezu • szklanka gęstej śmietany • łyżka
najdrobniej posiekanych korniszonów • 3 młode cebulki
ze szczypiorkiem • sól • pieprz

Do gotującej się wody z winem, octem winnym i przyprawami wkładamy filety, gotujemy na niewielkim ogniu
przez 10-12 min (ryba powinna być miękka, ale nierozgotowana). Odstawiamy do wychłodzenia w zalewie.
Umyte, obsuszone pomidory kroimy w poprzek na połowę, łyżeczką usuwamy miąższ i pestki, wnętrza lekko
oprószamy przyprawami. Groszek odsączamy na sicie.
Przygotowujemy sos: do naczynia dajemy majonez, śmietanę, posiekane cebulki ze szczypiorkiem,
korniszony, doprawiamy do smaku. Do sosu dodajemy cząstki dorsza obrane z najmniejszych nawet ości; całość mieszamy. Do każdej pomidorowej miseczki nakładamy łyżeczkę groszku, następnie porcję sałatki i formujemy zgrabny czubek. Porcje układamy na liściach sałaty, oprószamy posiekaną zieleniną. Podajemy nie później niż 10 min po przygotowaniu.

liczba porcji / 12
czas przygotowania / 45 min
stopień trudności / średniotrudne
kaloryczność / średniokaloryczne
koszt / średniodrogie

Wykwintna zakąska
z dorsza

s k ł a d n i k i : 1 kg filetów z dorsza • 2 cytryny
• 1/2 kostki (12,5 dag) masła • sól • pieprz do smaku
• kieliszek białego, wytrawnego wina • łyżka posiekanych
filecików anchois lub marynowanych grzybków • szklanka
majonezu • oliwa do wysmarowania naczynia do zapiekania
• zielenina

Lekko rozmrożone filety nacieramy przyprawami,
obficie kropimy sokiem z cytryny, odstawiamy na
godzinę w chłodne miejsce. Gdy przejdą przyprawami,
układamy w wysmarowanym oliwą naczyniu do zapiekania,
obkładamy połową masła, zalewamy winem, kropimy łyżką
wody, naczynie szczelnie owijamy folią aluminiową i wstawiamy
do nagrzanego do temp. 200ºC piekarnika na 50-60 min (czas
zapiekania zależy od grubości zapiekanej warstwy). Schłodzoną potrawę
kroimy ostrym nożem, formując zgrabne porcje. Pozostałe skrawki upieczonej
ryby wraz z resztą masła, łyżeczką soku z cytryny, filecikami anchois lub posiekanymi grzybkami
rozbijamy w malakserze na gładką masę, gdy trzeba, doprawiamy do smaku (powinna być pikantna
i aromatyczna).
Ułożone na półmisku porcje filetów smarujemy masą, zalewamy majonezem i tuż przed podaniem
przybieramy zieleniną.

* o p r ó c z   c z a s u   n a   z a p i e k a n i e

liczba porcji / 8
czas przygotowania / 30 min*
stopień trudności / średniotrudne
kaloryczność / średniokaloryczne
koszt / średniodrogie

liczba porcji / **4**

czas przygotowania / **10 min**

stopień trudności / **łatwe**

kaloryczność / **średniokaloryczne**

koszt / **tanie**

Sardynki
w pikantnym sosie

s k ł a d n i k i : puszka sardynek w oliwie • liście sałaty
• zielenina

s o s : 1/2 szklanki majonezu • 2 łyżki gęstej, kwaśnej śmietany
• duża filiżanka utartego, żółtego sera • łyżeczka musztardy
delikatesowej • sól • biały pieprz

Majonez łączymy ze śmietaną, dodajemy ser, składniki
dokładnie mieszamy, doprawiamy do smaku. Sos powinien mieć wyraźny, ale delikatny smak, by nie stłumił spe-
cyficznego smaku sardynek. Na liściu sałaty układamy odsączone z oliwy sardynki, zalewamy obficie sosem, przybieramy zieleniną. Podajemy zaraz po przygotowaniu.

Sardynki dla smakoszy

s k ł a d n i k i : puszka sardynek w oliwie • liście sałaty
lub selera naciowego • zielenina • pomidor • papryka

s o s : 4 łyżki majonezu • 4 łyżki gęstej, kwaśnej śmietany
• łyżeczka musztardy • 2 jajka ugotowane na twardo • sól • pieprz

liczba porcji / **4**

czas przygotowania / **10 min**

stopień trudności / **łatwe**

kaloryczność / **średniokaloryczne**

koszt / **tanie**

Przygotowujemy sos: majonez łączymy ze śmietaną i musztardą, dodajemy najdrobniej posiekane
jajka i przyprawy. Sos powinien mieć wyraźny, lekko pikantny smak.
Na porcjowych talerzykach rozkładamy liście sałaty lub selera naciowego, na nich sardynki, które
posypujemy pokrojoną w najcieńszy „makaronik" papryką, całość polewamy sosem, przybieramy
zieleniną i cząstkami pomidora. Podajemy od razu po przygotowaniu (zakąska przetrzymana nawet przez krótki czas w chłodnym miejscu traci smak).

Sardynki
à la Hotel Grand

liczba porcji / 6

czas przygotowania / 40 min

stopień trudności / łatwe

kaloryczność / średniokaloryczne

koszt / tanie

s k ł a d n i k i : małe, młode ziemniaki (po 4 sztuki na porcję) • łyżka octu winnego wymieszanego z łyżką przegotowanej wody • sól • pieprz • szklanka majonezu • łyżka posiekanych korniszonów • 6 dużych plastrów pomidorów wykrojonych ze środka (odrzucamy czubek i spód) • puszka sardynek w oliwie • zielenina

Otarte ze skórki ziemniaki (najlepiej ostrą ściereczką) gotujemy, uważając, by się nie rozpadły, cedzimy, kroimy w cząstki jak pomarańcze, układamy w miseczce, kropimy octem winnym wymieszanym z wodą, opruszamy przyprawami, dodajemy korniszony i majonez.

Na porcjowych talerzykach rozkładamy plastry pomidora, na każdy nakładamy, w równych ilościach, sałatkę, na niej, delikatnie wciskając, odsączoną z oliwy sardynkę. Całość przybieramy zieleniną. Podajemy nie później niż 15 min po przygotowaniu.

Sałatka
z tuńczyka

s k ł a d n i k i : 2 puszki tuńczyka w zalewie • 2 duże, czubate filiżanki wypieczonego na sypko ryżu • 2 czerwone cebule • 4 dorodne pomidory (obrane ze skórki) • liście zielonej sałaty • zielenina

z a l e w a : 3 łyżki pikantnego keczupu • 2 łyżki oliwy lub oleju • sok świeżo wyciśnięty z 2 dużych cytryn (4 łyżki) • łyżeczka cukru pudru

Przygotowujemy zalewę: wszystkie składniki dokładnie mieszamy, odstawiamy na 30 min w chłodne miejsce.

Tuńczyka odsączamy na sicie. Ryż łączymy z zalewą, dokładnie mieszamy, dodajemy rozdrobnione porcje tuńczyka, najdrobniej posiekaną cebulę i pokrojone w cząstki pomidory, całość ponownie mieszamy. Sałaterkę szczelnie owijamy w folię aluminiową i wstawiamy na kilka godzin do lodówki. Sałatkę podajemy wychłodzoną, na liściach sałaty, przybraną zieleniną.

* o p r ó c z   c z a s u   n a   l e ż a k o w a n i e   z a l e w y
i   w y p i e k a n i e   r y ż u

liczba porcji / 6

czas przygotowania / 10 min*

stopień trudności / średniotrudne

kaloryczność / średniokaloryczne

koszt / średniodrogie

liczba porcji / 6
czas przygotowania / 15 min
stopień trudności / łatwe
kaloryczność / średniokaloryczne
koszt / tanie

liczba porcji / 4
czas przygotowania / 10 min
stopień trudności / łatwe
kaloryczność / niskokaloryczne
koszt / tanie

Sałatka z tuńczyka Pana Krzysia

s k ł a d n i k i : 2 małe puszki tuńczyka w zalewie • 2 kopiaste łyżki posiekanej natki pietruszki • 2 cebule • sok z cytryny • liście sałaty lub wybielonej cykorii • majonez • biały pieprz

Posiekaną cebulę polewamy wrzątkiem, hartujemy zimną wodą, odsączamy, przekładamy do salaterki, kropimy sokiem z cytryny, uważając, by nie dostały się pestki. Do cebuli dodajemy rozdrobnionego tuńczyka wraz z naturalnym sosem, zieleninę, całość doprawiamy świeżo zmielonym, białym pieprzem.
Porcje rozkładamy na liściach sałaty lub cykorii, polewamy majonezem. Podajemy 15 min po przygotowaniu.

Przekąska z tuńczyka

s k ł a d n i k i : puszka tuńczyka w zalewie • 4 liście sałaty • 4 cząstki pomidora • świeży ogórek • 4 łyżki majonezu • zielenina

Porcjowe talerzyki wykładamy liśćmi sałaty, na nich kładziemy porcje tuńczyka, każdą zalewamy łyżką majonezu, przybieramy ogórkiem, pomidorem i zieleniną. Podajemy zaraz po przygotowaniu.

Dwa w jednym, czyli cielęcina w sosie z tuńczyka

liczba porcji / 10
czas przygotowania / 20 min*
stopień trudności / średniotrudne
kaloryczność / średniokaloryczne
koszt / średniodrogie

s k ł a d n i k i : kawałek (ponad 1 kg) kulki cielęcej • sól • pieprz • oliwa i masło (pół na pół) do smażenia

s o s : 2 puszki tuńczyka w zalewie • szklanka i łyżka gęstego, pikantnego majonezu • zielenina

Cielęcinę, po dokładnym wytarciu skropioną octem ściereczką, nacieramy solą i świeżo zmielonym pieprzem, rumienimy na rozgrzanym tłuszczu ze wszystkich stron, przekładamy do brytfanny, podlewamy niewielką ilością wody i dusimy do miękkości pod przykryciem.
Rada: cielęcinę możemy upiec poprzedniego dnia i przechować w lodówce.
Przygotowujemy sos: odsączone z zalewy kawałki tuńczyka wkładamy do miksera, dodajemy majonez, rozcieramy, aż sos będzie jednolity, gładki, lekko puszysty. Można dodać trochę zimnego sosu z pieczeni cielęcej. Cienkie plastry cielęciny rozkładamy na półmisku, zalewamy sosem, półmisek szczelnie owijamy w folię aluminiową i wstawiamy na godzinę do lodówki. Przed podaniem przybieramy zieleniną i „różyczkami" z majonezu.

* oprócz czasu na pieczenie mięsa

Luksusowa zakąska z tuńczyka

s k ł a d n i k i : 10 plasterków świeżego ogórka (pokrojone w tzw. duży skos) • puszka tuńczyka w zalewie • 1/2 szklanki gęstego majonezu • 1/3 kostki (8 dag) świeżego masła • marynowane, miniaturowe grzybki (mogą być pieczarki) • natka pietruszki i miniaturowe pomidory do przybrania

Tuńczyka lekko odsączamy z zalewy. W malakserze ucieramy na puch masło, dodajemy tuńczyka, majonez, całość ucieramy na jednolitą masę, przekładamy do worka z końcówką, lekko schładzamy w lodówce. Na płaskim półmisku rozkładamy plasterki ogórka, na nich formujemy zgrabne kopczyki z tuńczykowej masy, w środek lekko wciskamy grzybek, całość przybieramy listkami pietruszki i miniaturowymi pomidorami. Podajemy zaraz po przygotowaniu.

liczba porcji / 10
czas przygotowania / 10 min
stopień trudności / łatwe
kaloryczność / średniokaloryczne
koszt / tanie

liczba porcji / 8
czas przygotowania / 25 min
stopień trudności / średniotrudne
kaloryczność / średniokaloryczne
koszt / średniodrogie

Mus z tuńczyka

s k ł a d n i k i : 2 puszki tuńczyka w zalewie • szklanka naturalnego jogurtu • szklanka śmietany kremówki • 2 łyżki posiekanych korniszonów • 2 płaskie łyżeczki żelatyny • 3 łyżki gorącego mleka • biały pieprz • sól • natka pietruszki i miniaturowe pomidory do przybrania

Żelatynę moczymy w niewielkiej ilości zimnej wody, gdy napęcznieje, dokładnie rozpuszczamy w gorącym mleku.
Tuńczyka odsączamy z zalewy, dzielimy na niewielkie kawałki. Śmietanę z dodatkiem szczypty soli ubijamy na krem, dodajemy jogurt, rozpuszczoną żelatynę, korniszony, rozdrobnionego tuńczyka, składniki dokładnie mieszamy, gdy trzeba, doprawiamy do smaku. Mus nakładamy do szklanych, porcjowych pucharków i wstawiamy do lodówki nawet na 2 godz. Podajemy przybrany listkami pietruszki i miniaturowymi pomidorami.

Tuńczyk w sosie królewskim

s k ł a d n i k i : 6 średniej wielkości filetów z tuńczyka • duży pęczek koperku (może być z łodygą) • ziarna czarnego pieprzu • szklanka białego, wytrawnego wina • 2 szklanki wody • cebula • liść laurowy

s o s : szklanka kwaśnej kremówki • 2 łyżki delikatnej musztardy • 2 winne jabłka • sok z cytryny • szczypta cukru (na czubku noża) • 2 kopiaste łyżki posiekanych piórek koperku • biały pieprz • zielenina • plasterki cytryny do przybrania

Z wina, wody, pokrojonej cebuli, koperku i przypraw gotujemy wywar (ok. 15 min), przecedzamy go. Do gorącego wywaru wkładamy filety i gotujemy na niewielkim ogniu przez 10-12 min. Ryba powinna być miękka, ale nierozgotowana. Studzimy w wywarze, w którym się gotowała.
Przygotowujemy sos: do ubitej na gęsty krem śmietany dodajemy musztardę, utarte na tarce z małymi otworami jabłka (wcześniej obrane ze skórki), sok z cytryny i świeżo zmielony, biały pieprz. Porcje zimnej ryby dokładnie odsączamy, układamy na półmisku na liściach sałaty lub plastrach pomidora, zalewamy sosem, obsypujemy zieleniną i przybieramy plasterkami cytryny. Podajemy zaraz po przygotowaniu.

liczba porcji / 6
czas przygotowania / 75 min
stopień trudności / średniotrudne
kaloryczność / średniokaloryczne
koszt / średniodrogie

Tuńczyk na groszku

liczba porcji / 6
czas przygotowania / 75 min
stopień trudności / średniotrudne
kaloryczność / średniokaloryczne
koszt / średniodrogie

s k ł a d n i k i : puszka zielonego groszku w zalewie • puszka kukurydzy • duży ząbek czosnku • 6 średniej wielkości filetów z tuńczyka • duża cytryna • kilka ziaren czarnego pieprzu • 3 ziarna ziela angielskiego • liść laurowy • kieliszek białego, wytrawnego wina • 2 szklanki wody • zielenina i piórka świeżego koperku do przybrania

s o s : szklanka majonezu • 2 łyżki śmietany • 2 jajka ugotowane na twardo • łyżeczka musztardy • sól • biały pieprz

Filety nacieramy lekko solą, odstawiamy na 10 min w chłodne miejsce. Z wody z dodatkiem wina, pokrojonej w plasterki cytryny (bez pestek), ziaren pieprzu, ziela angielskiego i liścia laurowego gotujemy wywar (ok. 15 min), cedzimy. Do gorącego kładziemy wytarte do sucha z soli filety, gotujemy w odkrytym naczyniu przez 12-15 min (ryba powinna być miękka, ale nierozgotowana). Odstawiamy do wychłodzenia.
Przygotowujemy sos: majonez łączymy ze śmietaną, musztardą i posiekanymi jajkami, dodajemy posiekany czosnek, odsączone groszek i kukurydzę, doprawiamy do smaku. Sałatkę wykładamy na półmisek. Porcje odsączonego tuńczyka kładziemy na sałatkę, każdą przybieramy piórkiem koperku, całość otaczamy zieleniną. Podajemy nie później niż 15 min po przygotowaniu.

Łosoś w łódeczce

s k ł a d n i k i : 5 świeżych, małych (do 20 cm) ogórków • 2-3 plastry wędzonego łososia • sok z 1/2 cytryny • sól • natka pietruszki • zielenina

Obrane ogórki kroimy wzdłuż na połowę, usuwamy pestki, delikatnie oprószamy solą i układamy wydrążoną stroną na tacce wyłożonej gazą lub ściereczką, tak by oddały nadmiar soku. Plastry łososia rozdrabniamy, siekając, i lekko skrapiamy sokiem z cytryny. Środki ogórkowych łódeczek wykładamy listkami zielonej pietruszki, do każdej nakładamy porcję łososia, przybieramy zieleniną. Podajemy zaraz po przygotowaniu.

liczba porcji / 10
czas przygotowania / 20 min
stopień trudności / łatwe
kaloryczność / średniokaloryczne
koszt / średniodrogie

Łosoś w majonezie

s k ł a d n i k i : 6 kawałków (dzwonek) świeżego łososia
• cebula • liść laurowy • kilka ziaren pieprzu • 2 l wody • 3 łyżki
octu winnego • łyżeczka soli • 3 czubate łyżeczki mielonej żelatyny
• 6 plasterków cytryny • 2 łyżki gęstego, dekoracyjnego majonezu
• 6 ziaren czarnego pieprzu • liście sałaty lub pokrojone na skos
plasterki świeżego ogórka

s o s : szklanka majonezu • 3 łyżki śmietany • 2 łyżki posiekanych,
marynowanych pieczarek • 2 jajka ugotowane na twardo
• 2 łyżki posiekanego koperku

Żelatynę moczymy w niewielkiej ilości zimnej wody, aż
napęcznieje. Do gorącej wody dodajemy cebulę, przyprawy, ocet winny, zagotowujemy. Do wrzątku kładziemy kawałki łososia i gotujemy przez 10 min na niewielkim ogniu w odkrytym naczyniu (ryba powinna być miękka, ale nierozgotowana), odstawiamy do wychłodzenia.

liczba porcji / 6
czas przygotowania / 60 min
stopień trudności / średniotrudne
kaloryczność / średniokaloryczne
koszt / średniodrogie

Przygotowujemy sos: majonez łączymy ze śmietaną, dodajemy drobno posiekane pieczarki, jajka i koperek, mieszamy, gdy trzeba, doprawiamy do smaku, odstawiamy w chłodne miejsce.
Zimne porcje łososia rozkładamy na półmisku na liściach sałaty lub plasterkach świeżego ogórka,
na każdej porcji kładziemy plasterek cytryny, listek pietruszki i „różyczkę" z majonezu z wciśniętym
ziarenkiem pieprzu. Cedzimy przez sito wyłożone gazą 2 szklanki wywaru, doprowadzamy do wrzenia, dodajemy żelatynę, mieszamy, aż się rozpuści. Tężącą galaretą zalewamy porcje łososia, półmisek przybieramy zieleniną, odstawiamy w chłodne miejsce.

Węgorz w galarecie

s k ł a d n i k i : 8 kawałków węgorza • cebula • marchew
• łodyga świeżego lub mrożonego koperku • liść laurowy
• kilka ziaren pieprzu • łyżeczka przyprawy typu „Jarzynka" • 3 łyżki
octu winnego • 4 przepiórcze jajeczka ugotowane na twardo • sól
• 8 piórek świeżego koperku • liście sałaty • zielenina

g a l a r e t a : 4 kopiaste łyżeczki żelatyny • 3 surowe białka
do sklarowania galarety

Cebulę, marchew, koperek, „Jarzynkę" i inne przyprawy
zagotowujemy w wodzie (6 szklanek). Do wrzątku kładziemy porcje węgorza i gotujemy na niewielkim ogniu
przez 10 min (wywar powinien tylko lekko „mrugać"),
dodajemy ocet winny i gotujemy jeszcze przez 3 min,
odstawiamy do wychłodzenia.
Przygotowujemy galaretę: żelatynę moczymy w niewielkiej ilości zimnej wody, przecedzony wywar z ryby (4 szklanki) podgrzewamy, rozprowadzamy w nim napęczniałą żelatynę, dodajemy surowe białka i, dobrze ubijając trzepaczką, doprowadzamy do zagotowania. Zestawiamy

liczba porcji / 8
czas przygotowania / 50 min
stopień trudności / średniotrudne
kaloryczność / średniokaloryczne
koszt / drogie

z ognia, po 10 min zbieramy z galarety pianę, przecedzamy przez gęste sito wyłożone gazą, nalewamy do kokilek do wysokości centymetra. Odstawiamy w chłodne miejsce. Pozostałą galaretę trzymamy w naczyniu z gorącą wodą, by nie stężała. Gdy galareta w kokilkach jest ścięta, układamy w niej
połówki jajeczek, piórka koperku, porcje węgorza, po czym zalewamy pozostałą galaretą i odstawiamy w chłodne miejsce. Przed podaniem wyjmujemy z kokilek, układamy na liściach sałaty i dekorujemy według własnych upodobań.

Węgorz po szlachecku

liczba porcji / 6
czas przygotowania / 25 min
stopień trudności / średniotrudne
kaloryczność / średniokaloryczne
koszt / drogie

s k ł a d n i k i : wędzony węgorz o wadze od 50 dag wzwyż
• 6 jajek ugotowanych na twardo • 3 przepiórcze jajeczka
ugotowane na twardo • piórka świeżego koperku

s o s : szklanka gęstej, kwaśnej śmietany • 2 łyżki łagodnego
majonezu • 2 kopiaste łyżki posiekanego w piórka koperku • sól
• świeżo zmielony biały pieprz

Węgorza dzielimy na porcje, zdejmujemy skórę, usuwamy ość grzbietową i lekko rozdrabniamy, następnie
rozkładamy na spodzie szklanych, szerokich pucharków.
Na każdej porcji układamy pokrojone wzdłuż na 6 części jajko.
Przygotowujemy sos: wszystkie składniki łączymy, lekko
ubijamy, dodajemy koperek, doprawiamy do smaku.
Rybę zalewamy sosem, wierzch przybieramy połówką
przepiórczego jajeczka i piórkami koperku. Podajemy nie
później niż 10 min po przygotowaniu.

Amur w pikantnym sosie

s k ł a d n i k i : 1 kg oczyszczonego amura (podzielonego
na porcje) • czubata łyżeczka przyprawy typu „Jarzynka” • cebula
• 2 ziarna ziela angielskiego • kilka ziaren czarnego pieprzu
• łyżka octu winnego • zielenina i pomidory do przybrania

s o s : szklanka majonezu • łyżka musztardy delikatesowej
• kieliszek białego, wytrawnego wina • 2 jajka ugotowane na twardo
• sól • pieprz

W wodzie z dodatkiem przyprawy „Jarzynka”, cebuli i pozostałych przypraw gotujemy porcje ryby przez 10-12 min.
W połowie gotowania dodajemy ocet winny. Gdy ryba
jest miękka, ale nierozgotowana, odstawiamy do wychłodzenia.
Przygotowujemy sos: żółtka ucieramy z musztardą na
gładką masę, dodajemy majonez, wino, doprawiamy do
smaku.
Dokładnie odsączone porcje ryby układamy na półmisku lub w porcjowych kokilkach, zalewamy sosem, przybieramy zieleniną i cząstkami pomidora, wierzch posypujemy drobno posiekanymi białkami.

liczba porcji / 6
czas przygotowania / 45 min
stopień trudności / średniotrudne
kaloryczność / średniokaloryczne
koszt / średniodrogie

liczba porcji / 6
czas przygotowania / 35 min
stopień trudności / **trudne**
kaloryczność / **średniokaloryczne**
koszt / **drogie**

Kawior w galarecie

s k ł a d n i k i : słoiczek czarnego kawioru • wędzony pstrąg średniej wielkości • szklanka rosołu warzywnego (może być z koncentratu) • mały kieliszek wytrawnego sherry • 2 płaskie łyżeczki żelatyny • 2 kopiaste łyżki drobno posiekanego szczypiorku • łyżka oliwy • sok z cytryny • sól • pieprz • zielenina do przybrania

Żelatynę moczymy w niewielkiej ilości zimnej wody. Gdy napęcznieje, rozpuszczamy w gorącym rosole, dodajemy sherry, szczyptę pieprzu, wlewamy po 2 łyżeczki na spód kokilek, wstawiamy do lodówki (ok. 5 min). Gdy galareta zastygnie, rozkładamy, w równych ilościach, kawior, zalewamy pozostałą galaretą, ponownie wstawiamy do lodówki.

Pstrąga obieramy bardzo dokładnie ze skóry i ości, siekamy, skrapiamy sokiem z cytryny, łączymy ze szczypiorkiem i przyprawami, lekko mieszamy, nakładamy (w kształcie kopczyka) na wystudzoną galaretę z kawiorem, przybieramy natką pietruszki.

Rada: zakąska najlepiej prezentuje się w szerokich, płaskich, szklanych pucharkach.

Jajka w złotym deszczu

s k ł a d n i k i : 10 jajek ugotowanych na twardo • 20 dag delikatnego pasztetu (z drobiu lub cielęciny) • listki selera lub natki pietruszki • 2 łyżki gęstej śmietany • sól • biały pieprz

s o s : szklanka kwaśnej kremówki • łyżka utartego chrzanu (może być ze słoika) • sok z cytryny • cukier • sól • kopiasta łyżeczka zmielonej żelatyny • 2 łyżki mleka

Jajka obieramy ze skorupek, kroimy wzdłuż na połowę, wyjmujemy żółtka, białka układamy na deseczce. Pasztet rozcieramy ze śmietaną (farsz powinien być jednolity i pulchny), gdy trzeba, lekko doprawiamy do smaku. Gotowym nadziewamy połówki jajek.

W niewielkiej ilości zimnej wody moczymy żelatynę, gdy napęcznieje, rozprowadzamy w gorącym mleku.

Przygotowujemy sos: śmietanę z dodatkiem szczypty soli ubijamy na puch, dodajemy chrzan, przechłodzoną żelatynę, sok z cytryny i, gdy trzeba, sól do smaku. Gdy sos zacznie gęstnieć, przekładamy do specjalnego woreczka z końcówką i dekoracyjnie rozkładamy na połówkach jajek. Boki płaskiego półmiska przybieramy wianuszkiem z listków selera lub natki pietruszki, układamy jajka, całość posypujemy utartymi żółtkami jak złotym deszczem. Podajemy lekko wychłodzone, nie później niż 30 min po przygotowaniu.

liczba porcji / 20
czas przygotowania / 40 min
stopień trudności / **średniotrudne**
kaloryczność / **średniokaloryczne**
koszt / **średniodrogie**

Luksusowa zakąska z jajek

liczba porcji / 12

czas przygotowania / 35 min

stopień trudności / średniotrudne

kaloryczność / średniokaloryczne

koszt / drogie

s k ł a d n i k i : 6 jajek ugotowanych na twardo
• 15 dag kiełbasy szynkowej lub innej chudej wędliny • duże jabłko
• 4 ogórki konserwowe • 4 łyżki majonezu • duży plaster
wędzonego łososia • łyżka czarnego kawioru • 2 pomidory
• łyżka łagodnej w smaku musztardy • sól • pieprz • zielenina

Jajka obieramy ze skorupek, kroimy wzdłuż na połowę.
Wędlinę, ogórki i obrane ze skórki, pozbawione gniazd
nasiennych jabłko kroimy w drobny „makaronik", łączymy z łyżką majonezu, musztardą, przyprawami. Sałatkę
wykładamy na spód półmiska, na niej układamy połówki jajek, na przemian stroną wypukłą i stroną przeciętą
do góry. Jajka, ułożone stroną wypukłą do góry, zalewamy obficie majonezem i dekorujemy paseczkami z łososia. Na jajka ułożone stroną przeciętą do góry nakładamy kopczyki kawioru. Pozostałą część łososia rozdrabniamy i rozkładamy wokół półmiska, całość przybieramy
cząstkami pomidora i zieleniną. Podajemy nie później
niż 30 min po przygotowaniu.

Jajka faszerowane w majonezie

s k ł a d n i k i : 10 jajek ugotowanych na twardo • puszka
(20 dag) pasztetu z drobiu lub królika • 3 łyżki gęstej śmietany
• 25 dag małych pieczarek • 2 czerwone cebule • 2 łyżki oliwy
• 2 łyżki keczupu • szklanka majonezu • 1/2 szklanki śmietany
• musztarda • sól • cukier • pieprz • małe liście sałaty lub selera
naciowego • pomidor • ogórek • orzechy włoskie bez łupinek

Jajka obieramy ze skorupek, kroimy wzdłuż na połowę,
wyjmujemy żółtka, białka układamy na deseczce. Drobno
posiekaną cebulę zasmażamy na oliwie, gdy się zeszkli,
dodajemy cienko pokrojone pieczarki i, często mieszając,
podsmażamy, aż puszczony przez grzyby sok wyparuje.
Odstawiamy do wychłodzenia. Pasztet rozcieramy ze
śmietaną na jednolitą masę, dodajemy zasmażone
pieczarki, przyprawy, wyrabiamy farsz (powinien być
puszysty i lekko pikantny). Gotowym napełniamy połówki
jajek („z czubkiem"), układamy na liściach sałaty lub
bezpośrednio na półmisku, na wierzchu każdego jajka
kładziemy liść selera i połówkę orzecha.
Przygotowujemy sos: majonez łączymy ze śmietaną i roztartymi żółtkami, doprawiamy, polewamy jajka z obu
stron, pozostawiając środek wolny, przybieramy cząstkami
pomidora, wachlarzykiem z ogórka i zieleniną.

liczba porcji / 20

czas przygotowania / 40 min

stopień trudności / średniotrudne

kaloryczność / średniokaloryczne

koszt / średniodrogie

liczba porcji / 12

czas przygotowania / 15 min

stopień trudności / łatwe

kaloryczność / średniokaloryczne

koszt / drogie

Jajka faszerowane luksusowe

s k ł a d n i k i : 6 jajek ugotowanych na twardo • kopiasta łyżka drobno posiekanego koperku (same piórka) • 3 łyżki majonezu • sól • pieprz • musztarda • sok z cytryny • czarny kawior • zielenina do przybrania

Obrane ze skorupek jajka kroimy wzdłuż na połowę, wyjmujemy żółtka, białka układamy na deseczce. Przygotowujemy farsz: żółtka ucieramy z majonezem, koperkiem i przyprawami. Masą, o pięknym wiosennym kolorze, nadziewamy białka w taki sposób, aby na wierzchu utworzyć zgrabny kopczyk, układamy na szklanym półmisku, delikatnie przybranym zieleniną. Na każdej porcji kładziemy grudkę kawioru. Podajemy nie później niż 15 min po przygotowaniu.

Jajka faszerowane pieczarkami

s k ł a d n i k i : 6 jajek ugotowanych na twardo • szklanka pieczarek w naturalnej zalewie • 2 łyżki drobno posiekanego szczypiorku • 2-3 pędy młodego czosnku • łyżka gęstej, kwaśnej śmietany • liście sałaty • 1/2 małej, czerwonej papryki • sól • pieprz • natka pietruszki

Obrane ze skorupek jajka kroimy wzdłuż na połowę, wyjmujemy żółtka, białka układamy na deseczce. Przygotowujemy farsz: żółtka ucieramy ze śmietaną, dodajemy odsączone, drobno posiekane pieczarki, szczypiorek, czosnek, przyprawy. Składniki wyrabiamy na jednolitą masę i delikatnie doprawiamy do smaku. Nadziewamy białka, formując zgrabne kopczyki. Porcje układamy na półmisku wyłożonym liśćmi sałaty, posypujemy papryką pokrojoną w „makaronik" i przybieramy zieleniną.

liczba porcji / 12

czas przygotowania / 20 min

stopień trudności / łatwe

kaloryczność / średniokaloryczne

koszt / tanie

liczba porcji / 6

czas przygotowania / 15 min

stopień trudności / łatwe

kaloryczność / wysokokaloryczne

koszt / drogie

Sałatka jajeczna

s k ł a d n i k i : 6 jajek ugotowanych na twardo • mała puszka zielonego groszku konserwowego • cebula • słoik pieczarek w zalewie • kopiasta łyżka posiekanego koperku • 1/2 szklanki majonezu • liście sałaty • 3 przepiórcze jajeczka ugotowane na twardo • plaster wędzonego łososia • sól • pieprz

Dokładnie odsączony groszek łączymy z majonezem, posiekanymi pieczarkami i pozostałymi, rozdrobnionymi składnikami sałatki. Delikatnie doprawiamy, by przyprawy nie przytłumiły wytwornego smaku. Szklane pucharki wykładamy liśćmi sałaty (lub inną zieleniną), nakładamy sałatkę, przybieramy połówkami przepiórczych jajeczek i paseczkami wędzonego łososia.

Jajka faszerowane rzeżuchą

s k ł a d n i k i : 5 jajek ugotowanych na twardo • kopiasta łyżka majonezu • łyżka musztardy • duża parówka lub 10 dag kiełbasy parówkowej • sól • pieprz • 2 kopiaste łyżki posiekanej rzeżuchy • marynowana papryka • młode listki rzeżuchy • gęsty majonez • liście sałaty

Obrane ze skorupek jajka kroimy wzdłuż na połowę, delikatnie wyjmujemy żółtka, białka układamy na deseczce. Drobno pokrojoną parówkę ucieramy z żółtkami, posiekaną rzeżuchą, łyżką majonezu i musztardą, dodajemy przyprawy, wyrabiamy (farsz powinien być pulchny i lekko pikantny). Nadziewamy białka, formując zgrabne kopczyki. Porcje układamy na półmisku wyłożonym liśćmi sałaty, przybieramy papryką, porcją majonezu, posypujemy rzeżuchą. Podajemy zaraz po przygotowaniu, wtedy rzeżucha nie traci świeżości i wygląda apetycznie.

liczba porcji / 10

czas przygotowania / 20 min

stopień trudności / łatwe

kaloryczność / średniokaloryczne

koszt / tanie

liczba porcji / 8
czas przygotowania / 20 min
stopień trudności / łatwe
kaloryczność / średniokaloryczne
koszt / średniodrogie

Sałatka jajeczna retro

s k ł a d n i k i : 5 jajek ugotowanych na twardo • 2 cebule
• 2 kopiaste łyżki posiekanych, marynowanych grzybków
(mogą być pieczarki) • 2 kopiaste łyżki posiekanej zieleniny
(może być kompozycja z przewagą szczypiorku) • 1/2 szklanki
majonezu • 8 plastrów gotowanej szynki • sól • pieprz

Cebule siekamy, zalewamy wrzątkiem, odsączamy na sicie, hartujemy zimną wodą. Jajka siekamy, łączymy z cebulą, grzybkami, zieleniną, majonezem, przyprawiamy
solą i pieprzem.
Na półmisku rozkładamy plastry szynki, na każdym układamy porcję sałatki, przybraną według własnych upodobań. Podajemy nie później niż 10 min po przygotowaniu.

Jajka z szynką
i chrzanem

s k ł a d n i k i : 5 jajek ugotowanych na twardo • 10 plastrów
gotowanej szynki • 3 łyżki śmietany kremówki • 3 łyżki tartego
chrzanu (może być ze słoika, ale dobrze odsączony) • cukier
• sok z cytryny • zielenina • pomidor

liczba porcji / 10
czas przygotowania / 15 min
stopień trudności / łatwe
kaloryczność / średniokaloryczne
koszt / średniodrogie

Obrane z łupinek jajka kroimy wzdłuż na połowę. Każdą połówkę zawijamy ukośnie w plaster
szynki, formując zgrabny rożek. Gotowe porcje układamy w rozetkę, wąskim końcem do środka.
Wnętrze każdego rożka napełniamy chrzanem wymieszanym ze śmietaną, doprawionym do smaku sokiem z cytryny i szczyptą cukru. Półmisek przybieramy cząstkami pomidora i zieleniną. Podajemy nie później niż 15 min po przygotowaniu.

Zakąska z jajek ze szparagami

liczba porcji / 8

czas przygotowania / 30 min

stopień trudności / łatwe

kaloryczność / średniokaloryczne

koszt / średniodrogie

s k ł a d n i k i : puszka szparagów konserwowych w zalewie
• 4 jajka ugotowane na twardo • 8 plastrów gotowanej szynki

s o s : 1/2 szklanki majonezu • 2 łyżki gęstej śmietany • 2 łyżki
drobno posiekanych, marynowanych grzybków (mogą być pieczarki)
• 2 łyżki posiekanych korniszonów • cukier • sól • biały pieprz
• musztarda • sok z cytryny • pomidor • świeża papryka
i zielenina do przybrania

Przygotowujemy sos: majonez łączymy ze śmietaną,
dodajemy pozostałe składniki i przyprawy w takiej ilości, by sos, mimo wyraźnego, pikantnego smaku, miał
lekko słodki posmak. Gotowy odstawiamy w chłodne
miejsce.
Szparagi odsączamy na sicie. Na rozłożonych plastrach
szynki układamy połówki jajek i szparagi (liczba zależy
od zawartości puszki), całość dekoracyjnie zawijamy
i układamy na półmisku, wyłożonym zieleniną. Przed
podaniem porcje zalewamy sosem i przybieramy cząstkami pomidora lub świeżej papryki oraz zieleniną.

Jajka faszerowane kremem z sardynek

s k ł a d n i k i : 5 jajek ugotowanych na twardo • puszka
sardynek w oliwie • sól • pieprz • łyżka gęstej, kwaśnej śmietany
• zielenina • plasterki cytryny • kilka przepiórczych jajeczek
ugotowanych na twardo

Obrane ze skorupek jajka kroimy wzdłuż na połowę, wyjmujemy żółtka, białka układamy na deseczce. Żółtka
i sardynki wraz z oliwą ucieramy w malakserze na jednolity krem, gdy trzeba, lekko doprawiamy do smaku.
Jeżeli masa będzie zbyt ścisła, dodajemy łyżkę gęstej,
kwaśnej śmietany. Masę nakładamy do woreczka z końcówką, napełniamy nią dekoracyjnie rozłożone na półmisku białka. Przybieramy zieleniną, plasterkami cytryny i połówkami przepiórczych jajeczek.

liczba porcji / 10

czas przygotowania / 15 min

stopień trudności / łatwe

kaloryczność / średniokaloryczne

koszt / tanie

Jajka mollet
w sałatce jarzynowej

s k ł a d n i k i : 10 jajek ugotowanych na twardo • 10 cienkich
plastrów gotowanej szynki lub parzonej polędwicy • gęsty sos
majonezowy • czerwona papryka • zielenina

s a ł a t k a : puszka zielonego groszku w zalewie • duże jabłko
• 3 jajka ugotowane na twardo • 2 cebulki • ugotowana marchew
• ugotowany korzeń pietruszki • 1/2 ugotowanego selera
• marynowana cukinia • marynowane grzybki • 2 ogórki konserwowe
• majonez • łyżeczka musztardy • sól • pieprz

Wszystkie składniki sałatki siekamy, dodajemy odsączony groszek, łączymy z majonezem wymieszanym z musztardą i przyprawiamy do smaku według własnych
upodobań.
Sałatkę dzielimy na 10 porcji, układamy na płaskim
półmisku, w każdej robimy lekkie wgłębienie. Jajka
obieramy ze skorupek, plastry szynki zwijamy w rulonik, w górną część wkładamy jajko i układamy na sałatce, porcje zalewamy gęstym majonezem. Całość
przybieramy zieleniną i kompozycją z paseczków z czerwonej papryki.

• o p r ó c z   c z a s u   n a   g o t o w a n i e   j a j e k   i   w a r z y w

liczba porcji / **10**
czas przygotowania / **30 min** •
stopień trudności / **średniotrudne**
kaloryczność / **średniokaloryczne**
koszt / **drogie**

Zakąska z jajek
z niespodzianką

s k ł a d n i k i : 10 jajek ugotowanych na twardo
• plaster (15 dag) gotowanej szynki lub innej dobrej wędliny
• 2 łyżki majonezu • 2 kopiaste łyżki koperku (tylko drobne piórka)
• 2 łyżki śmietany • łyżeczka delikatnej musztardy • sól
• biały pieprz • ziarna czarnego pieprzu lub ziela angielskiego
• zielenina do przybrania

Obrane ze skorupek jajka kroimy wzdłuż na połowę, wyjmujemy żółtka, białka układamy na deseczce.
Szynkę bardzo drobno siekamy, łączymy z majonezem,
gdy trzeba, delikatnie doprawiamy do smaku. Przygotowaną masą nadziewamy białka, wierzchy lekko wyrównujemy, obsypujemy koperkiem. Żółtka ucieramy ze
śmietaną i musztardą, gdy masa będzie jednolita, przekładamy do woreczka z końcówką i dekorujemy porcje,
w środek wkładamy ziarenko pieprzu lub ziela angielskiego. Podajemy na półmisku przybranym zieleniną.

liczba porcji / **20**
czas przygotowania / **25 min**
stopień trudności / **łatwe**
kaloryczność / **średniokaloryczne**
koszt / **średniodrogie**

Jajka
na plastrach łososia

liczba porcji / 12

czas przygotowania / 15 min

stopień trudności / łatwe

kaloryczność / średniokaloryczne

koszt / średniodrogie

s k ł a d n i k i : 6 jajek ugotowanych na twardo
• 3-4 (zależnie od wielkości) plastry wędzonego łososia
• 2 kopiaste łyżki czarnego kawioru • 2 kopiaste łyżki najdrobniej
posiekanego szczypiorku • liście sałaty • natka pietruszki

Obrane ze skorupek jajka kroimy wzdłuż na połowę. Liście sałaty kładziemy na spodeczku, podobnie plastry łososia. Na liściach sałaty układamy natkę pietruszki w taki sposób, by otoczyła wianuszkiem plaster łososia, na którym kładziemy połówkę jajka, żółtkiem do spodu. Jajka dekoracyjnie opruszamy szczypiorkiem i otaczamy dookoła kawiorem. Podajemy nie później niż 15 min po przygotowaniu.

Jajeczna awanturka

s k ł a d n i k i : 5 jajek ugotowanych na twardo
• puszka sardynek w oliwie • czerwona cebula • szczypta soli i pieprzu
• 10 okrągłych plasterków pomidora • zielenina do przybrania

Obrane ze skorupek jajka kroimy wzdłuż na połowę, wyjmujemy żółtka, białka układamy na deseczce. Sardynki rozcieramy z posiekaną cebulą, dodajemy żółtka, przyprawy, ucieramy, aż masa będzie jednolita i pulchna, przekładamy do woreczka z końcówką. Białka dekoracyjnie napełniamy, rozkładamy na plasterkach pomidora, przybieramy zieleniną. Podajemy nie później niż 15 min po przygotowaniu.

liczba porcji / 10

czas przygotowania / 15 min

stopień trudności / łatwe

kaloryczność / średniokaloryczne

koszt / tanie

liczba porcji / 12

czas przygotowania / 15 min •

stopień trudności / średniotrudne

kaloryczność / średniokaloryczne

koszt / tanie

Staropolska zakąska z jajek

s k ł a d n i k i : 6 świeżych jajek • kopiasta łyżeczka nasion kminku • kopiasta łyżeczka soli • plasterki świeżego ogórka • 1 l wody

Do wody wsypujemy sól, nasiona kminku, wkładamy jajka w skorupkach, odstawiamy w chłodne miejsce na noc. Następnego dnia gotujemy jajka w wodzie, w której się moczyły, na niewielkim ogniu przez 2 godz., odstawiamy do wychłodzenia.

Na płaskim półmisku rozkładamy skośnie pokrojone plasterki ogórka, na każdym układamy połowę obranego ze skorupki jajka (powinny mieć delikatny, kminkowy aromat i barwę kremowej śmietany).

Rada: połówki jajek można także ułożyć na cienkich plastrach salami lub okrągłych plasterkach dorodnego pomidora.

• o p r ó c z   c z a s u   n a   g o t o w a n i e   j a j e k

Jajka w galarecie

s k ł a d n i k i : 12 jajek ugotowanych na twardo • 10 szklanek chudego rosołu (może być z koncentratu) • 4 łyżki mielonej żelatyny • gruby plaster (20 dag) gotowanej szynki • 16 oliwek bez pestek lub 8 łyżeczek odsączonego, zielonego groszku konserwowego • liście sałaty • świeża rzeżucha • rzodkiewki • pomidory

Żelatynę moczymy w niewielkiej ilości zimnej wody. Gdy napęcznieje, łączymy ze szklanką wrzącego rosołu, dokładnie mieszając, aż się całkowicie rozpuści, dodajemy pozostały letni rosół i rozlewamy do kokilek na wysokość centymetra. Naczynia z galaretą odstawiamy do zastygnięcia (najlepiej na środkową półkę w lodówce). Kiedy galareta dobrze stężeje, wkładamy po 3 połówki ugotowanych jajek, żółtkami do spodu, pokrojoną w kostkę szynkę oraz połówki oliwek lub odsączony groszek. Całość zalewamy pozostałą galaretą i ponownie wstawiamy do lodówki.

Przed podaniem każdą porcję układamy na liściu sałaty, umieszczamy na płaskim półmisku, przybieramy rzeżuchą, „różyczkami" z rzodkiewek lub cząstkami pomidora.

liczba porcji / 8

czas przygotowania / 30 min

stopień trudności / średniotrudne

kaloryczność / średniokaloryczne

koszt / średniodrogie

Jajka w galarecie z kawiorem

liczba porcji / 8
czas przygotowania / 30 min
stopień trudności / średniotrudne
kaloryczność / niskokaloryczne
koszt / tanie

s k ł a d n i k i : 8 jajek ugotowanych na twardo • 2 szklanki esencjonalnego wywaru z warzyw (może być rosołek z koncentratu) • 2 płaskie łyżeczki żelatyny • cytryna pokrojona w półplasterki • listki pietruszki lub młode listki selera • 2 łyżki czarnego kawioru

Żelatynę moczymy w niewielkiej ilości zimnej wody. Gdy napęcznieje, rozprowadzamy w szklance gorącego wywaru, dokładnie mieszając, aż się całkowicie rozpuści, i łączymy z pozostałym, letnim wywarem. Na spód wąskich szklaneczek nalewamy po łyżce galarety, odstawiamy w chłodne miejsce. Kiedy zacznie tężeć, do każdej szklaneczki kładziemy obrane z łupinek jajko i ponownie odstawiamy w chłodne miejsce. Gdy jajko całkowicie zastygnie w pozycji pionowej, wlewamy do szklaneczek pozostałą galaretę, ponownie odstawiamy w chłodne miejsce. Po zastygnięciu wyrzucamy galaretę z jajkiem na talerzyk i ozdabiamy wianuszkiem z listków pietruszki lub selera. Danie otaczamy półplasterkami cytryny, na wierzchu kładziemy dużą grudkę kawioru.

Faszerowane rożki

s k ł a d n i k i : 50 dag kiełbasy szynkowej (lub mortadeli) pokrojonej w niezbyt grube plastry • łyżka masła • 2 kopiaste łyżki utartego, żółtego sera • 3 łyżki gęstej, kwaśnej śmietany • łyżka majonezu • sól • biały pieprz • mielona słodka papryka • chili • musztarda • liście sałaty lub selera naciowego • pomidor • strąk papryki • ogórek

Z pokrojonej wędliny wybieramy 10 ładnych plastrów, pozostałe siekamy i łączymy z utartym na puch masłem i pozostałymi składnikami farszu. Gdy masa stanie się puszysta i jednolita, doprawiamy – powinna być pikantna, o zdecydowanym, wyraźnym smaku. Smarujemy nią plastry wędliny, zwijamy w zgrabne rożki, układamy na liściach sałaty lub selera naciowego, przybieramy pomidorem, papryką i ogórkiem – im bardziej kolorowo, tym lepiej. Zakąskę możemy przygotować wcześniej i zalać galaretą mięsną. Możemy także podać ją z dodatkiem majonezu lub innego zimnego sosu o łagodnym smaku.

liczba porcji / 10
czas przygotowania / 20 min
stopień trudności / łatwe
kaloryczność / średniokaloryczne
koszt / tanie

liczba porcji / 10

czas przygotowania / 12 min

stopień trudności / łatwe

kaloryczność / średniokaloryczne

koszt / średniodrogie

Koreczki z salami

s k ł a d n i k i : 20 średniej grubości plasterków cienkiego salami • duży, wąski ogórek (najlepiej szklarniowy) • gęsty majonez • 5 oliwek bez pestek • piórka świeżego koperku • 2 pomidory lub pęczek rzodkiewek do dekoracji

Ze środka ogórka wykrawamy 10 krążków, nieco grubszych od plasterków salami. Wędlinę lekko smarujemy majonezem, między 2 plasterki kładziemy krążek ogórka, łączymy. Porcje układamy na płaskim półmisku, wierzch dekorujemy kopczykiem majonezu, w który lekko wciskamy połowę oliwki, i przybieramy piórkami koperku. Półmisek dekorujemy pozostałymi plasterkami ogórka i cząstkami pomidora lub różyczkami z rzodkiewek.

Salami z rzodkiewką

s k ł a d n i k i : 30 średniej grubości plasterków cienkiego salami • liście sałaty • pęczek dużych, dorodnych rzodkiewek • dwie łyżki gęstej, kwaśnej śmietany • szczypta świeżo zmielonego pieprzu • „różyczki" z małych rzodkiewek i zielenina do przybrania

liczba porcji / 10

czas przygotowania / 15 min

stopień trudności / łatwe

kaloryczność / średniokaloryczne

koszt / średniodrogie

Na jarzynowej tarce z dużymi otworami ucieramy rzodkiewki, przekładamy na gęste sito i odstawiamy do odsączenia. Na dekoracyjnie ułożonych liściach sałaty układamy po 3 plasterki salami, tworząc „kwiatek". Odsączone rzodkiewki łączymy ze śmietaną, delikatnie doprawiamy pieprzem, rozkładamy na środku ułożonego z salami „kwiatka" i przybieramy zieleniną oraz „różyczkami" z rzodkiewek. Podajemy zaraz po przygotowaniu.

Pasztet z gęsich wątróbek

liczba porcji / 25
czas przygotowania / 50 min •
stopień trudności / trudne
kaloryczność / średniokaloryczne
koszt / średniodrogie

s k ł a d n i k i : 2 gęsie wątróbki • 2 cebule • 1/2 szklanki suszonych grzybów (najlepiej kapeluszy borowików) • szklanka mleka • szklanka wody • 2 łyżki świeżego masła • tłuszcz do smażenia • sól • biały pieprz • cukier puder • mielony imbir • gałka muszkatołowa

Opłukane grzyby moczymy w mleku i odstawiamy na jeden dzień, dodajemy szklankę wody i gotujemy na niewielkim ogniu, aż zmiękną. Pokrojone cebule i wątróbki podsmażamy na tłuszczu, uważając, by się nie zrumieniły. Dokładnie odsączone grzyby i podsmażoną wątróbkę z cebulą przepuszczamy dwukrotnie przez maszynkę, następnie przecieramy przez ostre sito. Uzyskaną masę dokładnie ucieramy z masłem, przyprawiamy do smaku i układamy na szklanym półmisku. Wierzch pasztetu możemy ozdobić, wykonując dekorację nożem lub łyżeczką. Podajemy po lekkim schłodzeniu, z dodatkiem białego pieczywa.

• oprócz czasu na moczenie grzybów

Ozór wołowy w sosie cumberland

s k ł a d n i k i : duży ozór wołowy • porcja włoszczyzny • duża cebula • sól • kilka ziaren pieprzu i ziela angielskiego • liść laurowy

s o s : szklanka naturalnej galaretki porzeczkowej • 1/2 szklanki musztardy delikatesowej (najsmaczniejsza francuska) • sok świeżo wyciśnięty z 2 pomarańczy • szklanka czerwonego, wytrawnego lub półsłodkiego wina • sól • cukier

Wymyty ozór zalewamy zimną wodą i gotujemy przez 3 min w otwartym naczyniu, wodę wylewamy. Ozór zalewamy następnie gorącą wodą, dodajemy włoszczyznę, przyprawy, cebulę, gotujemy przez ok. 2 godz. (w otwartym naczyniu), aż zmięknie. Miękki wyjmujemy łyżką cedzakową, przekładamy do naczynia wypełnionego zimną wodą, po 2 min wykładamy na deskę i ściągamy skórę. Zimny kroimy bardzo ostrym, cienkim nożem w niezbyt grube plastry, układamy na półmisku, delikatnie skrapiamy rosołem, w którym się gotował, szczelnie przykrywamy (najlepiej folią aluminiową) i odstawiamy w chłodne miejsce.

liczba porcji / 16
czas przygotowania / 30 min •
stopień trudności / średniotrudne
kaloryczność / średniokaloryczne
koszt / tanie

Przygotowujemy sos: galaretkę ucieramy z musztardą na jednolitą masę, gdy składniki się połączą, dodajemy, cały czas mieszając, wino, sok z pomarańczy, gdy trzeba, całość lekko dopravieamy. Na 30 min przed podaniem porcje ozora zalewamy częścią sosu, pozostały podajemy w sosjerce. Rada: sos jest najsmaczniejszy i ma odpowiednią konsystencję, gdy uciera się go ręcznie, drewnianą pałką.

• oprócz czasu na gotowanie ozora

liczba porcji / 10
czas przygotowania / 10 min*
stopień trudności / łatwe
kaloryczność / średniokaloryczne
koszt / średniodrogie

Pieczeń wieprzowa z owocami

s k ł a d n i k i : 1 kg mięsa wieprzowego od szynki • puszka brzoskwiń • kilka bezpestkowych mandarynek (klementynki) • 3 kiwi • garść orzechów włoskich (połówki) • liście sałaty • tłuszcz do smażenia • ocet winny • ulubione przyprawy

Mięso, wytarte wilgotną ściereczką nasączoną octem, nacieramy ulubionymi przyprawami (pieprz, sól, zioła). Gdy porcja mięsa jest nieforemna, rolujemy ją i owijamy bawełnianą nicią. Obsmażamy na rozgrzanym tłuszczu, rumieniąc ze wszystkich stron, przekładamy do rondla z grubym dnem (ważne) i dusimy przez ok. godzinę, aż zmięknie. Zimną pieczeń kroimy w cienkie, zgrabne plastry, układamy dekoracyjnie na dużym półmisku, przybieramy owocami i orzechami w taki sposób, by każdy plaster był nimi nakryty. Podajemy nie później niż 15 min po przygotowaniu.

* oprócz czasu na pieczenie mięsa

Kurczak w winnej galarecie

s k ł a d n i k i : 2 filety z piersi kurczaka • porcja włoszczyzny (bez kapusty) • sól • pieprz • liść laurowy • kilka ziaren pieprzu i ziela angielskiego • duża kiść dorodnych winogron (mogą być ciemne) • 1 l wody

g a l a r e t a : 2 szklanki przecedzonego rosołu z kurczaka • 1/2 szklanki białego, wytrawnego wina • łyżka octu winnego • 2 kopiaste łyżeczki zmielonej żelatyny • listki winogron lub świeżej melisy

Mięso zalewamy wodą, gdy się zagotuje, dodajemy włoszczyznę i przyprawy, całość gotujemy, aż zmięknie. Odstawiamy do wychłodzenia.
Przygotowujemy galaretę: żelatynę moczymy w niewielkiej ilości zimnej wody, gdy napęcznieje, rozpuszczamy w 1/2 szklance wrzącego rosołu, cały czas mieszając. Dokładnie rozpuszczoną łączymy z winem, octem winnym i pozostałym, ciepłym rosołem i od razu wylewamy na spód wychłodzonej salaterki na wysokość centymetra, wstawiamy do zamrażalnika na ok. 2 min, by stężała. Na galarecie układamy (miejsce przy miejscu) winogrona, ponownie zalewamy galaretą w takiej ilości, by przykry-

liczba porcji / 12
czas przygotowania / 40 min*
stopień trudności / trudne
kaloryczność / średniokaloryczne
koszt / średniodrogie

ła dokładnie owoce, i kolejny raz wstawiamy do lodówki. Mięso kurczaka kroimy w niewielką kostkę, rozkładamy na warstwie stężonej galarety, zalewamy pozostałą galaretą i trzymamy w lodówce nawet przez kilka godzin. Podajemy pokrojoną w zgrabne romby, na okrągłym półmisku, którego brzegi otaczamy listkami winogron lub melisy, boki galarety otaczamy wianuszkiem owoców.

* oprócz czasu na gotowanie kurczaka

Piersi indyka
z sałatką owocową

liczba porcji / 6
czas przygotowania / 25 min•
stopień trudności / średniotrudne
kaloryczność / średniokaloryczne
koszt / drogie

s k ł a d n i k i : duża pierś indyka (1-1,2 kg) • sól • biały pieprz • suszona szałwia lub przyprawa Fines Herbes • puszka ananasów • 3 bezpestkowe pomarańcze • 3 banany • 3 kiwi • puszka brzoskwiń • kiść winogron • liście sałaty • majonez • tłuszcz do smażenia

Mięso nacieramy solą, świeżo zmielonym pieprzem i roztartą w dłoniach szałwią lub przyprawą Fines Herbes, odstawiamy na 15 min w chłodne miejsce. Następnie lekko obsmażamy na rozgrzanym tłuszczu, przekładamy do rondla i dusimy ok. godziny, aż zmięknie. Zimne mięso kroimy bardzo ostrym, cienkim nożem na duże plastry i układamy dekoracyjnie na obrzeżach półmiska, środek wykładamy odsączonymi plastrami ananasa, na nich rozkładamy niezbyt grubo pokrojoną sałatkę z pozostałych owoców. Plastry mięsa przybieramy małym kleksem majonezu i liściem sałaty.

* o p r ó c z   c z a s u   n a   p i e c z e n i e   m i ę s a

Filet z indyka
w pomarańczach

s k ł a d n i k i : duży filet z piersi indyka (1-1,2 kg) • liście sałaty • 3 bezpestkowe pomarańcze • 3 kiwi • szklanka niesłodzonego soku z pomarańczy (najodpowiedniejszy wyciśnięty bezpośrednio z owoców) • sól • biały pieprz • gałka muszkatołowa • oliwa lub olej do smażenia

Dokładnie wytarty wilgotną ściereczką filet nacieramy sokiem z pomarańczy i przyprawami, odstawiamy w chłodne miejsce na godzinę. Na dobrze rozgrzanym tłuszczu opiekamy mięso ze wszystkich stron, przekładamy do rondla, kropimy lekko wodą, podlewamy sokiem z pomarańczy, przykrywamy, dusimy na niewielkim ogniu. W czasie duszenia przewracamy mięso kilka razy, często podlewając wytworzonym sosem. Gdy trzeba, podlewamy na przemian wodą i sokiem z pomarańczy. Upieczony, zimny filet kroimy w cienkie plastry, układamy na wyłożonym liśćmi sałaty półmisku, przekładając każdy plaster krążkiem pomarańczy i kiwi.

* o p r ó c z   c z a s u   n a   w y c h ł o d z e n i e

liczba porcji / 4
czas przygotowania / 25 min•
stopień trudności / średniotrudne
kaloryczność / średniokaloryczne
koszt / średniodrogie

Kaczka w maladze

s k ł a d n i k i : mięsna, młoda kaczka (2-2,2 kg)
• oliwa do smażenia • podroby z kaczki • włoszczyzna (bez kapusty)
• liść laurowy • ziarna pieprzu i ziela angielskiego • 3 płaskie
łyżki mielonej żelatyny • szklanka malagi lub innego czerwonego,
półsłodkiego wina • owoce (świeże lub z kompotu)

Wymytą, wytartą do sucha, oprószoną przyprawami
kaczkę odstawiamy na 20 min w chłodne miejsce,
przekładamy do brytfanny, lekko smarujemy tłuszczem
i pieczemy, uważając, by była równomiernie zrumieniona. Z podrobów, włoszczyzny i przypraw gotujemy
smak na galaretę, dając tyle wody, by po ugotowaniu
pozostały 3 szklanki wywaru. Gorący cedzimy, łączymy z malagą i wcześniej namoczoną, rozpuszczoną na
parze żelatyną, całość lekko podgrzewamy, nie dopuszczając do zagotowania i, gdy trzeba, doprawiamy do
smaku.
Na głębokim półmisku układamy porcje pozbawionej
kości kaczki (zrumienioną skórą na wierzch), otaczamy
każdą porcję owocami, zalewamy galaretą, wstawiamy
do lodówki (nawet na kilka godzin). Przed podaniem
przybieramy półmisek świeżymi listkami melisy.

* oprócz czasu na wychłodzenie i pieczenie kaczki

liczba porcji / **6**
czas przygotowania / **30 min***
stopień trudności / **trudne**
kaloryczność / **średniokaloryczne**
koszt / **drogie**

Szynka z chrzanowym kremem

s k ł a d n i k i : 10 plastrów gotowanej szynki • szklanka
kwaśnej kremówki • łyżka tartego chrzanu • sok z cytryny
• sól • cukier • łyżeczka mielonej żelatyny • 2 łyżki mleka
• 5 przepiórczych jajeczek ugotowanych na twardo • pomidor
• świeży ogórek • zielenina

Żelatynę moczymy w niewielkiej ilości zimnej wody.
Gdy napęcznieje, rozprowadzamy we wrzącym mleku.
Śmietanę z dodatkiem szczypty soli ubijamy na puch,
dodajemy chrzan, przyprawy, rozpuszczoną żelatynę,
składniki delikatnie i dokładnie łączymy. Z plastrów
szynki formujemy zgrabne rożki, napełniamy kremem,
układamy na okrągłym półmisku wąską częścią do środka i odstawiamy w chłodne miejsce, by krem stężał.
Przed podaniem przybieramy połówkami przepiórczych
jajeczek, cząstkami pomidora, plasterkami ogórka i zieleniną.

liczba porcji / **10**
czas przygotowania / **25 min**
stopień trudności / **łatwe**
kaloryczność / **średniokaloryczne**
koszt / **średniodrogie**

Rulony z szynki
z musem z awokado

s k ł a d n i k i : 12 niezbyt grubych plastrów gotowanej
szynki • 6 jajek ugotowanych na twardo • owoc awokado • cebula
(najlepiej czerwona) • kopiasta łyżka majonezu • łyżka soku
z cytryny • kopiasta łyżka drobno utartego żółtego sera • pieprz
cayenne • liście sałaty • zielenina do przybrania

Ugotowane na twardo jajka kroimy wzdłuż na połowę,
wyjmujemy żółtka, rozcieramy je z drobno posiekaną cebulą, miąższem awokado, serem i szczyptą pieprzu. Gdy
mus będzie jednolity i puszysty, dodajemy majonez. Całość powinna mieć lekko pikantny smak. Masą napełniamy białka, formując zgrabne kopczyki. Każdą połówkę
owijamy plastrem szynki, układamy na przybranym liśćmi sałaty półmisku, dekorujemy zieleniną.

Szynka
z płonącymi owocami

s k ł a d n i k i : 6 plastrów gotowanej szynki • 3 duże banany • 3 duże brzoskwinie • 12 dużych śliwek węgierek
• płaska łyżka masła • kieliszek koniaku, brandy lub spirytusu • łyżeczka cukru • 2 kiwi • garść sparzonych, obranych
ze skórki migdałów • liście sałaty

Na dużej, płaskiej patelni rozpuszczamy, dokładnie mieszając, masło i cukier. Gdy się roztopią, wkładamy przygotowane owoce, lekko skrapiamy wodą (2 łyżki) i podgrzewamy na niewielkim ogniu, by
zmiękły, ale nie zmieniły kształtu i nie wyparował z nich smakowity sok. Odstawiamy do wychłodzenia.
Na płaskim półmisku rozkładamy liście sałaty, na nich kładziemy plastry szynki, a wolne miejsca
między porcjami wypełniamy plasterkami kiwi z lekko wciśniętymi migdałami. Miękkie owoce rozkładamy, w równych ilościach, na plastrach szynki, polewamy każdą porcję koniakiem lub spirytusem, zapalamy i natychmiast podajemy.

liczba porcji / 12
czas przygotowania / 20 min
stopień trudności / łatwe
kaloryczność / niskokaloryczne
koszt / średniodrogie

liczba porcji / 6
czas przygotowania / 20 min
stopień trudności / łatwe
kaloryczność / średniokaloryczne
koszt / średniodrogie

liczba porcji / 6
czas przygotowania / 10 min
stopień trudności / łatwe
kaloryczność / średniokaloryczne
koszt / tanie

Szynka zawijana z żółtym serem

s k ł a d n i k i : 6 prostokątnych plasterków żółtego sera
• 6 plastrów gotowanej szynki • łyżeczka łagodnej musztardy
• kiwi • gęsty majonez • świeże zioła • liście sałaty

Plastry szynki smarujemy cienko musztardą, na środek kładziemy ser, zwijamy w kopertę, każdą porcję układamy na liściu sałaty, miejscem złożenia do spodu. Wierzchy porcji smarujemy dekoracyjnie majonezem, na nim układamy skośnie pokrojone plasterki kiwi, całość delikatnie posypujemy świeżymi ziołami. Zakąskę przygotowujemy tuż przed podaniem.

Szynka zawijana ze szparagami

s k ł a d n i k i : duża puszka szparagów w zalewie
• 20 dag pasztetu z drobiu lub cielęciny • łyżka oliwy z oliwek
• czerwona cebula • ogórek konserwowy • kilka marynowanych grzybków (mogą być pieczarki) • sól • biały pieprz • liście sałaty
• ogórek • pomidor • natka pietruszki

liczba porcji / 10
czas przygotowania / 20 min
stopień trudności / łatwe
kaloryczność / średniokaloryczne
koszt / średniodrogie

Szparagi odsączamy z zalewy, lekko obsuszamy. Do pasztetu dodajemy oliwę, najdrobniej posiekane cebulę, grzybki i ogórek, składniki mieszamy, całość doprawiamy do smaku. Masę rozsmarowujemy, w równych ilościach, na plastrach szynki, na każdej porcji kładziemy szparagi (liczba zależy od zawartości puszki) i zwijamy. Porcje układamy na półmisku wyłożonym liśćmi sałaty, przybieramy natką pietruszki, cząstkami pomidora i ogórka.

Szynka
z sosem cumberland

liczba porcji / 10
czas przygotowania / 15 min
stopień trudności / średniotrudne
kaloryczność / średniokaloryczne
koszt / średniodrogie

s k ł a d n i k i : 10 plastrów chudej, gotowanej szynki
• 5 dużych, dojrzałych bananów • łyżka delikatnej w smaku
musztardy

s o s : 1/2 szklanki naturalnej galaretki porzeczkowej
• 2 łyżki tartego chrzanu • 2 łyżki koniaku lub winiaku • sok z cytryny
• biały pieprz • mała kiść ciemnych winogron • zielenina

Plastry szynki smarujemy cienko musztardą, w każdy
zawijamy połowę banana, tworząc zgrabny rożek,
i układamy na okrągłym półmisku (węższym końcem
do środka).
Przygotowujemy sos: galaretkę rozcieramy drewnianą
pałką, łączymy z pozostałymi składnikami, gdy trzeba,
doprawiamy do smaku szczyptą soli i cukru pudru. Gotowym sosem zalewamy, rozpoczynając od środka półmiska, porcje szynki, przybieramy winogronami i zieleniną. Podajemy zaraz po przygotowaniu.

Szynka
na sposób szlachecki

s k ł a d n i k i : 10 cienkich plastrów gotowanej szynki
z tłuszczykiem

f a r s z : 20 dag pasztetu z drobiu lub królika • 10 dag świeżego
masła • 10 dag pieczarek (ugotowanych lub w naturalnej zalewie)
• kieliszek malagi • szklanka kremówki • sól • biały pieprz
• 2 szklanki galarety do zalania przekąski • zielenina

Pieczarki rozdrabniamy w malakserze lub, posiekane,
przecieramy przez ostre sito, łączymy z pasztetem i masłem. Masa powinna być jednolita i pulchna. Dodajemy
(w niewielkich ilościach) sól i pieprz, łączymy z malagą
oraz ubitą na ścisłą pianę śmietaną. Masę odstawiamy
na 10 min w chłodne miejsce.
Plastry szynki rozkładamy na desce, farsz dzielimy na
równe części, każdą z nich nakładamy na połowę plastra
szynki, przykrywamy drugą połową, lekko dociskamy boki, by powstał zgrabny pierożek, i układamy na półmisku. Całość zalewamy ścinającą się galaretą, wstawiamy
do lodówki. Przed podaniem przybieramy zieleniną.

liczba porcji / 10
czas przygotowania / 30 min
stopień trudności / łatwe
kaloryczność / średniokaloryczne
koszt / średniodrogie

liczba porcji / 10

czas przygotowania / 30 min

stopień trudności / średniotrudne

kaloryczność / średniokaloryczne

koszt / średniodrogie

Szynka z musem ananasowym

s k ł a d n i k i : 10 plastrów chudej, gotowanej szynki • puszka ananasów w plastrach • kopiasta łyżeczka żelatyny • kieliszek koniaku lub winiaku • 2-3 szklanki galarety mięsnej (ilość zależy od głębokości półmiska) • zielenina

Żelatynę moczymy w niewielkiej ilości zimnej wody, gdy napęcznieje, dodajemy 3 łyżki gorącego soku z ananasów i dokładnie mieszamy, by się całkowicie rozpuściła. W malakserze rozbijamy na mus 8 plastrów ananasa, dodajemy koniak, rozpuszczoną żelatynę, dokładnie mieszamy. Mus, w równych ilościach, rozkładamy na plastrach szynki, zwijamy w zgrabne rożki. Porcje układamy na okrągłym półmisku, węższym końcem do środka, na środku kładziemy krążek ananasa, pozostały kroimy na części i układamy je dekoracyjnie między porcjami. Całość zalewamy dwu- lub trzykrotnie galaretą, by porcje szynki były równomiernie przykryte, stawiamy w chłodnym miejscu, aż stężeje. Przed podaniem przybieramy zieleniną.

liczba porcji / 10

czas przygotowania / 30 min

stopień trudności / łatwe

kaloryczność / średniokaloryczne

koszt / średniodrogie

Szynka po królewsku w galarecie

s k ł a d n i k i : 10 plastrów gotowanej szynki z tłuszczykiem • 20 dag pasztetu z drobiu lub królika • 1/2 kostki (12,5 dag) masła • szklanka kwaśnej kremówki • kieliszek koniaku lub winiaku • sól • biały pieprz • pieprz cayenne • 2-3 szklanki (ilość zależy od głębokości półmiska) galarety mięsnej • zielenina i małe cząstki pomidora do przybrania półmiska

Masło i pasztet rozbijamy w malakserze na jednolitą masę, dodajemy śmietanę ubitą z dodatkiem szczypty soli na bardzo gęsty puch, składniki łączymy, dodajemy koniak, całość delikatnie doprawiamy do smaku. Na rozłożone plastry szynki nakładamy, w równych ilościach, przygotowany krem, ruloniki zwijamy i układamy w dekoracyjny sposób na półmisku. Między porcjami kładziemy cząstki pomidora i zieleninę. Całość zalewamy dwu- lub trzykrotnie galaretą w taki sposób, by porcje były okryte równą warstwą, trzymamy w lodówce, aż stężeje.

Rulony z szynki
z musem jabłkowym

liczba porcji / 12
czas przygotowania / 20 min
stopień trudności / łatwe
kaloryczność / średniokaloryczne
koszt / średniodrogie

s k ł a d n i k i : 10 plastrów chudej, gotowanej szynki
• 1/2 szklanki musu jabłkowego • 1/2 szklanki bardzo gęstego
majonezu • sól • cukier puder • biały pieprz • łyżeczka łagodnej
musztardy • liście sałaty • cząstki pomarańczy • połówki
marynowanych gruszek • marynowane śliwki • brzoskwinie
z kompotu • gęsty majonez oraz liście selera naciowego
do przybrania

Mus jabłkowy łączymy z majonezem, musztardą, cukrem
pudrem, solą i pieprzem. Plastry szynki smarujemy przygotowaną masą, zwijamy w ruloniki, układamy na liściach sałaty. Wierzch każdej porcji przybieramy dekoracyjnie majonezem, a pomiędzy nimi rozkładamy owoce
oraz liście selera naciowego.

Bliny mojej Babci

s k ł a d n i k i : szklanka mąki gryczanej (zamiast mąki można
zmielić w młynku odpowiednią ilość kaszy gryczanej) • szklanka mąki
tortowej • 5 dag drożdży • szklanka ciepłego mleka • 1/2 szklanki
ciepłej wody • 2 żółtka • 2 łyżki stopionego masła • sól
• 1/2 łyżeczki cukru • masło i oliwa (pół na pół) do smażenia

Do miseczki wkładamy drożdże, cukier, dodajemy ciepłe mleko, mieszamy, odstawiamy do wyrośnięcia. Gdy
masa podwoi objętość, dodajemy żółtka, obie mąki, wodę i wyrabiamy ciasto (najłatwiej robotem) na jednolitą
masę. Pod koniec dodajemy sól i roztopione, letnie masło, składniki łączymy, całość odstawiamy do wyrośnięcia w cieple, pozbawione przewiewów miejsce.
Na patelni rozgrzewamy tłuszcz, nakładamy ciasto. Gdy
przy brzegach smażonych blinów pokażą się pęcherzyki, odwracamy każdy na drugą stronę i delikatnie rumienimy. Gotowe przekładamy na wygrzany talerz, ustawiony na naczyniu z gorącą wodą i trzymamy pod przykryciem.
Zakąska podana z dodatkiem czarnego lub czerwonego
kawioru, z paseczkami wędzonego łososia lub z gęstą,
kwaśną śmietaną uznawana jest przez smakoszy za naj-
wykwintniejszą i najsmaczniejszą. Bliny po staropolsku
podawano ze smażonymi borówkami lub cebulką zasmażoną ze skwarkami ze słoninki.

liczba porcji / 12
czas przygotowania / 50 min
stopień trudności / średniotrudne
kaloryczność / średniokaloryczne
koszt / średniodrogie

liczba porcji / 6

czas przygotowania / 40 min•

stopień trudności / średniotrudne

kaloryczność / średniokaloryczne

koszt / tanie

Borowiki na grzance

s k ł a d n i k i : 6 dorodnych, dużych, suszonych kapeluszy borowików • 6 kromek tostowego chleba • 1/2 szklanki mleka • 1/2 szklanki wody • sól • pieprz • mąka krupczatka • jajko • tarta bułka • olej i smalec (pół na pół) do smażenia

W wodzie pół na pół z mlekiem moczymy, wcześniej opłukane, kapelusze borowików. Po kilku godzinach gotujemy na niewielkim ogniu do miękkości w wodzie, w której się moczyły. W czasie gotowania lekko solimy. Ciepłe wykładamy na dużą deskę, przyciskamy drugą deską, lekko obciążamy i trzymamy w chłodnym miejscu nawet przez kilka godzin.

Na 30 min przed podaniem zakąski kapelusze oprószamy solą, pieprzem i mąką krupczatką, panierujemy w roztrzepanym jajku i tartej bułce, smażymy na gorącym, tzw. głębokim tłuszczu, rumieniąc z obu stron. Usmażone układamy na zrumienionych kromkach tostowego chleba, na wygrzanych, porcjowych talerzykach.

• o p r ó c z   c z a s u   n a   m o c z e n i e   g r z y b ó w

Grzybowe racuszki

s k ł a d n i k i : 10 średniej wielkości kapeluszy świeżych, leśnych grzybów lub 50 dag pieczarek • cebula • olej i smalec (pół na pół) do smażenia • liście sałaty • czerwona papryka • zielenina

c i a s t o : szklanka mąki tortowej • szklanka naturalnego jogurtu • szklanka kefiru (mogą być 2 szklanki kefiru, ale z jogurtem ciasto będzie smaczniejsze) • 2 jajka • łyżka oleju • cukier • sól • pieprz

Przygotowujemy ciasto: jogurt łączymy z kefirem i żółtkami, dodajemy olej, przyprawy, mieszamy, dodajemy mąkę, wyrabiamy ciasto, odstawiamy.

Oczyszczone grzyby kroimy w cienkie paski, cebulę siekamy, zasmażamy razem, gdy się lekko zrumienią, rozbijamy w malakserze na gładką masę, odstawiamy do wychłodzenia. W głębokiej patelni rozgrzewamy tłuszcz. Do ciasta dodajemy grzybową masę, lekko mieszamy, dodajemy pianę ubitą z białek i, średniej wielkości metalową łyżką, wrzucamy na tłuszcz małe porcje ciasta, rumieniąc z obu stron. Po odsączeniu z nadmiaru tłuszczu układamy na półmisku przybranym zieleniną. Podajemy bardzo gorące.

liczba porcji / 16

czas przygotowania / 45 min

stopień trudności / średniotrudne

kaloryczność / średniokaloryczne

koszt / średniodrogie

Camembert z ananasem

liczba porcji /4
czas przygotowania / 20 min
stopień trudności / łatwe
kaloryczność / średniokaloryczne
koszt / średniodrogie

s k ł a d n i k i : 2 serki camembert • 4 krążki ananasów
z puszki • kiść dorodnych winogron (mogą być ciemne) • 2 żółtka
• tarta bułka wymieszana z mielonymi orzechami włoskimi
(pół na pół) do panierowania • olej • listki winogron

Serki kroimy w poprzek na połowę, obtaczamy w roztrzepanych widelcem żółtkach (gdy są zbyt gęste, można dodać łyżeczkę śmietanki), panierujemy w tartej bułce z orzechami, smażymy na gorącym tłuszczu, rumieniąc z obu stron.
Na wyłożonych listkami winogron talerzykach układamy
usmażone porcje, na wierzchu kładziemy krążek ananasa, w jego środek dorodne winogrono, boki zakąski otaczamy winogronami. Podajemy gorące.

Pieczone kanie

s k ł a d n i k i : 4 kapelusze kani • oliwa lub masło • liście
sałaty • sól

m a s ł o   p i e t r u s z k o w e : 1/2 kostki (12,5 dag)
masła • 2 kopiaste łyżki natki pietruszki • łyżeczka soku z cytryny

Oczyszczone kapelusze kani smarujemy dość obficie (z obu
stron) oliwą lub roztopionym masłem, układamy na wysmarowanej oliwą blasze, wstawiamy do nagrzanego do
temp. 200ºC piekarnika na 12-15 min. Zrumienione grzyby lekko oprószamy solą, układamy na liściach sałaty, wgłębieniem do góry.
Przygotowujemy masło pietruszkowe: masło rozcieramy
na puch, łączymy z zieleniną, dodajemy sok z cytryny,
odstawiamy w chłodne miejsce.
Porcje kani napełniamy masłem pietruszkowym. Podajemy bardzo gorące, na wygrzanych talerzach.

liczba porcji / 4
czas przygotowania / 20 min
stopień trudności / łatwe
kaloryczność / średniokaloryczne
koszt / średniodrogie

Rybne szaszłyczki

s k ł a d n i k i : 50 dag średniej wielkości, w miarę równych pieczarek • 3 duże, najlepiej podłużne cebule • 50 dag filetów z dorsza (najodpowiedniejszy świeży) • 20 dag chudego, wędzonego boczku pokrojonego w cienkie plasterki • sól • pieprz • przyprawa do ryb • olej • liście sałaty • cząstki pomidora • natka pietruszki • sok z 1/2 cytryny

Filety skrapiamy sokiem z cytryny, oprószamy przyprawą do ryb, odstawiamy w chłodne miejsce. Z umytych, osuszonych pieczarek wycinamy trzony, cebulę kroimy w niezbyt grube krążki. Filety lekko obsuszamy, kroimy w kostkę nieco mniejszą od pieczarek. Na rożenki nadziewamy w równych ilościach kapelusze pieczarek, cebulę, boczek, kawałki ryby. Tak przygotowane, oprószamy przyprawami i odstawiamy w chłodne miejsce. Na 20 min przed podaniem szaszłyczki obficie smarujemy olejem i smażymy na ruszcie ogrodowym lub elektrycznym albo na dużej patelni. Podajemy gorące, ułożone na liściach sałaty, przybrane cząstkami pomidora i natką pietruszki.

* o p r ó c z   c z a s u   n a   s m a ż e n i e

liczba porcji / 6
czas przygotowania / 40 min•
stopień trudności / łatwe
kaloryczność / średniokaloryczne
koszt / średniodrogie

liczba porcji / 6
czas przygotowania / 25 min•
stopień trudności / średniotrudne
kaloryczność / średniokaloryczne
koszt / średniodrogie

Zapiekanka bałtycka

s k ł a d n i k i : 6 średniej wielkości filetów z dorsza • plasterki chudego, surowego boczku do wyłożenia spodu i boków naczynia do zapiekania • 2 cebule • 2 ząbki czosnku • majeranek • pieprz • sól • olej • liście sałaty • zielenina

Formę do zapiekania smarujemy olejem, wykładamy dokładnie plasterkami boczku, posypujemy pieprzem, solą i majerankiem. Na boczku rozkładamy cienkie krążki cebuli, posypujemy drobno posiekanym czosnkiem i niewielką ilością przypraw. Na wierzchu układamy lekko obsuszone filety, smarujemy obficie olejem, posypujemy przyprawami. Całość wstawiamy do nagrzanego piekarnika i zapiekamy w temp. 220ºC przez 40-45 min. Czas zapiekania zależy od wielkości filetów i grubości plastrów boczku i może być nieco dłuższy. Gotowe porcje rozkładamy na talerzach wyłożonych liśćmi sałaty, posypujemy zieleniną.

* o p r ó c z   c z a s u   n a   z a p i e k a n i e

Dorsz z sosem
z oliwek

s k ł a d n i k i : 6 niewielkich filetów z dorsza • duża cytryna
• kopiasta łyżka mąki krupczatki wymieszanej z solą i pieprzem
lub z przyprawą do ryb • olej do smażenia • liście sałaty
• natka pietruszki

s o s : słoik oliwek nadziewanych papryką • 2 duże cebule
• 2 łyżki koncentratu pomidorowego • 3 łyżki wody • łyżka keczupu
• sól • pieprz • słodka papryka

Filety skrapiamy sokiem z cytryny, odstawiamy w chłodne
miejsce na 10 min.
Przygotowujemy sos: na oleju podsmażamy drobno posiekaną cebulę, gdy się zeszkli, dodajemy koncentrat wymieszany z wodą, keczup, przyprawy, zagotowujemy
i trzymamy przez kilka minut na niewielkim ogniu, aż cebula się upruży. Zdejmujemy z ognia, dodajemy odsączone z zalewy, pokrojone w cienkie plasterki oliwki, mieszamy, przykrywamy, odstawiamy w ciepłe miejsce (sosu z oliwkami nie można zagotować!). Lekko obsuszone
filety panierujemy w mące z przyprawami i smażymy na
gorącym, tzw. głębokim tłuszczu, rumieniąc z obu stron.
Gotowe układamy na liściach sałaty, polewamy gorącym
sosem, posypujemy zieleniną i natychmiast podajemy.

liczba porcji / 6
czas przygotowania / 50 min
stopień trudności / średniotrudne
kaloryczność / średniokaloryczne
koszt / średniodrogie

Luksusowa zakąska
z dorsza

s k ł a d n i k i : 6 filetów z dorsza • 30 dag wędzonego,
chudego boczku • 4 łyżki oleju • sok z cytryny • łyżka mąki
krupczatki wymieszanej z łyżeczką przyprawy do ryb
• 30 dag pieczarek albo kapeluszy świeżych, leśnych grzybów
• olej do smażenia • plasterki cytryny • natka pietruszki

Filety skrapiamy sokiem z cytryny, odstawiamy w chłodne miejsce na 10 min. Na rozgrzanym oleju smażymy
drobno pokrojony boczek – skwarki powinny być zrumienione, delikatne i kruche. Wyjmujemy je łyżką cedzakową, przekładamy do rondelka, trzymamy w cieple.
Obsuszone filety panierujemy w mące z przyprawami
i smażymy na rozgrzanym oleju. Następnie przekładamy do wygrzanego naczynia, przykrywamy, trzymamy
w cieple.
Na pozostałym ze smażenia tłuszczu (gdy trzeba, dolewamy oleju) smażymy, często mieszając, pokrojone
w cienkie paseczki grzyby tak długo, aż wyparuje z nich
cały sok. Na podgrzanych talerzykach układamy porcję
ryby, otaczamy grzybami, posypujemy skwarkami i ozdabiamy plasterkiem cytryny. Podajemy gorące.

liczba porcji / 6
czas przygotowania / 45 min
stopień trudności / łatwe
kaloryczność / średniokaloryczne
koszt / średniodrogie

liczba porcji / 6

czas przygotowania / 50 min

stopień trudności / łatwe

kaloryczność / średniokaloryczne

koszt / średniodrogie

Filet rybny
na grzance

s k ł a d n i k i : 6 niewielkich filetów z dorsza • łyżka mąki
krupczatki wymieszanej z łyżeczką przyprawy do ryb • sok
z 1/2 cytryny • ogórki • pomidory • koperek • 6 okrągłych kromek
bułki paryskiej • jajko • 2 łyżki mleka • sól • pieprz
• szczypta słodkiej papryki • tarta bułka • olej do smażenia

Filety skrapiamy sokiem z cytryny, przykrywamy,
odstawiamy na 10 min w chłodne miejsce. Po
tym czasie lekko je obsuszamy, panierujemy
w mące z przyprawą do ryb i smażymy na bardzo gorącym tłuszczu, rumieniąc z obu stron.
Usmażone przykrywamy, trzymamy w cieple.
Jajko łączymy z mlekiem i przyprawami, moczymy w nim kromki bułki, następnie panierujemy
je w tartej bułce i smażymy na gorącym tłuszczu.
Grzanki układamy na liściach sałaty, na nich porcje
ryby. Całość przybieramy plasterkami ogórka i cząstkami pomidora oraz koperkiem.

Dorsz z migdałami

s k ł a d n i k i : 6 średniej wielkości filetów ze świeżego dorsza
• sok z dużej cytryny • sól • pieprz • kieliszek białego, wytrawnego
wina • 1/2 szklanki sparzonych, obranych z łupinek, niezbyt drobno
posiekanych migdałów • 3 łyżki mąki krupczatki • 1/2 szklanki
oleju • 1/2 kostki (12,5 dag) masła • 6 dużych plasterków cytryny
• zielenina

Umyte, pozbawione wewnętrznych ciemnych błon i dokładnie obsuszone filety skrapiamy sokiem z cytryny, odstawiamy na 10 min w chłodne miejsce. Mąkę mieszamy z przyprawami, obtaczamy w niej filety i natychmiast
smażymy na dobrze rozgrzanym tłuszczu (podczas smażenia powinny w tłuszczu lekko pływać). Zrumienione
z obu stron przekładamy do rondla, zalewamy winem,
przykrywamy i trzymamy na najmniejszym ogniu lub
w piekarniku (powinny być gorące).
Na rozgrzane masło sypiemy przygotowane migdały i,
cały czas lekko mieszając, rumienimy na złoty kolor. Nasączone winem, gorące filety wykładamy na wygrzany
półmisek, polewamy zasmażonymi migdałami, każdy
przybieramy plasterkiem cytryny i obficie posypujemy
zieleniną. Podajemy zaraz po przygotowaniu.

liczba porcji / 6

czas przygotowania / 35 min

stopień trudności / średniotrudne

kaloryczność / średniokaloryczne

koszt / średniodrogie

Szczupak
w czerwonym winie

s k ł a d n i k i : 6 filetów ze szczupaka • kopiasta łyżka mąki krupczatki do panierowania • sól • pieprz • olej i masło (pół na pół) do smażenia

s o s : szklanka czerwonego, wytrawnego wina • 2 łyżki cukru • 2 kopiaste łyżki rodzynek • łyżeczka mąki ziemniaczanej • goździk • szczypta cynamonu • cieniutka skórka obrana z cytryny • łyżka naturalnej galaretki porzeczkowej lub 2 łyżki soku wyciśniętego ze świeżych porzeczek

Ze szczupaka odcinamy łeb, płetwy, ogon, ość grzbietową i, jeśli to możliwe, wszystkie, najmniejsze nawet ości. Rybę oprószamy niewielką ilością soli i pieprzu, obtaczamy w mące (nadmiar mąki strząsamy), trzymamy pod przykryciem w chłodnym miejscu.
Przygotowujemy sos: wino zagotowujemy z goździkiem, cukrem i przyprawami, trzymamy przez 3 min na ogniu, by nabrało aromatu, cedzimy przez gęste sito wyłożone gazą. Do wina dodajemy galaretkę lub sok z porzeczek, łączymy z mąką ziemniaczaną wymieszaną z 2 łyżkami wody, zagotowujemy. Gdy sos zgęstnieje i stanie się szklisty, wrzucamy wypłukane rodzynki.
Na rozgrzanym tłuszczu smażymy porcje szczupaka, rumieniąc z obu stron. Przekładamy na wygrzany półmisek, polewamy sosem.

liczba porcji / 6
czas przygotowania / 60 min
stopień trudności / średniotrudne
kaloryczność / średniokaloryczne
koszt / drogie

Sandacz
w jabłkowym sosie

s k ł a d n i k i : 6 filetów z sandacza • sól • pieprz • mąka krupczatka do panierowana • olej i masło (pół na pół) do smażenia

s o s : szklanka białego, wytrawnego wina • 2 duże, winne jabłka • 3 płaskie łyżki cukru • łyżka świeżego masła • skórka otarta z dużej cytryny • łyżeczka mąki ziemniaczanej • szczypta cynamonu • sok z cytryny

Przygotowujemy sos: obrane ze skórki jabłka ucieramy na jarzynowej tarce z dużymi otworami i natychmiast wkładamy do rondelka z rozpuszczonym masłem, mieszamy, oprószamy cukrem i smażymy, często mieszając. Gdy się zeszklą i nabiorą złocistego koloru (po 3-4 min), łączymy je z winem, skórką z cytryny i cynamonem, zagotowujemy, dodajemy rozpuszczoną w 2 łyżkach zimnej wody mąkę ziemniaczaną, ponownie zagotowujemy, doprawiamy do smaku sokiem z cytryny lub szczyptą cukru.
Filety smażymy na dobrze rozgrzanym tłuszczu, rumieniąc po 5 min każdą ze stron. Ryba powinna być doskonale zrumieniona, ale niespieczona. Gotową wykładamy na wygrzany półmisek, przybrany kompozycją z krążków jabłka i plasterków cytryny, polewamy gorącym sosem i podajemy zaraz po przygotowaniu. Zakąska gorąca smakuje najlepiej.

liczba porcji / 6
czas przygotowania / 40 min
stopień trudności / średniotrudne
kaloryczność / średniokaloryczne
koszt / drogie

liczba porcji / 1
czas przygotowania / 8 min •
stopień trudności / łatwe
kaloryczność / średniokaloryczne
koszt / średniodrogie

Pstrąg z masłem pietruszkowym

s k ł a d n i k i : dorodny, wypatroszony, świeży pstrąg
o wadze ok. 30 dag (na 1 porcję) • masło pietruszkowe
do wysmarowania folii • sól • pieprz • duża gałązka natki pietruszki

m a s ł o : czubata łyżeczka świeżego masła • łyżeczka drobno
posiekanej natki pietruszki • sól • pieprz • 3 krople sosu worcester
• obrana ze skórki i białych błon średniej wielkości cytryna

Pstrąga, po dokładnym opłukaniu pod bieżącą wodą,
suszymy na ściereczce i nacieramy wewnątrz solą i pieprzem. Do środka wkładamy gałązkę pietruszki i układamy na wysmarowanej masłem pietruszkowym, mocnej
folii. Wierzch ryby oprószamy niewielką ilością soli i pieprzu oraz obkładamy plasterkami cytryny. Folię dokładnie zawijamy i wsuwamy do nagrzanego do temp.
220ºC piekarnika na 25-30 min. Czas zapiekania zależy
od wielkości ryby. Pstrąga podajemy na wygrzanym półmisku, koniecznie z dodatkiem białego pieczywa. Danie
polewamy wytworzonym podczas pieczenia sosem.

• oprócz czasu na zapiekanie

Zapiekany węgorz

s k ł a d n i k i : 6 kawałków surowego węgorza • 6 plastrów
wędzonego, niezbyt tłustego boczku • 2 łyżki oleju • sól i pieprz
(lub specjalna przyprawa do ryb) • duży pęczek świeżego koperku
• 2 łyżki oleju do podsmażenia cebuli • łyżka masła • 2 duże cebule
• 10 dużych pieczarek lub kapeluszy świeżych, szlachetnych
grzybów • liście sałaty • zielenina

W brytfannie rozgrzewamy olej, podsmażamy na nim
plasterki boczku, odwracamy na drugą stronę. Na każdym plasterku układamy porcję węgorza posypaną przyprawami, na wierzchu kładziemy cały, związany pęczek
koperku, brytfannę przykrywamy i wstawiamy na 20 min
do nagrzanego do temp. 220ºC piekarnika.
Na patelni rozgrzewamy olej i masło, podsmażamy pokrojoną cebulę, gdy się zeszkli, dodajemy rozdrobnione
pieczarki. Gdy się zasmażą i puszczą sok, nakładamy je
w równych ilościach na porcje węgorza, koperek przekładamy na bok naczynia, brytfannę przykrywamy i ponownie wstawiamy do piekarnika na 10-15 min. Czas zapiekania zależy od wielkości porcji węgorza. Podajemy na liściach sałaty, bardzo gorące, przybrane zieleniną.

liczba porcji / 6
czas przygotowania / 50 min
stopień trudności / średniotrudne
kaloryczność / wysokokaloryczne
koszt / drogie

Flądra
według Pana Kapitana

liczba porcji / 6
czas przygotowania / 25 min•
stopień trudności / średniotrudne
kaloryczność / średniokaloryczne
koszt / średniodrogie

s k ł a d n i k i : 6 świeżych fląder (każda o wadze nieprzekraczającej 40 dag) • 15 dag chudego, wędzonego boczku • 1/2 kostki (12,5 dag) masła • szklanka tartej bułki • skórka otarta z dużej cytryny • łyżka posiekanej natki pietruszki • sól • pieprz • olej

Flądry patroszymy, odcinamy łby, dokładnie myjemy, suszymy w ściereczce, oprószamy solą i pieprzem. Drobno posiekany boczek podsmażamy na połowie masła, dodajemy tartą bułkę, skórkę z cytryny, odstawiamy do przechłodzenia. Do chłodnej masy dodajemy posiekaną natkę pietruszki, mieszamy, dzielimy na 6 równych porcji. Ryby układamy w dużej, wysmarowanej olejem brytfannie, na każdej rozsmarowujemy przygotowaną masę, wierzch przykrywamy plasterkami pozostałego masła, całość wstawiamy do nagrzanego do temp. 220ºC piekarnika. Zapiekamy, aż ryby się zrumienią. Podajemy prosto z piekarnika, na wygrzanych talerzach.

• o p r ó c z   c z a s u   n a   z a p i e k a n i e

Łosoś po królewsku

s k ł a d n i k i : 4 plastry świeżego łososia (szerokie na 2 cm) – najlepiej ze środkowej części ryby • 4 kwaskowe jabłka • szczypta cynamonu • szklanka śmietany • utarty, żółty ser • 3 łyżki soku z cytryny • 6 łyżek oliwy na marynatę • tłuszcz do wysmarowania formy • sól • oliwa do smażenia

Plastry łososia filetujemy, wykrawając grube ości, każdy dzielimy na 2 części, oprószamy solą, smarujmy marynatą (oliwę ucieramy z sokiem z cytryny), układamy na salaterce, smarujemy pozostałą częścią marynaty i odstawiamy w chłodne miejsce na godzinę lub nieco dłużej. Na godzinę przed podaniem zakąski porcje łososia wyjmujemy z marynaty, lekko odsączamy, smażymy na dobrze rozgrzanej patelni z niewielką ilością tłuszczu. Usmażone porcje wkładamy do wysmarowanego tłuszczem naczynia do zapiekania, całość zalewamy tłuszczem ze smażenia. Pozbawione skórki i gniazd nasiennych jabłka prużymy, doprawiamy szczyptą cynamonu, rozkładamy na porcjach łososia, śmietanę ubijamy, gdy się spieni, nakładamy równą warstwą na jabłka, całość posypujemy żółtym serem i wstawiamy do nagrzanego do temp. 180ºC piekarnika na 25-30 min (czas zależy od wysokości zapiekanej warstwy). Wyjmujemy, gdy ser się lekko stopi i zrumieni, a boki będą odstawały od formy. Podajemy na wygrzanych talerzykach przybranych zieleniną.

• o p r ó c z   c z a s u   n a   z a p i e k a n i e

liczba porcji / 8
czas przygotowania / 60 min•
stopień trudności / średniotrudne
kaloryczność / średniokaloryczne
koszt / średniodrogie

Zakąska z łososia

s k ł a d n i k i : 8 plasterków sera salami • 8 średniej wielkości plastrów wędzonego łososia • łyżeczka ziół prowansalskich • jajko • tarta bułka • oliwa do smażenia • liście sałaty • pomidor • ogórek • zielenina

Plastry łososia rozkładamy na tacy. Plasterki sera posypujemy roztartą w dłoniach przyprawą prowansalską, panierujemy w jajku, tartej bułce i smażymy na bardzo gorącym tłuszczu, rumieniąc z obu stron. Usmażone układamy na plastrach łososia, zwijamy i kładziemy na liściach sałaty. Przybieramy cząstkami pomidora, plasterkami ogórka i zieleniną. Podajemy gorące.

liczba porcji / **8**

czas przygotowania / **25 min**

stopień trudności / **łatwe**

kaloryczność / **średniokaloryczne**

koszt / **średniodrogie**

Selery w cieście piwnym

s k ł a d n i k i : 2 średniej wielkości selery • sól • cukier • olej • łyżeczka octu • gałka muszkatołowa • cukier • olej do smażenia • listki selera i 4 pomidory pokrojone w cząstki do przybrania

c i a s t o : 1/2 szklanki jasnego piwa • 2 jajka • 2 łyżki mąki (gdy ciasto jest zbyt lekkie, dodajemy łyżeczkę mąki)

Obrane selery kładziemy do gorącej wody z dodatkiem soli, cukru i octu, gotujemy w odkrytym naczyniu (woda powinna na centymetr przykrywać selery) do miękkości (nie rozgotowujemy). Odsączamy i studzimy na sicie. Przygotowujemy ciasto: piwo roztrzepujemy z żółtkami, dodajemy przesianą mąkę i pianę ubitą z białek (ciasto powinno mieć konsystencję gęstej śmietany). Gotowe odstawiamy na 5 min, by „odpoczęło".

Z selerów wykrawamy 8 cienkich plasterków, każdy oprószamy solą i gałką muszkatołową, maczamy je w cieście i smażymy na tzw. głębokim tłuszczu po 2 min z każdej strony. Podajemy bezpośrednio po usmażeniu na wygrzanym talerzu, którego brzeg dekorujemy listkami selera i cząstkami pomidora.

* o p r ó c z   c z a s u   n a   g o t o w a n i e   s e l e r ó w

liczba porcji / **8**

czas przygotowania / **25 min** *

stopień trudności / **średniotrudne**

kaloryczność / **średniokaloryczne**

koszt / **średniodrogie**

Wytworna zakąska z selera

liczba porcji / 6
czas przygotowania / 35 min•
stopień trudności / średniotrudne
kaloryczność / średniokaloryczne
koszt / średniodrogie

s k ł a d n i k i : duży seler ugotowany na półmiękko (lub 2 mniejsze) • sok z cytryny • sól • biały pieprz • szklanka posiekanych, lekko zrumienionych orzechów • liście sałaty • zielenina • pomidor i ogórek do przybrania

c i a s t o : szklanka kefiru lub zsiadłego mleka • 1/2 szklanki mąki tortowej • jajko • łyżka oleju • sól • pieprz • gałka muszkatołowa • olej do smażenia

Seler kroimy w niezbyt grube plastry, skrapiamy sokiem z cytryny i oprószamy przyprawami. Odstawiamy na 10 min w chłodne miejsce. Z podanych składników przygotowujemy ciasto, lekko je ubijając (powinno mieć konsystencję gęstej śmietany). Na dobrze rozgrzany, tzw. głęboki tłuszcz, kładziemy plastry obtoczonego w cieście selera i smażymy, rumieniąc z obu stron. Upieczone trzymamy w cieple.

Na talerzykach rozkładamy liście sałaty, przybieramy cząstkami pomidora i plasterkami ogórka w taki sposób, by wyglądały jak kwiatek, układamy na każdym gorący plaster selera, posypujemy obficie orzechami i od razu podajemy.

• oprócz czasu na gotowanie selera

Pory zapiekane z serem

s k ł a d n i k i : 4 duże, białe części pora • szklanka utartego, żółtego sera • liście sałaty • zielony ogórek • rzodkiewki • łyżka oliwy • sól • cukier

s o s : szklanka kwaśnej śmietany • łyżka koncentratu pomidorowego • łyżka keczupu • łyżeczka mąki • sok z cytryny • oliwa • sól • pieprz

Dokładnie umyte białe części pora wrzucamy na gotującą się wodę z dodatkiem soli, cukru i łyżki oliwy, gotujemy odkryte na niewielkim ogniu przez 10-12 min (powinny być miękkie, ale nierozgotowane). Wyjmujemy łyżką cedzakową na deseczkę, kroimy wzdłuż na połowę i układamy, stroną przeciętą do góry, w wysmarowanym oliwą naczyniu do zapiekania.

Przygotowujemy sos: śmietanę łączymy z koncentratem, keczupem, dodajemy mąkę i przyprawy. Sos powinien mieć zdecydowanie pikantny smak z wyczuwalną nutą pomidorową. Przygotowane pory zalewamy sosem, posypujemy warstwą sera i wstawiamy do nagrzanego do temp. 220ºC piekarnika na 15-20 min (czas zależy od wysokości zapiekanej warstwy). Zakąska jest gotowa, gdy na powierzchni utworzy się złocista, chrupiąca skórka. Rozłożone na talerzach liście sałaty przybieramy „różyczkami" z rzodkiewek i plasterkami ogórka, nakładamy porcje i bardzo gorące podajemy.

• oprócz czasu na zapiekanie

liczba porcji / 4
czas przygotowania / 30 min•
stopień trudności / średniotrudne
kaloryczność / średniokaloryczne
koszt / tanie

liczba porcji / 12
czas przygotowania / 45 min
stopień trudności / średniotrudne
kaloryczność / średniokaloryczne
koszt / średniodrogie

Zakąska Lorda K.

s k ł a d n i k i : porcja mrożonego ciasta francuskiego (50 dag)
• 3 dorodne pory • 2 młode kalarepki • 2 jajka • kostka rosołu
z drobiu • 1/2 szklanki śmietany kremówki • kopiasta łyżka
posiekanego koperku • masło • cukier • sól • pieprz

Dokładnie umyte białe części pora kroimy w krążki, obrane kalarepki kroimy w kostkę (o boku długości centymetra), jarzyny wrzucamy do wrzącej, lekko osolonej
i ocukrzonej wody, dodajemy 1/2 łyżeczki masła i gotujemy przez 3 min, odsączamy na sicie.
W rondelku rozgrzewamy łyżkę masła, przekładamy jarzyny, dodajemy rozkruszoną kostkę rosołową, całość zasmażamy, często mieszając, przez 5 min, odstawiamy do
lekkiego przechłodzenia. Ciasto rozkładamy w tortownicy w taki sposób, by boki miały 3 cm wysokości, nakłuwamy w kilku miejscach widelcem. Jeżeli po wyłożeniu
tortownicy zostanie część ciasta, można z niego ułożyć
dekoracyjny wzorek na wierzchu.
Do zasmażonych jarzyn dodajemy jajka, śmietanę, koperek, gdy trzeba, farsz lekko opruszamy pieprzem, nakładamy na ciasto i wstawiamy do nagrzanego do temp.
180ºC piekarnika na 40 min, pamiętając, że czas pieczenia może być nieco dłuższy z uwagi na wysokość zapiekanej warstwy. Zakąskę podajemy pokrojoną w romby,
gorącą, na wygrzanych talerzykach.

Zapiekana papryka

s k ł a d n i k i : 4 dorodne, czerwone papryki • 2 cebule
• 4 plasterki żółtego, pikantnego sera • 4 pomidory • 4 ząbki
czosnku • 4 łyżki oliwy • szklanka rosołu (może być z koncentratu)
• sól • pieprz • ulubiona przyprawa ziołowa • świeże zioła
• tłuszcz do wysmarowania formy

Umyte, obsuszone papryki wstawiamy do gorącego piekarnika, wyjmujemy po 5 min, hartujemy zimną wodą,
obieramy ze skórki. Każdą paprykę rozcinamy do połowy wysokości, usuwamy pestki i miąższ, lekko rozgina-
my i układamy w wysmarowanym tłuszczem naczyniu
do zapiekania. Na paprykach układamy plasterki sera,
pokrojone w ćwiartki pomidory, posypujemy pokrojoną
cebulą i czosnkiem oraz przyprawami, zalewamy rosołem i wstawiamy do nagrzanego piekarnika. Zapiekamy
w temp. 200ºC przez 25 min, podajemy gorące, na wygrzanych talerzach, posypane świeżymi ziołami.

* o p r ó c z   c z a s u   n a   z a p i e k a n i e

liczba porcji / 4
czas przygotowania / 60 min •
stopień trudności / średniotrudne
kaloryczność / średniokaloryczne
koszt / średniodrogie

Zapiekane pomidory

liczba porcji / 8
czas przygotowania / 60 min
stopień trudności / średniotrudne
kaloryczność / średniokaloryczne
koszt / średniodrogie

s k ł a d n i k i : 4 duże, dojrzałe pomidory • szklanka ugotowanego na sypko ryżu • szklanka drobno posiekanych pieczarek lub świeżych, leśnych grzybów (kapelusze) • cebula • oliwa • szklanka utartego, żółtego sera • kopiasta łyżka masła • 2 kopiaste łyżki tartej bułki • liście sałaty • zielenina • sól • pieprz • tłuszcz do wysmarowania formy

Umyte pomidory kroimy w poprzek na 2 części, łyżeczką usuwamy miąższ i pestki. Na oliwie podsmażamy drobno posiekaną cebulę, dodajemy grzyby, lekko zasmażamy, dodajemy ryż, przyprawy, dokładnie mieszamy. Połówki pomidorów układamy w wysmarowanym tłuszczem naczyniu do zapiekania, nadziewamy farszem. Masło, ser, tartą bułkę i przyprawy ucieramy na jednolitą masę, rozkładamy w równych ilościach na wierzchu każdego pomidora. Sok oraz pestki z wydrążonych owoców przecieramy przez sito, wlewamy na spód naczynia, dodajemy 2 łyżki oliwy, wstawiamy do nagrzanego piekarnika i zapiekamy w temp. 200ºC przez 20 min (czas zależy od wielkości pomidorów). Podajemy na liściach sałaty, gorące, posypane zieleniną.

Pomidorowe bułeczki

s k ł a d n i k i : 4 bułki kajzerki • 2 duże, dojrzałe pomidory • 4 łyżki mleka • 2 łyżki masła • cebula • 4 jajka • liście sałaty lub selera naciowego • tymianek • sól • pieprz • tłuszcz do wysmarowania formy

Bułki kroimy na 1/3 wysokości, wyjmujemy miąższ. Wierzchy i miąższ zalewamy mlekiem, odstawiamy. Wydrążone bułki smarujemy masłem wewnątrz i z zewnątrz, wstawiamy na chwilę do lodówki, by masło stwardniało. Na niewielkiej ilości masła smażymy drobno posiekaną cebulę. Gdy się zeszkli, dodajemy obrane ze skórki, pozbawione pestek pomidory, chwilę zasmażamy, często mieszając. Dodajemy namoczoną bułkę razem z mlekiem, w którym się moczyła, i nadal smażymy na niewielkim ogniu, aż powstanie jednolita, gęsta masa. Doprawiamy do smaku, żeby była pikantna. Masą nadziewamy bułki, wkładamy do żaroodpornego naczynia, w każdej bułce robimy wgłębienie, wbijamy jajko, posypujemy solą, pieprzem i wstawiamy do nagrzanego do temp. 180ºC piekarnika na 10-12 min. Podajemy, gdy białko lekko się zetnie, a bułka zrumieni – bezpośrednio z piekarnika, na wygrzanych, wyłożonych zieleniną talerzach.

liczba porcji / 4
czas przygotowania / 45 min
stopień trudności / średniotrudne
kaloryczność / średniokaloryczne
koszt / średniodrogie

Zapiekane ogórki

s k ł a d n i k i : 4 średniej wielkości świeże ogórki • 2 puszki krewetek w zalewie • 3 kromki chleba tostowego • 1 i 1/2 szklanki rosołu (może być z koncentratu) • szklanka śmietany • 1/2 szklanki majonezu • łyżeczka łagodnej musztardy • 2 łyżki posiekanego koperku • sól • pieprz • zielenina do przybrania

Obrane ze skórki ogórki kroimy wzdłuż na połowę, usuwamy pestki i miąższ, delikatnie solimy, układamy na ściereczce miejscem wydrążonym do spodu, by spłynął nadmiar soku. Krewetki z jednej puszki i połowę śmietany miksujemy, dodajemy pozostałe, lekko posiekane krewetki i drobno pokrojony chleb tostowy, sól, pieprz, koperek, składniki dokładnie mieszamy. Farszem napełniamy połówki ogórków, układamy w szerokim rondlu, podlewamy rosołem, dusimy pod przykryciem przez 10 min. Pozostałą śmietanę łączymy z majonezem i musztardą, przelewamy do sosjerki. Porcje ogórka układamy na wygrzanych talerzach delikatnie przybranych zieleniną, wierzch polewamy łyżeczką sosu spod pieczenia. Oddzielnie podajemy zimny, majonezowo-śmietanowy sos.

liczba porcji / 8

czas przygotowania / 30 min

stopień trudności / średniotrudne

kaloryczność / średniokaloryczne

koszt / średniodrogie

Zapiekane łódeczki

liczba porcji / 4

czas przygotowania / 35 min•

stopień trudności / średniotrudne

kaloryczność / średniokaloryczne

koszt / średniodrogie

s k ł a d n i k i : 2 średniej wielkości ogórki • cebula • plaster szynki • jajko • czerwona papryka średniej wielkości • 10 dużych pieczarek • 3 łyżki oleju • szczypta przyprawy prowansalskiej • posiekana zielenina • duża filiżanka utartego, żółtego sera • sól • pieprz

Na lekko rozgrzanym tłuszczu zasmażamy drobno posiekaną cebulę, pokrojone pieczarki, paprykę, podlewamy 2 łyżkami wody, zasmażamy, często mieszając. Gdy składniki zmiękną, dodajemy posiekaną szynkę i znowu zasmażamy (ok. 2 min). Po zdjęciu z ognia dodajemy przyprawy (w takiej ilości, by farsz był pikantny), surowe jajko, połowę utartego sera, całość dokładnie mieszamy.

Ogórki, po obraniu ze skórki, przepołowieniu i usunięciu pestek, wrzucamy na wrzącą wodę (na ok. 3 min), wyjmujemy, rozkładamy na deseczce. Ciepłe ogórki nadziewamy ciepłym farszem, wkładamy do wysmarowanego olejem naczynia do zapiekania, posypujemy pozostałym serem i wstawiamy do nagrzanego do temp. 200°C piekarnika na 20 min. Danie jest gotowe, gdy ser się roztopi i lekko zrumieni. Podajemy na wygrzanych talerzykach, lekko oprószone zieleniną.

• o p r ó c z   c z a s u   n a   z a p i e k a n i e

Brukselka w winnym cieście

liczba porcji / 6
czas przygotowania / 25 min •
stopień trudności / średniotrudne
kaloryczność / średniokaloryczne
koszt / średniodrogie

s k ł a d n i k i : 2 opakowania mrożonej brukselki • sok
z cytryny • cukier • sól • 1 l oleju

c i a s t o : kieliszek białego, wytrawnego wina • jajko • cukier
• 4 łyżki mąki • łyżka oleju • sól

Brukselkę wrzucamy do wrzącej wody z dodatkiem soli
i cukru, zagotowujemy, trzymamy przez 4 min na ogniu.
Cedzimy, wykładamy na salaterkę, skrapiamy sokiem
z cytryny. W głębokim rondlu rozgrzewamy tłuszcz.
Przygotowujemy ciasto: wino mieszamy z żółtkiem i olejem, dodajemy mąkę, cukier, wyrabiamy jednolite, gładkie ciasto. Pod koniec dodajemy pianę ubitą z białka, całość delikatnie łączymy.
Brukselkę, małymi partiami, za pomocą łyżki cedzakowej zanurzamy w cieście, rzucamy na gorący tłuszcz
i smażymy, aż się zrumieni, przekładamy do wygrzanych
kokilek, podajemy gorącą.
Rada: najwygodniej będzie przygotować ciasto i brukselkę na godzinę przed podaniem. Tuż przed smażeniem
łączymy ciasto z pianą ubitą z białka i smażymy.

• o p r ó c z c z a s u n a s m a ż e n i e

Gorąca zakąska z awokado

s k ł a d n i k i : 2 awokado • 2 łyżki oliwy • 2 łyżki mąki
krupczatki • szklanka mleka • mała puszka tuńczyka w zalewie
• sól • liście sałaty

Przygotowujemy sos: na oliwie zasmażamy mąkę, gdy
się lekko zrumieni (kolor złota), wlewamy mleko i, cały
czas mieszając, zagotowujemy. Sos powinien być gęsty
i puszysty.
Do gorącego sosu dodajemy dokładnie rozdrobnionego
tuńczyka, gdy trzeba, delikatnie solimy i trzymamy przez
kilka minut na małym ogniu.
Awokado kroimy wzdłuż na połowę, usuwamy pestki,
miejsca po pestkach napełniamy sosem, owoce układamy w naczyniu do zapiekania, wstawiamy do piekarnika nagrzanego do temp. 200ºC na 10-12 min. Podajemy
bezpośrednio z piekarnika, na wyłożonych liśćmi sałaty
talerzach.

• o p r ó c z c z a s u n a z a p i e k a n i e

liczba porcji / 4
czas przygotowania / 20 min •
stopień trudności / średniotrudne
kaloryczność / średniokaloryczne
koszt / średniodrogie

liczba porcji / 4

czas przygotowania / 20 min

stopień trudności / średniotrudne

kaloryczność / średniokaloryczne

koszt / średniodrogie

Zakąska z fasolki

s k ł a d n i k i : puszka zielonej fasolki szparagowej w zalewie
• 2 czerwone cebule • 20 suszonych śliwek kalifornijskich
(bez pestek) lub kopiasta łyżka powideł śliwkowych (bez cukru)
• cukier • sól • biały pieprz • sok z cytryny • olej do smażenia
• liście sałaty • zielenina • marynowane śliwki

Na lekko rozgrzany tłuszcz kładziemy pokrojoną w piórka cebulę i, często mieszając, delikatnie rumienimy. Dodajemy pokrojone w cienkie paski śliwki lub powidła, przykrywamy i trzymamy na niewielkim ogniu przez 2 min.
Fasolkę odsączamy z zalewy, przekładamy do płaskiego rondla, dodajemy zasmażone śliwki z cebulą, przyprawiamy do smaku i przez 2 min trzymamy na niewielkim ogniu, potrząsając naczyniem (nie mieszamy).
Podajemy gorącą, na wygrzanych talerzach wyłożonych
liśćmi sałaty, przybieramy zieleniną i marynowanymi
śliwkami.

Suflet z brokułów

s k ł a d n i k i : 50 dag mrożonych brokułów (różyczki)
• 1/2 szklanki słodkiej śmietany • szklanka (15 dag) utartego,
żółtego sera ementalera • 5 dużych jajek • sól • pieprz • masło
do wysmarowania formy

Brokuły (bez uprzedniego rozmrażania) wrzucamy na
wrzącą, lekko osoloną wodę, gotujemy w odkrytym naczyniu przez 10 min. Odsączamy, pozostawiamy na sicie
do lekkiego przechłodzenia. Ciepłe miksujemy na miazgę,
dodajemy żółtka, śmietanę, ser. Gdy składniki dobrze się
połączą, dodajemy ubitą na sztywno pianę z białek. Całość dokładnie mieszamy, przekładamy do wysmarowanej masłem, żaroodpornej formy sufletowej lub 4 małych foremek, od razu wstawiamy do nagrzanego do
temp. 180ºC piekarnika i zapiekamy przez 20 min lub
nieco dłużej (w zależności od wysokości zapiekanej warstwy). Suflet jest gotowy, gdy wierzch się równo zrumieni, a boki lekko odstają od formy.
Uwaga: w trakcie pieczenia sufletu pod żadnym pozo-
rem nie wolno, nawet na moment, uchylić drzwi piekarnika, bo opadnie.
Podajemy pokrojony w romby, na wygrzanych talerzykach, przybrany według własnych upodobań.

liczba porcji / 8

czas przygotowania / 65 min

stopień trudności / średniotrudne

kaloryczność / średniokaloryczne

koszt / średniodrogie

Faszerowane bakłażany

s k ł a d n i k i : duży bakłażan • cebula • pieczona pierś kurczaka • 2 plastry żółtego, pikantnego sera (najodpowiedniejszy cheddar) • łyżka posiekanej natki pietruszki • 2 duże pomidory • kilka świeżych listków bazylii • oliwa • sól • pieprz • łyżeczka sosu tabasco lub przyprawy typu „Jarzynka"

Bakłażana przecinamy wzdłuż na połowę (nie rozdzielamy), wsuwamy do nagrzanego piekarnika na 20 min, wyjmujemy, odstawiamy do przechłodzenia. Usuwamy miąższ w taki sposób, aby przy ściankach pozostała warstwa nie grubsza niż centymetr. Wydrążone wnętrze lekko solimy, wykładamy plastrami sera i plasterkami pomidora, obranego ze skórki. Mięso kroimy w drobną kostkę, łączymy z drobno posiekanym miąższem bakłażana, dodajemy posiekaną cebulę, natkę pietruszki, doprawiamy do smaku („Jarzynką" lub sosem tabasco). Wnętrze bakłażana nadziewamy, posypujemy listkami bazylii i wstawiamy do nagrzanego do temp. 200ºC piekarnika na 20 min. Podajemy w naczyniu, w którym bakłażan się zapiekał. Gorące porcje nakładamy na 2 wygrzane talerze.

• o p r ó c z   c z a s u   n a   z a p i e k a n i e

liczba porcji /	**2**
czas przygotowania /	**40 min**•
stopień trudności /	**średniotrudne**
kaloryczność /	**średniokaloryczne**
koszt /	**średniodrogie**

Bób w pikantnym sosie

s k ł a d n i k i : 1 kg młodego, niełuskanego bobu • 35 dag świeżej, białej kiełbasy • kopiasta łyżka pokrojonego surowego boczku • 2 ząbki czosnku • 2 małe cebulki (szalotki) • kieliszek białego, wytrawnego wina • 2-3 gałązki młodej mięty • sól • pieprz • liść laurowy • zielenina • olej

Bób gotujemy w wodzie z dodatkiem soli, a następnie w tej samej go przechładzamy, wyłuskujemy z błon ziarna, trzymamy w cieple, przykryte. Do wrzącej wody wkładamy kiełbasę, nie dopuszczamy, by się zagotowała (płyn powinien tylko lekko „mrugać"). Po 25 min odstawiamy, pozostawiamy do przechłodzenia w wodzie, w której się zaparzała.
Przygotowujemy sos: na podgrzanej oliwie smażymy boczek, dodajemy pokrojoną w piórka cebulę i posiekany czosnek, podsmażamy, często mieszając, tak długo, aż się zeszkli, podlewamy winem i taką samą ilością wody, dodajemy sól, pieprz, posiekane gałązki mięty, liść laurowy, składniki zagotowujemy. Gotujemy przez 3 min, przelewamy przez sito, do sosu dodajemy pokrojoną w cienkie plasterki kiełbasę i dusimy pod przykryciem przez 2 min. Podajemy na gorąco, posypane zieleniną.

• o p r ó c z   c z a s u   n a   g o t o w a n i e   b o b u   i   k i e ł b a s y

liczba porcji /	**4**
czas przygotowania /	**25 min**•
stopień trudności /	**średniotrudne**
kaloryczność /	**średniokaloryczne**
koszt /	**średniodrogie**

liczba porcji / 8
czas przygotowania / 45 min
stopień trudności / łatwe
kaloryczność / średniokaloryczne
koszt / średniodrogie

Szaszłyki z wątróbek drobiowych

s k ł a d n i k i : 50 dag wątróbki drobiowej • 30 dag wędzonego boczku • 50 dag małych, zamkniętych pieczarek • sól • pieprz • przyprawa prowansalska • olej • liście sałaty i krążki ananasa do dekoracji

Z wątróbki usuwamy żyłki, dzielimy na równej wielkości kawałki. Boczek kroimy w bardzo cienkie plasterki. Porcje wątróbki owijamy w plasterki boczku, nadziewamy na szpadki, dzieląc pieczarkami w taki sposób, by na początku i końcu szpadki była pieczarka. Gotowe posypujemy przyprawami, układamy na wysmarowanej olejem blasze i wstawiamy do nagrzanego do temp. 200ºC piekarnika na 20 min. Podajemy, gdy boczek i pieczarki lekko się zrumienią. Szaszłyki układamy na plastrach ananasa, ułożonych na liściach sałaty.

liczba porcji / 6
czas przygotowania / 30 min
stopień trudności / średniotrudne
kaloryczność / średniokaloryczne
koszt / średniodrogie

Wątróbka z curry

s k ł a d n i k i : 50 dag wątróbki cielęcej (ważne! – z wątróbki wieprzowej danie nie będzie takie smaczne) • 6 dużych cebul • 6 dużych ząbków czosnku • olej • 2 szklanki esencjonalnego rosołu (może być z koncentratu) • 3 płaskie łyżeczki przyprawy curry • 1/3 łyżeczki przyprawy chili • szklanka śmietany kremówki • liście selera naciowego • pomidor i ogórek do dekoracji

Wątróbkę kroimy na porcje, formując 6 zgrabnych plastrów. 4 cebule kroimy w cienkie półplasterki, pozostałe oraz czosnek drobno siekamy i łączymy z przyprawami curry i chili. Na dużej patelni rozgrzewamy olej, rumienimy półtalarki cebuli, dodajemy cebulę posiekaną z przyprawami i czosnkiem, smażymy razem przez 3 min, często mieszając. Odgarniamy na brzeg patelni, gdy trzeba, uzupełniamy tłuszcz i smażymy porcje wątróbki, rumieniąc je z obu stron. Całość podlewamy rosołem, przykrywamy, dusimy przez 3 min na niewielkim ogniu. Następnie wlewamy śmietanę, mieszamy sos, całość podgrzewamy, nie dopuszczając do zagotowania, wykładamy na podgrzane talerze przybrane liśćmi selera oraz plasterkami pomidora i ogórka. Podajemy bardzo gorące.

Szaszłyczki
z wątróbki cielęcej

s k ł a d n i k i : 40 dag wątróbki cielęcej • 8 plasterków cienko pokrojonej wędzonej szynki • 8 listków świeżej szałwii lub melisy • 2 duże winne jabłka • sól • pieprz • majeranek • zielenina • olej do smażenia

Wątróbkę kroimy na 8 w miarę równych części, każdy kawałek owijamy plasterkiem szynki. Porcje nadziewamy na rożenki, przekładając listkami melisy lub szałwii. Smażymy na rożnie bądź dużej patelni, rumieniąc ze wszystkich stron.
Oddzielnie, na niewielkiej ilości tłuszczu, podsmażamy plasterki jabłek, posypujemy obficie przyprawami. Na podgrzanym półmisku układamy na przemian szaszłyczki i jabłka. Tuż przed podaniem szaszłyczki można polać winiakiem lub spirytusem, zapalić i płonące postawić na stole.

liczba porcji / **4**

czas przygotowania / **60 min**

stopień trudności / **łatwe**

kaloryczność / **średniokaloryczne**

koszt / **średniodrogie**

Wątróbka
z ananasami

s k ł a d n i k i : 4 równej wielkości, cienkie plastry wątróbki (ok. 40 dag) • 3 szklanki zimnego mleka • 2 duże, podłużne cebule • 4 krążki ananasa z puszki • olej • sól • pieprz • szczypta majeranku • łyżka mąki krupczatki • zielenina

Wątróbkę moczymy w mleku. Cebulę kroimy w talarki, dokładamy do mleka, w którym moczy się wątróbka, trzymamy razem przez 30 min. Na dobrze rozgrzany tłuszcz kładziemy dokładnie odsączone z mleka plastry wątróbki, smażymy ok. 5 min z każdej strony. Układamy na podgrzanym półmisku przybranym zieleniną, na każdym plasterku kładziemy krążek ananasa, wstawiamy – pod przykryciem, do nagrzanego piekarnika. Odsączone z mleka krążki cebuli panierujemy w mące i smażymy na tłuszczu, na którym smażyła się wątróbka. Gdy trzeba, ilość tłuszczu uzupełniamy. Krążki powinny być zrumienione z obu stron. Tuż przed podaniem wątróbkę przybieramy krążkami cebuli, posypujemy posiekanymi ananasami, przybieramy zieleniną. Danie podajemy gorące, na podgrzanych talerzykach.

• o p r ó c z   c z a s u   n a   m o c z e n i e   w ą t r ó b k i

liczba porcji / **4**

czas przygotowania / **35 min** •

stopień trudności / **łatwe**

kaloryczność / **średniokaloryczne**

koszt / **średniodrogie**

Biała kiełbasa po staropolsku

s k ł a d n i k i : 1 kg surowej białej kiełbasy • duża łyżka świeżego smalcu (bez skwarek) • 2 łyżki oliwy • 3 duże cebule • liście sałaty • kiszony ogórek lub plastry pomidora i młodej cukinii

Na spód szerokiego rondla kładziemy warstwę kiełbasy, zalewamy zimną wodą w takiej ilości, by przykrywała ją na centymetr, dodajemy smalec, oliwę i wolno ogrzewamy na średnim ogniu w odkrytym naczyniu.
Po odparowaniu wody rumienimy kiełbasę na złocisty kolor, przykrywamy warstwą pokrojonych w piórka cebul i dusimy na małym ogniu, pod przykryciem, aż cebula nabierze lekko brunatnego koloru. Usmażoną dzielimy na równe porcje, układamy na liściach sałaty, dekorujemy plasterkami ogórka lub pomidora i cukinii, posypujemy smażoną cebulą. Podajemy bardzo gorącą.

liczba porcji / **8**
czas przygotowania / **60 min**
stopień trudności / **łatwe**
kaloryczność / **średniokaloryczne**
koszt / **tanie**

liczba porcji / **10**
czas przygotowania / **45 min** •
stopień trudności / **łatwe**
kaloryczność / **średniokaloryczne**
koszt / **średniodrogie**

Biała kiełbasa w sosie polskim

s k ł a d n i k i : 1,2 kg surowej białej kiełbasy • butelka (0,5 l) ciemnego piwa • 0,5 l wody stołowej lub mineralnej niegazowanej • 2 duże cebule • łyżka masła • łyżka mąki • 2 goździki • sok z cytryny lub ocet winny • łyżka cukru pudru • sól • biały pieprz

Kiełbasę układamy na spodzie szerokiego rondla, zalewamy piwem wymieszanym pół na pół z wodą (stołową lub mineralną niegazowaną), na wierzchu kładziemy pokrojone w półplasterki cebule, dodajemy przyprawy i gotujemy na małym ogniu przez 80 min. W czasie gotowania płyn z kiełbasą powinien tylko lekko „mrugać". Gotową wyjmujemy na podgrzany półmisek.
Z masła i mąki przygotowujemy rumianą zasmażkę, rozprowadzamy przelanym przez sito wywarem z kiełbasy i doprawiamy do smaku. Sosu powinno być sporo, o gęstej konsystencji, pięknym aromacie i brązowej barwie. Porcje kiełbasy przekładamy do kokilek, zalewamy gorącym sosem. Podajemy gorące, zaraz po przygotowaniu lub po kilku godzinach, zapieczone w temp. 220ºC.

* oprócz czasu na gotowanie kiełbasy

Kiełbasa
w pikantnym sosie

s k ł a d n i k i : 40 dag kiełbasy (zwyczajna, parówkowa)
• 3 łyżki oleju • marchew • 2 cebule • korzeń pietruszki • 2 szklanki
soku pomidorowego • 2-3 marynowane papryki • puszka zielonego
groszku konserwowego • cukier • sól • pieprz • łyżeczka musztardy
• 2 łyżki keczupu • zielenina

Do rozgrzanego w szerokim, płaskim rondlu oleju wkładamy pokrojoną w piórka cebulę, lekko podsmażamy, cały czas mieszając. Gdy się zeszkli, dodajemy utarte na tarce jarzynowej z dużymi otworami jarzyny, podlewamy zalewą z groszku i dusimy, często mieszając, aż będą miękkie. Następnie dodajemy sok pomidorowy, groszek, przyprawy, zagotowujemy, dodajemy pokrojoną w cienkie plasterki, pozbawioną skórki wędlinę, naczynie przykrywamy i trzymamy na najmniejszym ogniu przez 10 min. Potrawa będzie gotowa, gdy jarzyny się rozgotują, a powstały sos będzie gęsty, aromatyczny, o pięknej barwie. Jeżeli trzeba, doprawiamy do smaku, by był pikantny, o zdecydowanej, pomidorowej nucie. Zakąskę podajemy bardzo gorącą, w kamionkowych kokilkach, posypaną obficie zieleniną.

liczba porcji / 6

czas przygotowania / 45 min

stopień trudności / średniotrudne

kaloryczność / średniokaloryczne

koszt / średniodrogie

Pikantne koszyczki

s k ł a d n i k i : 8 plasterków mortadeli ze skórką • olej i smalec
(pół na pół) do smażenia

f a r s z : plasterki wędzonego boczku (10 dag) • 2 łyżki oleju
• puszka zielonego groszku konserwowego • 2 pomidory • 2 łyżki
keczupu • sól • pieprz • papryka • liście sałaty • posiekany koperek

Pokrojony w kostkę boczek smażymy na oleju, aż stanie się rumiany, delikatny i kruchy. Skwarki wyjmujemy łyżką cedzakową, a na powstałym tłuszczu podsmażamy obrane ze skórki, pozbawione pestek pomidory. Gdy się lekko podprużą, dodajemy odsączony groszek, keczup i przyprawiamy do smaku.
Na dobrze rozgrzanym tłuszczu podsmażamy plasterki mortadeli. Gdy się utworzą „koszyczki", przekładamy je na półmisek wyłożony liśćmi sałaty, napełniamy farszem, posypujemy skwarkami oraz koperkiem. Podajemy gorące.

liczba porcji / 8

czas przygotowania / 35 min

stopień trudności / łatwe

kaloryczność / średniokaloryczne

koszt / średniodrogie

Zielony groszek w koszyczkach

s k ł a d n i k i : 8 plastrów mortadeli lub kiełbasy szynkowej (ze skórką) • olej lub czysty smalec do smażenia (może być pół na pół) • liście sałaty • ćwiartki małych pomidorów • zielenina

s o s : puszka zielonego groszku konserwowego • łyżka masła • łyżka mąki • łyżeczka cukru • sól • pieprz • sok z cytryny • 4 łyżki rosołu (może być z koncentratu) • sok z cytryny

Przygotowujemy sos: groszek odsączamy (płyn pozostawiamy). Z masła i mąki robimy zasmażkę, uważając, by mąka się nie zrumieniła, ale straciła smak surowizny. Zasmażkę rozprowadzamy zalewą z groszku, zagotowujemy, dodajemy rosół, doprawiamy solą, pieprzem, cukrem i sokiem z cytryny. Sos powinien być gęsty, o wyraźnym, lekko pikantnym smaku.

Do sosu dodajemy groszek, raz jeszcze zagotowujemy, odstawiamy pod przykryciem w ciepłe miejsce. Na rozgrzanym tłuszczu podsmażamy plasterki wędliny, powstałe „koszyczki" przekładamy na ułożone na półmisku liście sałaty, napełniamy gorącym groszkiem, do środka wkładamy ćwiartkę pomidora, posypujemy zieleniną. Podajemy bardzo gorące.

Pikantne paluszki z baraniny

s k ł a d n i k i : 50 dag chudej baraniny bez kości • 3 duże ząbki czosnku • sól • pieprz • ostra papryka • 3 łyżki zimnej wody stołowej • olej do wysmarowania blachy • 10 cienkich plasterków wędzonego boczku • tarta bułka • 5 dużych, winnych jabłek • majeranek • szklanka posiekanej, czerwonej cebuli • liście sałaty

Mięso wraz z czosnkiem przepuszczamy dwukrotnie przez maszynkę, dodajemy przyprawy, wodę i wyrabiamy jednolitą masę, z której formujemy 10 zgrabnych paluszków. Panierujemy je w tartej bułce i rozkładamy na wysmarowanej tłuszczem blasze, na plasterkach boczku. Wstawiamy do nagrzanego do temp. 220ºC piekarnika na 20 min. Po tym czasie na blasze, pomiędzy smażącymi się paluszkami, układamy połówki (wcześniej pozbawionych gniazd nasiennych) jabłek, posypanych obficie majerankiem, i ponownie wsuwamy do piekarnika na 15 min. Danie jest gotowe, gdy mięso i jabłka równomiernie się zrumienią. Podajemy je na podgrzanych talerzach, na liściach sałaty, posypane posiekaną czerwoną cebulą. Kto nie akceptuje cebuli, może przybrać porcje zieleniną.

Boeuf Strogonow

s k ł a d n i k i : 50 dag polędwicy wołowej (może być rostbef z młodego wołu) • duża cebula • 25 dag pieczarek • sól • pieprz • szklanka kwaśnej śmietany • szklanka utartego, żółtego sera • kilka łyżek rosołu (może być z koncentratu) lub wody • zielenina • smalec i olej (pół na pół) do smażenia

liczba porcji / 6
czas przygotowania / 50 min
stopień trudności / średniotrudne
kaloryczność / średniokaloryczne
koszt / średniodrogie

Oczyszczone z błon mięso kroimy na kawałki wielkości 2 cm, oprószamy pieprzem. Małe pieczarki pozostawiamy w całości, większe dzielimy, cebulę kroimy w półtalarki. Na dobrze rozgrzanym tłuszczu podsmażamy cebulę, gdy się lekko zrumieni, przekładamy do rondla z grubym dnem, uzupełniamy tłuszcz, podsmażamy pieczarki, zrumienione przekładamy do rondla z cebulą. Tłuszcz ponownie uzupełniamy i smażymy mięso (często mieszając), zrumienione przekładamy do rondla z cebulą i pieczarkami. Całość podlewamy kilkoma łyżkami rosołu lub wody, dusimy pod przykryciem przez 5 min (nie dłużej), dodajemy lekko roztrzepaną śmietanę, doprawiamy niewielką ilością soli i przez 5 min trzymamy pod przykryciem na małym ogniu. Gorące danie rozkładamy do kokilek, posypujemy obficie serem i wstawiamy do dobrze nagrzanego piekarnika na 5-7 min. Podajemy, gdy ser się rozpuści i lekko zrumieni, posypane zieleniną.

liczba porcji / 6
czas przygotowania / 60 min
stopień trudności / średniotrudne
kaloryczność / średniokaloryczne
koszt / średniodrogie

Gulasz wołowy z groszkiem

s k ł a d n i k i : 50 dag wołowiny z rostbefu • duża cebula • 25 dag pieczarek • 1/2 szklanki wody • szklanka soku pomidorowego • puszka zielonego groszku konserwowego • mąka krupczatka zmieszana z solą, pieprzem i papryką • smalec i olej (pół na pół) do smażenia • zielenina

Pokrojone w drobną kostkę (ważne) mięso obsypujemy mąką z przyprawami i smażymy na mocno rozgrzanym tłuszczu, rumieniąc ze wszystkich stron. Dodajemy pokrojoną w piórka cebulę, zasmażamy razem przez 5 min, podlewamy wodą i dusimy pod przykryciem na małym ogniu. Gdy mięso będzie miękkie, dodajemy pokrojone pieczarki, podlewamy sokiem pomidorowym, dodajemy odsączony groszek i, gdy trzeba, całość doprawiamy do smaku. Gdy pozostałe składniki gulaszu będą miękkie, rozkładamy porcje do kamionkowych kokilek, przed podaniem obficie posypujemy zieleniną.

liczba porcji / 6
czas przygotowania / 60 min*
stopień trudności / średniotrudne
kaloryczność / średniokaloryczne
koszt / średniodrogie

Pikantny gulasz zapiekany

s k ł a d n i k i : 60 dag wołowiny z rostbefu (z młodego wołu)
• 2 duże cebule • pęczek natki pietruszki • 2 szklanki czerwonego, wytrawnego wina • 3 łyżki wody • łyżka czystego smalcu
• 2 łyżki oliwy do smażenia • mąka krupczatka zmieszana z solą, pieprzem, papryką i szczyptą chili • liść laurowy • kilka ziaren ziela angielskiego • duża filiżanka utartego, żółtego sera

Pokrojone w niewielką kostkę (ważne) mięso oprószamy mąką z przyprawami, wrzucamy do rondla na gorący tłuszcz wraz z pęczkiem natki pietruszki i rumienimy, często mieszając, ze wszystkich stron. Dodajemy pokrojoną w półtalarki cebulę, liść laurowy i ziele angielskie i, cały czas mieszając, smażymy przez 3 min. Całość podlewamy wodą i dusimy pod przykryciem przez ok. 10 min. Wyjmujemy natkę, wlewamy wino i dusimy nadal, aż mięso będzie miękkie, a wytworzony sos lekko zawiesisty i aromatyczny. Wyjmujemy liść laurowy i ziele angielskie, gdy trzeba, doprawiamy do smaku, nakładamy do kamionkowych kokilek.
Na 30 min przed podaniem posypujemy porcje utartym serem i wstawiamy do nagrzanego do temp. 180ºC piekarnika na 20 min. Danie jest gotowe, gdy ser się rozpuści i lekko zrumieni.

* o p r ó c z c z a s u n a z a p i e k a n i e

Polędwiczki wieprzowe w aromatycznym sosie

s k ł a d n i k i : 2 polędwiczki wieprzowe • 2 czerwone cebule
• ząbek czosnku • mała ostra papryczka • 1/2 szklanki wody stołowej lub mineralnej niegazowanej • oliwa • sól • zmielone ziarna kminku i mielony imbir – po 1/2 łyżeczki

Polędwiczki kroimy na plastry ok. 3 cm grubości, lekko ugniatamy w dłoniach, odstawiamy w chłodne miejsce.

liczba porcji / 4
czas przygotowania / 25 min
stopień trudności / łatwe
kaloryczność / średniokaloryczne
koszt / średniodrogie

Posiekane niezbyt drobno cebule i dokładnie rozdrobniony czosnek podsmażamy, dodajemy całą papryczkę, smażymy przez 2 min. Na to kładziemy plastry polędwiczki oprószone solą i kminkiem, smażymy na dużym ogniu, aż mięso zmieni barwę. Całość zalewamy 1/2 szklanki wody (stołowa lub mineralna niegazowana) i dusimy, mieszając, nie dłużej niż przez 5 min. Dłuższe trzymanie na ogniu spowoduje, że mięso stwardnieje. Odrzucamy papryczkę, danie podajemy na podgrzanych talerzykach z białym pieczywem.

Sznycelki z dziczyzny

s k ł a d n i k i : 50 dag dziczyzny (karczek, polędwica, mięso od szynki) • 30 dag wołowiny z łojem • duża cebula • 2 jajka • sól • pieprz • majeranek • 3 rozbite w moździerzu owoce jałowca • szklanka śmietany • szklanka suszonych śliwek • 1/2 szklanki czerwonego, wytrawnego wina • tłuszcz do smażenia • mąka krupczatka • liście sałaty • połówki obranych ze skórki, pozbawionych gniazd nasiennych jabłek usmażonych na tłuszczu • smażone borówki lub konfitury z aronii

Mięso i lekko podsmażoną cebulę przepuszczamy dwu-krotnie przez maszynkę, dodajemy jajka, przyprawy i wy-rabiamy masę (powinna być aromatyczna i pikantna). Uformowane, równej wielkości sznycelki obtaczamy w mące (nadmiar strząsamy), smażymy w tzw. głębokim tłuszczu, rumieniąc z obu stron. Gotowe przekładamy do naczynia do zapiekania. Na sznycelkach kładziemy wy-moczone w winie, wydrylowane śliwki, zalewamy winem, w którym się moczyły, na wierzch leje-my śmietanę i wstawiamy do nagrzanego do temp. 200ºC piekarnika na 20-25 min. Podajemy na półmisku przybranym liśćmi sałaty oraz połówkami smażonych jabłek, których wnętrza napełnia-my smażonymi borówkami lub konfiturami z aronii.

liczba porcji / 12
czas przygotowania / 60 min
stopień trudności / średniotrudne
kaloryczność / średniokaloryczne
koszt / drogie

Móżdżek w babeczkach

s k ł a d n i k i : móżdżek cielęcy • cebula • 8 średniej wielkości pieczarek • masło • sól • pieprz • zielenina • 4 kruche babeczki • łyżeczka octu

Do wrzącej, lekko osolonej i zakwaszonej łyżeczką octu wody wkładamy móżdżek, gotujemy odkryty przez 5 min, wyjmujemy łyżką cedzakową, odstawiamy do lekkiego przechłodzenia.
Z jeszcze ciepłego móżdżku usuwamy okrywające go bło-ny, siekamy. Na maśle podsmażamy drobno posiekaną cebulę, dodajemy pokrojone w cienkie (ważne) plaster-ki pieczarki. Gdy cebula się zeszkli, a pieczarki puszczą sok, dodajemy móżdżek i przyprawy. Całość smażymy przez ok. 5-6 min. Gotowy nakładamy do kruchych ba-beczek, wsuwamy na 8 min do bardzo gorącego piekar-nika, podajemy natychmiast, oprószony zieleniną.

liczba porcji / 4
czas przygotowania / 45 min
stopień trudności / średniotrudne
kaloryczność / średniokaloryczne
koszt / średniodrogie

liczba porcji / 10
czas przygotowania / 40 min*
stopień trudności / średniotrudne
kaloryczność / średniokaloryczne
koszt / średniodrogie

Rożki z ananasem

s k ł a d n i k i : 2 dorodne polędwiczki wieprzowe (ok. 60 dag, im większe, tym lepiej) • 2 puszki ananasów w plasterkach • oliwa • zielenina

m a r y n a t a : sok z puszki ananasów • 2 łyżki płynnego miodu • łyżka octu winnego • łyżka sosu sojowego • mała, ostra papryczka • 1/2 łyżeczki przyprawy „5 smaków"

Drobno posiekaną papryczkę łączymy z pozostałymi składnikami marynaty, najlepiej w porcelanowej miseczce. Obrane z błon polędwiczki kroimy na 10 plastrów. Mięso bardzo lekko rozbijamy drewnianym tłuczkiem (ważne), zanurzamy w zalewie, odstawiamy w chłodne miejsce na godzinę. 4 plastry ananasa dzielimy (każdy na 3 części), pozostałe drobno siekamy. Plastry z drugiej puszki odsączamy z soku, rozkładamy na przybranych zieleniną talerzykach. Na patelni rozgrzewamy oliwę. Plastry mięsa wyjmujemy z zalewy, na każdy nakładamy 1/3 plastra ananasa, spinamy wykałaczką i smażymy, rumieniąc, z obu stron, skrapiamy zalewą, zmniejszamy ogień, trzymamy pod przykryciem przez 5-8 min, by „doszły". Podajemy gorące, ułożone na plastrach ananasa.

* o p r ó c z   c z a s u   n a   m a r y n o w a n i e

Sznycelki z gruszkami

s k ł a d n i k i : 3 dorodne, duże gruszki • smażone borówki lub żurawiny • 50 dag wołowiny zrazowej • jajko • żółtko • sól • pieprz • liście sałaty • sok z cytryny • łyżka cukru • oliwa • 6 goździków

Obrane gruszki dzielimy na połowę, usuwamy gniazda nasienne. W szerokim, płaskim rondlu zagotowujemy wodę (szklanka + 2 łyżki) z cukrem i sokiem z cytryny. Na wrzątek kładziemy przygotowane gruszki, gotujemy przez 8-10 min na średnim ogniu, aż się zeszklą. Zestawiamy do wychłodzenia.

Wołowinę dwukrotnie przepuszczamy przez maszynkę – mięso powinno być jednolite i gładkie, dodajemy jajko, żółtko oraz przyprawy, całość wyrabiamy, formujemy 6 zgrabnych sznycelków, w środek każdego wciskamy goździk. Na głębokim, dobrze rozgrzanym tłuszczu smażymy sznycelki przez 4-5 min z każdej strony. Z usmażonych porcji wyjmujemy goździki, przekładamy na wyłożony liśćmi sałaty półmisek. Na każdym sznycelku kładziemy napełnioną borówkami połówkę gruszki, stroną wypukłą do góry. Podajemy gorące.

* o p r ó c z   c z a s u   n a   g o t o w a n i e   g r u s z e k

liczba porcji / 6
czas przygotowania / 30 min*
stopień trudności / średniotrudne
kaloryczność / średniokaloryczne
koszt / średniodrogie

Płonące befsztyki

s k ł a d n i k i : 50 dag polędwicy wołowej • 3 żółtka • 3 łyżki oliwy • 1/2 filiżanki utartego, żółtego sera • cebula • pieprz • sól • przesiany przez sito majeranek • sok z cytryny • 4 duże łyżki spirytusu

Obraną z błon, pokrojoną w kostkę polędwicę wraz z cząstkami cebuli przepuszczamy dwukrotnie przez maszynkę, dodajemy żółtka, oliwę, ser, majeranek, sól i pieprz. Mięso wyrabiamy bardzo dokładnie, formujemy cienkie, zgrabne befsztyki, układamy je na metalowym lub żaroodpornym półmisku. Skrapiamy sokiem z cytryny, przykrywamy ściereczką i ustawiamy w chłodnym miejscu, ale nie w lodówce.

Przed wniesieniem zakąski na stół każdy befsztyczek polewamy spirytusem i zapalamy. Całość prezentuje się wspaniale, a w czasie, gdy spirytus całkowicie się wypali, mięso będzie należycie usmażone.

liczba porcji / 6

czas przygotowania / 30 min

stopień trudności / średniotrudne

kaloryczność / średniokaloryczne

koszt / średniodrogie

Drobiowe świderki

s k ł a d n i k i : 2 duże filety z piersi kurczaka lub 80 dag filetów z piersi indyka • 1 l oleju • mąka krupczatka do panierowania • liście sałaty • pikantny sos majonezowy lub tatarski (duża sosjerka)

z a p r a w a : 2 łyżki płynnego miodu • 5 dużych ząbków czosnku • czubata łyżeczka imbiru • szklanka sosu sojowego • 1/2 szklanki czerwonego, wytrawnego wina

Miód rozcieramy z rozdrobnionym czosnkiem, wsypujemy imbir, gdy składniki się połączą, dodajemy sos sojowy i wino, dokładnie mieszamy. Mięso kroimy w cienkie, podłużne paski, kładziemy do zaprawy, dokładnie mieszamy, przykrywamy, wstawiamy na kilka godzin do lodówki. W tym czasie należy mięso kilka razy przemieszać. W głębokim rondlu lub w smażalnicy rozgrzewamy tłuszcz. Mięso wyjmujemy z zaprawy małymi partiami, lekko odsączamy, obtaczamy w mące (nadmiar mąki strząsamy), wrzucamy na gorący tłuszcz. W czasie smażenia kawałki mięsa skręcą się, tworząc świderki. Zrumienione wyjmujemy łyżką cedzakową na grubą warstwę bibuły, odsączamy, układamy na wyłożonym liśćmi sałaty półmisku. Podajemy gorące. Świderki doskonale smakują z dodatkiem pikantnego sosu majonezowego lub tatarskiego.

* o p r ó c z c z a s u n a l e ż a k o w a n i e w z a p r a w i e

liczba porcji / 6

czas przygotowania / 25 min*

stopień trudności / średniotrudne

kaloryczność / średniokaloryczne

koszt / średniodrogie

Kurczak
z pomarańczami

s k ł a d n i k i : 4 filety z piersi kurczaka • sól • pieprz
• szczypta curry • mąka krupczatka do panierowania • 2 duże,
jędrne pomarańcze • szklanka suszonych, pozbawionych pestek
śliwek (kalifornijskie) • duży kieliszek czerwonego, wytrawnego wina
• oliwa • zielenina

Każdy filet dzielimy na 2 części, porcje nacieramy przyprawami, odstawiamy na godzinę w chłodne miejsce.
Śliwki moczymy w winie. Na półmisku rozkładamy krążki pomarańczy, całość przybieramy zieleniną. Wychłodzone porcje kurczaka panierujemy w mące (nadmiar
mąki strząsamy), smażymy na rozgrzanym tłuszczu, rumieniąc z obu stron, podlewamy winem, w którym moczyły się śliwki, i dusimy kilka minut na niewielkim ogniu.
Dodajemy wypestkowane śliwki, zagotowujemy i, gdy
mięso tego wymaga, dusimy jeszcze przez kilka minut.
Porcje układamy na krążkach pomarańczy. Śliwki wraz
z sosem przecieramy przez sito, porcje polewamy sosem
i podajemy gorące.

liczba porcji / 8
czas przygotowania / 35 min
stopień trudności / średniotrudne
kaloryczność / średniokaloryczne
koszt / średniodrogie

Fileciki z kurczaka
w kokilkach

s k ł a d n i k i : 8 niewielkich filecików z kurczaka • łyżeczka
przyprawy do drobiu • oliwa • duża filiżanka utartego, żółtego sera

s o s : 3 łyżki oliwy • 6 dojrzałych pomidorów • 3 ząbki czosnku
• płaska łyżeczka roztartego w dłoniach tymianku • sól • pieprz
• cukier • 2-3 łyżki rosołu (może być z koncentratu) • zielenina

Filety lekko rozbijamy dłonią, nacieramy przyprawami,
odstawiamy na godzinę w chłodne miejsce.
Przygotowujemy sos: na oliwie podsmażamy zmiażdżony czosnek, dodajemy pokrojone pomidory, gdy się rozprużą, dodajemy do smaku przyprawy; całość przecieramy przez perlonowe sito i odstawiamy. Gdy sos za bardzo zgęstnieje, rozprowadzamy rosołem.
Na dobrze rozgrzanej patelni smażymy porcje kurczaka,
każdą układamy w kokilce, zalewamy sosem, posypujemy obficie serem, wstawiamy do nagrzanego piekarnika, zapiekamy przez 15 min w temp. 200ºC. Podajemy
gorące, obficie posypane zieleniną.

* oprócz czasu na chłodzenie i pieczenie

liczba porcji / 8
czas przygotowania / 25 min*
stopień trudności / średniotrudne
kaloryczność / **wysokokaloryczne**
koszt / średniodrogie

Pierś kurczaka na grzance

s k ł a d n i k i : 4 średniej wielkości filety z piersi kurczaka
• 2 łyżki oliwy • sól • 4 kromki tostowego chleba

s o s : 1/2 filiżanki dżemu z brzoskwiń • 2 łyżki sosu chili • 2 łyżki musztardy delikatesowej (sarepska zepsuje smak) • 2 łyżki płynnego miodu • sól • biały pieprz • sok z cytryny

Wytarte wilgotną ściereczką filety oprószamy delikatnie solą i smażymy pod przykryciem na małej ilości tłuszczu, aż nabiorą złocistej barwy (ok. 15 min).
Przygotowujemy sos: dżem, sos chili, musztardę i miód ucieramy, gdy się połączą, dodajemy przyprawy w takiej ilości, by sos miał wyraźny, pikantny smak z lekko wybijającą się nutą słodyczy. Połową sosu zalewamy filety, trzymamy pod przykryciem na niewielkim ogniu przez 10 min. Następnie odwracamy porcje na drugą stronę, zalewamy pozostałym sosem i dusimy przez następne 10 min.
Podajemy gorące, na lekko zrumienionych grzankach, polane sosem w taki sposób, by lekko je nasączył.

liczba porcji / 4
czas przygotowania / 45 min
stopień trudności / średniotrudne
kaloryczność / średniokaloryczne
koszt / średniodrogie

Kurczak
według Pana Starosty

s k ł a d n i k i : 6 niewielkich plastrów z piersi kurczaka
• łyżeczka przyprawy do drobiu • olej • jajko • tarta bułka • świeży ogórek • zielenina

s o s : łyżka masła • 2 cebule • szklanka śmietany kremówki
• łyżka musztardy delikatesowej • sól • pieprz

Porcje kurczaka lekko rozbijamy dłonią, nacieramy przyprawą, odstawiamy na 10 min w chłodne miejsce. Wychłodzone panierujemy w jajku i tartej bułce i smażymy na mocno rozgrzanym tłuszczu, rumieniąc z obu stron. Gotowe układamy w naczyniu do zapiekania i wstawiamy do nagrzanego do temp. 180ºC piekarnika na 15 min.
Przygotowujemy sos: na maśle lekko rumienimy drobno posiekaną cebulę, dodajemy śmietanę, podgrzewamy, nie dopuszczając do zagotowania, dodajemy musztardę, doprawiamy do smaku.
Porcje rozkładamy na wygrzanych talerzykach przybranych plasterkami świeżego ogórka, zalewamy sosem i podajemy gorące.

liczba porcji / 6
czas przygotowania / 40 min
stopień trudności / łatwe
kaloryczność / średniokaloryczne
koszt / tanie

Kurczę pieczone w serowym sosie

s k ł a d n i k i : 6 filetów z piersi kurczaka (mniejsze)
• oliwa i masło (pół na pół) do smażenia • łyżka przyprawy
do drobiu (przesianej przez sito) • filiżanka płatków migdałowych,
zrumienionych na suchej patelni

s o s : 2 serki camembert (miękkie) • 1/2 szklanki śmietany
kremówki • łyżka masła • kostka rosołu z drobiu • 2 łyżki mleka
(gdy trzeba)

Wytarte wilgotną ściereczką filety oprószamy obficie
przyprawą i podsmażamy na rozgrzanym tłuszczu. Lekko zrumienione podlewamy 2 łyżkami wody, przykrywamy i dusimy do miękkości.
Przygotowujemy sos: w rondelku rozgrzewamy masło,
dodajemy, podzielone na części, kawałki sera, pokruszoną kostkę rosołową i trzymamy na niewielkim ogniu. Gdy
składniki się rozpuszczą, dodajemy śmietanę, a gdy sos
zrobi się zbyt gęsty, dodajemy 2 łyżki mleka.
Na wygrzany, przybrany zieleniną półmisek wykładamy
porcje kurczaka, polewamy sosem, posypujemy zrumienionymi migdałami i podajemy. Danie jest najsmaczniejsze gorące.

Jajka po chińsku

s k ł a d n i k i : 6 jajek • łyżeczka soli • łyżeczka suchej
herbaty (listki) • kawałek suszonej skórki z mandarynki • 12 małych,
gorących tostów • masło

Jajka gotujemy w odkrytym naczyniu przez 30 min, studzimy w zimnej wodzie, obieramy ze skorupek. Do naczynia z 2 l wody wsypujemy sól, herbatę, dodajemy
skórkę z mandarynki, zagotowujemy, zestawiamy z ognia.
Do wrzącej wody wkładamy jajka i trzymamy pod przykryciem przez 2 godz. (na najmniejszym ogniu) – woda
powinna tylko lekko „mrugać".
Jajka wyjmujemy łyżką cedzakową, kroimy wzdłuż na
połowę, każdą układamy na gorącej, zrumienionej na
maśle grzance z tostowego chleba.

• o p r ó c z   c z a s u   n a   g o t o w a n i e   j a j e k

Omlet ze szparagami

liczba porcji / 2
czas przygotowania / 15 min•
stopień trudności / średniotrudne
kaloryczność / średniokaloryczne
koszt / średniodrogie

s k ł a d n i k i : 4 duże jajka • 2 łyżki wody mineralnej niegazowanej • szczypta soli • masło do smażenia • 10 dorodnych szparagów • sól • cukier • „orzeszek masła" do wody, w której ugotujemy szparagi • surowe żółtko • 1/2 szklanki śmietany • sól • pieprz

W wodzie z solą, cukrem i masłem gotujemy obrane szparagi (powinny być miękkie, ale nierozgotowane). Odstawiamy do przechłodzenia. Jajka ubijamy z dodatkiem wody i szczypty soli (nie dłużej niż przez 30 s). Na dużej, z grubym spodem (ważne) patelni rozgrzewamy tłuszcz (powinien być gorący, ale niezrumieniony), wlewamy przygotowane jajka. Podczas smażenia przechylamy patelnię na wszystkie strony, by masa jajeczna równomiernie się rozlała. Gotowy omlet zsuwamy na dobrze wygrzany półmisek, trzymamy w cieple. Odsączone szparagi kroimy na małe kawałki, zasmażamy na maśle, często mieszając. Gdy masło się zrumieni, a szparagi nabiorą lekko rumianego połysku, zalewamy je śmietaną delikatnie ubitą z surowym żółtkiem, posypujemy solą i pieprzem, uważając, by przyprawy nie przytłumiły wykwintnego smaku jarzyny. Gotowy farsz natychmiast nakładamy na przygotowany omlet, składamy go, dzielimy na połowę, podajemy na wygrzanych talerzach.

• oprócz czasu na gotowanie szparagów

Jajka zapiekane w kokilkach

s k ł a d n i k i : 20 dag surowej, wędzonej polędwicy lub surowej szynki • szklanka utartego, pikantnego sera • 2 łyżki keczupu • 6 jajek • masło do wysmarowania kokilek • liście sałaty • gęsty majonez • zielenina

Pokrojoną w kostkę polędwicę lub szynkę rozbijamy w malakserze na jednolitą masę (można posiekać tasakiem), dodajemy ser, keczup, składniki łączymy. Kokilki smarujemy masłem, do każdej wbijamy jajko, uważając, by żółtko się nie rozlało, na wierzchu rozkładamy warstwę farszu. Kokilki wstawiamy do szerokiego naczynia z gorącą wodą, uważając, żeby nie wlewała się do nich, naczynie przykrywamy, stawiamy na średnim ogniu i gotujemy przez 10-12 min. Po wyjęciu z wody zawartość kokilek wykładamy na talerze, przybrane liśćmi sałaty posmarowanymi majonezem. Podajemy zaraz po przygotowaniu, gorące, posypane zieleniną.

liczba porcji / 6
czas przygotowania / 30 min
stopień trudności / średniotrudne
kaloryczność / średniokaloryczne
koszt / średniodrogie

Zakąska z zapiekanych jajek

s k ł a d n i k i : 6 plastrów mortadeli lub kiełbasy szynkowej (wraz ze skórką) • 6 pomidorów równej wielkości • 6 jajek • masło • sól • pieprz • liście sałaty • zielenina

Z pomidorów wycinamy spód (miejsce, w którym łączy się z łodygą), wyjmujemy ostrą łyżeczką pestki i miąższ, wnętrza lekko oprószamy solą i pieprzem, odstawiamy w chłodne miejsce. W brytfannie lub dużym naczyniu do zapiekania rozgrzewamy masło, podsmażamy plasterki wędliny, gdy się lekko zrumienią i powstaną „miseczki", do środka wkładamy przygotowane pomidory, do każdego wbijamy jajko. Posypujemy solą, a na wierzchu kładziemy kawałek masła. Naczynie przykrywamy, wstawiamy do nagrzanego do temp. 180ºC piekarnika na 10-12 min. Podajemy, gdy białka się zetną, a żółtka będą płynne. Gorące porcje układamy na liściach sałaty, posypujemy zieleniną i natychmiast podajemy.

Zapiekane pikantne jajka

s k ł a d n i k i : 6 jajek ugotowanych na twardo • 3 jajka surowe • 12 plastrów chudej szynki lub innej wędliny • masło • łagodna musztarda • czerstwa bułka • szklanka mleka • szklanka utartego, żółtego sera • kopiasta łyżka wiórków mrożonego masła • pieprz • tłuszcz do wysmarowania formy • liście sałaty • zielenina

Jajka obieramy ze skorupek. Dużą formę do zapiekania smarujemy masłem, układamy plastry wędliny lekko posmarowane musztardą, na nich połówki jajek żółtkiem do spodu. Na maśle rumienimy pokrojoną w zapałki bułkę. Mleko łączymy z surowymi jajkami, serem, przyprawami (gdy ser jest pikantny, nie należy dodawać soli), zalewamy jajka, wierzch posypujemy grzankami i wiórkami mrożonego masła, wstawiamy do nagrzanego do temp. 200ºC piekarnika na 20-25 min.
Zakąskę podajemy bardzo gorącą w naczyniu, w którym się zapiekała. Porcje wykładamy na wygrzane talerzyki, wyłożone liśćmi sałaty, posypujemy zieleniną.

* o p r ó c z   c z a s u   n a   z a p i e k a n i e

Jajka faszerowane zapiekane

liczba porcji / 12
czas przygotowania / 35 min
stopień trudności / średniotrudne
kaloryczność / średniokaloryczne
koszt / średniodrogie

s k ł a d n i k i : 6 jajek ugotowanych na twardo • 2 jajka surowe • 3/4 szklanki tartej bułki • cebula lub 3 młode cebulki ze szczypiorkiem • kopiasta łyżka posiekanej natki pietruszki • 6 łyżek gęstej, kwaśnej śmietany • olej do podsmażenia cebuli • tarta bułka do posypania jajek • roztopione masło • sól • pieprz • liście sałaty

Obrane ze skorupek jajka kroimy wzdłuż na połowę, wyjmujemy żółtka, białka rozkładamy na deseczce. Na oleju lekko podsmażamy posiekaną cebulę (młodej cebulki podsmażać nie trzeba). Żółtka rozcieramy, dodajemy tartą bułkę, śmietanę, cebulę, surowe jajka, doprawiamy solą i pieprzem (farsz powinien mieć wyraźny, lekko pikantny smak). Porcje farszu nakładamy „z czubkiem" do białek, lekko wyrównujemy, układamy w naczyniu do zapiekania, wierzchy posypujemy dość obficie tartą bułką, skrapiamy roztopionym masłem, wstawiamy do nagrzanego do temp. 180ºC piekarnika na 12-15 min. Zakąska jest gotowa, gdy bułka na wierzchu równomiernie się zrumieni. Podajemy gorące, na liściach sałaty, z dodatkiem sałatki z papryki i pomidorów.

Jajka à la Carina

s k ł a d n i k i : łyżka masła • 4 kopiaste łyżki utartego, żółtego sera (najlepszy parmezan) • szklanka kwaskowej kremówki • łyżeczka mąki krupczatki • 6 jajek • sól • pieprz • wiórki mrożonego masła • liście sałaty • grzanki z tostowego chleba

Śmietanę łączymy z mąką, lekko ubijamy. Naczynie do zapiekania smarujemy masłem, posypujemy połową utartego sera, zalewamy śmietaną, wstawiamy do piekarnika nagrzanego do temp. 220ºC na 4-5 min. Gdy śmietana się zagotuje, naczynie wyjmujemy, wbijamy jajka w wyznaczone miejsca (ostrożnie, by żółtka się nie rozlały), wierzch oprószamy pieprzem, pozostałym serem i wiórkami masła. Całość ponownie wstawiamy do gorącego piekarnika na 4-5 min, by białka się ścięły, a żółtka pozostały płynne. Porcje podajemy na dużej grzance z tostowego chleba lub na liściu sałaty.

liczba porcji / 6
czas przygotowania / 30 min
stopień trudności / średniotrudne
kaloryczność / wysokokaloryczne
koszt / średniodrogie

liczba porcji / 6
czas przygotowania / 30 min
stopień trudności / średniotrudne
kaloryczność / średniokaloryczne
koszt / średniodrogie

Śledź po kaszubsku

s k ł a d n i k i : 6 średniej wielkości ziemniaków ugotowanych w łupinach • opakowanie solonych filetów śledziowych w zalewie z oliwą • 2 duże cebule • sól • pieprz • kopiasta łyżka posiekanej natki pietruszki (może być mrożona) • 2 szklanki gęstej, kwaśnej śmietany • łyżka octu ziołowego lub soku z cytryny

Śledzie odsączamy z zalewy, kroimy w zgrabne dzwonka. Cebule kroimy w cienkie piórka, przelewamy na sicie wrzątkiem, hartujemy zimną wodą, odstawiamy do wychłodzenia. Ziemniaki kroimy w cienkie (ważne!) plastry. Na spód półmiska wlewamy 3 łyżki śmietany, na niej układamy połowę ziemniaków, oprószamy je solą, pieprzem, natką pietruszki. Na warstwie ziemniaków rozkładamy połowę śledzi, kropimy delikatnie octem ziołowym lub sokiem z cytryny, na śledziach rozkładamy część cebuli (mniej niż połowę), którą oprószamy przyprawami. Druga warstwa to pozostałe, pokrojone w plasterki ziemniaki oprószone przyprawami, pozostałe śledzie skropione octem i przyprawami, cebula, która powinna przykryć całość. Potrawę zalewamy lekko spienioną śmietaną, oprószamy natką, owijamy w folię aluminiową i odstawiamy w chłodne miejsce (nie do lodówki) nawet na kilka godzin. Podajemy w naczyniu, w którym potrawa była przygotowywana.

Śledź w śmietanie
– przepis z kuchni staropolskiej

s k ł a d n i k i : opakowanie filetów śledziowych (matiasy) w zalewie z oliwą • duża cebula • 2 duże, kwaskowe jabłka • szklanka gęstej, kwaśnej śmietany • sok z cytryny • sól • biały pieprz • 1/2 łyżeczki zmielonych ziaren kolendry • listki pietruszki • plasterki cytryny

Odsączone z zalewy filety lekko obsuszamy, dzielimy na zgrabne porcje i układamy na półmisku, grzbietem do góry. Skrapiamy sokiem z cytryny według własnych upodobań smakowych.

liczba porcji / 6
czas przygotowania / 25 min
stopień trudności / średniotrudne
kaloryczność / średniokaloryczne
koszt / średniodrogie

Przygotowujemy sos: do śmietany dodajemy utarte na grubej, jarzynowej tarce jabłka (wcześniej obrane ze skórki i pozbawione gniazd nasiennych), bardzo drobno posiekaną cebulę, całość przyprawiamy do smaku.
Śledzie polewamy sosem, całość zawijamy w folię aluminiową i odstawiamy w chłodne miejsce (nie do lodówki) na 2-3 godz. Przed podaniem przybieramy zieleniną i plasterkami cytryny.

Karp w galarecie

s k ł a d n i k i : świeży karp o wadze do 1,6 kg • porcja
włoszczyzny bez kapusty • duża cebula • ząbek czosnku • kilka
ziaren czarnego pieprzu i ziela angielskiego • liść laurowy • sól
• 2 kopiaste łyżeczki mielonej żelatyny • 3 przepiórcze jajeczka
ugotowane na twardo • plasterki cytryny • marchew ugotowana
w wywarze • kiszony ogórek • zielenina

Sprawioną rybę dokładnie myjemy, filetujemy i wykrawamy 6 zgrabnych porcji. Z łba, części grzbietowej, części brzusznej i płetw oraz włoszczyzny, cebuli i przypraw
gotujemy wywar na niewielkim ogniu i w odkrytym naczyniu (wówczas nie zmętnieje). Po 15 min wywar cedzimy przez gęste sito wyłożone gazą, gdy trzeba, lekko
dosalamy, do gorącego wkładamy (najlepiej na specjal-
nym sicie) porcje ryby. Gotujemy w odkrytym naczyniu,
na niewielkim ogniu, przez 12-15 min, pilnując, by ry-
ba była miękka, ale nierozgotowana. Pozostawiamy do wychłodzenia w wywarze, w którym się gotowała. Żelatynę moczymy w niewielkiej ilości zimnej wody. Wychłodzone porcje ryby wykładamy
na deskę, bardzo dokładnie oczyszczamy z najmniejszych nawet ości, układamy na półmisku i przybieramy połówkami przepiórczych jajeczek, plasterkami cytryny (pozbawionymi pestek, bo galareta może nabrać gorzkiego smaku), marchwi i kiszonego ogórka (według własnych upodobań).
Wywar z ryby podgrzewamy do wrzenia, odmierzamy (cedząc przez bardzo gęste, wyłożone gazą
sito) 5 szklanek, w gorącym rozpuszczamy napęczniałą żelatynę, dokładnie mieszamy. Chłodną
galaretą zalewamy 2, a nawet 3 razy porcje ryby i odstawiamy w chłodne miejsce do wystudzenia.

liczba porcji / 6
czas przygotowania / 70 min
stopień trudności / **trudne**
kaloryczność / **średniokaloryczne**
koszt / **średniodrogie**

Uszka
z grzybowym farszem

s k ł a d n i k i : kapelusze borowików ugotowane w wywarze
• cebula • płaska łyżka masła • sól • pieprz • 2 łyżki tartej bułki

c i a s t o : szklanka mąki • szczypta soli • surowe żółtko • łyżka
oliwy • 1/2 szklanki ciepłej wody • mąka do posypania stolnicy
• sól • łyżka oleju

Przygotowujemy farsz: ugotowane grzyby najdrobniej siekamy lub przepuszczamy przez maszynkę. Bardzo drobno
posiekaną cebulę zasmażamy na maśle, gdy się zeszkli, łączymy z grzybami, całość przez chwilę zasmażamy, dodajemy przyprawy, tartą bułkę, odstawiamy do wychłodzenia.
Przygotowujemy ciasto: wszystkie składniki wkładamy
do malaksera, wyrobione, gładkie i sprężyste ciasto po-
zostawiamy na 10 min, by „odpoczęło". Na posypanej mąką stolnicy rozwałkowujemy 2 cienkie
placki, kroimy w kwadraty o boku 3 cm, na środku każdego kwadratu kładziemy małą łyżeczkę farszu, składamy po przekątnej i zlepiamy boki trójkąta, 2 rogi powstałego trójkąta łączymy i mocno
zaciskamy wokół palca. Układamy uszka na posypanej mąką stolnicy. Gotujemy w osolonej, z dodatkiem łyżki oleju wodzie, gdy wypłyną, zmniejszamy ogień i gotujemy jeszcze przez 3 min. Po
wyjęciu uszek za pomocą łyżki cedzakowej można je delikatnie posmarować tłuszczem, np. masłem, by się zbyt mocno nie skleiły. Podajemy zalane bardzo gorącym barszczem.

* oprócz czasu na gotowanie

liczba porcji / 6
czas przygotowania / 50 min*
stopień trudności / **średniotrudne**
kaloryczność / **średniokaloryczne**
koszt / **średniodrogie**

Sałatka śledziowa postna

s k ł a d n i k i : 6 filetów śledziowych (matiasy) w zalewie z oliwą • 3 duże cebule • sól • świeżo zmielony pieprz • 6 średniej wielkości ziemniaków ugotowanych w łupinkach • 3 jajka ugotowane na twardo • kopiasta łyżka zieleniny (natka pietruszki, koperek – mogą być mrożone) • szklanka kwaśnej śmietany • szklanka łagodnego majonezu • 1/2 szklanki naturalnego jogurtu

Śmietanę, majonez, jogurt łączymy, lekko ubijamy, by sos był puszysty. Odsączone z zalewy śledzie kroimy w zgrabne dzwonka, połowę układamy na spodzie dużego, szklanego, głębokiego półmiska, posypujemy drobno posiekaną cebulą, oprószamy solą i pieprzem, polewamy niewielką ilością sosu. 3 obrane z łupinek ziemniaki ucieramy na tarce z dużymi otworami, trzymając ją nad półmiskiem, rozrzucamy widelcem po całej powierzchni, oprószamy solą, pieprzem, polewamy lekko sosem. Następnie układamy pozostałe śledzie, polewamy lekko sosem, rozrzucamy pozostałą cebulę, oprószamy solą i pieprzem, polewamy sosem, układamy warstwę utartych ziemniaków, które lekko rozrzucamy po powierzchni. Na ziemniaki ucieramy ugotowane na twardo jajka, rozmieszczamy na całej powierzchni, całość polewamy pozostałym sosem, przykrywamy folią aluminiową, trzymamy w chłodnym miejscu przez 3-4 godz. Przed podaniem posypujemy zieleniną.

liczba porcji / 6
czas przygotowania / 40 min
stopień trudności / średniotrudne
kaloryczność / średniokaloryczne
koszt / średniodrogie

Śledzie świeże marynowane

s k ł a d n i k i : 1 kg świeżych, tzw. zielonych śledzi • 4 duże cebule • 0,5 l marynowanych grzybków (mogą być pieczarki) • oliwa lub olej • przyprawy

z a l e w a : 2 szklanki octu • 2 szklanki wody • 2 stołowe łyżki cukru • 2 płaskie łyżki soli • kilka ziaren czarnego pieprzu i ziela angielskiego • kilka goździków • 3 liście laurowe • kilka ziaren kolendry lub gorczycy

Składniki zalewy zagotowujemy, naczynie szczelnie przykrywamy, odstawiamy do wychłodzenia.
Śledzie myjemy, czyścimy, filetujemy, pozostawiając skórę, układamy w wysokim słoju lub kamiennym garnku, zalewamy wychłodzoną zalewą. Odstawiamy w zimne miejsce na 24 godz. Następnego dnia śledzie wyjmujemy z zalewy, kroimy w zgrabne dzwonka, ponownie układamy w słoju w następujący sposób: od spodu warstwa pokrojonej w piórka cebuli, kawałki śledzi, posiekane grzyby, warstwa cebuli. Każdą warstwę posypujemy grubo utłuczonym pieprzem i szczyptą soli. Ostatnią, wierzchnią warstwą powinna być cebula. Całość zalewamy oliwą, lekko podważając poszczególne warstwy, by dotarła do każdego miejsca. Przykrywamy, trzymamy w chłodnym miejscu. Śledzie są doskonałe już następnego dnia, ale gdy są przechowywane w chłodnym miejscu, bez dostępu powietrza, można je trzymać przez tydzień.

liczba porcji / 8
czas przygotowania / 60 min
stopień trudności / trudne
kaloryczność / średniokaloryczne
koszt / średniodrogie

Jajka po królewsku

liczba porcji / 10
czas przygotowania / 30 min
stopień trudności / średniotrudne
kaloryczność / średniokaloryczne
koszt / średniodrogie

s k ł a d n i k i : 5 jajek ugotowanych na twardo
• gruby plaster (8 dag) gotowanej szynki • 1/3 kostki
(8 dag) masła • 2/3 szklanki śmietany kremowej
• 2 kopiaste łyżki utartego parmezanu • sól • pieprz
• liście sałaty • gałązki rzeżuchy lub natka pietruszki

Szynkę drobno siekamy szerokim nożem,
ucieramy wraz z masłem na krem. Półmisek
przybieramy liśćmi sałaty, na nich układamy
połówki obranych ze skorupek jajek, każdą
połówkę przybieramy kremem z szynki (można w sposób dekoracyjny, specjalną szprycą).
Śmietanę ubijamy na puch z dodatkiem soli
i pieprzu, przykrywamy wierzchy, tworząc
zgrabne kopczyki, całość posypujemy utartym parmezanem i przybieramy zieleniną.

Jajka z kawiorem „w kopertach"

s k ł a d n i k i : 4 jajka ugotowane na twardo
• 8 niezbyt grubych plastrów wędzonego łososia
• 8 łyżeczek czarnego kawioru • okrągły talerz
z zasianą gęsto łączką z rzeżuchy

Obrane ze skorupek jajka kroimy wzdłuż na
połowę, usuwamy żółtka, rozcieramy je delikatnie widelcem, łączymy z trzymanym na lo-
dzie kawiorem, delikatnie, ale dokładnie mieszamy. Masą żółtkowo-kawiorową napełniamy białka, każdą połówkę owijamy w plaster
łososia i spinamy (srebrnym szpikulcem lub
rzeźbioną wykałaczką), tworząc zgrabną „kopertę". Porcje układamy na gęstej łączce z rzeżuchy (powinny utrzymać się na wierzchu)
i od razu podajemy.

liczba porcji / 8
czas przygotowania / 25 min
stopień trudności / średniotrudne
kaloryczność / średniokaloryczne
koszt / średniodrogie

liczba porcji / 30

czas przygotowania / 150 min*

stopień trudności / trudne

kaloryczność / średniokaloryczne

koszt / średniodrogie

Pasztet królewski

s k ł a d n i k i : przód i podroby z królika • 25 dag wątroby cielęcej lub wątróbki drobiowej • 25 dag tłustego schabu karkowego • 10 dag podgardla wieprzowego • duża pierś kurczaka • 2 suszone kapelusze borowików • 2 cebule • 1/2 szklanki tartej bułki • 1/2 szklanki ciepłego mleka • 2 jajka • korzeń pietruszki • 1/3 średniej wielkości selera • kilka ziaren czarnego pieprzu i ziela angielskiego • liść laurowy • sól • pieprz • gałka muszkatołowa • kawałek słoniny • smalec

Opłukane mięso (królika, drobiu, podgardle, schab karkowy) przekładamy do płaskiego rondla, dodajemy włoszczyznę, grzyby, przyprawy, gotujemy na średnim ogniu, aż składniki będą miękkie. Na rozgrzanym smalcu podsmażamy cebulę, gdy się zeszkli, odsuwamy na boki patelni, dodajemy rozdrobnioną wątrobę, zasmażamy razem, rumieniąc ze wszystkich stron, przykrywamy, trzymamy w cieple. Tartą bułkę zalewamy ciepłym mlekiem, odstawiamy, by napęczniała. Formę do pieczenia pasztetu wykładamy cienkimi (ważne!) plasterkami słoniny, miejsce przy miejscu.

Miękkie mięso odsączamy na sicie, obieramy z kostek i wraz z zasmażoną wątróbką i cebulą oraz ugotowanymi grzybami przepuszczamy 2 razy przez maszynkę. Do masy dodajemy jajka, namoczoną bułkę, przyprawy, bardzo dokładnie wyrabiamy. Przekładamy masę do przygotowanej podłużnej formy babowej, wyrównujemy powierzchnię, układamy na wierzchu wzorek z paseczków słoniny i wstawiamy do nagrzanego piekarnika. Pieczemy w temp. 160°C przez 80 min lub nieco dłużej (w zależności od wysokości pasztetu). Po przechłodzeniu, ale jeszcze ciepły, wyjmujemy z formy. Dobrze wychłodzony kroimy w zgrabne plastry, układamy dekoracyjnie na przybranym wcześniej półmisku. Podajemy z dodatkiem pikantnych sosów.

* o p r ó c z   c z a s u   n a   p i e c z e n i e

Sałatka wielkanocna

s k ł a d n i k i : 6 jajek ugotowanych na twardo • łyżka świeżo utartego chrzanu • sok z całej cytryny • szklanka kwaśnej śmietany kremowej • 2 kwaskowe jabłka • cebula • 2 ziemniaki ugotowane w łupinkach • 4 przepiórcze jajeczka ugotowane na twardo • sól • cukier • świeżo zmielony biały pieprz

liczba porcji / 8

czas przygotowania / 30 min

stopień trudności / średniotrudne

kaloryczność / średniokaloryczne

koszt / średniodrogie

Utarty na tarce z małymi otworami chrzan natychmiast zalewamy sokiem z cytryny, mieszamy. Obrane ze skorupek jajka, obrane z łupinek ziemniaki oraz pozbawione skórki i gniazd nasiennych jabłka kroimy w zgrabną kostkę, cebulę najdrobniej siekamy. Składniki sałatki łączymy z utartym chrzanem, zalewamy śmietaną przyprawioną solą, cukrem i pieprzem, całość owijamy szczelnie folią aluminiową, odstawiamy na godzinę w chłodne miejsce. Przed podaniem przybieramy gałązkami rzeżuchy i połówkami przepiórczych jajeczek.

Świąteczna galaretka z nóżek

liczba porcji / 8
czas przygotowania / 120 min
stopień trudności / średniotrudne
kaloryczność / średniokaloryczne
koszt / średniodrogie

s k ł a d n i k i : 1 kg oczyszczonych, porąbanych na części nóżek (najlepiej pół na pół nóżki cielęce i wieprzowe) • 1/2 porcji włoszczyzny bez kapusty • cebula • liść laurowy • kilka ziaren czarnego pieprzu i ziela angielskiego • 4 przepiórcze jajeczka ugotowane na twardo • listki natki pietruszki

Umyte nóżki wkładamy do szerokiego garnka, zalewamy wrzącą wodą, zagotowujemy, trzymamy na niewielkim ogniu przez 10 min. Dodajemy cebulę, włoszczyznę, przyprawy, całość lekko solimy, gotujemy odkryte, na niewielkim ogniu. Gdy trzeba, wyparowany płyn uzupełniamy wrzącą wodą. Gdy mięso będzie miękkie, dosalamy, nadając smak mocno osolonej zupy.
Z lekko przestudzonego wywaru wyjmujemy mięso, oddzielamy od kości, drobno kroimy.
Na spodzie kokilek układamy połówkę ugotowanego przepiórczego jajeczka, otaczamy dekoracyjnie małymi listkami natki pietruszki i, w równych ilościach, kładziemy porcje mięsa. Wywar podgrzewamy, cedzimy, gdy trzeba, lekko doprawiamy, zalewamy przygotowane porcje, ustawiamy w chłodnym miejscu. Wyłożone z kokilek porcje podajemy na wyłożonym zieleniną półmisku, przybieramy plasterkami cytryny i dekorujemy według własnych upodobań.

Szynka wędzona gotowana
- przepis z kuchni staropolskiej

s k ł a d n i k i : wędzona, surowa szynka (może być z kością) • włoszczyzna bez kapusty • cebula (ilość włoszczyzny i cebuli zależy od wielkości szynki)

Szynkę moczymy przez całą noc w dużej ilości zimnej wody. Przed gotowaniem myjemy bardzo dokładnie pod bieżącą, ciepłą wodą, najlepiej za pomocą ostrej szczoteczki (powierzchnia szynki powinna być dokładnie oczyszczona). Tak przygotowaną kładziemy do dużego garnka (powinna luźno pływać), zalewamy czystą, zimną wodą, od razu dodajemy włoszczyznę i cebulę, gotujemy na małym ogniu (woda powinna tylko lekko „mrugać"). Czas gotowania zależy od wielkości szynki. Próbujemy, czy jest miękka, bardzo ostrym widelcem – gdy lekko wchodzi, a skóra zaczyna odstawać, szynka jest gotowa.
Pozostawiamy do następnego dnia w rosole, w którym się gotowała. Przed pokrojeniem zdejmujemy skórę, kto nie lubi tłustych wędlin, może również zdjąć część otaczającej szynkę słoniny. Kroimy bardzo ostrym, cienkim nożem w niezbyt grube plastry i układamy na przybranym półmisku.

liczba porcji / 8
czas przygotowania / 25 min•
stopień trudności / średniotrudne
kaloryczność / wysokokaloryczne
koszt / drogie

• oprócz czasu na moczenie i gotowanie

Szynka wieprzowa pieczona

s k ł a d n i k i : 1,5 kg mięsa wieprzowego od szynki
• zioła przyprawowe: liść laurowy, kilka ziaren ziela angielskiego,
kilka ziaren czarnego pieprzu, 5 suszonych owoców jarzębiny, duża
szczypta rozmarynu, duża szczypta nasion kminku, kilka ziaren
kolendry (po utłuczeniu w moździerzu kopiasta łyżka przypraw)
• 30 dag suszonych moreli • oliwa

Morele moczymy w 2 szklankach przegotowanej, letniej
wody. Mięso, po wytarciu wilgotną, skropioną octem
ściereczką, odpowiednio formujemy, nacinając w prosto-
kątny płat, i lekko obijamy z obu stron drewnianym tłuczkiem. Tak przygotowane nacieramy z obu stron utłuczonymi ziołami, przykrywamy ściereczką, odstawiamy na
15 min w chłodne miejsce.
Brytfannę smarujemy obficie oliwą. Z wody wyjmujemy
połowę namoczonych moreli, odsączamy. Na rozłożo-
nym mięsie układamy (wzdłuż) morele, rolujemy, obwiązujemy szczelnie bawełnianą nicią, wierzch lekko smarujemy oliwą i podsmażamy na patelni z rozgrzaną oliwą, rumieniąc ze wszystkich stron. Mięso przekładamy

liczba porcji / ok. 8
czas przygotowania / 50 min•
stopień trudności / średniotrudne
kaloryczność / wysokokaloryczne
koszt / drogie

do przygotowanej brytfanny, wstawiamy do nagrzanego do temp. 180ºC piekarnika. Do tłuszczu,
który pozostał na patelni, wlewamy część wody, w której moczyły się morele, zagotowujemy, przelewamy do garnka i w czasie pieczenia polewamy mięso. Gdy będzie prawie miękkie, obkładamy
szynkę pozostałymi morelami, brytfannę przykrywamy, po 10 min wyłączamy dopływ ciepła i pozostawiamy w piekarniku. Dobrze wychłodzone mięso, po usunięciu nici, kroimy w cienkie plastry,
podajemy na przybranym półmisku, otoczone usmażonymi morelami.

• o p r ó c z   c z a s u   n a   p i e c z e n i e

Schab ze śliwkami

s k ł a d n i k i : 1 kg młodego schabu bez kości
• 20 dag suszonych śliwek (kalifornijskie) bez pestek • oliwa
do smażenia • sól • pieprz • mąka krupczatka do oprószenia schabu
• sok z dużej cytryny • szklanka soku z jabłek

Wytarty wilgotną, skropioną octem ściereczką schab
nacieramy solą i pieprzem, oprószamy mąką i smażymy na rozgrzanej oliwie, rumieniąc ze wszystkich stron.
Przekładamy do wysmarowanej tłuszczem brytfanny,
podlewamy sokiem z jabłek wymieszanym pół na pół
z wodą (4 łyżkami), wstawiamy do średnio nagrzanego piekarnika, często polewając sokiem z wodą i przewracając mięso na drugą stronę. Gdy schab będzie prawie miękki, wkładamy do wytworzonego sosu wypłukane śliwki, a mięso skrapiamy sokiem z cytryny, bryt-

liczba porcji / 8
czas przygotowania / 25 min•
stopień trudności / średniotrudne
kaloryczność / wysokokaloryczne
koszt / drogie

fannę przykrywamy, trzymamy w piekarniku przez 5 min, następnie wyłączamy dopływ ciepła
i pozostawiamy, by w cieple połączyły się wszystkie smaki. Zimne mięso kroimy w cienkie plastry, układamy na przybranym zielniną półmisku, przybieramy uprużonymi śliwkami, podajemy z pikantnym sosem lub z sałatką.

• o p r ó c z   c z a s u   n a   p i e c z e n i e   m i ę s a

Sos pieczarkowy luksusowy

s k ł a d n i k i : 30 dag małych (ważne!) pieczarek • 2 łyżki masła • łyżka mąki • 3 łyżki mleka • szklanka gęstej śmietany • sól • pieprz

Opłukane, obsuszone pieczarki podsmażamy na maśle (ok. 5 min), często potrząsając rondlem, by równomiernie się zrumieniły. Następnie przykrywamy i dusimy na małym ogniu przez następne 5 min. W mleku rozprowadzamy mąkę tak, by nie było grudek, łączymy ze śmietaną, lekko ubijamy, spienioną zalewamy pieczarki. Doprawiamy sos solą i świeżo zmielonym białym pieprzem, trzymamy na ogniu nie dłużej niż przez 3 min, by mąka się rozprużyła i straciła smak surowizny. Podajemy gorący. Sosu nie powinno się przechowywać i odgrzewać.

liczba porcji /	8
czas przygotowania /	25 min
stopień trudności /	łatwe
kaloryczność /	niskokaloryczne
koszt /	średniodrogie

Sos ze świeżych zielonek

s k ł a d n i k i : 12-15 dużych kapeluszy zielonek • kopiasta łyżka masła • szklanka rosołu (może być z koncentratu) • 2 duże cebule • łyżka mąki • 3 łyżki śmietany kremowej • kopiasta łyżka posiekanego koperku

Umyte, odsączone z wody zielonki bardzo drobno siekamy. Na maśle podsmażamy posiekaną cebulę, gdy się zeszkli, dodajemy zielonki i smażymy, często mieszając, aż wyparuje większość puszczonego przez grzyby soku. Całość posypujemy mąką, lekko zasmażamy, cały czas mieszając, by mąka straciła smak surowizny, podlewamy rosołem i zagotowujemy. Po zdjęciu z ognia dodajemy śmietanę, koperek i przyprawy. Sos przed podaniem można lekko podgrzać (nie zagotowywać!). Nie nadaje się do dłuższego przetrzymywania.

liczba porcji /	8
czas przygotowania /	25 min
stopień trudności /	łatwe
kaloryczność /	niskokaloryczne
koszt /	tanie

Sos genueński

s k ł a d n i k i : 20 dag mielonego mięsa (może być wołowo-
-wieprzowe lub drobiowe) • duża cebula • oliwa • 2 łyżki koncentratu
pomidorowego • łyżka keczupu • duży ząbek czosnku • kieliszek
białego, wytrawnego wina • łyżka mąki • szklanka rosołu (może być
z koncentratu) • sól • pieprz • tymianek

Na oliwie podsmażamy posiekaną cebulę, uważając, by
się nie zrumieniła, dodajemy mielone mięso i jeszcze
chwilę smażymy, często mieszając. Posypujemy mąką
i ponownie podsmażamy, często mieszając (mąka powinna stracić smak surowizny). Zasmażone mięso rozprowadzamy rosołem, dokładnie mieszamy (składniki
sosu powinny tworzyć jednolitą konsystencję), dodajemy koncentrat pomidorowy rozprowadzony w 2 łyżkach
wody, keczup, pieprz, roztarty w dłoniach tymianek, sól,
na koniec wlewamy wino i jeszcze raz zagotowujemy.

liczba porcji / 8

czas przygotowania / 25 min

stopień trudności / łatwe

kaloryczność / niskokaloryczne

koszt / średniodrogie

Sos staropolski
ze świeżych grzybów

s k ł a d n i k i : 12-15 kapeluszy świeżych grzybów (borowiki,
kozaki, podgrzybki) • duża cebula • 2 kopiaste łyżki masła • kopiasta
łyżka mąki • 1/2 szklanki śmietany • szklanka rosołu (może być
z koncentratu) • kopiasta łyżka posiekanego koperku • sól • pieprz

Oczyszczone, umyte grzyby bardzo drobno szatkujemy,
cebulę drobno siekamy. Na maśle podsmażamy cebulę,
gdy się zeszkli, dodajemy grzyby, naczynie przykrywamy, stawiamy na niewielkim ogniu, od czasu do czasu
mieszamy, uważając, by nie przywarły do dna naczynia.
Pod koniec duszenia, gdy wyparuje większość sosu, podsypujemy grzyby mąką, zasmażamy, aż straci smak surowizny, podlewamy rosołem i zagotowujemy. Dodajemy
przyprawy w umiarkowanych ilościach, by nie przytłumiły wykwintnego, niepowtarzalnego smaku sosu. Tuż
przed podaniem dodajemy do sosu lekko spienioną śmietanę, koperek i, już nie podgrzewając, podajemy. Sosu
ze świeżych grzybów nie należy odgrzewać.

liczba porcji / 8

czas przygotowania / 30 min

stopień trudności / łatwe

kaloryczność / niskokaloryczne

koszt / średniodrogie

Sos staropolski
z suszonych grzybów

s k ł a d n i k i : szklanka suszonych grzybów
(najodpowiedniejsze borowiki) • duża cebula • 2 łyżki masła
• łyżka mąki • sól • biały pieprz

Opłukane grzyby zalewamy 3 szklankami wody stołowej lub oligoceńskiej (woda z kranu może popsuć smak
sosu), dodajemy pokrojoną na 4 części cebulę, gotujemy na niewielkim ogniu, aż będą miękkie. Wywar cedzimy, odrzucamy cebulę, a grzyby rozdrabniamy w malakserze lub przepuszczamy przez maszynkę.
Z masła i mąki przygotowujemy zasmażkę, uważając, by
mąka się nie zrumieniła, tylko straciła smak surowizny,
rozprowadzamy wywarem z grzybów, zagotowujemy,
dodajemy zmielone grzyby, przyprawiamy do smaku solą i miałkim pieprzem. Sos ma piękny, ciemny kolor, niepowtarzalny aromat i konsystencję gęstej śmietany.

liczba porcji / **8**

czas przygotowania / **25 min**

stopień trudności / **łatwe**

kaloryczność / **niskokaloryczne**

koszt / **średniodrogie**

liczba porcji / **8**

czas przygotowania / **25 min**

stopień trudności / **łatwe**

kaloryczność / **niskokaloryczne**

koszt / **tanie**

Sos pomidorowy
wykwintny

s k ł a d n i k i : 8 dużych, dojrzałych pomidorów (ok. 1 kg)
• duża cebula • duży ząbek czosnku • 3 łyżki oliwy • liść laurowy
• sól • pieprz • płaska łyżeczka cukru • kopiasta łyżeczka przypraw
(kompozycja: bazylia, tymianek, szałwia, oregano)

Sparzone pomidory obieramy ze skórki, kroimy na cząstki, odrzucając pestki. Na rozgrzaną oliwę wrzucamy posiekaną cebulę, gdy się lekko zrumieni (kolor słomkowy),
dodajemy pomidory, liść laurowy, przyprawy. Gotujemy, często mieszając, przez 15 min. Gdy sos
jest zbyt gęsty, rozprowadzamy kieliszkiem rosołu lub wywaru z warzyw i, gdy trzeba, doprawiamy do smaku.
Sos można przetrzeć przez sito i dodać niewielką ilość śmietany, będzie miał nieco delikatniejszy
smak i jaśniejszy kolor.

Sos włoski
do spaghetti

s k ł a d n i k i : 3 duże, dojrzałe pomidory • plaster (10 dag) surowego boczku • duża cebula • 2 ząbki czosnku • płaska łyżeczka bazylii • duża łyżka posiekanego szczypiorku • szczypta suszonego tymianku • 1/2 szklanki białego, wytrawnego wina • sól • pieprz • 1/2 szklanki oliwy

W rondlu z grubym dnem (ważne!) rozgrzewamy oliwę, wrzucamy ząbki czosnku, gdy się zrumienią, wyjmujemy, a na oliwę wrzucamy posiekaną cebulę oraz pokrojony w kostkę boczek i, cały czas mieszając, smażymy, aż cebula nabierze złocistego koloru. Dolewamy wino, mieszamy, gdy składniki się zagotują, dodajemy obrane ze skórki, pozbawione pestek pomidory, filiżankę gorącej wody, zioła, przykrywamy, gotujemy na niewielkim ogniu przez 20 min. Sos podajemy przetarty przez sito lub naturalny. Możemy przygotować go wcześniej i tuż przed podaniem podgrzać, ale nie zagotować.

liczba porcji / **8**
czas przygotowania / **35 min**
stopień trudności / **łatwe**
kaloryczność / **niskokaloryczne**
koszt / **tanie**

Sos chrzanowy
ze śmietaną

s k ł a d n i k i : 2 średniej wielkości korzenie chrzanu • sok z 1/2 dużej cytryny • łyżeczka cukru pudru • szklanka słodkiej śmietany kremowej • 3 jajka ugotowane na twardo • sól

Chrzan ucieramy na tarce z drobnymi otworami, przekładamy na gęste sito, parzymy wrzątkiem, odstawiamy do przechłodzenia. Z jajek wyjmujemy żółtka, rozcieramy z sokiem z cytryny na gładką masę, dodajemy śmietanę, chrzan, całość doprawiamy do smaku cukrem i solą. Owijamy w folię aluminiową, odstawiamy w chłodne miejsce do następnego dnia, by składniki dokładnie się połączyły. Podajemy do pasztetu i zimnych mięs.

liczba porcji / **8**
czas przygotowania / **25 min**
stopień trudności / **łatwe**
kaloryczność / **średniokaloryczne**
koszt / **średniodrogie**

Sos chrzanowy parzony

liczba porcji / 8
czas przygotowania / 15 min
stopień trudności / łatwe
kaloryczność / niskokaloryczne
koszt / tanie

s k ł a d n i k i : 2 średniej wielkości korzenie chrzanu • czubata łyżka masła • szklanka słodkiej śmietany • sok z cytryny • sól • cukier

Utarte na tarce z drobnymi oczkami korzenie chrzanu przekładamy na sito, przelewamy wrzątkiem, odstawiamy do odsączenia. W rondelku topimy masło, dodajemy chrzan, przez minutę smażymy, cały czas mieszając, odstawiamy z ognia. Do chrzanu dodajemy śmietanę, ponownie wstawiamy na ogień i przez chwilę podgrzewamy, nie dopuszczając, by sos się zagotował. Po zestawieniu z ognia dodajemy sok z cytryny i doprawiamy do smaku. Wychłodzony sos zawijamy szczelnie w folię aluminiową i przechowujemy w lodówce do następnego dnia (będzie aromatyczny, pikantny, poprawiający apetyt).

Sos chrzanowy z jabłkami

liczba porcji / 8
czas przygotowania / 15 min
stopień trudności / łatwe
kaloryczność / niskokaloryczne
koszt / tanie

s k ł a d n i k i : 2 średniej wielkości korzenie chrzanu • 2 winne jabłka • sok z cytryny • łyżeczka cukru pudru • sól • szklanka słodkiej śmietany kremowej

Chrzan ucieramy na tarce z drobnymi oczkami, przekładamy na sito, przelewamy wrzątkiem, odstawiamy do przechłodzenia. Obrane ze skórki jabłka ucieramy na tej samej tarce, natychmiast łączymy z sokiem z cytryny i zimnym chrzanem, mieszamy, dodajemy śmietanę, doprawiamy cukrem, szczyptą soli i, gdy trzeba, sokiem z cytryny. Sos podajemy nie później niż 2 godz. po przygotowaniu (inaczej straci smak i aromat).

Sos chrzanowy z winem

liczba porcji / 8
czas przygotowania / 15 min
stopień trudności / łatwe
kaloryczność / średniokaloryczne
koszt / średniodrogie

s k ł a d n i k i : duży korzeń chrzanu • 1/2 szklanki białego, wytrawnego wina • 2 szklanki słodkiej śmietany kremowej • łyżka soku wiśniowego • łyżka soku z czerwonych porzeczek • łyżka musztardy delikatesowej • sok z cytryny • łyżeczka cukru pudru • sól

Utarty na tarce z drobnymi oczkami chrzan przekładamy na sito, parzymy wrzątkiem, odstawiamy do odsączenia i przechłodzenia. Zimny łączymy z winem, śmietaną i pozostałymi składnikami, doprawiamy bardzo ostrożnie, aby nadmiar przypraw nie przytłumił delikatnego, wykwintnego smaku. Sos podajemy nie później niż 2 godz. po przygotowaniu (inaczej straci smak i aromat).

liczba porcji / 8

czas przygotowania / 20 min

stopień trudności / łatwe

kaloryczność / średniokaloryczne

koszt / średniodrogie

Sos chrzanowy wykwintny

s k ł a d n i k i : 4 łyżki gęstego majonezu • 4 łyżki kwaśnej śmietany kremowej • 2 łyżki świeżo utartego chrzanu • 4 połówki brzoskwiń z kompotu • duża bezpestkowa pomarańcza • 2 jajka ugotowane na twardo • sól • biały pieprz • cukier puder • sok z cytryny

W malakserze rozcieramy wyjęte z jajek żółtka z chrzanem, dodajemy lekko rozdrobnione brzoskwinie, obraną ze skórki, pozbawioną białych błon pomarańczę. Gdy sos ma jednolitą, gładką konsystencję, dodajemy śmietanę, majonez, doprawiamy do smaku. Jeżeli sos jest zbyt gęsty, dodajemy łyżkę soku z brzoskwiń. Sos należy przygotować nie wcześniej niż godzinę przed podaniem.

liczba porcji / 8

czas przygotowania / 15 min

stopień trudności / łatwe

kaloryczność / średniokaloryczne

koszt / średniodrogie

Sos majonezowo-jajeczny

s k ł a d n i k i : szklanka majonezu • szklanka gęstej, kwaśnej śmietany • 2 jajka ugotowane na twardo • 2 łyżki musztardy delikatesowej (inna może zepsuć smak sosu) • sól • pieprz • cukier puder • sok z cytryny

Wyjęte z jajek żółtka ucieramy z musztardą i z sokiem z cytryny na jednolitą masę. Dodajemy majonez, lekko spienioną śmietanę, mieszamy, doprawiamy w taki sposób, aby sos miał delikatny, ale wyraźny, pikantny smak. Pod koniec dodajemy drobno posiekane białka. Składniki łączymy, przelewamy do sosjerki. Podajemy nie później niż godzinę po przygotowaniu.

liczba porcji / 8

czas przygotowania / 20 min

stopień trudności / łatwe

kaloryczność / średniokaloryczne

koszt / tanie

Sos majonezowy pikantny

s k ł a d n i k i : szklanka gęstego majonezu • 2 kopiaste łyżki migdałów • świeży ogórek • 2 łyżki keczupu • płaska łyżka koncentratu pomidorowego • 2 kopiaste łyżki posiekanego koperku • sok z cytryny • sól • cukier puder

Migdały parzymy, obieramy z łupinek, bardzo drobno siekamy lub przepuszczamy przez maszynkę. Z obranego ze skórki ogórka usuwamy pestki, drobno siekamy, wkładamy na sito, by stracił nadmiar soku. Majonez łączymy z migdałami, keczupem, koncentratem i, na końcu, z ogórkiem. Sos delikatnie przyprawiamy, by miał wyraźny, z wyczuwalną pomidorową nutą, smak. Przygotowujemy nie wcześniej niż 30 min przed podaniem.

Sos majonezowy
z ananasem

liczba porcji / 8

czas przygotowania / 10 min

stopień trudności / łatwe

kaloryczność / średniokaloryczne

koszt / tanie

s k ł a d n i k i : 4 łyżki oliwy • 4 łyżki soku z cytryny • 4 łyżki gęstego majonezu • 4 łyżki soku z ananasa • 4 plasterki ananasa • łyżeczka musztardy delikatesowej • sól • pieprz • 1/2 łyżeczki cukru pudru

Oliwę ucieramy z sokiem z cytryny, dodajemy majonez, sok z ananasa i ucieramy do czasu, aż składniki się połączą i powstanie jednolity, gęsty, o pięknej barwie sos. Dodajemy plasterki ananasa (drobno posiekane lub rozbite na mus), przyprawy, składniki łączymy. Sos powinien mieć wyraźny, słodko-kwaśny smak i niepowtarzalny aromat. Podajemy nie później niż 30 min po przygotowaniu.

Sos tatarski
delikatny

liczba porcji / 8

czas przygotowania / 15 min

stopień trudności / łatwe

kaloryczność / średniokaloryczne

koszt / tanie

s k ł a d n i k i : szklanka gęstego majonezu • 1/2 szklanki śmietany • kopiasta łyżka posiekanych, marynowanych grzybków • ogórek konserwowy • cebula średniej wielkości • łyżka musztardy delikatesowej • cukier puder • sok z cytryny • sól • pieprz • łyżeczka octu z marynaty grzybowej • ostra, marynowana papryka

Bardzo drobno posiekaną cebulę parzymy na sicie wrzątkiem, hartujemy zimną wodą, odstawiamy do odsączenia. Ogórek najdrobniej siekamy. Majonez łączymy ze śmietaną, dodajemy wszystkie posiekane składniki, doprawiamy musztardą, solą, cukrem, pieprzem, sokiem z cytryny i, gdy trzeba, octem z marynaty. Sos powinien mieć pikantny, zdecydowany smak. Podajemy nie później niż godzinę po przygotowaniu.

Sos tatarski
pikantny

liczba porcji / 8

czas przygotowania / 10 min

stopień trudności / łatwe

kaloryczność / średniokaloryczne

koszt / tanie

s k ł a d n i k i : szklanka majonezu • 1/2 szklanki gęstej, kwaśnej śmietany • 2 marynowane papryki • duże, kwaskowe jabłko • łyżeczka łagodnej musztardy • szczypta pieprzu cayenne • sól • pieprz • cukier puder • 2 kopiaste łyżki zieleniny (może być kompozycja: natka pietruszki, koperek, szczypior, rzeżucha, młode pędy czosnku)

Majonez łączymy ze śmietaną, dodajemy bardzo drobno posiekane paprykę, jabłko i zieleninę. Sos będzie smaczniejszy, gdy doprawimy go musztardą, pieprzem cayenne, solą, cukrem pudrem i białym pieprzem. Powinien mieć wyraźny, pikantny smak z przebijającą nutą słodyczy. Gotowy owijamy szczelnie w folię aluminiową i trzymamy przez godzinę w chłodnym miejscu. Podajemy nie później niż godzinę po przygotowaniu.

liczba porcji / 8
czas przygotowania / 10 min
stopień trudności / łatwe
kaloryczność / średniokaloryczne
koszt / tanie

Sos wiosenny

s k ł a d n i k i : szklanka majonezu • 1/2 szklanki gęstej, kwaśnej śmietany • 2 łyżki naturalnego jogurtu • łyżka posiekanych, marynowanych grzybków (mogą być pieczarki) • 6 kopiastych łyżek zieleniny (listki pietruszki, koperek, rzeżucha, szczypior, młode pędy czosnku, świeże, lubiane zioła) • 2 kopiaste łyżki utartych rzodkiewek • sól • pieprz

Majonez łączymy ze śmietaną i jogurtem, dodajemy drobno pokrojone składniki sosu, mieszamy, doprawiamy do smaku solą i pieprzem. Sos należy przygotować bezpośrednio przed podaniem (nie przetrzymujemy w lodówce).

liczba porcji / 8
czas przygotowania / 10 min
stopień trudności / łatwe
kaloryczność / niskokaloryczne
koszt / tanie

Sos wiosenny delikatny

s k ł a d n i k i : szklanka kwaśnej śmietany kremowej • szklanka naturalnego jogurtu • 4 małe cebulki (dymki) • czubata łyżka koperku • czubata łyżka szczypiorku • czubata łyżka natki pietruszki • czubata łyżka rzeżuchy • czubata łyżka młodych liści ogórecznika lub młodych pędów szczawiu (razem 5 łyżek) • sól • pieprz

Do salaterki wlewamy jogurt, dodajemy posiekane cebulki i pozostałą zieleninę oraz lekko ubitą śmietaną, doprawiamy do smaku. Sos powinien być delikatny w smaku, o pięknej, wiosennej barwie i bogatym aromacie. Należy go przygotować na 10 min przed podaniem.

liczba porcji / 8
czas przygotowania / 15 min
stopień trudności / łatwe
kaloryczność / średniokaloryczne
koszt / średniodrogie

Sos staropolski pikantny

s k ł a d n i k i : 4 jajka ugotowane na twardo • 3 duże cytryny • szklanka gęstej śmietany kremowej • cebula • kopiasta łyżka posiekanej natki pietruszki • kopiasta łyżka utartego chrzanu • sól • cukier puder

Jajka dzielimy wzdłuż na połowę, wyjmujemy żółtka. Z cytryn wyciskamy sok, uważając, by nie dostały się pestki. W salaterce ucieramy żółtka z sokiem na jednolitą masę, dodajemy (po łyżce) śmietanę, roztartą ze szczyptą soli cebulę, chrzan, przyprawy i zieleninę, składniki łączymy. Do przyprawionego sosu dodajemy drobno posiekane białka, raz jeszcze mieszamy i, gdy trzeba, doprawiamy. Gotowy sos owijamy w folię aluminiową i wstawiamy na kilka godzin do lodówki.

Sos winogronowy

s k ł a d n i k i : szklanka gęstej, kwaśnej śmietany kremówki • szklanka majonezu • szklanka wydrylowanych, rozdrobnionych białych winogron • cukier • sól • pieprz • sok z cytryny

Śmietanę ubijamy z dodatkiem szczypty soli na puch, łączymy delikatnie z majonezem i winogronami, gdy trzeba, lekko doprawiamy do smaku sokiem z cytryny, solą, pieprzem i cukrem pudrem. Gotowy sos należy schładzać przez 15 min. Podajemy nie później niż 30 min po przygotowaniu.

liczba porcji / **8**

czas przygotowania / **10 min**

stopień trudności / **łatwe**

kaloryczność / **średniokaloryczne**

koszt / **tanie**

Brokuły gotowane

s k ł a d n i k i : 2 róże brokułów średniej wielkości • sól • cukier • łyżeczka masła

d o d a t k i   n a   g o r ą c o : masło zrumienione z tartą bułką

d o d a t k i   n a   z i m n o : 2 łyżeczki oliwy • 2 łyżeczki soku z cytryny • świeżo zmielony biały pieprz
• pikantny zimny sos (majonezowy, tatarski, czosnkowy, korniszonowy, pomidorowy lub inny)

liczba porcji / 2

czas przygotowania / 30 min

stopień trudności / łatwe

kaloryczność / niskokaloryczne

koszt / tanie

Opłukane brokuły wkładamy do gorącej wody z dodatkiem soli, cukru i masła, łodyżkami do do-łu. Gotujemy przez ok. 20 min (powinny być miękkie, ale nierozgotowane). Podajemy na gorąco: polane masłem zrumienionym z tartą bułką; na zimno: po lekkim przechłodzeniu w wodzie, w któ-rej się gotowały, odsączamy na sicie, układamy na półmisku, opruszamy pieprzem, kropimy sokiem z cytryny wymieszanym z oliwą i polewamy pikantnym sosem.

Brokuły
w białym sosie

s k ł a d n i k i : 2 róże brokułów średniej wielkości • sól
• cukier • łyżeczka masła • pomidory i zielenina do przybrania

s o s : kopiasta łyżeczka masła • płaska łyżeczka mąki • szklanka
mleka • 3 łyżki śmietany • 3 łyżki utartego, żółtego sera • sól
• pieprz

Opłukane brokuły wkładamy do gorącej wody z dodatkiem
soli, cukru i masła, łodyżkami do dołu. Gotujemy przez ok.
20 min (powinny być miękkie, ale nierozgotowane).
Przygotowujemy sos: na maśle zasmażamy mąkę (nie powinna się zrumienić, ale stracić smak surowizny), rozprowadzamy mlekiem, zagotowujemy. Gęsty sos mieszamy ze
śmietaną, utartym serem, lekko doprawiamy do smaku.
Na wygrzanym półmisku układamy odsączone brokuły,
polewamy sosem, obkładamy cząstkami pomidorów i zieleniną.

liczba porcji / 2
czas przygotowania / 35 min
stopień trudności / łatwe
kaloryczność / niskokaloryczne
koszt / tanie

Brukselka
w sosie własnym

s k ł a d n i k i : 1 kg świeżej brukselki • cebula • 15 dag
chudego, wędzonego boczku • 2 łyżki oleju • łyżka mąki • sól
• pieprz • szczypta gałki muszkatołowej

Na wrzącą wodę z dodatkiem przekrojonej na połowę cebuli i przypraw (w niewielkich ilościach, by nie przytłumiły smaku jarzyny) wrzucamy obraną z zewnętrznych liści,
opłukaną brukselkę i dusimy (odkrytą) przez 12-15 min
(powinna być miękka, ale nierozgotowana).
Na oleju podsmażamy pokrojony w kostkę boczek, zrumienione skwarki wyjmujemy łyżką cedzakową, na tłuszczu podsmażamy mąkę, rozprowadzamy niewielką ilością zimnej wody lub mleka (2 łyżki) i, cały czas mieszając, zagotowujemy. Dodajemy gorący wywar spod brukselki, powstały sos doprawiamy do smaku. Z brukselki
odrzucamy ugotowaną cebulę, główki wyjmujemy łyżką cedzakową, łączymy z sosem, gdy trzeba, doprawiamy do smaku. Jarzyny nie zagotowujemy.

liczba porcji / 4
czas przygotowania / 35 min
stopień trudności / łatwe
kaloryczność / niskokaloryczne
koszt / tanie

Brukselka z boczkiem

s k ł a d n i k i : 1 kg świeżej brukselki • 15 dag chudego, wędzonego boczku • 3 łyżki oleju • sól • cukier • świeżo zmielony biały pieprz • zielenina

Obraną ze zwiędłych liści brukselkę wrzucamy na wrzącą, osoloną i ocukrzoną wodę na 2-3 min (jarzyna powinna się w czasie gotowania „przewrócić"), cedzimy na sicie, przelewamy zimną wodą, odsączamy.

Na oleju lekko rumienimy pokrojony w kostkę boczek, dodajemy brukselkę, lekko oprószamy przyprawami, dusimy na niewielkim ogniu przez ok. 12-15 min. Podajemy posypaną obficie posiekaną zieleniną.

liczba porcji / 4

czas przygotowania / 30 min

stopień trudności / łatwe

kaloryczność / niskokaloryczne

koszt / tanie

Buraczki zasmażane na jarzynkę

liczba porcji / 6

czas przygotowania / 25 min •

stopień trudności / średniotrudne

kaloryczność / średniokaloryczne

koszt / tanie

s k ł a d n i k i : 1 kg buraków równej wielkości
• duże, kwaskowe jabłko • cebula • łyżka smalcu lub 2 łyżki oleju
• łyżka mąki • sól • cukier • świeżo zmielony biały pieprz
• śmietana • ocet winny lub jabłkowy

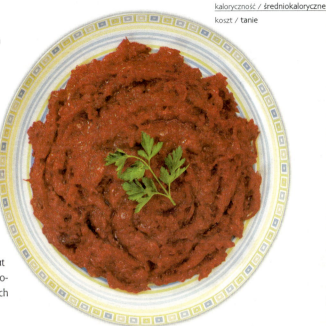

Umyte, obsuszone buraki wstawiamy na godzinę lub nieco dłużej do piekarnika (w zależności od wielkości buraków), pieczemy w temp. 180ºC. Wyjmujemy ciepłe, obieramy ze skórki, ucieramy na tarce z małymi otworami lub rozbijamy w malakserze na purée. Podobnie ucieramy jabłko, wcześniej obrane ze skórki i pozbawione gniazd nasiennych.
Na rozgrzanym tłuszczu zasmażamy najdrobniej posiekaną cebulę, gdy się zeszkli, dodajemy mąkę, razem zasmażamy, często mieszając, aż mąka nabierze złocistej barwy. Bezpośrednio na zasmażkę wkładamy buraki oraz jabłko, sypiemy przyprawy, przez kilka minut zasmażamy, aż połączą się smaki. Po zdjęciu z ognia dodajemy roztrzepaną śmietanę w ilości według własnych upodobań smakowych.

• oprócz czasu na pieczenie buraków

Buraczki zasmażane po staropolsku

s k ł a d n i k i : 8 buraków równej wielkości (ok. 1 kg)
• 2 łyżki świeżo utartego chrzanu • 2 kwaskowe jabłka • 2 kopiaste łyżki masła • 1/2 szklanki śmietany • 4 kopiaste łyżki rodzynek
• 2 łyżki mąki • 3 łyżki mleka • sól • cukier • pieprz • sok z cytryny

Wyszorowane, wytarte do sucha buraki wstawiamy do piekarnika i pieczemy w temp. 180ºC. Lekko przestudzone obieramy ze skórki i rozbijamy w malakserze na mus lub ucieramy na tarce z drobnymi otworami.
Rodzynki moczymy w letniej wodzie. Obrane ze skórki i pozbawione gniazd nasiennych jabłka ucieramy na tarce z dużymi otworami, od razu kropimy sokiem z cytryny, by nie ściemniały.
Na łyżce masła podsmażamy, najlepiej w dużym rondlu, jabłka. Gdy się zeszklą, dodajemy buraki, odsączone rodzynki, trzymamy na niewielkim ogniu, od czasu do czasu mieszając. Chrzan przelewamy na sicie wrzątkiem, odsączamy, zasmażamy na łyżce masła, dodajemy do buraków i przez chwilę razem dusimy, pamiętając o mieszaniu.
Mąkę łączymy z mlekiem, gdy nie ma grudek, dodajemy do śmietany, lekko ubijamy, wylewamy na buraki i, już na średnim ogniu, zasmażamy przez 2-3 min. Zmniejszamy ogień, doprawiamy solą, pieprzem, cukrem, sokiem z cytryny. Podajemy gorące.

• oprócz czasu na pieczenie buraków

liczba porcji / 4

czas przygotowania / 35 min •

stopień trudności / średniotrudne

kaloryczność / średniokaloryczne

koszt / tanie

Pikantna jarzynka z cebuli

s k ł a d n i k i : 1 kg cebuli (najodpowiedniejsza podłużna)
• kopiasta łyżka masła lub masła roślinnego • 10 dag rodzynek
• 10 dag suszonych moreli • 2 szklanki białego, wytrawnego wina
• sól • biały pieprz • szczypta cukru

Pokrojone morele i przebrane rodzynki zalewamy winem, odstawiamy na 2-3 godz. w chłodne miejsce. Obrane cebule kroimy wzdłuż na ćwiartki, wrzucamy na roztopione masło, lekko obsmażamy (powinny się zeszklić), zalewamy bakaliami wraz z winem, w którym się moczyły, całość lekko opruszamy solą i pieprzem. Dusimy pod przykryciem, na niewielkim ogniu, przez ok. 35-40 min, aż cebula stanie się szklista, wręcz aksamitna. Gdy trzeba, doprawiamy szczyptą cukru.
Jarzynkę podajemy do pieczonego schabu lub pieczeni wieprzowej lub do pieczonego, ciemnego drobiu.

• o p r ó c z   c z a s u   n a   m a c e r a c j ę   b a k a l i i

Dynia zapiekana pod beszamelem

s k ł a d n i k i : 1 kg dojrzałej dyni (waga bez skóry i miąższu)
• 1/3 szklanki esencjonalnego rosołu (może być z koncentratu)
• filiżanka utartego, żółtego sera • tłuszcz do wysmarowania formy

s o s : łyżka masła • łyżka mąki • szklanka mleka • 3 łyżki śmietany • 3 łyżki utartego, żółtego sera • sok z cytryny • sól
• pieprz • zielenina

W wysmarowanym obficie tłuszczem dużym naczyniu rozkładamy cienką warstwę pokrojonej w drobną kostkę dyni, skrapiamy rosołem.
Przygotowujemy sos: na maśle zasmażamy mąkę, cały czas mieszając (nie powinna się zrumienić, ale stracić smak surowizny), rozprowadzamy zasmażkę mlekiem, zagotowujemy. Gęsty sos łączymy ze śmietaną, serem i przyprawami, gorącym zalewamy dynię, posypujemy utartym serem, wstawiamy do nagrzanego piekarnika i zapiekamy w temp. 180ºC nie dłużej niż przez 20-25 min (w zależności od wysokości zapiekanej warstwy).

Pikantna jarzynka z dyni

Przepis podpatrzony
z kuchni węgierskiej

liczba porcji / 4
czas przygotowania / 35 min
stopień trudności / łatwe
kaloryczność / niskokaloryczne
koszt / tanie

s k ł a d n i k i : 60 dag dyni (obranej, pozbawionej pestek i miąższu) • łyżka masła lub masła roślinnego i smalcu (pół na pół) • łyżka mąki • sok spod kiszonych ogórków (w zależności od potrzeb) • sól • pieprz • 3 łyżki kwaśnej śmietany • kopiasta łyżka posiekanego koperku

Pokrojoną w kostkę dynię rozkładamy na sicie, zanurzamy na 3 min we wrzącej, lekko osolonej wodzie, odsączamy, wychładzamy. Na rozgrzanym tłuszczu zasmażamy mąkę, uważając, by się nie zrumieniła, ale straciła smak surowizny, zasmażkę rozprowadzamy przecedzonym sokiem spod kiszonych ogórków w takiej ilości, by sos miał odpowiednią konsystencję. Doprawiamy solą i pieprzem, wrzucamy obgotowaną dynię, dodajemy spienioną śmietanę i koperek, trzymamy razem przez 3-4 min na niewielkim ogniu.
Potrawa nie nadaje się do odgrzewania.

Fasolka szparagowa zapiekana

s k ł a d n i k i : puszka fasolki szparagowej w zalewie

s o s : 10 dag chudego, wędzonego boczku • biała część dużego pora • 2 łyżki oleju • 1/2 szklanki śmietany • łyżka posiekanego koperku • 2 łyżki tartej bułki • tłuszcz do wysmarowania formy

Formę do zapiekania obficie smarujemy tłuszczem, rozkładamy dokładnie odsączoną fasolkę.
Przygotowujemy sos: na rozgrzanym oleju smażymy pokrojony w kostkę boczek, zrumieniony wyjmujemy łyżką cedzakową, skwarkami posypujemy fasolkę. Na tłuszcz wrzucamy pokrojony w cienkie półkrążki por i zasmażamy, często mieszając. Gdy por nabierze złotawej barwy, dodajemy śmietanę, przyprawy, koperek, gorącym sosem zalewamy fasolkę, powierzchnię wyrównujemy, posypujemy tartą bułką i wstawiamy do nagrzanego do temp. 200ºC piekarnika na 20 min. Podajemy, gdy tarta bułka na wierzchu lekko się zrumieni.

liczba porcji / 2
czas przygotowania / 25 min
stopień trudności / łatwe
kaloryczność / niskokaloryczne
koszt / tanie

Fasolka szparagowa w pikantnym sosie

s k ł a d n i k i : 80 dag świeżej, bezłykowej fasolki szparagowej • sól • cukier • łyżeczka masła

s o s : 3 łyżki oleju • cebula • ząbek czosnku • 4 pomidory • łyżka keczupu • duża szczypta suszonego tymianku • liść laurowy • sól • pieprz • sok z cytryny • cukier • zielenina

Do naczynia z gorącą wodą z dodatkiem soli, cukru i masła wrzucamy fasolkę (dłuższe strąki można podzielić na połowę), gotujemy na średnim ogniu przez ok. 25 min (powinna być miękka, ale nierozgotowana). Przygotowujemy sos: na rozgrzanym tłuszczu podsmażamy posiekaną cebulę i czosnek, gdy się zeszklą, dodajemy pokrojone pomidory, keczup, składniki dusimy przez kilka minut, zalewamy szklanką wody, dodajemy wszystkie przyprawy, nadal dusimy na niewielkim ogniu nie dłużej niż 10 min. Sos przecieramy przez perlonowe sito, przyprawiamy do smaku, by był pikantny, z wyraźną pomidorową nutą. Gdy będzie zbyt lekki, odparowujemy na dużym ogniu, w odkrytym naczyniu. W wygrzanym naczyniu rozkładamy odsączoną fasolkę, zalewamy sosem, posypujemy zieleniną. Danie podajemy gorące.

Fasolka szparagowa w potrawce

s k ł a d n i k i : 80 dag młodej, bezłykowej fasolki szparagowej • sól • cukier • łyżeczka masła • mała gałązka cząbru • łyżeczka mąki • 3 łyżki mleka • 1/2 szklanki śmietany • sól • cukier • sok z cytryny • posiekany koperek

Opłukaną, pokrojoną w niewielkie kawałki fasolkę wrzucamy do gorącej wody z dodatkiem masła, soli, cukru (wody powinno być tyle, by fasolka była tylko lekko przykryta). Gdy się zagotuje, dodajemy cząber i na niewielkim ogniu gotujemy do miękkości (czas gotowania zależy od gatunku fasolki). Ugotowaną zagęszczamy mąką, rozprowadzoną w zimnym mleku, zagotowujemy, odrzucamy cząber, przyprawiamy do smaku. Po zestawieniu z ognia łączymy ze spienioną śmietaną, dodajemy koperek i, gdy trzeba, doprawiamy do smaku.

liczba porcji / 4

czas przygotowania / 35 min

stopień trudności / łatwe

kaloryczność / niskokaloryczne

koszt / tanie

Jarmuż na jarzynkę

s k ł a d n i k i : 1 kg liści jarmużu (waga po odrzuceniu zgrubień i żyłek) • cebula • 2 ząbki czosnku • łyżka masła • łyżka mąki • 1/2 szklanki mleka • 1/2 szklanki śmietany • sól • pieprz • szczypta przyprawy curry

Przygotowany jarmuż wrzucamy na wrzącą, osoloną wodę, gotujemy przez ok. 20 min pod przykryciem, aż jarzyna będzie miękka, cedzimy, odstawiamy do lekkiego przechłodzenia.
Na rozgrzanym maśle smażymy posiekaną cebulę i czosnek, gdy się zeszklą, dodajemy mąkę i, cały czas mieszając, zasmażamy, aż mąka lekko się zrumieni. Rozprowadzamy zimnym mlekiem, zagotowujemy, dodajemy przyprawy, odstawiamy.
Dokładnie odsączony jarmuż miksujemy, aż powstanie jednolite purée, dodajemy do sosu, razem zasmażamy, doprawiamy do smaku i łączymy ze spienioną śmietaną.

liczba porcji / 4

czas przygotowania / 40 min

stopień trudności / łatwe

kaloryczność / niskokaloryczne

koszt / tanie

liczba porcji / **4**

czas przygotowania / **25 min**

stopień trudności / **łatwe**

kaloryczność / **niskokaloryczne**

koszt / **tanie**

Kabaczek na jarzynkę

s k ł a d n i k i : dorodny kabaczek • 2 duże cebule • 2 łyżki koncentratu pomidorowego • 2 łyżki keczupu • 2 ząbki czosnku • sól • pieprz • mielona słodka papryka • cukier • musztarda • olej do smażenia

Obrany ze skóry, pozbawiony miąższu kabaczek kroimy w kostkę. Cebulę kroimy w cienkie piórka, czosnek siekamy. Na rozgrzanym oleju podsmażamy kabaczek, często mieszając (powinien się lekko zrumienić).

Na oddzielnej patelni podsmażamy cebulę i czosnek, gdy się zeszklą, dodajemy koncentrat, keczup, przyprawy, podlewamy 2 łyżkami wody, zagotowujemy, całość łączymy z kabaczkiem i trzymamy na niewielkim ogniu, pod przykryciem, od czasu do czasu potrząsając naczyniem. Po 10 min jarzynka jest gotowa.

Kabaczek zapiekany w sosie koperkowym

liczba porcji / **4**

czas przygotowania / **35 min**

stopień trudności / **średniotrudne**

kaloryczność / **niskokaloryczne**

koszt / **tanie**

s k ł a d n i k i : młody, duży kabaczek • tłuszcz • tarta bułka do posypania formy

s o s : łyżka masła lub masła roślinnego • łyżka mąki • szklanka mleka • 1/2 szklanki kwaśnej śmietany • 2 kopiaste łyżki posiekanego koperku • sól • pieprz

Obrany kabaczek dzielimy na 4 części, usuwamy miąższ, każdą część dzielimy wzdłuż na połowę, gotujemy przez 3 min w lekko osolonej wodzie, wyjmujemy łyżką cedzakową na sito, odstawiamy do odsączenia.

Przygotowujemy sos: masło zasmażamy z mąką, uważając, by się nie zrumieniła, ale straciła smak surowizny, zasmażkę rozprowadzamy zimnym mlekiem, zagotowujemy, cały czas mieszając, by nie było grudek, zestawiamy z ognia. Sos lekko doprawiamy do smaku, łączymy ze spienioną śmietaną, dodajemy koperek.

W naczyniu do zapiekania, wysmarowanym tłuszczem i posypanym tartą bułką, układamy plastry przechłodzonego kabaczka, zalewamy gorącym sosem i wstawiamy do nagrzanego do temp. 200°C piekarnika na 10 min. Potrawa nie powinna się zrumienić.

Cukinia
w pomidorowym sosie

liczba porcji / 4

czas przygotowania / 35 min

stopień trudności / średniotrudne

kaloryczność / niskokaloryczne

koszt / tanie

s k ł a d n i k i : 4 młode cukinie (do 30 cm długości) lub duża (obrana ze skóry, podzielona na 4 części, pozbawiona miąższu) • zielenina • sól • łyżeczka cukru

s o s : 3 łyżki oleju • łyżeczka smalcu • 2 cebule • 2 ząbki czosnku • 4 duże pomidory • 2 łyżki keczupu • liść laurowy • kilka ziaren ziela angielskiego • łyżeczka musztardy • 1/2 szklanki wody • cukier • sól • mielony pieprz

Do gorącej wody, z dodatkiem soli i cukru, kładziemy cukinie, gotujemy odkryte przez 5-7 min (w zależności od wielkości warzywa). Odstawiamy w naczyniu, w którym się gotowały.

Przygotowujemy sos: na rozgrzanym tłuszczu (olej i smalec) rumienimy posiekane cebule i czosnek, gdy się zeszklą, dodajemy rozdrobnione pomidory, wszystkie przyprawy, keczup, musztardę, 1/2 szklanki wody, całość prużymy na średnim ogniu, często mieszając, przez 10-12 min. Sos przecieramy przez perlonowe sito, gdy trzeba, doprawiamy do smaku.

Na wygrzanym półmisku rozkładamy porcje odsączonych cukinii, polewamy gorącym sosem, oprószamy zieleniną.

Kalafior zapiekany
z sosem serowym

s k ł a d n i k i : duży kalafior • sól • cukier • łyżeczka masła • filiżanka utartego, żółtego sera

s o s : łyżka masła • łyżka mąki • filiżanka utartego, żółtego sera • 1/2 szklanki śmietany • łyżka tartej bułki do posypania dania • łyżka tartej bułki do posypania naczynia • łyżka utartych wiórków zmrożonego masła • tłuszcz do wysmarowania formy

Wymoczony w wodzie z solą (aby wypłynęły muszki) kalafior dzielimy na niewielkie części, przekładamy do naczynia z wrzącą wodą z dodatkiem soli, cukru i masła, gotujemy na średnim ogniu przez ok. 8 min. Kalafior nie powinien się rozgotować.

Przygotowujemy sos: na roztopionym maśle zasmażamy mąkę, gdy straci smak surowizny, rozprowadzamy zasmażkę szklanką wywaru z kalafiora, zagotowujemy, dodajemy ser, śmietanę, przyprawy.

W wysmarowanym tłuszczem naczyniu rozkładamy dokładnie odsączone porcje kalafiora, zalewamy sosem, posypujemy serem, tartą bułką, wiórkami masła, wstawiamy do nagrzanego do temp. 200°C piekarnika na 15 min.

* o p r ó c z   c z a s u   n a   z a p i e k a n i e

liczba porcji / 4

czas przygotowania / 25 min *

stopień trudności / średniotrudne

kaloryczność / niskokaloryczne

koszt / tanie

liczba porcji / 4
czas przygotowania / 25 min•
stopień trudności / łatwe
kaloryczność / niskokaloryczne
koszt / tanie

Kalafior zapiekany z pomidorami

s k ł a d n i k i : duży kalafior • sól • cukier • łyżeczka masła • 2 cebule • 2 łyżki oliwy • filiżanka utartego, żółtego sera • 3 dorodne, jędrne pomidory • sól • tymianek • sól czosnkowa • szczypta przyprawy Fines Herbes • tłuszcz do wysmarowania formy • tarta bułka do posypania formy

Do gorącej wody z dodatkiem soli, cukru i masła wkładamy wymoczony w wodzie z solą (aby wypłynęły muszki), dokładnie wypłukany, podzielony na różyczki kalafior i gotujemy nie dłużej niż przez 8 min. Wyjmujemy łyżką cedzakową na sito do odsączenia. Pokrojone w cienkie piórka cebule podsmażamy na oliwie, często mieszając i nie dopuszczając, by się zrumieniły. Obrane ze skórki pomidory kroimy w plasterki, usuwając z nich pestki. Na spód wysmarowanego tłuszczem, posypanego tartą bułką naczynia do zapiekania wykładamy zeszkloną cebulę, posypujemy solą czosnkową i roztartymi w dłoniach ziołami, na cebuli rozkładamy krążki pomidorów, na nich – różyczki kalafiora. Całość opruszamy przyprawami, wierzch posypujemy utartym serem, wstawiamy do nagrzanego do temp. 200ºC piekarnika i zapiekamy nie dłużej niż 20 min. Podajemy, gdy ser się roztopi i lekko zrumieni.

* o p r ó c z   c z a s u   n a   z a p i e k a n i e

Mrożone kalafiory w sosie pietruszkowym

s k ł a d n i k i : opakowanie mrożonych kalafiorów • łyżka masła • łyżka mąki • 2 łyżki posiekanej, zielonej pietruszki • szklanka rosołu (może być z koncentratu) • sól • 2 żółtka • szczypta przyprawy typu „Jarzynka" • szczypta cukru • łyżka zimnej wody lub mleka

Przygotowujemy sos: na rozpuszczone masło sypiemy pietruszkę i przez minutę, cały czas mieszając, zasmażamy, dodajemy mąkę i, nadal mieszając, zasmażamy, uważając, by mąka się nie zrumieniła, ale straciła smak surowizny. Zasmażkę rozprowadzamy rosołem, zagotowujemy, trzymamy na niewielkim ogniu przez 2 min. Sos przecieramy przez perlonowe sito, doprawiamy solą, szczyptą przyprawy typu „Jarzynka", odstawiamy z ognia.

liczba porcji / 2
czas przygotowania / 25 min
stopień trudności / łatwe
kaloryczność / niskokaloryczne
koszt / tanie

Żółtka łączymy z łyżką zimnej wody lub mleka, gdy się połączą i lekko spienią, dodajemy do sosu, cały czas mieszając. Całość trzymamy w cieple.
Na spód naczynia wlewamy gorącą wodę (na wysokość 4 cm), dodajemy po szczypcie soli i cukru, gdy się zagotuje, wrzucamy zamrożone kalafiory i gotujemy (odkryte) nie dłużej niż 3 min. Wyjmujemy łyżką cedzakową na wygrzany półmisek, polewamy gorącym sosem i podajemy.

Kalafior „Przysmak Sułtana"

liczba porcji / 4
czas przygotowania / 25 min
stopień trudności / średniotrudne
kaloryczność / niskokaloryczne
koszt / tanie

s k ł a d n i k i : duży kalafior • sól • cukier • łyżeczka masła • 2 jajka ugotowane na twardo • listki pietruszki • duża filiżanka migdałów (sparzonych, obranych ze skórki, niezbyt drobno posiekanych) • 1/2 kostki (12,5 dag) masła • duża szczypta cukru

Do gorącej wody z dodatkiem soli, cukru i łyżeczki masła wkładamy wymoczony w wodzie z solą (aby wypłynęły muszki), wypłukany, podzielony na duże różyczki kalafior (grube łodygi i głąb odrzucamy). Gotujemy przez 10-12 min (powinien być miękki, ale nierozgotowany). Jajka siekamy, otaczamy nimi brzeg półmiska wyłożonego listkami pietruszki.

Na lekko zrumienione masło sypiemy migdały i, na niewielkim ogniu, rumienimy, często mieszając. Gdy nabiorą złotawej barwy, oprószamy szczyptą cukru i po minucie zestawiamy z ognia. Ugotowany kalafior dokładnie odsączamy, różyczki układamy na przygotowanym półmisku, polewamy masłem z migdałami. Podajemy gorący.

Budyń z kalafiora
według Cioci Godziszewskiej

s k ł a d n i k i : dorodny kalafior • sól • cukier • łyżeczka masła • 1/2 kostki (12,5 dag) masła • 1/2 szklanki mąki • szklanka mleka • 6 jajek • sól • łyżka posiekanego koperku • tłuszcz do wysmarowania formy • tarta bułka do posypania formy

Formę budyniową (zamykaną) smarujemy dokładnie tłuszczem, posypujemy tartą bułką, odstawiamy w chłodne miejsce.

W wodzie z solą, cukrem i masłem gotujemy przez 10 min wcześniej wymoczony w wodzie z solą (aby wypłynęły muszki), wypłukany kalafior. Wyjmujemy łyżką cedzakową na sito i dokładnie odsączamy. Przestudzony dzielimy na małe różyczki, oddzielamy miękkie łodygi i drobno (ważne!) je siekamy.

Mleko łączymy z mąką, wylewamy na rozgrzane w rondelku, ale niezrumienione masło i, cały czas mieszając, zagotowujemy. Jednolitą, gęstą masę trzymamy na niewielkim ogniu, cały czas mieszając, przez 2 min, odstawiamy do

przechłodzenia. Oddzielone od żółtek białka ubijamy z dodatkiem szczypty soli na gęstą pianę. Do przechłodzonej masy dodajemy, cały czas mieszając, po jednym żółtku, przyprawiamy do smaku, dodajemy koperek, rozdrobniony kalafior, całość łączymy delikatnie z ubitą pianą i przekładamy do przygotowanej, wychłodzonej formy. Zamkniętą wstawiamy do naczynia z gorącą wodą i gotujemy na niewielkim ogniu przez ok. 45 min pod przykryciem (woda w naczyniu powinna tylko lekko „mrugać"). Formę, po wyjęciu z wody, przez 5 min przechładzamy, następnie otwieramy, okrawamy boki i wyjmujemy budyń na wygrzany talerz. Podajemy pokrojony w romby, polany zrumienionym masłem.

liczba porcji / 6
czas przygotowania / 40 min•
stopień trudności / łatwe
kaloryczność / niskokaloryczne
koszt / tanie

• oprócz czasu na gotowanie budyniu z kalafiora

Jarzynka z kalarepki luksusowa

s k ł a d n i k i : 6 młodych kalarepek • sól • cukier
• łyżeczka masła • 1/2 szklanki białego, wytrawnego wina
• 1/2 szklanki rodzynek • 2 szklanki wody • 1/2 szklanki śmietany
kremowej • szczypta białego pieprzu

Rodzynki zalewamy winem, odstawiamy. Obrane kalarepki kroimy w zgrabne, małe cząstki. Do wody wsypujemy sól, cukier, dodajemy masło, zagotowujemy, na wrzątek wrzucamy przygotowane kalarepki, gotujemy na średnim ogniu, od czasu do czasu potrząsając rondlem. W połowie gotowania (po 10 min) dodajemy rodzynki wraz z winem, w którym się moczyły, gotujemy nadal na niewielkim ogniu, aż kalarepki będą miękkie, ale nierozgotowane, a nadmiar płynu wyparuje. Po zdjęciu z ognia dodajemy spienioną śmietanę, składniki lekko łączymy, gdy trzeba, doprawiamy do smaku świeżo zmielonym, białym pieprzem. Podajemy gorącą, w wygrzanej salaterce.

liczba porcji /	**4**
czas przygotowania /	**35 min**
stopień trudności /	**średniotrudne**
kaloryczność /	**niskokaloryczne**
koszt /	**tanie**

Kalarepka w koperkowym sosie

s k ł a d n i k i : 6 młodych, dorodnych kalarepek • sól
• cukier • łyżeczka masła • 1/2 łyżeczki przyprawy typu „Jarzynka"

s o s : łyżka masła • łyżka mąki • 2 kopiaste łyżki posiekanego koperku • 3 łyżki mleka • 1/2 szklanki śmietany kremowej

Obrane, pokrojone w cząstki kalarepki wrzucamy do wrzącej wody z dodatkiem soli, cukru, masła i przyprawy, gotujemy przez 20 min, od czasu do czasu potrząsając naczyniem.
Przygotowujemy sos: na rozgrzanym maśle podsmażamy mąkę, uważając, by się nie zrumieniła, ale straciła smak surowizny. Zasmażkę rozprowadzamy wywarem spod kalarepki.
Gdy sos się zagotuje i nabierze odpowiedniej konsystencji, łączymy z odsączoną kalarepką, dodajemy koperek, trzymamy razem na niewielkim ogniu przez 2 min, łączymy ze śmietaną wymieszaną z mlekiem i, pod przykryciem, trzymamy w cieple do 5 min. Podajemy w wygrzanej salaterce.

liczba porcji /	**4**
czas przygotowania /	**30 min**
stopień trudności /	**średniotrudne**
kaloryczność /	**niskokaloryczne**
koszt /	**tanie**

Kalarepka zapiekana

s k ł a d n i k i : 6-8 (zależnie od wielkości) kalarepek • sól
• cukier • łyżeczka masła • 2 dorodne, jędrne pomidory
• 2 łyżki posiekanego koperku • 1/2 łyżeczki przyprawy
typu „Jarzynka" • tłuszcz do wysmarowania formy
• 2 łyżki tartej bułki

s o s : łyżka masła • łyżka mąki • 1/2 szklanki
gęstej śmietany • filiżanka utartego, żółtego sera

Obrane, pokrojone w kostkę kalarepki gotujemy przez 10 min w wodzie z dodatkiem
soli, cukru i masła. Cedzimy, wywar pozostawiamy.
Przygotowujemy sos: na maśle zasmażamy mąkę, uważając, by się nie zrumieniła, tylko straciła smak surowizny, rozprowadzamy 1/2 szklanki
wywaru, zagotowujemy, dodajemy przyprawy, utarty ser, spienioną śmietanę.
Na spodzie wysmarowanego tłuszczem naczynia do zapiekania rozkładamy dokładnie odsączoną kalarepkę, posypujemy koperkiem, przykrywamy plasterkami obranego ze
skórki, pozbawionego pestek pomidora, zalewamy sosem, wyrównu-
jemy powierzchnię, posypujemy tartą bułką. Wstawiamy do nagrzanego do temp. 180°C piekarnika, zapiekamy przez 20 min, aż bułka na wierzchu ładnie się zrumieni, a boki lekko odstają od
naczynia.

• o p r ó c z   c z a s u   n a   z a p i e k a n i e

liczba porcji /	**4**
czas przygotowania /	**30 min** •
stopień trudności /	**łatwe**
kaloryczność /	**niskokaloryczne**
koszt /	**tanie**

Kolorowa jarzynka
z kalarepek

s k ł a d n i k i : 6 młodych kalarepek • 6 młodych marchewek
• sól • cukier • łyżeczka masła • kopiasta łyżka posiekanego
koperku • 1/2 szklanki mleka • łyżeczka mąki • 2 łyżki gęstej,
kwaśnej śmietany • szczypta białego pieprzu lub przyprawy
typu „Jarzynka"

Do wrzącej wody z dodatkiem soli, cukru i masła wrzucamy pokrojone w kostkę kalarepki i marchewki. Gotujemy na średnim ogniu przez 12-15 min. Podczas gotowania woda powinna na tyle wyparować, by nie przykrywać jarzynek. W mleku rozprowadzamy mąkę, zalewamy jarzynkę, zagotowujemy, dodajemy koperek,
trzymamy na ogniu, poruszając naczyniem, przez 2 min,
doprawiamy, zestawiamy z ognia i łączymy ze śmietaną.
Podajemy w wygrzanej salaterce.

liczba porcji /	**4**
czas przygotowania /	**30 min**
stopień trudności /	**średniotrudne**
kaloryczność /	**niskokaloryczne**
koszt /	**tanie**

Kalarepka po staropolsku

s k ł a d n i k i : 8 młodych kalarepek • sól • cukier • łyżeczka masła • 2 jajka ugotowane na twardo • masło • tarta bułka

Do gorącej wody z cukrem, solą i masłem wrzucamy pokrojone w niezbyt grube krążki kalarepki, gotujemy przez ok. 15-20 min na średnim ogniu (kalarepka powinna być miękka, ale nierozgotowana).
Jarzynkę odsączamy, wykładamy na płaski półmisek, polewamy masłem zrumienionym z tartą bułką, posypujemy posiekanymi jajkami. Podajemy gorącą.

liczba porcji /	4
czas przygotowania /	25 min
stopień trudności /	łatwe
kaloryczność /	niskokaloryczne
koszt /	tanie

liczba porcji /	5
czas przygotowania /	25 min*
stopień trudności /	średniotrudne
kaloryczność /	średniokaloryczne
koszt /	tanie

Kapusta biała zasmażana

s k ł a d n i k i : głowa białej kapusty (o wadze ok. 1-1,2 kg)
• 2 cebule • 2 kwaskowe jabłka • łyżka mąki • sól • cukier
• zmielony kminek • ocet winny lub jabłkowy • smalec • 3 łyżki oleju do zasmażenia cebuli • szklanka wody

Obraną z zewnętrznych liści, pozbawioną grubych żył kapustę szatkujemy, oprószamy solą, odstawiamy na 10 min. Po tym czasie zalewamy wrzątkiem, odsączamy na sicie.
Na oleju smażymy posiekaną cebulę, gdy się zeszkli, dodajemy odsączoną kapustę, pokrojone w cząstki jabłka (obrane ze skórki i pozbawione gniazd nasiennych), podlewamy szklanką wody, dusimy do miękkości (kapusta powinna być miękka, ale nierozgotowana).
Na smalcu zasmażamy mąkę, gdy straci smak surowizny, rozprowadzamy zasmażkę wywarem spod kapusty, zagotowujemy, łączymy z kapustą, dodajemy przyprawy, zagotowujemy raz jeszcze. Potrawa jest równie smaczna, gdy odgrzaną podamy kilka godzin po przygotowaniu.

* oprócz czasu na gotowanie kapusty

Bigos staropolski zwany hultajskim

s k ł a d n i k i : 1 kg odciśniętej z nadmiaru soku kwaszonej kapusty
• 1 l rosołu lub wywaru, w którym gotowała się szynka lub biała kiełbasa
• 50 dag posiekanej białej kapusty • 2 cebule • 2 łyżki domowego, czystego
smalcu • łyżka mąki • 1/2 szklanki madery lub szklanka innego czerwonego,
wytrawnego wina • gałązka cząbru • liść laurowy • ziarna czarnego pieprzu
i ziela angielskiego • 1,5 kg rozdrobnionego mięsa (np. pieczone, gotowane,
wędliny świeże, wędliny wędzone, tłuste okrawki z szynki, kawałki
pieczonego drobiu bez skóry, pieczony boczek) • sól • pieprz

Posiekaną białą kapustę lekko oprószamy solą, ugniatamy, zalewamy na 10 min
wrzątkiem, odsączamy na sicie. Kapustę kwaszoną, gdy trzeba, rozdrabniamy, cebulę siekamy.
Na łyżce rozgrzanego smalcu zasmażamy cebulę, gdy się zeszkli, dodajemy odsączoną, białą kapustę, całość zasmażamy przez 2 min, często mieszając. Dodajemy kapustę kwaszoną, zasmażamy razem przez 2 min, całość zalewamy rosołem, stawiamy na małym ogniu, dodajemy gałązkę cząbru,
gotujemy w odkrytym naczyniu, często mieszając. Mięsa oddzielamy, drobno kroimy. Pieczone odkładamy, gotowane wrzucamy na rozgrzany smalec, lekko podsmażamy, dodajemy rozdrobnione,
obrane z błon wędliny, gdy zaczną się rumienić, oprószamy mąką, podsmażamy. Do kapusty dodajemy mięsa podsmażone z mąką, mięsa pieczone i sosy spod pieczeni. Wymieszany, przyprawio-
ny bigos (cząber usuwamy) prużymy na niewielkim ogniu przez godzinę, a nawet nieco dłużej. Pod
koniec gotowania dodajemy maderę lub inne wino, gdy
trzeba, jeszcze raz dopraiwamy. Przykryty, odstawiamy
w ciepłe miejsce. Przed podaniem podgrzewamy w naczyniu z grubym dnem, uważając, aby się nie przypalił.

• o p r ó c z   c z a s u   n a   g o t o w a n i e

liczba porcji /	8
czas przygotowania /	90 min •
stopień trudności /	średniotrudne
kaloryczność /	wysokokaloryczne
koszt /	drogie

Kapusta czerwona w winie

s k ł a d n i k i : głowa czerwonej kapusty (o wadze ok. 1 kg)
• 2 kopiaste łyżki pokrojonego w drobną kostkę wędzonego boczku
• szklanka czerwonego, wytrawnego wina • 2 cebule • goździk
• cukier • 3 łyżki oleju • łyżeczka octu winnego lub jabłkowego
(gdy trzeba) • sól • pieprz

Na oleju podsmażamy boczek, gdy zacznie się lekko rumienić, dodajemy posiekaną cebulę, zasmażamy, nie dopuszczając, by cebula się zrumieniła. Obraną z zewnętrznych liści kapustę szatkujemy, przelewamy na sicie wrzątkiem, wrzucamy na podsmażony boczek z cebulą, podlewamy winem, 2 łyżkami wody, dodajemy goździk oraz
niewielkie ilości pozostałych przypraw, dusimy pod przykryciem przez ok. 30 min. Kapusta powinna być miękka, ale nierozgotowana. Przed podaniem, gdy trzeba,
lekko przyprawiamy, by miała wyraźny, winny smak.

liczba porcji /	6
czas przygotowania /	45 min
stopień trudności /	średniotrudne
kaloryczność /	średniokaloryczne
koszt /	średniodrogie

Kapusta czerwona duszona
(przepis z kuchni duńskiej)

s k ł a d n i k i : głowa czerwonej kapusty (o wadze ok. 1 kg) • duża łyżka czystego smalcu gęsiego lub wieprzowego • szklanka czerwonego, wytrawnego wina • 2 łyżki wody • 1/2 szklanki naturalnej galaretki porzeczkowej • cukier • sól • pieprz

Obraną z zewnętrznych liści, drobno poszatkowaną kapustę dusimy przez ok. 30 min w szerokim rondlu z dodatkiem smalcu, wina i galaretki.

Gdy kapusta będzie miękka, doprawiamy do smaku solą, cukrem i pieprzem. Wyparowany podczas duszenia płyn można uzupełnić 2 łyżkami wody.

liczba porcji /	**4**
czas przygotowania /	**45 min**
stopień trudności /	**łatwe**
kaloryczność /	**wysokokaloryczne**
koszt /	**tanie**

liczba porcji /	**6**
czas przygotowania /	**45 min**
stopień trudności /	**średniotrudne**
kaloryczność /	**średniokaloryczne**
koszt /	**tanie**

Kapusta czerwona z jabłkami

s k ł a d n i k i : głowa czerwonej kapusty (o wadze poniżej 1 kg) • 1/2 szklanki czerwonego, wytrawnego wina • 2 łyżki wody • 2 kwaskowe jabłka • filiżanka rodzynek • łyżka smalcu • łyżeczka mąki • sól • cukier • szczypta gałki muszkatołowej • szczypta cynamonu • łyżeczka octu winnego lub jabłkowego (gdy trzeba)

Rodzynki zalewamy letnią wodą. Obraną z zewnętrznych liści kapustę szatkujemy, przelewamy na sicie wrzątkiem, wkładamy do rondla, skrapiamy octem, podlewamy 2 łyżkami wody i winem, dodajemy rozdrobnione na tarce z dużymi otworami jabłka (obrane ze skórki i pozbawione gniazd nasiennych), odsączone rodzynki, oprószamy niewielką ilością pozostałych przypraw, dusimy na niewielkim ogniu przez ok. 30 min, od czasu do czasu mieszając. Kapusta powinna być miękka, ale nierozgotowana.

Ze smalcu i mąki robimy zasmażkę (mąka może się lekko zrumienić), rozprowadzamy wywarem spod kapusty, składniki łączymy, zagotowujemy, gdy trzeba, lekko doprawiamy do smaku.

Kapusta włoska zasmażana

liczba porcji / 4
czas przygotowania / 45 min
stopień trudności / średniotrudne
kaloryczność / średniokaloryczne
koszt / średniodrogie

s k ł a d n i k i : głowa włoskiej kapusty
(o wadze ok. 1 kg) • cebula • 2 kwaskowe jabłka
• 1/2 szklanki białego, wytrawnego wina • filiżanka
rodzynek • łyżka masła • łyżeczka mąki • sól • cukier
• biały pieprz • sok z cytryny • oliwa do zasmażenia
cebuli i mąki

Rodzynki moczymy w winie. Kapustę, po odrzuceniu grubych, ciemnozielonych liści i grubych żył, szatkujemy, zalewamy szklanką wody, dodajemy masło, po szczypcie soli i cukru,
dusimy pod przykryciem, od czasu do czasu
mieszając. Gdy będzie prawie miękka, dodajemy wcześniej obrane ze skórki, pozbawione gniazd nasiennych, rozdrobnione jabłka,
rodzynki wraz z winem, w którym się moczyły, całość jeszcze przez chwilę dusimy.
Na rozgrzanej oliwie zasmażamy najdrobniej
(ważne!) posiekaną cebulę, gdy się zeszkli,
oprószamy mąką, zasmażamy, aż mąka straci smak surowizny, dodajemy do kapusty,
mieszamy, przyprawiamy do smaku niewielką ilością przypraw, by nie przytłumić delikatnego, wytwornego smaku.

Kapusta z grochem
według kuchni staropolskiej

s k ł a d n i k i : litrowy słój kwaszonej kapusty,
odciśniętej z nadmiaru soku • szklanka suchego grochu
(łuskany) • 2 kapelusze suszonych grzybów • szklanka
mleka • duża cebula • olej • łyżka mąki • sól • pieprz
• gałązka suchego cząbru • liść laurowy

Namoczone w mleku i wodzie (pół na pół)
suszone grzyby gotujemy do miękkości, od
czasu do czasu uzupełniając płyn, który paruje. Cedzimy na sicie, kroimy w „makaronik", wywar odstawiamy. Opłukany groch zalewamy letnią wodą, dodajemy szczyptę so-
li, gałązkę cząbru, gotujemy do miękkości na średnim ogniu. Kapustę, gdy trzeba, rozdrabniamy,
zalewamy dużą ilością wody, zagotowujemy, dodajemy liść laurowy, gotujemy na niewielkim ogniu
przez 15 min, cedzimy na sicie, liść odrzucamy. Na oleju podsmażamy drobno posiekaną cebulę,
gdy się zeszkli, oprószamy mąką, zasmażamy, często mieszając, aż nabierze złocistego koloru. Rozprowadzamy wywarem z grzybów, dokładnie mieszając, by nie powstały grudki. Do sosu dodajemy
kapustę, grzyby i groch (cząber odrzucamy). Składniki mieszamy, trzymamy na niewielkim ogniu
przez 15 min. Gdy trzeba, doprawiamy do smaku solą i pieprzem. Podajemy do smażonego karpia.

liczba porcji / 6
czas przygotowania / 60 min
stopień trudności / średniotrudne
kaloryczność / średniokaloryczne
koszt / średniodrogie

liczba porcji / 6
czas przygotowania / 80 min
stopień trudności / średniotrudne
kaloryczność / średniokaloryczne
koszt / średniodrogie

Wigilijna kapusta z grzybami
z kuchni staropolskiej

s k ł a d n i k i : 1 kg kwaszonej kapusty • duża cebula • 10 dag suszonych grzybów (kapelusze) • oliwa lub olej • szklanka mleka • łyżka mąki • sól • pieprz

Umyte grzyby moczymy w letnim mleku pół na pół z wodą (można poprzedniego dnia). Gotujemy na niewielkim ogniu, w płynie, w którym się moczyły. Gdy paruje, uzupełniamy wodą w takiej ilości, by było 1 i 1/2 szklanki płynu. Jeśli kapusta jest zbyt kwaśna, przelewamy na sicie wodą, rozdrabniamy, zalewamy ciepłą wodą, gotujemy nie dłużej niż 10 min, cedzimy na sicie. Cebulę drobno siekamy. Ugotowane grzyby odsączamy na sicie, kroimy w „makaronik", wywar odstawiamy. Na rozgrzanym tłuszczu podsmażamy cebulę, gdy się zeszkli, dodajemy mąkę, zasmażamy, aż się lekko zrumieni. Zasmażkę rozprowadzamy wywarem z grzybów, energicznie mieszając, by nie powstały grudki. Do zasmażki dodajemy grzyby, odsączoną kapustę, przyprawy, całość gotujemy przez ok. 30-40 min na bardzo małym ogniu. Podajemy do smażonego karpia lub wigilijnych pierogów.

Kapusta pekińska luksusowa

s k ł a d n i k i : duża głowa kapusty pekińskiej • 6 twardych, soczystych gruszek (np. bergamotek) • masło • sól • cukier • biały pieprz • sok z cytryny lub ocet winny albo jabłkowy

liczba porcji / 4
czas przygotowania / 35 min
stopień trudności / łatwe
kaloryczność / średniokaloryczne
koszt / tanie

W wodzie z dodatkiem soli i cukru gotujemy przez 8-10 min pokrojoną na części kapustę pekińską. Odstawiamy do wychłodzenia. Na maśle dusimy obrane ze skórki, pozbawione gniazd nasiennych połówki gruszek. Gdy się zeszklą, dodajemy odsączoną kapustę, oprószamy w niewielkich ilościach przyprawami, dusimy całość pod przykryciem nie dłużej niż 10 min. Nadmiar wydzielonego soku odparowujemy. Podajemy gorącą, w wygrzanej salaterce.

Marchewka zapiekana pod beszamelem

s k ł a d n i k i : 1 kg młodych (do 10 cm długości) marchewek • sól • cukier • łyżeczka masła • tłuszcz do wysmarowania formy • tarta bułka do posypania formy • filiżanka utartego, żółtego sera

s o s : łyżka masła • łyżka mąki • szklanka mleka • 1/2 szklanki śmietany • 2 żółtka • sól • pieprz

Marchewki myjemy, ścieramy skórkę ostrą ściereczką do mycia naczyń (zejdzie bardzo łatwo), obcinamy zielone końcówki. Do gorącej wody wsypujemy sól, cukier, dodajemy masło i marchewki, gotujemy na niewielkim ogniu przez 10 min. Wyjmujemy łyżką cedzakową, lekko schładzamy.

Przygotowujemy sos: masło zasmażamy z mąką, uważając, by się nie zrumieniła, tylko straciła smak surowizny, rozprowadzamy zasmażkę mlekiem, zagotowujemy, trzymamy na ogniu przez 2 min. Po zdjęciu z ognia dodajemy śmietanę lekko ubitą z żółtkami i przyprawy. Sos powinien być gęsty i delikatny w smaku. Prostokątne naczynie do zapiekania smarujemy tłuszczem, posypujemy tartą bułką, na spód dajemy 2 łyżki sosu, na nim w poprzek naczynia układamy marchewki, całość zalewamy sosem, posypujemy obficie serem, wstawiamy do nagrzanego do temp. 180°C piekarnika i zapiekamy przez 20 min. Czas zapiekania zależy od wysokości przygotowanej warstwy. Marchewka jest gotowa, gdy ser się lekko zrumieni, a boki odstają od formy. Podajemy, krojąc w plastry w taki sposób, by marchewki były przekrojone jak talarki.

* o p r ó c z   c z a s u   n a   z a p i e k a n i e

liczba porcji / 4
czas przygotowania / 25 min•
stopień trudności / średniotrudne
kaloryczność / średniokaloryczne
koszt / tanie

Marchewka glazurowana

s k ł a d n i k i : 1 kg młodej (do 12 cm długości) marchewki • 2 kopiaste łyżki masła • sól • łyżka cukru • sok wyciśnięty z całej, dużej pomarańczy

Marchewki myjemy, ścierając skórkę ostrą ściereczką do mycia naczyń, obcinamy zielone końcówki, wrzucamy do gorącej wody z dodatkiem szczypty soli, gotujemy przez 8-10 min, przekładamy łyżką cedzakową do rondla z grubym dnem (ważne!). Do marchewek dodajemy masło, cukier, sok pomarańczowy, gotujemy na średnim ogniu przez ok. 10 min, często potrząsając naczyniem. W tym czasie cukier w połączeniu z sokiem powinien ulec karmelizacji i pokryć marchewki apetyczną, lśniącą glazurą. Podajemy gorące na wygrzanym, przybranym zieleniną półmisku.

liczba porcji / 4
czas przygotowania / 25 min
stopień trudności / łatwe
kaloryczność / średniokaloryczne
koszt / tanie

Patisony duszone

s k ł a d n i k i : 2 patisony (do 20 cm średnicy) • 4 pomidory
• 2 duże cebule • 2 ząbki czosnku • 2 łyżki keczupu • olej • sól
• pieprz • majeranek • szczypta cukru • mielona słodka papryka

liczba porcji / **4**

czas przygotowania / **25 min**

stopień trudności / **łatwe**

kaloryczność / **średniokaloryczne**

koszt / **tanie**

Obrane ze skóry, pozbawione gniazd nasiennych patisony kroimy w zgrabną kostkę. Na rozgrzanym oleju podsmażamy posiekane cebulę i czosnek, gdy się zeszklą, dodajemy patisony i zasmażamy przez ok. 3 min, często mieszając. Dodajemy obrane ze skórki i pozbawione pestek pomidory, keczup, przyprawy, dusimy pod przykryciem, aż składniki będą miękkie (nie dłużej niż 10 min). Podajemy gorące, jako jarzynkę do dań mięsnych i jarskich.

Pory zapiekane

s k ł a d n i k i : 4 dorodne, białe części pora • łyżka masła lub masła roślinnego • sól • pieprz • szczypta gałki muszkatołowej • łyżeczka roztartej w dłoniach przyprawy prowansalskiej • szklanka rosołu (może być z koncentratu) • duża filiżanka utartego, żółtego sera • tłuszcz do wysmarowania formy • grubo zmielony pieprz lub mielona słodka papryka do posypania

liczba porcji / **4**

czas przygotowania / **35 min**

stopień trudności / **średniotrudne**

kaloryczność / **średniokaloryczne**

koszt / **tanie**

Dokładnie wymyte pory kroimy wzdłuż na połowę, wkładamy do naczynia z rozpuszczonym masłem, posypujemy (delikatnie) przyprawami, lekko dusimy. Gdy zmiękną, podlewamy rosołem, dusimy nadal na niewielkim ogniu, pod przykryciem, przez ok. 10 min. Wyjmujemy łyżką cedzakową i od razu układamy w wysmarowanym tłuszczem naczyniu do zapiekania, posypujemy obficie utartym serem i wstawiamy do nagrzanego do temp. 200ºC piekarnika na 8-10 min (ser powinien się stopić i lekko zrumienić). Podajemy gorące, delikatnie oprószone grubo zmielonym pieprzem lub słodką papryką.

Zielona sałata
z pikantnym sosem

liczba porcji / 4

czas przygotowania / 15 min

stopień trudności / łatwe

kaloryczność / niskokaloryczne

koszt / tanie

s k ł a d n i k i : dorodna głowa sałaty

s o s : 6 łyżek oleju • łyżeczka musztardy delikatesowej • 2 łyżki octu winnego • łyżeczka mielonej słodkiej papryki • łyżeczka cukru pudru • surowe białko • łyżka śmietany kremówki

Opłukane liście sałaty obsuszamy, rozrywamy na mniejsze, układamy w salaterce. Przygotowujemy sos: białko miksujemy z solą, papryką, cukrem pudrem, dodajemy musztardę, ocet winny, a gdy składniki dokładnie się połączą, olej (lejąc cieniutkim strumykiem) oraz śmietanę. Sos powinien być aromatyczny, pikantny, o konsystencji lekkiego majonezu. Sosem zalewamy sałatę, całość odstawiamy w chłodne miejsce, podajemy nie później niż 15 min po przygotowaniu.

Zielona sałata
z papryką

s k ł a d n i k i : głowa sałaty masłowej • czerwona cebula • strąk żółtej papryki

s o s : 4 łyżki oleju • 2 łyżki octu winnego • sól • pieprz • łyżeczka roztartej w dłoniach przyprawy prowansalskiej

Opłukane liście sałaty odsączamy na sicie, cebulę kroimy w cienkie piórka, paprykę, po usunięciu gniazd nasiennych, kroimy w bardzo cienkie paseczki, składniki układamy w salaterce.
Przygotowujemy sos: olej rozcieramy z roztartą w dłoniach przyprawą prowansalską, solą i pieprzem, gdy składniki dokładnie się połączą, dodajemy, cały czas ucierając, ocet winny. Sos powinien mieć pikantny, wyraźny smak i konsystencję lekkiego majonezu. Polaną sosem sałatę podajemy nie później niż 10 min po przygotowaniu.

liczba porcji / 6

czas przygotowania / 15 min

stopień trudności / łatwe

kaloryczność / niskokaloryczne

koszt / tanie

liczba porcji / 4
czas przygotowania / 25 min•
stopień trudności / średniotrudne
kaloryczność / niskokaloryczne
koszt / średniodrogie

Szparagi pod beszamelem

s k ł a d n i k i : 1 kg (2 pęczki) szparagów • sól • cukier
• łyżeczka masła • filiżanka utartego, żółtego sera • tłuszcz
do wysmarowania formy

s o s : łyżka masła • łyżka mąki • 1/2 szklanki mleka
• 1/2 szklanki śmietany • 2 łyżki wywaru spod szparagów • 2 żółtka
• sól • pieprz

Obrane, związane w pęczki szparagi gotujemy na półmiękko w wodzie z cukrem, solą i masłem nie dłużej niż
przez 10 min. Wychładzamy.
Przygotowujemy sos: na roztopionym maśle zasmażamy
mąkę, uważając, by się nie zrumieniła, tylko straciła smak
surowizny. Zasmażkę rozprowadzamy mlekiem, gdy się
zagotuje i zgęstnieje, dodajemy przyprawy, lekko spienioną śmietanę i roztrzepane w wywarze spod szparagów
żółtka, zestawiamy z ognia, całość dokładnie mieszamy.
W wysmarowanym tłuszczem naczyniu do zapiekania
rozkładamy odsączone szparagi, polewamy równomiernie sosem, posypujemy tartym serem i wstawiamy do
nagrzanego do temp. 180ºC piekarnika na 10-12 min.
Wyjmujemy, gdy ser się roztopi i lekko zrumieni. Podajemy gorące, zaraz po przygotowaniu.
• o p r ó c z   c z a s u   n a   z a p i e k a n i e

Seler w śliwkowym sosie

s k ł a d n i k i : dorodny seler (może być ugotowany
wcześniej np. w rosole, ale nierozgotowany)

s o s : szklanka suszonych śliwek bez pestek • 1/2 szklanki
rodzynek • 1/2 szklanki śmietany • łyżeczka świeżo utartego chrzanu
• sok z cytryny • cukier • sól • pieprz

Wyszorowany seler gotujemy w skórce, gdy będzie prawie miękki, hartujemy przez 5 min w zimnej wodzie,
obieramy, kroimy w niewielką kostkę.
Śliwki zalewamy letnią wodą, gotujemy na średnim ogniu
przez 10 min, gdy będą miękkie, przecieramy przez sito. Rodzynki moczymy w letniej wodzie. Przetarte śliwki (powinny być 2 szklanki przecieru) łączymy ze śmietaną, chrzanem, rodzynkami, doprawiamy do smaku sokiem z cytryny, cukrem, solą i szczyptą pieprzu. Do sosu
dodajemy przygotowany seler, całość stawiamy na ogniu
na 10 min (nie dłużej). Wytworną w smaku jarzynę podajemy ciepłą, nie później niż 15 min po zdjęciu z ognia
– w tym czasie połączą się wszystkie smaki.
• o p r ó c z   c z a s u   n a   g o t o w a n i e   s e l e r a

liczba porcji / 4
czas przygotowania / 25 min•
stopień trudności / średniotrudne
kaloryczność / niskokaloryczne
koszt / tanie

Szparagowa jarzynka

s k ł a d n i k i : 1 kg (2 pęczki) szparagów II gatunku • sól
• cukier • łyżeczka masła

s o s : łyżka masła • łyżka mąki • filiżanka wywaru
spod szparagów • 1/2 szklanki śmietany • sok z cytryny • sól
• świeżo zmielony pieprz

Obrane, związane w pęczki szparagi gotujemy w wodzie
z dodatkiem soli, cukru i masła, aż będą miękkie, ale nierozgotowane. Odstawiamy do przechłodzenia.
Przygotowujemy sos: roztopione masło zasmażamy z mąką, uważając, by się nie zrumieniła, tylko straciła smak
surowizny. Zasmażkę rozprowadzamy wywarem spod
szparagów (gdy sos będzie zbyt gęsty, dodajemy nieco
więcej wywaru), zagotowujemy, dodajemy lekko spienioną śmietanę i doprawiamy do smaku.
Do sosu wkładamy pokrojone na mniejsze części szparagi, całość podgrzewamy (jarzynka nie powinna się zagotować). Podajemy gorącą.

liczba porcji /	4
czas przygotowania /	35 min
stopień trudności /	średniotrudne
kaloryczność /	niskokaloryczne
koszt /	tanie

liczba porcji /	4
czas przygotowania /	25 min
stopień trudności /	łatwe
kaloryczność /	niskokaloryczne
koszt /	tanie

Szpinak zasmażany
na ostro

s k ł a d n i k i : 50 dag (opakowanie) mrożonego szpinaku
• cebula • 2 ząbki czosnku • 20 dag sera rokpolu • 1/2 szklanki
śmietany • 3 łyżki oleju • łyżka mąki • 2 łyżki keczupu • sól • pieprz

Na rozgrzanym tłuszczu podsmażamy drobno posiekane (ważne!) cebulę i czosnek, gdy się zeszklą, oprószamy
mąką, zasmażamy razem, uważając, by mąka się nie zru-
mieniła, tylko straciła smak surowizny. Do zasmażki dodajemy lekko rozmrożony szpinak, smażymy odkryty, na średnim ogniu, cały czas mieszając, przez 5 min. Zmniejszamy ogień, dodajemy
śmietanę połączoną z rozkruszonym serem, przyprawy, ponownie (często mieszając) zasmażamy
przez 3-4 min. Podajemy gorący.

Surówka z brukselki luksusowa

s k ł a d n i k i : 50 dag świeżej, dorodnej brukselki (waga po odrzuceniu wierzchnich, przywiędłych liści) • szklanka rodzynek • 1/2 szklanki białego, wytrawnego wina • 2 kopiaste łyżki natki pietruszki

s o s : szklanka naturalnego jogurtu lub 12% śmietany • cebula • sok z cytryny • cukier • biały pieprz

Rodzynki zalewamy winem, odstawiamy. Brukselkę płuczemy, odsączamy na sicie.
Przygotowujemy sos: w salaterce łączymy jogurt z przyprawami, dodajemy bardzo drobno (ważne) posiekaną cebulę, lekko ubijamy. Bezpośrednio do sosu dodajemy, krojąc w cienkie plasterki, brukselkę, składniki mieszamy, dodajemy rodzynki i część wina (w zależności od upodobań smakowych). Podajemy w pucharkach, oprószoną zieleniną, nie później niż 10 min po przygotowaniu.

liczba porcji /	4
czas przygotowania /	15 min
stopień trudności /	łatwe
kaloryczność /	niskokaloryczne
koszt /	tanie

Surówka z brukselki

s k ł a d n i k i : 50 dag świeżej brukselki • 2 duże, kwaskowe jabłka • czubata łyżka posiekanego koperku • czubata łyżka posiekanej natki pietruszki

s o s : szklanka naturalnego jogurtu lub 12% śmietany • sok z cytryny • cukier • sól • biały pieprz

Obraną z zewnętrznych, przywiędłych liści brukselkę płuczemy, odsączamy.
Przygotowujemy sos: jogurt łączymy w salaterce z przyprawami i lekko ubijamy, aż składniki się spienią. Brukselkę bardzo drobno kroimy, łączymy z sosem. Jabłka kroimy w „makaronik", kropimy obficie sokiem z cytryny, dodajemy do surówki, mieszamy, łączymy z częścią zieleniny, pozostałą posypujemy wierzch. Podajemy nie później niż 15 min po przygotowaniu.

liczba porcji /	4
czas przygotowania /	15 min
stopień trudności /	łatwe
kaloryczność /	niskokaloryczne
koszt /	tanie

Surówka
z czerwonej cebuli

s k ł a d n i k i : 4 czerwone cebule • 2 kwaskowe, soczyste jabłka
• 2 kopiaste łyżki posiekanej zieleniny (może być kompozycja: koperek,
natka pietruszki, młode pędy czosnku) • ulubione zioła

s o s : szklanka naturalnego jogurtu • sok z cytryny • cukier
• sól • pieprz

Przygotowujemy sos: jogurt łączymy w salaterce z przyprawami
i lekko ubijamy.
Cebulę kroimy w cienkie półplasterki, zalewamy spienionym sosem
jogurtowym, mieszamy. Jabłka kroimy w „makaronik", kropimy
obficie sokiem z cytryny, łączymy z cebulą, oprószamy częścią
zieleniny i ponownie mieszamy. Podajemy nie później niż 15 min
po przygotowaniu, posypaną grubą warstwą zieleniny.

liczba porcji / **4**
czas przygotowania / **10 min**
stopień trudności / **łatwe**
kaloryczność / **niskokaloryczne**
koszt / **średniodrogie**

Surówka
z czerwonej papryki
pikantna

s k ł a d n i k i : 4 czerwone cebule • 2 kwaskowe jabłka
• czerwona papryka • 2 pomidory • szklanka naturalnego jogurtu
• sok z cytryny • 2 łyżki posiekanej natki pietruszki • 1/2 łyżeczki
przyprawy typu „Jarzynka" • listki selera naciowego • szczypta
cukru • sól • biały pieprz

Pokrojoną w cienkie półplasterki cebulę oprószamy przesianą przez sito przyprawą, łączymy z pokrojoną w „makaronik" papryką, mieszamy. Jabłka, po obraniu ze skórki
i usunięciu gniazd nasiennych, kroimy w drobną kostkę,
kropimy obficie sokiem z cytryny. Składniki surówki mieszamy i zalewamy połączonym z cukrem, lekko spienionym i, gdy trzeba, lekko przyprawionym solą i białym
pieprzem jogurtem. Po wyłożeniu na salaterki przybieramy listkami selera naciowego i cząstkami pomidora.
Podajemy nie później niż 15 min po przygotowaniu.

liczba porcji / **4**
czas przygotowania / **15 min**
stopień trudności / **łatwe**
kaloryczność / **niskokaloryczne**
koszt / **średniodrogie**

Surówka z czarnej rzodkwi z jabłkiem

s k ł a d n i k i : 2 średniej wielkości czarne rzodkwie
• 2 duże, winne jabłka • sok z cytryny • szklanka śmietany • cukier
• sól • zielenina

Rzodkiew ucieramy na tarce z drobnymi otworami, oprószamy solą i cukrem, odstawiamy. Obrane, pozbawione
gniazd nasiennych jabłka ucieramy na tarce z dużymi
otworami, kropimy obficie sokiem z cytryny. Łączymy
z odsączoną z nadmiaru soku rzodkwią, lekko doprawiamy do smaku, zalewamy spienioną śmietaną, mieszamy.
Podajemy nie później niż 5 min po przygotowaniu, posypaną zieleniną.

liczba porcji /	**4**
czas przygotowania /	**15 min**
stopień trudności /	**łatwe**
kaloryczność /	**niskokaloryczne**
koszt /	tanie

Surówka z czarnej rzodkwi ze śmietaną

s k ł a d n i k i : 2 średniej wielkości czarne rzodkwie
• 2 czerwone cebule • 3/4 szklanki śmietany lub śmietany
i naturalnego jogurtu (pół na pół) • cukier • sól • biały pieprz
• 4 liście sałaty • pomidor • zielenina

Obraną ze skórki rzodkiew ucieramy na tarce jarzynowej o drobnych otworach, posypujemy solą i cukrem,
przekładamy na sito, odstawiamy do odsączenia.
Cebulę drobno siekamy. Do odsączonej rzodkwi dodajemy cebulę, przyprawy, zalewamy lekko spienioną śmietaną, rozkładamy porcje na liściach sałaty, przybieramy
cząstkami pomidora i zieleniną, podajemy zaraz po przygotowaniu (w przeciwnym razie surówka się „rozwodni").

liczba porcji /	**4**
czas przygotowania /	**15 min**
stopień trudności /	**łatwe**
kaloryczność /	**niskokaloryczne**
koszt /	**średniodrogie**

Surówka z czarnej rzodkwi z rodzynkami

liczba porcji / 4
czas przygotowania / 20 min
stopień trudności / łatwe
kaloryczność / niskokaloryczne
koszt / średniodrogie

s k ł a d n i k i : 2 średniej wielkości czarne rzodkwie
• szklanka rodzynek • 2 łyżki nasion słonecznika • cukier • sól

s o s : szklanka gęstej, kwaśnej śmietany • sok z cytryny
• cukier • sól

p r z y b r a n i e : 4 duże liście sałaty • garść migdałów
• listki selera naciowego

Rodzynki moczymy w letniej wodzie, migdały zalewamy wrzątkiem, odsączamy, obieramy z łupinek. Rzodkwie ucieramy na tarce z małymi otworami, oprószamy solą i cukrem, odstawiamy.
Przygotowujemy sos: śmietanę łączymy z przyprawami, lekko ubijamy, by się spieniła. Odsączoną rzodkiew łączymy z odsączonymi rodzynkami, zalewamy sosem, rozkładamy na liściach sałaty, przybieramy listkami selera naciowego i migdałami. Podajemy nie później niż 5 min po przygotowaniu.

Surówka z dyni z bakaliami

s k ł a d n i k i : 30 dag dorodnej, dojrzałej dyni (waga bez skóry i miąższu) • 2 duże, winne jabłka • sok z cytryny • łyżeczka cukru pudru • 1/2 szklanki rodzynek • 1/2 szklanki migdałów • 1/2 szklanki naturalnego soku z czerwonych porzeczek

Dynię ucieramy na tarce z dużymi otworami, kropimy połową soku z cytryny, oprószamy połową cukru pudru. Obrane ze skórek, pozbawione gniazd nasiennych jabłka ucieramy na tarce, kropimy pozostałym sokiem z cytryny i posypujemy cukrem pudru. Składniki surówki łączymy z wypłukanymi, dobrze odsączonymi rodzynkami oraz sparzonymi i obranymi z łupinek posiekanymi migdałami. Całość doprawiamy do smaku sokiem z porzeczek, gdy trzeba, dodajemy cukier i biały pieprz. Podajemy schłodzoną, 30 min po przygotowaniu. Najefektowniej prezentuje się w szklanych pucharkach, przybrana cząstkami mandarynek.

liczba porcji / 4
czas przygotowania / 20 min
stopień trudności / łatwe
kaloryczność / niskokaloryczne
koszt / średniodrogie

Surówka z dyni z majonezem

s k ł a d n i k i : 30 dag dojrzałej, dorodnej dyni (waga bez skóry i miąższu) • 2 łyżki nasion słonecznika • 2 łyżki rodzynek • mały kieliszek koniaku lub winiaku • 10 śliwek węgierek (bez pestek) • 3/4 szklanki dietetycznego majonezu • sok z cytryny • cukier puder • sól • biały pieprz • garść migdałów (sparzonych, obranych z łupinek, niezbyt drobno posiekanych)

Opłukane rodzynki zalewamy koniakiem, odstawiamy. Dynię ucieramy na tarce z dużymi otworami, oprószamy cukrem pudrem, skrapiamy sokiem z cytryny. Opłukane, obsuszone śliwki kroimy w cienkie paseczki, łączymy z dynią, mieszamy. Dodajemy rodzynki wraz z koniakiem, w którym się moczyły, majonez, składniki mieszamy, gdy trzeba, doprawiamy do smaku, odstawiamy w chłodne miejsce na 20 min. Podajemy posypaną migdałami.

liczba porcji /	**4**
czas przygotowania /	**20 min**
stopień trudności /	**łatwe**
kaloryczność /	**średniokaloryczne**
koszt /	średniodrogie

Kolorowa surówka z dyni

liczba porcji /	**4**
czas przygotowania /	**20 min**
stopień trudności /	**łatwe**
kaloryczność /	**niskokaloryczne**
koszt /	średniodrogie

s k ł a d n i k i : 20 dag dorodnej, dojrzałej dyni (waga bez skóry i miąższu) • duże, kwaskowe jabłko • dorodny, twardy pomidor (lub 2 mniejsze) • 1/2 szklanki dietetycznego majonezu • sok z cytryny • cukier puder • sól • biały pieprz • kopiasta łyżka posiekanego koperku • pomidor i listki zielonej pietruszki do przybrania

Do salaterki dajemy majonez, sok wyciśnięty z całej cytryny i łyżeczkę cukru pudru, mieszamy. Obrany ze skórki, pozbawiony pestek pomidor kroimy w kostkę, dodajemy do majonezu wraz z dynią, utartą na jarzynowej tarce z dużymi otworami, składniki od razu mieszamy, by były przykryte majonezem. Dodajemy pokrojone w kostkę, obrane ze skórki i pozbawione gniazd nasiennych jabłko (nie należy ucierać go na tarce, bo „rozrzedzi" surówkę). Całość łączymy, doprawiamy do smaku, dodajemy koperek. Podajemy nie później niż 15 min po przygotowaniu, przybraną listkami pietruszki i cząstkami pomidora.

Surówka z dyni
z jabłkami

liczba porcji / **4**
czas przygotowania / **15 min**
stopień trudności / **łatwe**
kaloryczność / **niskokaloryczne**
koszt / **tanie**

s k ł a d n i k i : 30 dag dorodnej, dojrzałej dyni (waga bez skóry i miąższu) • 2 duże, winne jabłka • szklanka kwaśnej śmietany • szklanka wypestkowanych winogron • kopiasta łyżka posiekanego koperku • sok z cytryny • cukier puder • biały pieprz

Utartą na tarce z dużymi otworami dynię oprószamy cukrem pudrem, kropimy sokiem z cytryny. Obrane ze skórki, pozbawione gniazd nasiennych jabłka kroimy w drobną kostkę (ważne: utarte na tarce „rozrzedzą" surówkę), kropimy sokiem z cytryny, łączymy z dynią. Dodajemy winogrona, polewamy spienioną śmietaną wymieszaną z koperkiem, gdy trzeba, lekko doprawiamy do smaku. Podajemy nie później niż 10 min po przygotowaniu.

Surówka z kalarepy
ze śmietaną

s k ł a d n i k i : 6-8 młodych kalarepek (bez zdrewniałego spodu) • 2 kopiaste łyżki posiekanego koperku • sok z cytryny • szklanka kwaśnej śmietany • sól • biały pieprz

Obrane, opłukane, obsuszone kalarepki kroimy w bardzo cienkie plasterki, delikatnie solimy, kropimy sokiem z cytryny, odstawiamy w chłodne miejsce na 20 min. Przed podaniem łączymy z koperkiem, polewamy spienioną i połączoną z przyprawami śmietaną, rozkładamy do szklanych pucharków, przybieramy piórkami koperku.

liczba porcji / **4**
czas przygotowania / **30 min**
stopień trudności / **łatwe**
kaloryczność / **niskokaloryczne**
koszt / **tanie**

Surówka z kalarepy pikantna

s k ł a d n i k i : 6-8 młodych kalarepek (bez zdrewniałego spodu) • 2 ząbki czosnku • czerwona cebula • 2 łyżki posiekanego koperku • sok z cytryny • szklanka majonezu delikatesowego • cukier puder • sól • biały pieprz • liście pietruszki i „różyczki" z rzodkiewek do przybrania

Obrane, opłukane, obsuszone kalarepki ucieramy na jarzynowej tarce z dużymi otworami, delikatnie solimy, dodajemy posiekany czosnek i pokrojoną w cienkie piórka cebulę, składniki łączymy, opruszamy szczyptą pieprzu i cukru pudru i, pod przykryciem, odstawiamy w chłodne miejsce na 20 min. Przed podaniem łączymy z koperkiem, majonezem, gdy trzeba, doprawiamy do smaku. Podajemy w szklanych pucharkach, przybraną listkami pietruszki i „różyczkami" z rzodkiewek.

* o p r ó c z   c z a s u   n a   „ d o j r z e w a n i e "   w   c h ł o d n y m
m i e j s c u

Surówka z kalafiora wykwintna

s k ł a d n i k i : świeży kalafior średniej wielkości • szklanka migdałów (sparzonych, pozbawionych łupinek, niezbyt drobno posiekanych) • kopiasta łyżka posiekanego koperku • łyżeczka soli

s o s : 4 łyżki oliwy lub oleju • 4 łyżki łagodnego keczupu • łyżka octu winnego lub soku z cytryny • sól • cukier • biały pieprz

p r z y b r a n i e : 4 duże liście sałaty • cząstki pomidora • świeży tymianek lub listki selera naciowego

Kalafior moczymy w wodzie z dodatkiem łyżeczki soli, aż wypłyną muszki. Wypłukany dzielimy na różyczki (większe kroimy na połowę), wkładamy do miseczki, zalewamy wrzątkiem, po minucie odcedzamy na sicie, odstawiamy do wychłodzenia.
Przygotowujemy sos: na spód salaterki wlewamy oliwę, dodajemy przyprawy, ucieramy, dodając po małej porcji octu winnego lub soku z cytryny, gdy składniki się połączą, dodajemy keczup. Sos powinien mieć konsystencję śmietany i wyraźny, czerwony kolor oraz pikantny smak.
Na liściach sałaty rozkładamy, w równych ilościach, różyczki kalafiora, posypujemy obficie koperkiem, migdałami i zalewamy sosem. Przybieramy zieleniną oraz cząstkami pomidora.

* o p r ó c z   c z a s u   n a   m o c z e n i e   k a l a f i o r a

Surówka z kalafiora wiosenna

liczba porcji / **4**

czas przygotowania / **25 min**•

stopień trudności / **średniotrudne**

kaloryczność / **niskokaloryczne**

koszt / **tanie**

s k ł a d n i k i : świeży kalafior średniej wielkości • 2 pomidory
• ogórek • 2 kopiaste łyżki posiekanego koperku • łyżeczka soli
• zielenina

s o s : szklanka naturalnego jogurtu • sok z cytryny • cukier
• biały pieprz

Kalafior moczymy w wodzie z dodatkiem łyżeczki soli,
aż wypłyną muszki. Wypłukany dzielimy na różyczki
(większe kroimy na połowę), wkładamy do miseczki, zalewamy wrzątkiem, po minucie odcedzamy na sicie, odstawiamy do przechłodzenia.

Przygotowujemy sos: w głębokim naczyniu ucieramy jogurt z przyprawami, gdy się spieni, dodajemy kalafior,
pokrojone w kostkę (wcześniej obrane ze skórki i pozbawione pestek) pomidory, pokrojony w półplasterki ogórek. Składniki mieszamy, gdy trzeba, lekko doprawiamy
do smaku, oprószamy koperkiem i przybieramy zieleniną. Podajemy nie później niż 10 min po przygotowaniu.

• o p r ó c z   c z a s u   n a   m o c z e n i e   k a l a f i o r a

liczba porcji / **4**

czas przygotowania / **15 min**•

stopień trudności / **średniotrudne**

kaloryczność / **średniokaloryczne**

koszt / **średniodrogie**

Surówka z białej kapusty
według przepisu mojej Babci

s k ł a d n i k i : 1/2 główki białej kapusty • 4 łyżki oliwy
• kopiasta łyżka posiekanego koperku • sok z kiszonych, czerwonych
buraków lub naturalny sok z czerwonych porzeczek • cukier • sól
• pieprz

Obraną z zewnętrznych liści kapustę cienko szatkujemy,
oprószamy solą, mieszamy, lekko wyduszając, odstawiamy na 20 min. Gdy zmięknie, odsączamy na sicie lub
w ściereczce. Oliwę łączymy z przyprawami, zalewamy
kapustę, całość doprawiamy do smaku sokiem z buraków lub porzeczek. Podajemy 15 min po przygotowaniu, posypaną koperkiem.

• o p r ó c z   c z a s u   n a   m a c e r a c j ę   k a p u s t y

Surówka z białej kapusty jesienna

s k ł a d n i k i : 1/2 główki białej kapusty • 20 dorodnych śliwek węgierek • szklanka rodzynek • 1/2 szklanki naturalnego soku z czerwonych porzeczek • sól • cukier • biały pieprz • kopiasta łyżka posiekanego koperku lub natki pietruszki

Obraną z zewnętrznych liści kapustę cienko szatkujemy, solimy, lekko wyduszamy, odstawiamy na 5 min. Zalewamy wrzątkiem, po 10 min odcedzamy na sicie, pozostawiamy do wychłodzenia. Rodzynki moczymy w soku z porzeczek, śliwki, po usunięciu pestek, kroimy w paseczki. Łączymy kapustę i śliwki, dodajemy rodzynki wraz z sokiem, w którym się moczyły, przyprawiamy, odstawiamy na 20 min w chłodne miejsce. Podajemy obficie posypaną zieleniną.

• oprócz czasu na macerację kapusty

liczba porcji / 4
czas przygotowania / 15 min•
stopień trudności / średniotrudne
kaloryczność / średniokaloryczne
koszt / średniodrogie

Surówka z białej kapusty z orzechami

s k ł a d n i k i : 1/2 małej głowy białej kapusty • duże, kwaskowe jabłko • szklanka posiekanych orzechów (mogą być włoskie i laskowe – pół na pół) • szklanka śmietany lub naturalnego jogurtu • kopiasta łyżka posiekanego koperku lub natki pietruszki • sok z cytryny • cukier • sól • pieprz

Obraną z zewnętrznych liści kapustę szatkujemy, solimy, lekko wyciskamy, zalewamy wrzątkiem, po 5 min cedzimy na sicie, pozostawiamy do odsączenia i przechłodzenia. Orzechy parzymy, obieramy ze skórki, siekamy. Jabłka, po obraniu ze skórki i usunięciu gniazd nasiennych, kroimy w „makaronik", skrapiamy sokiem z cytryny. Składniki surówki łączymy, doprawiamy do smaku, dodajemy spienioną śmietanę lub jogurt, posypujemy obficie zieleniną. Podajemy nie później niż 10 minut po przygotowaniu.

liczba porcji / 4
czas przygotowania / 25 min
stopień trudności / średniotrudne
kaloryczność / średniokaloryczne
koszt / średniodrogie

Surówka
z białej kapusty
z jabłkami

liczba porcji / 4
czas przygotowania / 20 min •
stopień trudności / średniotrudne
kaloryczność / średniokaloryczne
koszt / średniodrogie

s k ł a d n i k i : 1/2 główki białej kapusty
• 2 duże, kwaskowe jabłka • 1/2 szklanki soku
jabłkowego (może być słodzony) • 1/2 szklanki
rodzynek • sok z cytryny • zielenina

s o s : szklanka naturalnego jogurtu • 1/2 łyżeczki
mielonego kminku • sól • cukier • biały pieprz

Obraną z zewnętrznych liści kapustę cienko
szatkujemy, solimy, lekko wyduszamy, polewamy wrzątkiem, odstawiamy na 5 min, odcedzamy, pozostawiamy na sicie do odsączenia
i przechłodzenia. Rodzynki zalewamy sokiem z jabłek, odstawiamy. Obrane ze skórki i pozbawione gniazd
nasiennych jabłka kroimy w „makaronik", polewamy obficie sokiem z cytryny, by nie ściemniały. Składniki surówki łączymy, odstawiamy na 10 min w chłodne miejsce.
Przygotowujemy sos: jogurt łączymy z przyprawami, lekko ubijamy, aż się spieni, zalewamy sosem surówkę, posypujemy obficie zieleniną, podajemy nie później niż
10 min po przygotowaniu.

• o p r ó c z c z a s u n a m a c e r a c j ę k a p u s t y

Surówka
z czerwonej kapusty
pikantna

s k ł a d n i k i : 1/2 głowy czerwonej kapusty • 1/2 szklanki
posiekanych, marynowanych grzybków (mogą być pieczarki)
wraz z marynowaną cebulką • biała część pora

z a p r a w a : 3 łyżki przegotowanej wody • łyżka octu
winnego lub octu z grzybowej marynaty • 2 łyżki oliwy • cukier
• pieprz • sól • zielenina do przybrania

Obraną z zewnętrznych liści kapustę szatkujemy, im drobniej, tym surówka smaczniejsza, lekko solimy, wyduszamy, zalewamy wrzątkiem na 5 min. Odsączamy na sicie
i pozostawiamy do wychłodzenia. Dokładnie umyty por
kroimy w cienki „makaronik". Wychłodzoną kapustę łączymy z zaprawą, gdy nabierze koloru, dodajemy por
i grzybki posiekane wraz z marynowaną cebulką, składniki łączymy, gdy trzeba, całość doprawiamy do smaku.
Podajemy nie później niż 15 min po przygotowaniu,
przybraną zieleniną.

• o p r ó c z c z a s u n a m a c e r a c j ę k a p u s t y

liczba porcji / 4
czas przygotowania / 20 min •
stopień trudności / średniotrudne
kaloryczność / średniokaloryczne
koszt / średniodrogie

Surówka z czerwonej kapusty delikatesowa

s k ł a d n i k i : 1/2 głowy czerwonej kapusty • duże, kwaskowe jabłko • gruszka • biała część pora • 2 kopiaste łyżki rodzynek • 3 łyżki oliwy

z a p r a w a : 3 łyżki przegotowanej wody • sok z cytryny • cukier • sól • pieprz • zielenina

Obraną z zewnętrznych liści kapustę szatkujemy, im drobniej, tym surówka będzie smaczniejsza, solimy, wyciskamy, zalewamy wrzątkiem, odstawiamy na 5 min, cedzimy, pozostawiamy na sicie do odsączenia i przechłodzenia. Zimną łączymy z zaprawą, gdy nabierze koloru, dodajemy pokrojony w cienkie półkrążki por, opłukane rodzynki oraz pokrojone w „makaronik" owoce. Składniki surówki łączymy z oliwą, gdy trzeba, doprawiamy do smaku. Podajemy przybraną zieleniną, nie później niż 10 min po przygotowaniu.

• oprócz czasu na macerację kapusty

Surówka z czerwonej kapusty luksusowa

s k ł a d n i k i : 1/2 głowy czerwonej kapusty • brzoskwinia (może być z kompotu) • 1/2 szklanki niezbyt drobno posiekanych, sparzonych migdałów • 1/2 szklanki rodzynek • 1/2 szklanki czerwonego, wytrawnego wina • czerwona cebula • 3 łyżki oliwy

z a p r a w a : 3 łyżki przegotowanej wody • sok z dużej cytryny • cukier • sól • pieprz • goździk rozbity w moździerzu na pył

p r z y b r a n i e : pokrojona w cząstki brzoskwinia • zielone listki pietruszki

Obraną z zewnętrznych liści kapustę szatkujemy, im drobniej, tym surówka smaczniejsza, lekko solimy, wyduszamy, zalewamy wrzątkiem, odstawiamy na 5 min. Odsączamy na sicie, pozostawiamy do wychłodzenia.

Rodzynki zalewamy winem, cebulę kroimy w bardzo cienkie piórka, a brzoskwinię w paseczki. Składniki zaprawy dokładnie mieszamy, łączymy z kapustą, gdy nabierze koloru, dodajemy pozostałe składniki, odstawiamy na 5 min. Mieszamy, polewamy oliwą, doprawiamy do smaku. Podajemy nie później niż 15 min po przygotowaniu, przybraną cząstkami brzoskwini i listkami pietruszki.

• oprócz czasu na macerację kapusty

Surówka z kapusty pekińskiej z cytrusami

liczba porcji / **4**

czas przygotowania / **20 min**

stopień trudności / **łatwe**

kaloryczność / **niskokaloryczne**

koszt / **średniodrogie**

s k ł a d n i k i : kapusta pekińska • 2 bezpestkowe pomarańcze • 4 mandarynki • 2 łyżki posiekanej natki pietruszki

s o s : naturalny jogurt lub kwaśna śmietana • 2 łyżki oliwy • 2 łyżki tartego chrzanu • cukier • sól • pieprz • skórka otarta z pomarańczy do oprószenia

Przygotowujemy sos: jogurt ucieramy z oliwą, dodajemy chrzan, przyprawy, lekko ubijamy. Środkowe liście kapusty (gdy trzeba, usuwamy grube nerwy liściowe) kroimy w poprzeczne paseczki i od razu łączymy z przygotowanym sosem. Z wyszorowanych pod gorącą wodą pomarańczy ścieramy skórkę, owoce obieramy z białych błon, kroimy w drobne cząstki, dodajemy do kapusty wraz z zieleniną i obranymi, pokrojonymi mandarynkami, składniki łączymy.
Podajemy nie później niż 15 min po przygotowaniu, obficie posypaną skórką otartą z pomarańczy.

Surówka z kapusty pekińskiej na sposób azjatycki

s k ł a d n i k i : kapusta pekińska • świeży ogórek • 2 czerwone cebule • 2 kwaskowe jabłka • 2 łodygi selera naciowego • sok z cytryny lub limonki • sos sojowy słodki

Środkowe liście kapusty pekińskiej kroimy w cienkie, poprzeczne paski, obrany ze skórki ogórek w cienkie półplasterki, gałązki selera naciowego, po ściągnięciu grubych „żył" w plasterki, podobnie cebulę i obrane ze skórki, pozbawione gniazd nasiennych jabłka, które kropimy obficie sokiem z cytryny lub limonki. Składniki delikatnie mieszamy, polewamy, według własnych upodobań smakowych, sosem. Podajemy nie później niż 10 min po przygotowaniu.

liczba porcji / **4**

czas przygotowania / **20 min**

stopień trudności / **łatwe**

kaloryczność / **niskokaloryczne**

koszt / **tanie**

liczba porcji / **4**

czas przygotowania / **20 min**

stopień trudności / **średniotrudne**

kaloryczność / **niskokaloryczne**

koszt / **drogie**

Surówka z kapusty pekińskiej z owocami

s k ł a d n i k i : kapusta pekińska • duże, kwaskowe jabłko • duża, dojrzała gruszka • 20 dorodnych śliwek węgierek • 2 czerwone cebule • kopiasta łyżka posiekanego koperku lub innej zieleniny • sok z cytryny

s o s : szklanka kwaśnej śmietany • 4 łyżki naturalnego soku z pomarańczy • cukier • sól • biały pieprz

p r z y b r a n i e : ćwiartki śliwek • zielenina

Przygotowujemy sos: śmietanę łączymy z sokiem wyciśniętym z pomarańczy i przyprawami, lekko ubijamy, aż się spieni.

Środkowe liście kapusty (gdy trzeba, usuwamy grube nerwy liściowe) kroimy w cienkie, poprzeczne paseczki i od razu łączymy z przygotowanym sosem. Obrane ze skórki, pozbawione gniazd nasiennych jabłko i gruszkę kroimy w paseczki, skrapiamy sokiem z cytryny i dodajemy do sosu. Wypestkowane śliwki również kroimy w paseczki, cebule siekamy. Składniki surówki łączymy, dodajemy zieleninę, gdy trzeba, doprawiamy do smaku. Podajemy nie później niż 10 min po przygotowaniu.

Surówka z marchwi wytrawna

s k ł a d n i k i : 3 duże marchewki • czerwona cebula • 2 kwaskowe jabłka • cytryna • szklanka gęstej, kwaśnej śmietany • 1/2 łyżeczki imbiru • cukier • sól • biały pieprz • kopiasta łyżka posiekanej zieleniny • liście sałaty do wyłożenia pucharków

Do drobno posiekanej cebuli dodajemy skórkę otartą z cytryny, pokrojoną w kostki cytrynę (pozbawioną pestek i obraną z białych błon), utarte na jarzynowej tarce z drobnymi otworami marchewki i jabłka (wcześniej obrane ze skórki i pozbawione gniazd nasiennych). Całość mieszamy, przyprawiamy do smaku, odstawiamy na 30 min do lodówki.

Porcje nakładamy do wyłożonych listkami sałaty pucharków, polewamy spienioną śmietaną i oprószamy zieleniną.

liczba porcji / **4**

czas przygotowania / **20 min**

stopień trudności / **łatwe**

kaloryczność / **niskokaloryczne**

koszt / **średniodrogie**

Surówka z marchwi pikantna

s k ł a d n i k i : 3 średniej wielkości marchewki • 2 duże, kwaskowe jabłka • płaska łyżka świeżo utartego chrzanu • 1/2 szklanki śmietany • sok z cytryny • sól • cukier • listki świeżej melisy do przybrania

Na jarzynowej tarce z małymi otworami ucieramy oczyszczone marchewki oraz obrane ze skórki, pozbawione gniazd nasiennych jabłka, kropimy sokiem z cytryny, dodajemy chrzan i przyprawy. Składniki delikatnie mieszamy, odstawiamy na 10 min w chłodne miejsce. Przed podaniem zalewamy spienioną śmietaną i przybieramy listkami melisy.

liczba porcji / 4

czas przygotowania / 15 min

stopień trudności / łatwe

kaloryczność / niskokaloryczne

koszt / tanie

Surówka z tartej marchwi luksusowa

s k ł a d n i k i : 3 duże marchewki • 6 krążków ananasa z puszki • 1/2 szklanki śmietany lub naturalnego jogurtu • szczypta cukru pudru

Marchewki ucieramy na jarzynowej tarce z małymi otworami. Plasterki ananasa kroimy w drobną kostkę, łączymy z utartą marchwią, zalewamy spienioną śmietaną lub jogurtem, doprawiamy niewielką ilością cukru pudru. Gdy surówka będzie zbyt ścisła, dodajemy 1-2 łyżki soku z ananasa. Podajemy zaraz po przygotowaniu.

liczba porcji / 4

czas przygotowania / 15 min

stopień trudności / łatwe

kaloryczność / niskokaloryczne

koszt / tanie

liczba porcji / 4
czas przygotowania / 15 min
stopień trudności / łatwe
kaloryczność / niskokaloryczne
koszt / tanie

Surówka z marchwi delikatesowa

s k ł a d n i k i : 3 średniej wielkości marchewki • 2 kopiaste łyżki nasion słonecznika • 2 kopiaste łyżki rodzynek • 1/2 szklanki śmietany • łyżeczka cukru pudru • 4 duże liście sałaty

Utarte na jarzynowej tarce z małymi otworami marchewki łączymy z opłukanymi rodzynkami, nasionami słonecznika, doprawiamy cukrem pudrem, zalewamy spienioną śmietaną. Połączone składniki układamy na liściach sałaty. Podajemy nie później niż 10 min po przygotowaniu.

Surówka z marchwi z mandarynkami

s k ł a d n i k i : 4 średniej wielkości marchewki • 6 bezpestkowych mandarynek •szklanka niezbyt drobno posiekanych migdałów (sparzonych, obranych z łupinek) • sok z cytryny • łyżeczka cukru pudru • 1/2 szklanki śmietany

liczba porcji / 4
czas przygotowania / 15 min
stopień trudności / łatwe
kaloryczność / średniokaloryczne
koszt / średniodrogie

Mandarynki obieramy ze skórki, usuwamy białe błony, kroimy w kostkę, posypujemy cukrem pudrem, skrapiamy sokiem z cytryny. Marchewki ucieramy na jarzynowej tarce z małymi otworami, łączymy z mandarynkami, zalewamy spienioną śmietaną, nakładamy do szklanych pucharków, posypujemy posiekanymi migdałami. Podajemy nie później niż 10 min po przygotowaniu.

Surówka
z ogórków
wiosenna

s k ł a d n i k i : 3 średniej wielkości ogórki
• 4 młode cebulki • 2 kopiaste łyżki posiekanego
koperku • sól • pieprz • sok z cytryny • szklanka
śmietany • 2 kopiaste łyżki posiekanego
szczypioru

Obrane ogórki kroimy w średniej grubości
plasterki, dodajemy pokrojoną cebulkę, koperek, przyprawy, zalewamy lekko spienioną
śmietaną, mieszamy. Podajemy nie później
niż 10 min po przygotowaniu, posypaną
szczypiorem.

liczba porcji / 4
czas przygotowania / 15 min
stopień trudności / łatwe
kaloryczność / niskokaloryczne
koszt / tanie

Surówka
z ogórków
dla smakoszy

s k ł a d n i k i : 3 średniej wielkości ogórki
• szklanka migdałów niezbyt drobno posiekanych
(sparzonych, pozbawionych łupinek) • 2 łyżki
posiekanej natki pietruszki • 4 łyżki oliwy • 2 ząbki
czosnku • płaska łyżeczka przyprawy prowansalskiej
• sól • biały pieprz

p r z y b r a n i e : zielenina • połówki oliwek

Obrane ogórki kroimy w plasterki, dodajemy
migdały, natkę pietruszki, składniki łączymy.
Oliwę ucieramy z posiekanym (nie wyciska-
nym czy zmiażdżonym) czosnkiem, solą, pieprzem, roztartą w dłoniach przyprawą prowansalską. Surówkę zalewamy sosem, odstawiamy na 10 min w chłodne miejsce. Przed
podaniem przybieramy zieleniną i połówkami oliwek.

• oprócz czasu na wychłodzenie

liczba porcji / 4
czas przygotowania / 10 min•
stopień trudności / łatwe
kaloryczność / niskokaloryczne
koszt / średniodrogie

liczba porcji / 4
czas przygotowania / 15 min*
stopień trudności / łatwe
kaloryczność / niskokaloryczne
koszt / średniodrogie

Surówka z ogórków na słodko

s k ł a d n i k i : 4 średniej wielkości ogórki • szklanka rodzynek • szklanka śmietany • 2 łyżki płynnego miodu • sok z cytryny • sól

Pokrojone w cienkie talarki ogórki solimy, obciążamy talerzykiem, odstawiamy na 20 min w chłodne miejsce. Rodzynki parzymy na sicie, odstawiamy do odsączenia i wychłodzenia. Śmietanę łączymy z miodem i sokiem z cytryny, całość lekko spieniamy. Ogórki odsączamy na sicie lub w ściereczce, łączymy z rodzynkami, zalewamy sosem, podajemy nie później niż 10 min po przygotowaniu.

* oprócz czasu na macerację ogórków

Surówka z ogórków pikantna

s k ł a d n i k i : 3 średniej wielkości ogórki • 4 młode cebulki • 2 łyżki pikantnego keczupu • 2 łyżki oliwy • sól • pieprz • cukier • duże liście sałaty • posiekany szczypior

liczba porcji / 4
czas przygotowania / 15 min
stopień trudności / łatwe
kaloryczność / niskokaloryczne
koszt / tanie

Obrane ogórki kroimy w półplasterki, cebulkę w krążki, składniki oprószamy przyprawami, łączymy i rozkładamy na liściach sałaty. Keczup łączymy z oliwą, gdy trzeba, doprawiamy do smaku, zalewamy porcje surówki. Podajemy nie później niż 15 min po przygotowaniu, obficie posypaną szczypiorem.

Surówka z papryki z cebulą

liczba porcji / 4
czas przygotowania / 10 min
stopień trudności / łatwe
kaloryczność / średniokaloryczne
koszt / średniodrogie

s k ł a d n i k i : 2 czerwone papryki • 2 czerwone cebule
• kopiasta łyżka posiekanej zieleniny

s o s : szklanka kwaskowej (ważne!) śmietany kremówki
• sól • pieprz • ząbek czosnku • szczypta cukru

Umyte, oczyszczone z nasion papryki kroimy w „makaronik", im cieniej, tym surówka smaczniejsza. Cebule kroimy w bardzo cienkie piórka, składniki łączymy.
Przygotowujemy sos: najdrobniej posiekany (nie zmiażdżony!) czosnek dodajemy do śmietany wraz z przyprawami, sos powinien mieć wyraźny, lecz łagodny smak. Po lekkim spienieniu składniki surówki zalewamy sosem, posypujemy zieleniną, podajemy nie później niż 15 min po przygotowaniu.

Surówka z papryki i pomidorów

s k ł a d n i k i : 2 duże strąki czerwonej papryki
• 4 twarde pomidory • czerwona cebula • ząbek czosnku • łyżka posiekanej zieleniny

s o s : 1/3 szklanki oliwy lub oleju • 2 łyżki soku z cytryny lub octu winnego • cukier • sól • biały pieprz

Oczyszczone z nasion strąki papryki kroimy w „makaronik", im cieńszy, tym surówka smaczniejsza. Pomidory, sparzone wrzątkiem, obieramy ze skórki, kroimy w plasterki, cebulę siekamy razem z czosnkiem.
Do salaterki wkładamy paprykę z posiekaną cebulą, opruszamy przyprawami, na wierzchu układamy plasterki pomidorów, odstawiamy na 3 min w chłodne miejsce.
Przygotowujemy sos: oliwę ucieramy z przyprawami, gdy składniki się połączą, dodajemy w małych ilościach sok z cytryny lub ocet winny i nadal ucieramy, aż powstanie lekki majonez. Surówkę zalewamy sosem, nie mieszamy, wierzch posypujemy obficie zieleniną. Podajemy nie później niż 15 min po przygotowaniu.

liczba porcji / 4
czas przygotowania / 15 min
stopień trudności / średniotrudne
kaloryczność / niskokaloryczne
koszt / średniodrogie

Surówka z pomidorów

według Cioci Godziszewskiej

s k ł a d n i k i : 6 dorodnych, jędrnych pomidorów • 3 cebule • 2 łyżki posiekanego szczypiorku • szklanka gęstej, kwaśnej śmietany • sól • pieprz • 2 łyżeczki octu winnego • płaska łyżeczka cukru pudru

Pokrojone w kostkę cebule przelewamy na sicie wrzątkiem, hartujemy zimną wodą, odsączamy.

Z pomidorów, po sparzeniu, zdejmujemy skórkę, wycinamy „gniazdo", kroimy w zgrabne plasterki.

Na spód szerokiej salaterki dajemy cebulę, oprószamy solą, cukrem pudrem, skrapiamy octem. Na cebuli rozkładamy plasterki pomidora, całość lekko oprószamy solą i pieprzem, odstawiamy na 10 min w chłodne miejsce. Przed podaniem polewamy lekko spienioną śmietaną i posypujemy szczypiorkiem.

* o p r ó c z c z a s u n a w y c h ł o d z e n i e

liczba porcji /	**4**
czas przygotowania /	**15 min***
stopień trudności /	**średniotrudne**
kaloryczność /	**średniokaloryczne**
koszt /	**średniodrogie**

liczba porcji /	**4**
czas przygotowania /	**15 min**
stopień trudności /	**średniotrudne**
kaloryczność /	**średniokaloryczne**
koszt /	**średniodrogie**

Surówka z pomidorów staropolska

s k ł a d n i k i : 6 dużych lub 8 średnich, jędrnych pomidorów • 2 małe, słodkie cebulki (szalotki) • 2 małe, świeże ogórki • 1/2 szklanki gęstej, kwaśnej śmietany

z a l e w a : 2 łyżki octu winnego • 2 łyżki wody • czubata łyżeczka cukru • 1/2 łyżeczki mielonego pieprzu • sól

Składniki zalewy zagotowujemy, dodajemy drobno posiekane cebulki, zestawiamy z ognia, pozostawiamy do wychłodzenia.

Ogórki obieramy, kroimy w niezbyt cienkie plasterki, układamy na spodzie salaterki, dodajemy obrane ze skórki, pozbawione pestek, pokrojone w poprzeczne plasterki pomidory. Całość zalewamy zimną zalewą, odstawiamy w chłodne miejsce na 10-15 min. Przed podaniem zalewamy lekko spienioną śmietaną.

Surówka z pora ze śliwkami

liczba porcji / 4
czas przygotowania / 15 min*
stopień trudności / średniotrudne
kaloryczność / średniokaloryczne
koszt / tanie

s k ł a d n i k i : 2 białe części pora • 30 śliwek węgierek
• duże, kwaskowe jabłko • łyżeczka cukru pudru • sok z cytryny
• szklanka śmietany lub śmietany i jogurtu (pół na pół) • sól • pieprz
• zielenina

Dokładnie wymyte pory kroimy w bardzo cienkie półplasterki, rozkładamy na spodzie salaterki, posypujemy
solą i cukrem, odstawiamy na 10 min.
Wypestkowane śliwki kroimy w paski, obrane ze skórki
i pozbawione gniazd nasiennych jabłko w „makaronik",
od razu kropimy obficie sokiem z cytryny, by nie ściem-
niało. Składniki surówki mieszamy, zalewamy lekko roztrzepaną śmietaną i, gdy trzeba, doprawiamy do smaku. Podajemy nie później niż 15 min po przygotowaniu,
posypaną zieleniną.

* oprócz czasu na macerację porów

liczba porcji / 4
czas przygotowania / 20 min*
stopień trudności / średniotrudne
kaloryczność / średniokaloryczne
koszt / średniodrogie

Surówka z pora wykwintna

s k ł a d n i k i : 2 białe części pora • bezpestkowa pomarańcza
• cytryna • 2 łyżki cukru • cukier puder

s o s : szklanka śmietany • łyżka płynnego miodu • sól • pieprz

p r z y b r a n i e : rodzynki • posiekane migdały • posiekane
orzeszki pistacjowe

Cytrynę i pomarańczę obieramy, dokładnie usuwamy
białe błony i pestki, kroimy w drobną kostkę, posypujemy cukrem, odstawiamy na 15 min w chłodne miejsce. Obrane z zewnętrznych liści pory dokładnie płuczemy, kroimy w cienkie półplasterki,
posypujemy cukrem pudrem, odstawiamy.
Przygotowujemy sos: śmietanę łączymy z miodem, dodajemy szczyptę soli i pieprzu, lekko ubijamy, aż się spieni. Składniki surówki łączymy tuż przed podaniem, zalewamy sosem i posypujemy,
według upodobań, rodzynkami, posiekanymi migdałami lub orzeszkami pistacjowymi.

* oprócz czasu na wychłodzenie cytrusów

liczba porcji / 4

czas przygotowania / 15 min

stopień trudności / średniotrudne

kaloryczność / niskokaloryczne

koszt / tanie

Surówka z rzodkiewek dla smakoszy

s k ł a d n i k i : 2 pęczki rzodkiewek wraz z młodymi listkami • 10 listków młodego mniszka lekarskiego (pot. mleczu) • 2 ząbki czosnku • kopiasta łyżka posiekanego koperku • 4 liście sałaty

s o s : szklanka śmietany • łyżeczka świeżego tymianku lub melisy • cukier • sól • biały pieprz • zielenina • „różyczki" z rzodkiewek

Umytą, obsuszoną rzodkiewkę kroimy w plasterki, młode listki rzodkiewki i mniszka lekarskiego drobno kroimy, czosnek siekamy, składniki surówki łączymy, dodajemy koperek. Przygotowujemy sos: śmietanę łączymy z ziołami, dodajemy przyprawy, lekko ubijamy. Spienionym sosem polewamy surówkę. Równe porcje rozkładamy na liściach sałaty, podajemy zaraz po przygotowaniu przybrane zieleniną i „różyczkami" z rzodkiewek.

liczba porcji / 2

czas przygotowania / 10 min

stopień trudności / łatwe

kaloryczność / niskokaloryczne

koszt / tanie

Surówka z rzodkiewek i ogórka

s k ł a d n i k i : duży pęczek rzodkiewek • świeży ogórek • 2 młode cebulki wraz ze szczypiorkiem • 2 liście sałaty

s o s : 1/2 szklanki śmietany • 1/2 szklanki naturalnego jogurtu • jajko ugotowane na twardo • szczypta tymianku lub przyprawy prowansalskiej • sól • pieprz • zielenina

Opłukane, obsuszone rzodkiewki kroimy w półplasterki, dodajemy obrany ze skórki, pokrojony ogórek oraz pokrojone cebulki.
Przygotowujemy sos: śmietanę, jogurt, przyprawy lekko ubijamy, dodajemy posiekane jajko i roztarte w dłoniach zioła, zalewamy surówkę. Podajemy zaraz po przygotowaniu.

Surówka z sałaty z pomidorami

s k ł a d n i k i : główka sałaty • 4 średniej wielkości, jędrne pomidory • kopiasta łyżka posiekanego koperku

s o s : szklanka śmietany • 2 łyżki łagodnego majonezu • sól • pieprz • szczypta roztartej w dłoniach przyprawy prowansalskiej

Opłukane, obsuszone liście sałaty rozrywamy na mniejsze części, rozkładamy na spodzie salaterki. Z pomidorów, po sparzeniu, zdejmujemy skórkę.
Przygotowujemy sos: śmietanę łączymy z majonezem i przyprawami, gdy sos lekko się spieni, zalewamy sałatę. Pomidory kroimy w plasterki, układamy na wierzchu surówki, posypujemy koperkiem i podajemy zaraz po przygotowaniu.

liczba porcji / 4
czas przygotowania / 15 min
stopień trudności / łatwe
kaloryczność / średniokaloryczne
koszt / tanie

Surówka z sałaty w sosie jogurtowym

s k ł a d n i k i : główka sałaty • 4 młode cebulki • 2 łyżki posiekanego szczypiorku • mała, zielona papryka • 2 jajka ugotowane na twardo

Opłukane, obsuszone liście sałaty rozrywamy na mniejsze części, rozkładamy na spodzie salaterki. Cebulki i pozbawioną gniazd nasiennych paprykę kroimy w „makaronik", mieszamy, rozrzucamy na liściach sałaty.
Przygotowujemy sos: jogurt lekko ubijamy z przyprawami, gdy się spieni, zalewamy surówkę. Jajka siekamy, łączymy z posiekanym szczypiorkiem, posypujemy surówkę. Podajemy zaraz po przygotowaniu.

liczba porcji / 4
czas przygotowania / 15 min
stopień trudności / łatwe
kaloryczność / niskokaloryczne
koszt / tanie

Surówka z sałaty po staropolsku

s k ł a d n i k i : duża głowa sałaty • 2 jajka ugotowane na twardo • kopiasta łyżka koperku • szczypta soli • szczypta pieprzu • 2 szklanki gęstej, kwaśnej śmietany

Opłukane, obsuszone liście sałaty rozrywamy na mniejsze części, rozkładamy w salaterce. Jajka siekamy, posypujemy nimi liście sałaty, całość zalewamy lekko spienioną śmietaną, oprószamy przyprawami i posypujemy koperkiem. Podajemy nie później niż 10 min po przygotowaniu.

liczba porcji / 4
czas przygotowania / 10 min
stopień trudności / łatwe
kaloryczność / średniokaloryczne
koszt / tanie

Surówka z sałaty z pikantnym sosem

s k ł a d n i k i : duża głowa sałaty

s o s : 1/4 szklanki oliwy lub oleju • 2 łyżki gęstej, kwaśnej śmietany • 10 dag pleśniowego sera typu rokpol • sok z cytryny • sól • pieprz • cukier • zielenina

Opłukane, obsuszone liście sałaty rozrywamy na kawałki, rozkładamy w salaterce.
Przygotowujemy sos: pokruszony ser rozcieramy z oliwą. Do gładkiej i jednolitej masy dodajemy śmietanę, przyprawiamy do smaku (oszczędnie, by smak przypraw nie przytłumił wykwintnego smaku sosu, charakteryzującego się wyraźną nutą serową). Gotowym sosem zalewamy liście sałaty, odstawiamy na 10 min w chłodne miejsce, podajemy posypaną zieleniną.

* oprócz czasu na wychłodzenie

liczba porcji / 4
czas przygotowania / 15 min *
stopień trudności / łatwe
kaloryczność / średniokaloryczne
koszt / tanie

Surówka z sałaty z sosem czosnkowym

s k ł a d n i k i : duża głowa sałaty

s o s : 3 łyżki oliwy lub oleju • 2 ząbki czosnku • płaska łyżeczka musztardy delikatesowej (musztarda sarepska zepsuje smak sosu) • łyżka płynnego miodu • 5 łyżek naturalnego jogurtu • sól • pieprz

d o   p o s y p a n i a : posiekany koperek

Opłukane, obsuszone liście sałaty rozrywamy na mniejsze kawałki, rozkładamy w salaterce.

Przygotowujemy sos: zmiażdżony czosnek rozcieramy z niewielką ilością soli, przekładamy do salaterki, dodajemy sok z cytryny, musztardę, całość ucieramy. Gdy składniki dobrze się połączą, dodajemy, lejąc strumyczkiem i cały czas ucierając, oliwę. Doprawiamy miodem wymieszanym z jogurtem, solą, pieprzem, odstawiamy na 10 min w chłodne miejsce. Przed podaniem liście sałaty zalewamy sosem, całość oprószamy koperkiem.

*oprócz czasu na wychłodzenie

liczba porcji / 4
czas przygotowania / 15 min •
stopień trudności / średniotrudne
kaloryczność / niskokaloryczne
koszt / średniodrogie

Surówka z sałaty ze śliwkami

s k ł a d n i k i : duża głowa sałaty • 20 dorodnych śliwek węgierek • 2 czerwone cebule

s o s : 1/2 szklanki lekkiego majonezu • 1/2 szklanki naturalnego jogurtu • kopiasta łyżka posiekanego koperku • po szczypcie przypraw • sól • pieprz • cukier

p r z y b r a n i e : cząstki śliwek • listki zieleniny

Opłukane, obsuszone liście sałaty rozrywamy na kawałki, rozkładamy w salaterce połowę, na nich pokrojoną w cienkie piórka cebulę i pokrojone w drobne paseczki śliwki, przykrywamy pozostałymi kawałkami sałaty, całość posypujemy koperkiem.

Przygotowujemy sos: majonez lekko ubijamy z jogurtem, dodajemy przyprawy, zalewamy surówkę, jej składniki lekko podważamy, by sos dotarł do najniższej warstwy, przybieramy cząstkami śliwek i zielonymi listkami. Podajemy nie później niż 5 min po przygotowaniu.

liczba porcji / 4
czas przygotowania / 15 min
stopień trudności / łatwe
kaloryczność / niskokaloryczne
koszt / tanie

liczba porcji / 4

czas przygotowania / 15 min

stopień trudności / średniotrudne

kaloryczność / niskokaloryczne

koszt / średniodrogie

Surówka z selera z chrzanem

s k ł a d n i k i : seler średniej wielkości • duże, kwaskowe jabłko • duża, bezpestkowa pomarańcza • sok z cytryny • łyżka tartego chrzanu • 4 duże liście sałaty • cząstki mandarynek i zielenina do przybrania

s o s : 1/2 szklanki naturalnego jogurtu • 1/2 szklanki śmietany • cukier • biały pieprz

Obrany, opłukany, wytarty do sucha seler ucieramy na jarzynowej tarce i od razu skrapiamy obficie sokiem z cytryny, by nie ściemniał. Na tarce z dużymi otworami ucieramy obrane ze skórki, pozbawione gniazd nasiennych jabłko i łączymy z selerem. Z pomarańczy usuwamy skórkę i białe błony, kroimy, dodajemy do surówki wraz z chrzanem, składniki łączymy.

Przygotowujemy sos: śmietanę i jogurt lekko ubijamy z przyprawami, zalewamy surówkę, wierzch przybieramy cząstkami mandarynek i zieleniną. Podajemy na liściach sałaty nie później niż 10 min po przygotowaniu.

Surówka z selera ze śliwkami

s k ł a d n i k i : seler średniej wielkości • 2 duże, kwaskowe jabłka • 20 śliwek węgierek • sok z cytryny

s o s : szklanka naturalnego jogurtu ze śmietaną (pół na pół) • sól • biały pieprz • połówki śliwek do przybrania • zielenina

Obrany, opłukany, wytarty do sucha seler ucieramy na jarzynowej tarce z małymi otworami, skrapiamy obficie sokiem z cytryny, by nie ściemniał. Na tarce z dużymi otworami ucieramy jabłka i od razu łączymy z utartym selerem. Pozbawione pestek śliwki kroimy w paseczki, łączymy ze składnikami surówki.

Przygotowujemy sos: śmietanę z jogurtem ubijamy z przyprawami (sos powinien się lekko spienić). Zalewamy surówkę, wierzch przybieramy zieleniną i połówkami śliwek, podajemy nie później niż 10 min po przygotowaniu.

liczba porcji / 4

czas przygotowania / 20 min

stopień trudności / średniotrudne

kaloryczność / niskokaloryczne

koszt / średniodrogie

Surówka z selera z bakaliami

s k ł a d n i k i : seler średniej wielkości • 2 kwaskowe jabłka • sok z cytryny • szklanka posiekanych orzechów • szklanka rodzynek • 2 łyżki ziaren słonecznika • 4 duże liście sałaty

s o s : 3/4 szklanki dietetycznego majonezu

p r z y b r a n i e : rodzynki • zielenina

Rodzynki przelewamy ciepłą wodą na sicie, odstawiamy do odsączenia. Obrany, opłukany i wysuszony seler ucieramy na tarce z małymi otworami, obficie skrapiamy sokiem z cytryny, by nie ściemniał. Obrane ze skórki, pozbawione gniazd nasiennych jabłka ucieramy na tarce z dużymi otworami, łączymy z utartym selerem, mieszamy, dodajemy odsączone rodzynki i orzechy oraz nasiona słonecznika. Całość zalewamy majonezem, gdy trzeba, lekko doprawiamy solą i pieprzem. Podajemy na liściach sałaty, posypaną rodzynkami, przybraną zieleniną, nie później niż 10 min po przygotowaniu.

liczba porcji / **4**
czas przygotowania / **20 min**
stopień trudności / **średniotrudne**
kaloryczność / **średniokaloryczne**
koszt / **średniodrogie**

Purée z ziemniaków

s k ł a d n i k i : 8-10 ziemniaków • czubata łyżka masła lub masła roślinnego • 1/2 szklanki mleka lub śmietanki • szczypta soli • szczypta utartej gałki muszkatołowej • 2 żółtka

Ugotowane, odcedzone ziemniaki lekko odparowujemy, przekładamy do malaksera, dodajemy masło, mleko, przyprawy i miksujemy. Gdy masa będzie prawie jednolita i puszysta, dodajemy żółtka.
Żaroodporne naczynie lekko smarujemy tłuszczem, wkładamy zmiksowaną masę, wyrównujemy powierzchnię w taki sposób, by po bokach był wysoki wałek, lekko kropimy oliwą i wstawiamy do nagrzanego do temp. 180°C piekarnika na 30 min. Purée jest gotowe, gdy wierzch lekko się zrumieni. Podajemy w naczyniu, w którym się zapiekało, podzielone na zgrabne porcje.

* o p r ó c z   c z a s u   n a   g o t o w a n i e   z i e m n i a k ó w

liczba porcji / **4**
czas przygotowania / **40 min***
stopień trudności / **średniotrudne**
kaloryczność / **średniokaloryczne**
koszt / **tanie**

Purée z fasoli

s k ł a d n i k i : 2 szklanki białej, suchej, przebranej fasoli • cebula z wbitym goździkiem • 2 średniej wielkości marchewki • 1/3 selera • duży ząbek czosnku • czubata łyżka masła lub masła roślinnego • majeranek • cząber • tymianek (ilość według własnych upodobań) • sól • pieprz

Fasolę zalewamy przegotowaną, zimną wodą i odstawiamy na noc, by napęczniała. Gotujemy w wodzie, w której się moczyła, z dodatkiem marchwi, selera, cebuli, czosnku i przypraw do czasu, aż ziarna fasoli będą miękkie. Cedzimy na sicie, odrzucamy cebulę, czosnek. Całość rozbijamy w malakserze na purée, gdy będzie zbyt gęste, rozcieńczamy wywarem, w którym gotowała się fasola. Zmiksowaną masę przekładamy do szerokiego rondla, dodajemy masło i, gdy trzeba, doprawiamy do smaku. Purée powinno mieć gęstą, miękką konsystencję. Podajemy gorące, uformowane w zgrabne porcje.

• o p r ó c z   c z a s u   n a   m o c z e n i e   f a s o l i

Purée z grochu

s k ł a d n i k i : 2 szklanki suchego, łuskanego grochu • duża cebula z wbitym goździkiem • 2 średniej wielkości marchewki • liść laurowy • kopiasta łyżka masła lub masła roślinnego • duża szczypta tymianku • duża szczypta cząbru • sól • pieprz • szklanka śmietany • 2-3 łyżki ciepłego mleka (gdy trzeba)

Opłukany groch wsypujemy do szerokiego, płaskiego rondla, dodajemy marchew, cebulę, wszystkie przyprawy, zalewamy letnią wodą (2 cm powyżej warstwy grochu), gotujemy, aż składniki będą miękkie (przez ok. 40 min). Z grochu usuwamy cebulę, liść laurowy, goździk (nadmiar płynu odlewamy), całość miksujemy na jednolitą, pulchną masę. Do purée dodajemy śmietanę, masło i, gdy trzeba, trochę mleka, całość doprawiamy do smaku według własnych upodobań.

Purée z selerów
według Cioci Godziszewskiej

s k ł a d n i k i : 2 selery średniej wielkości • sok
i skórka otarta z całej cytryny • szklanka śmietany
• kopiasta łyżka masła (ważne!) • sól • cukier
• 2-3 łyżki gorącego mleka • posiekany koperek
• łyżka masła • szklanka płatków migdałowych

liczba porcji / 4
czas przygotowania / 60 min
stopień trudności / średniotrudne
kaloryczność / średniokaloryczne
koszt / średniodrogie

Obrany, umyty seler kroimy w kawałki, kropimy obficie sokiem z cytryny, przekładamy
do rondla, zalewamy wrzącą wodą, dodajemy skórkę otartą z całej cytryny, gotujemy,
pod przykryciem, do miękkości.
Na maśle rumienimy, często mieszając, płatki migdałowe. Miękki seler wyjmujemy łyżką cedzakową, miksujemy na jednolitą masę,
przekładamy do rondla, dodajemy masło,
śmietanę, dokładnie mieszamy, stawiamy na
niewielkim ogniu, dodajemy przyprawy, zasmażamy przez ok. 5-8 min (czas zależy od
wysokości zasmażanej warstwy). Gdy purée
będzie zbyt gęste, dodajemy mleko. Podajemy w zgrabnie uformowanych porcjach, posypanych obficie zrumienionymi migdałami.

Purée z marchewki

s k ł a d n i k i : 6 marchewek średniej wielkości
• 3 ziemniaki • cebula • 1/2 kostki (12,5 dag) masła
lub masła roślinnego • 1/2 szklanki śmietany
• 2 żółtka • sól • cukier • pieprz • 1/2 łyżeczki
przyprawy typu „Jarzynka"

Oczyszczone, dokładnie opłukane jarzyny
dzielimy na części, zalewamy wrzątkiem, dodajemy sól, przyprawę, gotujemy na niewielkim ogniu przez 15 min. Prawie miękkie jarzyny cedzimy na sicie.

W szerokim rondlu rozgrzewamy połowę
tłuszczu, dodajemy posiekaną cebulę i, często mieszając, zasmażamy, aż się lekko zeszkli, dodajemy marchew, ziemniaki, całość dusimy przez ok. 5 min. Miękkie jarzyny wkładamy do malaksera, rozbijamy na jednolitą masę, przekładamy do rondla, dodajemy pozostały tłuszcz, śmietanę,
przyprawy i zasmażamy, często mieszając, aż purée nabierze odpowiedniej konsystencji. Po od-
stawieniu z ognia jeszcze raz lekko przyprawiamy, dodajemy rozprowadzone w łyżce wody żółtka, mieszamy. Podajemy bardzo gorące.

liczba porcji / 4
czas przygotowania / 45 min
stopień trudności / średniotrudne
kaloryczność / średniokaloryczne
koszt / średniodrogie

liczba porcji / **4**
czas przygotowania / **50 min**
stopień trudności / **średniotrudne**
kaloryczność / **średniokaloryczne**
koszt / **średniodrogie**

Purée z selerów zasmażane

s k ł a d n i k i : 2 selery • 1/4 kostki (6 dag) masła (masło wyraźnie podniesie smak potrawy) • 1/2 szklanki śmietany • kopiasta łyżka mąki • 1/2 łyżeczki przyprawy typu „Jarzynka" • cukier • sól • pieprz • zielenina

Oczyszczone selery zalewamy ciepłą wodą, gotujemy w łupinach, do miękkości, przez ok. 40 min. Obieramy i jeszcze gorące miksujemy na jednolitą masę. Do stopionego masła dodajemy mąkę, zasmażamy, uważając, by się nie zrumieniła, tylko straciła smak surowizny, dodajemy śmietanę, zagotowujemy, dodajemy zmiksowany seler i, mieszając, zasmażamy przez kilka minut. Przed podaniem, gdy trzeba, doprawiamy do smaku.

Purée z włoskiej kapusty

s k ł a d n i k i : głowa włoskiej kapusty • 2 cebule • marchew • 1/4 kostki (6 dag) masła lub masła roślinnego • 2 łyżki mąki • 1/2 szklanki mleka • 1/2 szklanki śmietany • 1/2 łyżeczki przyprawy typu „Jarzynka" • szczypta gałki muszkatołowej • roztarta w dłoniach przyprawa prowansalska • sól • pieprz • cukier • zielenina

Kapustę, po odrzuceniu zewnętrznych, zielonych liści i głąbu, kroimy na 4 części, wrzucamy na wrzątek, obgotowujemy przez 5 min na ostrym ogniu, odstawiamy na 3 min. Wyjmujemy łyżką cedzakową na sito. Odsączoną przekładamy do rondla, dodajemy obraną, podzieloną na części marchew, cebulę, „Jarzynkę", zalewamy wrzątkiem, gotujemy, bez przykrycia, aż jarzyny będą miękkie przez ok.

liczba porcji / **4**
czas przygotowania / **60 min**
stopień trudności / **średniotrudne**
kaloryczność / **średniokaloryczne**
koszt / **średniodrogie**

15 min. Cebule odrzucamy, kapustę i marchew odsączamy łyżką cedzakową i miksujemy. Gdy purée będzie zbyt ścisłe, podlewamy nieco wodą, w której gotowały się jarzyny.
Przygotowujemy sos: na rozgrzanym maśle zasmażamy mąkę, uważając, żeby się nie zrumieniła, tylko straciła smak surowizny, zasmażkę rozprowadzamy śmietaną, zagotowujemy, trzymamy na ogniu przez 2 min, dodajemy zmiksowaną kapustę, doprawiamy solą, pieprzem, szczyptą cukru, całość zasmażamy, aż składniki dokładnie się połączą. Podajemy gorące, uformowane w zgrabne porcje, lekko oprószone zieleniną.

Zupa krem
z fasolki szparagowej

s k ł a d n i k i : 2 opakowania mrożonej fasolki szparagowej • cebula • ząbek czosnku • biała część pora • 1,5 l esencjonalnego rosołu (może być z koncentratu) • łyżka masła • gałązka suchego cząbru • płaska łyżeczka przyprawy typu „Jarzynka" • szklanka śmietany kremówki • 3 łyżki zimnego mleka • kopiasta łyżeczka mąki ziemniaczanej • sól • pieprz

Posiekaną cebulę, białą część pora i czosnek zasmażamy na maśle, często mieszając. Gdy się zeszklą, zalewamy 2 szklankami rosołu, dodajemy fasolkę, cząber i gotujemy do miękkości (ok. 10 min). Odrzucamy cząber, fasolkę przecieramy przez perlonowe sito (uwaga: fasolka „nie lubi" miksowania), łączymy z pozostałym rosołem, dodajemy rozprowadzoną w zimnym mleku mąkę, zagotowujemy i przyprawiamy do smaku. Po zdjęciu z ognia łączymy zupę z lekko spienioną śmietaną. Podajemy gorącą, z dodatkiem maleńkich grzanek z pszennego chleba, oprószoną najdrobniej posiekaną natką pietruszki.

liczba porcji /	8
czas przygotowania /	30 min
stopień trudności /	łatwe
kaloryczność /	średniokaloryczne
koszt /	tanie

Zupa krem
szparagowy
według Cioci Godziszewskiej

s k ł a d n i k i : 2 pęczki szparagów (mogą być 2. gatunku) • 1,5 l dobrego, esencjonalnego rosołu lub wywaru z jarzyn • 1/3 szklanki mleka • łyżka mąki ziemniaczanej • szklanka gęstej śmietany kremowej • 2 żółtka • sól • cukier do smaku

Obrane, opłukane szparagi wkładamy do gorącego rosołu i gotujemy do miękkości, przecieramy przez sito, przelewając wywarem, i zagęszczamy mąką rozprowadzoną w zimnym mleku, przyprawiamy lekko solą, cukrem, zagotowujemy. Po zestawieniu zupy kremu z ognia dodajemy śmietanę lekko ubitą z żółtkami, łączymy (raz jeszcze lekko ubijając). Napełniamy kokilki, podajemy gorącą. Do zupy dobrze smakują cienkie paluszki z francuskiego ciasta lub cienkie, ładnie zrumienione grzanki z bagietki.

liczba porcji /	6
czas przygotowania /	45 min
stopień trudności /	średniotrudne
kaloryczność /	**wysokokaloryczne**
koszt /	średniodrogie

Zupa krem szparagowy
na sposób francuski

s k ł a d n i k i : 1,5 l wywaru z 1 kg szparagów • 3 łyżki zimnego mleka • łyżka mąki ziemniaczanej • sól • szczypta cukru • 1/2 szklanki śmietany • żółtko • zrumienione w piekarniku grzanki, przygotowane z cienkich plasterków bagietki

Wywar zagotowujemy, do gorącego wlewamy mleko z rozprowadzoną w nim mąką, zagotowujemy raz jeszcze i, gdy trzeba, delikatnie doprawiamy solą i szczyptą cukru. Po zdjęciu z ognia dodajemy śmietanę lekko ubitą z żółtkiem. Krem podajemy zaraz po przygotowaniu, bardzo gorący, w kokilkach. Oddzielnie podajemy gorące, lekko zrumienione grzanki.

• w s e z o n i e s z p a r a g o w y m

liczba porcji / 6
czas przygotowania / 15 min
stopień trudności / łatwe
kaloryczność / średniokaloryczne
koszt / tanie •

liczba porcji / 6
czas przygotowania / 45 min
stopień trudności / łatwe
kaloryczność / niskokaloryczne
koszt / tanie

Zupa krem szczawiowy

s k ł a d n i k i : miseczka (ok. 25 dag) przebranych, pozbawionych łodyżek liści szczawiu • 1/3 kostki (ok. 8 dag) masła • 4 ziemniaki średniej wielkości • 4 szklanki esencjonalnego rosołu (może być z koncentratu) • 1/2 szklanki gęstej śmietany • 3 żółtka ugotowane na twardo • sól

Obrane, pokrojone w cienkie plastry ziemniaki zalewamy gorącą, lekko osoloną wodą, tak aby przykryła je na centymetr i gotujemy do miękkości przez ok. 20 min. Oddzielnie w rondelku rozgrzewamy masło, wrzucamy szczaw i dusimy, cały czas mieszając, przez 5 min. Zasmażony szczaw dodajemy do miękkich ziemniaków, gotujemy razem na średnim ogniu przez 2-3 min, następnie przecieramy lub miksujemy, łączymy z rosołem i zagotowujemy raz jeszcze. Po zdjęciu z ognia do zupy dodajemy spienioną śmietanę, rozlewamy do kokilek, posypujemy utartymi na tarce gotowanymi żółtkami i od razu, bardzo gorącą, podajemy.

Zupa krem z patisonów

s k ł a d n i k i : 2 młode (do 15 cm) patisony • cebula
• 2 marchewki średniej wielkości • łodyga selera naciowego
• 4 szklanki esencjonalnego rosołu (może być z koncentratu)
• łyżka masła • szklanka śmietany lub śmietany i jogurtu (pół na pół)
• sól • cukier • szczypta curry • 3 kopiaste łyżki zrumienionych
płatków migdałów

Pozbawione skóry i miąższu patisony rozdrabniamy, marchewki kroimy w niezbyt grube talarki, pozbawiony grubych, twardych włókien seler naciowy oraz cebulę siekamy. Przygotowane składniki podsmażamy na maśle,
często mieszając, nie dłużej niż przez 3 min, podlewamy
rosołem i gotujemy pod przykryciem, aż będą miękkie
(ok. 20 min). Gorące miksujemy lub przecieramy przez
sito, doprawiamy do smaku i ponownie zagotowujemy.
Po zdjęciu z ognia łączymy zupę ze spienioną śmietaną,
lekko podgrzewamy, nie dopuszczając do zagotowania.
Podajemy gorącą, w kokilkach, posypaną zrumienionymi płatkami migdałów.

* w   s e z o n i e   l e t n i m

liczba porcji /	6
czas przygotowania /	40 min
stopień trudności /	łatwe
kaloryczność /	średniokaloryczne
koszt /	tanie*

liczba porcji /	6
czas przygotowania /	45 min
stopień trudności /	łatwe
kaloryczność /	średniokaloryczne
koszt /	tanie

Zupa krem selerowy

s k ł a d n i k i : duży, dorodny seler • 1 l esencjonalnego
rosołu (może być z koncentratu) • łyżka mąki ziemniaczanej • 3 łyżki
zimnego mleka • żółtko • 3 łyżki śmietany • 6 łyżek utartego,
żółtego sera • sól • pieprz

Obrany i pokrojony w cienkie krążki seler zalewamy
wrzącą wodą z dodatkiem soli i pieprzu i gotujemy pod
przykryciem do miękkości (ok. 25 min); wody powinno
być tyle, aby seler był przykryty na wysokość centymetra. Gdy będzie miękki, miksujemy go lub przecieramy
przez perlonowe sito, łączymy z rosołem i zagotowujemy. Następnie dodajemy mąkę rozprowadzoną w zimnym mleku, zagotowujemy raz jeszcze, a gdy trzeba, doprawiamy do smaku. Po zdjęciu z ognia dodajemy śmietanę lekko ubitą z żółtkiem. Gorącą zupę rozlewamy do
kokilek, posypujemy serem i od razu podajemy.

Zupa krem pomidorowy

s k ł a d n i k i : 6 szklanek esencjonalnego rosołu • 2 łyżki koncentratu pomidorowego • cebula • kopiasta łyżka posiekanego koperku • czerstwa pszenna bułka • duża łyżka masła • sól • pieprz • szklanka śmietany kremówki

Na rozgrzanym maśle zasmażamy przez 3 min posiekaną cebulę, koperek, koncentrat pomidorowy i rozdrobnioną bułkę, następnie podlewamy 2 szklankami rosołu i gotujemy razem przez ok. 5 min, aż bułka będzie rozgotowana. Całość przecieramy przez sito, przelewając pozostałym rosołem, zagotowujemy, doprawiamy do smaku, zagotowujemy raz jeszcze. Po zdjęciu z ognia łączymy ze śmietaną. Podajemy z groszkiem ptysiowym.

liczba porcji /	6
czas przygotowania /	20 min
stopień trudności /	łatwe
kaloryczność /	średniokaloryczne
koszt /	tanie

liczba porcji /	8
czas przygotowania /	50 min
stopień trudności /	łatwe
kaloryczność /	średniokaloryczne
koszt /	tanie

Zupa krem z porów
(zupa szlachecka)

s k ł a d n i k i : białe części 4 dorodnych porów • cebula • 2 kromki czerstwego białego chleba lub 2 czerstwe pszenne bułki • 2 l esencjonalnego rosołu z drobiu • szklanka śmietany kremówki • sól • pieprz • filiżanka utartego parmezanu lub innego żółtego sera • duża łyżka masła

Przekrojone wzdłuż, dokładnie umyte białe części pora kroimy w półplasterki, cebulę siekamy i razem dusimy na maśle, często mieszając i nie dopuszczając do zrumienienia. W połowie duszenia dodajemy pokruszony chleb lub bułki, przez 3 min zasmażamy razem, przekładamy do ciepłego rosołu i gotujemy, aż pory będą miękkie i chleb się rozgotuje (ok. 20 min). Następnie przecieramy zupę przez sito i, gdy trzeba, doprawiamy do smaku. Gorącą łączymy z ubitą śmietaną, nalewamy do kokilek, podajemy posypaną serem, najlepiej z paluszkami z ciasta francuskiego.

Zupa krem z pieczarek

s k ł a d n i k i : 5 szklanek esencjonalnego rosołu (rosół z koncentratu popsuje smak zupy) lub esencjonalnego wywaru z jarzyn (bez kapusty) • duża cebula • 50 dag pieczarek • łyżka masła • łyżka mąki ziemniaczanej • 3 łyżki zimnego mleka • szklanka śmietany kremowej • sól • odrobina białego pieprzu

Oczyszczone pieczarki i obraną, podzieloną na części cebulę rozbijamy w malakserze lub najdrobniej siekamy tasakiem, wkładamy na roztopione masło i dusimy, często mieszając, by nie dopuścić do zrumienienia. Gdy pieczarki będą prawie miękkie (smażymy ok. 10 min), łączymy z rosołem i na średnim ogniu gotujemy przez 3 min, następnie dodajemy mąkę rozprowadzoną w zimnym mleku, mieszamy, jeszcze raz zagotowujemy. Trzymamy na ogniu przez 3 min, by mąka straciła smak surowizny. Gdy trzeba, doprawiamy do smaku. Po zdjęciu z ognia łączymy z lekko spienioną śmietaną, gorącą zupę rozlewamy do kokilek, podajemy z kruchymi paluszkami lub pasztecikami z francuskiego ciasta z pieczarkowym farszem.

liczba porcji / 6

czas przygotowania / 30 min

stopień trudności / średniotrudne

kaloryczność / średniokaloryczne

koszt / średniodrogie

Zupa krem z pieczarek
według Cioci Godziszewskiej

liczba porcji / 10

czas przygotowania / 45 min

stopień trudności / średniotrudne

kaloryczność / średniokaloryczne

koszt / średniodrogie

s k ł a d n i k i : 70 dag małych, zamkniętych pieczarek • duża cebula • 2 l esencjonalnego rosołu z kurczaka • łyżka mąki ziemniaczanej • 3 łyżki mleka • szklanka śmietany kremowej • posiekana natka pietruszki

Podzieloną na części cebulę rozbijamy w malakserze, gdy trzeba, przecieramy dodatkowo przez ostre sito, zasmażamy na maśle. Gdy się zeszkli, wrzucamy dokładnie umyte, małe pieczarki (większe należy przeciąć na połowę) i, często mieszając, zasmażamy (grzyby nie powinny się zbyt mocno zrumienić, tylko nabrać lekko złocistej barwy), zalewamy 2 szklankami rosołu, gotujemy do miękkości przez ok. 20 min. W czasie gotowania, gdy trzeba, lekko doprawiamy, dodajemy pozostały rosół, zagotowujemy, łączymy z mąką wymieszaną z zimnym mlekiem i ponownie zagotowujemy. Po zestawieniu z ognia łączymy z ubitą śmietaną. Krem podajemy gorący, delikatnie oprószony posiekaną natką pietruszki.

liczba porcji / 6

czas przygotowania / 45 min •

stopień trudności / średniotrudne

kaloryczność / średniokaloryczne

koszt / średniodrogie

Zupa krem ze świeżych zielonek

s k ł a d n i k i : 6 szklanek esencjonalnego rosołu (rosół z koncentratu popsuje smak zupy) lub esencjonalnego wywaru z jarzyn (bez kapusty) • 70 dag świeżych zielonek (waga po oczyszczeniu grzybów) • 2 cebule • łyżka masła • łyżka mąki • szklanka śmietany kremowej • sól • biały pieprz do smaku

Obrane, podzielone na części cebule oraz bardzo dokładnie oczyszczone i umyte zielonki rozbijamy w malakserze, kładziemy na rozgrzane masło i zasmażamy, często mieszając. Gdy puszczony przez grzyby sok prawie w całości wyparuje, oprószamy mąką i, cały czas mieszając, lekko rumienimy, zalewamy rosołem, gotujemy na średnim ogniu przez 15 min lub nieco dłużej (grzyby powinny być miękkie). Pod koniec gotowania przyprawiamy delikatnie do smaku (przyprawy nie powinny przytłumić wykwintnego smaku grzybów). Po zdjęciu z ognia dodajemy lekko ubitą śmietaną, gorącą zupę rozlewamy do kokilek. Podajemy delikatnie oprószoną natką pietruszki, z dodatkiem paluszków z kruchego ciasta.

• o p r ó c z   c z a s u   n a   m y c i e   i   c z y s z c z e n i e   z i e l o n e k

---

liczba porcji / 6

czas przygotowania / 40 min •

stopień trudności / średniotrudne

kaloryczność / średniokaloryczne

koszt / średniodrogie

Zupa krem ze świeżych kurek

s k ł a d n i k i : 1,5 l esencjonalnego rosołu (najlepiej z drobiu) • duża cebula • 60 dag świeżych kurek (waga po oczyszczeniu grzybów) • łyżka mąki • sól • pieprz • szklanka śmietany kremowej • duża filiżanka maleńkich kurek • łyżeczka masła

Cebulę miażdżymy lub rozbijamy w malakserze na puch, grzyby siekamy tasakiem. Na maśle lekko zasmażamy utartą cebulę, gdy się zeszkli, dodajemy posiekane kurki i razem zasmażamy, nie dłużej niż przez 10 min, podsypujemy mąką i, często mieszając, podsmażamy raz jeszcze, by mąka straciła smak surowizny (ok. 3 min). Zasmażkę rozprowadzamy rosołem, mieszając, by nie powstały grudki, zagotowujmy, trzymamy na ogniu nie dłużej niż przez 3 min (kurki nie lubią długiego gotowania). Po zestawieniu z ognia łączymy ze spienioną śmietaną. Na łyżeczce masła lekko podsmażamy maleńkie grzybki, cały czas mieszając. Smażymy tak długo, aż wyparuje puszczony przez nie sok. Gorącą zupę nalewamy do kokilek, do środka dodajemy porcję zasmażonych grzybków. Podajemy z paluszkami z francuskiego ciasta.

• o p r ó c z   c z a s u   n a   o b r a n i e   g r z y b ó w

Zupa krem
z suszonych borowików
– zwana kremem magnackim

liczba porcji / 6
czas przygotowania / 30 min •
stopień trudności / średniotrudne
kaloryczność / średniokaloryczne
koszt / średniodrogie

s k ł a d n i k i : 6-8 suszonych kapeluszy borowików
• 1 l esencjonalnego rosołu • szklanka gęstej, kwaskowej kremówki
• łyżka mąki • szklanka mleka i wody (pół na pół) do moczenia
grzybów • sól

Kapelusze borowików moczymy w wodzie z mlekiem
przez kilka godzin (można całą noc). Gotujemy do miękkości (pod przykryciem) w wodzie, w której się moczyły. Cedzimy przez gęste sito. Wywar z grzybów łączymy
z rosołem (3 łyżki odlewamy). Grzyby najdrobniej siekamy tasakiem lub przecieramy przez ostre sito (na miazgę), dodajemy do wywaru, zagęszczamy mąką rozprowadzoną w zimnym wywarze, doprawiamy do smaku,
zagotowujemy, trzymamy na ogniu do 3 min. Po zdjęciu z ognia łączymy z ubitą śmietaną, gorącą napełniamy kokilki. Podajemy z cienkimi paluszkami z francuskiego ciasta.

*oprócz czasu na moczenie i gotowanie grzybów

liczba porcji / 6
czas przygotowania / 20 min
stopień trudności / łatwe
kaloryczność / średniokaloryczne
koszt / tanie

Zupa krem
z zielonego groszku

s k ł a d n i k i : 1 l esencjonalnego rosołu • puszka zielonego
groszku w zalewie • szklanka śmietany kremówki • surowe żółtko • łyżeczka mąki ziemniaczanej • 2 łyżki zimnego
mleka • sól • cukier • biały pieprz • płaska łyżeczka przesianej przez sito przyprawy typu „Jarzynka" (dla osób
lubiących zdecydowane smaki) • drobno posiekany koperek

Groszek wraz z zalewą miksujemy, łączymy z rosołem, zagotowujemy, łączymy z mąką wymieszaną z zimnym mlekiem, raz jeszcze zagotowujemy i doprawiamy do smaku. Po zdjęciu z ognia dodajemy śmietanę lekko ubitą z surowym żółtkiem. Zupę podajemy oprószoną koperkiem.

Zupa krem z młodych warzyw

s k ł a d n i k i : 1/2 pęczka szparagów • mały kalafior • 2 marchewki • mały seler • biała część pora • 1/2 szklanki wyłuskanego zielonego groszku • 1/2 szklanki rozdrobnionej fasolki szparagowej • kilka obranych, umytych liści szpinaku • 1/2 kostki (12,5 dag) masła • 2 łyżki mąki ziemniaczanej • 1 l tłustego mleka • szklanka śmietany kremówki • 2 surowe żółtka • sól • biały pieprz

Oczyszczone, umyte jarzyny rozdrabniamy i dusimy w połowie porcji masła, często mieszając, aż się zeszklą. Podlewamy rosołem, przykrywamy, stawiamy na niewielkim ogniu i dusimy do miękkości. Z pozostałego masła i mąki robimy białą zasmażkę, tak by mąka się nie zrumieniła, ale straciła smak surowizny. Gotową zasmażkę rozprowadzamy mlekiem, zagotowujemy, uważając, by nie powstały grudki. Miękkie jarzyny rozbijamy w malakserze lub przecieramy przez sito, łączymy z zasmażką, doprawiamy do smaku, zagotowujemy. Po zestawieniu z ognia dodajemy śmietanę lekko ubitą z żółtkiem. Zupą od razu napełniamy kokilki i podajemy gorącą. Można ją delikatnie posypać najdrobniej posiekanym koperkiem.

liczba porcji /	6
czas przygotowania /	50 min
stopień trudności /	średniotrudne
kaloryczność /	średniokaloryczne
koszt /	tanie

Zupa krem z cukinii

s k ł a d n i k i : duża cukinia z cienką zieloną skórką • 2 pomidory • 1 l esencjonalnego rosołu (może być z koncentratu) • 2 łyżki oliwy • łyżeczka mąki ziemniaczanej • 2 łyżki zimnego mleka • szklanka śmietany kremówki • żółtko • sól • cukier • pieprz • szczypta tymianku • 1/2 łyżeczki przyprawy typu „Jarzynka"

Obraną ze skórki, pozbawioną miąższu cukinię kroimy w kostkę, zalewamy wrzącą, osoloną wodą z dodatkiem przyprawy; wody powinno być tyle, żeby zakryła warzywo. Gotujemy przez 8-10 min pod przykryciem. Na oliwie podsmażamy obrane ze skórki, pozbawione pestek pomidory, aż lekko się rozprużą. Do prawie miękkiej cukinii dodajemy pomidory, przyprawy oraz tymianek, gotujemy razem przez 2 min. Następnie przecieramy przez perlonowe sito, łączymy z rosołem, zagotowujemy, dodajemy mąkę wymieszaną z mlekiem i zagotowujemy raz jeszcze. Po zestawieniu z ognia łączymy zupę ze śmietaną lekko spienioną z żółtkiem. Podajemy zaraz po przygotowaniu, gorącą, delikatnie oprószoną najdrobniej posiekanym koperkiem.

liczba porcji /	6
czas przygotowania /	45 min
stopień trudności /	łatwe
kaloryczność /	niskokaloryczne
koszt /	tanie

Zupa krem z brukselki mrożonej

liczba porcji / 6
czas przygotowania / 45 min
stopień trudności / średniotrudne
kaloryczność / średniokaloryczne
koszt / średniodrogie

s k ł a d n i k i : 50 dag mrożonej brukselki • cebula • łyżka masła • łyżka posiekanego koperku (może być mrożony) • 1 l i szklanka esencjonalnego rosołu (może być z koncentratu) • szklanka kremówki • 1/3 szklanki zimnego mleka • łyżka mąki ziemniaczanej • łyżeczka przyprawy typu „Jarzynka" • żółtko • sól • biały pieprz

Cebulę lekko rumienimy na maśle, gdy się zeszkli, dodajemy koperek, brukselkę, składniki zalewamy szklanką rosołu i gotujemy na średnim ogniu. Gdy brukselka będzie miękka, całość przecieramy przez perlonowe sito lub rozbijamy w malakserze, dodajemy pozostały rosół, zagotowujemy, zagęszczamy mąką rozprowadzoną w zimnym mleku, jeszcze raz zagotowujemy i doprawiamy, uważając, by nadmiar przypraw nie przytłumił delikatnego smaku i aromatu zupy. Po zdjęciu z ognia łączymy ze śmietaną, lekko ubitą z żółtkiem. Gorący krem podajemy w kokilkach, z piórkiem świeżego koperku na wierzchu, z dodatkiem maleńkich grzanek lub ptysiowego groszku.

Zupa krem z brukselki

s k ł a d n i k i : 60 dag brukselki (waga po oczyszczeniu z wierzchnich liści i ścięciu grubej łodyżki) • 1 l dobrego rosołu lub esencjonalnego wywaru z jarzyn • szklanka śmietany kremówki • żółtko • łyżka mąki • 3 łyżki zimnego mleka • szczypta cząbru • sól • cukier • biały pieprz

Opłukaną brukselkę wrzucamy na wrzącą, lekko osoloną i ocukrzoną wodę (wody powinno być tyle, by zaledwie przykrywała brukselkę) i gotujemy, nie przykrywając garnka, przez 10-15 min. Gdy brukselka będzie miękka, miksujemy ją lub przecieramy przez sito. Następnie łączymy z rosołem, zagotowujemy, dodajemy mąkę rozprowadzoną w zimnym mleku, zagotowujemy raz jeszcze i trzymamy na ogniu przez ok. 3 min (aż mąka straci smak surowizny). Doprawiamy do smaku solą, białym pieprzem, roztartym w dłoniach cząbrem. Po zdjęciu z ognia łączymy ze śmietaną lekko spienioną z żółtkiem i, zaraz po przygotowaniu, podajemy z paluszkami z ciasta francuskiego lub groszkiem ptysiowym.

liczba porcji / 6
czas przygotowania / 40 min
stopień trudności / średniotrudne
kaloryczność / średniokaloryczne
koszt / tanie

liczba porcji / 6
czas przygotowania / 10 min•
stopień trudności / średniotrudne
kaloryczność / średniokaloryczne
koszt / tanie

Chłodnik brzoskwiniowy

s k ł a d n i k i : litrowy słoik kompotu z brzoskwiń • 1 l naturalnego jogurtu • szczypta cukru do smaku • opakowanie galaretki owocowej o smaku brzoskwiniowym lub innym, dobrze komponującym się z brzoskwinią • sok z cytryny

Galaretkę rozpuszczamy w nieco mniejszej ilości wody niż w przepisie, odstawiamy do stężenia.
Brzoskwinie odsączamy z soku, gdy trzeba, wyjmujemy pestki, rozbijamy w malakserze, doprawiamy sokiem z cytryny i cukrem. Galaretkę kroimy w drobną kostkę, rozkładamy na wychłodzonych talerzach. Do zmiksowanych owoców dodajemy jogurt, miksujemy przez minutę. Gdy całość dobrze się spieni, rozlewamy na talerze. Podajemy zaraz po przygotowaniu z cienkimi naleśnikami, pokrojonymi jak makaron.

• o p r ó c z   c z a s u   n a   p r z y g o t o w a n i e
g a l a r e t k i

Chłodnik serowy

s k ł a d n i k i : opakowanie serka wiejskiego (granulowanego) • 400 ml kefiru • ogórek średniej wielkości • pęczek rzodkiewek • 2 małe cebulki wraz ze szczypiorkiem • kopiasta łyżka posiekanego koperku • ząbek czosnku • sól • biały pieprz

Pozbawiony skóry i pestek ogórek oraz rzodkiewki ucieramy na jarzynowej tarce z dużymi otworami, przekładamy na sito, odsączamy. Czosnek oraz cebulki wraz ze szczypiorkiem drobno siekamy. Kefir łączymy z serkiem, dodajemy posiekany czosnek, cebulki, odsączone ogórek i rzodkiewki, koperek, przyprawy. Mieszamy, rozlewamy na wychłodzone talerze. Podajemy zaraz po przygotowaniu z młodymi ziemniakami, polanymi skwarkami ze słoninki i posypanymi zieleniną.

liczba porcji / 2
czas przygotowania / 15 min
stopień trudności / średniotrudne
kaloryczność / niskokaloryczne
koszt / średniodrogie

Chłodnik
z zaścianka

liczba porcji / 4
czas przygotowania / 20 min
stopień trudności / łatwe
kaloryczność / niskokaloryczne
koszt / tanie

s k ł a d n i k i : 1 l maślanki • szklanka kwaśnej śmietany • 2 duże, dojrzałe pomidory • ogórek • pieczona pierś kurczaka • 2 jajka ugotowane na twardo • szklanka posiekanej zieleniny (pietruszka, szczypiorek, sporo koperku) • sól • biały pieprz

Obrane ze skóry mięso kurczaka drobno siekamy. Jajka obieramy ze skorupek, kroimy w półplasterki. Do wazy wkładamy mięso, jajka, pokrojone w drobną kostkę pomidory (wcześniej obrane ze skórki i pozbawione pestek), całość lekko oprószamy przyprawami i zalewamy maślanką spienioną ze śmietaną i wymieszaną z utartym (wcześniej obranym i pozbawionym pestek) ogórkiem. Składniki mieszamy, obficie posypujemy zieleniną i od razu podajemy.
Uwaga: ogórek dodajemy w ostatniej chwili, by nie puścił zbyt wiele soku i nie rozrzedził zupy.

Chłodnik
pomidorowy

s k ł a d n i k i : 2 szklanki świeżo wyciśniętego soku z pomidorów • 2 szklanki niskoprocentowej śmietany • 2 jajka ugotowane na twardo • 2 kopiaste łyżki posiekanego koperku • łyżeczka świeżego tymianku lub szczypta rozdrobnionego suszu • sól • cukier • biały pieprz

Śmietanę roztrzepujemy z sokiem z pomidorów, dodajemy drobno posiekane jajka i zieleninę, przyprawiamy do smaku. Podajemy natychmiast po przygotowaniu z grzankami z tostowego chleba.

liczba porcji / 4
czas przygotowania / 10 min
stopień trudności / łatwe
kaloryczność / niskokaloryczne
koszt / tanie

Chłodnik pomidorowy
mojej Babci

s k ł a d n i k i : 2 szklanki śmietany • 2 szklanki świeżo wyciśniętego soku z pomidorów • 4 jędrne pomidory • świeży ogórek • 2 ząbki czosnku • mała cebula • 2 kopiaste łyżki posiekanego koperku • kilka listków tymianku • sól • cukier • biały pieprz

Obraną i posiekaną cebulkę przelewamy na sicie wrzątkiem, odstawiamy do wychłodzenia. Ogórek i pomidory, obrane ze skórki i pozbawione pestek, kroimy w drobną kostkę, czosnek siekamy. Do wazy wlewamy śmietanę i sok z pomidorów, lekko ubijamy. Gdy się spienią, dodajemy pozostałe składniki. Całość mieszamy, doprawiamy do smaku według własnych upodobań (w zależności od dodanych przypraw chłodnik może być łagodny lub pikantny) i umieszczamy na godzinę w chłodnym miejscu. Podajemy z młodymi ziemniakami polanymi skwarkami ze słoniny i oprószonymi koperkiem lub z połówkami jajek ugotowanych na twardo.

liczba porcji /	4
czas przygotowania /	20 min
stopień trudności /	łatwe
kaloryczność /	niskokaloryczne
koszt /	tanie

liczba porcji /	6
czas przygotowania /	20 min•
stopień trudności /	średniotrudne
kaloryczność /	średniokaloryczne
koszt /	średniodrogie

Chłodnik z botwinki

s k ł a d n i k i : 1 l zsiadłego mleka lub kefiru • szklanka kwaśnej śmietany • pęczek świeżej botwinki • 2 kopiaste łyżki posiekanego koperku • świeży ogórek • 2 jajka ugotowane na twardo • cukier • sól • kwasek cytrynowy lub sok z cytryny • biały pieprz

Dokładnie oczyszczoną, wymytą botwinkę kroimy w niewielkie kawałki, zalewamy gorącą wodą z dodatkiem cukru i kwasku cytrynowego, gotujemy pod przykryciem (w niewielkiej ilości wody), aż będzie miękka. Odstawiamy do wychłodzenia. Zsiadłe mleko lub kefir ubijamy ze śmietaną, do spienionych składników dodajemy koperek, rozdrobniony (wcześniej obrany ze skórki i pozbawiony pestek) ogórek, zimną botwinkę wraz z wodą, w której się gotowała, lekko mieszamy i doprawiamy do smaku.
Na talerzach rozkładamy połówki ugotowanych jajek, zalewamy chłodnikiem i od razu podajemy.
* oprócz czasu na gotowanie i wychłodzenie botwinki

Chłodnik wiejski

s k ł a d n i k i : 1 l maślanki • szklanka śmietany • kopiasta
łyżka posiekanych liści świeżego szczawiu (umytych, przebranych,
pozbawionych łodyżek i grubej, wewnętrznej łodygi) • duży pęczek
rzodkiewek • pęczek szczypioru z cebulką • 20 dag białego, dobrze
odciśniętego sera • 2 kopiaste łyżki posiekanego koperku • sól
• pieprz

Szczypior wraz z cebulką drobno siekamy, rzodkiewki
kroimy w cienkie półplasterki. Maślankę lekko ubijamy
ze śmietaną. Gdy się spieni, dodajemy szczaw, rzodkiewkę, szczypior z cebulką, koperek, przyprawy i przez chwilę lekko ubijamy, by składniki się połączyły. Na talerzach
rozkładamy kostki sera, zalewamy chłodnikiem. Podajemy z młodymi ziemniakami polanymi tłuszczem i oprószonymi koperkiem.

liczba porcji / **4**

czas przygotowania / **15 min**

stopień trudności / **łatwe**

kaloryczność / **niskokaloryczne**

koszt / **tanie**

Chłodnik
z owoców lasu

s k ł a d n i k i : 1 l maślanki lub zsiadłego mleka • 3 szklanki
owoców leśnych (czarne jagody, jeżyny, maliny – w dowolnej
proporcji) • szklanka śmietany • łyżeczka cukru waniliowego
• cukier puder do smaku

Owoce przebieramy, najładniejsze odkładamy, pozostałe dokładnie płuczemy, miażdżymy, przecieramy przez
perlonowe sito lub rozbijamy w malakserze, łączymy ze
spienioną maślanką, cukrem waniliowym i cukrem pudrem. Do spienionych składników dodajemy śmietanę
i jeszcze przez minutę ubijamy. Chłodnik rozlewamy na
zimne talerze, posypujemy odłożonymi wcześniej, dorodnymi owocami. Podajemy od razu po przygotowaniu, z młodymi ziemniakami lub zwiniętymi w „rulonik"
(bez nadzienia) naleśnikami.

liczba porcji / **4**

czas przygotowania / **15 min**

stopień trudności / **średniotrudne**

kaloryczność / **niskokaloryczne**

koszt / **tanie**

liczba porcji / 4
czas przygotowania / 10 min
stopień trudności / łatwe
kaloryczność / niskokaloryczne
koszt / tanie

Chłodnik ze świeżego ogórka

s k ł a d n i k i : 2 ogórki średniej wielkości • 1 l maślanki lub kefiru • łyżeczka cukru pudru • szczypta soli • 4 listki świeżego cząbru • 2 łodyżki młodego czosnku • 2 kopiaste łyżki posiekanego koperku • szklanka gęstej, kwaśnej śmietany (dla osób, które liczą kalorie, zamiast śmietany szklanka naturalnego jogurtu)

Obrane ze skórki ogórki kroimy wzdłuż, usuwamy pestki, ucieramy na jarzynowej tarce z dużymi otworami lub najdrobniej siekamy. Odsączamy na sicie przez 2 min. Maślankę z przyprawami ubijamy trzepaczką, dodajemy odsączone ogórki i posiekaną zieleninę. Podajemy natychmiast po przygotowaniu. Chłodnik jest najsmaczniejszy z młodymi ziemniakami polanymi tłuszczem i obficie posypanymi koperkiem.

Królewski chłodnik owocowy

s k ł a d n i k i : szklanka dorodnych, przebranych poziomek lub szklanka drobnych, dojrzałych i słodkich truskawek • szklanka pełnego mleka • szklanka słodkiej śmietanki • 2 łyżki cukru pudru • dwa duże „kleksy" bitej śmietany

Mleko zagotowujemy, odstawiamy do przechłodzenia. Z owoców wybieramy najbardziej dorodne, pozostałe miksujemy wraz z przygotowanym, chłodnym mlekiem, śmietanką i cukrem. Gdy całość jest jednolita i lekko spieniona, rozlewamy do miseczek, wierzch posypujemy odłożonymi wcześniej owocami, przybieramy „kleksem" bitej śmietany. Podajemy zaraz po przygotowaniu – chłodnik dobrze smakuje z dodatkiem małych biszkopcików – szampanek.

liczba porcji / 2
czas przygotowania / 15 min
stopień trudności / łatwe
kaloryczność / średniokaloryczne
koszt / tanie

Chłodnik wiosenny

liczba porcji / **2**
czas przygotowania / **15 min**
stopień trudności / **łatwe**
kaloryczność / **niskokaloryczne**
koszt / **tanie**

s k ł a d n i k i : 400 ml naturalnego kefiru
• ogórek średniej wielkości • pęczek rzodkiewek
• ząbek czosnku • 2 kopiaste łyżki posiekanego
szczypioru • 2 kopiaste łyżki posiekanego koperku
• 2 jajka ugotowane na twardo • sól • pieprz

Obrany ze skórki ogórek oraz rzodkiewki ucieramy na jarzynowej tarce z dużymi otworami, przekładamy na sito, pozostawiamy do lekkiego odsączenia. Na talerzach rozkładamy pokrojone w cząstki jajka. Spieniony kefir łączymy z ogórkiem i rzodkiewkami, doprawiamy do smaku solą i pieprzem, na koniec dodajemy zieleninę. Zalewamy jajka i od razu podajemy. Chłodnik jest najsmaczniejszy z młodymi ziemniakami polanymi zrumienionym masłem i posypanymi koperkiem.

Chłodnik z kefiru
najłatwiejszy
do przygotowania

s k ł a d n i k i : 2 pojemniczki świeżego kefiru
(po 400 ml) • łyżeczka cukru waniliowego • żółtko
• kopiasta łyżka cukru • zmiażdżone herbatniki

Żółtko ucieramy z cukrem i cukrem waniliowym na puszysty kogel-mogel, pod koniec łączymy (cały czas ubijając) z kefirem. Rozlewamy do wychłodzonych kokilek i podajemy zaraz po przygotowaniu. Oddzielnie podajemy zmiażdżone herbatniki.

liczba porcji / **2**
czas przygotowania / **10 min**
stopień trudności / **łatwe**
kaloryczność / **średniokaloryczne**
koszt / **tanie**

Chłodnik gościnny
z kuchni staropolskiej

s k ł a d n i k i : 2 szklanki zsiadłego mleka • 2 szklanki gęstej, kwaskowej śmietany • świeży ogórek • 2 jajka ugotowane na twardo • pęczek posiekanego koperku • plaster gotowanej, domowej szynki pozbawionej tłuszczyku • pęczek młodych, zielonych szparagów ugotowanych na parze • sól

Na talerzach rozkładamy w równych ilościach: obrany ze skórki, pozbawiony pestek, posiekany ogórek, posiekane połówki jajek na twardo, koperek, pokrojoną w kostkę szynkę i pokrojone zielone szparagi. Całość delikatnie oprószamy solą i zalewamy spienionym zsiadłym mlekiem wymieszanym ze śmietaną. Podajemy nie później niż 10 min po przygotowaniu.

liczba porcji /	**4**
czas przygotowania /	**15 min**
stopień trudności /	**łatwe**
kaloryczność /	**niskokaloryczne**
koszt /	**tanie**

Chłodnik pomidorowy błyskawiczny

s k ł a d n i k i : 3 szklanki soku pomidorowego • szklanka pełnego mleka • szklanka śmietany kremowej • 4 jajka ugotowane na twardo • sól • pieprz • koperek

Ugotowane, obrane ze skorupek jajka kładziemy (po jednym) na talerze i kroimy w zgrabne ósemki.
Do miksera wlewamy sok pomidorowy, mleko, śmietanę, dodajemy przyprawy w ilości, by nadały zupie lekko pikantny smak, miksujemy. Gdy całość się spieni, rozlewamy do przygotowanych talerzy, posypujemy obficie koperkiem, podajemy bezpośrednio po przygotowaniu. Do chłodnika można podać ugotowane ziemniaki z wody polane tłuszczem ze zrumienionej słoninki.

• o p r ó c z   c z a s u   n a   g o t o w a n i e   j a j e k

liczba porcji /	**4**
czas przygotowania /	**10 min •**
stopień trudności /	**średniotrudne**
kaloryczność /	**średniokaloryczne**
koszt /	**średniodrogie**

Chłodnik z maślanki
z kuchni staropolskiej

s k ł a d n i k i : 1,5 l gęstej, świeżej maślanki • szklanka gęstej śmietany • średniej wielkości, dobrze odciśnięty krążek białego sera (40 dag) • szklanka drobno posiekanego szczypiorku • szklanka drobno posiekanych rzodkiewek • sól • pieprz • posiekany koperek

Ser kroimy w zgrabną kostkę, rozkładamy na talerzach. Maślankę łączymy ze śmietaną, ubijając trzepaczką, by składniki się połączyły, dodajemy rzodkiewki, szczypior, koperek, przyprawy. Sosem zalewamy porcje sera. Podajemy bezpośrednio po przygotowaniu, z ziemniakami polanymi skwarkami z wytopionej słoniny lub smażonymi ziemniakami ze skwarkami i cebulą.

liczba porcji / **6**

czas przygotowania / **20 min**

stopień trudności / **średniotrudne**

kaloryczność / **średniokaloryczne**

koszt / **tanie**

liczba porcji / **6**

czas przygotowania / **10 min**

stopień trudności / **łatwe**

kaloryczność / **wysokokaloryczne**

koszt / **średniodrogie**

Chłodnik z truskawek dla smakoszy
według przepisu Pana Cobby

s k ł a d n i k i : 1 kg dorodnych, dokładnie przebranych truskawek • butelka białego, wytrawnego wina • szklanka słodkiej śmietany kremowej • szklanka cukru pudru • 100 ml winiaku lub brandy • sok z cytryny do smaku

Do miksera wkładamy truskawki, dodajemy cukier, śmietanę i miksujemy na średnich obrotach (składniki nie powinny się zbyt mocno spienić), dodajemy wino, brandy, doprawiamy do smaku sokiem z cytryny, natychmiast rozlewamy do porcelanowych kokilek i podajemy nie później niż 5 min po przygotowaniu. Podajemy z małymi biszkoptami i waflowymi rurkami.

• oprócz czasu na umycie i przebranie truskawek

liczba porcji / 4
czas przygotowania / 25 min
stopień trudności / średniotrudne
kaloryczność / średniokaloryczne
koszt / tanie

Zupa wiśniowa

s k ł a d n i k i : 2 szklanki dorodnych, dojrzałych wiśni • 1/2 szklanki soku wiśniowego (nie syropu!) • kawałek kory cynamonowej • 2 goździki • cukier • łyżeczka budyniu śmietankowego lub waniliowego • szklanka słodkiej śmietany • 3 łyżki zimnego mleka

Opłukane wiśnie zalewamy litrem wody, dodajemy cynamon, goździki, gotujemy na ostrym ogniu przez 5 min. Cedzimy przez sito, lekko przecieramy, odrzucamy pestki i korzenie, dodajemy sok, cukier (dowolnie), zagotowujemy, łączymy z mlekiem wymieszanym z budyniem, zagotowujemy raz jeszcze. Trzymamy na ogniu przez 2 min, by zniknął smak surowizny, odstawiamy do wychłodzenia. Przed podaniem łączymy zupę ze spienioną śmietaną, podajemy (gdy upał) na wychłodzonych talerzach, z biszkoptami lub makaronem.

Staropolska zupa „Nic"

s k ł a d n i k i : 1 l pełnego mleka • 2 jajka • 3 kopiaste łyżki cukru • cukier waniliowy lub kawałek laski wanilii

Mleko gotujemy z wanilią lub cukrem waniliowym. Żółtka ucieramy z 2 łyżkami cukru na bardzo puszysty kogel-mogel, oddzielnie ubijamy pianę z białek. Pod koniec ubijania dodajemy pozostały cukier i jeszcze przez chwilę ubijamy, aż piana będzie lśniąca i bardzo gęsta. Na gotujące się mleko kładziemy łyżeczką „kluseczki z piany". Gdy się przewrócą (min!), wyjmujemy łyżką cedzakową na talerze, mleko zestawiamy z ognia, łączymy, lejąc cienkim strumykiem i cały czas ubijając, z żółtkami. Przygotowaną zupę rozlewamy na talerze, na których są kluseczki z białek, i podajemy. Smakuje doskonale na zimno i na ciepło.

liczba porcji / 4
czas przygotowania / 20 min
stopień trudności / średniotrudne
kaloryczność / wysokokaloryczne
koszt / tanie

Zupa budyniowa z herbatnikami

liczba porcji / 4
czas przygotowania / 20 min
stopień trudności / łatwe
kaloryczność / wysokokaloryczne
koszt / tanie

s k ł a d n i k i : 5 szklanek (1,25 l) pełnego mleka • łyżeczka masła • 2 łyżki cukru • 2 surowe żółtka • 1/2 torebki budyniu o smaku śmietankowym lub waniliowym • cukier waniliowy • rozdrobnione herbatniki

1 l mleka zagotowujemy z dodatkiem cukru waniliowego i masła. Wrzące mleko łączymy z budyniem rozprowadzonym w szklance zimnego mleka, zagotowujemy, trzymamy na ogniu przez 2 min, zestawiamy. Żółtka ucieramy z cukrem na puszysty kogel-mogel, łączymy, lejąc strumykiem i cały czas ubijając, z bardzo ciepłą zupą. Gdy składniki dokładnie się połączą, rozlewamy na talerze. Zupę podajemy posypaną obficie zmiażdżonymi herbatnikami lub czystą (herbatniki oddzielnie). Smakuje doskonale na zimno i na ciepło.

Zupa czekoladowa z herbatnikami
– przepis z kuchni staropolskiej

s k ł a d n i k i : 1 l i szklanka pełnego mleka • łyżeczka masła • łyżeczka mąki pszennej • łyżeczka mąki ziemniaczanej • kopiasta łyżeczka ciemnego, aromatycznego kakao • 2 łyżeczki cukru waniliowego • 2 żółtka • 2 kopiaste łyżki cukru • kopiasta łyżka utartej czekolady • zmiażdżone herbatniki lub biszkopty

Żółtka z cukrem ubijamy na puszysty kogel-mogel. W szklance zimnego mleka rozprowadzamy obie mąki, kakao ucieramy z cukrem waniliowym. Mleko gotujemy z dodatkiem masła, w gorącym rozprowadzamy, dokładnie ucierając, kakao utarte z cukrem

liczba porcji / 4
czas przygotowania / 20 min
stopień trudności / średniotrudne
kaloryczność / wysokokaloryczne
koszt / średniodrogie

waniliowym. Gdy składniki dokładnie się połączą, dodajemy połączone mąki, mieszając, zagotowujemy, trzymamy na ogniu przez 2 min, by straciły smak surowizny. Zdejmujemy z ognia, łączymy (lejąc strumykiem i cały czas ubijając) z żółtkami. Gdy zupa będzie jednolita i lekko spieniona, rozlewamy na talerze, posypujemy utartą czekoladą. Oddzielnie podajemy zmiażdżone herbatniki lub biszkopty. Zupa smakuje równie dobrze na gorąco i na zimno.

Staropolska zupa z głogu

s k ł a d n i k i : szklanka suszonych owoców głogu • 1/2 szklanki naturalnego soku (nie syropu!) z porzeczek, malin, wiśni, aronii • płaska łyżeczka mąki ziemniaczanej lub budyniu o smaku waniliowym • cukier do smaku • szczypta (czubek noża!) cynamonu

W 3 szklankach dobrej wody (najlepiej stołowej) moczymy owoce, trzymając je w chłodnym miejscu przez godzinę. Po tym czasie gotujemy przez 10 min w wodzie, w której się moczyły (gdy trzeba, zbieramy w czasie gotowania szumowiny). Cedzimy przez gęste sito wyłożone dodatkowo gazą, do wywaru dodajemy sok. Gdy całość się zagotuje, zagęszczamy rozprowadzoną w niewielkiej ilości zimnej wody mąką ziemniaczaną, zagotowujemy, trzymamy na ogniu co najmniej przez 2 min, by mąka straciła smak surowizny. Zdejmujemy z ognia, doprawiamy do smaku cukrem i cynamonem, rozlewamy do kokilek. Podajemy na ciepło, z pokrojonymi w „makaronik" naleśnikami.

* o p r ó c z c z a s u n a m o c z e n i e o w o c ó w

liczba porcji /	**2**
czas przygotowania /	**20 min***
stopień trudności /	**średniotrudne**
kaloryczność /	**niskokaloryczne**
koszt /	średniodrogie

Zupa poziomkowa zwana „królewską"

s k ł a d n i k i : 1 l poziomek (najsmaczniejsze leśne) • 1 l słodkiej, niskoprocentowej śmietany lub śmietany i jogurtu naturalnego (pół na pół) • 2 łyżki śmietany kremowej • 4 łyżki cukru pudru (można dodać nieco więcej)

Podczas przebierania poziomek wybieramy szklankę najładniejszych i odstawiamy w chłodne miejsce. Pozostałe składniki zupy rozbijamy w malakserze i doprawiamy do smaku. Spienioną zupę wstawiamy na 30 min do lodówki. Przed podaniem układamy na każdym talerzu łyżkę dorodnych owoców i zalewamy schłodzoną zupą. Podajemy z małymi biszkoptami.

liczba porcji /	**6**
czas przygotowania /	**10 min**
stopień trudności /	**łatwe**
kaloryczność /	**średniokaloryczne**
koszt /	tanie

Zupa śliwkowa przecierana

s k ł a d n i k i : 50 dag przebranych śliwek • 3 łyżki cukru
• 2 łyżki rodzynek sułtanek • kieliszek czerwonego, wytrawnego
wina • szklanka śmietany • kopiasta łyżeczka mąki ziemniaczanej
lub budyniu (waniliowy albo śmietankowy)

Rodzynki zalewamy winem. Umyte śliwki przecinamy,
odrzucamy robaczywe, wrzucamy wraz z pestkami (zupa nabierze lepszego smaku) do 1 l wrzącej wody, gotujemy przez 5 min, wylewamy na sito, przecieramy. Do
musu dodajemy cukier, zagotowujemy, łączymy z mąką
lub budyniem, rozprowadzonym w 3 łyżkach zimnej wody, gotujemy przez 3 min, by mąka straciła smak surowizny. Po zdjęciu z ognia dodajemy rodzynki wraz z winem, w którym się moczyły, i, gdy trzeba, doprawiamy
do smaku sokiem z cytryny, łączymy ze spienioną śmietaną i podajemy ciepłą, z grubym makaronem lub pokrojonymi w paski naleśnikami. Można również podać
na zimno, z małymi biszkoptami.

liczba porcji / 4
czas przygotowania / 25 min
stopień trudności / średniotrudne
kaloryczność / średniokaloryczne
koszt / średniodrogie

Wykwintna zupa owocowa
według Cioci Godziszewskiej

s k ł a d n i k i : 2 czubate szklanki sezonowych, miękkich
owoców (czarne jagody i maliny lub truskawki i jeżyny albo truskawki
i poziomki) • 1 l pełnego mleka • 2 żółtka • 3 kopiaste łyżki cukru
• cukier waniliowy • łyżeczka masła

Żółtka ucieramy z cukrem na puszysty kogel-mogel. Wypłukane, dokładnie odsączone owoce przebieramy. Naj-
dorodniejsze rozkładamy na talerzach, pozostałe przecieramy przez sito. Mleko zagotowujemy z masłem i cukrem waniliowym, zdejmujemy z ognia i łączymy, lejąc
cienkim strumykiem i cały czas ubijając, z żółtkami. Dokładnie spienioną, lekko przechłodzoną zupę łączymy
z przetartymi owocami, rozlewamy na talerze z wybra-
nymi owocami i podajemy. Doskonale smakuje z małymi biszkoptami.

liczba porcji / 6
czas przygotowania / 25 min
stopień trudności / średniotrudne
kaloryczność / wysokokaloryczne
koszt / średniodrogie

liczba porcji / 6
czas przygotowania / 50 min
stopień trudności / średniotrudne
kaloryczność / średniokaloryczne
koszt / średniodrogie

Zupa z jabłek
według kuchni staropolskiej

s k ł a d n i k i : 4 dorodne antonówki (można zastąpić papierówkami) • 2 szklanki przebranych żurawin • szklanka cukru • szklanka białego, wytrawnego wina • sok z cytryny • kopiasta łyżka mąki ziemniaczanej • 2 goździki

Żurawiny zalewamy szklanką ciepłej wody, odstawiamy. Do 1 l gorącej wody wsypujemy cukier, goździki, dodajemy łyżeczkę soku z cytryny, przygotowane jabłka (obrane ze skórki, pozbawione szypułek i gniazd nasiennych, pokrojone w zgrabne cząstki), gotujemy w syropie, aż staną się szkliste. Wyjmujemy łyżką cedzakową – można od razu rozłożyć je na talerzach.
Żurawiny wraz z wodą, w której się moczyły, rozbijamy w malakserze, przekładamy na gęste sito, przecieramy bezpośrednio do jabłkowego syropu, mieszamy, łączymy z mąką ziemniaczaną, rozprowadzoną w niewielkiej ilości zimnej wody, zagotowujemy (cały czas mieszając). Trzymamy na ogniu przez 3 min, żeby mąka straciła smak surowizny. Zestawiamy z ognia, dodajemy wino, doprawiamy do smaku sokiem z cytryny, gorącą zalewamy rozłożone na talerzach jabłka.
Podajemy z naleśnikami, pokrojonymi w cienkie paski, z domowym makaronem lub grzankami z mlecznej bułki.

liczba porcji / 4
czas przygotowania / 20 min
stopień trudności / średniotrudne
kaloryczność / średniokaloryczne
koszt / tanie

Zupa z czarnych jagód przecierana

s k ł a d n i k i : 3 szklanki przebranych, dorodnych czarnych jagód • szklanka gęstej śmietany • 3 łyżki cukru • czubata łyżeczka budyniu (waniliowy lub śmietankowy) • sok z cytryny do smaku

Do 1 l gorącej wody wsypujemy cukier, gdy się zagotuje, dodajemy jagody, gotujemy na średnim ogniu przez 4-5 min i od razu przecieramy przez bardzo gęste, perlonowe sito, by nie przedostały się do zupy pestki. W 3 łyżkach wody rozprowadzamy budyń, łączymy z gorącą zupą, zagotowujemy, trzymamy na ogniu przez 3 min, by mąka straciła smak surowizny. Zdejmujemy z ognia, gdy trzeba, lekko doprawiamy sokiem z cytryny, łączymy ze spienioną śmietaną. Ciepłą zupę podajemy z grubym makaronem, a zimną z pokruszonymi herbatnikami.

Zupa jagodowa z bezami

liczba porcji / **4**
czas przygotowania / **20 min**
stopień trudności / **łatwe**
kaloryczność / **średniokaloryczne**
koszt / **średniodrogie**

s k ł a d n i k i : 3 szklanki przebranych, dorodnych czarnych jagód • 3 łyżki cukru • szklanka czerwonego, półwytrawnego lub słodkiego wina • czubata łyżeczka mąki ziemniaczanej lub budyniu (waniliowy albo śmietankowy) • małe bezy

Do 5 szklanek wody wsypujemy cukier, gdy się zagotuje, wlewamy rozprowadzoną w 3 łyżkach zimnej wody mąkę ziemniaczaną lub budyń, zagotowujemy, trzymamy na ogniu przez 3 min, by mąka straciła smak surowizny, i dopiero wówczas wrzucamy jagody (powinny się tylko przewrócić), wlewamy wino i zestawiamy zupę z ognia, by owoce nie popękały. Podajemy dobrze wychłodzoną, z ułożonymi na wierzchu małymi bezami.

liczba porcji / **4**
czas przygotowania / **35 min**
stopień trudności / **średniotrudne**
kaloryczność / **średniokaloryczne**
koszt / **średniodrogie**

Garus
– staropolska zupa owocowa

s k ł a d n i k i : 4 duże, soczyste jabłka • 4 dorodne, duże gruszki • kawałek kory cynamonowej • 2 goździki • 3 łyżki cukru • sok z cytryny • szklanka pełnego mleka • 2 żółtka • łyżeczka mąki ziemniaczanej

Umyte owoce (ze skórką) kroimy na części, usuwamy gniazda nasienne, zalewamy 1 l wody, dodajemy cynamon, goździki i gotujemy, aż owoce będą miękkie. Gorące przecieramy przez sito.
Do przecieru dodajemy cukier i, gdy trzeba, doprawiamy do smaku sokiem z cytryny, zagotowujemy. Do mleka dodajemy żółtka i mąkę ziemniaczaną, ubijamy, aż płyn się dobrze połączy i spieni, łączymy z przetartymi owocami, zagotowujemy, trzymamy na niewielkim ogniu przez 3 min, by mąka straciła smak surowizny. Garus podawano na ciepło z dodatkiem pokruszonego, czerstwego ciasta biszkoptowego, z pokrojonymi w „makaronik" naleśnikami lub z ziemniakami z wody polanymi zrumienionym masłem.

liczba porcji / 4
czas przygotowania / 25 min*
stopień trudności / średniotrudne
kaloryczność / **wysokokaloryczne**
koszt / średniodrogie

Zupa czekoladowa
z polskiej
kuchni szlacheckiej

s k ł a d n i k i : 2 tabliczki twardej, gorzkiej lub deserowej czekolady • 1 l mleka • 2 kopiaste łyżki rodzynek sułtańskich • filiżanka suszonych moreli • 2 kopiaste łyżki cukru • 2 żółtka

Namoczone godzinę wcześniej suszone morele gotujemy w wodzie, w której się moczyły (powinny być miękkie, ale nierozgotowane). Rodzynki płuczemy w letniej wodzie, odsączamy na sicie.

Mleko zagotowujemy z pokruszoną czekoladą. Żółtka ucieramy z cukrem na kogel-mogel, łączymy z gorącą, zestawioną z ognia zupą – cały czas ubijając, by żółtka dobrze się połączyły, a zupa była jednolita i gęsta. Dodajemy do zupy pokrojone w paseczki morele, odsączone rodzynki. Gdy zupa jest przeznaczona wyłącznie dla osób dorosłych, można dodać kieliszek dobrego alkoholu, np. winiaku lub rumu. Podajemy na gorąco, z ugotowanym na sypko ryżem lub schłodzoną, z małymi biszkoptami.

* oprócz czasu na gotowanie moreli

Zupa pomidorowa z jajecznymi kluseczkami

s k ł a d n i k i : 3 szklanki esencjonalnego rosołu z drobiu • 2 szklanki soku wyciśniętego ze świeżych pomidorów • łyżka drobno posiekanego koperku • sól • pieprz

n a k l u s e c z k i : 1/2 szklanki pełnego mleka • 2 jajka • żółtko • szczypta soli i gałki muszkatołowej

liczba porcji / 4
czas przygotowania / 20 min
stopień trudności / **łatwe**
kaloryczność / średniokaloryczne
koszt / średniodrogie

Jajka, żółtko, mleko i przyprawy dokładnie łączymy, lekko ubijając. Gdy składniki będą jednolite i spienione, przelewamy do średniej wielkości kokilki do zapiekania, wstawiamy do większego naczynia wypełnionego do połowy gorącą wodą i gotujemy, aż masa jajeczna zastygnie (ok. 10 min). Wyjmujemy, kroimy w zgrabne kluseczki, rozkładamy na talerzach. Rosół zagotowujemy z sokiem z pomidorów, gdy trzeba, doprawiamy do smaku, dodajemy koperek i zalewamy kluseczki.

Zupa z cielęciny zwana „Mariacką"

według Cioci Godziszewskiej

liczba porcji / 4
czas przygotowania / 45 min
stopień trudności / średniotrudne
kaloryczność / średniokaloryczne
koszt / średniodrogie

s k ł a d n i k i : 1,5 l lekkiego rosołu o wyraźnym, jarzynowym smaku • 30 dag cielęciny bez kości (obranej z błon i tłuszczu) • filiżanka utartego, żółtego sera • 2 żółtka • sól • pieprz • szczypta utartej gałki muszkatołowej • posiekany koperek

Dwukrotnie (ważne!) przepuszczoną przez maszynkę cielęcinę wrzucamy do gorącego rosołu i gotujemy na niewielkim ogniu przez 25 min (do miękkości). Zdejmujemy z ognia, dodajemy utarty ser, w garnuszku rozcieramy żółtka ze szczyptą (czubek noża!) soli i 2 łyżkami przestudzonego rosołu. Gdy składniki się połączą, dodajemy do zupy, całość doprawiamy do smaku. Przed zdjęciem zupy z ognia wsypujemy koperek. Przed podaniem podgrzewamy, nie dopuszczając, by zupa się zagotowała. Dodatkiem mogą być bardzo cienkie, chrupiące grzanki.

Zupa kalafiorowa z kurczakiem

s k ł a d n i k i : kalafior średniej wielkości
• upieczona pierś kurczaka, obrana ze skóry i kostek
• 6 szklanek rosołu z drobiu (może być z koncentratu)
• duży pomidor • szklanka śmietany • sól
• przyprawa do zup • zielenina

Kalafior moczymy w wodzie z solą (aby wypłynęły muszki), dzielimy na różyczki, przekładamy do gotującego się rosołu. Po 3 min dodajemy drobno pokrojone mięso kurczaka i obrany ze skórki, pozbawiony pestek, pokrojony w kostkę pomidor. Gotujemy ok. 15 min – kalafior powinien być miękki, ale nierozgotowany. Na koniec przyprawiamy do smaku. Po zdjęciu z ognia łączymy z dobrze roztrzepaną śmietaną i dodajemy zieleninę.

liczba porcji / 4
czas przygotowania / 35 min
stopień trudności / łatwe
kaloryczność / średniokaloryczne
koszt / średniodrogie

Zupa szpinakowa
mojej Babci

s k ł a d n i k i : 2 l esencjonalnego rosołu o wyraźnym jarzynowym smaku lub wywaru z kości i jarzyn • 2 łyżki masła • czubaty kubek dorodnych, obranych, pozbawionych łodyg i ogonków liści szpinaku • 2 ząbki czosnku • łyżka mąki ziemniaczanej • szklanka kwaśnej, gęstej śmietany • sól • biały pieprz • zielenina

Szpinak zalewamy wrzątkiem, cedzimy na sicie. Gdy się lekko odsączy, siekamy wraz z czosnkiem i zasmażamy na rozgrzanym maśle, często mieszając. Podczas zasmażania ze szpinaku powinien wyparować cały sok. Do gorącego wywaru przekładamy szpinak i, mieszając, dokładnie rozprowadzamy. Zupę zagotowujemy, zagęszczamy mąką ziemniaczaną rozprowadzoną w śmietanie, ponownie zagotowujemy i trzymamy przez 3 min na ogniu, by mąka straciła smak surowizny. Gdy trzeba, doprawiamy do smaku. Zupę podajemy posypaną zieleniną, z paluszkami z ciasta francuskiego lub ze zrumienionymi grzankami.

liczba porcji / **6**
czas przygotowania / **30 min**
stopień trudności / **łatwe**
kaloryczność / **średniokaloryczne**
koszt / **tanie**

Zupa śmietanowa
z kuchni staropolskiej

s k ł a d n i k i : 1 l pełnego mleka • 0,5 l dobrej, kwaskowej śmietany • płaska łyżka ziaren kminku • 1/2 łyżeczki soli • łyżka mąki

Na gotujące się mleko wrzucamy wypłukany, odsączony kminek, dodajemy sól i trzymamy w odkrytym naczyniu, na niewielkim ogniu.
W oddzielnym naczyniu ubijamy śmietanę z mąką, bardzo dokładnie, by nie było grudek. Gorące mleko cedzimy i łączymy, lejąc strumykiem, ze śmietaną, cały czas mieszając. Gdy składniki się połączą, stawiamy zupę na niewielkim ogniu na 3 min, by mąka się zagotowała i straciła smak surowizny. Zupę cały czas lekko ubijamy, by nie powstał kożuszek. Przed podaniem, gdy trzeba, lekko doprawiamy do smaku solą. Podajemy do gotowanych ziemniaków, polanych tłuszczem i posypanych koperkiem lub do ziemniaków smażonych na słonince z dodatkiem cebuli.

liczba porcji / **4**
czas przygotowania / **20 min**
stopień trudności / **średniotrudne**
kaloryczność / **średniokaloryczne**
koszt / **średniodrogie**

Zupa z młodej cebuli
na sposób francuski

s k ł a d n i k i : • 4 szklanki esencjonalnego rosołu
• 8 młodych cebul bez szczypioru • łyżka masła • szczypta cukru
• szklanka gęstej śmietany • 2 łyżki mleka • kopiasta łyżeczka mąki
• zielenina

Obrane cebule kroimy w talarki średniej grubości, wrzucamy na rozgrzane masło, oprószamy szczyptą cukru i dusimy w przykrytym rondlu, aż nabiorą złocistego koloru.
Wlewamy szklankę rosołu i gotujemy razem ok. 3 min,
następnie przecieramy przez perlonowe sito lub rozdrabniamy w malakserze. Przetartą cebulę łączymy z rosołem, dodajemy rozprowadzoną w mleku mąkę, zagotowujemy i trzymamy na ogniu przez 3 min, by mąka straciła smak surowizny. Gdy trzeba, lekko doprawiamy do
smaku. Po zdjęciu z ognia łączymy z lekko spienioną
śmietaną. Podajemy z cienkimi grzankami lub z młodymi ziemniakami okraszonymi tłuszczem i obficie posypanymi koperkiem.

liczba porcji /	4
czas przygotowania /	30 min
stopień trudności /	łatwe
kaloryczność /	niskokaloryczne
koszt /	tanie

Zielona
zupa wiosenna
z kuchni staropolskiej

s k ł a d n i k i : 4 szklanki esencjonalnego rosołu
(najlepszy z wołowiny) • 1/2 szklanki przebranych,
umytych, pozbawionych łodyżek liści szczawiu
• 1/2 szklanki w podobny sposób przygotowanych
liści szpinaku • 1/2 szklanki posiekanej natki pietruszki
i koperku (bez łodyżek) • kilka młodych listków selera
i lubczyku • 2 łyżki mleka • kopiasta łyżeczka mąki
• szklanka śmietany (kwaśnej lub słodkiej – według
upodobań) • 4 jajka ugotowane w koszulkach

Liście szczawiu, szpinaku, selera i lubczyku bardzo drobno siekamy (najlepiej na porcelanowej deseczce), wrzucamy na wrzący rosół, dodajemy posiekaną natkę pietruszki i koperek, zagotowujemy. Zagęszczamy zupę mąką rozprowadzoną w zimnym mleku i gotujemy na niewielkim ogniu przez 3 min, by mąka straciła smak
surowizny. Gdy trzeba, lekko doprawiamy do smaku. Po zdjęciu z ognia łączymy ze spienioną śmietaną. Na każdy talerz kładziemy ugotowane w koszulce jajko, zalewamy ciepłą zupą. W kuchni staropolskiej podawano do zupy – oddzielnie – młode ziemniaki obficie polane tłuszczem.

liczba porcji /	4
czas przygotowania /	25 min
stopień trudności /	łatwe
kaloryczność /	niskokaloryczne
koszt /	tanie

Zupa z młodego zielonego groszku

s k ł a d n i k i : 2 szklanki młodego, świeżo wyłuskanego zielonego groszku • sól • cukier • 1/2 łyżeczki masła • kopiasta łyżka masła • łyżka mąki • 6 szklanek esencjonalnego rosołu (może być drobiowy) • posiekany koperek

Do gorącej wody z dodatkiem soli, cukru i 1/2 łyżeczki masła wrzucamy wyłuskany groszek, gotujemy nie dłużej niż przez 6-8 min, następnie odcedzamy na sicie. Na maśle zasmażamy mąkę, często mieszając; nie powinna się zrumienić, ale stracić smak surowizny. Zasmażkę rozprowadzamy szklanką rosołu, zagotowujemy, łączymy z pozostałym rosołem, zagotowujemy raz jeszcze i, gdy trzeba, lekko doprawiamy do smaku. Na talerzach rozkładamy, w równych ilościach, odsączony groszek, zalewamy gorącym rosołem, posypujemy koperkiem. Oddzielnie podajemy cienkie, chrupiące grzanki z paryskiej bułki.

liczba porcji / **4**
czas przygotowania / **20 min**
stopień trudności / **łatwe**
kaloryczność / **średniokaloryczne**
koszt / **tanie**

Zupa ze świeżych borowików
według kuchni staropolskiej

s k ł a d n i k i : 4 kapelusze świeżych, dużych, dorodnych borowików • średniej wielkości cebula • 2 łyżki masła • 2 łyżki suchego, drobnego makaronu (wermiszel, muszelki, gwiazdki) • szklanka śmietany • sól • pieprz

Dokładnie oczyszczone i umyte grzyby kroimy w możliwie najdłuższe i najcieńsze paseczki, jak makaron. Cebulę drobno siekamy, wrzucamy na rozgrzane masło, chwilę zasmażamy. Gdy się zeszkli, dodajemy grzyby i, często mieszając, dusimy przez 8-10 min. Całość zalewamy 1 l gorącej wody, sypiemy suchy makaron, gotujemy na średnim ogniu, często mieszając. Gdy makaron i grzyby będą miękkie, doprawiamy do smaku, zestawiamy z ognia i łączymy z roztrzepaną śmietaną. Podajemy zaraz po przygotowaniu. Zupy nie należy przetrzymywać, gdyż makaron mocno ją zagęści.

liczba porcji / **4**
czas przygotowania / **35 min**
stopień trudności / **średniotrudne**
kaloryczność / **średniokaloryczne**
koszt / **średniodrogie**

Zupa
ze świeżych grzybów

liczba porcji / 4
czas przygotowania / 30 min
stopień trudności / średniotrudne
kaloryczność / średniokaloryczne
koszt / średniodrogie

s k ł a d n i k i : kapelusze świeżych grzybów (może być mieszanka) • kopiasta łyżka masła • łyżka mąki • szklanka kwaśnej śmietany • cebula • sól • pieprz • mleko

Oczyszczone, umyte i obsuszone kapelusze grzybów drobno siekamy (powinna być pełna szklanka). Na rozgrzanym maśle podsmażamy drobno posiekaną cebulę, gdy się zeszkli (nie dopuszczamy do zrumienienia), dodajemy przygotowane grzyby i, często mieszając, prużymy przez kilka minut. Gdy grzyby dokładnie się przesmażą, ale nie zrumienią, zalewamy je 2 szklankami gorącej wody i gotujemy razem na niewielkim ogniu, aż będą miękkie. Zupę doprawiamy do smaku, łączymy z mąką wymieszaną z mlekiem (1/2 szklanki), zagotowujemy i trzymamy na ogniu przez 3 min, by mąka straciła smak surowizny i dobrze zagęściła zupę. Po zdjęciu z ognia łączymy z lekko roztrzepaną śmietaną i, gdy trzeba, doprawiamy. Podajemy z grubym makaronem lub, podanymi oddzielnie, ziemniakami purée obficie polanymi zrumienionym masłem.

Zupa ze świeżych pomidorów
z kuchni staropolskiej

s k ł a d n i k i : kilka dojrzałych, miękkich pomidorów (tak by po przetarciu pozostały 2 szklanki soku) • 2 szklanki wody • kopiasta łyżka czystego smalcu • pęczek zieleniny: listki lubczyku, natki pietruszki i selera związane bawełnianą nitką • szklanka mleka • szklanka gęstej śmietany • sól • pieprz • cukier • posiekany koperek

c i a s t o   n a   l a n e   k l u s k i : jajko • żółtko • kopiasta łyżka pszennej mąki

Do wrzącej wody wrzucamy pęczek zieleniny, lekko solimy, gotujemy. Na rozgrzanym smalcu smażymy pokrojone pomidory, gdy się rozprużą, przecieramy przez sito, przelewając wywarem z zieleniny, z którego usuwamy wygotowany pęczek zieleniny. Przecier łączymy z pozostałą wodą, dodajemy mleko lekko spienione ze śmietaną, przyprawiamy do smaku i zagotowujemy. Z jajka, żółtka i mąki ucieramy niezbyt gęste ciasto i lejemy bezpośrednio na gorącą zupę cienkim strumykiem, często mieszając, by kluseczki się nie posklejały. Gdy wszystkie wypłyną na wierzch, raz jeszcze dokładnie mieszamy i rozlewamy na talerze. Zupę podajemy oprószoną posiekanym koperkiem.

• w s e z o n i e w a r z y w n y m

liczba porcji / 4
czas przygotowania / 35 min
stopień trudności / średniotrudne
kaloryczność / średniokaloryczne
koszt / tanie•

liczba porcji / 4

czas przygotowania / 25 min

stopień trudności / łatwe

kaloryczność / niskokaloryczne

koszt / tanie

Zupa z młodych kalarepek

s k ł a d n i k i : 6 szklanek wywaru z włoszczyzny i kości lub rosołu drobiowego z koncentratu • 8 młodych kalarepek z liśćmi • łyżka mąki • 2 łyżki mleka • szklanka śmietany • kopiasta łyżka posiekanego koperku • sól • kilka listków świeżego cząbru lub szczypta suszonych listków

Obrane ze skórki kalarepki kroimy w cienki „makaronik", płuczemy i odsączamy na sicie. Liście kalarepki, po odrzuceniu zewnętrznych, grubych, odzieramy ze środkowych, tzw. nerwów, kroimy w cienkie paseczki, parzymy na sicie wrzątkiem. Na gorący wywar wrzucamy rozdrobnione kalarepki, sparzone liście i gotujemy do miękkości. Pod koniec gotowania dodajemy świeże listki cząbru lub suszone, roztarte dokładnie w dłoniach. Zupę zagęszczamy mąką rozprowadzoną w zimnym mleku. Całość zagotowujemy, trzymamy na ogniu przez 2 min, by mąka straciła smak surowizny. Po zdjęciu z ognia łączymy z roztrzepaną śmietaną i koperkiem, gdy trzeba, solimy.

Zupa koperkowa
z kuchni staropolskiej

s k ł a d n i k i : 6 szklanek rosołu z drobiu lub z drobiowego koncentratu • duży pęczek świeżego koperku • szklanka śmietany • 2 łyżki mleka • łyżeczka mąki • 4 jajka ugotowane na twardo • sól

Z koperku oddzielamy drobne gałązki, a łodyżki związujemy bawełnianą nitką, wrzucamy do gorącego rosołu i zagotowujemy. Mąkę rozprowadzamy w zimnym mleku, dodajemy do zupy i gotujemy razem na niewielkim ogniu przez 3 min, by mąka straciła smak surowizny. Gałązki koperku drobno siekamy. Obrane ze skorupek jajka dzielimy na połowę, oddzielnie siekamy białka i żółtka. Z zupy usuwamy łodygi koperku, dodajemy posiekany koperek, zagotowujemy, następnie odstawiamy z ognia, łączymy ze spienioną śmietaną i, gdy trzeba, lekko doprawiamy do smaku.

Na spód talerzy sypiemy posiekane białka, zalewamy zupą, wierzch posypujemy posiekanymi żółtkami i od razu podajemy. Oddzielnie dajemy ugotowany na sypko ryż lub małe grzanki z pszennego pieczywa.

liczba porcji / 4

czas przygotowania / 35 min

stopień trudności / łatwe

kaloryczność / średniokaloryczne

koszt / tanie

Zupa
z selera naciowego

s k ł a d n i k i : dorodny pęd selera naciowego • 6 szklanek
rosołu (może być z koncentratu) • 2 łyżki masła lub masła roślinnego
• 2 cebule średniej wielkości • 1/2 szklanki śmietany (można ją
zastąpić jogurtem o smaku naturalnym) • topiony serek kremowy
• 20 dag gotowanej, chudej szynki • szczypta soli

Z selera odcinamy końcówki korzenia, z zewnętrznych
łodyg bardzo dokładnie usuwamy twarde włókna, resztę kroimy w cienkie plasterki. Na rozgrzane masło wrzucamy seler i dusimy pod przykryciem ok. 10 min. Gdy
będzie prawie miękki, przekładamy do garnka, a na pozostałym tłuszczu (gdy trzeba, tłuszcz uzupełniamy) podsmażamy drobno posiekaną cebulę, uważając, by się nie
zrumieniła. Dodajemy do selera, zalewamy gorącym rosołem i gotujemy pod przykryciem ok. 10 min. Pod koniec gotowania dodajemy pokrojony na części serek oraz
rozdrobnioną szynkę, całość gotujemy jeszcze przez
3 min. Po zdjęciu z ognia łączymy ze spienioną śmietaną i, gdy trzeba, solimy. Podajemy gorącą.
Uwaga: zupa nie nadaje się do odgrzewania.

• w   s e z o n i e   w a r z y w n y m

liczba porcji / 4
czas przygotowania / 35 min
stopień trudności / łatwe
kaloryczność / średniokaloryczne
koszt / tanie•

Zupa szczawiowa
z faszerowanymi jajkami

s k ł a d n i k i : 6 szklanek esencjonalnego wywaru z włoszczyzny i kości lub rosołu z koncentratu
• czubaty kubeczek przebranych liści szczawiu (ok. 20 dag) • łyżka tłuszczu • szklanka śmietany
• łyżeczka mąki ziemniaczanej • sól

p o n a d t o : 4 jajka ugotowane na twardo • plaster gotowanej szynki lub chudej wędliny
• łyżka gęstej śmietany • sól • pieprz

Dokładnie opłukany szczaw kładziemy na roztopiony tłuszcz i prużymy na
niewielkim ogniu, aż zbrunatnieje. Wlewamy trochę rosołu i przecieramy
przez sito, od czasu do czasu przelewając wywarem. Przetarty szczaw
łączymy z pozostałym rosołem, zagotowujemy, zagęszczamy śmietaną wymieszaną z mąką i, gdy trzeba, doprawiamy do smaku. Po
3 min zestawiamy z ognia.
Ugotowane, obrane ze skorupek jajka przecinamy wzdłuż na połowę, wyjmujemy żółtka, a białka układamy na deseczce. Żółtka
ucieramy z drobno posiekaną szynką lub inną wędliną oraz śmietaną i przyprawami. Powstałą masę nakładamy do białek, formując zgrabny czubek, i rozkładamy – po 2 połówki – na talerzach. Tuż przed podaniem zalewamy ciepłą (nie gorącą!) zupą.

liczba porcji / 4
czas przygotowania / 35 min
stopień trudności / średniotrudne
kaloryczność / niskokaloryczne
koszt / tanie

Zupa z brokułów

s k ł a d n i k i : 4 szklanki wywaru z jarzyn lub delikatnego
rosołu z drobiu • 3 średniej wielkości ziemniaki • 3 niezbyt duże głowy
świeżych brokułów • 1/2 szklanki śmietany • sól • pieprz • 4 łyżki
utartego żółtego sera o pikantnym smaku

Na gorący wywar z jarzyn lub rosół wrzucamy drobno
pokrojone ziemniaki i podzielone na różyczki brokuły,
całość gotujemy ok. 15 min, aż składniki będą miękkie.
Zdejmujemy z ognia i przecieramy przez sito albo rozbijamy w malakserze. Przelewamy ponownie do naczynia,
w którym zupa się gotowała, doprawiamy do smaku, dodajemy dokładnie spienioną śmietanę i podgrzewamy,
nie dopuszczając do zagotowania. Gorącą zupę rozlewamy na talerze, posypujemy tartym serem i od razu podajemy. Dodatkiem mogą być małe zrumienione grzanki lub zasmażane ziemniaki z cebulą i skwarkami.

liczba porcji / 4
czas przygotowania / 30 min
stopień trudności / łatwe
kaloryczność / średniokaloryczne
koszt / tanie

---

liczba porcji / 6
czas przygotowania / 25 min
stopień trudności / średniotrudne
kaloryczność / średniokaloryczne
koszt / średniodrogie

Zupa cytrynowa

s k ł a d n i k i : 2 l esencjonalnego rosołu z cielęciny (ważne!)
• 2 cytryny • szklanka śmietany kremowej • 3 żółtka • sól
• świeżo zmielony biały pieprz • płaska łyżka mąki
ziemniaczanej

W 2 łyżkach zimnej wody rozprowadzamy mąkę, dodajemy do śmietany i ubijamy, aż stanie się jednolita i puszysta, łączymy z gorącym rosołem, dodajemy skórkę otartą z obu
cytryn oraz wyciśnięty sok (do zupy nie powinny się dostać pestki z cytryny, bo
zgorzknieje) i, cały czas mieszając, zagotowujemy. Trzymamy na niewielkim ogniu
przez 3 min. Zupa powinna mieć lekko złocisty kolor i wspaniały aromat. Żółtka rozbijamy w kubku na jednolitą masę, dodamy 2-3 łyżki zupy, dokładnie rozprowadzamy. Naczynie z zupą zestawiamy z ognia i, cały czas mieszając, łączymy z żółtkami.
Podajemy zaraz po przygotowaniu, z ugotowanym
na sypko ryżem. Zupa cytrynowa nie nadaje się do odgrzewania.

Zupa z cukinii

składniki: młoda cukinia średniej wielkości • mała cebula • duży ząbek czosnku • 2 łyżki oliwy lub oleju • 3 szklanki esencjonalnego rosołu (może być z koncentratu) • 2 łyżki śmietany • sól • pieprz • szczypta roztartej w dłoniach przyprawy prowansalskiej • posiekany koperek

Na rozgrzanej oliwie lekko zasmażamy posiekaną cebulę i czosnek, dodajemy pokrojoną w kostkę (wcześniej obraną ze skórki i pozbawioną gniazd nasiennych) cukinię. Całość podsmażamy przez 3 min, często mieszając, następnie przekładamy do naczynia z rosołem i gotujemy na średnim ogniu ok. 10 min, aż składniki będą miękkie. Zupę przecieramy przez perlonowe sito lub rozbijamy w malakserze, doprawiamy solą, pieprzem i ziołami prowansalskimi, na koniec dodajemy spienioną śmietanę. Podajemy gorącą, posypaną koperkiem, z dodatkiem rumianych grzanek z tostowego chleba lub smażonych ziemniaków albo w kokilkach – jako dodatek do dobrze zrumienionych, gorących placków ziemniaczanych.

liczba porcji / **4**

czas przygotowania / **25 min**

stopień trudności / **łatwe**

kaloryczność / **niskokaloryczne**

koszt / **tanie**

Zupa z młodej marchewki

składniki: duży pęczek (ok. 30 dag) młodych marchewek • cebula • łyżka masła • 4 szklanki rosołu (może być z koncentratu, najlepiej drobiowy) lub wywaru z jarzyn • sól • pieprz • posiekana zielenina

Na maśle podsmażamy, nie dopuszczając do zrumienienia – często mieszając, posiekaną cebulę i pokrojoną w krążki marchew, nie dłużej niż przez 5 min. Gdy jarzyny lekko się zeszklą i puszczą sok, przekładamy je do naczynia z rosołem i gotujemy razem do miękkości marchewki. Zupę, gdy trzeba, doprawiamy do smaku i podajemy gorącą, obficie posypaną zieleniną. Najsmaczniejsza jest z dodatkiem małych grzanek z tostowego chleba.

liczba porcji / **2**

czas przygotowania / **20 min**

stopień trudności / **łatwe**

kaloryczność / **niskokaloryczne**

koszt / **tanie**

Żurek jarzynowy

s k ł a d n i k i : 4 ziemniaki średniej wielkości • 2 marchewki
• 2 młode kalarepki • 2 gałązki zielonej pietruszki • duża łyżka
smalcu (najlepiej własnej roboty – może być inny tłuszcz,
ale na domowym smalcu żurek jest najsmaczniejszy) • liść laurowy
• kilka ziaren pieprzu i ziela angielskiego • zakwas na żur w ilości
według własnych upodobań smakowych • 1/2 szklanki kwaśnej
śmietany • 2 l wody • sól

Do gotującej się wody dajemy smalec i wszystkie przyprawy. Gdy całość się zagotuje, dodajemy pokrojone
w kostkę ziemniaki i pozostałe warzywa oraz zieloną pietruszkę i gotujemy na średnim ogniu, aż składniki będą
miękkie, ale nierozgotowane. Odstawiamy zupę z ognia,
zalewamy zakwasem, smakujemy, ponownie stawiamy
na ogień, zagotowujemy, doprawiamy do smaku i łączymy z lekko ubitą śmietaną. Podajemy z drobnymi grzankami z tostowego chleba.

liczba porcji / **4**
czas przygotowania / **30 min**
stopień trudności / **łatwe**
kaloryczność / **średniokaloryczne**
koszt / **tanie**

Jarzynowe flaczki

s k ł a d n i k i : 2 marchewki • korzeń pietruszki • 1/2 selera
• biała część dorodnego pora • 20 dag fasolki szparagowej
• porcjowy kalafior • łyżka oliwy z oliwek • szklanka naturalnego
jogurtu • 2 łyżki śmietany • 2 łyżki mleka • kopiasta łyżeczka mąki
• sól • pieprz • majeranek • papryka słodka i ostra • 1/2 lub więcej
łyżeczki przyprawy do zup (w zależności od własnych upodobań
smakowych) • 4 łyżki utartego, żółtego sera • 4 cienkie naleśniki

Do garnka wlewamy 6 szklanek wody, zagotowujemy,
wrzucamy obraną, pokrojoną na niewielkie kawałki fasolkę szparagową, obgotowujemy przez 10 min. W łyżce
oliwy podsmażamy krążki pora, uważając, by się nie zrumieniły, i dodajemy do gotującej się fasolki wraz z pozostałymi, pokrojonymi w drobne słupki jarzynami oraz po-
dzielonym na różyczki kalafiorem. Całość lekko solimy
i gotujemy nie dłużej niż przez 15 min (jarzyny powinny
być miękkie, ale nierozgotowane). Mąkę rozprowadzamy
w mleku, łączymy, cały czas lekko ubijając, z jogurtem
i śmietaną. Powstałym sosem zalewamy warzywa, doprawiamy do smaku, pamiętając, że flaczki powinny być pikantne. Podajemy lekko posypane zieleniną lub tartym
serem z dodatkiem pokrojonych w cienki „makaronik"
naleśników.

liczba porcji / **4**
czas przygotowania / **35 min**
stopień trudności / **łatwe**
kaloryczność / **niskokaloryczne**
koszt / **tanie**

Pożywna wiosenna zupa

liczba porcji / 2
czas przygotowania / 25 min
stopień trudności / średniotrudne
kaloryczność / średniokaloryczne
koszt / średniodrogie

s k ł a d n i k i : 1/2 selera średniej wielkości • cebula • 2 łyżki oliwy • 1/2 piersi pieczonego kurczaka • sól • pieprz • koperek • mały, topiony serek śmietankowy • 3 szklanki rosołu lub wywaru z jarzyn

Na podgrzanej oliwie podsmażamy, nie rumieniąc, rozdrobnioną cebulę. Gdy się zeszkli, dodajemy pokrojony seler, przez minutę razem zasmażamy, zalewamy szklanką rosołu, gotujemy na niewielkim ogniu (pod przykryciem) do miękkości. Miękkie warzywa przecieramy przez sito, dodajemy pozostały rosół, serek, przyprawy, drobno pokrojoną pierś kurczaka (bez skóry), zagotowujemy i, gdy trzeba, lekko doprawiamy. Podajemy obficie posypaną koperkiem. Zupa najlepiej smakuje z drobnymi, zrumienionymi grzankami.

Barszczyk z botwinki

s k ł a d n i k i : 2 marchewki • korzeń pietruszki • kawałek selera • dorodny pęczek świeżej (koniecznie) botwinki • 4 szklanki lekkiego rosołu (może być z koncentratu) • 1/2 szklanki soku z kiszonych buraków • 1/2 szklanki śmietany • sól • pieprz • cukier • bardzo cienko pokrojona skórka z cytryny (wcześniej wyszorowanej pod strumieniem wrzącej wody) • łyżka masła • zielony koperek

Na maśle podsmażamy rozdrobnione warzywa, gdy się zeszklą, dodajemy rosół, skórkę z cytryny i gotujemy na niewielkim ogniu ok. 10 min. Dodajemy pokrojoną botwinkę, gotujemy razem nie dłużej niż przez 5 min – po tym czasie składniki powinny być miękkie. Zupę rozbijamy w malakserze lub przecieramy przez perlonowe sito (wcześniej odrzucamy skórkę z cytryny), dodajemy sok z buraków, roztrzepaną śmietanę i koperek. Podajemy z młodymi ziemniakami polanymi zrumienionym masłem lub z ziemniakami zasmażonymi z młodą cebulką.

liczba porcji / 4
czas przygotowania / 30 min
stopień trudności / średniotrud
kaloryczność / średniokalorycz
koszt / średniodrogie

Pikantna
zupa serowa

s k ł a d n i k i : 2 szklanki lekkiego rosołu (może być z koncentratu) • 1/2 szklanki mleka • 2 małe, topione serki (najlepsze cheddar lub gouda) • sól • pieprz • szczypta utartej gałki muszkatołowej • 1/2 szklanki białego, wytrawnego wina • grzanki z jednej bułki • łyżka masła • zielenina

Rosół zagotowujemy z mlekiem, dodajemy serki i, cały czas mieszając, czekamy, aż serki się rozpuszczą, a zupa stanie się jednolita i zawiesista. Doprawiamy do smaku według własnych upodobań, pamiętając, że serki są pikantne. Zestawiamy z ognia, wlewamy wino, mieszamy. Na rozgrzane masło wrzucamy pokrojoną w drobną kostkę bułkę, rumienimy grzanki, rozkładamy na talerzach, posypujemy zieleniną i zalewamy bardzo ciepłą zupą.

liczba porcji /	2
czas przygotowania /	25 min
stopień trudności /	średniotrudne
kaloryczność /	średniokaloryczne
koszt /	średniodrogie

liczba porcji /	4
czas przygotowania /	50 min
stopień trudności /	średniotrudne
kaloryczność /	średniokaloryczne
koszt /	średniodrogie

Pożywna
zupa koperkowa

s k ł a d n i k i : porcja kurczaka (pierś i 2 skrzydełka) • 2 kopiaste łyżki posiekanego koperku • 2 marchewki • kopiasta łyżeczka przyprawy typu „Jarzynka" • 1/2 szklanki mleka • 1/2 szklanki śmietany • płaska łyżeczka mąki ziemniaczanej lub kukurydzianej • sól • pieprz

Zagotowujemy 1 l wody z dodatkiem „Jarzynki", do wrzątku wkładamy opłukaną porcję kurczaka, marchewki, gotujemy bez przykrycia, aż mięso będzie miękkie. Gdy zbyt dużo wody wyparuje, uzupełniamy wrzątkiem. Miękkie mięso wykładamy na deskę, rosół cedzimy. Obrane z kostek, pozbawione skóry mięso drobno kroimy, dodajemy do rosołu, doprawiamy do smaku, zagotowujemy. Dodajemy rozprowadzoną w mleku mąkę, zagotowujemy jeszcze raz i trzymamy przez 3 min, aż mąka straci smak surowizny. Po zdjęciu z ognia dodajemy koperek i spienioną śmietanę. Podajemy z ryżem ugotowanym na sypko lub z duszonymi ziemniakami, polanymi zrumienionym masłem.

Zupa
z włoskiej kapusty
według Cioci Godziszewskiej

s k ł a d n i k i : 1/2 średniej głowy włoskiej kapusty z lekko ułożonymi liśćmi (kapusta z liśćmi ściśniętymi nie nadaje się) • 2 marchewki średniej wielkości • 2 kalarepki wraz z młodymi liśćmi • tłuszcz do smażenia • 1l esencjonalnego rosołu o mięsno--jarzynowym smaku • mała cebula • 2 ząbki czosnku • kopiasta łyżeczka mąki • sól • pieprz • 2 ziarna ziela angielskiego • koperek

Marchew i kalarepki, po obraniu ze skórki, kroimy w niewielką kostkę, zasmażamy w łyżce tłuszczu, dodajemy posiekane, młode listki kalarepki i, mieszając, trzymamy na niewielkim ogniu, aż zmiękną. Z kapusty odrzucamy zielone, twarde liście i głąb, resztę kroimy w cienkie paski, płuczemy, odsączamy na sicie.
Na gorący rosół wrzucamy kapustę, dodajemy przyprawy, zeszklone warzywa wraz z tłuszczem i gotujemy. Oddzielnie rozgrzewamy tłuszcz, dajemy ząbki czosnku, gdy zbrunatnieją – odrzucamy, a na gorący tłuszcz sypiemy drobno posiekaną cebulę, zasmażamy – mieszając, przez minutę, dodajemy mąkę i, nadal mieszając, zasmażamy razem, aż się lekko zrumieni. Rozprowadzamy zasmażkę rosołem spod kapusty, zagotowujemy, dodajemy do zupy, zagotowujemy całość i, gdy trzeba, doprawiamy do smaku. Po zdjęciu z ognia dodajemy koperek. Zupę podajemy z ziemniakami z wody, okraszonymi skwarkami ze smażonej słoniny lub ze smażonymi ziemniakami ze skwarkami i cebulą.

liczba porcji / 4
czas przygotowania / 30 min
stopień trudności / łatwe
kaloryczność / średniokaloryczne
koszt / tanie

Barszcz burakowy
z kuchni staropolskiej

s k ł a d n i k i : filiżanka suchej, przebranej białej fasoli (wcześniej namoczonej w letniej wodzie i ugotowanej, ale nierozgotowanej) • 4 buraki średniej wielkości, upieczone w piekarniku • szklanka soku z kiszonych buraków • 25 dag wieprzowej kiełbasy (może być czosnkowa) • 25 dag upieczonego schabu karkowego (bez kości) wraz z tłuszczem, w którym się smażył • 3 szklanki esencjonalnego wywaru z włoszczyzny i grzybów • duża cebula i olej do jej zasmażenia • pieprz • 3 ziarna ziela angielskiego • liść laurowy • cukier • sól • ocet winny lub sok z cytryny • szklanka gęstej śmietany (kwaśnej lub słodkiej – według upodobań)

Na gorącym oleju podsmażamy posiekaną cebulę, gdy się zeszkli, dodajemy obraną z błonki, pokrojoną w półplasterki kiełbasę i smażymy przez 2 min, często mieszając, następnie odstawiamy. Do garnka wrzucamy (wcześniej obrane i starte na tarce z dużymi otworami) buraki, skrapiamy sokiem z cytryny, wlewamy rosół, dodajemy przyprawy, zagotowujemy. Do gorącego barszczu dodajemy zasmażoną cebulę z kiełbasą, odsączoną, miękką fasolę, pokrojony w drobną kostkę schab karkowy wraz z tłuszczem, w którym się smażył. Wszystko gotujemy razem przez 5--7 min, aż składniki i smaki dobrze się połączą. Po zdjęciu z ognia wlewamy sok z kiszonych buraków, lekko ubitą śmietanę i raz jeszcze doprawiamy. Nie zagotowujemy! Podajemy gorący, z ziemniakami z wody lub smażonymi.

liczba porcji / 6
czas przygotowania / 40 min
stopień trudności / średniotrudne
kaloryczność / średniokaloryczne
koszt / średniodrogie

Zupa rybna pikantna

s k ł a d n i k i : 2 świeże, pozbawione ości filety z białej, morskiej ryby o wadze do 30 dag • sok z cytryny • 2 cebule • 3 łyżki oleju • 2 ząbki czosnku • mały liść laurowy • sól • pieprz • szklanka białego, wytrawnego wina • 2 szklanki esencjonalnego rosołu • szklanka soku wyciśniętego ze świeżych pomidorów • łyżeczka mąki ziemniaczanej • duża filiżanka utartego, żółtego sera

Filety kroimy w zgrabną kostkę, skrapiamy sokiem z cytryny, odstawiamy w chłodne miejsce.

Na rozgrzany olej wrzucamy całe ząbki czosnku i drobno posiekaną cebulę. Zrumieniony czosnek usuwamy, cebulę odsuwamy na boki naczynia, na tłuszczu podsmażamy przygotowane filety (ok. 3 min), często mieszamy. Rybę oprószamy solą, pieprzem, dodajemy liść laurowy, wino (pozostawiamy 2 łyżki), całość dusimy przez 5 min. Łyżką cedzakową wybieramy kawałki ryby, przekładamy do wazy, w której podamy zupę. Do garnka dodajemy rosół i sok pomidorowy, zagotowujemy. W pozostawionym winie rozprowadzamy mąkę ziemniaczaną, zagęszczamy zupę, trzymamy na ogniu przez 3 min, by straciła smak surowizny, przelewamy do wazy. Gdy trzeba, podgrzewamy, ale nie dopuszczamy do zagotowania. Oddzielnie podajemy utarty ser.

Zupa jarzynowa z mrożonych jarzyn

s k ł a d n i k i : porcja mrożonych jarzyn z brukselką • 1 l rosołu z drobiu (może być z koncentratu) • cebula • łyżka oliwy do smażenia • 2 surowe, białe kiełbaski o łącznej wadze 20 dag • kopiasta łyżka posiekanej zieleniny (może być kompozycja) • sól • pieprz

Na oliwie podsmażamy posiekaną cebulę, zalewamy rosołem, dodajemy mrożone jarzyny, gotujemy na niewielkim ogniu przez 5 min.

Obrane z błon kiełbasy wyrabiamy z dodatkiem zieleniny na jednolitą masę, formujemy zgrabne klopsiki.

Gdy zupa się zagotuje, wrzucamy przygotowane klopsiki, całość gotujemy na średnim ogniu. Zupa będzie gotowa, gdy klopsiki wypłyną na powierzchnię. Podajemy gorącą, z ziemniakami z wody, polanymi skwarkami ze świeżej słoniny.

Zielona zupa
z pulpetami cielęcymi

liczba porcji / 4
czas przygotowania / 30 min
stopień trudności / średniotrudne
kaloryczność / średniokaloryczne
koszt / średniodrogie

s k ł a d n i k i : 1 l esencjonalnego wywaru z jarzyn
• mała puszka zielonej fasolki konserwowej • mała puszka zielonego
groszku konserwowego

n a   p u l p e t y : 30 dag chudej, surowej cielęciny (dwa razy
zmielonej) • 2 surowe białka • łyżka posiekanej pietruszki • szczypta
soli i pieprzu • łyżka tartej bułki

Przygotowujemy pulpety: zmielone mięso łączymy
z przyprawami, surowymi białkami i drobno posiekaną
pietruszką, wyrabiamy na jednolitą masę. Gdy trzeba,
dodajemy tartą bułkę, formujemy pulpety wielkości orzecha włoskiego i odstawiamy w chłodne miejsce.
Na gorący wywar wrzucamy odsączoną fasolkę i groszek,
zagotowujemy. Na wrzątek kładziemy pulpeciki, całość
gotujemy na średnim ogniu ok. 5-7 min, aż wszystkie wypłyną na powierzchnię. Zupę podajemy gorącą, z ziemniakami z wody polanymi zrumienionym masłem albo
z ziemniakami purée utartymi ze śmietaną lub masłem.

liczba porcji / 4
czas przygotowania / 20 min
stopień trudności / średniotrudne
kaloryczność / średniokaloryczne
koszt / średniodrogie

Krupnik z pęczaku
na rosole

s k ł a d n i k i : 5 szklanek esencjonalnego wywaru z jarzyn
i kości • 4 łyżki pęczaku lub kaszy perłowej • 20 dag wątróbki
z drobiu • sól • pieprz • zielenina

Na 2 szklanki rosołu sypiemy opłukaną kaszę, gotujemy
na niewielkim ogniu do miękkości. Wątróbki dokładnie
obieramy z błon, zalewamy wrzącą wodą, trzymamy minutę, odsączamy, kroimy w zgrabne, niewielkie kostki.
Gdy kasza zmięknie, dodajemy pozostały rosół, wątróbkę, zagotowujemy (jeden raz!), zestawiamy z ognia, dodajemy zieleninę. Podajemy nie później niż 10 min po
przygotowaniu, w przeciwnym razie zupa zgęstnieje
i zmętnieje.

Krupnik na podrobach
z kuchni staropolskiej

s k ł a d n i k i : podroby z tłustej kury (bez wątróbki) • pęczek włoszczyzny • mała filiżanka kaszy perłowej lub jęczmiennej • 1/2 szklanki śmietany • sól • pieprz • 3 małe, suszone grzyby • zielenina

Z namoczonych grzybów, wody, w której się wcześniej moczyły, włoszczyzny i podrobów gotujemy wywar. Gdy warzywa zmiękną, cedzimy przez gęste sito. Na czysty wywar sypiemy kaszę, gotujemy na niewielkim ogniu ok. 15 min. Grzyby, włoszczyznę (marchew, korzeń pietruszki) oraz mięso z podrobów kroimy w cienkie paseczki. Gdy kasza zmięknie, wszystkie składniki krupniku łączymy, dodajemy przyprawy, całość gotujemy nie dłużej niż przez 3 min. Po zdjęciu z ognia łączymy z lekko spienioną śmietaną i zieleniną. Podajemy gorący.

Zupa z zielonek

s k ł a d n i k i : 12-15 sztuk dorodnych, dużych kapeluszy zielonek (bardzo dokładnie umytych) • kopiasta łyżka masła • cebula • 1 l dobrego rosołu o wyraźnym, mięsno-jarzynowym smaku (nie z koncentratu!) • kopiasta łyżeczka mąki • szklanka kwaśnej śmietany

Dokładnie opłukane grzyby siekamy, nie zdejmując z nich wierzchniej skórki, w której zawarty jest najlepszy smak. Na maśle smażymy posiekaną cebulę, gdy się zeszkli, dodajemy drobno posiekane zielonki, całość dusimy, często mieszając, aż puszczony przez grzyby sok w dużej mierze wyparuje, i dopiero wówczas przekładamy do garnka z gorącym rosołem, gotujemy na niewielkim ogniu, aż grzyby będą miękkie, ale nierozgotowane. Śmietanę ubijamy z mąką, rozprowadzamy niewielką ilością zupy, wlewamy do garnka, dokładnie mieszamy, gotujemy na średnim ogniu przez 3 min, by mąka straciła smak surowizny. Gdy trzeba, zupę lekko doprawiamy. Podajemy gorącą z grubym makaronem lub smażonymi ziemniakami ze skwarkami i cebulą.

• oprócz czasu na czyszczenie i siekanie grzybów

Włoska zupa makaronowa

liczba porcji / 4
czas przygotowania / 25 min
stopień trudności / łatwe
kaloryczność / średniokaloryczne
koszt / średniodrogie

s k ł a d n i k i : 1 l esencjonalnego rosołu z drobiu • mała filiżanka (4 łyżki) drobnego, suchego makaronu • szklanka śmietany • 2 żółtka • duża filiżanka utartego, żółtego sera (najlepiej parmezanu) • sól • biały pieprz

Do gotującego się rosołu sypiemy makaron, gotujemy na średnim ogniu, odstawiamy. Śmietanę lekko ubijamy, łączymy z niewielką ilością zupy, rozprowadzamy, całość lekko spieniamy i, gdy trzeba, doprawiamy do smaku solą i białym pieprzem. Ciepłą zupę rozlewamy na talerze, posypujemy utartym serem. Pozostały ser podajemy na stół w oddzielnym naczyniu. Zupa nie nadaje się do odgrzania i podania np. po kilku godzinach.

Zupa gulaszowa z wołowiną

s k ł a d n i k i : 70 dag młodego mięsa wołowego z kością (rostbef) • włoszczyzna • 2 duże cebule • 2 dorodne strąki czerwonej papryki • płaska łyżeczka mielonej czerwonej papryki • 1/2 łyżeczki papryki ostrej • 1/2 łyżeczki zmielonego kminku • 3 duże, dojrzałe pomidory • 5 średniej wielkości surowych ziemniaków • sól • smalec do smażenia

c i a s t o : 2 kopiaste łyżki mąki pszennej • łyżka wody • małe jajko

Mięso wytarte skropioną octem ściereczką sortujemy. Kości, błony i tłuszcz zalewamy wodą, dodajemy włoszczyznę, przyprawy, gotujemy wywar. Cebule drobno siekamy, podsmażamy na rozgrzanym smalcu, dodajemy posortowane, pokrojone w niewielką kostkę mięso, rumienimy ze wszystkich stron. Zdejmujemy łyżką cedzakową, przekładamy do garnka, w którym będzie się gotowała zupa. Na pozostałym tłuszczu smażymy obraną, pozbawioną pestek, pokrojoną w cienkie paski paprykę. Gdy zmięknie, dodajemy obrane ze skóry, pozbawione nasion i podzielone na cząstki pomidory, zasmażamy. Całość, wraz z tłuszczem, na którym smażyło się mięso, przekładamy do garnka, zalewamy przecedzonym wywarem, dodajemy kminek, gotujemy na średnim ogniu. Gdy mięso zmięknie, wrzucamy pokrojone w „łódki" ziemniaki i wyjętą z wywaru, pokrojoną w kostkę marchew, całość gotujemy.

liczba porcji / 6
czas przygotowania / do 150 min
stopień trudności / trudne
kaloryczność / wysokokaloryczne
koszt / średniodrogie

Przygotowujemy ciasto: z podanych składników robimy twarde ciasto, ucieramy na jarzynowej tarce z dużymi otworami drobne kluseczki, gotujemy oddzielnie (przez 7 min) w dużej ilości osolonej wody, wylewamy na sito, hartujemy, przelewając zimną wodą. Do ugotowanej zupy dodajemy kluseczki, gdy trzeba, całość doprawiamy do smaku. Podajemy z białym pieczywem. Zupa jest smaczniejsza następnego dnia!

liczba porcji / **4**

czas przygotowania / **60 min**

stopień trudności / **średniotrudne**

kaloryczność / **średniokaloryczne**

koszt / **średniodrogie**

Kapuśniak myśliwski
z kuchni staropolskiej

s k ł a d n i k i : 6 szklanek wywaru z mięsa i jarzyn
• 40 dag kwaszonej kapusty (waga po odsączeniu z nadmiaru soku)
• 20 dag wędzonej kiełbasy myśliwskiej • 20 dag (6 plasterków)
wędzonego, niezbyt tłustego boczku • duża cebula • 3 łyżki oleju
do smażenia • 2 kapelusze suszonych borowików • sól • pieprz
• ziarna ziela angielskiego • liść laurowy • 4 ziarna owoców jałowca

Opłukane, namoczone w wodzie grzyby gotujemy do
miękkości. Odstawiamy do wychłodzenia. Odsączoną
z nadmiaru soku kapustę drobno kroimy, wrzucamy na
gorący wywar z mięsa i jarzyn, dodajemy pokrojone
w cienkie paski grzyby wraz z wywarem, w którym się
gotowały, i dalej gotujemy na średnim ogniu. Na oleju
podsmażamy posiekaną cebulę, gdy się zeszkli, odsuwamy na bok patelni i smażymy plasterki boczku, lekko rumieniąc z obu stron. Boczek i cebulę za pomocą łyżki cedzakowej przekładamy do naczynia z gotującą się kapustą, na pozostałym tłuszczu podsmażamy cienkie plasterki kiełbasy. Gdy się zrumienią, przekładamy do naczynia
z kapustą, dodając tłuszcz, na którym się smażyły. Wszystkie składniki kapuśniaku gotujemy razem przez 10 min,
na koniec doprawiamy według własnych upodobań. Podajemy z ziemniakami z wody obficie polanymi skwarkami z wytopionej słoniny lub z odsmażanymi ziemniakami z cebulą i skwarkami.
W kuchni staropolskiej podawano do kapuśniaku kromki żytniego chleba i oddzielnie, w miseczce,
świeżo wytopioną słoninę ze skwarkami, w której maczano kawałki pieczywa.

Szlachecki rosolnik
według kuchni staropolskiej

s k ł a d n i k i : 6 szklanek lekkiego rosołu • duża (ugotowana
lub upieczona) pierś kury, pozbawiona skóry i kostek lub kawałek
(25 dag) upieczonej cielęciny bez kości • 2 jajka • 2 kopiaste łyżki
mąki • zielenina

Mięso drobno kroimy, zalewamy szklanką gorącego rosołu, trzymamy, przykryte, w cieple (powinno być gorące).
Na ogniu trzymamy pozostały rosół. Z jajek i mąki ucieramy gładkie ciasto na lane kluski. Na 10 min przed podaniem zupy lejemy na gotujący się rosół, bardzo powoli, ciasto (powinny się formować zgrabne, cienkie kluseczki). Zagotowujemy, trzymamy na ogniu przez minutę.
Do przygotowanych talerzy wlewamy rosół z rozdrobnionym, gorącym mięsem, zalewamy rosołem z lanymi
kluskami, posypujemy zieleniną i podajemy.

liczba porcji / **4**

czas przygotowania / **20 min**

stopień trudności / **średniotrudne**

kaloryczność / **średniokaloryczne**

koszt / **średniodrogie**

Zupa jarzynowa z pieczarkami

liczba porcji / 6
czas przygotowania / 50 min
stopień trudności / średniotrudne
kaloryczność / średniokaloryczne
koszt / tanie•

s k ł a d n i k i : 6 szklanek lekkiego rosołu z drobiu (może być z koncentratu) • 20 dag małych pieczarek • 2 dorodne pomidory • marchew • 1/2 średniej wielkości selera • cebula • 2 łyżki oliwy do smażenia • liść laurowy • kilka ziaren pieprzu i ziela angielskiego • szklanka gęstej śmietany (kwaśnej lub słodkiej – według upodobań) • zielenina

Na rozgrzanej oliwie podsmażamy cebulę, gdy się zeszkli, dodajemy pokrojone w cienkie paski pieczarki, przez chwilę razem smażymy, następnie dodajemy pokrojone w kostkę pomidory (wcześniej obrane ze skórki i pozbawione pestek). Całość zasmażamy. Do rosołu wrzucamy pokrojoną w słupki marchew, seler oraz przyprawy, gotujemy na średnim ogniu ok. 10 min. Dodajemy zasmażoną cebulę z pomidorami i pieczarkami i gotujemy nadal, aż wszystkie składniki będą miękkie. Przyprawiamy zupę do smaku, zestawiamy z ognia, łączymy ze spienioną śmietaną. Podajemy gorącą, posypaną zieleniną. Zupa najlepiej smakuje z podanymi oddzielnie ziemniakami purée okraszonymi tłuszczem.

• w   s e z o n i e   w a r z y w n y m

Rosół wykwintny
z kuchni staropolskiej

s k ł a d n i k i : 50 dag rostbefu bez kości • ćwiartka (pierś, szyja, żołądek i serce) młodej, tłustej kury • 15 dag młodych, zamkniętych pieczarek • 15 dag wątróbki z drobiu • porcja włoszczyzny bez kapusty • pęczek zielonej pietruszki • ziarna pieprzu • ziarna ziela angielskiego • liść laurowy • listek lubczyku

Umyte mięso wołowe zalewamy 3 l wody, dodajemy przyprawy, gotujemy na niewielkim ogniu. W połowie gotowania dodajemy mięso z kury oraz włoszczyznę. Całość gotujemy, aż składniki będą miękkie.
Oczyszczone pieczarki kroimy w bardzo cienkie plasterki. Wątróbkę, po obraniu z błon, zalewamy wrzątkiem, po minucie odsączamy na sicie, kroimy w drobną kostkę.
Gotowy rosół (ok. 2,5 l) cedzimy, wrzącym zalewamy pieczarki i wątróbkę, wrzucamy związany nitką pęczek pietruszki, odstawiamy pod przykryciem. Z kury usuwamy skórę i kości, z rosołu usuwamy pęczek pietruszki, czyste mięso kroimy w kostkę, dodajemy do rosołu, gdy trzeba, całość doprawiamy do smaku. Podajemy z domowym makaronem.
Pozostałe z rosołu mięso i włoszczyznę można zużyć na farsz lub składnik pasztetu.

liczba porcji / 10
czas przygotowania / 160 min
stopień trudności / średniotrudne
kaloryczność / średniokaloryczne
koszt / średniodrogie

ZUPY pożywne

liczba porcji / 6
czas przygotowania / 30 min•
stopień trudności / średniotrudne
kaloryczność / średniokaloryczne
koszt / średniodrogie

Polewka żołnierska
z kuchni staropolskiej

s k ł a d n i k i : 1,5 l wody z dodatkiem kopiastej łyżki czystego smalcu • 4 suszone kapelusze borowików • 2 duże kromki czerstwego, żytniego lub razowego chleba • duża cebula • tłuszcz do smażenia • 3 jajka ugotowane na twardo • sól • pieprz • szczypta gałki muszkatołowej • zielenina

Zagotowujemy wodę z dodatkiem smalcu. Ugotowane, miękkie grzyby cedzimy, wywar, w którym się gotowały, dodajemy do wody ze smalcem, kapelusze kroimy w cienkie paseczki. Posiekaną cebulę podsmażamy na tłuszczu, gdy się zeszkli, dodajemy pokruszony chleb i, często mieszając, razem zasmażamy (aż chleb i cebula ładnie się zrumienią). Całość przekładamy do wody ze smalcem, dodajemy grzyby, przyprawy, gotujemy na niewielkim ogniu ok. 7 min.
Do każdego talerza wkładamy połówkę ugotowanego na twardo jajka, zalewamy gorącą polewką, posypujemy zieleniną.
Często do polewki, serwowanej jako jedno danie, podawano ziemniaki z wody okraszone skwarkami ze świeżo wytopionej słoniny.

• oprócz czasu na moczenie i gotowanie grzybów

liczba porcji / 6
czas przygotowania / 25 min
stopień trudności / średniotrudne
kaloryczność / średniokaloryczne
koszt / średniodrogie

Zupa z kaszy manny
– przepis z kuchni staropolskiej

s k ł a d n i k i : 1,5 l lekkiego rosołu (może być z koncentratu) • 20 dag chudej, wędzonej szynki • 3 kopiaste łyżki kaszy manny • 2 żółtka • sól • pieprz • przyprawa do zupy • zielenina

Do gorącego rosołu dodajemy bardzo drobno posiekaną lub rozdrobnioną w malakserze szynkę, zagotowujemy, na wrzątek sypiemy, cały czas dokładnie mieszając, kaszę mannę, ponownie zagotowujemy i trzymamy na niewielkim ogniu (często mieszając, by nie powstał tzw. kożuszek), aż kasza będzie miękka. Zestawiamy z ognia. Żółtka łączymy z 2 łyżkami zimnej wody, rozprowadzamy zupą, składniki łączymy, dodajemy przyprawy, zieleninę. Podajemy zaraz po przygotowaniu (zupa nie nadaje się do odgrzewania).

Zupa rybna królewska
z kuchni staropolskiej

liczba porcji / 6
czas przygotowania / 55 min •
stopień trudności / średniotrudne
kaloryczność / średniokaloryczne
koszt / drogie

s k ł a d n i k i : dorodny, żywy karp o wadze do 1,5 kg
• szklanka czerwonego, wytrawnego wina • szklanka suszonych,
pozbawionych pestek śliwek • 1/2 szklanki migdałów • 1/2 szklanki
rodzynek • sól • pieprz • włoszczyzna bez kapusty

Ze sprawionego karpia wycinamy 2 zgrabne filety, pozostałe części (wraz z łbem i wątrobą) zalewamy zimną
wodą, dodajemy włoszczyznę, przyprawy, gotujemy, na
niewielkim ogniu, esencjonalny wywar, najlepiej w odkrytym naczyniu, by nie zmętniał. Cedzimy przez gęste
sito, wyłożone płatem gazy (wywaru powinno być nieco więcej niż 1,5 l).
Rodzynki zalewamy winem, odstawiamy. Śliwki moczymy w letniej wodzie, gdy napęcznieją, rozgotowujemy.
Migdały zalewamy wrzątkiem, odsączamy na sicie, obieramy z łupinek, niezbyt drobno siekamy.
Wycięte z karpia filety pozbawiamy ości, przekładamy do
gorącego wywaru, gotujemy na średnim ogniu ok. 20 min
(ryba powinna być miękka, ale nierozgotowana). Wyjmujemy łyżką cedzakową i ponownie usuwamy pozostałe,
najmniejsze nawet ości. Rybę kroimy w zgrabne cząstki,
ponownie wrzucamy do wywaru, dodając jednocześnie
namoczone rodzynki z winem, przetarte przez sito śliwki
i posiekane migdały. Doprawiamy zupę do smaku, zagotowujemy. Podajemy gorącą, z plasterkami słodkiej chał-
ki lub świeżymi, maślanymi bułeczkami.

• o p r ó c z   c z a s u   n a   p r z y g o t o w a n i e   w y w a r u

Zupa cygańska

s k ł a d n i k i : 4 ziemniaki średniej wielkości • dorodna
czerwona papryka • cebula • 2 dojrzałe, duże pomidory • kopiasta
łyżka czystego smalcu • ok. 10 dag gotowanego lub wędzonego
boczku • 20 dag dobrej kiełbasy • 2 łyżki keczupu • 3 łyżki śmietany
• sól • pieprz mielony • liść laurowy • kilka ziaren pieprzu i ziela
angielskiego • drobno posiekana zielenina

Na części smalcu podsmażamy pokrojoną w kostkę cebulę, gdy się zeszkli, dodajemy pokrojoną równie drobno paprykę (wcześniej oczyszczoną z pestek) i pozbawione skórki i pestek pomidory. Gdy składniki się zasmażą,
dodajemy pokrojoną kiełbasę, podlewamy szklanką wody i dusimy pod przykryciem ok. 10 min. Do 3 szklanek
wody dajemy pokrojony w średniej wielkości kostkę bo-

czek, pozostały smalec, liść laurowy, ziarna ziela angielskiego i pieprzu, zagotowujemy, na wrzątek
wrzucamy pokrojone w kostkę ziemniaki. Gdy będą miękkie, łączymy z uprużonymi warzywami,
dodajemy keczup i przyprawiamy do smaku. Zupa powinna być gęsta, aromatyczna, o wyraźnej
pomidorowej nucie. Po zdjęciu z ognia łączymy ze spienioną śmietaną i podajemy gorącą, posypaną zieleniną.

liczba porcji / 4
czas przygotowania / 55 min
stopień trudności / średniotrudne
kaloryczność / średniokaloryczne
koszt / średniodrogie

Zupa ziemniaczana
z kuchni staropolskiej

s k ł a d n i k i : kawałek schabu karkowego bez kości
(ok. 35 dag) • duża cebula • 2 łyżki oleju • marchew • pietruszka
• 6 ziemniaków średniej wielkości • łyżka koncentratu pomidorowego
• łyżka smalcu • liść laurowy • ziarna czarnego pieprzu i ziela
angielskiego • zielenina

Do 3 szklanek wody z dodatkiem przypraw i smalcu
wrzucamy drobno posiekaną marchew i pietruszkę i gotujemy przez 10 min, następnie dodajemy pokrojone
w drobną kostkę ziemniaki. Gotujemy do miękkości. Na
oleju podsmażamy posiekaną cebulę, gdy się zeszkli, dodajemy pokrojone w niewielką kostkę mięso, smażymy
razem przez 3 min, podlewamy 3 szklankami wody, gotujemy na niewielkim ogniu, aż mięso będzie miękkie.
Łączymy z ugotowanymi ziemniakami, doprawiamy do
smaku, dodajemy koncentrat i przez chwilę gotujemy razem, by smaki się połączyły. Zupę podajemy gorącą, posypaną zieleniną.

liczba porcji / 6
czas przygotowania / 50 min
stopień trudności / średniotrudne
kaloryczność / średniokaloryczne
koszt / średniodrogie

Zupa ziemniaczana
ze świeżymi grzybami
– przepis z kuchni staropolskiej

s k ł a d n i k i : 50 dag dorodnych, świeżych grzybów
(kapelusze) • duża cebula • tłuszcz do smażenia • 6 ziemniaków
średniej wielkości • szklanka śmietany • łyżka mąki • 3 łyżki mleka
• liść laurowy • kilka ziaren pieprzu • sól • pieprz mielony • zielenina

Na tłuszczu podsmażamy drobno posiekaną cebulę, gdy
się zeszkli, dodajemy doskonale oczyszczone, pokrojone
w paseczki grzyby, całość zasmażamy na niewielkim
ogniu przez 5 min.
Do 5 szklanek gorącej wody dodajemy łyżkę tłuszczu
(może być czysty smalec), przyprawy. Gdy woda się zagotuje, wrzucamy pokrojone w drobną kostkę ziemniaki, gotujemy, aż będą miękkie, ale nierozgotowane. Do
ziemniaków dodajemy podsmażone z cebulą grzyby wraz
z tłuszczem, na którym się prużyły, przyprawiamy do
smaku, zagęszczamy rozprowadzoną w mleku mąką, gotujemy przez 3 min, by mąka straciła smak surowizny.
Po zestawieniu z ognia dodajemy spienioną śmietanę
i posiekaną zieleninę.

liczba porcji / 6
czas przygotowania / 40 min
stopień trudności / średniotrudne
kaloryczność / średniokaloryczne
koszt / średniodrogie

Zupa jarzynowa z pomidorami

s k ł a d n i k i : marchew • korzeń pietruszki • seler • biała część pora • mała puszka zielonego groszku konserwowego • 2 duże pomidory • łyżka mąki • 2 łyżki tłuszczu (może być masło i smalec – pół na pół) • płaska łyżeczka przyprawy typu „Jarzynka" • 1/2 szklanki śmietany • sól • pieprz mielony • kilka ziaren pieprzu i ziela angielskiego • zielenina

Marchew, seler i korzeń pietruszki ucieramy na tarce do jarzyn z dużymi otworami, dokładnie opłukany por kroimy w cienkie krążki. Jeżeli seler i pietruszkę mamy z nacią, wybieramy młode listki i dodajemy do zupy. Utarte jarzyny prużymy na tłuszczu, często mieszając, a gdy się zeszklą, dodajemy przyprawę, zalewamy 4 szklankami gorącej wody, łączymy z odsączonym groszkiem i obranymi ze skórki, pozbawionymi pestek i drobno pokrojonymi pomidorami. Następnie dodajemy sól, pieprz i ziele angielskie i gotujemy na średnim ogniu, aż wszystkie składniki będą miękkie, ale nierozgotowane. Zagęszczamy zupę mąką rozprowadzoną w 2 łyżkach zimnego mleka, a po zagotowaniu trzymamy na ogniu jeszcze przez 3 min, by mąka straciła smak surowizny. Po zdjęciu z ognia łączymy ze spienioną śmietaną i zieleniną. Zupa doskonale smakuje bez dodatków, ale można ją też podawać z kluseczkami z lanego ciasta lub z ziemniakami z wody polanymi tłuszczem ze stopionej słoniny.

liczba porcji / 6
czas przygotowania / 45 min
stopień trudności / średniotrudne
kaloryczność / średniokaloryczne
koszt / tanie

Zupa jarzynowa jesienna
przecierana

s k ł a d n i k i : marchew • korzeń pietruszki • mały seler • biała część pora • kalarepka • 2 duże pomidory • kabaczek średniej wielkości • mały kalafior • kilka strąków fasolki szparagowej • 2 łyżki tłuszczu (masło i smalec – pół na pół) • łyżeczka przyprawy typu „Jarzynka" • kopiasta łyżeczka mąki • 2 łyżki mleka • 1/2 szklanki śmietany • sól • pieprz mielony • kilka ziaren pieprzu i ziela angielskiego • zielenina

Obrane, rozdrobnione jarzyny oraz podzielony na różyczki kalafior zalewamy 3 szklankami ciepłej wody, dodajemy ziarna pieprzu i ziela angielskiego, przyprawę, łyżkę tłuszczu i stawiamy na niewielkim ogniu. Białą część pora kroimy w cienkie krążki, młode listki selera i pietruszki drobno siekamy, dodajemy pozostałą część tłuszczu i prużymy, często mieszając. Kabaczek obieramy ze skórki, odrzucamy pestki i miąższ, kroimy w kostkę. Do podgotowanych jarzyn dorzucamy uprużone pory wraz z zieleniną, kawałki kabaczka oraz obrane ze skórki, pozbawione pestek pomidory. Składniki zupy dogotowujemy – powinny być miękkie, ale nierozgotowane. Zupę miksujemy lub przecieramy przez perlonowe sito, zagęszczamy mąką rozprowadzoną w zimnym mleku, doprawiamy. Po zestawieniu z ognia łączymy ze spienioną śmietaną i oprószamy zieleniną. Podajemy z grzankami lub z ziemniakami purée polanymi tłuszczem i posypanymi koperkiem.

• w sezonie warzywnym

liczba porcji / 6
czas przygotowania / 50 min
stopień trudności / średniotrudne
kaloryczność / średniokaloryczne
koszt / tanie•

Zupa węgierska gulaszowa

s k ł a d n i k i : 1 kg chudego, wołowego mięsa bez kości (może być rostbef) • 2 marchewki • 2 korzenie pietruszki • mały seler • biała część pora • 2 duże cebule • 4 ziemniaki średniej wielkości • 2 łyżki koncentratu pomidorowego • 2 łyżki czystego smalcu • sól • pieprz • papryka słodka • papryka ostra • odrobina musztardy • cukier do smaku

Wytarte zwilżoną octem ściereczką mięso oczyszczamy z najmniejszych śladów tłuszczu, kroimy w drobną kostkę, lekko solimy, smażymy na rozgrzanym smalcu, rumieniąc ze wszystkich stron (zrumienione przekładamy za pomocą łyżki cedzakowej do garnka). Na pozostałym ze smażenia tłuszczu podsmażamy (często mieszając) rozdrobnione jarzyny (powinny się zeszklić). Usmażone przekładamy za pomocą łyżki cedzakowej do garnka, na warstwę mięsa. Na pozostałym tłuszczu smażymy pokrojoną w piórka cebulę i krążki białej części pora. Gdy się zeszklą, przekładamy do garnka wraz z pozostałym tłuszczem. Przygotowane produkty zalewamy ciepłą wodą (na wysokość 3 cm ponad powierzchnię jarzyn i mięsa), zagotowujemy, zmniejszamy ogień i gotujemy (od czasu do czasu mieszając), aż mięso i jarzyny będą miękkie. Pod koniec gotowania dodajemy pokrojone ziemniaki, całość gotujemy. Przed zdjęciem z ognia dodajemy koncentrat pomidorowy, przyprawiamy papryką słodką i ostrą, cały czas mieszając. Zupa powinna być pikantna z wyraźną pomidorowo-mięsną nutą. Znakomicie smakuje odgrzana następnego dnia.

liczba porcji / 6
czas przygotowania / do 180 min
stopień trudności / trudne
kaloryczność / wysokokaloryczne
koszt / średniodrogie

Zupa z kiszonych ogórków
– przepis z kuchni staropolskiej

s k ł a d n i k i : 5 szklanek esencjonalnego wywaru z włoszczyzny i kości • 2 twarde kiszone ogórki • kopiasta łyżka smalcu • 1/2 szklanki (lub nieco więcej – zależnie od upodobań smakowych) soku z ogórków • 2 ziarna ziela angielskiego • liść laurowy • duży ząbek czosnku • szklanka śmietany • łyżka mąki • posiekany koperek

Wywar przyprawiamy, zagotowujemy i trzymamy pod przykryciem na niewielkim ogniu. Ogórki obieramy ze skórki i ucieramy na jarzynowej tarce z dużymi otworami, odsączamy na sicie, a sok wlewamy do wywaru. Odsączone ogórki zasmażamy przez minutę na rozgrzanym smalcu, często mieszając, oprószamy mąką i zasmażamy razem przez 3-5 min, by mąka straciła smak surowizny. Następnie dodajemy je do wywaru i zagotowujemy, po czym zmniejszamy ogień i gotujemy przez 2 min. Po zestawieniu z ognia dodajemy spienioną śmietanę, koperek i, jeżeli trzeba, doprawiamy do smaku. Podajemy z młodymi ziemniakami z wody obficie polanymi świeżymi skwarkami i posypanymi zieleniną.

liczba porcji / 4
czas przygotowania / 20 min
stopień trudności / średniotrudne
kaloryczność / średniokaloryczne
koszt / tanie

Zupa selerowa

s k ł a d n i k i : seler średniej wielkości • 2 marchewki • pietruszka (może być z natką) • cebula • łyżka masła lub masła roślinnego do zasmażenia cebuli • 2 łyżki keczupu • 6 szklanek rosołu (może być z koncentratu) • 2 ziarna ziela angielskiego • sól • pieprz • zielenina

Obrane, umyte warzywa kroimy w niezbyt grube plastry, zalewamy rosołem, dodajemy ziele angielskie, sól, gotujemy na niewielkim ogniu pod przykryciem. Cebulę lekko rumienimy na maśle, dodajemy do jarzyn, gotujemy do miękkości. Zupę przecieramy przez perlonowe sito lub miksujemy, doprawiamy keczupem, solą i pieprzem, zagotowujemy. Podajemy obficie posypaną zieleniną, z zasmażonymi ziemniakami (mogą być ze skwarkami i cebulą) lub ziemniakami purée. Można też dodać do zupy łyżkę gęstej, kwaśnej śmietany.

liczba porcji /	4
czas przygotowania /	30 min
stopień trudności /	średniotrudne
kaloryczność /	niskokaloryczne
koszt /	średniodrogie

liczba porcji /	4
czas przygotowania /	35 min
stopień trudności /	średniotrudne
kaloryczność /	średniokaloryczne
koszt /	średniodrogie

Luksusowa zupa neapolitańska

s k ł a d n i k i : 5 szklanek esencjonalnego rosołu z drobiu, wołowiny lub koncentratu • szklanka lekko kwaśnej śmietany kremowej • łyżka masła • łyżka mąki • czubata łyżka utartego parmezanu lub żółtego, pikantnego sera • 2 żółtka • szczypta soli • szczypta świeżo zmielonego, białego pieprzu • utarty parmezan lub pikantny żółty ser do posypania • ugotowany cienki makaron

W garnku, w którym chcemy przygotować zupę, zasmażamy na maśle mąkę, cały czas mieszając (nie powinna się zrumienić, tylko stracić smak surowizny). Do mąki dodajemy utarty ser i, cały czas mieszając, zasmażamy, aż ser się rozpuści, a masa stanie się jednolita. Zasmażkę rozprowadzamy śmietaną i zagotowujemy. Zestawiamy z ognia. Żółtka rozprowadzamy z 2 łyżkami wody (przegotowanej, chłodnej), dodajemy do zasmażki i, energicznie mieszając, łączymy składniki. Gdy się połączą, dodajemy, lejąc bardzo powoli i cały czas mieszając, gorący rosół. Zupa jest gotowa po dokładnym połączeniu wszystkich składników. Gdy trzeba, delikatnie doprawiamy do smaku. Podajemy w szerokich kokilkach, posypaną serem lub na talerzach, z dodatkiem makaronu.

liczba porcji / **2**
czas przygotowania / **25 min**
stopień trudności / **średniotrudne**
kaloryczność / **średniokaloryczne**
koszt / **średniodrogie**

Zupa z szynki
– przepis z kuchni staropolskiej

s k ł a d n i k i : plaster gotowanej szynki z tłuszczykiem (10 dag) • cebula • łyżeczka przyprawy typu „Jarzynka" • 2 płaskie łyżki suchego ryżu • łyżka masła • łyżka posiekanej zieleniny • sól • pieprz • łyżka oliwy

Na rozgrzane, spienione masło wsypujemy opłukany ryż i, często mieszając, zasmażamy. Gdy nabierze złocistej barwy, zalewamy 2 szklankami wody, dodajemy przyprawę i gotujemy na niewielkim ogniu do miękkości. Na oliwie podsmażamy drobno posiekaną cebulę, gdy się zeszkli, dodajemy drobno posiekaną szynkę, całość zasmażamy, dodajemy do gotującego się ryżu i trzymamy na ogniu nie dłużej niż przez 5 min. Składniki powinny być miękkie, ale nierozgotowane. Zupę, gdy trzeba, lekko doprawiamy do smaku, uważając, by nadmiar przypraw nie przytłumił niepowtarzalnego smaku i aromatu szynki. Podajemy posypaną zieleniną.

liczba porcji / **4**
czas przygotowania / **25 min**
stopień trudności / **łatwe**
kaloryczność / **średniokaloryczne**
koszt / **tanie**

Pożywna kartoflanka

s k ł a d n i k i : 6 ziemniaków średniej wielkości • cebula • 2 marchewki • suszony grzybek • 4 szklanki rosołu (może być z koncentratu) • 1/2 szklanki śmietany (kwaśnej lub słodkiej – według upodobań) • 2 łyżki oliwy • 3 ziarna czarnego pieprzu • liść laurowy • sól • szczypta gałki muszkatołowej • 10 dag gotowanej szynki w plastrach • zielenina

Rozdrobnione ziemniaki, cebulę i marchewki podsmażamy na rozgrzanej oliwie, często mieszając. Gdy cebula się zeszkli, a warzywa lekko zrumienią, zalewamy je rosołem, dodajemy grzybek, przyprawy i gotujemy, aż ziemniaki będą miękkie (ok. 10 min). Zupę miksujemy, doprawiamy do smaku, łączymy ze spienioną śmietaną, rozlewamy na talerze i posypujemy posiekaną szynką i zieleniną. Bardzo smaczna jest z dodatkiem młodych, podsmażanych ziemniaków.

Biały barszcz postny

według kuchni staropolskiej

liczba porcji / **4**

czas przygotowania / **20 min•**

stopień trudności / **średniotrudne**

kaloryczność / **średniokaloryczne**

koszt / **średniodrogie**

s k ł a d n i k i : 1 duży lub 2 mniejsze suszone kapelusze borowika • szklanka mleka • 2 szklanki (gdy trzeba, nieco więcej) zakwasu na żur • duży ząbek czosnku • sól • pieprz • liść laurowy

Wymoczone w mleku (pół na pół z wodą) kapelusze grzybów gotujemy do miękkości, cedzimy. Wywar (2 i 1/2 szklanki) łączymy z zakwasem na żur, dodajemy przyprawy, obrany ząbek czosnku, zagotowujemy, trzymamy na ogniu przez kilka minut, gdy trzeba, lekko doprawiamy. Barszcz podajemy w filiżankach, z ziemniakami purée okraszonymi zasmażaną na oleju cebulą lub na talerzach, z połówkami jajek ugotowanych na twardo i posiekanymi grzybami.

• oprócz czasu na gotowanie grzybów

liczba porcji / **4**

czas przygotowania / **25 min•**

stopień trudności / **średniotrudne**

kaloryczność / **średniokaloryczne**

koszt / **średniodrogie**

Żur świąteczny

według kuchni staropolskiej

s k ł a d n i k i : 60 dag surowej, białej kiełbasy • liść laurowy • kilka ziaren czarnego pieprzu • kilka ziaren ziela angielskiego • 2 ząbki czosnku • suszony grzybek (kapelusz) • 2 szklanki zakwasu na żur • majeranek • sól • 4 jajka ugotowane na twardo

Kiełbasę układamy na spodzie rondla, zalewamy 6 szklankami wody, dodajemy przyprawy, grzybek, ząbki czosnku, stawiamy na małym ogniu (od chwili, gdy woda zacznie „mrugać", gotujemy przez 15 min lub, gdy kiełbasa grubsza, 5 min dłużej). Wyjmujemy kiełbasę na wygrzany talerz, wywar cedzimy, doprowadzamy do zagotowania i, cały czas mieszając, łączymy z zakwasem, zagotowujemy, trzymamy na ogniu przez kilka minut. Jeżeli żur jest mało kwaskowy, dolewamy dodatkową ilość zakwasu, aż uzyskamy odpowiedni smak. Przyprawiamy majerankiem, dodajemy pokrojoną w krążki kiełbasę, cząstki ugotowanych na twardo jajek oraz posiekany grzybek, gdy trzeba, doprawiamy solą i pieprzem. Zupę trzymamy w cieple przez 30 min.

• oprócz czasu na gotowanie białej kiełbasy

Barszcz czerwony

s k ł a d n i k i : 4 buraki (1 kg lub nieco więcej) • cebula • 2 ząbki czosnku • 4-5 dużych kapeluszy borowików • 1/2 porcji włoszczyzny • sól • ziarna pieprzu • ziarna ziela angielskiego • liść laurowy • sok z cytryny • cukier • 2 szklanki kwasu buraczanego

Namoczone w letniej, przegotowanej wodzie kapelusze borowików gotujemy do miękkości w wodzie, w której się moczyły. Obrane i rozdrobnione buraki, włoszczyznę, przyprawy gotujemy przez ok. 30 min, odstawiamy do wychłodzenia.

Letni wywar z buraków cedzimy przez gęste sito, dodajemy przecedzony wywar z grzybów, kwas buraczany, przyprawiamy solą, pieprzem, sokiem z cytryny i cukrem, odstawiamy, by smaki dokładnie się połączyły. Przed podaniem barszcz podgrzewamy, ale uważamy, aby się nie zagotował.

* oprócz czasu na gotowanie

liczba porcji /	**4**
czas przygotowania /	**45 min** *
stopień trudności /	**średniotrudne**
kaloryczność /	**niskokaloryczne**
koszt /	**średniodrogie**

Zupa migdałowa

s k ł a d n i k i : 1,5 l tłustego mleka • 20 dag migdałów • 2 łyżki cukru • 10 dag rodzynek • łyżka masła • szczypta soli

Rodzynki przelewamy na sicie gorącą wodą, odstawiamy do odsączenia. Sparzone wrzątkiem migdały obieramy z łupinek, suszymy, przepuszczamy przez maszynkę. Mleko zagotowujemy z cukrem, dodajemy przygotowane migdały i rodzynki, szczyptę soli oraz masło, trzymamy na niewielkim ogniu przez 3 min. Odstawiamy pod przykryciem, by nie utworzył się kożuszek. Zupę podajemy na ciepło z ugotowanym na sypko ryżem.

liczba porcji /	**4**
czas przygotowania /	**40 min**
stopień trudności /	**łatwe**
kaloryczność /	**średniokaloryczne**
koszt /	**tanie**

Gicz cielęca duszona

s k ł a d n i k i : duża gicz cielęca podzielona
(w poprzek) na 4 części • cebula • 2 ząbki czosnku
• kieliszek białego, wytrawnego wina • 2 duże pomidory
lub 2 łyżki koncentratu pomidorowego • rosół (może być
z koncentratu) • sól • pieprz • mąka krupczatka
do panierowania • natka pietruszki • skórka otarta z całej
cytryny • oliwa i masło (pół na pół) do podrumienienia giczy

Porcje giczy obwiązujemy nitką, by podczas przygotowania
mięso nie odpadło od kości. Porcje dokładnie oprószamy mąką
z przyprawami i podsmażamy na rozgrzanym tłuszczu, rumieniąc z obu
stron. Dodajemy posiekaną cebulę i czosnek, pokrojone na cząstki (wcześniej
pozbawione skórki i pestek) pomidory lub koncentrat, wino i tyle rosołu, by mięso było
całkowicie przykryte. Dusimy pod przykryciem przez ok. 2 godz. Podajemy posypane natką pietruszki, posiekaną razem ze skórką z cytryny, z dodatkiem kładzionych kluseczek. Sos, gdy trzeba,
przecieramy przez sito i podajemy oddzielnie – w sosjerce.

• o p r ó c z   c z a s u   n a   d u s z e n i e   m i ę s a

liczba porcji / 4
czas przygotowania / 30 min•
stopień trudności / trudne
kaloryczność / średniokaloryczne
koszt / drogie

Gicz cielęca w potrawce
z kuchni staropolskiej

s k ł a d n i k i : 2 mniejsze gicze cielęce • porcja włoszczyzny
bez cebuli i kapusty • sól • łyżeczka przyprawy typu „Jarzynka"

s o s : łyżka masła • łyżka mąki • szklanka rosołu z giczy
• sok i skórka otarta z cytryny • szklanka śmietany

Opłukane, przecięte na połowę gicze gotujemy w wodzie z włoszczyzną i przyprawami. Miękkie wykładamy
na deskę, mięso oddzielamy od kości, przygotowujemy
zgrabne porcje, rosół cedzimy.
Przygotowujemy sos: z masła i mąki robimy zasmażkę
(mąka nie może się zrumienić, powinna tylko stracić smak
surowizny), rozprowadzamy rosołem, by nie było grudek,
zagotowujemy, dodajemy lekko spienioną śmietanę, sok
i skórkę z cytryny oraz, gdy trzeba, szczyptę soli.
Do sosu wkładamy porcje mięsa, całość trzymamy w cieple przez 2-3 min. Podajemy z ryżem ugotowanym na
sypko i zieloną sałatą skropioną sokiem z cytryny.
W staropolskiej kuchni, po oddzieleniu z giczy mięsa, wy-
bierano z kości, za pomocą specjalnej łyżeczki, szpik, roz-
smarowywano na małych, lekko zrumienionych grzankach i podawano jako ciepłą przystawkę.

• o p r ó c z   c z a s u   n a   g o t o w a n i e   g i c z y

liczba porcji / 4
czas przygotowania / 25 min•
stopień trudności / średniotrudne
kaloryczność / średniokaloryczne
koszt / drogie

Cielęcina z marchewką

s k ł a d n i k i : 40-45 dag cielęciny bez kości
• 8 średniej wielkości marchewek • korzeń pietruszki
• płaska łyżeczka przyprawy typu „Jarzynka" • cebula
• szklanka suchego ryżu • łyżka masła • szczypta
soli • mielona papryka • zielenina • liście sałaty

Mięso parzymy wrzątkiem na sicie, przekładamy do naczynia z ciepłą wodą z dodatkiem przyprawy „Jarzynka", dodajemy marchewki, pietruszkę i gotujemy do miękkości na średnim ogniu. Wywar, który wyparuje podczas gotowania, uzupełniamy wodą, by ilość płynu wynosiła 2 i 1/2 szklanki.

Na maśle podsmażamy najdrobniej posiekaną cebulę. Gdy się zeszkli (nie dopuszczamy, by się zrumieniła), wsypujemy suchy ryż i, cały czas mieszając, zasmażamy. Kiedy ryż wchłonie cały tłuszcz, dodajemy paprykę, wlewamy wywar z cielęciny i gotujemy na niewielkim ogniu, aż będzie miękki i sypki. Do ugotowanego ryżu wrzucamy pokrojoną w niewielką kostkę cielęcinę, składniki mieszamy.

Podajemy na wygrzanych talerzach z ugotowanymi marchewkami, ułożonymi na liściach sałaty. Całość obficie posypujemy zieleniną.

liczba porcji / 4
czas przygotowania / 40 min
stopień trudności / średniotrudne
kaloryczność / niskokaloryczne
koszt / średniodrogie

Cielęce zraziki

s k ł a d n i k i : 80 dag cielęciny, tzw. sznyclówki • sól
• 2 łyżki mąki krupczatki • szklanka śmietany kremowej • 2 łyżki
posiekanej natki pietruszki • oliwa i masło (pół na pół)

Mięso kroimy w poprzek włókien, formując 6 jednakowych plastrów, rozbijamy niezbyt mocno drewnianym tłuczkiem (ważne!) zwilżonym zimną wodą, nadając porcjom odpowiedni kształt. Uformowane mięso delikatnie solimy, oprószamy mąką (nadmiar strząsamy) i od razu smażymy na gorącym tłuszczu, rumieniąc z obu stron. Gotowe układamy w szerokim rondlu, zalewamy lekko spienioną śmietaną i trzymamy (przykryte) na najmniejszym ogniu przez 3-4 min.

Podajemy na wygrzanych talerzach, obficie posypane zieleniną, z kładzionymi kluseczkami z półfrancuskiego ciasta lub z grubym, domowym makaronem oraz zieloną sałatą skropioną sokiem z cytryny.

liczba porcji / 6
czas przygotowania / 40 min
stopień trudności / średniotrudne
kaloryczność / średniokaloryczne
koszt / średniodrogie

Cielęcina w potrawce
z kuchni staropolskiej

s k ł a d n i k i : 60 dag cielęciny bez kości • 2 marchewki
• cebula z wbitym goździkiem • natka pietruszki • tymianek • sól
• pieprz • sok z cytryny

s o s : kopiasta łyżka masła • łyżka mąki • filiżanka rodzynek
• filiżanka płatków migdałowych • sok z cytryny • sól • cukier
do smaku

Mięso, po wytarciu zwilżoną octem ściereczką, nacieramy sokiem z cytryny, wkładamy do naczynia z zimną wodą, dodajemy marchew, cebulę, przyprawy, gotujemy
na średnim ogniu, często szumując, przez 50 min do godziny. Rodzynki moczymy w ciepłej wodzie.
Przygotowujemy sos: na maśle podsmażamy mąkę (nie
dopuszczając, by się zrumieniła, tylko straciła smak surowizny), rozprowadzamy szklanką wywaru z cielęciny,
zagotowujemy. Dodajemy odsączone rodzynki, płatki
migdałowe, cukier, sok z cytryny, sól. Sos powinien mieć
wyraźny smak z dominującą nutą słodyczy.
Wyjęte z wywaru mięso kroimy na zgrabne porcje, ukła-
damy na głębokim półmisku, polewamy częścią sosu; pozostały wlewamy do sosjerki.
Do potrawki podajemy wysmażony na sypko ryż lub ziemniaki purée i zieloną sałatę, skropioną sokiem z cytryny.

liczba porcji / 4
czas przygotowania / 80 min
stopień trudności / średniotrudne
kaloryczność / średniokaloryczne
koszt / średniodrogie

Pieczeń cielęca
po magnacku
z kuchni staropolskiej

s k ł a d n i k i : 4 plastry pieczeni cielęcej (może być
z poprzedniego dnia) • 4 dorodne gruszki • 8 łyżek smażonych
czerwonych borówek lub konfitur z wiśni • 4 łyżki gęstej, kwaskowej
śmietany kremowej • cukier • 2 goździki • liście sałaty
• masło do wysmarowania formy

Obrane, przekrojone na połowę, pozbawione gniazd nasiennych gruszki wkładamy do garnka z gorącą, dobrze
ocukrzoną wodą i goździkami, gotujemy przez 6-8 min.
Gdy gruszki się zeszklą, wyjmujemy łyżką cedzakową na
wychłodzony talerz.
Naczynie do zapiekania smarujemy obficie masłem, rozkładamy plastry pieczeni. Każdą połówkę gruszki napełniamy smażonymi borówkami lub konfiturami, kładzie-
my stroną wypukłą do góry na plastrze pieczeni, pozostałe połówki gruszek układamy stroną wypukłą do spodu i układamy obok porcji mięsa. Śmietanę lekko ubijamy z łyżką syropu, w którym
gotowały się owoce, polewamy każdy plaster, wstawiamy do gorącego piekarnika na 10-12 min
(nie dłużej!). Na talerzach rozkładamy: plaster pieczeni z gruszką, obok drugą połowę gruszki. Podajemy z kładzionymi kluseczkami z francuskiego ciasta lub z grubym, domowym makaronem.

liczba porcji / 4
czas przygotowania / 45 min
stopień trudności / średniotrudne
kaloryczność / średniokaloryczne
koszt / średniodrogie

Pieczeń cielęca z winogronami

s k ł a d n i k i : 1 kg cielęciny sznyclówki • sól • pieprz
• 2 szklanki wydrylowanych białych winogron • 3 łyżki oliwy
• 1/4 kostki (6 dag) masła • sok z cytryny • kieliszek soku
wyciśniętego ze świeżych winogron

Lekko wyduszone w dłoniach mięso wycieramy ściereczką skropioną octem, nacieramy solą, pieprzem i sokiem z cytryny. Odstawiamy w chłodne miejsce na godzinę. Żaroodporne naczynie smarujemy obficie oliwą, układamy mięso, wierzch smarujemy masłem, wstawiamy do nagrzanego do temp. 220°C piekarnika na godzinę. W czasie pieczenia polewamy mięso sokiem wyciśniętym z winogron i sosem spod pieczeni. Na 10 min przed wyjęciem z piekarnika posypujemy winogronami i dopiekamy. Mięso wykładamy na wygrzany półmisek, kroimy w cienkie plastry, trzymamy w cieple. Sos odparowujemy na dużym ogniu, przecieramy przez sito, gdy trzeba, doprawiamy do smaku. Każdy plaster pieczeni polewamy łyżką sosu, pozostały podajemy w sosjerce. Najodpowiedniejszym dodatkiem będą kładzione kluski, wysmażony na sypko ryż lub młode ziemniaki obficie posypane koperkiem.

* oprócz czasu na leżakowanie mięsa

liczba porcji / 8
czas przygotowania / 90 min•
stopień trudności / średniotrudne
kaloryczność / średniokaloryczne
koszt / drogie

Eskalopki cielęce zapiekane

s k ł a d n i k i : 40 dag cielęciny sznyclówki • oliwa i masło
(pół na pół) • 2 plastry gotowanej szynki • 4 małe plasterki żółtego
sera (ementaler) • sok z cytryny • sól • pieprz • mąka krupczatka
do panierowania

Wychłodzone mięso kroimy w poprzek włókien na 4 równej wielkości i grubości plastry, każdy ugniatamy w dłoniach, nacinamy w kilku miejscach brzeg, oprószamy solą, pieprzem, panierujemy w mące i rumienimy na gorącym tłuszczu przez 3 min z obu stron. Zrumienione układamy w naczyniu do zapiekania, każdy plaster polewamy łyżeczką soku z cytryny. Na porcji mięsa układamy 1/2 plastra szynki i plasterek sera, polewamy tłuszczem, w którym eskalopki się rumieniły, i wstawiamy do nagrzanego do temp. 200°C piekarnika na 8-10 min (nie dłużej!). Podajemy bardzo gorące, z dodatkiem zasmażonego szpinaku lub z fasolką szparagową.

liczba porcji / 4
czas przygotowania / 25 min
stopień trudności / średniotrudne
kaloryczność / średniokaloryczne
koszt / średniodrogie

Potrawka z cielęciny
z kuchni staropolskiej

liczba porcji / 4
czas przygotowania / 35 min
stopień trudności / średniotrudne
kaloryczność / średniokaloryczne
koszt / średniodrogie

s k ł a d n i k i : 40 dag polędwicy cielęcej • mąka • pieprz
• sól • oliwa i masło (pół na pół) • 1/2 łyżeczki mielonej, słodkiej
papryki • szklanka gęstej śmietany kremowej

Dobrze schłodzone mięso kroimy w poprzek włókien
na cienkie plastry, każdy rozpłaszczamy w dłoniach i kroimy w paski o szerokości centymetra, bardzo dokładnie
oprószamy mąką z przyprawami (żaden pasek mięsa nie
powinien być pominięty).
Na gorącym, tzw. głębokim tłuszczu (w dużym rondlu) smażymy mięso, często mieszając, rumienimy ze wszystkich
stron. Czas smażenia nie powinien przekroczyć 2-3 min.
Potrawkę zestawiamy z ognia, zalewamy roztrzepaną śmietaną, gdy trzeba, doprawiamy do smaku. Dodajemy paprykę, dokładnie mieszamy i przez minutę trzymamy na
niewielkim ogniu.
Podajemy z kładzionymi kluskami lub z grubym, domowym makaronem i zieloną sałatą, skropioną cytryną.

Medaliony cielęce
z borówkami
– przepis z kuchni staropolskiej

s k ł a d n i k i : 40 dag polędwicy cielęcej • sok z cytryny
• sól • pieprz • mąka • oliwa • łyżka masła • 4 kopiaste łyżki
smażonych borówek • 4 winne jabłka

liczba porcji / 4
czas przygotowania / 40 min
stopień trudności / średniotrudne
kaloryczność / średniokaloryczne
koszt / średniodrogie

Jabłka myjemy, nie obieramy, kroimy na 4 części, usu-
wamy gniazda nasienne i szypułki i od razu, by nie ściemniały, podsmażamy na rozgrzanej oliwie
(mogą się lekko zrumienić).
Mąkę łączymy z przyprawami. Obrane z błon polędwiczki kroimy w plastry o grubości centymetra,
rozbijamy kantem dłoni, formujemy jednakowej wielkości medaliony, oprószamy mąką z przyprawami, odstawiamy w chłodne miejsce na 10 min.
Na rozgrzanym tłuszczu smażymy plastry mięsa po 2 min z każdej strony, wykładamy na wygrzane talerze, kropimy obficie sokiem z cytryny, otaczamy usmażonymi jabłkami i borówkami i od razu, bardzo gorące, podajemy.

Cielęcina z garniturem
– przepis z kuchni staropolskiej

s k ł a d n i k i : 1 kg cielęciny bez kości (sznyclówka) • oliwa
i masło (pół na pół) • duży plaster (10 dag) gotowanej szynki
• 2 żółtka • przyprawy

g a r n i t u r : 8 plasterków bułki na grzanki • 50 dag pieczarek
• cebula • 2 łyżki gęstej śmietany • sól • pieprz • szczypta
przyprawy ziołowej • oliwa

Garnitur: na oliwie podsmażamy posiekaną cebulę. Gdy
się zeszkli, dodajemy pokrojone w plasterki pieczarki, całość smażymy, często mieszając, aż wyparuje sok, oprószamy przyprawami, dodajemy śmietanę, odstawiamy
w ciepłe miejsce.

Z całego kawałka mięsa wykrawamy 8 zgrabnych, du-
żych sznycli o grubości centymetra, rozbijamy drewnianym tłuczkiem, oprószamy przyprawami
i mąką (nadmiar strząsamy), rozkładamy na desce i odstawiamy w chłodne miejsce, by stężały.
Pozostałą po wycięciu sznycli cielęcinę przepuszczamy przez maszynkę lub rozbijamy na miazgę
w malakserze, dodajemy żółtka, tartą bułkę, przyprawiamy, wyrabiamy na jednolitą masę.
Na rozgrzaną patelnię wkładamy tłuszcz, gdy będzie bardzo gorący, smażymy sznycle, po 2-3 min
z każdej strony, przekładamy do naczynia do zapiekania. Na każdym sznyclu rozkładamy równą
porcję zmielonej cielęciny, posypujemy drobno posiekaną szynką i wiórkami masła, wstawiamy do
nagrzanego piekarnika na 25-30 min.
Na pozostałym ze smażenia sznycli tłuszczu (gdy trzeba, uzupełniamy) smażymy po jednej stronie
plasterki bułki, gdy się zrumienią, odwracamy, na wierzch nakładamy usmażone pieczarki, zmniejszamy ogień, przykrywamy i trzymamy nie dłużej niż przez 5 min. Na wygrzany półmisek wykładamy zapieczone sznycle, otaczamy grzankami. Najlepiej smakują z delikatną, sezonową surówką.

liczba porcji / 8
czas przygotowania / 80 min
stopień trudności / trudne
kaloryczność / średniokaloryczne
koszt / drogie

Pieczeń cielęca
z pomarańczami

s k ł a d n i k i : kawałek cielęciny od kulki (ok. 1,2 kg)
• sok z dużej cytryny • sól • pieprz • zmiażdżone ziarna ziela
angielskiego • oliwa do smażenia • skórka otarta z dużej pomarańczy
• 2 łyżki wody • łyżeczka cukru • duża cebula • 2 szklanki soku
wyciśniętego ze świeżych pomarańczy

Mięso lekko wygniatamy, wycieramy nasączoną octem
ściereczką, kropimy sokiem z cytryny, nacieramy wymieszanymi przyprawami, wkładamy do miseczki, przykrywamy i odstawiamy na godzinę w chłodne miejsce. Przed
smażeniem obwiązujemy mięso bawełnianą nicią, formując zgrabny pakiecik, rumienimy na rozgrzanym tłuszczu ze wszystkich stron, posypujemy posiekaną cebulą,
polewamy wodą wymieszaną z cukrem i skórką otartą z pomarańczy, układamy w brytfannie. Szczelnie nakryte wstawiamy do nagrzanego do temp. 200ºC piekarnika i pieczemy przez 45-50 min,
polewając od czasu do czasu sokiem wyciśniętym z pomarańczy oraz wytworzonym sosem. Gdy
mięso będzie prawie miękkie, zdejmujemy przykrycie, by się zrumieniło.
Podajemy pokrojone w zgrabne porcje, na liściu sałaty, nakryte krążkiem pomarańczy. Sos spod pieczeni przecieramy przez sito, gdy trzeba, lekko doprawiamy do smaku, zagęszczamy przez odparowanie.

liczba porcji / 8
czas przygotowania / 90 min •
stopień trudności / średniotrudne
kaloryczność / średniokaloryczne
koszt / średniodrogie

• o p r ó c z   c z a s u   n a   l e ż a k o w a n i e   m i ę s a

Kotlety cielęce z jabłkami

s k ł a d n i k i : 1 kg kotletów cielęcych • 10 dag świeżej, lekko zmrożonej słoniny • 4 rozgniecione w moździerzu ziarna jałowca • łyżka masła • cebula • 1/2 średniej wielkości selera • marchew • szklanka czerwonego, wytrawnego wina • szklanka śmietany • łyżeczka mąki ziemniaczanej do zagęszczenia sosu • 4 duże, winne jabłka • sól • pieprz • majeranek • oliwa do smażenia

Wytarte skropioną octem ściereczką mięso szpikujemy paseczkami słoniny otoczonymi zmiażdżonym jałowcem, oprószamy solą, pieprzem, odstawiamy na godzinę w chłodne miejsce. Na maśle podsmażamy posiekaną cebulę, gdy się zeszkli, dodajemy rozdrobnione jarzyny, przez chwilę razem zasmażamy. Na przygotowanych jarzynach układamy mięso, naczynie szczelnie przykrywamy i wstawiamy do nagrzanego do temp. 220ºC piekarnika na 30 min. Zdejmujemy pokrywę, zalewamy mięso winem i roztrzepaną śmietaną, zmniejszamy w piekarniku temperaturę i dopiekamy, lekko rumieniąc.
Miękkie, zrumienione mięso wyjmujemy na podgrzany półmisek i trzymamy w cieple. Wytworzony sos doprawiamy mąką wymieszaną z niewielką ilością wody i, gdy trzeba, doprawiamy do smaku.
Oddzielnie, na oliwie, podsmażamy pokrojone w pełne krążki jabłka (ze skórką, bez gniazd nasiennych).
Mięso dzielimy na porcje w taki sposób, by każda była z kostką. Na spód półmiska wlewamy sos, na nim rozkładamy mięso, brzegi otaczamy krążkami jabłek lekko posypanymi majerankiem. Podajemy z młodymi ziemniakami lub z ziemniakami purée i sezonową surówką.

• oprócz czasu na leżakowanie mięsa

liczba porcji / 8
czas przygotowania / 75 min •
stopień trudności / średniotrudne
kaloryczność / średniokaloryczne
koszt / drogie

Eskalopki cielęce z pomarańczami

s k ł a d n i k i : 50 dag cielęciny, tzw. sznyclówki • oliwa i masło (pół na pół) • 2 duże, jędrne pomarańcze • mąka krupczatka do panierowania • sól • pieprz • szczypta przyprawy prowansalskiej

Pomarańcze myjemy w gorącej wodzie, wycieramy do sucha, z jednej ścieramy skórkę i wyciskamy sok. Mięso kroimy w poprzek włókien na 4 zgrabne eskalopki, brzegi każdej porcji nacinamy w kilku miejscach i lekko rozbijamy, w przeciwnym razie będą się zwijały, oprószamy przyprawami i mąką (nadmiar mąki strząsamy), odstawiamy na 5 min.
Na gorącym, lekko zrumienionym tłuszczu smażymy eskalopki, rumieniąc z obu stron, polewamy sokiem wyciśniętym z pomarańczy, dusimy pod przykryciem przez 8-10 min. Na wygrzanym półmisku rozkładamy wysmażony na sypko ryż, na nim eskalopki, całość polewamy tłuszczem, na którym się smażyły. Pomarańczę kroimy na 8 cienkich krążków, układamy po 2 na każdej porcji mięsa, posypujemy skórką pomarańczową. Podajemy z zieloną sałatą lub sałatką owocową.

liczba porcji / 4
czas przygotowania / 40 min
stopień trudności / średniotrudne
kaloryczność / średniokaloryczne
koszt / średniodrogie

liczba porcji / 4
czas przygotowania / 50 min
stopień trudności / średniotrudne
kaloryczność / średniokaloryczne
koszt / średniodrogie

Zraziki cielęce po węgiersku

s k ł a d n i k i : 50 dag cielęciny bez kości (najlepiej szynclówki) • cebula • szklanka rosołu lub wywaru z jarzyn (rosół z koncentratu jest nieodpowiedni) • 2 duże łyżki koncentratu pomidorowego • płaska łyżeczka mielonej, słodkiej papryki • szczypta (czubek noża!) chili • 1/2 szklanki śmietany • łyżeczka mąki • 2 łyżki mleka • oliwa i masło (pół na pół)

Mięso kroimy w poprzek włókien na 8 cienkich plastrów, każdy lekko rozbijamy tłuczkiem zwilżonym zimną wodą, oprószamy solą, pieprzem i mąką (nadmiar mąki strząsamy), smażymy na gorącym, tzw. głębokim tłuszczu, rumieniąc z obu stron. Mięso przekładamy do rondla, na pozostałym ze smażenia tłuszczu lekko rumienimy posiekaną cebulę, przekładamy do mięsa, podlewamy rosołem i dusimy, pod przykryciem, do miękkości (ok. 15 min). Gdy mięso będzie prawie miękkie, dodajemy koncentrat, paprykę, zalewamy śmietaną połączoną z mąką wymieszaną z mlekiem i zagotowujemy. Trzymamy na ogniu przez 2 min, by mąka straciła smak surowizny. Sos powinien mieć konsystencję gęstej śmietany i piękny, jasnoczerwony kolor. Gdy trzeba, doprawiamy sos do smaku. Podajemy z kładzionymi kluseczkami lub z grubym, domowym makaronem.

Sznycel cielęcy zapiekany z chrzanem

s k ł a d n i k i : 4 sznycle cielęce (po 12-15 dag każdy) • sól • pieprz • oliwa i masło do smażenia • mąka do panierowania

m a s ł o   c h r z a n o w e : 1/2 kostki (12,5 dag) masła delikatesowego lub extra • 2 łyżki utartego, dobrze odsączonego chrzanu (może być ze słoika) • 2 łyżki posiekanej zieleniny (natka pietruszki i koperek) • 2 łyżki tartej bułki

Składniki masła chrzanowego ucieramy na jednolitą masę i dzielimy na 4 równe części.
Sznycle lekko rozbijamy zwilżonym w zimnej wodzie, drewnianym (ważne!) tłuczkiem, oprószamy przyprawami i mąką (nadmiar mąki strząsamy), odstawiamy na 10 min w chłodne miejsce.
Na dużej patelni w dobrze rozgrzanym tłuszczu obsmażamy sznycle, rumieniąc z obu stron, przekładamy do naczynia do zapiekania. Każdy sznycel smarujemy porcją masła chrzanowego, zalewamy pozostałym ze smażenia tłuszczem, wstawiamy do nagrzanego do temp. 200ºC piekarnika i zapiekamy przez 10-12 min. Podajemy z młodymi ziemniakami, obficie posypanymi zieleniną oraz z sezonową surówką.

liczba porcji / 4
czas przygotowania / 45 min
stopień trudności / średniotrudne
kaloryczność / średniokaloryczne
koszt / średniodrogie

Pieczeń cielęca
z kuchni staropolskiej

s k ł a d n i k i : 80 dag cielęciny od kulki • kawałek (5 dag) świeżej, zmrożonej słoniny • cytryna • sól • szklanka śmietany • 3 łyżki oliwy • 1/4 kostki (6 dag) masła • łyżeczka mąki • 2 łyżki mleka

Słoninę kroimy w zgrabne słupki, oprószamy solą. Cielęcinę obieramy z błon, szpikujemy słoniną, nacieramy solą, wcieramy sok z cytryny, układamy ściśle w salaterce, przykrywamy, trzymamy w chłodnym miejscu do następnego dnia.

W rondlu z grubym dnem rozgrzewamy oliwę, dodajemy połowę masła. Gdy tłuszcz będzie gorący, rumienimy cielęcinę ze wszystkich stron, zmniejszamy ogień, dodajemy pozostałe masło i dopiekamy, aż mięso będzie miękkie. Gotową pieczeń wyjmujemy na metalowy półmisek, kroimy w poprzek włókien w zgrabne plastry, trzymamy w cieple.

Przygotowujemy sos: w mleku rozprowadzamy mąkę, gdy znikną grudki, łączymy ze śmietaną. Pozostały spod pieczeni tłuszcz podgrzewamy, zalewamy śmietaną, zagotowujemy, trzymamy na ogniu przez 2 min, by mąka straciła smak surowizny, gdy trzeba, delikatnie doprawiamy solą i sokiem z cytryny. Gorącym sosem zalewamy porcje mięsa, wstawiamy na 5 min (nie dłużej!) do gorącego piekarnika i podajemy z grubym, domowym makaronem lub z kładzionymi kluseczkami.

• oprócz czasu na skruszenie mięsa

liczba porcji / 6
czas przygotowania / 60 min•
stopień trudności / średniotrudne
kaloryczność / średniokaloryczne
koszt / drogie

Cielęcina siekana
z kuchni staropolskiej

s k ł a d n i k i : 50 dag cielęciny bez kości • 2 kopiaste łyżki tartej bułki • 1/2 szklanki letniego mleka • cebula • 2 kopiaste łyżki pokrojonej, świeżej słoniny • jajko • białko • oliwa i masło (pół na pół) • łyżeczka mąki • 2 łyżki mleka • 1/2 szklanki śmietany • sok z cytryny • sól

Tartą bułkę zalewamy letnim mlekiem, by napęczniała. Na łyżce masła podsmażamy posiekaną cebulę. Pokrojoną w kostkę cielęcinę przepuszczamy przez maszynkę razem ze słoniną i cebulą. Do masy dodajemy tartą bułkę, jajko, białko, solimy, całość dokładnie wyrabiamy. Formujemy zgrabny wałek, układamy w wysmarowanej oliwą brytfannie. Wierzch i boki mięsa smarujemy oliwą, wstawiamy do bardzo gorącego piekarnika na 30 min. W czasie pieczenia potrawę polewamy wytworzonym sosem. Zrumienione mięso wykładamy na wygrzany półmisek. Mleko łączymy z mąką, gdy nie będzie grudek, dodajemy śmietanę, zalewamy pozostałym spod pieczeni tłuszczem, sos gotujemy przez 2 min (by mąka straciła smak surowizny). Gdy trzeba, doprawiamy do smaku solą i sokiem z cytryny. Pieczeń dzielimy na równe porcje, zalewamy gorącym sosem i podajemy z ziemniakami purée i zasmażanymi buraczkami.

liczba porcji / 6
czas przygotowania / 70 min
stopień trudności / średniotrudne
kaloryczność / średniokaloryczne
koszt / drogie

liczba porcji / 4

czas przygotowania / 45 min

stopień trudności / średniotrudne

kaloryczność / średniokaloryczne

koszt / średniodrogie

Paprykarz z cielęciny

s k ł a d n i k i : 50 dag cielęciny z tzw. plecówki • cebula
• 1/2 szklanki śmietany • cytryna • łyżeczka mąki • 2 łyżki mleka
• 1/2 łyżeczki mielonej, słodkiej papryki • sól • oliwa i masło
(pół na pół) do smażenia

Mięso dzielimy na 8 zgrabnych porcji, lekko solimy i kropimy sokiem z cytryny. Na silnie rozgrzanym tłuszczu obsmażamy przygotowane kawałki mięsa, gdy się zrumienią z obu stron, wrzucamy posiekaną cebulę, chwilę razem zasmażamy, mieszając, by mięso nie przywarło do naczynia, podlewamy łyżką wody i dusimy pod przykryciem. Gdy woda wyparuje, uzupełniamy (dolewając małe ilości).
W mleku rozprowadzamy mąkę, gdy znikną grudki, łączymy ze śmietaną, dodajemy paprykę, wlewamy do mięsa, zagotowujemy i trzymamy na ogniu przez 2 min, by mąka straciła smak surowizny. Gdy trzeba, sos lekko doprawiamy solą i sokiem z cytryny. Podajemy z ryżem na sypko lub z kładzionymi kluseczkami.

Sznycle cielęce z wytwornym sosem

s k ł a d n i k i : 4 sznycle cielęce wykrojone z dorodnego kawałka sznyclówki • sól • mąka do panierowania • masło i oliwa (pół na pół) do smażenia

s o s : 2 łyżki masła • plaster (5 dag) gotowanej, wiejskiej szynki z tzw. obrączką z tłuszczu, posiekanej w najdrobniejszą kostkę
• 6 drobno posiekanych koreczków z sardeli (anchois)
• 6 odsączonych z zalewy, drobno posiekanych kaparów • kieliszek (50 ml) brandy • szklanka kwaskowej kremówki

Plastry cielęciny rozbijamy zwilżonym zimną wodą, drewnianym (ważne!) tłuczkiem na grubość do 0,5 cm, solimy, obtaczamy w mące (nadmiar strząsamy), odstawiamy w chłodne miejsce (nie do lodówki!).

liczba porcji / 4

czas przygotowania / 40 min

stopień trudności / trudne

kaloryczność / wysokokaloryczne

koszt / drogie

Przygotowujemy sos: w rondlu topimy masło, wrzucamy posiekaną szynkę, przez minutę zasmażamy, cały czas mieszając, dodajemy posiekane sardele i kapary. Całość zasmażamy, ciągle mieszając. Gdy sos będzie miał jednolitą, gładką konsystencję, rondel odstawiamy w ciepłe miejsce.
Na tzw. głębokim tłuszczu smażymy, rumieniąc z obu stron, sznycle. Gotowe przekładamy na wygrzany półmisek. Do pozostałego ze smażenia tłuszczu wlewamy brandy, składniki dokładnie mieszamy, dodajemy do masy przygotowanej na sos, całość podgrzewamy na niewielkim ogniu, cały czas mieszając. Dodajemy lekko ubitą śmietanę i składniki ponownie mieszamy (nie dopuszczając do zagotowania). Gorącym sosem polewamy sznycle i podajemy zaraz po przygotowaniu.

Sznycle cielęce

liczba porcji / 4
czas przygotowania / 35 min
stopień trudności / średniotrudne
kaloryczność / średniokaloryczne
koszt / średniodrogie

s k ł a d n i k i : 4 zgrabne płaty mięsa (ok. 50 dag) wykrojone z kawałka sznyclówki • cytryna • mąka • 2 jajka • tarta bułka do panierowania • sól • oliwa i masło (pół na pół) do smażenia

Zwilżonym zimną wodą, drewnianym (ważne!) tłuczkiem rozbijamy płaty mięsa, formując zgrabne, równej wielkości sznycle. Każdy delikatnie oprószamy solą, kropimy sokiem z cytryny, odstawiamy na 3 min w chłodne miejsce. Gdy mięso stężeje, oprószamy mąką, panierujemy w roztrzepanych jajkach i tartej bułce, kładziemy na silnie rozgrzany tłuszcz i rumienimy przez 2-3 min (czas pieczenia zależy od grubości sznycli) z obu stron. Podajemy na wygrzanym półmisku, obłożone plasterkami cytryny, przybrane zieleniną, z dodatkiem ziemniaków purée i z sezonową surówką.

Mostek cielęcy faszerowany
ze staropolskiej kuchni szlacheckiej

s k ł a d n i k i : 1 kg mostka cielęcego • sól • oliwa • 2 łyżki masła śmietankowego • żółtko • jajko • czerstwa bułka kajzerka • 1/2 szklanki ciepłego mleka • łyżeczka posiekanej zieleniny

Mostek wycieramy wilgotną, skropioną octem ściereczką. Między żeberkami a powłoką mięsną robimy otwór na nadzienie, nacieramy solą wewnątrz i z zewnątrz, odstawiamy w chłodne miejsce.
Przygotowujemy farsz: namoczoną w ciepłym mleku bułkę rozcieramy na jednolitą masę (można przetrzeć przez ostre sito). Masło ucieramy na krem, łączymy z przetartą bułką, 2 żółtkami, ubitym białkiem i zieleniną, lekko solimy. Farsz wkładamy do środka, zszywamy bawełnianą nitką, układamy mostek w wysmarowanej tłuszczem brytfannie i wstawiamy do lekko wygrzanego, niegorącego piekarnika. Pieczemy w temp. 150°C. Gdy mięso się zrumieni, wyjmujemy na półmisek, kroimy w taki sposób, by każda kostka była oddzielnie, polewamy tłuszczem ze smażenia i przybieramy według własnych upodobań.

• o p r ó c z   c z a s u   n a   p i e c z e n i e   m i ę s a

liczba porcji / 4
czas przygotowania / 60 min•
stopień trudności / trudne
kaloryczność / średniokaloryczne
koszt / średniodrogie

Zrazy wołowe

s k ł a d n i k i : 6 płatów wołowego mięsa (może być
z rostbefu) • surowa, biała kiełbasa o wadze ok. 30 dag • kopiasta
łyżka świeżo utartego chrzanu • kopiasta łyżka drobno pokruszonego,
czerstwego razowego chleba • cebula • łyżka gęstej śmietany
• sól • pieprz • mąka krupczatka do oprószenia

s o s : 2 kapelusze suszonych borowików • 1/2 szklanki śmietany
• tłuszcz do smażenia

Mięso rozbijamy delikatnie drewnianym (ważne!), zwilżonym zimną wodą tłuczkiem, oprószamy przyprawami,
odstawiamy w chłodne miejsce.
Surową kiełbasę wyjmujemy z osłonki, dodajemy chrzan,
rozdrobniony chleb, śmietanę, przyprawy, całość wyrabiamy na jednolitą masę. Na płatach mięsa w równych
ilościach rozkładamy farsz, zwijamy porcje bawełnianą
nitką lub bardzo dokładnie (by farsz nie wypływał w cza-

liczba porcji / 6
czas przygotowania / 70 min
stopień trudności / trudne
kaloryczność / wysokokaloryczne
koszt / średniodrogie

sie smażenia) spinamy szpadkami. Panierujemy rolady w mące (nadmiar strząsamy) i obsmażamy
na gorącym, tzw. głębokim tłuszczu, rumieniąc ze wszystkich stron. Gotowe przekładamy do rondla
z grubym dnem. Na pozostałym ze smażenia tłuszczu lekko podsmażamy cebulę, dodajemy do
mięsa, podlewamy 1/2 szklanki wody, dodajemy grzyby, przykrywamy i dusimy, aż mięso będzie
miękkie. Gdy trzeba, podczas duszenia uzupełniamy wyparowaną wodę.
Z miękkich zrazów usuwamy nitki lub szpadki, układamy na wygrzanym, głębokim półmisku, trzymamy w cieple. Sos łączymy ze śmietaną, gdy trzeba, zagęszczamy łyżeczką mąki, polewamy zrazy.
Pozostały sos (można przetrzeć przez perlonowe sito) wlewamy do sosjerki. Podajemy z kaszą gryczaną, ugotowaną na sypko oraz z kiszonym lub małosolnym ogórkiem.

Polędwica wołowa
ze śliwkami

s k ł a d n i k i : 80 dag polędwicy wołowej wykrojonej
ze środkowej części • oliwa i masło (pół na pół) • puszka delikatnego
pasztetu naturalnego z drobiu • 25 dorodnych śliwek węgierek lub
śliwek suszonych (namoczonych w szklance esencjonalnej herbaty)
• 1/2 szklanki białego, wytrawnego wina • sól • pieprz

Obrane z błon mięso wycieramy nasączoną octem ściereczką, nacieramy lekko solą i pieprzem. Na rozgrzanym
na głębokiej patelni tłuszczu rumienimy mięso ze wszystkich stron, przekładamy do rondla, polewamy tłuszczem
ze smażenia, zalewamy winem i dusimy pod przykryciem.
Świeże śliwki dokładnie wycieramy (suszone moczymy
w herbacie), kroimy wzdłuż na połowę, usuwamy pestki, obsuszamy. Każdą połówkę śliwki w miejsce wyjętej

liczba porcji / 6
czas przygotowania / 80 min •
stopień trudności / średniotrudne
kaloryczność / średniokaloryczne
koszt / drogie

pestki napełniamy pasztetem, składamy, układamy na blasze, wstawiamy do piekarnika na nie dłużej niż 6 min. Usmażoną polędwicę wyjmujemy na wygrzany, płaski półmisek, kroimy w cienkie plastry, boki obkładamy zapieczonymi śliwkami. Całość polewamy sosem spod pieczeni. Podajemy gorące, na wygrzanych talerzach, z ziemniakami purée i zasmażanymi buraczkami.

• o p r ó c z c z a s u n a m o c z e n i e ś l i w e k

Polędwica
po angielsku

liczba porcji / 6

czas przygotowania / 50 min*

stopień trudności / średniotrudne

kaloryczność / średniokaloryczne

koszt / średniodrogie

s k ł a d n i k i : 80 dag świeżej, młodej polędwicy wołowej (wykrojonej ze środka) • cytryna • sól • oliwa i masło (pół na pół)

Skruszoną (2-3 godz.) w chłodzie polędwicę wycieramy nasączoną octem ściereczką, usuwamy błony, nacieramy solą, kropimy ze wszystkich stron sokiem z cytryny, przykrywamy, odstawiamy na 30 min w chłodne miejsce. Na dużą, głęboką, rozgrzaną patelnię dajemy tłuszcz, na gorący kładziemy polędwicę. Smażymy na dużym ogniu, rumieniąc ze wszystkich stron. Gotową przykrywamy, wsuwamy do gorącego piekarnika na 30 min i, od czasu do czasu, polewamy tłuszczem, na którym się smażyła. Przed podaniem polędwicę wykładamy na wygrzany półmisek, kroimy w cienkie plastry (wypływający z mięsa sok powinien osadzić się na spodzie półmiska), wierzch polewamy tłuszczem, w którym się smażyła. Półmisek przybieramy jarzynami lub owocami. Danie podajemy bardzo gorące, z grubym, domowej roboty makaronem.

* o p r ó c z   c z a s u   n a   s k r u s z e n i e   m i ę s a

Pieczona polędwica
według Pani Basi

s k ł a d n i k i : dorodna (do 1,2 kg) polędwica wołowa • duża główka czosnku • słoik musztardy delikatesowej • filiżanka drobnego cukru kryształu (gdy trzeba, trochę więcej!)

Obrane ząbki czosnku dzielimy (każdy) na 2-3 części. Oczyszczoną z błon polędwicę wycieramy skropioną octem ściereczką i nakłuwamy przygotowanym czosnkiem (w miarę gęsto i równomiernie). Mięso smarujemy dokładnie musztardą, obsypujemy cukrem, wkładamy do naczynia do zapiekania i natychmiast wstawiamy do bardzo gorącego, nagrzanego do temp. 220°C piekarnika. W czasie pieczenia podlewamy (tylko raz!) niewielką ilością wody.
Na 20 min przed wyjęciem mięsa z piekarnika możemy rozrzucić po bokach brytfanny maleńkie (jak orzeszek!) młode ziemniaki (dokładnie umyte i wytarte do sucha). Upieczone mięso kroimy w zgrabne, niezbyt grube plastry (po 2 na porcję). Mięso zamiast z młodymi ziemniakami możemy podać z kładzionymi kluseczkami z francuskiego ciasta. Oddzielnie, w sosjerce, podajemy wytworzony sos.

* o p r ó c z   c z a s u   n a   p i e c z e n i e   m i ę s a

liczba porcji / 8

czas przygotowania / 40 min*

stopień trudności / średniotrudne

kaloryczność / średniokaloryczne

koszt / średniodrogie

Befsztyki wołowe

s k ł a d n i k i : 4 plastry mięsa (grubości 2 cm) wykrojone
ze środkowej części polędwicy wołowej • 4 płaty chudego bekonu
• 4 duże ząbki czosnku • łyżka octu winnego • 4 łyżki oliwy
• 2 łyżki masła • 1/2 szklanki czerwonego, wytrawnego wina
• sok z cytryny • sól • pieprz

Czosnek (2 ząbki) drobno siekamy, łączymy z octem, dodajemy po dużej szczypcie soli i pieprzu. Porcje mięsa
lekko rozbijamy kantem dłoni, smarujemy przygotowaną zaprawą, układamy jeden na drugim, szczelnie przykrywamy i wstawiamy na 2 godz. do lodówki.
Na głębokiej patelni rozgrzewamy oliwę, wrzucamy 2 ząbki czosnku i podsmażamy. Gdy się lekko zrumienią, usuwamy, a na gorący tłuszcz wkładamy befsztyki, rumienimy z obu stron. Gotowe przekładamy na wygrzany półmisek, szczelnie przykrywamy, wstawiamy do ciepłego piekarnika. Do pozostałego ze smażenia tłuszczu dodajemy

liczba porcji / **4**
czas przygotowania / **30 min** •
stopień trudności / **średniotrudne**
kaloryczność / **wysokokaloryczne**
koszt / **średniodrogie**

masło i, na rozgrzanym, smażymy plastry bekonu, rumieniąc z obu stron. Usmażone natychmiast kładziemy na befsztyki, całość polewamy połową tłuszczu z patelni.
Do tłuszczu, który pozostał, wlewamy wino, sok z cytryny i, cały czas mieszając, zagotowujemy. Gorącym sosem polewamy befsztyki i od razu podajemy z kluseczkami kładzionymi z półfrancuskiego ciasta lub z grubym, domowej roboty makaronem.

• o p r ó c z   c z a s u   n a   m a r y n o w a n i e   m i ę s a

Zrazy wołowe zawijane

s k ł a d n i k i : 6 płatów mięsa wołowego ze zrazówki
lub rostbefu • 12 dużych, suszonych śliwek lub moreli • 12 dużych
migdałów • 6 szerokich, cienkich plastrów chudego, wędzonego
boczku lub wędzonej, surowej szynki • sól • pieprz • śmietana
do doprawienia sosu • oliwa • tarta bułka do panierowania
• oliwa i masło (pół na pół) do smażenia

Płaty mięsa rozbijamy drewnianym (ważne!) tłuczkiem,
oprószamy lekko solą, odstawiamy w chłodne miejsce.
Śliwki moczymy w letniej wodzie. Migdały parzymy
wrzątkiem, obieramy z łupinek.
Na każdym płacie lekko wychłodzonego mięsa kładzie-

liczba porcji / **6**
czas przygotowania / **80 min**
stopień trudności / **średniotrudne**
kaloryczność / **średniokaloryczne**
koszt / **średniodrogie**

my plaster boczku lub szynki. Z namoczonych śliwek usuwamy pestki, w ich miejsce wkładamy
migdał, na każdym płacie mięsa układamy po 2 nadziewane śliwki, lekko oprószamy pieprzem.
Rolady zwijamy, spinamy szpadkami lub owijamy bawełnianą nitką. Gotowe zrazy smarujemy
oliwą, dokładnie panierujemy w tartej bułce, uważając, by wszystkie miejsca były nią pokryte
i smażymy na gorącym tłuszczu. Zrumienione ze wszystkich stron przekładamy do rondla, podlewamy szklanką wody i dusimy do miękkości (w tym czasie zasmażona tarta bułka doskonale
zagęści sos). Gdy trzeba, sos delikatnie doprawiamy do smaku lub, jeśli ktoś lubi, zagęszczamy
śmietaną.

Pieczeń wołowa
w sosie własnym

s k ł a d n i k i : 1 kg mięsa wołowego (zrazówka) • oliwa
i masło (pół na pół) • duża marchew • 1/2 selera średniej wielkości
• biała część pora • cebula • 2 kapelusze suszonych borowików
• 2 szklanki rosołu (może być z koncentratu) • liść laurowy
• kilka ziaren ziela angielskiego • sól • pieprz • mąka ziemniaczana
i śmietana do zaciągnięcia sosu

Grzyby moczymy w letniej wodzie, gdy napęcznieją, kroimy w cienkie paseczki.
Mięso obieramy ze skrawków tłuszczu, wycieramy ściereczką skropioną octem i smażymy na gorącym tłuszczu, rumieniąc równomiernie ze wszystkich stron.
Na spodzie brytfanny (koniecznie ze szczelną pokrywą)
rozkładamy utarte na jarzynowej tarce z dużymi otworami jarzyny i pokrojone w piórka cebulę i por.

liczba porcji / 8
czas przygotowania / 120 min•
stopień trudności / średniotrudne
kaloryczność / średniokaloryczne
koszt / średniodrogie

Na jarzynach układamy mięso, na mięsie grzyby, dodajemy wszystkie przyprawy, podlewamy rosołem, dusimy na niewielkim ogniu przez 80 min, od czasu do czasu potrząsając brytfanną, by pieczeń nie przywarła do dna. Miękkie mięso wyjmujemy na deskę, kroimy w zgrabne, cienkie plastry, układamy na wygrzanym półmisku, okrywamy folią, wstawiamy do ciepłego piekarnika.
Sos spod pieczeni przecieramy przez sito, gdy trzeba, doprawiamy do smaku i zagęszczamy śmietaną wymieszaną z mąką. Przygotowane na półmisku plastry mięsa lekko polewamy sosem, pozostały podajemy w sosjerce. Podajemy z ziemniakami purée i zasmażanymi buraczkami lub z grubym, domowym makaronem.

• oprócz czasu na moczenie grzybów

Polędwica wołowa
po królewsku

s k ł a d n i k i : 90 dag polędwicy wołowej (wykrojonej
ze środkowej części) • kopiasta łyżka masła • sól • pieprz
• natka pietruszki

s o s : łyżka mąki • łyżka masła • cebula • 10 średniej wielkości
pieczarek • duży kieliszek białego, wytrawnego wina • mały kieliszek
madery lub czerwonego wina • sól • pieprz

Polędwicę wycieramy skropioną octem ściereczką, usuwamy błony, smarujemy ze wszystkich stron masłem, układamy (ciasno!) w żaroodpornym naczyniu do zapiekania.

liczba porcji / 6
czas przygotowania / 60 min
stopień trudności / średniotrudne
kaloryczność / średniokaloryczne
koszt / drogie

Wstawiamy do nagrzanego do temp. 220ºC piekarnika, pieczemy (przewracamy mięso tylko raz, uważając, by go nie nakłuć, bo wypłynie sok). Po 30 min wyjmujemy z piekarnika, oprószamy niewielką ilością soli i pieprzu, przykrywamy, trzymamy w cieple (w temp. ok. 50ºC).
Przygotowujemy sos: umyte pieczarki kroimy w cienkie plasterki, zalewamy szklanką wody, obgotowujemy przez 5 min, cedzimy. Wywar pozostawiamy. Drobno posiekaną cebulę podsmażamy na maśle na złoty kolor, dodajemy mąkę, zasmażamy przez 2 min, rozprowadzamy wywarem z pieczarek. Gdy sos się zagotuje i zgęstnieje, dodajemy wino, pieczarki, doprawiamy do smaku i przez 3 min trzymamy na niewielkim ogniu, mieszając. Zestawiamy z ognia, wlewamy maderę lub czerwone wino i jeszcze raz mieszamy. Polędwicę kroimy w zgrabne plastry, układamy na wygrzanym półmisku, przybieramy zieleniną. Oddzielnie podajemy gorący sos i kładzione kluseczki z francuskiego ciasta.

Eskalopki wołowe

s k ł a d n i k i : 6 plastrów polędwicy (wykrojonej
ze środkowej części) • duża filiżanka utartego, żółtego,
pikantnego sera • 3 łyżki tartej bułki oraz 3 kopiaste łyżki
utartego, żółtego sera • oliwa i masło (pół na pół)

s o s : szklanka przecieru lub esencjonalnego soku
pomidorowego • kopiasta łyżka drobno posiekanej
zieleniny (może być kompozycja: koperek, natka
pietruszki, szczypiorek, młode pędy czosnku, rzeżucha)

Tartą bułkę mieszamy z 3 łyżkami utartego,
żółtego sera. Plastry polędwicy lekko rozbijamy drewnianym (ważne!) tłuczkiem, zwilżonym zimną wodą, obtaczamy dokładnie (lekko uciskając) w tartej bułce z serem i od razu
smażymy na bardzo gorącym tłuszczu, rumieniąc
z obu stron. Zestawiamy z ognia, oprószamy niewielką ilością przypraw, przykrywamy, trzymamy
w ciepłym miejscu przez 10-12 min (by „doszły").
Eskalopki wykładamy na wygrzane talerze, posypujemy
utartym pikantnym serem, polewamy sokiem pomidorowym wymieszanym z ziołami. Podajemy gorące, z domowym, grubym makaronem.

liczba porcji / 6

czas przygotowania / 50 min

stopień trudności / średniotrudne

kaloryczność / średniokaloryczne

koszt / średniodrogie

Zrazy à la Potocki

s k ł a d n i k i : 50 dag świeżej polędwicy wołowej (wykrojonej
ze środkowej części) • 1/2 szklanki czerwonego, wytrawnego wina
(najlepiej madera) • 1/2 kostki (12,5 dag) świeżego masła
• 15 średniej wielkości pieczarek • pęczek świeżego koperku

f a r s z : 25 dag pieczarek • 2 łyżki masła • duża cebula
• 2 łyżki najdrobniej posiekanego koperku • jajko • sól • pieprz

Przygotowujemy farsz: posiekane pieczarki dusimy na
maśle razem z drobno posiekaną cebulą, oprószamy niewielką ilością soli i pieprzu, dodajemy koperek, wyrabiamy masę. Stawiamy na niewielkim ogniu, dodajemy jajko i podgrzewamy tak długo, często mieszając, aż farsz
zgęstnieje i nabierze odpowiedniej konsystencji. Odstawiamy do wychłodzenia.
Mięso dzielimy na 4 równe części, rozbijamy drewnianym
(ważne!) tłuczkiem, zwilżonym zimną wodą. Przygotowa-
ne płaty mięsa rozkładamy na zwilżonej wodą desce, na każdy nakładamy równą ilość farszu, zwijamy, związujemy ciasno bawełnianą nitką lub bardzo ściśle szpadkami (podczas smażenia farsz nie
powinien wyciekać). Połowę masła rozgrzewamy na patelni, smażymy zrazy, rumieniąc ze wszystkich stron. Przekładamy do rondla z grubym dnem, dodajemy pozostałe masło, pokrojone w plastry pieczarki, wino, koperek (związany cały pęczek) i dusimy na niewielkim ogniu ok. 20 min.
Gdy mięso będzie miękkie, odrzucamy koperek, przekładamy zrazy na wygrzany półmisek, usuwamy z nich nitki lub szpadki, polewamy całym, wytworzonym podczas duszenia sosem. Podajemy zaraz po przygotowaniu z dodatkiem kaszy gryczanej i zielonej sałaty.

liczba porcji / 4

czas przygotowania / 80 min

stopień trudności / średniotrudne

kaloryczność / średniokaloryczne

koszt / średniodrogie

Pieczona wołowina z pastą serową

liczba porcji / 4
czas przygotowania / 70 min
stopień trudności / średniotrudne
kaloryczność / średniokaloryczne
koszt / średniodrogie

s k ł a d n i k i : 4 nieco grubsze (jak na rolady) plastry wołowiny • duża cebula • 20 dag żółtego, lekko pikantnego sera • oliwa i masło (pół na pół) • jajko • kopiasta łyżka posiekanej natki pietruszki • sól • pieprz

Przygotowujemy pastę: drobno posiekaną cebulę dusimy w niewielkiej ilości tłuszczu. Gdy się zeszkli, zestawiamy z ognia, dodajemy utarty ser, jajko, przyprawy. Składniki mieszamy i, gdy trzeba, doprawiamy do smaku. Plastry mięsa rozbijamy odwrotną stroną noża, oprószamy solą, podpiekamy na niewielkiej ilości tłuszczu na bardzo dobrze rozgrzanej patelni, rumieniąc z obu stron (przez 4-5 min). Zestawiamy z ognia, na wierzchu każdego plastra rozkładamy równą porcję pasty, rozsmarowujemy. Naczynie szczelnie przykrywamy i dopiekamy na najmniejszym ogniu ok. 10-15 min (czas zależy od grubości wołowych płatów).
Podajemy na wygrzanych talerzach z ziemniakami purée lub cienkimi, chrupiącymi frytkami obficie posypanymi zieleniną, z dodatkiem sezonowej surówki.

Steki z pieprzem

s k ł a d n i k i : 2 duże plastry wołowiny stekowej lub 4 plastry wołowej polędwicy • sól • zmiażdżony lub rozbity w moździerzu (nie zmielony!) czarny pieprz • masło do smażenia

s o s : duża łyżka koniaku, winiaku lub brandy • 3 łyżki gęstej, lekko kwaśnej śmietany kremowej

Mięsa nie rozbijamy. Plastry nacieramy niewielką ilością soli i obtaczamy w pieprzu w taki sposób, by był dość mocno wgnieciony w mięso. Na mocno rozgrzaną patelnię wkładamy masło, od razu kładziemy przygotowane steki, lekko rumienimy z obu stron, zmniejszamy ogień i rumienimy raz jeszcze. Zdejmujemy z patelni na wygrzany półmisek i wstawiamy do ciepłego piekarnika. Do pozostałego na patelni tłuszczu wlewamy koniak lub inny alkohol, dodajemy śmietanę i, cały czas mieszając,

liczba porcji / 2
czas przygotowania / 25 min
stopień trudności / średniotrudne
kaloryczność / średniokaloryczne
koszt / średniodrogie

doprowadzamy sos do wrzenia (powinien mieć aksamitną konsystencję). Bardzo ciepłe steki polewamy gorącym sosem, podajemy z kładzionymi kluseczkami z półfrancuskiego ciasta oraz z zieloną sałatą skropioną sokiem z cytryny.
Rada: steki przygotowujemy tylko ze świeżego mięsa. Przechowywane w lodówce lub mrożone nie nadaje się.

Polędwica ze śliwkami

s k ł a d n i k i : 80 dag dorodnej (nie mrożonej!) polędwicy wołowej • 2 szklanki suszonych śliwek (wcześniej pozbawionych pestek) • cebula • płaska łyżeczka kminku • sól • oliwa

Wytarte wilgotną, nasączoną octem ściereczką mięso obieramy z błon, nacieramy lekko solą, odkładamy na godzinę w chłodne miejsce. Wycieramy, zgarniając z powierzchni ewentualny nadmiar soli, kładziemy na gorący tłuszcz, rumienimy ze wszystkich stron. Rondel z grubym dnem wykładamy wypłukanymi śliwkami i pokrojoną w piórka cebulą. Na tej warstwie rozkładamy zrumienione mięso, podlewamy niewielką (1/2 szklanki) ilością wody, posypujemy rozdrobnionym w moździerzu kminkiem i dusimy na niewielkim ogniu ok. godzinę (od czasu do czasu polewając polędwicę wytworzonym sosem). Gdy sos będzie zbyt gęsty, dodajemy, zawsze w niewielkiej ilości, wodę.

Polędwicę podajemy na wygrzanym półmisku, pokrojoną w cienkie plastry (po 2 na porcję), obłożoną śliwkami z pieczeni i polaną, pozostałym po wyjęciu śliwek, przetartym sosem. Najlepiej smakuje z domowym, grubym makaronem i sezonową, delikatną surówką.

liczba porcji / 6
czas przygotowania / 80 min
stopień trudności / średniotrudne
kaloryczność / średniokaloryczne
koszt / średniodrogie

Ozór wołowy
w szarym sosie
– przepis z kuchni staropolskiej

s k ł a d n i k i : ozór wołowy (świeży!) • włoszczyzna • przyprawy

s o s : łyżka masła • łyżka mąki • łyżka cukru zrumienionego na karmel (1/3 szklanki karmelu) • 1/2 szklanki wytrawnego wina • sok i skórka otarta z cytryny • filiżanka rodzynek • filiżanka migdałów • sól • cukier

Umyty ozór wkładamy do ciepłej wody, zagotowujemy, trzymamy minutę, odcedzamy na sicie, hartujemy, przelewając zimną wodą. Przekładamy do garnka z ciepłą wodą, dodajemy włoszczyznę i przyprawy, cebulę, szczyptę soli. Gotujemy na średnim ogniu, aż będzie miękki (do 3 godz.). Trzymamy w gorącym wywarze, przykryty. Rodzynki płuczemy, odsączamy na sicie. Migdały parzymy wrzątkiem, obieramy z łupinek, niezbyt drobno siekamy.

liczba porcji / 6
czas przygotowania / 40 min •
stopień trudności / średniotrudne
kaloryczność / średniokaloryczne
koszt / średniodrogie

Przygotowujemy sos: na maśle rumienimy mąkę na kolor ciemnego złota, rozprowadzamy wywarem z ozora (1 i 1/2 szklanki), zagotowujemy, dokładnie mieszając, by nie powstały grudki. Dodajemy karmel, skórkę i sok z cytryny, rodzynki, migdały, wino. Całość doprawiamy, by sos miał wyraźny, słodko-kwaśny smak, przykrywamy, trzymamy w cieple, by smaki się połączyły.

Z wyjętego z wywaru ozora ściągamy skórę, mięso kroimy w cienkie, ukośne plastry, układamy na wygrzanym półmisku, zalewamy gorącym sosem. Podajemy z ziemniakami purée.

• oprócz czasu na gotowanie ozora

Gulasz wołowy w pomidorowym sosie

liczba porcji / 4
czas przygotowania / 60 min
stopień trudności / średniotrudne
kaloryczność / **wysokokaloryczne**
koszt / średniodrogie

s k ł a d n i k i : 50 dag wołowiny gulaszowej • łyżka smalcu i 2 łyżki oliwy do smażenia • łyżka mąki • sól • pieprz • mielona, słodka papryka • mielona, ostra papryka • cebula • pomidor • szklanka soku pomidorowego

Pokrojone w niewielką kostkę mięso oprószamy mąką wymieszaną z przyprawami, odstawiamy w chłodne miejsce.

W rondlu rozgrzewamy oliwę, dodajemy smalec. Na bardzo gorącym tłuszczu smażymy mięso, rumieniąc ze wszystkich stron. Dorzucamy posiekaną cebulę, podlewamy 1/2 szklanki wody, dusimy pod przykryciem przez 30 min.

Gdy mięso będzie prawie miękkie, dodajemy (obrany ze skórki i pozbawiony pestek) pokrojony w cząstki pomidor, wlewamy sok, zagotowujemy, doprawiamy do smaku. Gdy sos będzie zbyt gęsty, można dodać łyżkę rosołu lub soku pomidorowego. Podajemy z grubym, domowym makaronem lub z kładzionymi kluseczkami.

Gulasz staropolski

s k ł a d n i k i : 50 dag wołowiny • 10 dag wędzonej słoniny • cebula • szklanka białego, wytrawnego wina • sól • pieprz • kminek zmiażdżony w moździerzu • sok z cytryny • łyżka mąki

Pokrojoną w średnią kostkę wołowinę oprószamy mąką wymieszaną z przyprawami (sól, pieprz, zmiażdżony kminek), odstawiamy w chłodne miejsce. Na rozgrzanej patelni topimy pokrojoną w kostkę słoninę. Gdy skwarki zaczną się rumienić, zdejmujemy je za pomocą łyżki cedzakowej, a na tłuszcz wrzucamy przygotowane gulaszowe mięso i, na ostrym ogniu, często mieszając, rumienimy ze wszystkich stron. Pod koniec dodajemy posiekaną cebulę, dorzucamy wyjęte wcześniej skwarki, podlewamy niewielką ilością wody, całość dusimy pod przykryciem przez ok. 30 min.

Gdy mięso będzie prawie miękkie, wlewamy wino, lekko doprawiamy do smaku sokiem z cytryny, podajemy z ugotowaną na sypko kaszą lub domowymi kluskami.

liczba porcji / 4
czas przygotowania / 50 min
stopień trudności / średniotrudne
kaloryczność / **wysokokaloryczne**
koszt / średniodrogie

Meksykański garnek

s k ł a d n i k i : 50 dag wołowiny z rostbefu • puszka czerwonej fasoli w zalewie (1 l) • 2 czerwone papryki • duża cebula • 3 ząbki czosnku • 3 duże pomidory • szklanka soku pomidorowego • liść laurowy • 2 szklanki rosołu (może być z koncentratu) • oliwa • sól

Na rozgrzanej oliwie podsmażamy (często mieszając, aby zrumieniła się ze wszystkich stron) pokrojoną w zgrabne kostki wołowinę z dodatkiem liścia laurowego i niewielkiej ilości soli. Podlewamy rosołem, przykrywamy, dusimy do miękkości przez ok. 30 min.

Na oddzielnej patelni podsmażamy na oliwie posiekaną cebulę, dodajemy pokrojoną w paski paprykę, wcześniej pozbawioną gniazd nasiennych. Gdy jarzyny się zeszklą, dodajemy (obrane ze skórki, pozbawione pestek) pokrojone w cząstki pomidory, zalewamy sokiem, dorzucamy rozdrobniony czosnek, całość lekko doprawiamy do smaku i zasmażamy przez 5 min. Z mięsa usuwamy liść laurowy, dodajemy odsączoną fasolę, zasmażone jarzyny, całość trzymamy na niewielkim ogniu. Gdy potrawa będzie zbyt gęsta, podlewamy rosołem. Całość dusimy przez kilka minut. Przed podaniem, gdy trzeba, doprawiamy do smaku, by wydobyć pikantny, z pomidorową nutą, wyraźny smak. Podajemy z ugotowanym na sypko ryżem.

Pieczeń wołowa z sosem wiśniowym

s k ł a d n i k i : 1,5 kg wołowiny zrazowej • 10 dag świeżej słoniny • 1/2 kostki (12,5 dag) masła • 10 goździków

z a p r a w a : szklanka oleju słonecznikowego • łyżeczka soli • łyżeczka miałkiego pieprzu • łyżeczka słodkiej papryki • łyżeczka ostrej papryki • łyżeczka zmielonego selera • łyżeczka przyprawy prowansalskiej (roztartej w dłoniach)

s o s : szklanka wydrylowanych wiśni (mogą być mrożone) • łyżka masła • łyżka mąki • 2 goździki • 1/2 szklanki czerwonego, wytrawnego wina • 1/3 szklanki wiśniowego soku (nie syropu!) • kieliszek wytrawnej wiśniówki • cukier • sok z cytryny

Wytarte wilgotną ściereczką, obrane z błon i tłuszczu mięso szpikujemy dość gęsto zamrożoną słoniną i goździkami, układamy w porcelanowej misce, zalewamy zaprawą (olej wymieszany z przyprawami), przykrywamy i ustawiamy w chłodnym miejscu nawet na 2 dni (od czasu do czasu przewracamy na drugą stronę). Wyjęte z zaprawy mięso przekładamy na ruszt piekarnika lub do dużej brytfanny,

obkładamy plasterkami masła, wstawiamy do gorącego piekarnika. Pieczemy przez ok. 40 min, często obracając, by się równomiernie zrumieniło. Gdy zmięknie, przykrywamy i trzymamy w cieple. Przygotowujemy sos: w niewielkiej ilości wody rozgotowujemy wiśnie z dodatkiem goździków, przecieramy przez sito. Z mąki i masła przygotowujemy lekko zrumienioną zasmażkę, rozprowadzamy przetartymi wiśniami, dodajemy sok, zagotowujemy (aż mąka straci smak surowizny), dodajemy wino, cukier, sok z cytryny. Sos powinien mieć bardzo wyraźny smak i piękny kolor. Po zdjęciu z ognia dodajemy alkohol. Z mięsa usuwamy zapieczone goździki, kroimy w zgrabne porcje, podajemy na wygrzanym półmisku. Sos wlewamy do sosjerki.

• oprócz czasu na marynowanie mięsa

Befsztyki z kminkiem

s k ł a d n i k i : 4 plastry (po 20 dag każdy) wykrojone
z najszerszej części polędwicy wołowej • 3 kopiaste łyżki kminku
• 2 kopiaste łyżki masła • 2 cebule średniej wielkości • 10 dużych
pieczarek • 1/2 szklanki rosołu (może być z koncentratu) • 3 łyżki
gęstej śmietany • 2 kopiaste łyżki utartego, żółtego sera • szczypta
pieprzu • oliwa

Kminek zalewamy wrzątkiem, odstawiamy do przechłodzenia. Plastry polędwicy delikatnie, najlepiej trzonkiem
noża, rozbijamy, nadając im owalny kształt.
Dobrze odsączony kminek i schłodzone masło siekamy
na desce. Gdy składniki się połączą, smarujemy z obu
stron płaty polędwicy, lekko oprószamy pieprzem, odstawiamy w chłodne miejsce na kilka minut. Nie używa-
my soli! Cebulę siekamy, pieczarki kroimy w plastry.
Na dużej patelni (aby wszystkie befsztyki się zmieściły)
rozgrzewamy oliwę, na gorącą kładziemy befsztyki i smażymy, rumieniąc, przez 3 min z każdej strony. Jeśli ktoś lubi befsztyki bardziej wysmażone, powinien smażyć je o 1-2 min dłużej. Gotowe przekładamy na wygrzany półmisek, przykrywamy i wstawiamy do ciepłego piekarnika.
Na pozostałym ze smażenia tłuszczu lekko rumienimy cebulę i pieczarki. Gdy wydzielany sok odparuje, podlewamy rosołem, dodajemy śmietanę wymieszaną z serem, zagotowujemy i trzymamy
na dużym ogniu. Po 2 min ser się rozpuści i sos będzie gotowy. Natychmiast zalewamy nim ciepłe
befsztyki i podajemy. Najlepiej smakują z ziemniakami purée i z sezonową surówką.

liczba porcji / 4
czas przygotowania / 60 min
stopień trudności / średniotrudne
kaloryczność / średniokaloryczne
koszt / średniodrogie

Polędwiczki wieprzowe
w ziołach

s k ł a d n i k i : 3 polędwiczki wieprzowe (ok. 50 dag każda)
– powinno się z nich wykroić 12 cienkich plasterków • pikantna pasta
do posmarowania mięsa (sól, biały pieprz, musztarda stołowa,
sarepska popsuje smak!) • łyżeczka ziół prowansalskich roztartych
w dłoniach • oliwa lub olej • 2 cebule • 4 kwaskowe jabłka

Przygotowujemy pastę: łyżkę musztardy, płaską łyżeczkę soli oraz płaską łyżeczkę pieprzu rozcieramy na jednolitą masę.
Obrane z tłuszczu, ścięgien i błon polędwiczki wycieramy
wilgotną, skropioną octem ściereczką, kroimy w poprzeczne plastry. Każdy plaster rozbijamy kantem dłoni, smarujemy cienko pastą z obu stron, odstawiamy na 20 min
w chłodne miejsce.
Na rozgrzanym tłuszczu smażymy mięsne płaty, rumienimy z obu stron, posypujemy roztartymi
w dłoniach ziołami. Patelnię szczelnie przykrywamy i trzymamy w ciepłym miejscu przez 10 min.
W rondelku rozgrzewamy tłuszcz, wrzucamy pokrojone w cienkie piórka cebule, gdy się zeszklą,
dodajemy pokrojone w cząstki, wcześniej obrane i pozbawione gniazd nasiennych jabłka, całość
dusimy do miękkości. Gotowe, bardzo delikatnie oprószamy solą i pieprzem.
Polędwiczki podajemy na wygrzanym półmisku, obłożone jabłkami i cebulą. Najlepiej smakują
z młodymi ziemniakami, obficie posypanymi koperkiem i z dodatkiem zielonej sałaty polanej spienionym sosem jogurtowym.

liczba porcji / 4
czas przygotowania / 45 min•
stopień trudności / średniotrudne
kaloryczność / średniokaloryczne
koszt / średniodrogie

• o p r ó c z   c z a s u   n a   l e ż a k o w a n i e   m i ę s a

Pieczeń wieprzowa na dziko

s k ł a d n i k i : 1 kg mięsa wieprzowego od szynki • olej
• czubata łyżka mąki

m a r y n a t a : duża cebula • duża marchew • 1/2 średniej
wielkości selera • 10 jagód jałowca • łyżeczka ziarnistego, czarnego
pieprzu • łyżeczka suszu tymianku • duży liść laurowy • 2 goździki
• 2 szklanki czerwonego, wytrawnego wina • 1/3 szklanki octu
ziołowego lub winnego

liczba porcji / 8
czas przygotowania / 40 min•
stopień trudności / średniotrudne
kaloryczność / wysokokaloryczne
koszt / średniodrogie

Przygotowujemy marynatę: ocet i wino mieszamy, jarzyny kroimy w cienkie słupki, dodajemy przyprawy. Mięso układamy w kamiennym garnku, zalewamy marynatą, szczelnie przykrywamy, stawiamy w chłodnym miejscu, trzymamy przez 2-3 dni (2 razy dziennie odwracamy).
Po wyjęciu z zalewy mięso obsuszamy, lekko oprószamy solą i rumienimy na rozgrzanym tłuszczu ze wszystkich stron. Gotowe przekładamy do rondla z grubym dnem, a na tłuszcz spod pieczeni sypiemy mąkę i, często mieszając, rumienimy. Zasmażkę zalewamy przecedzoną marynatą, zagotowujemy, dokładnie mieszając, by nie było grudek. Do gotującego się sosu dodajemy wszystkie, wcześniej odcedzone jarzyny, zagotowujemy ponownie. Podsmażone mięso zalewamy sosem, rondel szczelnie przykrywamy, dusimy pieczeń na niewielkim ogniu do miękkości (czas zależy od rodzaju mięsa). Miękkie wykładamy na wygrzany półmisek, przykrywamy i trzymamy w cieple. Sos przecieramy przez gęste sito, gdy trzeba, doprawiamy do smaku. Częścią sosu polewamy pokrojone w plastry mięso, pozostały podajemy w sosjerce.
Pieczeń dobrze smakuje z kładzionymi kluskami z półfrancuskiego ciasta i zasmażaną kapustą.

• o p r ó c z   c z a s u   n a   m a r y n o w a n i e   i   p i e c z e n i e   m i ę s a

Pieczona wieprzowina
według Cioci Godziszewskiej

s k ł a d n i k i : 1 kg chudej karkówki (waga bez kości)
lub mięsa od szynki • 50 dag młodej fasolki szparagowej • 8 średniej
wielkości ziemniaków • 4 cebule • szklanka białego, wytrawnego
wina • szklanka rosołu (może być z koncentratu) • sól • pieprz
• duża szczypta przyprawy ziołowej • olej
Rada: wieprzowinę powinno się piec w dużej brytfannie

liczba porcji / 8
czas przygotowania / 25 min•
stopień trudności / średniotrudne
kaloryczność / wysokokaloryczne
koszt / średniodrogie

Wytarte skropioną octem ściereczką mięso nacieramy dokładnie wymieszanymi przyprawami, przykrywamy ściereczką, odstawiamy w chłodne miejsce na godzinę (można nieco dłużej).
W brytfannie rozgrzewamy olej, na gorącym rumienimy mięso ze wszystkich stron, dodajemy pokrojoną w cząstki cebulę, przykrywamy i wstawiamy do dobrze nagrzanego piekarnika (do temp. 200ºC) na 40 min. Fasolkę, gdy trzeba, dzielimy na mniejsze części, zalewamy gorącą, osoloną wodą, gotujemy przez 5 min, cedzimy na sicie.
Do wystawionego z piekarnika mięsa dodajemy rosół, wino. Powstały sos mieszamy, dodajemy pokrojone w „pomarańczkę" ziemniaki i odsączoną fasolkę. Brytfannę przykrywamy i całość wstawiamy ponownie do piekarnika nastawionego na temp. 180ºC na 30 min.
Pieczeń podajemy na wygrzanym półmisku, pokrojoną w zgrabne plastry, obłożoną upieczonymi ziemniakami i fasolą, z dodatkiem zielonej sałaty polanej spienionym sosem jogurtowym.

• o p r ó c z   c z a s u   n a   l e ż a k o w a n i e   i   p i e c z e n i e   m i ę s a

Steki wieprzowe w jarzynach

s k ł a d n i k i : 4 steki po 15 dag • sól • pieprz • oliwa i masło do smażenia • jarzyny: 4 kalarepki, 4 małe, porcjowe kalafiory, 8 młodych marchewek • 50 dag fasolki szparagowej • sól • cukier • łyżeczka masła • masło i tarta bułka do polania jarzyn • zielenina

W szerokim naczyniu zagotowujemy wodę z solą, cukrem i masłem, wrzucamy obraną fasolkę. Po 10 min dodajemy obrane, pokrojone w cząstki lub plasterki kalarepki, wymoczone w wodzie z solą (wypłyną muszki!) kalafiory i obrane marchewki (grubsze kroimy wzdłuż na połowę). Jarzyny gotujemy w odkrytym naczyniu (powinny być miękkie, ale nierozgotowane). Trzymamy w gorącej wodzie.

Na rozgrzanym oleju smażymy steki, rumieniąc z obu stron, następnie zmniejszamy ogień, dodajemy masło i smażymy jeszcze po 2 min z każdej strony.

Na wygrzanych talerzach rozkładamy jednakową ilość dobrze odsączonych jarzyn, polewamy je zrumienionym masłem z tartą bułką, obok układamy świeżo usmażone steki. Całość posypujemy zieleniną i podajemy z ziemniakami purée.

liczba porcji / **4**

czas przygotowania / **50 min**

stopień trudności / **średniotrudne**

kaloryczność / **wysokokaloryczne**

koszt / **średniodrogie**

Pieczeń wieprzowa z jabłkami
według kuchni staropolskiej

s k ł a d n i k i : 1,5 kg wieprzowiny – szynki lub schabu karkowego (waga bez kości!) • 4 duże, winne jabłka • szklanka białego, wytrawnego wina • płaska łyżka masła • tłuszcz do wysmarowania brytfanny • łyżka cukru

m a r y n a t a : szklanka wody • szklanka octu winnego lub ziołowego • 3 duże łyżki oleju • kieliszek czystej wódki • 2 cebule • 4 ząbki czosnku • łyżeczka ziaren kolendry • łyżeczka ziaren czarnego pieprzu • 10 ziaren ziela angielskiego • liść laurowy • łyżeczka soli • łyżka cukru

Przygotowujemy marynatę: czosnek i cebulę siekamy, przyprawy tłuczemy w moździerzu. Wodę z octem zagotowujemy, dodajemy sól, cukier oraz wszystkie rozdrobnione przyprawy, zagotowujemy ponownie i trzymamy na niewielkim ogniu, pod przykryciem, przez 3 min. Zdejmujemy z ognia, dodajemy oliwę i wódkę, przykrywamy, pozostawiamy do lekkiego przechłodzenia.

Mięso, wytarte wilgotną ściereczką skropioną octem, układamy w kamiennym garnku, zalewamy zimną marynatą i trzymamy przez 2 dni w chłodnym miejscu (w tym czasie kilkakrotnie zmieniamy jego położenie). Przesiąknięte marynatą mięso wyjmujemy, obsuszamy, układamy w wysmarowanej tłuszczem brytfannie, wierzch lekko smarujemy masłem i wstawiamy do nagrzanego piekarnika. Gdy się zacznie rumienić, polewamy od czasu do czasu przecedzoną marynatą i wytworzonym sosem.

Obrane i wypestkowane jabłka dzielimy na części, posypujemy cukrem, zalewamy winem i gotujemy na niewielkim ogniu (nie powinny się rozgotować!). Upieczone mięso kroimy w zgrabne porcje, układamy na wygrzanym półmisku i obkładamy jabłkami.

Sos spod pieczeni, gdy trzeba, lekko doprawiamy, zagęszczamy mąką ziemniaczaną, zagotowujemy. Podajemy w sosjerce.

• o p r ó c z   c z a s u   n a   m a r y n o w a n i e   i   p i e c z e n i e   m i ę s a

liczba porcji / **8**

czas przygotowania / **60 min•**

stopień trudności / **średniotrudne**

kaloryczność / **wysokokaloryczne**

koszt / **średniodrogie**

Pieczeń wieprzowa z jabłkami

s k ł a d n i k i : 1,5 kg mięsa wieprzowego od szynki
• 2 szklanki rosołu • 2 szklanki czerwonego, wytrawnego wina
• 2 marchewki • pietruszka • 1/2 średniej wielkości selera • 2 duże
cebule • liść laurowy • kilka ziaren czarnego pieprzu • kilka ziaren
ziela angielskiego • 6 dorodnych, kwaskowych jabłek • słoik
konfitur z jarzębiny lub z aronii • oliwa

Wytarte wilgotną, skropioną octem ściereczką mięso formujemy w zgrabny pakiecik, owijając bawełnianą nitką.
Jarzyny i cebule rozdrabniamy, układamy na spodzie
brytfanny, dodajemy przyprawy, zalewamy rosołem i winem. Układamy mięso i dusimy do miękkości na niewielkim ogniu, pod przykryciem. Gdy trzeba, wyparowany
płyn uzupełniamy rosołem i winem.

liczba porcji / 10
czas przygotowania / 50 min •
stopień trudności / średniotrudne
kaloryczność / wysokokaloryczne
koszt / średniodrogie

Obrane jabłka kroimy na połowę, układamy na blaszce obficie posmarowanej oliwą, w miejsce po wy-
ciętych gniazdach nasiennych nakładamy łyżeczkę konfitur, wstawiamy do nagrzanego do temp. 140ºC
piekarnika i zapiekamy. Upieczone mięso wykładamy na wygrzany półmisek, usuwamy nitkę, kroimy
w zgrabne plastry, obkładamy upieczonymi połówkami jabłek. Sos przecieramy, gdy trzeba, lekko odparowujemy i przyprawiamy do smaku. Podajemy w sosjerce.

• oprócz czasu na pieczenie mięsa

Pieczona szynka

s k ł a d n i k i : dorodny kawałek mięsa wykrojony od szynki
(ok. 50 dag) • 10 goździków • sól • 1/2 szklanki wywaru z jarzyn
• puszka ananasów • 3 łyżki miodu • łyżka cukru • oliwa lub dobry
olej • łyżeczka mąki ziemniaczanej

Wytarte wilgotną, skropioną octem ściereczką mięso nacieramy solą, wyrabiając dłońmi przez 2 min. Szpikujemy
goździkami, smarujemy oliwą, przekładamy do brytfanny,
do której wlewamy na spód 2 łyżki oliwy, wstawiamy do
dobrze nagrzanego piekarnika, pieczemy w temp. 180ºC.
Wywar z jarzyn łączymy z sokiem z ananasów i, od czasu do czasu, polewamy po wierzchu piekące się mięso.
Gdy się zrumieni i zmięknie, zlewamy do rondelka wytworzony sos, mięso smarujemy miodem, posypujemy

liczba porcji / 8
czas przygotowania / 35 min •
stopień trudności / średniotrudne
kaloryczność / wysokokaloryczne
koszt / średniodrogie

cukrem, obkładamy krążkami ananasów i ponownie wstawiamy do piekarnika na 20-30 min.
Rondelek z sosem stawiamy na niewielkim ogniu. Gdy sos się zagotuje, łączymy z rozprowadzoną w niewielkiej ilości mąką ziemniaczaną, zagotowujemy, gdy trzeba, delikatnie doprawiamy do
smaku.
Upieczoną szynkę wyjmujemy na półmisek, usuwamy goździki, kroimy w zgrabne porcje (plastry),
obkładamy ananasami. Sos, gdy trzeba, cedzimy przez perlonowe sito, podajemy gorący, w sosjerce. Do dania najodpowiedniejsze będzie zapiekane, ziemniaczane purée i zielona sałata polana
spienionym sosem jogurtowym lub owocowa sałatka.

• oprócz czasu na pieczenie mięsa

Szynka wieprzowa na dziko

s k ł a d n i k i : dorodny kawałek szynki wieprzowej (ok. 2 kg) • sól • oliwa lub olej do smażenia • 2-3 duże cebule • płaska łyżeczka utłuczonych w moździerzu ziaren jałowca

m a r y n a t a : 1/2 szklanki octu winnego lub estragonowego • 1/2 szklanki białego, wytrawnego wina • cienko okrojona skórka z dużej cytryny i wyciśnięty z niej sok • łyżeczka cukru • 20 jagód suszonego jałowca • 10 ziaren ziela angielskiego • 10 ziaren czarnego pieprzu • liść laurowy • 4 goździki

s o s : łyżka czystego smalcu • łyżka mąki • szklanka wywaru z jarzyn lub lekkiego rosołu (może być z koncentratu) • 2 pełne łyżki domowych powideł smażonych bez cukru (śliwkowych) lub przetartego dżemu z jarzębiny

Składniki marynaty zagotowujemy. Mięso, po wytarciu wilgotną, skropioną octem ściereczką, układamy w kamiennym garnku, obkładamy (także na spodzie) plastrami cebuli, zalewamy marynatą, przykrywamy lnianą ściereczką i ustawiamy w chłodnym miejscu na 2-3 dni (każdego dnia kilkakrotnie je obracając). Po zamarynowaniu myjemy pod bieżącą wodą, obsuszamy w ściereczce, nacieramy solą. Obsmażamy na głębokim tłuszczu, rumieniąc ze wszystkich stron, i przekładamy do brytfanny. W rondelku rozgrzewamy 2 łyżki oliwy, gdy będzie gorąca, łączymy z utłuczonymi w moździerzu owocami jałowca, polewamy mięso i wstawiamy do nagrzanego do temp. 150ºC piekarnika na 1,5 godz., polewając od czasu do czasu łyżką przecedzonej marynaty.
Przygotowujemy sos: do pozostałego ze smażenia mięsa tłuszczu dodajemy smalec. Gdy będzie gorący, dodajemy mąkę i zasmażamy, aż się lekko zrumieni. Zasmażkę rozprowadzamy rosołem lub wywarem z jarzyn, zagotowujemy, cały czas mieszając. Dodajemy powidła, raz jeszcze zagotowujemy i, gdy trzeba, doprawiamy do smaku.
Upieczone mięso wykładamy na płaski półmisek, kroimy w zgrabne plastry. Do tłuszczu spod pieczeni dodajemy sos, dokładnie mieszamy i raz jeszcze doprawiamy do smaku. Cały sos, gdy trzeba, przecieramy przez perlonowe sito, częścią polewamy porcje mięsa, pozostały podajemy w sosjerce. Pieczeń najlepiej smakuje z kluskami z surowych ziemniaków, z kopytkami lub kluskami drożdżowymi ugotowanymi na parze i z zasmażanymi buraczkami lub zasmażaną, czerwoną kapustą.

* o p r ó c z   c z a s u   n a   p i e c z e n i e   m i ę s a

liczba porcji / 6–8
czas przygotowania / 60 min•
stopień trudności / średniotrudne
kaloryczność / wysokokaloryczne
koszt / średniodrogie

Schab w czerwonym winie

s k ł a d n i k i : 50 dag schabu bez kości • olej i łyżka czystego smalcu do smażenia • 50 dag pieczarek • szklanka czerwonego, wytrawnego wina • 3 duże łyżki śmietany kremowej • sól • pieprz • przyprawa prowansalska roztarta w dłoniach

Mięso dzielimy na jednakowej grubości 4 kotlety i drewnianym (ważne!) tłuczkiem, zwilżonym zimną wodą, rozbijamy na grubość centymetra. Gotowe lekko solimy i odstawiamy na kilka minut w chłodne miejsce.
Tak przygotowane mięso smażymy na rozgrzanym tłuszczu (olej i smalec), rumienimy z obu stron, przekładamy do rondla, odstawiamy w ciepłe miejsce. Na pozostałym ze smażenia tłuszczu podsmażamy pokrojone w cienkie plasterki pieczarki. Gdy sos z pieczarek wyparuje, przekładamy je do rondla z mięsem. Patelnię stawiamy na niewielkim ogniu, wlewamy wino, mieszamy do momentu, aż wino połączy się z pozostałym tłuszczem i powstanie sos o jednolitej konsystencji. Do sosu dodajemy śmietanę, mieszając, podgrzewamy (nie zagotowujemy!) i natychmiast polewamy sosem mięso i pieczarki. Gotowe danie trzymamy przez kilka minut w ciepłym piekarniku, by smaki dobrze się połączyły. Podajemy z dodatkiem grubego makaronu lub z kładzionymi kluseczkami z półfrancuskiego ciasta i z zieloną sałatą obficie polaną spienionym sosem jogurtowym.

liczba porcji / 4
czas przygotowania / 50 min
stopień trudności / średniotrudne
kaloryczność / wysokokaloryczne
koszt / średniodrogie

liczba porcji / 4
czas przygotowania / 20 min •
stopień trudności / średniotrudne
kaloryczność / wysokokaloryczne
koszt / średniodrogie

Schab karkowy w miodzie

s k ł a d n i k i : 4 plastry (całość ok. 40 dag) o grubości 1 cm niezbyt mocno przerośniętego schabu karkowego • kilka ząbków czosnku • płynny miód • 2 słoiczki keczupu (po 100 g każdy)

Płaty mięsa lekko wycieramy wilgotną, skropioną octem ściereczką, rozkładamy na desce, nacieramy zmiażdżonym czosnkiem, układamy na arkuszu folii aluminiowej, smarujemy obficie miodem. Folię szczelnie zawijamy i wkładamy na kilka godzin do lodówki (nie dodajemy żadnych innych przypraw i nie solimy!).
Na godzinę przed podaniem rozkładamy plastry w naczyniu do zapiekania i wkładamy do gorącego, podgrzanego do temp. 200ºC piekarnika na 30-35 min (czas pieczenia zależy od grubości plastrów mięsa). Od czasu do czasu mięso polewamy wytworzonym w czasie pieczenia sosem. Gdy będzie miękkie, zalewamy keczupem. Składniki powstałego sosu dokładnie mieszamy i ponownie wstawiamy mięso (na ok. 5 min) do gorącego piekarnika.
Podajemy do grubego makaronu typu wstążki lub do kładzionych klusek z półfrancuskiego ciasta.

• oprócz czasu na pieczenie i wychłodzenie mięsa

Schabowe paluszki

s k ł a d n i k i : 50 dag schabu bez kości • 50 dag pieczarek • duża cebula • szklanka rosołu (może być z koncentratu) • sól • pieprz • przyprawa ziołowa • olej • 1/2 szklanki śmietany • mąka krupczatka do panierowania

Wytarty wilgotną, skropioną octem ściereczką schab kroimy wzdłuż na kilkucentymetrowe paluszki (po 2 na porcję). panierujemy w mące wymieszanej z przyprawami, odstawiamy na 10 min w chłodne miejsce. Na rozgrzanym tłuszczu podsmażamy paluszki, rumieniąc ze wszystkich stron, przekładamy do rondla. Na pozostałym ze smażenia tłuszczu (gdy trzeba, tłuszcz uzupełniamy) podsmażamy posiekaną cebulę. Gdy się zeszkli, dodajemy pieczarki i, często mieszając, smażymy, aż grzyby puszczą sok. Przekładamy do rondla ze schabem, całość podlewamy rosołem, dusimy do miękkości nie dłużej niż 15 min, przyprawiamy do smaku, zaciągamy śmietaną wymieszaną z niewielką ilością mąki, zagotowujemy. Podajemy z ugotowanym na sypko ryżem i sałatką z pomidorów.

liczba porcji / 6
czas przygotowania / 60 min
stopień trudności / średniotrudne
kaloryczność / średniokaloryczne
koszt / średniodrogie

Schab karkowy
dla smakoszy

s k ł a d n i k i : 60 dag schabu karkowego (waga bez kości)
• pieprz • sól • 2 łyżki płynnego miodu • kopiasta łyżka posiekanej
natki pietruszki • 2 cebule • 2 marchewki • 1/2 szklanki wywaru
z jarzyn lub rosołu (może być z koncentratu) • oliwa lub olej

Wytarte wilgotną, skropioną octem ściereczką mięso wyrabiamy przez minutę w dłoniach, nacierając jednocześnie solą i pieprzem. Odstawiamy na 10 min w chłodne miejsce. Na rozgrzany w rondlu tłuszcz kładziemy mięso i rumienimy, często obracając. Podlewamy rosołem, zmniejszamy ogień i dusimy. Po kilku minutach dodajemy do mięsa pokrojoną w cienkie talarki marchew i nadal dusimy (przykryte) na niewielkim ogniu, aż marchew i mięso będą miękkie.

Oddzielnie, na niewielkiej ilości tłuszczu rumienimy na złoty kolor pokrojoną w cząstki cebulę. Miód i posiekaną natkę pietruszki mieszamy. Upieczone mięso wyjmujemy na żaroodporny półmisek, smarujemy miodem z pietruszką, wkładamy na 6 min (nie dłużej!) do nagrzanego piekarnika. Po tym czasie wyłączamy go, ale mięso trzymamy w cieple.

Sos spod pieczeni łączymy z cebulą, zagotowujemy, gdy trzeba, doprawiamy do smaku. Gotowy przecieramy przez sito lub rozbijamy w malakserze. Mięso kroimy w zgrabne porcje, podajemy na wygrzanym półmisku polane niewielką ilością sosu. Pozostały sos, koniecznie gorący, podajemy w sosjerce.

liczba porcji / **4**
czas przygotowania / **30 min** •
stopień trudności / **średniotrudne**
kaloryczność / **wysokokaloryczne**
koszt / **średniodrogie**

• oprócz czasu na pieczenie mięsa

Schab pieczony
z cebulą

s k ł a d n i k i : 2 kg młodego schabu z kością • 12 średniej
wielkości cebul • sól • łyżeczka majeranku • łyżeczka tymianku
• łyżeczka estragonu • łyżeczka bazylii • kilka goździków • olej

Mięso oddzielamy od kości. W szerokim, płytkim naczyniu zagotowujemy wodę z dodatkiem soli, pieprzu i ziół. Do wrzątku wkładamy schab i podzielone na części schabowe kostki. Gotujemy delikatnie na małym ogniu przez 15 min, zestawiamy, szczelnie przykrywamy. Mięso powinno stygnąć w aromatycznym wywarze.

Zimne lekko obsuszamy, posypujemy dość obficie pieprzem i rumienimy w tzw. głębokim tłuszczu ze wszystkich stron. Przekładamy do brytfanny, obkładamy połówkami cebul, w które wbijamy po jednym goździku, polewamy tłuszczem, w którym mięso się smażyło, szczelnie przykrywamy, wstawiamy do nagrzanego do temp. 180°C piekarnika (czas pieczenia mięsa zależy od jego grubości). Pieczeń jest gotowa, gdy otaczająca ją cebula lekko się zrumieni.

Rada: połówki cebul można lekko przymocować do mięsa za pomocą drewnianej wykałaczki.

Schab kroimy w cienkie plastry, układamy na wygrzanym półmisku, obkładamy cebulą, polewamy niewielką ilością tłuszczu, w którym mięso się rumieniło. Podajemy z ziemniakami purée i zasmażanymi, czerwonymi buraczkami.

liczba porcji / **14**
czas przygotowania / **50 min** •
stopień trudności / **średniotrudne**
kaloryczność / **wysokokaloryczne**
koszt / **średniodrogie**

• oprócz czasu na pieczenie mięsa

Schab pieczony
w aromatycznym sosie

s k ł a d n i k i : 1 kg dorodnego, młodego schabu bez kości • sok z cytryny
• łyżka przesianego przez sito majeranku • 2 szklanki suszonych śliwek
kalifornijskich (bez pestek) • 2 duże cebule • 2 łyżki płynnego miodu • sól
• pieprz • olej do smażenia

Wilgotną, skropioną octem ściereczką dokładnie wycieramy mięso,
układamy na arkuszu folii, kropimy obficie sokiem z cytryny, nacieramy solą, pieprzem i połową majeranku. Folię szczelnie zwijamy, trzymamy mięso w chłodnym miejscu.

Suszone śliwki zalewamy przegotowaną, letnią wodą w takiej ilości, by przykrywała je na centymetr.

Na głębokiej patelni rozgrzewamy olej, na gorącym rumienimy ze wszystkich stron wyjęte z folii, schłodzone mięso. Przekładamy do brytfanny, kropimy wodą (2-3 łyżki), w której moczyły się
śliwki, wstawiamy do nagrzanego piekarnika lub stawiamy na niewielkim ogniu, naczynie przykrywamy.
Po 20 min schab posypujemy posiekaną cebulą, obkładamy odsączonymi z wody śliwkami, podlewamy
wodą, w której się moczyły, nadal dusimy (pod przykryciem), aż mięso będzie miękkie.
Upieczony schab wyjmujemy na deskę i pozostawiamy do przechłodzenia. Do wytworzonego w czasie
pieczenia sosu dodajemy pozostały majeranek, miód, resztę płynu, w którym moczyły się śliwki, zagotowujemy, odstawiamy. Na 20 min przed podaniem kroimy schab w zgrabne porcje, układamy w żaroodpornym półmisku. Sos przecieramy przez sito, gdy trzeba, doprawiamy do smaku solą i pieprzem,
zalewamy mięso i całość wkładamy do bardzo ciepłego (nie gorącego!) piekarnika na 12-15 min. Najlepiej smakuje z kluskami drożdżowymi gotowanymi na parze lub z kopytkami i zasmażaną kapustą.

* o p r ó c z   c z a s u   n a   p i e c z e n i e   m i ę s a

liczba porcji / 6
czas przygotowania / 35 min•
stopień trudności / średniotrudne
kaloryczność / wysokokaloryczne
koszt / średniodrogie

Kotlety schabowe
zapiekane z winem

s k ł a d n i k i : 4 dorodne (o grubości do 3 cm), zgrabnie
uformowane kotlety schabowe bez kostek • sól • pieprz
• mąka krupczatka do panierowania • oliwa

s o s : duża cebula • duży ząbek czosnku • 2 kopiaste łyżki bardzo
drobno (ważne!) pokrojonej chudej, wędzonej szynki • szklanka
białego, wytrawnego wina • sól • pieprz do smaku • zielenina

Kotlety rozbijamy zwilżonym zimną wodą, drewnianym
(ważne!) tłuczkiem na grubość nieprzekraczającą 2 cm,
oprószamy solą, pieprzem i mąką (nadmiar mąki strząsamy). Smażymy na dobrze rozgrzanym tłuszczu, rumieniąc z obu stron. Gotowe przekładamy do wygrzanego
naczynia do zapiekania, a na pozostały ze smażenia
tłuszcz wrzucamy drobno posiekaną wraz z czosnkiem
cebulę, zasmażamy, często mieszając. Gdy cebula się ze-
szkli (nie zrumieni!), dodajemy szynkę i, na niewielkim ogniu, pod przykryciem, dusimy całość przez
3 min. Składniki podlewamy winem i gotujemy przez 5 min pod przykryciem (koniecznie na niewielkim ogniu, by smaki się połączyły). Gorącym sosem zalewamy kotlety i wstawiamy na 20-25 min
do nagrzanego do temp. 180ºC piekarnika. Podajemy z grubym makaronem typu wstążki lub z kładzionymi kluskami z półfrancuskiego ciasta, obficie posypane zieleniną.

liczba porcji / 4
czas przygotowania / 30 min•
stopień trudności / średniotrudne
kaloryczność / wysokokaloryczne
koszt / średniodrogie

* o p r ó c z   c z a s u   n a   z a p i e k a n i e

Schab ze śliwkami
– wykwintny

s k ł a d n i k i : 1 kg młodego schabu bez kości • 10 dag suszonych śliwek kalifornijskich bez pestek lub 50 dag śliwek świeżych (waga po odrzuceniu pestek) • tłuszcz do zrumienienia mięsa • sól • pieprz • mąka do zagęszczenia sosu • sok z całej, dużej cytryny • 1/2 soku świeżo wyciśniętego z pomarańczy • goździk • duża szczypta tymianku

Mięso wycieramy wilgotną, skropioną octem ściereczką, nacieramy solą, pieprzem i roztartym w dłoniach tymiankiem, lekko oprószamy mąką i opiekamy na rozgrzanym tłuszczu, rumieniąc równomiernie ze wszystkich stron. Przekładamy mięso do brytfanny, zalewamy tłuszczem, w którym się smażyło, dodajemy 1/2 szklanki wody, szczelnie przykrywamy i wkładamy na 30 min do nagrzanego do temp. 180ºC piekarnika. Od czasu do czasu mięso polewamy wytworzonym sosem.

Namoczone wcześniej śliwki suszone lub śliwki świeże dodajemy do prawie miękkiego mięsa i pieczemy, nadal pod przykryciem, jeszcze przez 10 min. Miękki schab przekładamy na wygrzany półmisek i trzymamy w ciepłym miejscu. Sos przecieramy przez sito, dodajemy sok z pomarańczy, przyprawiamy solą, sokiem z cytryny i zagęszczamy mąką rozmieszaną w minimalnej ilości zimnej wody. Całość zagotowujemy, trzymamy na ogniu przez 3 min. Przed podaniem mięso kroimy w cienkie plastry, układamy na półmisku, przybieramy owocami, np. połówkami świeżych śliwek i delikatnie polewamy sosem. Pozostały sos wlewamy do sosjerki.

• o p r ó c z   c z a s u   n a   p i e c z e n i e   m i ę s a

liczba porcji / 6
czas przygotowania / 40 min•
stopień trudności / średniotrudne
kaloryczność / wysokokaloryczne
koszt / średniodrogie

Schab z ziołami

s k ł a d n i k i : 50 dag młodego schabu bez kości • 1/2 kostki (12,5 dag) masła • sól • pieprz • bazylia • utarta gałka muszkatołowa • 2 ząbki drobno posiekanego (nie zmiażdżonego!) czosnku • płaska łyżeczka przyprawy prowansalskiej

Dzień wcześniej wytarte wilgotną, skropioną octem ściereczką mięso nacieramy solą, pieprzem i roztartą w dłoniach bazylią, owijamy szczelnie w aluminiową folię i wkładamy do lodówki (schab powinien być dobrze wychłodzony).

Na 2 godz. przed podaniem przygotowujemy mięso do pieczenia. Masło łączymy ze wszystkimi przyprawami oraz posiekanym czosnkiem. Schab dzielimy, nacinając plastry (na 8 porcji), w taki sposób, by nie były dokrojone do końca. Każdy nacięty plaster smarujemy masłem z ziołami. Mięso łączymy w całość, owijamy bardzo szczelnie w aluminiową folię, tak przygotowany „pakunek" układamy na blaszce, podlewamy szklanką wody i wstawiamy na godzinę do nagrzanego do temp. 200ºC piekarnika. Przed podaniem „pakunek" ostrożnie otwieramy, uważając, by nie rozlać smakowitego sosu. Mięso przekładamy na podłużny półmisek, przekrawamy plastry do końca. Podajemy z grubym makaronem lub z tartymi ziemniakami. Oddzielnie, w sosjerce, podajemy sos.

• o p r ó c z   c z a s u   n a   m a r y n o w a n i e   i   p i e c z e n i e   m i ę s a

liczba porcji / 8
czas przygotowania / 30 min•
stopień trudności / średniotrudne
kaloryczność / wysokokaloryczne
koszt / średniodrogie

Rolada z boczku z ziołami

s k ł a d n i k i : 50 dag chudego, surowego, z tzw. „młodej sztuki" boczku • 5 dużych ząbków czosnku • łyżka suszonego majeranku (przesianego przez sito) • płaska łyżka roztartego w dłoniach, suszonego cząbru lub ziół prowansalskich • 2 łyżki oleju • płaska łyżeczka soli • 2/3 łyżeczki czarnego mielonego pieprzu

Dokładnie wytarty wilgotną, skropioną octem ściereczką boczek rozkładamy na desce.

Do miseczki sypiemy zioła, dodajemy olej, utarty z solą czosnek, pieprz, składniki rozcieramy na jednolitą masę. Rozkładamy równomiernie (płat musi być całkowicie przykryty) na przygotowanym boczku. Rolujemy, owijamy ciasno w folię aluminiową i dokładnie uszczelniamy, by nie wydobywał się zapach, wstawiamy na całą noc do lodówki. Następnego dnia wychłodzone mięso (w folii!) wkładamy do piekarnika nagrzanego do temp. 140°C i pieczemy przez godzinę. Obok „pakunku" z mięsem stawiamy naczynie z wodą, by parowała. Upieczone rozwijamy z folii i przez kilka minut trzymamy w znacznie wyższej temperaturze (200°C), by mięso się zrumieniło. Podajemy na gorąco, pokrojone w plastry, z ziemniakami i sezonową surówką lub na zimno, z pikantnymi, ostrymi sosami.

liczba porcji / 6
czas przygotowania / 50 min•
stopień trudności / średniotrudne
kaloryczność / wysokokaloryczne
koszt / średniodrogie

• oprócz czasu na pieczenie mięsa

Boczek pieczony faszerowany

s k ł a d n i k i : płat chudego, cienkiego, świeżego boczku (do 50 dag) • 2 duże cebule • szklanka suszonych grzybów • szklanka tartej bułki • 3 jajka • 10 goździków • sól • pieprz • roztarty w dłoniach tymianek • olej do podsmażenia cebuli • mleko do moczenia grzybów

Namoczone 2 godz. wcześniej w wodzie z mlekiem (pół na pół) suszone grzyby gotujemy do miękkości w płynie, w którym się moczyły. Cebulę podsmażamy na oleju, aż się lekko zrumieni.

Wytarty wilgotną, skropioną octem ściereczką boczek nacieramy solą wymieszaną z pieprzem i majerankiem, odstawiamy w chłodne miejsce. Miękkie grzyby odsączamy i wraz z podsmażoną cebulą przepuszczamy przez maszynkę lub rozbijamy w malakserze. Dodajemy tartą bułkę, jajka, przyprawy, całość wyrabiamy na jednolitą masę. Gdy będzie zbyt gęsta, dodajemy trochę wywaru z grzybów. Farsz nakładamy równą warstwą na boczek, zwijamy, układamy na arkuszu folii aluminiowej, bardzo dokładnie zawijamy, tworząc zgrabny „pakiecik". Wierzch nacinamy ostrym nożem w zgrabną kratkę, w kilka miejsc, na przecięciu się kratek, wbijamy goździk. Boczek układamy mocno ściśnięty w formie rolady w naczyniu do zapiekania, podlewamy niewielką ilością wody i wkładamy do gorącego piekarnika na godzinę lub nieco dłużej (czas zależy od grubości boczku). Po wyjęciu z piekarnika pozostawiamy w pakiecie do wychłodzenia. Przed podaniem kroimy ostrym, cienkim nożem, układamy na półmisku (wcześniej usuwamy goździki), przybieramy zieleniną i krążkami pomidorów.

liczba porcji / 6
czas przygotowania / 60 min•
stopień trudności / średniotrudne
kaloryczność / wysokokaloryczne
koszt / średniodrogie

• oprócz czasu na pieczenie mięsa

Boczek pieczony

s k ł a d n i k i : 1 kg surowego, chudego boczku • duża cebula
• 2 liście laurowe • płaska łyżeczka soli • kopiasta łyżka majeranku
(koniecznie przesianego przez sito) • kilka ziaren czarnego pieprzu
• kilka ziaren ziela angielskiego • 2 łyżki wody

W moździerzu rozdrabniamy ziarna pieprzu, ziela angielskiego i liście laurowe. Przyprawy mieszamy, dodajemy
wodę i tak przygotowaną bejcą nacieramy boczek ze
wszystkich stron, owijamy w pergamin i odstawiamy na
całą noc w chłodne miejsce. Po tym czasie obkładamy
boczek cienkimi plasterkami cebuli, ponownie zawijamy
w pergamin i odkładamy w chłodne miejsce do następnego dnia. Zamarynowany i dobrze wychłodzony przekładamy do dużego, płaskiego rondla, skórą do góry,
podlewamy 1/2 szklanki wody i pieczemy w dobrze nagrzanym piekarniku, od czasu do czasu uzupełniając wodę, która odparowuje. W czasie pieczenia należy uwa-
żać, by boczek zbyt szybko się nie wytopił, trzeba go więc
dość często obracać i polewać wytworzonym w czasie pieczenia sosem. Gdy zmięknie, naczynie
z boczkiem stawiamy na wierzchu płyty w piekarniku lub lekko rumienimy.
Gorący wyjmujemy na płaski półmisek i pozostawiamy do wychłodzenia. Podajemy na zimno, pokrojony w cienkie plasterki, najlepiej z dodatkiem pikantnych sosów (chrzanowego, korniszonowe-
go lub pomidorowego) lub z ćwikłą.

• o p r ó c z c z a s u n a p i e c z e n i e m i ę s a

liczba porcji / 6
czas przygotowania / 25 min•
stopień trudności / średniotrudne
kaloryczność / wysokokaloryczne
koszt / średniodrogie

Boczek pieczony na ostro

s k ł a d n i k i : 1 kg świeżego, chudego boczku • cebula
• ząbek czosnku + płaska łyżeczka sproszkowanego czosnku
• płaska łyżeczka imbiru • płaska łyżeczka mielonego pieprzu
• łyżeczka mielonej papryki • 1/2 łyżeczki soli • szczypta (czubek
noża) chili • utłuczony w moździerzu duży liść laurowy • duża łyżka
płynnego miodu • 3 łyżki oleju

Boczek wycieramy wilgotną, skropioną octem ściereczką, odstawiamy w chłodne miejsce.
Przygotowujemy zaprawę: cebulę i czosnek najdrobniej
siekamy lub ucieramy na tarce, do miazgi dodajemy
wszystkie pozostałe składniki przyprawowe, dokładnie
mieszamy. Zaprawą nacieramy boczek, owijamy w pergamin i ustawiamy na całą dobę w chłodnym miejscu.
Dobrze wychłodzony układamy w brytfannie (pergamin odrzucamy), podlewamy niewielką ilością
wody i wstawiamy do nagrzanego do temp. 140ºC piekarnika. W czasie pieczenia obracamy mięso kilka razy i podlewamy na zmianę: łyżką wody i wytworzonym w czasie pieczenia sosem. Gdy
boczek będzie miękki, stawiamy na płycie i przez kilka minut rumienimy na dużym ogniu.
Ciepły wyjmujemy z brytfanny, rozkładamy na półmisku, po wychłodzeniu owijamy w folię aluminiową, trzymamy w chłodnym miejscu. Podajemy pokrojony w cienkie plasterki, z dodatkiem pikantnych sosów lub z pikantną sałatką.

• o p r ó c z c z a s u n a p i e c z e n i e m i ę s a

liczba porcji / 6
czas przygotowania / 30 min•
stopień trudności / średniotrudne
kaloryczność / wysokokaloryczne
koszt / średniodrogie

liczba porcji / 8

czas przygotowania / 40 min*

stopień trudności / trudne

kaloryczność / wysokokaloryczne

koszt / średniodrogie

Rolada z boczku

s k ł a d n i k i : 1 kg chudego boczku bez skóry
• 20 dag wołowiny (może być gulaszowa) • duża cebula • 2 duże
marchewki • 2 kopiaste łyżki posiekanej natki pietruszki • 3 jajka
• sól • pieprz • łyżeczka przyprawy do zup • szczypta przyprawy chili

Marchew ucieramy na tarce jarzynowej z małymi otworami. Cebulę, boczek i wołowinę przepuszczamy 2 razy
przez maszynkę, łączymy z utartą marchwią, dodajemy
jajka, przyprawy, zieleninę, całość wyrabiamy. Jednolitą, odpowiednio przyprawioną masę zawijamy w lnianą
ściereczkę, dokładnie natartą olejem, i obwiązujemy, najlepiej bawełnianym bandażem, jak baleron. W dużym,
szerokim garnku zagotowujemy wodę, dodajemy kilka
ziaren pieprzu i ziela angielskiego, liść laurowy oraz sól.
Do wrzątku wkładamy roladę. Gotujemy na najmniejszym ogniu (woda powinna tylko lekko „mrugać") przez
godzinę lub nieco dłużej (czas gotowania zależy od grubości rolady). Wyjętą z wrzątku roladę układamy na desce i pozostawiamy do wychłodzenia. Zimną wyjmujemy ze ściereczki, owijamy w folię aluminiową, wkładamy do lodówki. Schłodzoną kroimy w cienkie plastry. Podajemy z dodatkiem pikantnych sosów.

* o p r ó c z   c z a s u   n a   g o t o w a n i e   m i ę s a

Boczek pieczony zawijany

s k ł a d n i k i : 1 kg chudego boczku • 2 duże cebule
• przyprawy (dowolne)

Wytarty wilgotną, skropioną octem ściereczką boczek nacieramy ulubionymi przyprawami: majerankiem, solą,
pieprzem, zmiażdżonymi owocami jałowca, mieloną papryką. Owijamy w pergamin, odstawiamy w chłodne
miejsce, najlepiej do następnego dnia. Wychłodzony, prze-
siąknięty przyprawami boczek rolujemy jak baleron (za
pomocą sznurka). Na skórce robimy dekoracyjne nacię-
cia, układamy w brytfannie, podlewamy niewielką ilością wody i wstawiamy na 50 min do nagrzanego do
temp. 140ºC piekarnika. Po tym czasie wkładamy do brytfanny obraną i pokrojoną na 4 części cebulę i ponownie
wstawiamy do piekarnika na 15-20 min (pieczemy pod
przykryciem, by mięso było soczyste). Z wystudzonego
w brytfannie boczku zdejmujemy sznurek, zawijamy w folię, wkładamy do lodówki. Plastry boczku podajemy z dodatkiem pikantnych sosów lub z ostrą w smaku sałatką.
Z wytworzonego sosu oraz uprużonej cebuli powstanie
wspaniały, pikantny smalec, znakomity do smarowania
razowca.

* o p r ó c z   c z a s u   n a   p i e c z e n i e   m i ę s a

liczba porcji / 8

czas przygotowania / 25 min*

stopień trudności / średniotrudne

kaloryczność / wysokokaloryczne

koszt / średniodrogie

Boczek duszony w winie

s k ł a d n i k i : 1 kg bardzo chudego (ważne!) boczku
• 2 szklanki rosołu (może być z koncentratu) • 2 szklanki czerwonego, wytrawnego wina • 2 marchewki • korzeń pietruszki • 1/2 średniej wielkości selera • duża cebula • liść laurowy • kilka ziaren pieprzu • kilka ziaren ziela angielskiego • goździk • sól

Boczek dokładnie wycieramy wilgotną, skropioną octem ściereczką, odkładamy w chłodne miejsce. Umyte warzywa kroimy w plasterki, cebulę w cienkie piórka. Na spodzie dużego, koniecznie z grubym dnem, rondla układamy warzywa, na nich lekko oprószony solą boczek, całość zalewamy rosołem i winem. Dodajemy przyprawy, rondel szczelnie przykrywamy, stawiamy na niewielkim ogniu. Dusimy, aż mięso będzie miękkie. Wyjmujemy na płaski talerz.

Z rozgotowanych jarzyn, przetartych przez perlonowe sito, przygotowujemy sos, doprawiamy do smaku i, gdy trzeba, zaciągamy łyżeczką mąki ziemniaczanej, rozprowadzonej w minimalnej ilości zimnej wody. Całość zagotowujemy, trzymamy na ogniu przez 3 min, by mąka straciła smak surowizny.

Na gorąco podajemy plastry boczku rozgrzane w sosie, a na zimno z dodatkiem ostrych, pikantnych sosów.

* o p r ó c z   c z a s u   n a   p i e c z e n i e   m i ę s a

liczba porcji /	**8**
czas przygotowania /	**40 min** •
stopień trudności /	**średniotrudne**
kaloryczność /	**wysokokaloryczne**
koszt /	**średniodrogie**

Żeberka w jarzynce z jarmużu

s k ł a d n i k i : 1 kg liści jarmużu (waga po obraniu z grubych liści i twardych „żył") • 4 cebule • 80 dag chudych, mięsnych żeberek • 4 goździki • łyżka mąki • sól • pieprz • łyżeczka musztardy • duża szczypta cukru • olej

Na rozgrzanym tłuszczu zasmażamy posiekaną cebulę, gdy się zeszkli, dodajemy jarmuż, pieprz, sól, cukier, całość smażymy, ciągle mieszając, przez 2 min.

Do każdej, dokładnie wytartej wilgotną ściereczką, porcji żeberek wciskamy goździk. Żeberka wkładamy do naczynia z jarmużem, zalewamy 2 szklankami wody i dusimy do miękkości pod przykryciem, na niewielkim ogniu, przez ok. 30 min.

Na suchej patelni rumienimy mąkę. Gdy zbrązowieje, łączymy z łyżką wody, dodajemy do jarmużu, całość dokładnie łączymy, doprawiamy do smaku musztardą i, gdy trzeba, solą i pieprzem. Podajemy ze smażonymi ziemniakami, ziemniakami purée lub z ziemniaczanymi krokietami.

* o p r ó c z   c z a s u   n a   d u s z e n i e   ż e b e r e k

liczba porcji /	**4**
czas przygotowania /	**15 min** •
stopień trudności /	**średniotrudne**
kaloryczność /	**średniokaloryczne**
koszt /	**średniodrogie**

Żeberka
z niespodzianką

s k ł a d n i k i : 4 porcje (60 dag) mięsnych żeberek • 2 duże parówki lub odpowiadający wagowo kawałek kiełbasy parówkowej • duża cebula • duża czerwona papryka • łyżka koncentratu pomidorowego • łyżka keczupu • sól • pieprz • duża szczypta roztartego w dłoniach tymianku lub ziół prowansalskich • szczypta mielonej, ostrej papryki • olej • mąka

Porcje żeberek wycieramy wilgotną ściereczką, nacieramy przyprawami, oprószamy mąką (nadmiar mąki strząsamy) i odkładamy na chwilę w chłodne miejsce. Na dużej patelni (ważne!) rozgrzewamy tłuszcz i smażymy, rumieniąc z obu stron, porcje żeberek. Gotowe przekładamy do rondla, a na pozostałym ze smażenia tłuszczu podsmażamy pokrojoną w piórka cebulę. Gdy się zeszkli, dodajemy pokrojoną w cienki „makaronik" paprykę, całość przez chwilę dusimy. Gdy papryka zmięknie, przekładamy do rondla z mięsem, podlewamy niewielką ilością wody, naczynie szczelnie przykrywamy, dusimy na niewielkim ogniu przez ok. 20 min (czas duszenia zależy od mięsa). Wyparowany sos, gdy trzeba, uzupełniamy małymi porcjami wody.
Do miękkich żeberek dodajemy pokrojone w plasterki parówki, keczup, rozprowadzony w łyżce wody koncentrat, całość zagotowujemy i, gdy trzeba, doprawiamy do smaku. Sos powinien mieć wyraźny, pikantny smak, z dominującą nutą pomidorową, wyraźny, zbliżony do czerwieni kolor i niepowtarzalny aromat. Podajemy do wszelkiego rodzaju makaronów, klusek i kluseczek.

liczba porcji / 4
czas przygotowania / 60 min
stopień trudności / średniotrudne
kaloryczność / średniokaloryczne
koszt / średniodrogie

Żeberka wieprzowe
z włoską kapustą

s k ł a d n i k i : 1 kg mięsnych żeberek (z tzw. „młodej sztuki") • cebula • olej • mała głowa lub 1/2 głowy dużej włoskiej kapusty • sól • pieprz • 2 duże, kwaskowe jabłka • łyżka mąki krupczatki • płaska łyżeczka nasion kopru włoskiego • zielenina

Wytarte wilgotną, skropioną octem ściereczką żeberka dzielimy na 4 równe części, oprószamy mąką wymieszaną z przyprawami, smażymy na mocno rozgrzanym tłuszczu, rumienić z obu stron. Mięso przekładamy do rondla. Na pozostałym ze smażenia tłuszczu lekko rumienimy posiekaną cebulę, przekładamy do naczynia z żeberkami, całość posypujemy nasionami kopru, podlewamy 1/2 szklanki wody zagotowanej na patelni po smażeniu cebuli, naczynie szczelnie przykrywamy, stawiamy na małym ogniu i dusimy. Gdy mięso będzie prawie miękkie, dodajemy pokrojoną w średni „makaronik" kapustę, całość trzymamy na niewielkim ogniu (bez przykrycia). Po 10 min do rondla dodajemy utarte na jarzynowej tarce z dużymi otworami jabłka (wcześniej obrane i pozbawione gniazd nasiennych), zagotowujemy, trzymamy na ogniu przez 2 min. Gdy trzeba, doprawiamy do smaku. Podajemy z ziemniakami.

liczba porcji / 4
czas przygotowania / 55 min
stopień trudności / średniotrudne
kaloryczność / średniokaloryczne
koszt / średniodrogie

Żeberka pieczone
z owocami

s k ł a d n i k i : 1,5 kg świeżych, mięsnych żeberek • szklanka czerwonego, wytrawnego wina • mąka krupczatka do panierowania • olej i smalec (pół na pół) do smażenia • sól • pieprz • kilka ziaren czarnego pieprzu • kilka ziaren ziela angielskiego • majeranek • 4 duże cebule • 6 goździków • 4 winne jabłka • szklanka suszonych, pozbawionych pestek śliwek kalifornijskich • szklanka suszonych moreli • 2 kopiaste łyżki rodzynek

Morele i rodzynki moczymy w letniej wodzie. Dokładnie wytarte wilgotną ściereczką żeberka dzielimy na równe części, w każdą wciskamy goździk, oprószamy przyprawami i mąką (nadmiar mąki strząsamy), rumienimy z obu stron na rozgrzanym tłuszczu. Porcje wkładamy do brytfanny, a na pozostałym ze smażenia tłuszczu podsmażamy posiekaną cebulę. Gdy się zeszkli, przekładamy do brytfanny z żeberkami. Do pozostałego na patelni tłuszczu wlewamy szklankę wody z odsączonych moreli, zagotowujemy i dokładnie mieszamy, by cały tłuszcz dobrze się rozpuścił. Dodajemy wino, pozostałe przyprawy i całym sosem zalewamy żeberka. Brytfannę przykrywamy i stawiamy na 20 min na niewielkim ogniu. Miękkie morele kroimy w paski i wraz ze śliwkami i rodzynkami dodajemy do brytfanny. Porcje żeberek odwracamy na drugą stronę i nadal dusimy na małym ogniu, aż mięso będzie miękkie. Na niewielkiej ilości tłuszczu podsmażamy połówki jabłek ze skórką (z usuniętymi gniazdami nasiennymi), posypujemy majerankiem, trzymamy na małym ogniu, pod przykryciem.
Przed podaniem półmisek przybieramy zieleniną, z każdej porcji żeberek usuwamy dokładnie wszystkie kostki, porcje mięsa obkładamy połówkami jabłek. Sos przecieramy przez perlonowe sito, gdy trzeba, zagęszczamy. Podajemy w sosjerce.

liczba porcji / 6
czas przygotowania / 60 min
stopień trudności / średniotrudne
kaloryczność / średniokaloryczne
koszt / średniodrogie

Żeberka zapiekane
z owocami

s k ł a d n i k i : 1 kg mięsnych żeberek (z tzw. „młodej sztuki") • 3-4 łyżki płynnego miodu (ilość miodu zależy od mięsa) • 2 winne jabłka • 1 l jabłkowego, niskosłodzonego musu • 2 goździki • kawałek kory cynamonowej • 10 dag suszonych śliwek kalifornijskich (bezpestkowych) • sok z cytryny • skórka otarta z całej cytryny

Wytarte wilgotną, skropioną octem ściereczką żeberka dzielimy na zgrabne porcje (po 2 części na każdą) i układamy w naczyniu do zapiekania (najlepiej szklanym, żaroodpornym). Każdy kawałek smarujemy z obu stron miodem, całość posypujemy skórką otartą z cytryny, przykrywamy, wstawiamy do lodówki. Następnego dnia, na 1,5 godz. przed podaniem, obkładamy żeberka pokrojonymi w poprzek, wcześniej obranymi ze skórki, plasterkami jabłek, obficie skropionymi cytryną (by nie ściemniały), suszonymi śliwkami, zalewamy musem, dodajemy goździki i cynamon. Całość wstawiamy do nagrzanego do temp. 140°C piekarnika na godzinę lub nieco dłużej (czas zapiekania zależy od jakości mięsa). Danie będzie gotowe, gdy wierzchnia warstwa ładnie się zrumieni, a boki będą odstawały od brzegów formy. Podajemy z ugotowanym na sypko ryżem i z zieloną sałatą, polaną spienionym sosem jogurtowym.

liczba porcji / 4
czas przygotowania / 30 min•
stopień trudności / średniotrudne
kaloryczność / średniokaloryczne
koszt / średniodrogie

• oprócz czasu na pieczenie żeberek

liczba porcji / **4**

czas przygotowania / **50 min**•

stopień trudności / **średniotrudne**

kaloryczność / **średniokaloryczne**

koszt / **średniodrogie**

Żeberka panierowane
z kuchni staropolskiej

s k ł a d n i k i : 1 kg mięsnych żeberek (z tzw. „młodej sztuki")
• duży pęczek włoszczyzny • liść laurowy • kilka ziaren pieprzu
• kilka ziaren ziela angielskiego • cebula • sól • mąka krupczatka
• 2 jajka • tarta bułka do panierowania • olej i smalec (pół na pół)

W dużym naczyniu zagotowujemy wodę, dodajemy oczyszczoną włoszczyznę, przyprawy, sól. Oczyszczone żeberka dzielimy na 8 zgrabnych kawałków. Opłukane wrzucamy do gotującej się włoszczyzny, zagotowujemy, stawiamy na średnim ogniu, gotujemy w odkrytym naczyniu do czasu, aż mięso będzie miękkie (czas gotowania zależy od jakości mięsa). Miękkie żeberka wyjmujemy łyżką cedzakową na deskę, usuwamy wszystkie kostki i chrząstki, pozostawiamy do lekkiego przechłodzenia. Na 20 min przed podaniem każdą część mięsa lekko oprószamy solą, panierujemy w mące, jajku i tartej bułce. Smażymy na gorącym tłuszczu, rumieniąc z obu stron. Podajemy bardzo gorące, bezpośrednio z patelni na wygrzany talerz, wspaniale chrupiące, z dodatkiem frytek lub z zapiekanym ziemniaczanym purée. Z wywaru można przygotować doskonałą, esencjonalną zupę.

• o p r ó c z   c z a s u   n a   g o t o w a n i e   ż e b e r e k

Golonka zasmażana
– przepis z kuchni staropolskiej

s k ł a d n i k i : 4 średnie, tzw. porcjowe, mięsne golonki
• porcja włoszczyzny • duży kapelusz suszonego borowika

z a l e w a : łyżka soli peklującej • łyżka cukru • 3 liście laurowe
• 10 ziaren czarnego pieprzu • 10 ziaren ziela angielskiego
• 10 goździków • 1/2 łyżeczki nasion kolendry • 2 i 1/2 szklanki
przegotowanej wody

Przyprawy bardzo dokładnie rozdrabniamy w moździerzu, dodajemy sól i cukier. Składniki mieszamy, dzielimy na połowę. Jedną częścią przypraw równomiernie nacieramy golonki, układamy w kamiennym garnku, szczelnie przykrywamy, trzymamy w chłodzie przez 2 doby. Po tym czasie golonkę zalewamy przegotowaną, z dodatkiem pozostałej części przypraw, chłodną wodą, odstawiamy na kolejne 2 dni w chłodne miejsce.

liczba porcji / **4**

czas przygotowania / **30 min**•

stopień trudności / **średniotrudne**

kaloryczność / **wysokokaloryczne**

koszt / **średniodrogie**

Wyjęte z zalewy golonki płuczemy, zalewamy wrzącą wodą i gotujemy przez ok. godzinę na niewielkim ogniu. Do naczynia z mięsem dodajemy przygotowaną włoszczyznę i suszonego borowika, całość gotujemy do miękkości.
Wyjmujemy łyżką cedzakową, przekładamy do żaroodpornego naczynia, podlewamy 1/2 szklanki wywaru, w którym golonki się gotowały, i wstawiamy do bardzo gorącego piekarnika na 25-30 min. W czasie zapiekania skórka powinna się lekko zrumienić. Podajemy z zasmażaną, kwaszoną kapustą i grochem purée lub z pieczywem i świeżym chrzanem.

• o p r ó c z   c z a s u   n a   p e k l o w a n i e   i   z a p i e k a n i e   g o l o n e k

Golonka
według przepisu Pana Wojewody

s k ł a d n i k i : 4 średniej wielkości, wcześniej zapeklowane, golonki • porcja włoszczyzny • 2 liście laurowe • 1/2 łyżeczki ziaren czarnego pieprzu • 1/2 łyżeczki ziaren ziela angielskiego • 1/2 łyżeczki ziaren kolendry • zrumieniona na suchej patelni średniej wielkości cebula

Golonki płuczemy, zbyt słone moczymy w wodzie. Prze-kładamy do naczynia z wrzącą wodą i przyprawami, go-tujemy przez godzinę na małym ogniu. Po tym czasie do-dajemy obraną włoszczyznę, przyrumienioną cebulę, go-tujemy przez następną godzinę lub nieco dłużej (czas za-leży od jakości mięsa). Prawie miękkie mięso wyjmujemy łyżką cedzakową, układamy w naczyniu do zapiekania, polewamy niewielką ilością zebranego z wierzchu wywa-ru tłuszczu i wstawiamy do gorącego, nagrzanego do temp. 200ºC piekarnika na 20-30 min (czas zapiekania zależy od tempa, w jakim mięso będzie się rumieniło). Podajemy bardzo gorące, z wiórkami świeżego chrzanu, staropolskim sosem chrzanowym oraz żytnim pieczywem lub z zasmażaną, kwaszoną kapustą z grzybami i grochem purée.

• o p r ó c z c z a s u n a g o t o w a n i e i z a p i e k a n i e m i ę s a

liczba porcji / 4
czas przygotowania / 30 min•
stopień trudności / średniotrudne
kaloryczność / wysokokaloryczne
koszt / średniodrogie

Golonka zapiekana w piwie

s k ł a d n i k i : 4 średniej wielkości, mięsne, wcześniej zapeklowane golonki • 4 goździki • porcja włoszczyzny • liść laurowy • ziarna pieprzu • ziarna ziela angielskiego • ziarna kolendry • 2 szklanki jasnego, pełnego piwa • łyżeczka ziół prowansalskich

Golonki płuczemy, zbyt słone moczymy w wodzie. Tak przygotowane zalewamy gorącą wodą, dodajemy przy-prawy, gotujemy na niewielkim ogniu przez 30 min. Do-dajemy obraną włoszczyznę i gotujemy jeszcze przez go-dzinę, odstawiamy z ognia.
Do naczynia do zapiekania wlewamy 1/2 szklanki wywa-ru z golonek, wkładamy golonki, w każdą porcję (na wierzchu) wbijamy goździk, oprószamy roztartymi w dło-niach ziołami, zalewamy szklanką piwa i wkładamy do nagrzanego do temp. 200ºC piekarnika (mięso ma się zapiekać, a nie gotować).
Gdy golonki zaczną się rumienić, od czasu do czasu pod-lewamy pozostałym piwem. Pod koniec zapiekania usu-wamy z mięsa goździki. Podajemy bardzo gorące, na wy-grzanych talerzach, lekko polane wytworzonym, piwnym sosem z dodatkiem zasmażanej, kwaszonej kapusty oraz ziemniaków purée.

• o p r ó c z c z a s u n a g o t o w a n i e i z a p i e k a n i e g o l o n e k

liczba porcji / 4
czas przygotowania / 25 min•
stopień trudności / średniotrudne
kaloryczność / wysokokaloryczne
koszt / średniodrogie

Klopsiki
w pomidorowym sosie

s k ł a d n i k i : 50 dag mielonego mięsa wołowo-wieprzowego
• 1/2 szklanki tartej bułki • 3/4 szklanki rosołu (może być
z koncentratu) • cebula • jajko • białko • kopiasta łyżka posiekanego
szczypiorku • 2 kopiaste łyżki utartego, żółtego sera • sól • pieprz
• roztarta w dłoniach przyprawa prowansalska • szczypta (czubek
noża) chili • olej • mąka krupczatka do panierowania

s o s : szklanka gęstej śmietany • szklanka soku pomidorowego
• łyżka koncentratu pomidorowego • 2 łyżki rosołu • 2 ząbki drobno
posiekanego czosnku • sól • pieprz • roztarty w dłoniach tymianek

Tartą bułkę zalewamy ciepłym rosołem, dodajemy drobno posiekaną, zeszkloną na tłuszczu cebulę, jajko, białko, szczypior, żółty ser i przyprawy. Wyrabiamy mięsną
masę, dzielimy na 12 równych części. Formujemy zgrabne klopsiki, oprószamy mąką krupczatką (nadmiar mąki
strząsamy) i wstawiamy na 30 min do lodówki.
Wychłodzone porcje smażymy na gorącym, tzw. dużym
tłuszczu, rumieniąc z obu stron. Gotowe przekładamy do
wysmarowanej tłuszczem formy do zapiekania i zalewamy sosem.
Przygotowujemy sos: koncentrat pomidorowy rozprowadzamy w letnim rosole, łączymy z sokiem
pomidorowym, posiekanym czosnkiem, śmietaną i przyprawami.
Zapiekamy przez 15-20 min w temp. 180ºC. Podajemy z kładzionymi kluseczkami, grubym makaronem lub chrupiącymi frytkami i z zieloną sałatą, skropioną sokiem z cytryny.

liczba porcji / 6
czas przygotowania / 60 min •
stopień trudności / średniotrudne
kaloryczność / średniokaloryczne
koszt / średniodrogie

• o p r ó c z   c z a s u   n a   w y c h ł o d z e n i e   m i ę s a

Pieczeń
z mielonego mięsa

s k ł a d n i k i : 50 dag mielonego mięsa wołowo-
-wieprzowego • 2 cebule • 15 dag wątróbki (może być
z drobiu) • 2 jajka • 1/2 szklanki tartej bułki • szklanka
rosołu (może być z koncentratu) • sól • pieprz • mielona,
słodka papryka • plasterki tłustego, wędzonego boczku
do wyłożenia spodu naczynia do zapiekania • majeranek
• olej • otręby pszenne

Tartą bułkę zalewamy ciepłym rosołem (3/4 szklanki). Na
tłuszczu podsmażamy posiekaną cebulę, gdy się zeszkli, dodajemy wątróbkę, rumienimy. Usmażoną wątróbkę z mięsem
mielonym przepuszczamy przez maszynkę (składniki lepiej się połączą), dodajemy napęczniałą tartą bułkę, jajka i przyprawy. Składniki łączymy, wykładamy na posypaną otrębami pszennymi stolnicę, formujemy zgrabny rulon. Tak przygotowane mięso układamy w wyłożonym plasterkami boczku naczyniu do zapiekania. Wierzch pieczeni smarujemy oliwą, wstawiamy na godzinę do gorącego, nagrzanego do temp. 200ºC piekarnika. Gdy zacznie się rumienić, polewamy pieczeń na przemian łyżką
rosołu i wytworzonym sosem. Gotową kroimy w plastry, podajemy na gorąco z ziemniakami i zasmażanymi buraczkami lub na zimno, z pikantnym sosem chrzanowym, tatarskim lub pomidorowym.

liczba porcji / 6
czas przygotowania / 100 min
stopień trudności / średniotrudne
kaloryczność / średniokaloryczne
koszt / średniodrogie

Kotlety mielone nadziewane

s k ł a d n i k i : 50 dag mielonego mięsa wołowo-wieprzowego
• kopiasta łyżka tartej bułki • 1/2 szklanki mleka • jajko • białko
• cebula • 6 plasterków (o grubości 0,5 cm każdy) sera salami
• masło • mielona, słodka papryka • sól • pieprz • olej
• podłużna cebula przekrojona na 4 części • tarta bułka i mąka
krupczatka do panierowania

Drobno posiekaną cebulę zasmażamy na oleju, nie dopuszczając, by się zrumieniła. Tartą bułkę zalewamy ciepłym mlekiem. Z plasterków sera zdejmujemy otoczkę,
każdy plasterek smarujemy z obu stron masłem, oprószamy papryką, wstawiamy do lodówki.
Do rozmoczonej tartej bułki dodajemy cebulę, jajko, białko, przyprawy i mięso. Całość wyrabiamy na jednolitą
masę, dzielimy na równe części. Z każdej porcji mięsa formujemy szeroki płat, do środka wkładamy wychłodzony
ser, otaczamy mięsem, panierujemy, dokładnie dociskając, w tartej bułce wymieszanej z mąką krupczatką i wsta-
wiamy na 30 min lub nieco dłużej do lodówki. Na rozgrzanym, tzw. głębokim tłuszczu, smażymy
kotlety, po bokach patelni rozkładamy ćwiartki cebuli (powinna się zrumienić, jak mięso). Zrumienione przykrywamy i trzymamy w cieple ok. 15 min. Podajemy z ziemniakami purée, nakryte ćwiart-
ką usmażonej cebuli oraz z sezonową surówką.

• o p r ó c z   c z a s u   n a   w y c h ł o d z e n i e   k o t l e t ó w

liczba porcji / 6
czas przygotowania / 50 min •
stopień trudności / **średniotrudne**
kaloryczność / **średniokaloryczne**
koszt / **średniodrogie**

---

liczba porcji / 6
czas przygotowania / 50 min •
stopień trudności / **średniotrudne**
kaloryczność / **średniokaloryczne**
koszt / **średniodrogie**

Kotlety mielone pikantne

s k ł a d n i k i : 50 dag mielonego mięsa (może być z kilku gatunków) • duża cebula • 10 dużych pieczarek
• kopiasta łyżka tartej bułki • 1/2 szklanki mleka • jajko • białko • łyżka koncentratu pomidorowego
• 2 łyżki pikantnego keczupu • sól • pieprz • majeranek • olej • tarta bułka wymieszana
z utartym żółtym serem (pół na pół)

Na oliwie podsmażamy drobno posiekaną cebulę, gdy się zeszkli, dodajemy bardzo drobno posiekane pieczarki, zasmażamy, aż wyparuje większość soku.
Tartą bułkę zalewamy ciepłym mlekiem. Gdy napęcznieje, dodajemy pieczarki zasmażone z cebulą, jajko, białko, koncentrat pomidorowy, mięso i przyprawy. Całość wyrabiamy na gładką, jednolitą masę, dzielimy na 6 równych części, formujemy zgrabne
kotlety, panierujemy w tartej bułce wymieszanej z serem, wstawiamy na 30 min do lodówki. Smażymy na gorącym tłuszczu,
rumieniąc z obu stron, przykrywamy, trzymamy kilka minut
w cieple. Podajemy z ziemniakami purée lub z ziemniakami
z wody, obficie posypanymi zieleniną oraz z sałatą polaną spienionym sosem jogurtowym.

• o p r ó c z   c z a s u   n a   w y c h ł o d z e n i e   k o t l e t ó w

liczba porcji / 6

czas przygotowania / 45 min•

stopień trudności / średniotrudne

kaloryczność / średniokaloryczne

koszt / średniodrogie

Kotlety mielone

s k ł a d n i k i : 50 dag mielonego mięsa wołowo-wieprzowego • łyżka masła • 1/2 szklanki rosołu (może być z koncentratu) • kopiasta łyżka tartej bułki • jajko • białko • 2 kopiaste łyżki posiekanego koperku (może być mrożony) • łyżka koncentratu pomidorowego • sól • pieprz • olej • tarta bułka i mąka krupczatka (pół na pół) do panierowania • 2 ząbki czosnku

Tartą bułkę zalewamy ciepłym rosołem, mieszamy, dodajemy masło, koncentrat. Składniki łączymy, dodajemy mięso, jajko, białko, koperek, przyprawy, całość wyrabiamy na niezbyt gęstą, jednolitą masę. Zwilżonymi w zimnej wodzie dłońmi formujemy zgrabne kotlety, układamy na desce, wstawiamy na godzinę do lodówki. Na dużej patelni rozgrzewamy tłuszcz, wrzucamy ząbki czosnku, gdy się zrumienią – odrzucamy. Kotlety panierujemy w tartej bułce wymieszanej z mąką krupczatką, smażymy na średnim ogniu, aż się zrumienią. Naczynie przykrywamy i trzymamy w cieple przez 10-15 min (aż „dojdą"). Podajemy z ziemniakami i sezonową surówką.

• o p r ó c z   c z a s u   n a   w y c h ł o d z e n i e   k o t l e t ó w

Mielone sznycelki w śmietanie

s k ł a d n i k i : 50 dag mielonego mięsa wołowo-wieprzowego • 2 średniej wielkości cebule • 2 łyżki tartej bułki • 1/2 szklanki mleka • 2 jajka • sól • pieprz • majeranek • szczypta mielonego czosnku • mąka krupczatka do panierowania • olej i smalec (pół na pół) do smażenia

s o s : szklanka kwaśnej kremówki • filiżanka utartego, żółtego sera

Drobno posiekane cebule lekko zasmażamy (powinny się tylko zeszklić). Tartą bułkę zalewamy ciepłym mlekiem, mieszamy, dodajemy zasmażone cebule, jajka, mięso, przyprawy. Całość wyrabiamy na jednolitą mięsną masę. Formujemy zgrabne, okrągłe sznycelki (po 2 na porcję), obtaczamy w mące (nadmiar mąki strząsamy) i smażymy na rozgrzanym tłuszczu, rumieniąc z obu stron. Gotowe przekładamy do wysmarowanego tłuszczem naczynia do zapiekania, zalewamy śmietaną wymieszaną z utartym serem i wstawiamy na 15 min do nagrzanego do temp. 200ºC piekarnika. Potrawa jest gotowa, gdy śmietana na wierzchu lekko się zrumieni.

Podajemy z ziemniakami purée lub frytkami z dodatkiem sezonowej surówki lub z kładzionymi kluseczkami.

liczba porcji / 6

czas przygotowania / 45 min

stopień trudności / średniotrudne

kaloryczność / średniokaloryczne

koszt / średniodrogie

Pieczeń rzymska

s k ł a d n i k i : 3 szklanki ugotowanych ziemniaków • 50 dag
mielonego mięsa wieprzowego • 2 łyżki rosołu (może być
z koncentratu) • 2 łyżki musztardy • 2 jajka • 2 duże cebule • 2 łyżki
posiekanej natki pietruszki (może być mrożona) • sól • pieprz
• majeranek • tłuszcz do wysmarowania brytfanny • plasterki
tłustego, wędzonego boczku lub słoniny do wyłożenia brytfanny

Podsmażone na tłuszczu części cebuli, ziemniaki i mięso
przepuszczamy przez maszynkę. Do masy dodajemy jajka, musztardę, pozostałe przyprawy (z przewagą majeranku), posiekaną natkę pietruszki. Całość wyrabiamy
i formujemy zgrabny, podłużny klops. Posmarowaną
tłuszczem brytfannę wykładamy plasterkami boczku lub
słoniny, kładziemy uformowany klops i wstawiamy na
40 min do gorącego, nagrzanego do temp. 200ºC piekarnika. Gdy mięso lekko się zrumieni, polewamy rosołem i pieczemy jeszcze przez 20 min. Zrumienioną pieczeń wyjmujemy na wygrzany półmisek, trzymamy w cieple. Sos spod pieczeni możemy doprawić niewielką ilością keczupu i śmietany.
Pokrojoną na porcje pieczeń polewamy sosem, podajemy z ziemniakami i sezonową surówką.

liczba porcji / 6
czas przygotowania / 100 min
stopień trudności / średniotrudne
kaloryczność / średniokaloryczne
koszt / średniodrogie

Luksusowe kotlety mielone

s k ł a d n i k i : 8 kawałków wafla (10x15 cm) • 50 dag
mielonego mięsa wieprzowego • 2 jajka • 2 duże, winne jabłka
• sól • pieprz • majeranek • szczypta (czubek noża) chili • masło
• 3 jajka i tarta bułka do panierowania • olej i smalec (pół na pół)
do smażenia

Jabłka obieramy w całości, każde kroimy na 4, w miarę
grube, krążki, usuwamy gniazda nasienne, lekko podsmażamy na rozgrzanym oleju, odstawiamy do wychłodzenia. Wafle rozkładamy na desce.
Mielone mięso łączymy z jajkami i przyprawami (powinno być pikantne, o wyraźnym smaku). Dzielimy na
4 równe części, rozkładamy na waflach, do każdej wciskamy 2 krążki podsmażonych jabłek, całość przykrywamy drugim waflem. Tak przygotowane porcje panierujemy w roztrzepanych jajkach i tartej bułce. Smażymy na
rozgrzanym tłuszczu, rumieniąc z obu stron. Dwukrotnie
przewracamy, każdorazowo smażąc przez ok. 2 min. Gotowe kotlety przekładamy do wygrzanego żaroodpornego naczynia, na każdy wkładamy „orzeszek" masła, przykrywamy i trzymamy w cieple przez 10 min. Podajemy
z ziemniakami, smażonymi jabłkami i z zieloną sałatą polaną spienionym sosem jogurtowym.

liczba porcji / 4
czas przygotowania / 45 min
stopień trudności / średniotrudne
kaloryczność / średniokaloryczne
koszt / średniodrogie

Nadziewane sznycle

s k ł a d n i k i : 50 dag mielonego mięsa wieprzowego • jajko • białko • 2 łyżki tartej bułki • 4 łyżki mleka • cebula • pieprz • sól • majeranek • tłuszcz do smażenia • mąka krupczatka do panierowania

f a r s z : 20 dag pieczarek • łyżka posiekanej natki pietruszki • cebula • sól • pieprz

Przygotowujemy farsz: cebulę i pieczarki drobno siekamy, podsmażamy, często mieszając, aż wyparuje sok. Lekko przyprawiamy do smaku, łączymy z zieleniną.
Do mięsa dodajemy jajko, białko, wymieszaną z mlekiem tartą bułkę, utartą na tarce cebulę i wszystkie przyprawy, wyrabiamy na jednolitą masę. Tak przygotowaną dzielimy na 6 równych części i rozkładamy na desce. Na przygotowane porcje równomiernie rozkładamy farsz, zasklepiamy, oprószamy mąką i wstawiamy na 40 min do lodówki.
Sznycle smażymy na rozgrzanym tłuszczu, rumieniąc z obu stron. Podajemy gorące z ziemniakami i sezonową surówką.

• o p r ó c z   c z a s u   n a   w y c h ł o d z e n i e   s z n y c l i

Zapiekane zraziki

s k ł a d n i k i : 50 dag mielonego mięsa (może być z kilku gatunków) • 2 łyżki tartej bułki • 4 łyżki mleka • jajko • sól • pieprz • majeranek • łyżka koncentratu pomidorowego • 1/3 szklanki rosołu (może być z koncentratu) • 2 łyżki pikantnego keczupu • mąka krupczatka do panierowania • olej

s o s : szklanka śmietany kremowej • 2 łyżki mleka • płaska łyżeczka mąki ziemniaczanej • szczypta soli

Tartą bułkę mieszamy z mlekiem, dodajemy do mięsa wraz z jajkiem, solą i majerankiem. Składniki wyrabiamy i formujemy 8 małych zrazików, oprószamy mąką

i smażymy, rumieniąc z obu stron. Przekładamy do wysmarowanego tłuszczem naczynia do zapiekania. Porcje polewamy wymieszanym z koncentratem i keczupem rosołem.
Przygotowujemy sos: w mleku rozprowadzamy mąkę, łączymy ze śmietaną i szczyptą soli, zalewamy zraziki, od razu wstawiamy do nagrzanego piekarnika na 10 min. Podajemy z grubym makaronem, kładzionymi kluseczkami lub wysmażonym na sypko ryżem i z zieloną sałatą, skropioną sokiem z cytryny.

Pieczeń barania na ostro

s k ł a d n i k i : 1,5 kg baraniego udźca (waga bez kości) • 10 dag świeżej, zmrożonej słoniny • mały słoik ostrej musztardy • 1/4 szklanki oliwy • 3 cebule • 2 łyżki koncentratu pomidorowego • 2 łyżki ostrego keczupu • 3 ząbki czosnku • kilka (1/3 szklanki po posiekaniu) korniszonów • łyżka cukru • sól • pieprz • mąka • olej do smażenia

Oczyszczony z błon i tłuszczu udziec wycieramy ściereczką obficie skropioną octem, szpikujemy mięso kawałkami zmrożonej, lekko oprószonej solą słoniny, nacieramy zmiażdżonym czosnkiem wymieszanym z mielonym pieprzem, wkładamy do kamiennego garnka. Oliwą pomieszaną z musztardą bardzo dokładnie smarujemy mięso, przykrywamy ściereczką i odstawiamy na całą noc w chłodne miejsce (nie do lodówki), kilka razy zmieniając jego położenie, by się dokładnie i ze wszystkich stron zamarynowało.

Po wyjęciu i lekkim odsączeniu z marynaty mięso oprószamy mąką wymieszaną z solą i od razu smażymy na rozgrzanym tłuszczu, rumieniąc ze wszystkich stron. Przekładamy do brytfanny, polewamy tłuszczem, w którym się smażyło, posypujemy pokrojoną w piórka cebulą, przykrywamy i wkładamy na godzinę do nagrzanego do temp. 160ºC piekarnika, od czasu do czasu podlewając marynatą i sosem spod pieczeni. Na prawie miękkie mięso układamy posiekane korniszony, polewamy keczupem wymieszanym z koncentratem pomidorowym i cukrem. Całość pieczemy bez przykrycia przez ok. 20 min (mięso powinno się ładnie zrumienić), gdy trzeba, podlewamy niewielką ilością wody. Sos powinien być gęsty, pikantny i aromatyczny, o pięknym czerwonobrunatnym kolorze.

Pieczeń kroimy w zgrabne porcje, układamy na wygrzanym półmisku, przybieramy zieleniną i polewamy niewielką porcją sosu. Pozostały sos wlewamy do sosjerki. Do pieczeni podajemy ryż ugotowany na sypko lub kluski z surowych ziemniaków.

* o p r ó c z   c z a s u   n a   m a r y n o w a n i e   i   p i e c z e n i e   m i ę s a

liczba porcji / **8**
czas przygotowania / **60 min***
stopień trudności / **średniotrudne**
kaloryczność / **wysokokaloryczne**
koszt / **drogie**

Befsztyki z jagnięciny

s k ł a d n i k i : 4 befsztyki wykrojone z dorodnego kawałka jagnięciny • 8 niezbyt grubych plasterków bekonu lub wędzonego boczku • liść laurowy • 2 ząbki czosnku • 1/2 szklanki czerwonego, wytrawnego wina • łyżeczka soku z cytryny • 12 suszonych moreli • oliwa lub olej

z a p r a w a : 2 drobno posiekane ząbki czosnku • łyżka octu winnego • sól • biały pieprz

Morele kroimy w cienkie paski, zalewamy winem, odstawiamy w chłodne miejsce. Befsztyki lekko rozbijamy drewnianym (ważne!) tłuczkiem, smarujemy z obu stron zaprawą, układamy, jeden na drugim, na płaskim talerzu, lekko dociskamy, odstawiamy w chłodne miejsce na 2 godz. Na głębokiej patelni rozgrzewamy tłuszcz, wrzucamy ząbki czosnku i liść laurowy. Gdy czosnek zacznie się mocno rumienić, usuwamy go wraz z liściem laurowym, a na gorącym, aromatycznym tłuszczu obsmażamy befsztyki, rumieniąc z obu stron. Usmażone przekładamy do naczynia do zapiekania, a na pozostałym ze smażenia tłuszczu rumienimy plasterki bekonu i po 2 układamy na każdej porcji mięsa, całość polewamy połową tłuszczu ze smażenia. Na pozostały tłuszcz wlewamy wino wraz z morelami oraz sok z cytryny, zagotowujemy, trzymamy na ogniu przez 2 min. Befsztyki zalewamy sosem, wstawiamy do nagrzanego piekarnika i trzymamy w temp. 160ºC przez 20-25 min. Podajemy na wygrzanych talerzach z ziemniakami purée i zasmażonym, zielonym groszkiem.

* o p r ó c z   c z a s u   n a   w y c h ł o d z e n i e   m i ę s a

liczba porcji / **4**
czas przygotowania / **80 min***
stopień trudności / **średniotrudne**
kaloryczność / **wysokokaloryczne**
koszt / **drogie**

liczba porcji / 4

czas przygotowania / 40 min•

stopień trudności / średniotrudne

kaloryczność / średniokaloryczne

koszt / średniodrogie

Królik duszony w cebuli
– przepis z kuchni staropolskiej

składniki: comber i uda królika
• 5 dag zmrożonej słoniny • 2 cebule • 5 ziaren ziela angielskiego • 5 ziaren czarnego pieprzu • mielony biały pieprz • oliwa • 1/2 szklanki rosołu (może być z koncentratu)

Pozbawione błon i żyłek mięso wycieramy ściereczką obficie skropioną octem, nacieramy solą i szpikujemy kawałkami słoniny, oprószonymi białym pieprzem. Na spód brytfanny wlewamy łyżkę oliwy, rozkładamy porcje mięsa, wierzch polewamy oliwą i wstawiamy do nagrzanego do temp. 160°C piekarnika. Gdy mięso zacznie się rumienić, posypujemy je pokrojoną w cienkie piórka cebulą, podlewamy 4 łyżkami rosołu, przykrywamy i dusimy do miękkości (cebula powinna lekko zbrunatnieć). Wytworzony sos, gdy trzeba, podlewamy pozostałym rosołem, doprawiamy do smaku. Podajemy z ziemniakami purée i zieloną sałatą, polaną spienionym sosem jogurtowym.

• oprócz czasu na pieczenie mięsa

Królik w śmietanie

składniki: comber i uda (zwane szyneczkami!) królika • 5 dag świeżej, zmrożonej słoniny • sól • 2 szklanki gęstej śmietany lub pół na pół – śmietana i jogurt • sok z cytryny • płaska łyżka mąki • łyżka posiekanej natki pietruszki (może być mrożona) • zielona papryka • oliwa • łyżka smalcu

Z mięsa usuwamy błony i żyłki, wycieramy ściereczką skropioną octem, nacieramy solą, szpikujemy niewielkimi kawałkami słoniny, oprószonymi papryką, odstawiamy na 10 min w chłodne miejsce.
Spód brytfanny polewamy oliwą, boki lekko smarujemy częścią smalcu, układamy comber i przepołowione uda. Pozostałym smalcem smarujemy wierzch mięsa, wstawiamy na godzinę do nagrzanego do temp. 180°C piekarnika. W czasie pieczenia mięso polewamy łyżką wody i wytworzonym sosem. Gdy królik będzie prawie miękki, zalewamy śmietaną roztrzepaną bardzo dokładnie z mąką, dusimy pod przykryciem przez 5 min. Sos doprawiamy sokiem z cytryny i, gdy trzeba, szczyptą soli i białego pieprzu. Po wyłożeniu na półmisek oprószamy zieleniną.

• oprócz czasu na pieczenie mięsa

liczba porcji / 6

czas przygotowania / 35 min•

stopień trudności / średniotrudne

kaloryczność / średniokaloryczne

koszt / średniodrogie

Królik
w musztardzie

s k ł a d n i k i : tuszka i skoki królika • słoik delikatesowej musztardy • oliwa • szklanka małych cebulek (szalotek) • kilka cienkich plasterków boczku do wyłożenia spodu i boków brytfanny lub rondla • zmiażdżone w moździerzu: tymianek, liść laurowy, 3 ziarna ziela angielskiego (razem płaska łyżeczka) • szklanka białego, wytrawnego wina • 1/2 szklanki słodkiej śmietany

Obrane z błon i żyłek mięso wycieramy dokładnie skropioną octem ściereczką, dzielimy na 8 porcji, każdą dokładnie smarujemy musztardą, układamy w miseczce, trzymamy przykryte w chłodnym miejscu (nie w lodówce) przez kilka godzin.
Rondel wykładamy lekko podsmażonymi z obu stron plasterkami boczku, na nich roz-

kładamy porcje królika, posypujemy cebulkami, oprószamy przygotowanymi przyprawami, zalewamy winem. Całość podgrzewamy do zagotowania, rondel szczelnie przykrywamy, dusimy na niewielkim ogniu przez godzinę. Gdy mięso będzie prawie miękkie, zdejmujemy pokrywę, by nadmiar sosu lekko odparował. Delikatnie zrumienione zalewamy lekko spienioną śmietaną i trzymamy na niewielkim ogniu, pod przykryciem, przez 3 min, nie dopuszczając do zagotowania. Podajemy na wygrzanym półmisku, polane sosem. Pozostały sos wlewamy do sosjerki. Najlepiej smakuje z kładzionymi kluskami i sezonową surówką.

* o p r ó c z c z a s u n a l e ż a k o w a n i e m i ę s a

liczba porcji / **8**
czas przygotowania / **90 min***
stopień trudności / **średniotrudne**
kaloryczność / **średniokaloryczne**
koszt / **średniodrogie**

Marynata
podstawowa
do mięsa z sarny
– bejca

s k ł a d n i k i : butelka czerwonego, wytrawnego wina • 3 duże cebule • 3 marchewki • 2 kopiaste łyżki grubo posiekanej natki pietruszki • 2 ząbki czosnku • dokładnie pokruszony liść laurowy • 20 ziaren owoców jałowca lekko zmiażdżonych w moździerzu • płaska łyżeczka ziarnistego czarnego pieprzu • oliwa (w ilości, by marynata zakryła mięso na centymetr)

Marchewki i cebule kroimy w krążki, łączymy z pozostałymi składnikami.
Tak przygotowaną marynatą bardzo dokładnie zalewamy mięso i odstawiamy w chłodne miejsce na 3-5 dni, przewracając je w garnku 2 razy dziennie.

czas przygotowania / **20 min**
stopień trudności / **łatwe**
koszt / **średniodrogie**

czas przygotowania / 15 min
stopień trudności / łatwe
koszt / tanie

Sposób marynowania dziczyzny
według kuchni staropolskiej

s k ł a d n i k i : maślanka lub zsiadłe mleko • owoce jałowca zmiażdżone w moździerzu • sól

Przygotowane do marynowania mięso z dziczyzny układamy w kamiennym garnku, lekko oprószamy solą, nacieramy niewielką ilością zmiażdżonych w moździerzu owoców jałowca i zalewamy (5 cm wyżej od warstwy mięsa) maślanką lub zsiadłym mlekiem. Mięso trzymamy w chłodnym miejscu przez 2-3 dni, przewracając je 2 razy dziennie.

Po wyjęciu z mleka moczymy mięso przez 30 min w zimnej wodzie, często ją zmieniając, obsuszamy i dopiero wówczas przygotowujemy do pieczenia.

Tzw. małą zwierzynę, np. zająca, możemy przetrzymywać w słodkim, chudym mleku.

Sarni comber
według przepisu
Pana Radcy A. A.

s k ł a d n i k i : comber sarni o wadze 3-3,5 kg • 20 dag świeżej słoniny • 1/2 szklanki oliwy • 1/2 kostki (12,5 dag) masła • 2 łyżki galaretki utartej ze świeżych porzeczek • marynata podstawowa do zalania mięsa

Ułożony w kamiennym garnku sarni comber zalewamy bardzo dokładnie marynatą, odpowiednio unosząc boki mięsa. Pozostawiamy przez 7 dni w chłodnym miejscu, obracając mięso kilka razy dziennie. Przed pieczeniem wycieramy mięso do sucha i trzymamy w chłodzie. Pokrojoną w kostkę słoninę topimy na rozgrzanej oliwie. Gdy skwarki się zrumienią, dodajemy masło i na tak przygotowanym tłuszczu obsmażamy comber, rumieniąc ze wszystkich stron.

Marynatę cedzimy, odparowujemy na dużym ogniu, aż zmniejszy objętość o 1/3, gorącą zalewamy zrumienione mięso. Naczynie szczelnie przykrywamy i pieczemy comber przez godzinę w temp. nie wyższej niż 160ºC (mięso powinno być miękkie). Gorące wykładamy na wygrzany półmisek.

Przygotowujemy galaretkę: sok z surowych, czerwonych porzeczek ucieramy z cukrem w proporcji 1: 1. Powstanie naturalna galaretka.

Do sosu dodajemy przygotowaną galaretkę porzeczkową, gdy trzeba, lekko odparowujemy i doprawiamy do smaku.

Przed podaniem mięso kroimy w cienkie plastry, polewamy sosem. Pozostały sos podajemy w sosjerce.

* oprócz czasu na marynowanie mięsa

liczba porcji / ok. 8
czas przygotowania / 120-150 min•
stopień trudności / trudne
kaloryczność / średniokaloryczne
koszt / średniodrogie

Sarni comber
w śmietanie
według Cioci Godziszewskiej

s k ł a d n i k i : comber sarni • 10 dag zmrożonej słoniny
• 3 łyżki miałkiego cukru • tłuszcz do smażenia (oliwa)

s o s : 2 szklanki śmietany kremowej • 2 cytryny • łyżka mąki
• 2 łyżki masła

Uwaga: sarnina powinna być mocno wymrożona, by mięso było
kruche

Skruszały comber obieramy z żył, szpikujemy dość gęsto
cienkimi kawałkami słoniny, nacieramy solą, odkładamy
na godzinę lub nieco dłużej w chłodne miejsce.
Na długiej blaszce, dopasowanej do kształtu combra,
układamy mięso, polewamy oliwą, wstawiamy do piekarnika nagrzanego do temp. 130-150ºC.
Gdy mięso zacznie się rumienić, posypujemy dość obficie cukrem – cukier nie zasłodzi mięsa, tylko pięknie skarmelizuje się na powierzchni i utworzy rodzaj glazury (pod wpływem cukru mięso kruszeje).
Rada: do piekarnika, podczas pieczenia mięsa, dobrze jest wstawić naczynie z wodą, która paru-
jąc, nie dopuści, by mięso nadmiernie się wysuszyło!
Przygotowujemy sos: śmietanę roztrzepujemy z mąką,
stawiamy na niewielkim ogniu i, lekko ubijając, zagotowujemy. Gdy mąka straci smak surowizny, dodajemy
przecedzony sok z cytryny, sól, odstawiamy z ognia i trzymamy w cieple. Tuż przed podaniem dodajemy do gorącego sosu surowe masło i ubijamy trzepaczką, aż składniki dobrze się połączą. Sosem polewamy ułożone na
wygrzanym półmisku porcje combra.

• o p r ó c z   c z a s u   n a   w y c h ł o d z e n i e   m i ę s a

liczba porcji / 8
czas przygotowania / 150–180 min•
stopień trudności / trudne
kaloryczność / wysokokaloryczne
koszt / średniodrogie

Zraziki z sarny
po staropolsku

s k ł a d n i k i : 60-70 dag mniejszych kawałków sarniny
(wcześniej zamarynowanych) pozostałych z kształtowania mięsa
na pieczeń • 15 dag świeżej słoniny • namoczona w mleku bułka
kajzerka • jajko • sól • pieprz • smalec do smażenia (może być oliwa)
• 2 szklanki gęstej, kwaśnej śmietany

Kawałki sarniny, pokrojoną w kostkę słoninę, odciśniętą
z mleka bułkę kajzerkę przepuszczamy dwukrotnie przez
maszynkę. Do masy dodajemy jajko, przyprawy, dokładnie wyrabiamy i formujemy zgrabne, płaskie zraziki. Smażymy na gorącym tłuszczu, rumienim z obu stron. Tak przy-
gotowane przekładamy do rondla, zalewamy tłuszczem, w którym się smażyły i spienioną śmietaną,
przykrywamy i trzymamy na niewielkim ogniu, od czasu do czasu potrząsając naczyniem, by śmietana dokładnie połączyła się z pozostałymi składnikami. Podajemy nie wcześniej niż 10 min po przygotowaniu.
Rada: zraziki z sarniny podawano także w sosie kaparowym lub jałowcowym.

liczba porcji / 8
czas przygotowania / 50 min
stopień trudności / średniotrudne
kaloryczność / wysokokaloryczne
koszt / średniodrogie

Sarnina
w czerwonym sosie

s k ł a d n i k i : 1 kg wymrożonej sarniny • 4 szerokie, cienkie
plasterki świeżej słoniny (10 dag) • maślanka do zamarynowania

s o s : kopiasta łyżka mąki • szklanka rosołu (może być
z koncentratu) • szklanka surowej galaretki porzeczkowej
• 1/2 szklanki czerwonego, wytrawnego wina

Sarninę, po umieszczeniu w kamiennym garnku, zalewamy maślanką na centymetr nad warstwą mięsa i trzymamy w chłodnym miejscu przez 2 dni, 2 razy dziennie
przewracając na drugą stronę. Po wyjęciu myjemy mięso w letniej wodzie, obsuszamy, lekko opróżamy solą,
trzymamy w chłodnym miejscu.

W szerokim rondlu topimy plasterki słoniny, gdy się z obu
stron zrumienią, wyjmujemy łyżką cedzakową. Na rozgrzany tłuszcz wkładamy lekko wychłodzone
mięso, rumienimy ze wszystkich stron, gdy trzeba, podlewamy niewielką ilością rosołu i dusimy
pod przykryciem przez ok. 40 min, miękkie wykładamy na półmisek. Do tłuszczu dodajemy mąkę, zasmażamy, cały czas mieszając. Gdy się zrumieni, zasmażkę rozprowadzamy pozostałym rosołem, dodajemy galaretkę i wino, zagotowujemy i, gdy trzeba, doprawiamy do smaku.

Przed podaniem kroimy mięso w zgrabne porcje, zalewamy częścią sosu. Pozostały sos podajemy w sosjerce.

• o p r ó c z   c z a s u   n a   m o c z e n i e   m i ę s a   w   m a ś l a n c e

liczba porcji / 6
czas przygotowania / 90 min•
stopień trudności / średniotrudne
kaloryczność / średniokaloryczne
koszt / średniodrogie

Udziec z sarny
w dzikim sosie

s k ł a d n i k i : wymrożony udziec z sarny • 15 dag świeżej
słoniny (1/2 słoniny zamrażamy) • marchew • korzeń pietruszki
• 1/3 selera • cebula • sól • 1/2 szklanki rosołu (może być
z koncentratu) lub wody do podlania mięsa

s o s : 2 łyżki naturalnej galaretki z porzeczek • 2 łyżki wiśniowego
soku (nie syropu!) • cytryna • łyżka karmelu • goździk
• pięć ziaren owoców jałowca lekko zmiażdżonych w moździerzu
• mąka • 1/2 szklanki czerwonego, wytrawnego wina

Odpowiednio przycięty udziec z sarny obieramy z żył,
delikatnie nacieramy solą. Schłodzoną słoninę kroimy
w zgrabne kawałki, którymi gęsto szpikujemy mięso. Tak
przygotowane mięso układamy w brytfannie, posypujemy utartymi na tarce ze średnimi otworami jarzynami,
podlewamy rosołem lub wodą. Dusimy pod przykryciem,
polewając mięso od czasu do czasu wytworzonym sosem, a gdy trzeba, dodatkową łyżką rosołu lub wody.
Miękką sarninę wyjmujemy na półmisek, wstawiamy

w ciepłe miejsce. Sos oprószamy mąką, zasmażamy, gdy zgęstnieje, dodajemy pozostałe składniki
i przyprawy, zagotowujemy, trzymamy na niewielkim ogniu przez kilka minut (powinien tylko lekko „mrugać"). Gdy sos nabierze właściwej konsystencji, przecieramy przez sito i, gdy trzeba, doprawiamy. Wygrzaną sarninę kroimy, pozostawiając plastry przy kości, polewamy częścią gorącego sosu. Pozostały sos podajemy w sosjerce.

liczba porcji / 6
czas przygotowania / 150 min
stopień trudności / trudne
kaloryczność / średniokaloryczne
koszt / średniodrogie

Polędwica z dzika

s k ł a d n i k i : polędwica z dzika (do 2 kg) • smalec
do smażenia

m a r y n a t a   d o   m i ę s a   z   d z i k a : szklanka
czerwonego, wytrawnego wina • cytryna • 5 szklanek wody
• 2 duże cebule • 10 suszonych śliwek pozbawionych pestek
• liść laurowy • 10 ziaren ziela angielskiego • 10 ziaren pieprzu
• 20 ziaren jałowca • 3 goździki • szczypta imbiru

s o s : kopiasta łyżka mąki • kopiasta łyżka marmolady z głogu
• szczypta cukru • szczypta cynamonu

Składniki marynaty zagotowujemy, gorącą zalewamy
ułożoną w kamiennym garnku polędwicę, unosimy lekko boki, by marynata dostała się do środka, odstawiamy w chłodne miejsce na 3-4 dni.
Przed pieczeniem wyjętą z marynaty polędwicę obsusza-
my, oprószamy lekko solą. Marynatę cedzimy, wyjmujemy cebulę i śliwki. Na rozgrzanym smalcu rumienimy polędwicę ze wszystkich stron, unosimy mięso, na spodzie brytfanny układamy wyjęte z marynaty cebule i śliwki, podlewamy niewielką ilością odsączonej marynaty i dusimy pod przykryciem
przez 40-60 min (czas zależy od wielkości porcji mięsa).
Miękkie mięso wyjmujemy na wygrzany półmisek, przykrywamy, trzymamy w cieple. Do sosu spod
pieczeni sypiemy mąkę, zasmażamy. Gdy się lekko zrumieni, dodajemy pozostałe składniki, mieszamy, gdy trzeba, dodajemy marynatę. Gdy sos będzie zbyt esencjonalny, dodajemy niewielką
ilość wody, zagotowujemy, przecieramy przez sito. Przed podaniem kroimy polędwicę w cienkie
paski, polewamy częścią gorącego sosu, pozostały podajemy w sosjerce.

• o p r ó c z   c z a s u   n a   m a r y n o w a n i e   i   l e ż a k o w a n i e   m i ę s a

liczba porcji / 8
czas przygotowania / 150–180 min •
stopień trudności / trudne
kaloryczność / średniokaloryczne
koszt / drogie

Pasztet
mięsno-grzybowy

s k ł a d n i k i : 50 dag gotowanego mięsa i tzw. twarde
jarzyny z rosołu • 2 grube plastry gotowanego, tłustego boczku
• 2 cebule • 25 dag wątroby lub wątróbki z drobiu • 25 dag pieczarek
• 2 kopiaste łyżki tartej bułki • 2 jajka • sól • pieprz • pieprz cayenne
• słodka, mielona papryka • przyprawa prowansalska • tłuszcz do
wysmarowania formy • tarta bułka do posypania formy • oliwa lub olej

W niewielkiej ilości tłuszczu smażymy cebulę, gdy się lekko zeszkli, dodajemy lekko rozdrobnione pieczarki, przesmażamy, często mieszając. Dodajemy podzieloną na części wątróbkę, całość zasmażamy przez 3 min i odstawiamy do przechłodzenia. Przez maszynkę do mięsa dwukrotnie przepuszczamy gotowane mięso, pokrojony w kostkę
boczek, gotowane tzw. twarde jarzyny z rosołu (marchew, korzeń pietruszki, seler) i zasmażoną wątróbkę wraz z cebulą i pieczarkami. Do masy dodajemy jajka, przyprawy, tartą bułkę, całość dokładnie wyrabiamy, przekładamy do wysmarowanej tłuszczem i posypanej tartą bułką małej, podłużnej
formy, wstawiamy do nagrzanego piekarnika. Pieczemy w temp. 180ºC przez godzinę lub nieco dłużej. Kto lubi potrawy bardziej tłuste, może formę do pasztetu wyłożyć cienkimi plasterkami słoniny
lub, przed pieczeniem, położyć na wierzchu wiórki masła. Pasztet podajemy na zimno z ćwikłą lub
pikantnym sosem, a na gorąco z dodatkiem sezonowej surówki.

• o p r ó c z   c z a s u   n a   p i e c z e n i e   p a s z t e t u

liczba porcji / 12
czas przygotowania / 50 min •
stopień trudności / średniotrudne
kaloryczność / średniokaloryczne
koszt / średniodrogie

liczba porcji / 12
czas przygotowania / 50 min •
stopień trudności / średniotrudne
kaloryczność / średniokaloryczne
koszt / średniodrogie

Pasztet domowy

s k ł a d n i k i : mięso i tzw. twarde jarzyny z rosołu • 2 duże
cebule • 20 dag wątroby lub wątróbki z drobiu • 25 dag tłustego,
gotowanego boczku • 2 kopiaste łyżki tartej bułki • 2 jajka • sól
• pieprz • ostra, mielona papryka • roztarte w dłoniach
ulubione zioła • tłuszcz do wysmarowania formy • tarta bułka
do posypania formy • oliwa lub olej

Na lekko rozgrzanym tłuszczu podsmażamy posiekaną
cebulę, gdy się zeszkli, odsuwamy na boki. Na tłuszcz
wkładamy podzieloną na części wątrobę i, często mieszając, podsmażamy razem przez 3-4 min. Całość odstawiamy do wychłodzenia.
Przez maszynkę do mięsa przepuszczamy dwukrotnie:
mięso z rosołu, jarzyny, pokrojony w kawałki boczek, zasmażoną wątróbkę z cebulą. Do masy dodajemy jajka,
tartą bułkę, przyprawy. Masę przekładamy do przygotowanej małej, podłużnej formy i wstawiamy na godzinę
lub nieco dłużej do nagrzanego do temp. 200ºC piekarnika. Podajemy na zimno lub na gorąco z odpowiedni-
mi dodatkami.

• o p r ó c z c z a s u n a p i e c z e n i e p a s z t e t u

Paszteciki oszczędne
– przepis z kuchni staropolskiej

s k ł a d n i k i : gotowane mięso z rosołu (szklanka lub nieco
więcej) • 2 szklanki ugotowanych ziemniaków (mogą być
z poprzedniego dnia) • cebula • 2 jajka • sól • pieprz • łyżeczka
przyprawy do zup • 2 duże kapelusze suszonych borowików
lub podgrzybków • szklanka mleka i wody (pół na pół) • tarta bułka
do panierowania • olej do smażenia

W letnim mleku z wodą moczymy grzyby, gdy napęcznieją, gotujemy na niewielkim ogniu do miękkości. Odparowujemy płyn, w którym się gotowały, powinny pozostać 3 duże łyżki.
Na tłuszczu podsmażamy rozdrobnioną cebulę, gdy się
zeszkli, odstawiamy do wychłodzenia. Gotowane mięso,
ziemniaki, cebulę, grzyby przepuszczamy dwukrotnie
przez maszynkę, dodajemy jajka, przyprawy, tartą bułkę namoczoną w 3 łyżkach płynu z gotowania grzybów,
wyrabiamy, gdy trzeba, dodajemy niewielką ilość tartej
bułki.
Z masy formujemy 8 zgrabnych, jednakowej wielkości,
płaskich paszteci ków, panierujemy, lekko dociskając, w tartej bułce i smażymy, rumieniąc z obu stron. Podajemy gorące, prosto z patelni, z dodatkiem zasmażanej, kwaszonej kapusty i ziemniaków obficie posypanych zieleniną.

• o p r ó c z c z a s u n a p r z y g o t o w a n i e g r z y b ó w

liczba porcji / 4
czas przygotowania / 40 min •
stopień trudności / średniotrudne
kaloryczność / średniokaloryczne
koszt / średniodrogie

Kurczak po królewsku
według Pani Rejentowej

s k ł a d n i k i : 4 porcje kurczaka • 1/2 szklanki oleju • plaster chudego boczku (ok. 12 dag) • 12 cebulek szalotek (ważne!) • 25 dag małych, całkowicie zamkniętych pieczarek • pęczek świeżej natki pietruszki • łyżka mąki krupczatki • kieliszek koniaku • butelka czerwonego, wytrawnego wina • szczypta świeżo zmielonego, białego pieprzu

Porcje kurczaka nacieramy solą i pieprzem, odstawiamy w chłodne miejsce. W szerokim, płaskim rondlu z grubym dnem rozgrzewamy oliwę, dodajemy pokrojony w drobną kostkę boczek, całe cebulki i, cały czas mieszając, smażymy, aż się lekko zeszklą. Dodajemy całe pieczarki, składniki razem zapiekamy, cały czas mieszając, przez 5 min. Za pomocą łyżki cedzakowej wyławiamy z tłuszczu cebulki, pieczarki i skwarki boczku, a w tłuszczu smażymy, silnie rumieniąc z obu stron, porcje kurczaka. Dodajemy pęczek pietruszki, podsmażone cebulki oraz pieczarki, całość opruszamy mąką. Trzymamy na ogniu przez 3 min

(mąka powinna się zasmażyć i stracić smak surowizny), podlewamy koniakiem, dolewamy wino, stawiamy na najmniejszym ogniu i dusimy pod przykryciem przez 20-25 min. Potrawę od czasu do czasu mieszamy, smakujemy i, gdy trzeba, delikatnie przyprawiamy solą i pieprzem.

Kurczak jest gotowy, gdy mięso będzie miękkie, ale nierozgotowane, a sos ma jedwabistą konsystencję i trudny do opisania smak. Podajemy z domowymi kluseczkami oraz zieloną sałatą, obficie polaną spienionym sosem jogurtowym.

liczba porcji /	**4**
czas przygotowania /	**90 min**
stopień trudności /	**średniotrudne**
kaloryczność /	**wysokokaloryczne**
koszt /	**średniodrogie**

liczba porcji /	**4**
czas przygotowania /	**80 min**
stopień trudności /	**łatwe**
kaloryczność /	**średniokaloryczne**
koszt /	**średniodrogie**

Kurczak w pomidorach

s k ł a d n i k i : 4 porcje kurczaka (udka lub piersi) • 4 duże, dorodne pomidory • 1/2 szklanki oliwy • 2 duże ząbki czosnku • płaska łyżeczka tymianku • sól • pieprz • szklanka białego, wytrawnego wina

Umyte, obsuszone porcje kurczaka nacieramy zmiażdżonym czosnkiem i podsmażamy w tzw. dużym tłuszczu, rumieniąc z obu stron, aż nabiorą złocistej barwy. Przekładamy do rondla z grubym dnem, opruszamy solą, pieprzem, roztartym w dłoniach tymiankiem, podlewamy winem i dusimy bez przykrycia na średnim ogniu. Gdy wino w połowie wyparuje, dodajemy obrane ze skórki, pokrojone w cząstki pomidory i dusimy pod przykryciem na niewielkim ogniu, aż mięso będzie miękkie. Podajemy z ugotowanym na sypko ryżem lub z domowymi kluskami i zieloną sałatą, skropioną sokiem z cytryny.

Kurczak w warzywach

s k ł a d n i k i : 4 porcje kurczaka • paczka mrożonych warzyw (koniecznie z brukselką) • cebula • 2 ząbki czosnku • 2 łyżki keczupu • oliwa lub olej i łyżka czystego smalcu (pół na pół) • sól • pieprz • płaska łyżeczka przyprawy curry • 3 ziarna jałowca, zmiażdżone w moździerzu

Przygotowane porcje mięsa nacieramy mieszanką soli, pieprzu i jałowca, odstawiamy na 15 min w chłodne miejsce. Smażymy na dobrze rozgrzanym tłuszczu, rumieniąc z obu stron, przekładamy do rondla z grubym dnem. Na pozostałym ze smażenia tłuszczu podsmażamy pokrojoną w piórka cebulę i posiekany czosnek, gdy składniki się zeszklą, dodajemy warzywa i trzymamy kilka minut na ogniu, często mieszając. Gdy warzywa puszczą sok i zaczną się rumienić, przekładamy je do rondla, układając na wierzchu usmażonego kurczaka, podlewamy kilkoma łyżkami wody. Do potrawy dodajemy keczup i curry, całość szczelnie przykrywamy i dusimy na niewielkim ogniu, aż mięso będzie miękkie. Sosu nie powinno być zbyt dużo, gdy trzeba, zagęszczamy go śmietaną połączoną z mąką ziemniaczaną lub kukurydzianą i doprawiamy do smaku. Podajemy z grubym makaronem lub kładzionymi kluskami.

• o p r ó c z   c z a s u   n a   d u s z e n i e   m i ę s a

Kurczak w sosie meksykańskim

s k ł a d n i k i : 6 porcji kurczaka • oliwa • łyżka przyprawy meksykańskiej • łyżka mąki

s o s : kostka (25 dag) masła • 3 duże ząbki drobno posiekanego czosnku • duża, drobno posiekana cebula • 4 łyżki ostrego keczupu • łyżka octu winnego • kopiasta łyżka cukru • 2 kopiaste łyżki domowych, bezcukrowych powideł ze śliwek lub agrestu • filiżanka chudego rosołu lub wywaru z jarzyn

Porcje kurczaka dzielimy na mniejsze kawałki. Przyprawę mieszamy z mąką w proporcji pół na pół, przekładamy do foliowego woreczka, wkładamy do środka małe porcje kurczaka i potrząsamy, tak by każdy kawałek był dokładnie obtoczony przyprawą. Odkładamy w chłodne miejsce. Przygotowujemy sos: do dużego rondla dajemy całe masło, gdy się rozpuści, wrzucamy czosnek i cebulę i zasmażamy, często mieszając. Gdy cebula się zeszkli, dodajemy

pozostałe składniki sosu, zagotowujemy, cały czas mieszając. Gdy trzeba, doprawiamy do smaku. Na głębokiej patelni, w tzw. dużym tłuszczu, smażymy porcje kurczaka, rumieniąc ze wszystkich stron, przekładamy za pomocą łyżki cedzakowej do rondla z sosem i trzymamy pod przykryciem na niewielkim ogniu, aż mięso będzie miękkie. Podajemy z ugotowanym na sypko ryżem, przyprawionym delikatnie imbirem oraz z zieloną sałatą.

Kurczak
w winnym sosie
według Cioci Godziszewskiej

s k ł a d n i k i : 4 porcje kurczaka (pozbawione kostek)
• 2 duże cebule • 2 ząbki czosnku • 50 dag małych, zamkniętych
pieczarek • szklanka czerwonego, wytrawnego wina • 3 łyżki
esencjonalnego rosołu (może być z koncentratu) • sól • pieprz
• szczypta roztartej w dłoniach przyprawy prowansalskiej • oliwa
• sok z cytryny

Porcje kurczaka lekko kropimy sokiem z cytryny, oprószamy przyprawami, odstawiamy w chłodne miejsce. Na
tłuszczu podsmażamy cebulę pokrojoną w średniej grubości piórka, dodajemy posiekany czosnek. Gdy się zeszklą, dodajemy pieczarki i zasmażamy, często mieszając.
Do zrumienionych składników dodajemy rosół, mieszamy, następnie dodajemy wino i zagotowujemy, trzymając na najmniejszym ogniu (sos powinien tylko lekko „mrugać") przez 2-3 min. Gotowy sos przelewamy
do rondla z grubym spodem i trzymamy w cieple.
Na gorącym tłuszczu podsmażamy porcje kurczaka, gdy
się zrumienią, przekładamy do rondla z sosem, dodajemy tłuszcz, na którym się smażyło mięso,
całość stawiamy na najmniejszym ogniu i dusimy, aż mięso będzie miękkie. Podajemy z ugotowanym na sypko ryżem, grubym makaronem lub kładzionymi kluseczkami oraz z delikatną w smaku
surówką.

liczba porcji / 4
czas przygotowania / 60 min
stopień trudności / średniotrudne
kaloryczność / średniokaloryczne
koszt / średniodrogie

Kurczak
w sosie wiosennym

s k ł a d n i k i : 4 porcje kurczaka (mogą być filety)
• duża filiżanka posiekanego szpinaku • 4 szalotki lub 2 czerwone
cebule • łyżka posiekanej rzeżuchy • szklanka śmietany • kopiasta
łyżka masła lub masła roślinnego • sól • pieprz • ząbek czosnku
• łyżeczka posiekanych, świeżych listków estragonu • szklanka
rosołu (może być z koncentratu)

Naczynie do zapiekania smarujemy połową masła, posypujemy posiekaną cebulą i czosnkiem, układamy porcje kurczaka,
oprószamy solą i pieprzem, naczynie szczelnie przykrywamy i wstawiamy na 40 min do nagrzanego do temp. 200ºC piekarnika. Na
pozostałym maśle smażymy szpinak (2 min), cały czas mieszając, by się
nie zrumienił. Upieczone kawałki kurczaka wyjmujemy z brytfanny i trzymamy w cieple, a do powstałego w czasie pieczenia sosu wlewamy rosół, dodajemy podsmażony szpinak, rzeżuchę i zagotowujemy. Po zdjęciu z ognia dodajemy roztrzepaną śmietanę, gdy trzeba, sos doprawiamy do smaku, układamy w nim porcje kurczaka, naczynie przykrywamy i trzymamy w cieple przez 10 min. Podajemy z ryżem ugotowanym na sypko lub z ziemniakami purée, oprószonymi obficie koperkiem oraz z zieloną sałatą, polaną spienionym sosem jogurtowym.

• oprócz czasu na pieczenie mięsa

liczba porcji / 4
czas przygotowania / 35 min •
stopień trudności / średniotrudne
kaloryczność / średniokaloryczne
koszt / tanie

Kurczak w potrawce

s k ł a d n i k i : 4 kawałki kurczaka (najlepsze odfiletowane piersi) • porcja włoszczyzny z brukselką • cebula • liść laurowy • 3 ziarna ziela angielskiego • sól • pieprz

s o s : 1/2 szklanki kwaśnej śmietany kremowej • 2 kopiaste łyżki posiekanego koperku (może być mrożony) • łyżeczka mąki do zagęszczenia sosu

Oczyszczoną, lekko rozdrobnioną włoszczyznę zalewamy wodą, dodajemy cebulę, zagotowujemy. Do wrzątku wkładamy porcje kurczaka i gotujemy w odkrytym naczyniu, aż mięso i jarzyny będą miękkie (ok. 30 min). Ugotowane mięso wykładamy na wygrzany półmisek i trzymamy w cieple. Jarzyny przecieramy przez perlonowe sito lub rozbijamy w malakserze, rozprowadzamy rosołem, łączymy ze śmietaną, gdy trzeba, sos zagęszczamy i doprawiamy do smaku, dodajemy koperek i od razu, bardzo gorącym, zalewamy mięso.
Podajemy z ryżem ugotowanym na sypko lub z ziemniakami purée oraz delikatną w smaku, sezonową surówką.

Kurczak faszerowany orzechami

s k ł a d n i k i : duży, tzw. wiejski kurczak • cienki, długi pasek słoniny lub chudego, świeżego boczku • czubata łyżka masła • marchew • cebula • kopiasta łyżka posiekanej natki pietruszki • płaska łyżeczka tymianku • liść laurowy • sól • pieprz

f a r s z : szklanka łuskanych orzechów • 2 kopiaste łyżki rodzynek • kieliszek koniaku • 2 czubate łyżki tartej bułki • wątróbka i serce z kurczaka • 1/2 szklanki mleka • jajko • sól • pieprz

Rodzynki zalewamy koniakiem, odstawiamy do nasączenia. Dokładnie umytego kurczaka obsuszamy.
Przygotowujemy farsz: na desce siekamy orzechy razem z wątróbką i sercem z kurczaka, przekładamy do miseczki, dodajemy tartą bułkę, mleko, jajko, odsączone z koniaku rodzynki, całość lekko przyprawiamy. Z kurczaka odcinamy końcówki skrzydeł oraz szyjkę, nacieramy wewnątrz solą i pieprzem, nadziewamy przygotowanym farszem, owijamy paskiem słoniny lub boczku, spinamy mocno szpadkami i obsmażamy na maśle, aż się zrumieni. Przekładamy do brytfanny, a na pozostałym tłuszczu lekko zasmażamy rozdrobnione warzywa i przyprawy. Całość przekładamy do brytfanny z kurczakiem, wstawiamy (szczelnie przykrytą) na 30 min do piekarnika. Upieczonego, miękkiego kurczaka przekładamy na rozgrzany półmisek, sos przecieramy przez sito i, gdy trzeba, lekko doprawiamy.
Kroimy kurczaka w taki sposób, by w każdej porcji była jednakowa ilość nadzienia. Podajemy z młodymi ziemniakami, obficie posypanymi koperkiem i z sałatą, polaną spienionym sosem jogurtowym.
Rada: porcje dla osób dorosłych, przed podaniem, polewamy koniakiem, w którym moczyły się rodzynki, i zapalamy.

Kurczak faszerowany ryżem

liczba porcji / 4
czas przygotowania / 75 min
stopień trudności / średniotrudne
kaloryczność / średniokaloryczne
koszt / średniodrogie

s k ł a d n i k i : duży, niezbyt tłusty, tzw. wiejski kurczak
• cebula • 10 dużych pieczarek • 2 łyżki tłuszczu • 3 łyżki suchego
ryżu • jajko • sól • pieprz • tymianek • 2 łyżki zamrożonego masła
• przyprawa do kurczaka

Wypłukany ryż zalewamy wodą z dodatkiem szczypty soli, gotujemy na dużym ogniu przez 10 min, cedzimy na sicie, odstawiamy do przechłodzenia.

Drobno posiekaną cebulę i pieczarki zasmażamy na tłuszczu, dodajemy ryż, farsz doprawiamy solą i pieprzem. Umytego, pozbawionego szyjki i końcówek skrzydeł kurczaka nacieramy wewnątrz i z zewnątrz solą, pieprzem i przyprawami, nadziewamy przygotowanym farszem, spinamy szpadkami, układamy w brytfannie, obkładamy wiórkami zamrożonego masła, podlewamy kilkoma łyżkami wody, wstawiamy do piekarnika. Pieczemy przez 40 min w temp. 200ºC, następnie odkrywamy pokrywę brytfanny i rumienimy na złocisty kolor.

Kurczaka dzielimy na 4 porcje w taki sposób, by w każdej była równa ilość farszu. Podajemy z dużą porcją gotowanych jarzyn oraz z sałatą polaną spienionym sosem jogurtowym.

Kurczak dietetyczny

s k ł a d n i k i : świeży, tzw. wiejski kurczak • szczypta soli
• olej do posmarowania folii

f a r s z : 1/2 szklanki surowych białek • 4 łyżki tartej bułki
• 2 łyżki masła • 3 łyżki posiekanej zieleniny (koperek, natka
pietruszki lub kompozycja) • szczypta soli • szczypta gałki
muszkatołowej

Umytego, obsuszonego, pozbawionego szyjki i końcówek skrzydeł kurczaka nacieramy wewnątrz i z zewnątrz solą, odstawiamy w chłodne miejsce.

liczba porcji / 4
czas przygotowania / 75 min
stopień trudności / średniotrudne
kaloryczność / średniokaloryczne
koszt / tanie

Przygotowujemy farsz: białka z dodatkiem szczypty soli ubijamy na bardzo ścisłą pianę, dodajemy tartą bułkę, roztopione, chłodne masło, gałkę muszkatołową, zieleninę i, gdy trzeba, całość lekko doprawiamy do smaku. Przygotowanego kurczaka nadziewamy farszem, spinamy szpadkami, związujemy razem nóżki, układamy na posmarowanej olejem grubej folii aluminiowej.

Przygotowujemy „pakiecik". Dwa dłuższe brzegi zawijamy kilkakrotnie na wierzchu, w podobny sposób zawijamy dwa przeciwległe końce folii. „Pakiecik" układamy na blasze do pieczenia, podlewamy szklanką wody i pieczemy przez ok. 40 min w temp. 200ºC. Czas pieczenia zależy od wielkości kurczaka. Po wyjęciu z piekarnika i rozpakowaniu „pakiecika" dzielimy mięso na porcje, podajemy z młodymi ziemniakami, obficie posypanymi koperkiem i z sezonową surówką.

Kurczak z owocami

s k ł a d n i k i : 4 kawałki kurczaka (dowolne) • 10 dag
suszonych, bezpestkowych śliwek (kalifornijskie) • 2 duże, kwaskowe
jabłka • 1/2 szklanki soku jabłkowego • sól • pieprz • szczypta
majeranku • oliwa lub olej • cytryna

Przygotowane porcje kurczaka nacieramy solą, pieprzem
i majerankiem, odstawiamy na 10 min w chłodne miejsce. Śliwki zalewamy sokiem jabłkowym, z cytryny ocieramy skórkę i wyciskamy sok. Wychłodzone porcje kurczaka smażymy na gorącym tłuszczu, rumieniąc z obu stron,
przekładamy do rondla z grubym spodem, oprószamy
skórką otartą z cytryny, dodajemy śliwki wraz z sokiem,
w którym się moczyły i obrane, pozbawione gniazd nasiennych, pokrojone w cząstki i skropione sokiem z cytryny jabłka. Rondel szczelnie przykrywamy, dusimy, aż mięso będzie miękkie. Porcje przekładamy na wygrzany półmisek, ustawiamy w cieple. Sos przecieramy przez sito,
gdy trzeba, lekko doprawiamy do smaku. Ciepłe mięso
zalewamy częścią gorącego sosu, pozostały podajemy
w sosjerce. Danie smakuje doskonale z ugotowanym na
sypko ryżem i zieloną sałatą skropioną sosem jogurtowym.

• o p r ó c z   c z a s u   n a   d u s z e n i e   m i ę s a

liczba porcji / **4**

czas przygotowania / **35 min** •

stopień trudności / **średniotrudne**

kaloryczność / **średniokaloryczne**

koszt / **średniodrogie**

Kurczak z bakaliami

s k ł a d n i k i : 4 kawałki kurczaka (dowolne) • 4 łyżki oliwy
• łyżka masła • szklanka suszonych śliwek (bezpestkowych)
• 10 suszonych moreli • 2 łyżki rodzynek • mały banan • kilka ziaren
białego pieprzu • 3 ziarna ziela angielskiego • szczypta ulubionych
przypraw ziołowych • słodka śmietana i łyżeczka mąki ziemniaczanej
lub kukurydzianej do zagęszczenia sosu

Porcje kurczaka oprószamy solą i przyprawami ziołowy-
mi, obsmażamy na oliwie, rumieniąc z obu stron.
Do rondla z grubym dnem dajemy masło, gdy się lekko
rozpuści, wrzucamy śliwki, rozdrobnione morele, opłukane i odsączone rodzynki. Na owocach układamy porcje zrumienionego kurczaka, a tłuszcz, w którym się smażyły, łączymy z 1/2 szklanki wody, zagotowujemy, dokładnie „wyskrobujemy" i wlewamy do rondla z mięsem.
Dodajemy podzielonego na części banana, pieprz w ziar-
nach i ziele angielskie, rondel szczelnie przykrywamy, całość dusimy na niewielkim ogniu, aż mięso będzie miękkie. W czasie duszenia, gdy trzeba, podlewamy mięso
niewielką ilością wody.
Mięso przekładamy na wygrzany półmisek, trzymamy
w cieple. Sos zagęszczamy śmietaną wymieszaną z mąką, gdy trzeba, całość lekko doprawiamy do smaku. Częścią sosu polewamy porcje kurczaka, pozostały podajemy w sosjerce.

liczba porcji / **4**

czas przygotowania / **80 min**

stopień trudności / **średniotrudne**

kaloryczność / **średniokaloryczne**

koszt / **średniodrogie**

Kurczak ze śliwkami

liczba porcji / 4
czas przygotowania / 35 min •
stopień trudności / średniotrudne
kaloryczność / średniokaloryczne
koszt / średniodrogie

s k ł a d n i k i : 2 filety z piersi kurczaka (ok. 45 dag)
• 2 cebule • 20 dag suszonych, pozbawionych pestek śliwek
(kalifornijskie) • pieprz • sól • sok z cytryny • mąka • oliwa
• szklanka białego, wytrawnego wina • 4 łyżki płynnego miodu

Śliwki moczymy w winie wymieszanym z miodem. Cebulę kroimy w cienkie piórka. Naczynie do zapiekania
smarujemy tłuszczem, wykładamy na spód połowę posiekanej cebuli. Umyte, obsuszone filety kroimy w poprzek włókien w zgrabne paski (jak grube frytki), kropimy dość obficie sokiem z cytryny, odstawiamy na 10 min
w chłodne miejsce – po tym czasie oprószamy, najlepiej
siejąc przez sito, mąką z przyprawami. Na rozgrzaną oliwę kładziemy porcjami przygotowane mięso, gdy się
wszystkie kawałki pięknie obrumienią, wyjmujemy łyżką cedzakową i układamy na warstwie cebuli, polewamy tłuszczem, w którym mięso się smażyło. Całość zalewamy winem wraz z namoczonymi śliwkami i miodem,
posypujemy pozostałą cebulą. Zapiekamy pod przykryciem w wygrzanym piekarniku, w temp. 160ºC, przez
30 min lub nieco dłużej (czas zależy od grubości kawałków mięsa). Podajemy w wygrzanych kokilkach wraz
z białym pieczywem lub z dodatkiem ugotowanego na
sypko ryżu i sezonowej, delikatnej w smaku surówki.

• oprócz czasu na pieczenie mięsa

Młode kurczęta faszerowane kukurydzą

s k ł a d n i k i : 2 młode kurczęta o wadze do 80 dag • puszka
kukurydzy w zalewie • szklanka grubo posiekanych orzechów
(włoskie lub laskowe) • szklanka mielonego mięsa (może być
cielęcina lub mięso mieszane z kilku gatunków) • mała, świeża,
zielona papryka • pęczek natki pietruszki • łyżka zamrożonego
masła • jajko • sól • pieprz

Sprawione kurczęta myjemy, odcinamy końcówki skrzydeł i szyjki i, po obsuszeniu, nacieramy solą i odrobiną
pieprzu.
Przygotowujemy farsz: odsączoną kukurydzę mieszamy
z mielonym mięsem, orzechami, pokrojoną w drobną
kostkę (wielkości ziaren kukurydzy) papryką, jajkiem
i przyprawami, dzielimy farsz na 2 równe części, nadziewamy kurczęta, spinamy szpadkami lub zszywamy, ukła-

damy w brytfannie (najlepiej żaroodpornej). Na wierzchu rozkładamy grudki zamrożonego masła, kładziemy pęczek natki pietruszki i wstawiamy na 50 min do gorącego piekarnika. Następnie odcinamy
źródło ciepła i trzymamy pod przykryciem przez 20 min.
Podajemy, jako porcję, połowę przeciętego wzdłuż kurczęcia lekko polanego sosem z pieczenia, z dodatkiem frytek z młodych ziemniaków lub z młodymi ziemniakami posypanymi koperkiem oraz z mizerią.

liczba porcji / 4
czas przygotowania / 80 min
stopień trudności / średniotrudne
kaloryczność / średniokaloryczne
koszt / średniodrogie

liczba porcji / **2**

czas przygotowania / **80 min**

stopień trudności / **średniotrudne**

kaloryczność / **średniokaloryczne**

koszt / **średniodrogie**

Młody kurczak nadziewany
– przepis z kuchni staropolskiej

s k ł a d n i k i : młody kurczak o wadze do 80 dag • długi, cienki płat świeżej słoniny lub świeżego boczku • sól albo przyprawa do kurczaka • masło

f a r s z : dwie łyżki rodzynek • łyżka koniaku • 2 kopiaste łyżki tartej bułki • wątróbka i serce z kurczaka • 3 łyżki mleka • jajko • sól • pieprz

Sprawionego kurczaka obsuszamy, odcinamy końcówki skrzydeł i szyjkę, lekko nacieramy przyprawami wewnątrz i z zewnątrz, odstawiamy w chłodne miejsce. Rodzynki zalewamy koniakiem, by napęczniały. Przygotowujemy farsz: wątróbkę i serce z dodatkiem łyżki tartej bułki siekamy, przekładamy do miseczki, dodajemy pozostałą część tartej bułki, wlewamy mleko, dodajemy żółtko i niewielką ilość przypraw, mieszamy. Następnie dodajemy pianę ubitą z białka i odsączone z koniaku rodzynki, ponownie lekko mieszamy, łącząc składniki. Nadzianego farszem kurczaka mocno owijamy paskiem słoniny lub boczku, spinamy szpadkami i obsmażamy na maśle, rumieniąc ze wszystkich stron. Przekładamy do żaroodpornego naczynia do zapiekania, zalewamy powstałym w czasie smażenia tłuszczem, przykrywamy i wstawiamy do piekarnika na 25-30 min (czas zależy od wielkości kurczaka). Gdy jest miękki, wyjmujemy z brytfanny, kroimy wzdłuż na połowę, układamy na liściach sałaty, polewamy sosem z pieczenia, podajemy z młodymi ziemniakami, oprószonymi świeżym koperkiem i z mizerią.

Pikantny kurczak zapiekany

s k ł a d n i k i : 4 kawałki kurczaka (dowolne) • kawałek masła

s o s : 3 łyżki koncentratu pomidorowego • 3 łyżki keczupu • 3 duże łyżki oleju • 3 płaskie łyżeczki przyprawy curry • duża łyżeczka cukru • 1/2 łyżeczki soli

Składniki sosu dokładnie mieszamy, odstawiamy na 30 min, by smaki się połączyły. Przygotowane porcje kurczaka dzielimy na mniejsze części, układamy w salaterce, zalewamy przygotowanym sosem, szczelnie przykrywamy i wstawiamy do lodówki (mięso może stać do następnego dnia). W naczyniu do zapiekania rozpuszczamy niewielki kawałek masła, układamy skórką do góry porcje kurczaka, zalewamy sosem, w którym się marynował, na wierzchu rozkładamy kawałki masła, wstawiamy do nagrzanego do temp. 150ºC piekarnika wraz z drugim naczyniem wypełnionym wodą (woda wytworzy w piekarniku wilgoć, która zapobiegnie wysuszeniu się potrawy podczas zapiekania) i zapiekamy ok. 45-55 min. Podajemy w naczyniu, w którym kurczak się zapiekał, z dodatkiem grubego makaronu lub ugotowanego na sypko ryżu.

• o p r ó c z   c z a s u   n a   m a r y n o w a n i e   i   p i e c z e n i e   m i ę s a

liczba porcji / **4**

czas przygotowania / **40 min •**

stopień trudności / **średniotrudne**

kaloryczność / **średniokaloryczne**

koszt / **średniodrogie**

Pikantny kurczak
w winie

liczba porcji / 4

czas przygotowania / 40 min •

stopień trudności / średniotrudne

kaloryczność / średniokaloryczne

koszt / średniodrogie

s k ł a d n i k i : 8 pałek kurczaka lub 4 udka • 2 plastry
(ok. 15 dag) wędzonego boczku • szklanka czerwonego, wytrawnego
wina • oliwa lub olej i masło (pół na pół) • świeże śliwki
lub mandarynki • 1/2 łyżeczki soli • 1/2 łyżeczki białego pieprzu
• 1/2 łyżeczki ostrej papryki • duża szczypta gałki muszkatołowej

Obsuszone pałki (udka dzielimy na 2 części) dokładnie nacieramy wymieszanymi przyprawami, owijamy w folię
i przez 60 min trzymamy w lodówce. Na rozgrzany tłuszcz
wrzucamy pokrojony w kostkę boczek, gdy się wytopi, powstałe skwarki usuwamy za pomocą łyżki cedzakowej, a na
czystym tłuszczu smażymy porcje kurczaka, rumieniąc ze
wszystkich stron. Upieczone przekładamy do rondla, zalewamy tłuszczem ze smażenia oraz winem, szczelnie przykrywamy i dusimy na niewielkim ogniu, aż mięso będzie
miękkie, a powstały sos gęsty i aromatyczny. Porcje mięsa układamy na wygrzanym półmisku, przybieramy prze-
połowionymi śliwkami lub cząstkami mandarynek, całość
zalewamy gorącym sosem, przybieramy zieleniną, podajemy z dodatkiem kładzionych klusek z półfrancuskiego
ciasta lub ugotowanym na sypko ryżem.

• oprócz czasu na duszenie mięsa

Filety z kurczaka
według przepisu Pana Wojewody

s k ł a d n i k i : 4 filety z kurczaka (40-45 dag) • 1/2 kostki
(12,5 dag) masła • 1/2 łyżeczki soli • 2 duże ząbki czosnku
• 1/2 łyżeczki białego pieprzu • łyżeczka skórki otartej z cytryny
• sok z cytryny • szklanka białego, wytrawnego wina • 2 duże,
kwaskowe jabłka • 2 łyżki płynnego miodu

Filety rozbijamy drewnianym (ważne!), zwilżonym w zimnej wodzie tłuczkiem, nadając im owalny kształt. Posiekany czosnek, sól, biały pieprz, skórkę otartą z cytryny
siekamy z całym masłem, a gdy masa stanie się jednolita, smarujemy każdy filet z obu stron. Odstawiamy
w chłodne miejsce na 30 min (lub nieco dłużej). Z jabłek
wykrawamy gniazda nasienne, kroimy w niezbyt grube
krążki, kropimy sokiem z cytryny, by nie ściemniały. Na
rozgrzanej, dużej patelni smażymy przygotowane porcje
kurczaka. Gdy się zrumienią z obu stron, obkładamy mięso jabłkami, podlewamy winem wymieszanym z miodem
i trzymamy pod przykryciem na niewielkim ogniu przez
30 min (lub nieco dłużej), aż mięso zmięknie. Podajemy
z kładzionymi kluskami z półfrancuskiego ciasta lub z grubym makaronem.

• oprócz czasu na pieczenie mięsa

liczba porcji / 4

czas przygotowania / 55 min •

stopień trudności / średniotrudne

kaloryczność / średniokaloryczne

koszt / średniodrogie

Filety z kurczaka z sosem owocowo--winnym

s k ł a d n i k i : 4 filety z kurczaka • 3 pomarańcze • mały słoik pikantnego keczupu • sól • oliwa i masło (pół na pół) • 1/2 szklanki konfitur z aronii lub smażonych, czerwonych borówek • 1/2 szklanki czerwonego, słodkiego wina • 2 łyżki płynnego miodu

Opłukane, obsuszone filety lekko formujemy drewnianym tłuczkiem zwilżonym w zimnej wodzie, smarujemy dokładnie keczupem, odstawiamy w chłodne miejsce. Z 2 pomarańczy ocieramy skórkę (2 łyżeczki) i wyciskamy sok. Na spodzie posmarowanego masłem naczynia do zapiekania układamy filety, kropimy dość obficie oliwą, oprószamy delikatnie solą, zalewamy sokiem wyciśniętym z pomarańcz, wstawiamy na 25 min do nagrzanego do temp. 180ºC piekarnika. W czasie pieczenia odwracamy porcje na drugą stronę i posypujemy częścią, otartej z pomarańczy, skórki. Przygotowujemy sos: do miksera wkładamy konfitury, gdy rozetrą się na puszysty, jednolity mus, dodajemy pozostałą skórkę i, lejąc cienkim strumieniem, miód i wino. Sos powinien mieć wyraźny, winny smak z przebijającą nutą miodowej słodyczy.

Kurczaka podajemy na wygrzanym półmisku, każdą porcję polewamy sosem z pieczeni. Oddzielnie, w sosjerce, podajemy sos owocowo-winny. Do kurczaka najodpowiedniejszym dodatkiem będą cienkie, chrupiące frytki.

liczba porcji / 4
czas przygotowania / 30 min •
stopień trudności / średniotrudne
kaloryczność / średniokaloryczne
koszt / średniodrogie

• o p r ó c z   c z a s u   n a   p i e c z e n i e

Filety z kurczaka w sosie egzotycznym

s k ł a d n i k i : 2 średniej wielkości filety z kurczaka • mała filiżanka orzechów włoskich • mała filiżanka suszonych moreli • mała filiżanka orzeszków pistacjowych • szklanka bulionu (może być z koncentratu) • łyżeczka mąki ziemniaczanej • duża, jędrna pomarańcza • 2 bezpestkowe mandarynki • sól • pieprz • duża szczypta przyprawy do drobiu • oliwa

Morele drobno siekamy, zalewamy niewielką ilością letniej wody (powinna tylko przykryć owoce), odstawiamy do napęcznienia. Orzechy parzymy wrzątkiem, cedzimy na sicie, obieramy ze skórki, niezbyt drobno siekamy. Mięso nacieramy przyprawami, odstawiamy na kilka minut w chłodne miejsce. Na rozgrzanym tłuszczu rumienimy filety, przekładamy do rondla z grubym dnem, dodajemy skórkę otartą z całej pomarańczy wraz z wyciśniętym sokiem, posiekane orzechy, namoczone morele oraz zagotowany wraz z pozostałym ze smażenia tłuszczem bulion. Całość przykrywamy i dusimy pod przykryciem przez 15-20 min. Mięso powinno być miękkie, ale nierozgotowane. W niewielkiej ilości zimnej wody rozprowadzamy mąkę, wlewamy do sosu, zagotowujemy; gdy trzeba, całość doprawiamy do smaku. Po wyjęciu na talerze przybieramy każdą porcję cząstkami mandarynek. Podajemy z grubym makaronem lub kładzionymi kluseczkami.

liczba porcji / 2
czas przygotowania / 50 min
stopień trudności / średniotrudne
kaloryczność / średniokaloryczne
koszt / średniodrogie

Piersi kurczaka
w aromatycznym sosie

liczba porcji / 4

czas przygotowania / 40 min•

stopień trudności / średniotrudne

kaloryczność / średniokaloryczne

koszt / średniodrogie

s k ł a d n i k i : 4 filety z kurczaka • łyżeczka przyprawy do drobiu • sól • biały pieprz • oliwa

s o s : 1/2 szklanki soku z jabłek (świeżo wyciśniętego) • 2 łyżki soku z cytryny • łyżeczka skórki otartej z cytryny • 3 łyżki płynnego miodu • płaska łyżeczka mielonego imbiru • szklanka śmietany kremówki

Opłukane, obsuszone porcje kurczaka nacieramy dość obficie przyprawą do drobiu zmieszaną z dużą szczyptą (pół na pół) soli i pieprzu i odkładamy na 10 min w chłodne miejsce.

Przygotowujemy sos: śmietanę lekko ubijamy z sokiem z cytryny, dodajemy miód, gdy się spieni i zgęstnieje, dodajemy, lejąc strumykiem i cały czas ubijając, sok z jabłek i przyprawy (sos powinien być jednolity i puszysty). Na niewielkiej ilości oliwy smażymy porcje kurczaka, rumieniąc z obu stron, układamy w naczyniu do zapiekania, polewamy pozostałym ze smażenia tłuszczem, zalewamy sosem i wstawiamy do nagrzanego do temp. 150°C piekarnika. Wyjmujemy, gdy wierzch się lekko zrumieni, a boki będą odstawały od formy. Podajemy z ziemniakami purée lub chrupiącymi frytkami.

• oprócz czasu na zapiekanie

Piersi kurczaka
w miodowym sosie

s k ł a d n i k i : 4 filety z kurczaka • 4 ząbki czosnku • płaska łyżeczka pieprzu • płaska łyżeczka mielonej ostrej papryki • 1/2 łyżeczki soli • mąka do panierowania • oliwa • szklanka tłustego mleka • 4 łyżki płynnego miodu

Umyte, obsuszone porcje mięsa nacieramy wymieszanymi przyprawami, odstawiamy na 10 min w chłodne miejsce.

Na głębokiej patelni rozgrzewamy oliwę wraz z ząbkami czosnku, gdy się zrumienią, odrzucamy je, a na tłuszcz kładziemy oprószone mąką (nadmiar mąki strząsamy) filety i smażymy, rumieniąc z obu stron. Zmniejszamy ogień, zalewamy kurczaka mlekiem wymieszanym z miodem, naczynie szczelnie przykrywamy i dusimy przez 20-25 min (czas zależy od wielkości porcji). Sos powinien być lekko pikantny, z lekką nutą słodyczy. Podajemy z dodatkiem ugotowanego na sypko ryżu i sezonowej, łagodnej w smaku surówki.

• oprócz czasu na pieczenie

liczba porcji / 4

czas przygotowania / 35 min•

stopień trudności / średniotrudne

kaloryczność / średniokaloryczne

koszt / średniodrogie

liczba porcji / 4

czas przygotowania / 60 min

stopień trudności / średniotrudne

kaloryczność / średniokaloryczne

koszt / średniodrogie

Udka kurczaka duszone ze świeżymi grzybami

s k ł a d n i k i : 4 udka kurczaka • kilka małych cebulek • 1/2 szklanki oliwy lub oleju • litrowy słoik kapeluszy świeżych grzybów (może być mieszanka: borowiki, podgrzybki, kozaki) • sól • pieprz • zielenina

Wytarte wilgotną ściereczką, skropioną octem, porcje nacieramy solą i pieprzem i odstawiamy na kilka minut w chłodne miejsce. W szerokim rondlu rozgrzewamy część oliwy, wrzucamy całe cebulki (większe kroimy na połowę lub na 4 części), lekko rumienimy, często mieszając. Do podrumienionych dodajemy najdokładniej umyte, pokrojone w paseczki grzyby, całość lekko zasmażamy, trzymamy w cieple poza źródłem ognia.

Na rozgrzaną patelnię wlewamy pozostałą oliwę, obrumieniamy porcje kurczaka, przekładamy do rondla z grzybami, całość oprószamy niewielką ilością przypraw, przykrywamy, dusimy na niewielkim ogniu, aż mięso będzie miękkie. Podajemy obficie posypane zieleniną.

Rada: do potrawy, już po zdjęciu z ognia, można dodać 1/2 szklanki (lub nieco więcej, według własnych upodobań) śmietany kremowej. Tak doprawiony sos będzie znakomity z porcją ugotowanej na sypko kaszy gryczanej.

Udka kurczaka po cygańsku

s k ł a d n i k i : 4 udka kurczaka • duża cebula • 2 duże ząbki czosnku • 2 marchewki • 2 białe części pora • 1/2 selera średniej wielkości • korzeń pietruszki • szklanka rosołu • 2 łyżki łagodnej musztardy • 2 czubate łyżki masła • sól • pieprz • przyprawa do drobiu

Wytarte wilgotną, skropioną octem ściereczką udka dzielimy na 2 części (oddzielnie pałki, oddzielnie pozostałe części), posypujemy dość obficie przyprawami, smarujemy ze wszystkich stron musztardą i układamy na spodzie brytfanny. Na udka rozkładamy rozdrobnione masło, utarte na jarzynowej tarce warzywa oraz drobno pokrojone cebulę i por. Naczynie przykrywamy i wstawiamy na 30 min do nagrzanego do temp. 220ºC piekarnika. Brytfannę wyjmujemy z piekarnika, całość podlewamy rosołem i dusimy pod przykryciem, aż składniki będą miękkie (ok. 15 min).

Potrawę lekko doprawiamy według własnych upodobań smakowych. Podajemy z grubym makaronem lub ugotowanym na sypko ryżem.

liczba porcji / 4

czas przygotowania / 60 min

stopień trudności / średniotrudne

kaloryczność / średniokaloryczne

koszt / średniodrogie

Udka kurczaka w zielonym groszku

liczba porcji / 4
czas przygotowania / 60 min
stopień trudności / średniotrudne
kaloryczność / średniokaloryczne
koszt / średniodrogie

s k ł a d n i k i : 4 udka kurczaka • 2 puszki zielonego groszku konserwowego • 2 cebule • 2 ząbki czosnku • szklanka rosołu (może być z koncentratu) • sól • pieprz • łyżeczka przyprawy do drobiu lub przyprawy typu „Jarzynka" • tłuszcz do smażenia • mąka do zagęszczenia sosu

Każde udko wycieramy wilgotną ściereczką, skropioną octem, nacieramy przyprawami, odstawiamy na chwilę w chłodne miejsce. Na głębokiej patelni rozgrzewamy tłuszcz, w bardzo gorącym smażymy porcje, rumieniąc ze wszystkich stron, przekładamy do rondla z grubym dnem, a na pozostały ze smażenia tłuszcz wrzucamy posiekane cebulę i czosnek. Gdy się zeszklą, przekładamy do rondla z usmażonymi udkami, dodajemy rosół, naczynie przykrywamy, całość dusimy na małym ogniu przez 10 min. Dokładamy groszek wraz z zalewą, naczynie przykrywamy i dusimy, aż mięso będzie miękkie. Sos, który się wytworzył, doprawiamy (gdy trzeba) do smaku i, gdy trzeba, zagęszczamy niewielką ilością mąki rozprowadzonej w zimnej wodzie lub mleku.
Udka podajemy z ziemniakami purée, obficie posypanymi koperkiem i z surówką z marchwi.

Udka kurczaka w sosie śliwkowym

s k ł a d n i k i : 4 udka kurczaka • 3 cebule • 10 dag suszonych, bezpestkowych śliwek (kalifornijskie) • 1/2 szklanki soku z jabłek • 1/2 łyżeczki imbiru • sól • oliwa lub olej

Śliwki moczymy w soku z jabłek. Natarte niewielką ilością soli udka podsmażamy na rozgrzanym tłuszczu, rumieniąc ze wszystkich stron, następnie przekładamy do rondla. Na pozostałym ze smażenia tłuszczu podsmażamy pokrojoną w piórka cebulę, gdy się zeszkli, układamy na wierzchu udek, posypujemy przyprawami i namoczonymi śliwkami, podlewamy sokiem, w którym się moczyły, całość dusimy pod przykryciem ok. 20-25 min, aż mięso będzie miękkie. Porcje układamy na wygrzanym półmisku, sos przecieramy przez sito, gdy jest zbyt esencjonalny, rozprowadzamy łyżką wody lub słodkiej śmietanki. Zalewamy sosem porcje mięsa. Podajemy z grubym makaronem lub drożdżowymi kluskami, gotowanymi na parze.

liczba porcji / 4
czas przygotowania / 80 min
stopień trudności / łatwe
kaloryczność / średniokaloryczne
koszt / średniodrogie

Udka kurczaka
według Pani Rejentowej

s k ł a d n i k i : 4 udka kurczaka • 4 łyżki oliwy lub oleju
• kopiasta łyżka masła • 2 marchewki średniej wielkości • korzeń
pietruszki • 1/2 selera średniej wielkości • 20 suszonych śliwek
(namoczonych i wypestkowanych) • kilka ziaren czarnego
pieprzu • 3 ziarna ziela angielskiego • sól • pieprz • banan
• śmietanka z dodatkiem niewielkiej ilości mąki ziemniaczanej
do zagęszczenia sosu

Wytarte wilgotną, skropioną octem ściereczką udka oprószamy solą i pieprzem, obsmażamy, rumieniąc ze wszystkich stron.
Do rondla z grubym dnem kładziemy całe marchewki, pietruszkę, seler, przyprawy, śliwki wraz z wodą, w której się
moczyły, banana, na wierzch porcje kurczaka, wlewamy
pozostały ze smażenia tłuszcz zagotowany z 2 dużymi łyżkami wody, rondel szczelnie przykrywamy, całość dusimy
na niewielkim ogniu przez 30 min. Podczas duszenia, gdy
trzeba, podlewamy potrawę niewielką ilością wody.
Miękkie mięso wykładamy na wygrzany półmisek, marchew kroimy w zgrabne krążki i układamy dekoracyjnie
wokół porcji kurczaka. Pozostałe składniki sosu przecie-
ramy przez sito lub miksujemy, zagęszczamy śmietanką wymieszaną z mąką ziemniaczaną i, gdy
trzeba, doprawiamy do smaku. Porcje kurczaka polewamy sosem, nadmiar podajemy w sosjerce.

liczba porcji / 4
czas przygotowania / 50 min
stopień trudności / średniotrudne
kaloryczność / średniokaloryczne
koszt / średniodrogie

Gulasz z piersi kurczaka

s k ł a d n i k i : 60 dag mięsa z piersi kurczaka (bez skóry)
• 2 duże ząbki czosnku • 1/2 łyżeczki soli • 1/2 łyżeczki białego
pieprzu • łyżeczka czerwonej, słodkiej papryki • mąka
do oprószenia • oliwa • 2 cebule • szklanka esencjonalnego
rosołu (może być z koncentratu) • 6 pieczarek

Mięso kroimy w zgrabną, średniej wielkości kostkę,
oprószamy przez sito przyprawami wymieszanymi
z mąką, odstawiamy na kilka minut w chłodne miejsce. Na rozgrzany tłuszcz kładziemy rozkrojone ząbki czosnku, gdy zbrunatnieją, odrzucamy je, a na
tłuszcz kładziemy mięso i, cały czas mieszając, rumienimy ze wszystkich stron. Przekładamy do rondla z grubym dnem, na pozostałym ze smażenia tłuszczu podsmażamy, uważając, by się nie zrumieniła, pokrojoną
w piórka cebulę i rozdrobnione pieczarki. Całość przekładamy na mięso, na patelnię z pozostałym ze smażenia tłuszczem wlewamy rosół i, cały czas mieszając, zagotowujemy, zalewamy składniki gulaszu, stawiamy naczynie na średnim ogniu, dusimy pod przykryciem do miękkości. Sos, gdy trzeba, doprawiamy do smaku, gdy jest zbyt zawiesisty, rozprowadzamy rosołem. Podajemy z ziemniakami
purée i delikatną w smaku, sezonową surówką.

liczba porcji / 4
czas przygotowania / 45 min•
stopień trudności / średniotrudne
kaloryczność / średniokaloryczne
koszt / średniodrogie

• oprócz czasu na prużenie

Gulasz z kury po węgiersku

s k ł a d n i k i : **2 filety z kury** • **2 cebule** • **czubata łyżka masła lub dobry olej** • **1/2 łyżeczki mielonej słodkiej papryki** • **1/2 łyżeczki mielonej ostrej papryki** • **szczypta pieprzu cayenne** • **4 dorodne pomidory lub kopiasta łyżka koncentratu pomidorowego** • **łyżka pikantnego keczupu** • **sól** • **pieprz**

Porcje mięsa kroimy na niewielkie kawałki, oprószamy solą, pieprzem, paprykami, odstawiamy w chłodne miejsce. Na głębokiej patelni rozgrzewamy tłuszcz, podsmażamy pokrojoną w półplasterki cebulę, gdy się zeszkli, przekładamy do rondla. Na patelni uzupełniamy tłuszcz i, na bardzo gorącym, smażymy kawałki mięsa. Gdy zrumienią się ze wszystkich stron, przekładamy do rondla z cebulą, podlewamy 2 szklankami wody i dusimy pod przykryciem na niewielkim ogniu.

Do miękkiego mięsa dodajemy obrane ze skórki i pozbawione pestek pomidory lub rozprowadzony w łyżce wody koncentrat, keczup, całość zagotowujemy, gdy trzeba, doprawiamy do smaku i trzymamy pod przykryciem na małym ogniu, nie dłużej niż 5 min. Sos, gdy trzeba, zaciągamy łyżeczką mąki ziemniaczanej rozprowadzonej w niewielkiej ilości zimnej wody.

Gulasz podajemy z dodatkiem kluseczek lub grubego makaronu.

Amatorzy mniej pikantnych potraw mogą rozprowadzić sos niewielką ilością słodkiej śmietany.

liczba porcji / **4**
czas przygotowania / **60 min**
stopień trudności / **średniotrudne**
kaloryczność / **średniokaloryczne**
koszt / **średniodrogie**

Siekane kotleciki z kurczaka
według Cioci Godziszewskiej

s k ł a d n i k i : **mięso z piersi kurczaka (40-45 dag) pozbawione skóry** • **sól** • **pieprz** • **2 żółtka** • **sok i skóra otarta z cytryny** • **mąka do panierowania** • **oliwa i masło (pół na pół)** • **szklanka świeżych żurawin** • **1/2 szklanki białego, wytrawnego wina**

Posiekane (ostrym nożem lub tasakiem) mięso kropimy sokiem z cytryny, dodajemy żółtka, przyprawy, wyrabiamy masę. Dzielimy na 4 równe części, formujemy zgrabne kotlety, odstawiamy na 10 min w chłodne miejsce. Oprószamy mąką i smażymy na dobrze rozgrzanym tłuszczu. Gdy się dokładnie zrumienią z obu stron, przekładamy w ciepłe miejsce, trzymamy pod przykryciem. Do tłuszczu, w którym się smażyły, dorzucamy przebrane żurawiny, dodajemy otartą z cytryny skórkę, podlewamy szklanką wody i prużymy, cały czas mieszając, by rozprowadzić cały pozostały ze smażenia tłuszcz. Sos przecieramy przez sito, łączymy z winem, gdy trzeba, lekko doprawiamy do smaku, zagotowujemy. Do sosu wkładamy kotlety, trzymamy na małym ogniu przez 3-5 min. Podajemy z domowym, grubym makaronem lub z kładzionymi kluskami i owocową sałatką.

liczba porcji / **4**
czas przygotowania / **50 min**
stopień trudności / **średniotrudne**
kaloryczność / **średniokaloryczne**
koszt / **średniodrogie**

Paprykarz z kurczaka

s k ł a d n i k i : 4 niewielkie filety z piersi kurczaka • szklanka śmietany • 25 dag małych pieczarek • duża cebula • puszka zielonego groszku konserwowego • 2 marynowane papryczki • łyżeczka koncentratu pomidorowego • łyżka pikantnego keczupu • sól • pieprz • słodka mielona papryka • ostra mielona papryka • szczypta pieprzu cayenne • mąka krupczatka do panierowania • olej i smalec (pół na pół) • zielenina

Porcje kurczaka oprószamy przyprawami wymieszanymi z mąką i smażymy na dobrze rozgrzanym tłuszczu, rumieniąc z obu stron. Pod koniec smażenia dorzucamy posiekaną cebulę, całość zasmażamy, uważając, by cebula się tylko zeszkliła, przekładamy mięso do rondla z grubym dnem. Mięso w rondlu podlewamy 2 łyżkami wody lub rosołu, naczynie przykrywamy i dusimy na niewielkim ogniu. Po 10 min dodajemy koncentrat, keczup, całe pieczarki, odsączony groszek i drobno pokrojone, marynowane papryczki. Gdy składniki będą miękkie, dodajemy spienioną śmietanę, podgrzewamy i, gdy trzeba, doprawiamy do smaku.
Sos gotujemy ok. 3 min na niewielkim ogniu (powinien mieć piękny, czerwony kolor i wyraźny, pikantny, z przebijającą nutą pomidorów smak).
Podajemy lekko posypany posiekaną zieleniną, z dodatkiem wszelkiego rodzaju klusek, kluseczek i makaronów oraz delikatnie przyprawionej, sezonowej surówki.

liczba porcji / 4
czas przygotowania / 60 min
stopień trudności / średniotrudne
kaloryczność / średniokaloryczne
koszt / średniodrogie

Kaczka nadziewana
– przepis z kuchni staropolskiej

s k ł a d n i k i : dorodna, młoda kaczka • 20 dag cielęciny • plaster świeżej słoniny (ok. 5 dag) • 2 kopiaste łyżki tartej bułki • 2 jajka • wątróbka z kaczki • 3 łyżki mleka • sól • pieprz • majeranek • kilka kwaskowych jabłek (najodpowiedniejsze – małe papierówki w całości)

Z kaczki odrzucamy podroby, z wyjątkiem wątróbki, wyjmujemy szyję, pozostawiając nienaruszoną skórę, odcinamy końcówki skrzydeł, dokładnie myjemy, obsuszamy, nacieramy wnętrze majerankiem zmieszanym z solą, odstawiamy w chłodne miejsce.
Przygotowujemy farsz: tartą bułkę zalewamy letnim mlekiem. Cielęcinę, słoninę i wątróbkę przepuszczamy dwa razy (ważne!) przez maszynkę, dodajemy namoczoną tartą bułkę, żółtka, przyprawy i ubitą na sztywno pianę z białek. Nadziewamy wnętrze kaczki i szyję, zszywamy lub spinamy szpadkami, układamy w brytfannie, wstawiamy do piekarnika, pieczemy w temp. 180ºC, polewając dość często wytworzonym sosem, przez godzinę lub nieco dłużej (w zależności od wielkości kaczki). Gdy mięso jest prawie miękkie, dokładamy jabłka i pieczemy na średnim ogniu w temp. 150ºC odkrytą, by mięso się zrumieniło. Podajemy na wygrzanym półmisku w taki sposób, by każda porcja składała się z mięsa i farszu, obkładamy porcje upieczonymi jabłkami, polewamy częścią wytworzonego sosu, pozostały sos podajemy w sosjerce. Kaczka najsmaczniejsza jest z kluskami drożdżowymi na parze i sałatką owocową.

liczba porcji / 6
czas przygotowania / 90 min
stopień trudności / trudne
kaloryczność / wysokokaloryczne
koszt / drogie

Kaczka pieczona nadziewana bakaliami

s k ł a d n i k i : młoda, dorodna kaczka • 1/2 szklanki suszonych moreli • 1/2 szklanki suszonych rodzynek • 1/2 szklanki tartej bułki • 1/2 szklanki białego, wytrawnego wina • łyżka masła • łyżka majeranku • 1/2 łyżeczki soli • 2 jajka • szczypta cukru • sól • 3 łyżki wina i 3 łyżki wody (pół na pół) do podlania kaczki

Bakalie zalewamy winem, odstawiamy do napęcznienia. Masło siekamy z majerankiem i solą. Umytą, odsączoną z wody, lekko obsuszoną kaczkę nacieramy wewnątrz masłem z przyprawami, odstawiamy w chłodne miejsce. Odsączone rodzynki pozostawiamy na sicie, wyjęte z wina morele kroimy w paseczki. Żółtka rozcieramy ze szczyptą soli, dodajemy tartą bułkę, wino, w którym moczyły się bakalie, masę ucieramy, dodajemy przygotowane bakalie, pianę ubitą z białek, składniki lekko łączymy, nadziewamy kaczkę. Po spięciu szpadkami układamy w brytfannie, wstawiamy do nagrzanego do temp. 180°C piekarnika, w czasie pieczenia od czasu do czasu podlewamy wodą z winem i wytworzonym sosem. Kaczka jest miękka, gdy widelec łatwo wchodzi w mięso. Całość dzielimy na 6 części, układamy porcje na wygrzanym półmisku, polewamy niewielką ilością wytworzonego sosu, pozostały sos wlewamy do sosjerki. Podajemy z ziemniakami purée lub młodymi ziemniakami z wody albo z drożdżowymi kluskami gotowanymi na parze.

• oprócz czasu na pieczenie

liczba porcji / 6
czas przygotowania / 30 min•
stopień trudności / średniotrudne
kaloryczność / wysokokaloryczne
koszt / drogie

Tłusta kaczka na szybko
– przepis z kuchni staropolskiej

s k ł a d n i k i : tłusta, młoda kaczka • ziemniaki (ile potrzeba) • sól • majeranek • płaska łyżka masła • biały pieprz

Kaczkę patroszymy, wyciągamy z jej wnętrza kawałki tłuszczu, odcinamy końcówki skrzydeł, wycinamy szyję, pozostawiając nienaruszoną skórę, myjemy, odsączamy, obsuszamy. Wnętrze nacieramy majerankiem i solą, stronę zewnętrzną tylko solą, odstawiamy w chłodne miejsce. Obrane ziemniaki kroimy w zgrabne, niewielkie cząstki lub „w pomarańczkę", odsączamy. Do wnętrza kaczki kładziemy wyciągnięte wcześniej kawałki tłuszczu oraz obsuszone w ściereczce, oprószone solą i pieprzem ziemniaki. Ziemniakami napełniamy także skórę kaczej szyi. Do środka kładziemy kawałki masła, otwory spinamy szpadkami lub zszywamy, układamy kaczkę w brytfannie i pieczemy, aż będzie miękka i rumiana. Podajemy podzieloną na 4 części wraz z upieczonymi we wnętrzu ziemniakami, z dodatkiem mizerii lub z inną, sezonową surówką.

• oprócz czasu na pieczenie

liczba porcji / 4
czas przygotowania / 30 min•
stopień trudności / średniotrudne
kaloryczność / wysokokaloryczne
koszt / drogie

Piersi kaczki marynowane w miodzie

s k ł a d n i k i : 2 piersi dużej kaczki • szklanka musu jabłkowego • 2 łyżki płynnego miodu • 1/2 łyżeczki cynamonu • sól • pieprz • oliwa do smażenia • kieliszek białego, wytrawnego wina • sok z cytryny • łyżeczka skórki otartej z cytryny

Wypłukane, obsuszone piersi kaczki nacieramy solą i świeżo zmielonym, białym pieprzem, układamy w salaterce, smarujemy miodem, przykrywamy, trzymamy w chłodnym miejscu do następnego dnia.

Na rozgrzanym tłuszczu smażymy wyjęte z miodu mięso, rumieniąc ze wszystkich stron, przekładamy do rondla i pieczemy nadal, na niewielkim ogniu.

Pozostały w salaterce miód, w którym marynowały się kawałki kaczki, łączymy z winem i podlewamy piekące się mięso.

liczba porcji / 4
czas przygotowania / 60 min•
stopień trudności / trudne
kaloryczność / wysokokaloryczne
koszt / drogie

Zrumienione, miękkie kacze piersi wyjmujemy na wygrzany półmisek, oprószamy cynamonem, każdą pierś dzielimy na połowę, posypujemy skórką otartą z cytryny i trzymamy w cieple, pod przykryciem. Do sosu z pieczonego mięsa dodajemy mus jabłkowy, zagotowujemy, doprawiamy do smaku, gdy sos jest zbyt lekki, odparowujemy przez chwilę na dużym ogniu. Podajemy kawałki kaczki polane gorącym sosem, resztę sosu wlewamy do sosjerki. Najodpowiedniejszym dodatkiem będą kładzione kluseczki oraz zielona surówka.

• o p r ó c z   c z a s u   n a   p i e c z e n i e

Piersi kaczki w aksamitnym sosie

s k ł a d n i k i : 2 piersi dużej, młodej kaczki • oliwa i masło (pół na pół) do smażenia • sól • pieprz • ocet balsamiczny

s o s : 3 łyżki śmietany kremowej • 3 łyżki koniaku lub brandy • drylowane wiśnie z zalewy

Mięso lekko marynujemy, nacierając solą zmieszaną ze świeżo zmielonym pieprzem w proporcji pół na pół i kropiąc niezbyt obficie octem balsamicznym. Odstawiamy, pod przykryciem, w chłodne miejsce na godzinę lub nieco dłużej.

Na rozgrzanym tłuszczu smażymy piersi po 10 min z każdej strony, odstawiamy. Lekko przechłodzone mięso kroimy w cienkie plastry, trzymamy pod przykryciem.

Do tłuszczu ze smażenia dodajemy 3 łyżki wody, zagotowujemy, drewnianą łyżką zeskrobujemy zasmażony na patelni tłuszcz. Do powstałego sosu kładziemy plastry kaczki i na niewielkim ogniu dusimy, aż mięso będzie

liczba porcji / 4
czas przygotowania / 90 min•
stopień trudności / średniotrudne
kaloryczność / wysokokaloryczne
koszt / drogie

miękkie. Wykładamy za pomocą łyżki cedzakowej na wygrzany półmisek, trzymamy w cieple. Do sosu dodajemy kremową śmietanę, mieszamy energicznie, aż sos stanie się pulchny, wręcz aksamitny, dodajemy koniak lub brandy, mieszamy. Gorącym sosem zalewamy plastry mięsa, boki półmiska otaczamy wiśniami. Podajemy z grubym, domowym makaronem lub kładzionymi kluseczkami.

• o p r ó c z   c z a s u   n a   m a r y n o w a n i e

Indyczka pieczona nadziewana
– przepis z kuchni staropolskiej

s k ł a d n i k i : indyczka średniej wielkości (2,5 kg wagi netto) • wątróbka z indyczki • 2-3 wątróbki z kurczaka • 1/2 kostki (12,5 dag) masła + 2 łyżki masła do posmarowania indyczki • 3/4 szklanki tartej bułki • 2 jajka • 1/2 szklanki rodzynek • 1/2 szklanki migdałów • 1/2 szklanki pełnego mleka lub śmietanki • łyżeczka cukru • sól

Indyczkę, po wymoczeniu przez 2 godz. w zimnej wodzie, obsuszamy, nacieramy solą wewnątrz i z zewnątrz, trzymamy w chłodnym miejscu.

Rodzynki przelewamy na sicie ciepłą wodą, odstawiamy do odsączenia, migdały zalewamy wrzątkiem, cedzimy na sicie, obieramy ze skórki, siekamy. Wątróbki siekamy razem z łyżką tartej bułki. Masło ucieramy na puch, dodajemy żółtka, posiekane wątróbki wraz z pozostałą tartą bułką, mleko, wyrabiamy farsz (lekki!), dodajemy rodzynki, migdały, cukier, sól i pianę ubitą z białek, składniki delikatnie łączymy – farsz powinien być pulchny, o wyraźnym, z przebijającą nutą słodyczy, smaku. Skrzydła indyczki zginamy do tyłu, wole i wnętrze faszerujemy nadzieniem, skórę na szyi zginamy, przymocowujemy z tyłu pod skrzydłami i wraz z pozostałymi otworami spinamy szpadkami do rolad. Przed włożeniem do brytfanny związujemy skrzydełka, krzyżujemy nóżki, podwiązując je do kupra, całą smarujemy masłem i wstawiamy do piekarnika. Indyczkę pieczemy w temp. 180ºC przez tyle godzin, ile waży. Podczas pieczenia, w miarę często, podlewamy wytworzonym sosem. Podajemy pokrojoną w zgrabne porcje, przybraną marynowanymi owocami.

* o p r ó c z   c z a s u   n a   p i e c z e n i e

liczba porcji / 8

czas przygotowania / 60 min•

stopień trudności / trudne

kaloryczność / średniokaloryczne

koszt / drogie

Skrzydełka indyka w sosie

s k ł a d n i k i : 6 tzw. górnych skrzydełek ze średniej wielkości indyka • szklanka rosołu • łyżka mąki krupczatki wymieszanej z solą i białym pieprzem • duża pomarańcza • kilka marynowanych gruszek

s o s : otarta skórka i sok z dużej pomarańczy • duże, kwaskowe jabłko • 12 dorodnych śliwek węgierek (mogą być suszone) • marchewka • cebula • 1/2 średniej wielkości selera z zielonym liściem • sól • pieprz • łyżeczka curry • liść laurowy • oliwa lub olej do smażenia

Skrzydełka dokładnie wycieramy wilgotną, skropioną octem ściereczką, oprószamy mąką zmieszaną z solą i pieprzem, odstawiamy na 10 min w chłodne miejsce. Smażymy na rozgrzanym tłuszczu, rumieniąc ze wszystkich stron, podlewamy sokiem z pomarańczy, posypujemy skórką otartą z pomarańczy, trzymamy w cieple przykryte.

Przygotowujemy sos: na pozostałym ze smażenia tłuszczu podsmażamy posiekaną cebulę, gdy się zeszkli, dodajemy rozdrobnione na tarce z dużymi otworami jarzyny, cząstki jabłka i połówki śliwek, mieszamy, posypujemy curry, smażymy razem, mieszając, przez 3 min. Zasmażone składniki sosu przekładamy do rondla, w którym są skrzydełka, dodajemy utłuczony w moździerzu liść laurowy, podlewamy rosołem, dusimy pod przykryciem. Miękkie mięso układamy na wygrzanym półmisku, przybieramy krążkami pomarańczy i marynowanymi gruszkami. Sos przecieramy przez ostre sito, gdy jest zbyt zawiesisty, rozprowadzamy łyżką rosołu, podgrzewamy, podajemy w sosjerce.

liczba porcji / 6

czas przygotowania / 70 min

stopień trudności / średniotrudne

kaloryczność / średniokaloryczne

koszt / średniodrogie

Rolada z indyka
z pieczarkami

s k ł a d n i k i : płat z piersi indyka (80-90 dag) • 30 dag pieczarek • duża cebula • 1/2 szklanki tartej bułki • 2 jajka • sól • pieprz • oliwa • łagodny keczup

Płat mięsa rozkładamy na desce, lekko obijamy drewnianym (ważne!) tłuczkiem z obu stron, formując prostokąt o grubości ok. 1,5 cm. Przygotowane mięso bardzo delikatnie oprószamy z obu stron solą i pieprzem. Wewnętrzną stronę mięsa smarujemy dokładnie i w miarę obficie keczupem. Odstawiamy w chłodne miejsce.
Na oliwie podsmażamy drobno posiekaną cebulę, gdy się zeszkli, dodajemy pokrojone w cienkie paski pieczarki, zasmażamy, często mieszając.
Gdy grzyby puszczą sok, dodajemy tartą bułkę, przyprawy, dokładnie roztrzepane całe jajka, całość zasmażamy. Farsz powinien być lekko pikantny. Odstawiamy do przechłodzenia. Na przygotowane mięso nakładamy chłodny farsz, dokładnie zwijamy, obwiązujemy, w miarę szczelnie, bawełnianą nitką, smarujemy oliwą i obsmażamy na rozgrzanej patelni. Zrumienione przekładamy do brytfanny, pieczemy w niezbyt **gorącym** piekarniku (150°C), polewając od czasu do czasu wytworzonym sosem. Miękkie odstawiamy do wychłodzenia. Roladę podajemy na zimno – pokrojoną w zgrabne plastry, lub na gorąco – podlewając wytworzony sos śmietaną i lekko przyprawiając do smaku.

liczba porcji / 8
czas przygotowania / 150 min •
stopień trudności / średniotrudne
kaloryczność / wysokokaloryczne
koszt / średniodrogie

• o p r ó c z   c z a s u   n a   p i e c z e n i e

Gęś po poznańsku

s k ł a d n i k i : gęś (ok. 2 kg) • 1 i 1/2 szklanki kaszy perłowej • sól • mała porcja włoszczyzny (bez kapusty) • duży kapelusz suszonego borowika • 2 łyżki posiekanego koperku (może być mrożony) • pieprz • sól • 1/2 szklanki jasnego, pełnego piwa

Z dokładnie umytej gęsi odcinamy szyję i czubki skrzydeł, wkładamy do garnka, dodajemy włoszczyznę, kapelusz grzyba, sól, gotujemy esencjonalny wywar.
Mięso obsuszamy, nacieramy solą wewnątrz i z zewnątrz, odstawiamy w chłodne miejsce.
Wypłukaną kaszę zalewamy gorącym wywarem (3 szklanki), stawiamy na niewielkim ogniu i, często mieszając, gotujemy, aż kasza wchłonie cały płyn. Naczynie z kaszą szczelnie przykrywamy, owijamy w gazetę i kładziemy pod koc na 15 min, by kasza „doszła". Miękką łączymy z drobno posiekanym grzybem, gdy trzeba, doprawiamy do smaku, dodajemy koperek, lekko przechładzamy, nadziewamy gęś i zaszywamy otwór.
Na spód brytfanny wlewamy piwo, układamy gęś, wstawiamy do nagrzanego do temp. 180°C piekarnika, pieczemy, od czasu do czasu polewając wytworzonym sosem. Wyjmujemy, gdy pięknie się zrumieni i zmięknie. Podajemy z kluskami drożdżowymi na parze lub kluskami z surowych ziemniaków i czerwoną kapustą.

liczba porcji / 8
czas przygotowania / 150 min •
stopień trudności / trudne
kaloryczność / wysokokaloryczne
koszt / drogie

• o p r ó c z   c z a s u   n a   p i e c z e n i e

Serca wieprzowe duszone w winie

liczba porcji / 6
czas przygotowania / 30 min•
stopień trudności / średniotrudne
kaloryczność / średniokaloryczne
koszt / średniodrogie

s k ł a d n i k i : 3 serca wieprzowe • 1 l rosołu z jarzyn (może być z koncentratu) • szklanka czerwonego, wytrawnego wina • duża cebula • 2 ząbki czosnku • pęczek zielonej pietruszki • 3 łyżki oliwy do podsmażenia cebuli i czosnku • sól • pieprz • masło i mąka do zagęszczenia sosu

Na rozgrzanym tłuszczu podsmażamy, nie dopuszczając do zrumienienia, posiekaną cebulę i czosnek, przekładamy do garnka, podlewamy rosołem, dodajemy wino, związany nitką pęczek zielonej pietruszki, sól i pieprz, całość zagotowujemy. Obrane z błon i żył serca kroimy w niewielką kostkę, dajemy do sosu i gotujemy przez godzinę lub nieco dłużej. Gdy serca będą miękkie, wyjmujemy pietruszkę. Sos, gdy trzeba, lekko odparowujemy na dużym ogniu (powinien mieć piękny, czerwonobrunatny kolor), gdy trzeba, zagęszczamy masłem utartym z mąką i gotujemy przez 2-3 min, by mąka straciła smak surowizny. Podajemy z ryżem ugotowanym na sypko i delikatną w smaku surówką.

• oprócz czasu na gotowanie

Cynadry w sosie

s k ł a d n i k i : 1 kg cynader • 50 dag cebuli (waga po obraniu i przygotowaniu produktów) • oliwa • ziarna czarnego pieprzu • ziarna ziela angielskiego • liść laurowy • 2 szklanki wywaru z jarzyn lub rosołu (może być z koncentratu) • sól

Dokładnie oczyszczone nerki kroimy w plasterki, zalewamy wrzątkiem, trzymamy przez 2 min na ogniu, cedzimy na sicie. Przekładamy do garnka, ponownie zalewamy wrzątkiem, zagotowujemy, trzymamy przez 2 min na ogniu. Ugotowane nerki cedzimy i ponownie wrzucamy do garnka, zalewamy wrzącą wodą i gotujemy przez 5-8 min. Kolejny raz cedzimy na sicie, przelewamy wrzątkiem i pozostawiamy do odsączenia.
Na tłuszczu zasmażamy posiekaną cebulę, gdy się zeszkli, odsuwamy na bok, wrzucamy na tłuszcz odsączone cynaderki, całość zasmażamy, często mieszając, przez 3 min. Dorzucamy przyprawy, podlewamy rosołem i dusimy na niewielkim ogniu, od czasu do czasu mieszając. Nerki są gotowe, gdy mięso jest kruche, a cebula całkowicie rozprużona utworzy aromatyczny, gęsty sos. Podajemy z kaszą gryczaną na sypko i kiszonym ogórkiem.

• oprócz czasu na prużenie mięsa

liczba porcji / 4
czas przygotowania / 35 min•
stopień trudności / średniotrudne
kaloryczność / średniokaloryczne
koszt / tanie

Ozorki cielęce w sosie bakaliowym

s k ł a d n i k i : 2 duże cielęce ozorki • porcja włoszczyzny • kilka ziaren ziela angielskiego • kilka ziaren czarnego pieprzu • sól

s o s : łyżka masła lub masła roślinnego • łyżka mąki • 2 szklanki wywaru z ozorków • filiżanka rodzynek • filiżanka suszonych śliwek (bezpestkowych) • kieliszek czerwonego, wytrawnego wina • sok z cytryny • cukier • sól • miałki biały pieprz

W winie moczymy rodzynki i pokrojone w paseczki śliwki. Umyte ozorki z wyciętymi śliniankami kładziemy do zimnej, czystej wody, zagotowujemy i trzymamy na ogniu przez 20 min. Ugotowane wyjmujemy łyżką cedzakową i przekładamy do naczynia z zimną wodą, po 2 min przekładamy na deskę i zdejmujemy z ozorków szorstką skórę. Zagotowujemy 2 l wody z włoszczyzną i przyprawami, przekładamy obrane ozorki, gotujemy do miękkości na średnim ogniu.

Przygotowujemy sos: na rozgrzanym maśle zasmażamy mąkę, gdy się zrumieni, rozprowadzamy przecedzonym wywarem, zagotowujemy, cały czas mieszając, sos powinien być gęsty i pulchny. Do sosu dodajemy namoczone w winie bakalie wraz z winem, w którym się moczyły, przyprawiamy solą, białym pieprzem, sokiem z cytryny, szczyptą cukru w taki sposób, by sos miał lekką nutę słodyczy. Dodajemy do sosu pokrojone w cienkie, skośne plasterki ozorki, zagotowujemy i trzymamy w cieple, pod przykryciem, przez kilka minut, by połączyły się smaki. Podajemy z ziemniakami purée i delikatną w smaku, sezonową surówką.

liczba porcji / 4
czas przygotowania / 40 min •
stopień trudności / średniotrudne
kaloryczność / średniokaloryczne
koszt / średniodrogie

• oprócz czasu na gotowanie

Żołądki z indyka w sosie potrawkowym

s k ł a d n i k i : 1 kg żołądków z indyka • duża porcja włoszczyzny • sól • ziarna pieprzu • 3 ziarna ziela angielskiego

s o s : kopiasta łyżka masła • łyżka mąki • 2 szklanki wywaru z włoszczyzny i żołądków • szklanka rodzynek • 4 łyżki śmietany kremowej • sok i skórka otarta z cytryny • sól • cukier

Żołądki gotujemy z przyprawami do miękkości w wywarze z włoszczyzny, odstawiamy do wychłodzenia.

Rodzynki przelewamy na sicie gorącą wodą, odstawiamy do odsączenia. Masło lekko zasmażamy z mąką, uważając, by się nie zrumieniła, tylko straciła smak surowizny, rozprowadzamy wywarem i bardzo dokładnie mieszamy, by nie powstały najmniejsze nawet grudki, składniki przez chwilę gotujemy. Dodajemy sok i skórkę otartą z cytryny, rodzynki, śmietanę, doprawiamy do smaku solą i cukrem.

Do sosu dodajemy pokrojone w „makaronik" żołądki, naczynie przykrywamy i trzymamy przez kilka minut w ciepłym miejscu. Podajemy z ugotowanym na sypko ryżem, zieloną sałatą polaną sosem jogurtowym lub z pieczonymi owocami.

liczba porcji / 6
czas przygotowania / 150 min
stopień trudności / średniotrudne
kaloryczność / średniokaloryczne
koszt / tanie

Żołądki drobiowe
w sosie koperkowym

liczba porcji / 6

czas przygotowania / 120 min

stopień trudności / średniotrudne

kaloryczność / średniokaloryczne

koszt / średniodrogie

s k ł a d n i k i : 1 kg świeżych żołądków drobiowych • duża porcja włoszczyzny • sól • ziarna pieprzu • ziarna ziela angielskiego

s o s : czubata łyżka masła lub masła roślinnego • łyżka mąki • 5 szklanek wywaru z włoszczyzny • 2 kopiaste łyżki posiekanego koperku (może być mrożony) • 1/2 szklanki śmietany kremowej • sól

Żołądki, włoszczyznę oraz przyprawy gotujemy przez 90 min, odstawiamy do przechłodzenia.

Z masła i mąki robimy zasmażkę, uważając, by mąka się nie zrumieniła, tylko straciła smak surowizny. Rozprowadzamy zasmażkę wywarem, zagotowujemy i energicznie mieszamy – nie powinny powstać najmniejsze nawet grudki. Sos doprawiamy do smaku, dodajemy śmietanę, koperek. Gdy będzie zbyt gęsty, podlewamy 2 łyżkami wywaru.

Przechłodzone żołądki wyjmujemy z wywaru, kroimy w „makaronik", wrzucamy do sosu, przykrywamy, odstawiamy w ciepłe miejsce na 10 min. Podajemy z ugotowanym na sypko ryżem lub ziemniakami purée i sezonową surówką.

Wątróbka
w sosie maderowym
z kuchni staropolskiej

s k ł a d n i k i : 50 dag wątróbki cielęcej • 2 łyżki oliwy • łyżka masła • cebula • 20 małych, zamkniętych pieczarek • mąka do oprószenia • 1/2 szklanki madery • 1/2 szklanki esencjonalnego rosołu (z koncentratu popsuje smak) • sól • pieprz

Z wątróbki zdejmujemy cienką błonę, wykrawamy 4 równej grubości plastry, oprószamy mąką i pieprzem, odstawiamy w chłodne miejsce. Na dużej patelni rozgrzewamy oliwę, zasmażamy pokrojoną w piórka cebulę. Gdy się zeszkli, odsuwamy cebulę na boki, wrzucamy pieczarki i zasmażamy przez 2-3 min, łączymy z cebulą i zasmażamy razem, często mieszając, aż wyparuje z pieczarek sok. Całość odsuwamy na bok, wkładamy na patelnię 1/2 masła i smażymy plasterki wątróbki z obu stron, dodajemy pozostałe masło. Na zrumienioną wątróbkę nasuwamy zasmażoną cebulę z pieczarkami, oprószamy solą i, gdy trzeba, pieprzem. Całość polewamy maderą, spód podlewamy rosołem i, pod przykryciem, dusimy na niewielkim ogniu przez 5-6 min. Podajemy z młodymi ziemniakami obficie posypanymi koperkiem lub z ziemniaczanymi knedlami i zieloną sałatą.

liczba porcji / 4

czas przygotowania / 40 min

stopień trudności / średniotrudne

kaloryczność / średniokaloryczne

koszt / średniodrogie

liczba porcji / 4

czas przygotowania / 50 min

stopień trudności / średniotrudne

kaloryczność / średniokaloryczne

koszt / średniodrogie

Wątróbka cielęca smażona

s k ł a d n i k i : 60 dag wątróbki cielęcej • szklanka mleka • łyżka masła • 3 łyżki oliwy • sól • mielona słodka papryka • szczypta tymianku • 1/2 szklanki czerwonego, wytrawnego wina • 4 dorodne, winne jabłka • 2 łyżki oliwy • łyżeczka przesianego przez sito majeranku

Obrane ze skórki jabłka kroimy na połowę, usuwamy gniazda nasienne, lekko podsmażamy na oliwie, posypujemy majerankiem i trzymamy pod przykryciem w ciepłym miejscu.

Obraną z błon i żyłek wątróbkę kroimy w zgrabne plastry (po 2 na porcję), moczymy w zimnym mleku przez kilka minut, odsączamy na papierowym ręczniku. Na dużej patelni rozgrzewamy oliwę, do gorącej dodajemy masło i smażymy plastry wątróbki przez 3-4 min z obu stron. Zrumienione lekko oprószamy solą, papryką, roztartym w dłoniach tymiankiem, podlewamy winem i trzymamy pod przykryciem, na najmniejszym ogniu, przez kilka minut. Podajemy prosto z patelni, na wygrzanych talerzach. Na porcjach wątróbki układamy połówki jabłek, podajemy z kruchymi, cienkimi frytkami lub młodymi ziemniakami obficie posypanymi koperkiem i z zieloną sałatą.

Luksusowe danie z wątróbki

s k ł a d n i k i : proporcja: 4 części wątróbki – 1 część cebuli • 60 dag wątróbki • 15 dag cebuli (waga po obraniu) • oliwa i masło (pół na pół) • szklanka esencjonalnego rosołu • mleko do wymoczenia • sól • pieprz • szczypta przyprawy ziołowej

Pozbawioną błon i żyłek wątróbkę kroimy w cienkie plastry (po 2 na porcję), moczymy w mleku. Na rozgrzanym tłuszczu smażymy pokrojoną w piórka cebulę, gdy się zeszkli, przekładamy do rondla z grubym dnem. Na patelni uzupełniamy tłuszcz i smażymy odsączone i obsuszone na papierowym ręczniku porcje wątróbki, rumieniąc z obu stron. Gotowe przekładamy do rondla z cebulą, podlewamy bulionem, dodajemy przyprawy, naczynie szczelnie przykrywamy i całość dusimy na niewielkim ogniu przez 15 min. Gdy powstały sos będzie zbyt wodnisty, zagęszczamy niewielką ilością mąki ziemniaczanej lub kukurydzianej, wymieszanej z minimalną ilością zimnej wody. Podajemy z ugotowanym na sypko ryżem lub ziemniakami purée posypanymi zieleniną i z delikatną w smaku, sezonową surówką.

liczba porcji / 4

czas przygotowania / 45 min

stopień trudności / średniotrudne

kaloryczność / średniokaloryczne

koszt / tanie

Wątróbka
z grzybami

s k ł a d n i k i : 40 dag wątróbki cielęcej • 2 cebule
• 4-5 dorodnych kapeluszy świeżych borowików lub podgrzybków
• oliwa • mąka do panierowania • sól • pieprz

Po usunięciu błon kroimy wątróbkę w cienkie plasterki,
wkładamy na kilka minut do zimnego mleka. Na rozgrzanym tłuszczu podsmażamy pokrojone w krążki cebule, gdy
się zeszklą, przekładamy do rondla z grubym dnem. Na
pozostałym tłuszczu (gdy trzeba, uzupełniamy) smażymy
odsączone, oprószone mąką plasterki wątróbki, rumieniąc
z obu stron. Przekładamy do rondla z cebulą, a na patelnię wkładamy drobno pokrojone kapelusze świeżych grzybów i, cały czas mieszając, podsmażamy (powinny się lekko zrumienić). Tak przygotowane grzyby przekładamy do
rondla z cebulą i wątróbką, podlewamy niewielką ilością
rosołu (może być z koncentratu) lub wodą, oprószamy delikatnie pieprzem i dusimy pod przykryciem nie dłużej niż
przez 15 min, od czasu do czasu potrząsając rondlem, by
potrawa nie przywarła do dna. Gdy powstały sos jest zbyt
wodnisty, zaciągamy mąką ziemniaczaną, wymieszaną
z minimalną ilością wody, zagotowujemy i ponownie przyprawiamy do smaku. Podajemy z ugotowanym na sypko
ryżem i sezonową surówką.

liczba porcji / **4**
czas przygotowania / **40 min**
stopień trudności / **średniotrudne**
kaloryczność / **średniokaloryczne**
koszt / **średniodrogie**

Wątróbka
w czerwonym winie

s k ł a d n i k i : 60 dag wątróbki • 3 duże cebule
• 1/2 szklanki rosołu lub wywaru z jarzyn (rosół z koncentratu
pogorszy smak) • 1/2 szklanki czerwonego, wytrawnego wina
• sól • pieprz • przyprawa ziołowa • 1 kg małych pieczarek
• mleko do wymoczenia wątróbki • oliwa i masło (pół na pół)

Po obraniu z żyłek i błon wątróbkę kroimy w zgrabne plastry (po 2 na porcję), zalewamy mlekiem na godzinę.
Na rozgrzanym tłuszczu smażymy pokrojoną w talarki cebulę,
powinna się zeszklić, ale nie przysmażyć, przekładamy do rondla
z grubym dnem, uzupełniamy tłuszcz i smażymy pieczarki (duże grzyby dzielimy na części). Gdy sos z pieczarek wyparuje, przekładamy grzyby do cebuli. Odsączone z mleka, obsuszone porcje wątróbki rumienimy z obu
stron, przekładamy do rondla z pieczarkami, podlewamy rosołem i winem, delikatnie
przyprawiamy do smaku i dusimy, na małym ogniu, pod przykryciem przez 15 min. Gdy wytworzony sos jest zbyt lekki, zagęszczamy mąką ziemniaczaną rozprowadzoną w minimalnej ilości zimnej wody. Przed podaniem posypujemy przyprawą ziołową. Najlepiej smakuje z młodymi ziemniakami lub ziemniakami purée posypanymi zieleniną i z delikatną w smaku, sezonową surówką.

* o p r ó c z   c z a s u   n a   m o c z e n i e   m i ę s a

liczba porcji / **4**
czas przygotowania / **45 min**
stopień trudności / **średniotrudne**
kaloryczność / **średniokaloryczne**
koszt / **średniodrogie**

liczba porcji / **4**
czas przygotowania / **50 min**
stopień trudności / **łatwe**
kaloryczność / **średniokaloryczne**
koszt / **tanie**

Zielone śledzie w sosie śmietanowym

s k ł a d n i k i : 8 dużych, niesolonych śledzi • szklanka śmietany kremowej • 2 łyżki naturalnego jogurtu • mąka • sól • pieprz • 1/2 łyżeczki przyprawy do ryb • szczypta pieprzu cayenne • oliwa lub olej

Odfiletowane, pozbawione głów śledzie po obsuszeniu posypujemy przyprawami, odstawiamy na kilka minut w chłodne miejsce.

Na dobrze rozgrzany tłuszcz wkładamy oprószone mąką filety, smażymy, rumieniąc z obu stron, od razu przekładamy do szerokiego rondla i trzymamy na najmniejszym ogniu. Upieczone zalewamy spienioną śmietaną z jogurtem, rondel szczelnie przykrywamy i trzymamy jeszcze przez 10 min w ciepłym piekarniku lub na płytce. Sos, gdy trzeba, lekko doprawiamy do smaku. Podajemy z ziemniakami obficie posypanymi zieleniną i z sezonową surówką.

liczba porcji / **8**
czas przygotowania / **40 min**
stopień trudności / **średniotrudne**
kaloryczność / **średniokaloryczne**
koszt / **tanie**

Zielone śledzie panierowane

s k ł a d n i k i : 8 świeżych, niesolonych śledzi • 4 duże cebule • oliwa lub olej • sól • pieprz • szczypta przyprawy ziołowej • mąka • jajka i tarta bułka do panierowania

Odfiletowane, pozbawione głów śledzie obsuszamy, posypujemy przyprawami i układamy w kamiennym garnku, przekładając pokrojonymi w grube krążki plasterkami cebuli. Odstawiamy w chłodne miejsce (można do następnego dnia). Na godzinę przed planowanym podaniem potrawy wyjmujemy filety z cebuli, obsuszamy, panierujemy w mące, roztrzepanych jajkach i tartej bułce. Smażymy na gorącym, tzw. głębokim tłuszczu, rumieniąc z obu stron. Przekładamy na wygrzany półmisek i stawiamy w ciepłym miejscu.

Na pozostałym ze smażenia tłuszczu rumienimy z obu stron krążki cebuli (te, którymi filety były przełożone). Obkładamy nimi filety, całość lekko oprószamy przyprawą ziołową lub posypujemy zieleniną. Podajemy z ziemniakami oraz z surówką z selera z jabłkiem i orzechami.

Zielone śledzie
ze świeżymi grzybami

liczba porcji / 4
czas przygotowania / 50 min
stopień trudności / średniotrudne
kaloryczność / średniokaloryczne
koszt / średniodrogie

s k ł a d n i k i : litrowy słoik świeżych grzybów (kapelusze)
• 8 świeżych, niesolonych śledzi • 3 cebule • szklanka śmietany
• łyżka masła do zasmażenia grzybów • oliwa lub olej • sól • pieprz
• mąka krupczatka do panierowania

Na maśle zasmażamy posiekaną cebulę, gdy się zeszkli, dodajemy wcześniej oczyszczone, pokrojone w drobne cząstki grzyby i, mieszając, dusimy do miękkości. Gdy trzeba, podlewamy grzyby od czasu do czasu łyżką wody, by nie przywarły do dna naczynia.
Odfiletowane, pozbawione łbów śledzie, po dokładnym umyciu i obsuszeniu, posypujemy przyprawami, panierujemy w mące i smażymy na dobrze rozgrzanym tłuszczu, rumieniąc z obu stron. Usmażone przekładamy do szerokiego, płaskiego rondla, na nie wykładamy miękkie grzyby, posypujemy niewielką ilością przypraw, całość zalewamy lekko spienioną śmietaną. Rondel szczelnie przykrywamy i stawiamy na 10 min na najmniejszym ogniu. Podajemy z ziemniakami z wody, obficie posypanymi zieleniną oraz z sezonową, delikatną w smaku surówką.

Zielone śledzie
w pikantnym sosie

s k ł a d n i k i : 8-10 śledzi niesolonych, tzw. zielonych
• 2 marchewki • korzeń pietruszki • 1/2 średniej wielkości selera
• biała część pora • 2 duże cebule • puszka zielonego groszku konserwowego • 1/2 szklanki oliwy lub oleju • 2 łyżki koncentratu pomidorowego • 2 łyżki keczupu • sól • pieprz • szczypta pieprzu cayenne • szczypta gałki muszkatołowej • kilka ziaren ziela angielskiego • liść laurowy • mąka do panierowania śledzi

Umyte śledzie filetujemy, odcinamy łby, posypujemy przyprawami, odstawiamy w chłodne miejsce.
Przygotowujemy sos: na 1/2 oliwy podsmażamy pokrojoną w piórka cebulę, gdy się zeszkli, dodajemy rozdrobnione na tarce z dużymi otworami jarzyny, pokrojony w cienkie krążki por, składniki przez chwilę zasmażamy, podlewamy 1/2 szklanki wody, dodajemy wszystkie przyprawy i dusimy, często mieszając. Gdy jarzyny będą prawie miękkie, dodajemy koncentrat pomidorowy, keczup, gdy trzeba, doprawiamy do smaku. Sos powinien mieć wyraźny, pikantny, ale niezbyt ostry smak.
Pozostałą oliwę rozgrzewamy na patelni, na gorącej smażymy obtoczone w mące filety. Gdy się zrumienią z obu stron, przekładamy na wygrzany półmisek, zalewamy gorącym sosem i na kilka minut wstawiamy do wygrzanego piekarnika lub, szczelnie przykryte, trzymamy na najmniejszym ogniu. Podajemy z ziemniakami, obficie posypanymi zieleniną.

liczba porcji / 4
czas przygotowania / 45 min
stopień trudności / średniotrudne
kaloryczność / średniokaloryczne
koszt / średniodrogie

Ryba morska z grilla

s k ł a d n i k i : 4 duże filety z dorsza lub innej białej, morskiej ryby • 4 dorodne, winne jabłka • 2 niezbyt dojrzałe banany • biały pieprz • sól • majeranek • przyprawa do ryb • duża cebula • oliwa • mleko do wymoczenia filetów

Zamrożone filety obkładamy cienkimi talarkami cebuli, wkładamy do miseczki z mlekiem, odstawiamy na godzinę (odmrożą się i stracą specyficzny, tranowy zapach). Przed smażeniem obsuszone filety nacieramy solą i pieprzem wymieszanymi z przyprawą do ryb, odkładamy w chłodne miejsce. Jabłka obieramy ze skórki, kroimy na połowę, usuwamy gniazda nasienne, obficie oprószamy majerankiem. Banany kroimy na połowę, ogrzewamy talerze.

Przyprawione, wychłodzone filety nacieramy oliwą, rozkładamy na grillu, gdy się zrumienią, przekładamy na wygrzane talerze, a na grillu rumienimy połówki jabłek i banany. Usmażone owoce układamy dekoracyjnie na usmażonych filetach. Podajemy z ugotowanym na sypko ryżem lub ze świeżym pieczywem i sezonową, delikatną w smaku surówką.

• oprócz czasu na smażenie

---

liczba porcji / 12

czas przygotowania / 25 min•

stopień trudności / średniotrudne

kaloryczność / średniokaloryczne

koszt / średniodrogie

Makrela w sosie cytrynowym

s k ł a d n i k i : 4 duże filety z makreli (najsmaczniejsze, gdy świeże) • 4 ząbki czosnku • 2 cytryny • sól • świeżo zmielony biały pieprz • łyżeczka przyprawy do ryb • kopiasta łyżka mąki krupczatki • szklanka białego, wytrawnego wina • oliwa lub olej do smażenia

Umyte filety lekko obsuszamy, dokładnie panierujemy (mocno przyciskamy) w mące wymieszanej z przyprawami i od razu smażymy na dobrze rozgrzanym tłuszczu, rumieniąc z obu stron. Gotowe przekładamy na wygrzany półmisek i wstawiamy do ciepłego piekarnika. Na pozostały ze smażenia tłuszcz wrzucamy najdrobniej posiekany czosnek i resztę mąki z przyprawami, która pozostała po panierowaniu, całość przez chwilę zasmażamy, uważając, by czosnek się nie zrumienił. Składniki zalewamy winem, dodajemy sok wyciśnięty z 2 cytryn i, cały czas mieszając, zagotowujemy. Sos powinien być lekko zawiesisty, o wyraźnym, cytrynowo-winnym, z nutą pikantności, smaku.

---

liczba porcji / 4

czas przygotowania / 45 min

stopień trudności / średniotrudne

kaloryczność / średniokaloryczne

koszt / średniodrogie

Gorącym sosem zalewamy usmażone filety, naczynie przykrywamy, trzymamy przez 10-12 min w ciepłym piekarniku.

Podajemy na wygrzanych talerzach, z dodatkiem ugotowanego na sypko ryżu lub ziemniakami purée oraz z zieloną sałatą, polaną spienionym sosem jogurtowym.

Makrela w śmietanie

liczba porcji / **4**

czas przygotowania / **50 min**

stopień trudności / **średniotrudne**

kaloryczność / **średniokaloryczne**

koszt / **średniodrogie**

s k ł a d n i k i : 4 filety z makreli (najsmaczniejsze świeże)
• szklanka gęstej, lekko kwaśnej śmietany • 2 kopiaste łyżki drobno
posiekanej cebuli • 2 duże ząbki czosnku • cytryna • mąka
krupczatka • sól • pieprz • oliwa lub olej do smażenia

Umyte, obsuszone filety kropimy obficie sokiem z cytryny, odstawiamy w chłodne miejsce na 30 min lub nieco
dłużej. Mąkę mieszamy z przyprawami, bardzo dokładnie obtaczamy (mocno przyciskając) filety i od razu smażymy na bardzo gorącym tłuszczu na złoty kolor, z obu
stron. Zrumienione zalewamy śmietaną wymieszaną z posiekaną cebulą i czosnkiem, przykrywamy, stawiamy patelnię na najmniejszym ogniu lub płytce ochronnej i dusimy przez 10 min. Gotowe wykładamy na wygrzany półmisek lub bezpośrednio na wygrzane talerze. Sos spod
makreli, gdy trzeba, lekko doprawiamy, zalewamy nim
porcje ryby i od razu podajemy. Ryba jest najsmaczniejsza z dodatkiem ugotowanego na sypko ryżu i zieloną
sałatą, skropioną sokiem z cytryny.

Dorsz
w sosie mirabelkowym
lub śliwkowym

s k ł a d n i k i : 4 filety z dorsza • duża cebula • mleko
do wymoczenia filetów • przyprawa do ryb • oliwa lub olej
• 1 l dojrzałych mirabelek lub śliwek (miara bez pestek) • 3 ząbki
czosnku • 2 goździki • szczypta cynamonu • szczypta utartej gałki
muszkatołowej • cukier i sok z cytryny do smaku • łyżka płynnego
miodu

Filety przekładamy krążkami cebuli, układamy w głębokiej salaterce, zalewamy zimnym mlekiem, odstawiamy
w chłodne miejsce na godzinę lub nieco dłużej.
Przygotowujemy sos: owoce gotujemy w wodzie z cukrem, gdy będą miękkie, przecieramy przez sito. Do musu dodajemy najdrobniej posiekany czosnek, miód, przyprawy, całość przez chwilę gotujemy – sos powinien mieć
piękny, brunatnoczerwony kolor, aksamitną konsystencję
i słodko-pikantny smak z przeważającą nutą słodyczy.
Odsączone z mleka, obsuszone filety oprószamy obficie
przyprawą do ryb i smażymy na gorącym tłuszczu, rumieniąc z obu stron. Usmażone przekładamy
na wygrzany półmisek, zalewamy gorącym sosem, wstawiamy na 10 min do nagrzanego piekarnika. Podajemy z makaronem lub ugotowanym na sypko ryżem i zieloną sałatą, skropioną sokiem
z cytryny.

liczba porcji / **4**

czas przygotowania / **60 min**

stopień trudności / **średniotrudne**

kaloryczność / **niskokaloryczne**

koszt / **średniodrogie**

liczba porcji / 4
czas przygotowania / 45 min
stopień trudności / średniotrudne
kaloryczność / średniokaloryczne
koszt / średniodrogie

Filety rybne w naturalnym sosie

s k ł a d n i k i : 4 średniej wielkości filety z dorsza lub z innej białej, morskiej ryby • 1/2 szklanki śmietany lub naturalnego jogurtu i śmietany (pół na pół) • 2 łyżki koperku • 2 jajka ugotowane na twardo • kostka rosołowa lub bulionowa • 2 ziarna ziela angielskiego • sól • pieprz • szczypta ostrej przyprawy (papryka lub chili) • łyżka mąki

Do głębokiego rondla wlewamy szklankę zimnej wody, dodajemy kostkę rosołową, pozostałe przyprawy i łyżkę mąki. Wszystkie składniki, cały czas lekko mieszając, zagotowujemy. Gdy sos zgęstnieje, wkładamy do niego lekko rozmrożone filety (można podzielić je na nieco mniejsze części), stawiamy na najmniejszym ogniu, szczelnie przykrywamy i gotujemy przez 10-12 min. W czasie gotowania potrawa powinna tylko lekko „mrugać".
Pod koniec gotowania zalewamy ryby roztrzepaną śmietaną lub śmietaną pół na pół zmieszaną z jogurtem. Sos, gdy trzeba, lekko doprawiamy do smaku.
Podajemy, koniecznie, na wygrzanych talerzach, obficie posypane jajkami posiekanymi z koperkiem. Doskonałym dodatkiem może być ugotowany na sypko ryż.

Filety z dorsza w sosie włoskim

s k ł a d n i k i : 1 kg filetów z dorsza • 3 cebule • 3 duże ząbki czosnku • oliwa lub olej • szklanka białego, wytrawnego wina • łyżka koncentratu pomidorowego • łyżka keczupu • puszka zielonego groszku konserwowego • sól • pieprz • mielona słodka papryka • mielona ostra papryka • szczypta przyprawy chili lub pieprzu cayenne • sok z cytryny

liczba porcji / 6
czas przygotowania / 60 min
stopień trudności / średniotrudne
kaloryczność / średniokaloryczne
koszt / średniodrogie

Skropione sokiem z cytryny, oprószone przyprawami filety odstawiamy na kilka minut w chłodne miejsce. W głębokim rondlu rozgrzewamy oliwę wraz z drobno posiekanym czosnkiem i pokrojoną w piórka cebulą. Gdy się zeszklą (nie dopuszczamy do zrumienienia!), układamy na wierzchu przygotowane filety, rondel szczelnie przykrywamy i całość dusimy na niewielkim ogniu, aż ryba będzie miękka, ale nierozgotowana. Pod koniec duszenia dodajemy wino, koncentrat i keczup. Gdy składniki sosu dobrze się połączą, dodajemy odcedzony z zalewy groszek. Gdy trzeba, całość lekko przyprawiamy i trzymamy na niewielkim ogniu, pod przykryciem, przez kilka minut.
Podajemy z ziemniaczanymi frytkami lub z grubym makaronem i pikantną, sezonową sałatką.

Dorsz smażony z migdałami

s k ł a d n i k i : 6 filetów z dorsza • sok z całej cytryny • pieprz • sól • mały kieliszek białego, wytrawnego wina • 1/2 szklanki posiekanych migdałów (sparzonych, obranych ze skórki) • mąka krupczatka • 1/2 kostki (12,5 dag) masła • łyżka posiekanej zieleniny • plasterki cytryny • olej

Lekko rozmrożone filety kropimy bardzo obficie sokiem z cytryny, odstawiamy w chłodne miejsce. Mąkę mieszamy z solą i pieprzem, obtaczamy w niej filety i od razu smażymy na bardzo gorącym oleju. Zrumienione z obu stron przekładamy do rondla, zalewamy winem, przykrywamy, trzymamy w ciepłym miejscu.

W rondelku rozgrzewamy masło, gdy się spieni, dodajemy migdały i, cały czas mieszając, rumienimy na lekko złoty kolor. Filety układamy na wygrzanym, wyłożonym zieleniną półmisku, polewamy masłem z migdałami, przybieramy plasterkami cytryny. Podajemy z cienkimi, chrupiącymi frytkami, młodymi ziemniakami z koperkiem lub z ugotowanym na sypko ryżem.

liczba porcji / 6
czas przygotowania / 60 min
stopień trudności / średniotrudne
kaloryczność / średniokaloryczne
koszt / średniodrogie

Sznycelki rybne

s k ł a d n i k i : 1 kg filetów z morskiej ryby • 2 jajka • duża cebula • 2 łyżki tartej bułki • 2 łyżki drobno posiekanej zieleniny (najlepsze będą młode pędy czosnku i natka pietruszki) • sól • pieprz • łyżeczka przyprawy do ryb • 8 średniej grubości krążków cebuli • 1/2 szklanki mleka • 5 oliwek (nie są konieczne) • mąka krupczatka do panierowania cebuli • tarta bułka lub otręby pszenne do panierowania sznycelków • oliwa lub olej

Z cebul, najlepiej lekko podłużnych, wykrawamy 8 krążków równej grubości, zalewamy mlekiem, odstawiamy w chłodne miejsce.

Rozmrożone filety i lekko podsmażoną cebulę przepuszczamy przez maszynkę. Do masy dodajemy jajka, tartą bułkę, zieleninę, przyprawy (masa rybna powinna być pikantna). Dobrze wyrobioną dzielimy na 8 równych części, formujemy zgrabne, okrągłe sznycelki, panierujemy w tartej bułce lub otrębach i smażymy na dobrze rozgrzanym tłuszczu, rumieniąc z obu stron. Przekładamy na wygrzany półmisek, przykrywamy, trzymamy w cieple.

Wyjęte z mleka krążki cebuli odsączamy, panierujemy w mące i rumienimy na złoty kolor z obu stron na tłuszczu, w którym smażyły się sznycelki (gdy trzeba, tłuszcz uzupełniamy). Usmażone, chrupiące krążki układamy na sznycelkach, przybieramy połówką oliwki i posypujemy zieleniną.

liczba porcji / 8
czas przygotowania / 80 min
stopień trudności / średniotrudne
kaloryczność / średniokaloryczne
koszt / średniodrogie

Leszcz w jarzynach

s k ł a d n i k i : 2 średniej wielkości leszcze • opakowanie mrożonej fasolki • opakowanie mrożonej brukselki • 2 łyżeczki cukru • szczypta soli • 2 łyżki oliwy • 2 duże, podłużne cebule • oliwa • mąka wymieszana z przyprawami

s o s : szklanka śmietany • filiżanka utartego, pikantnego żółtego sera

W wodzie z dodatkiem soli, cukru i oliwy oddzielnie gotujemy mrożone jarzyny – każdy rodzaj nie dłużej niż przez 5-6 min.

Pozbawione łusek, oczyszczone leszcze filetujemy, odrzucamy grubą ość grzbietową i ości boczne. Porcje ryby lekko solimy, oprószamy mąką z przyprawami, smażymy na rozgrzanym, tzw. głębokim tłuszczu, rumieniąc z obu stron, i od razu układamy na ogniotrwałym półmisku, przykrywamy, trzymamy w ciepłym miejscu. Na pozostałym ze smażenia tłuszczu lekko rumienimy całe krążki cebuli, układamy na filetach, po bokach naczynia rozkładamy dokładnie odsączone jarzyny. Śmietanę łączymy z serem, zalewamy rybę. Całość wstawiamy do wygrzanego piekarnika na 20-25 min.

Podajemy, gdy śmietana na wierzchu lekko się zrumieni, z dodatkiem młodych ziemniaków, obficie posypanych zieleniną.

liczba porcji / 4

czas przygotowania / 60 min

stopień trudności / średniotrudne

kaloryczność / średniokaloryczne

koszt / średniodrogie

Płocie zapiekane

s k ł a d n i k i : 2 płaskie bułki (mogą być podłużne) • 4 duże płocie • marchew • 1/2 średniej wielkości selera • 3 ugotowane na twardo żółtka • 2 ząbki czosnku • liść laurowy • 2 ziarna ziela angielskiego • duża pietruszka (może być z nacią) • sól • pieprz • mielona słodka papryka • mielona ostra papryka • filiżanka gęstej, kwaśnej śmietany • filiżanka utartego, żółtego sera

W większej ilości wody gotujemy lekko rozdrobnione warzywa z dodatkiem czosnku i przypraw. Gdy będą prawie miękkie, dodajemy sprawione płocie, całość gotujemy na niewielkim ogniu przez 15-20 min (czas zależy od wielkości ryb), uważając, by się nie rozgotowały.

Zimne płocie najdokładniej obieramy z ości, odrzucamy skórę i płetwy, rozcieramy na masę z ugotowanym selerem i żółtkami, doprawiamy do smaku. Masa powinna być delikatna, puszysta, lekko pikantna, gdy będzie zbyt gęsta, dodajemy śmietanę.

Bułki kroimy na połowę, usuwamy miąższ, wnętrza napełniamy (z czubkiem) przygotowaną masą, posypujemy obficie serem, wstawiamy do nagrzanego piekarnika, zapiekamy w temp. 170ºC przez 20-25 min.

Rada: kto lubi dania bardzo pikantne, może dodatkowo oprószyć wierzch bardzo grubo zmielonym pieprzem.

Podajemy gorące, na dużych talerzach, z liśćmi sałaty, plastrami świeżego ogórka, cząstkami pomidora, krążkami świeżej papryki i ostrym sosem.

liczba porcji / 4

czas przygotowania / 60 min

stopień trudności / średniotrudne

kaloryczność / średniokaloryczne

koszt / średniodrogie

Karasie pieczone z czosnkiem

liczba porcji / 4
czas przygotowania / 70 min
stopień trudności / średniotrudne
kaloryczność / średniokaloryczne
koszt / średniodrogie

s k ł a d n i k i : 4 świeże, dorodne karasie • 2 duże cebule
• 2 duże ząbki czosnku • 2 łyżki pasty pomidorowej • 2 łyżki keczupu
• 2 łyżki oleju • gałązki i łyżka posiekanej natki pietruszki • mąka
krupczatka do panierowania • mleko do wymoczenia karasi • sól
• przyprawa do ryb

Sprawione, całe, z oczyszczonymi z oczu głowami, karasie dokładnie myjemy i moczymy przez godzinę lub nieco dłużej w zimnym mleku. Po wyjęciu obsuszamy, lekko solimy i nacieramy przyprawą wewnątrz i z zewnątrz.
Do środka każdej ryby wkładamy gałązki świeżej pietruszki, panierujemy karasie w mące, układamy w naczyniu do zapiekania. Ryby posypujemy cebulą posiekaną z czosnkiem i wymieszaną z posiekaną natką pietruszki, polewamy olejem połączonym z pastą pomidorową i keczupem i wstawiamy do nagrzanego piekarnika
na 20-25 min (czas zależy od wielkości ryb). Podajemy
z ugotowanym na sypko ryżem i sezonową surówką.

Szczupak po staropolsku

s k ł a d n i k i : świeży szczupak o wadze 2 kg lub nieco więcej
• 2 duże liście laurowe • kostka (25 dag) zamrożonego masła
• duża cebula • marchew • korzeń pietruszki • 1/2 selera • szklanka
białego, wytrawnego wina • sól • pieprz • cytryna • wiórki świeżego
chrzanu • zielona pietruszka

Oczyszczonego dokładnie z łusek, wypatroszonego szczupaka myjemy pod bieżącą wodą, obsuszamy, nacieramy
wewnątrz i z zewnątrz solą i pieprzem. Do środka wkładamy liście laurowe, zawijamy rybę w lnianą ściereczkę
i wstawiamy na 2 godz. do lodówki.
Zamrożone masło kroimy w cienkie wiórki. Jarzyny ucieramy na tarce z dużymi otworami, cebulę kroimy w cien-

liczba porcji / 6
czas przygotowania / 90 min
stopień trudności / średniotrudne
kaloryczność / średniokaloryczne
koszt / drogie

kie pióra. Przed pieczeniem na spodzie brytfanny rozkładamy 1/2 utartego na wiórki masła, utarte jarzyny i cebulę. Na takiej warstwie układamy całego szczupaka (po odrzuceniu liści laurowych),
posypujemy pozostałymi wiórkami masła, podlewamy 2 łyżkami wody i winem. Przykrytą brytfannę wstawiamy do wygrzanego piekarnika na 45-55 min (czas zależy od wielkości ryby). Pieczemy w temp. nieprzekraczającej 200ºC.
Upieczoną rybę wykładamy grzbietem do góry na wygrzany półmisek, wokół układamy uprużone
warzywa, obkładamy cienkimi plasterkami cytryny, wiórkami chrzanu i listkami pietruszki. Potrawę polewamy wytworzonym sosem. Pozostały sos podajemy w sosjerce.

Szczupak faszerowany

s k ł a d n i k i : cały szczupak o wadze do 2 kg • sól • pieprz • 2 liście laurowe • 2 łodygi zielonej pietruszki • szklanka białego, wytrawnego wina • oliwa

f a r s z : mała, czerstwa bułka lub 2 kopiaste łyżki tartej bułki • kopiasta łyżka masła • żółtko • kopiasta łyżka posiekanej natki pietruszki (może być mrożona) • 4 łyżki ciepłego mleka • sól • pieprz • szczypta imbiru • cienkie plasterki cytryny • zielenina

Z wypatroszonej, oczyszczonej z łusek ryby usuwamy oczy, wycinamy skrzela, myjemy pod bieżącą wodą. Tak przygotowaną rybę układamy w odpowiedniej pozycji na suszarce. Gdy spłynie cała woda, obsuszamy rybę ściereczką, nacieramy przyprawami wewnątrz i z zewnątrz. Do środka ryby wkładamy liście laurowe i gałązki pietruszki, owijamy w wilgotną ściereczkę, odstawiamy w chłodne miejsce.

Przygotowujemy farsz: bułkę lub tartą bułkę zalewamy

liczba porcji / 6
czas przygotowania / 75 min
stopień trudności / trudne
kaloryczność / średniokaloryczne
koszt / drogie

ciepłym mlekiem, gdy napęcznieje, rozcieramy z masłem na jednolitą masę, dodajemy żółtko i przyprawy (farsz powinien być pikantny!), natkę pietruszki i raz jeszcze wyrabiamy.

Z ryby usuwamy liście laurowe (gałązki pietruszki można pozostawić), faszerujemy wnętrze ryby przygotowaną masą, zszywamy lub dokładnie spinamy szpadkami, dokładnie nacieramy wierzch oliwą, przekładamy do specjalnej formy z ruchomym spodem, wlewamy wino, wsuwamy do piekarnika nagrzanego do temp. 200°C na 40-50 min (czas pieczenia zależy od wielkości ryby). Szczupak jest upieczony, gdy jego płetwa grzbietowa, lekko pociągnięta ręką, bardzo łatwo oddziela się od mięsa.

Rybę podajemy na wygrzanym półmisku, grzbietem do góry, obłożoną cienkimi krążkami cytryny. Porcje polewamy wytworzonym sosem.

* oprócz czasu na pieczenie

Sandacz z wody

s k ł a d n i k i : świeży sandacz o wadze do 2,5 kg • 1/2 kostki (12,5 dag) masła • 4 jajka ugotowane na twardo • sok z dużej cytryny • kopiasta łyżka posiekanej natki pietruszki • wywar esencjonalny z włoszczyzny (bez kapusty)

Pozbawionego łusek, wypatroszonego, dokładnie umytego pod bieżącą wodą sandacza nacieramy solą, odstawiamy na godzinę w chłodne miejsce. Po tym czasie rybę lekko obsuszamy, układamy na spodzie rynienki do gotowania ryb, zalewamy przecedzonym wywarem z jarzyn, stawiamy na średnim ogniu i gotujemy przez 30 min. Wywar powinien tylko lekko „mrugać".

Ugotowaną rybę przykrywamy, stawiamy w cieple, by nie ostygła.

W rondelku rozpuszczamy masło. Jajka drobno siekamy. Gdy masło zacznie się gotować, ale jeszcze nie rumienić,

liczba porcji / 6-8
czas przygotowania / 80 min
stopień trudności / średniotrudne
kaloryczność / średniokaloryczne
koszt / drogie

dodajemy posiekane jajka i pietruszkę, mieszamy, ale nie smażymy i nie dopuszczamy, by masło się zrumieniło.

Gorącego sandacza wyjmujemy z wywaru na wygrzany, podłużny półmisek, kropimy obficie sokiem z cytryny i polewamy masłem z jajkami i pietruszką. Podajemy z ziemniakami z wody, posypanymi bardzo obficie zieleniną i z zieloną sałatą ze śmietaną.

Sandacz
w śmietanowym sosie

s k ł a d n i k i : sandacz o wadze do 2 kg • porcja włoszczyzny
bez kapusty • 2 cebule • liść laurowy • kilka ziaren czarnego pieprzu
• kilka ziaren ziela angielskiego • sól • sok z całej, dużej cytryny
• posiekany koperek

s o s : śmietana • cebula

Oczyszczonego, wypatroszonego sandacza dokładnie płuczemy pod bieżącą wodą, usuwamy oczy, delikatnie wycinamy skrzela, płuczemy raz jeszcze i układamy na suszarce, by spłynęła cała woda.
Przygotowujemy wywar: obraną, lekko rozdrobnioną
włoszczyznę zalewamy 1,5 l wody, dodajemy wszystkie
przyprawy i gotujemy, aż wywar stanie się aromatyczny
i esencjonalny. Osuszonego sandacza układamy w specjalnej rynience do gotowania ryb, zalewamy przecedzonym przez gęste sito wywarem, stawiamy na niewielkim
ogniu i gotujemy przez 30-40 min (czas zależy od wielkości ryby). W czasie gotowania wywar powinien tylko
lekko „mrugać". Ugotowaną rybę trzymamy, dokładnie przykrytą, w ciepłym miejscu.
Przygotowujemy sos: śmietanę łączymy z drobno posiekaną cebulą.
Gorącego sandacza wyjmujemy z wywaru na wygrzany półmisek, kropimy obficie sokiem z cytryny, polewamy sosem śmietanowym, oprószamy koperkiem.
  • oprócz czasu na gotowanie

liczba porcji /	6–8
czas przygotowania /	60 min•
stopień trudności /	trudne
kaloryczność /	średniokaloryczne
koszt /	drogie

Karp faszerowany

s k ł a d n i k i : żywy karp o wadze do 50 dag • sól • pieprz
lub przyprawa do ryb • oliwa

f a r s z : 2 łyżki tartej bułki • duża łyżka masła • żółtko • 2 łyżki
rodzynek • duża łyżka posiekanej natki pietruszki (może być
mrożona) • sól • pieprz • 2 łyżki letniego mleka

Pozbawionego łusek karpia lekko rozcinamy, patroszymy,
odrzucamy oczy, wycinamy skrzela, dokładnie myjemy,
układamy w odpowiedniej pozycji na suszarce, obsuszamy w ściereczce, posypujemy lekko przyprawami. Ryba
powinna być w całości, z niewielkim rozcięciem po wy-
patroszeniu.
Przygotowujemy farsz: tartą bułkę zalewamy mlekiem. Rozcieramy masło z żółtkiem, dodajemy
namoczoną bułkę, opłukane i odsączone rodzynki, natkę. Całość wyrabiamy na jednolitą, pulchną
masę, przyprawiamy do smaku. Nadziewamy karpia, zszywamy lub dokładnie spinamy szpadkami, polewamy oliwą, układamy w rynience do pieczenia ryb i pieczemy w piekarniku lub na płycie. Czas pieczenia zależy od wielkości ryby i wynosi od 40-60 min. Ryba powinna być ładnie zrumieniona. Podajemy pokrojoną w zgrabne, niezbyt grube dzwonka, na podłużnym półmisku przybranym zieleniną.

liczba porcji /	6
czas przygotowania /	85 min
stopień trudności /	średniotrudne
kaloryczność /	średniokaloryczne
koszt /	średniodrogie

Karp z pieczarkami

s k ł a d n i k i : żywy karp o wadze do 1,5 kg • 1 kg pieczarek • 2 cebule • marchew • korzeń pietruszki • 1/2 szklanki czerwonego, wytrawnego wina • 2 szklanki rosołu (może być z koncentratu) • sól • pieprz • przyprawa do ryb • 2 łyżki masła

Sprawionego karpia myjemy, pozostawiamy w całości, usuwamy oczy, odsączamy, wnętrze nacieramy solą i przyprawami.

Część pieczarek dzielimy na kawałki (małe pozostawiamy w całości) i wraz z łyżką masła wkładamy do wnętrza ryby, zszywamy lub spinamy szpadkami.

Do rynienki wlewamy rosół, dodajemy rozdrobnione warzywa i cebulę, zagotowujemy. Do gotującego się wywaru wkładamy karpia, dodajemy wino, naczynie przykrywamy, stawiamy na niewielkim ogniu i gotujemy przez 20 min – ryba powinna być przykryta płynem, który powinien tylko lekko „mrugać" (karp powinien być miękki, ale nierozgotowany).

Pozostałe pieczarki podsmażamy na maśle, gdy zaczną zmieniać kolor, oprószamy solą i pieprzem.

Gdy karp będzie miękki, wykładamy łopatką na wygrzany półmisek, obkładamy pieczarkami, wstawiamy do ciepłego piekarnika. Wytworzony sos przecieramy przez sito lub rozbijamy w malakserze, gdy trzeba, lekko zagęszczamy i przyprawiamy do smaku. Częścią sosu zalewamy rybę, pozostały wlewamy do sosjerki. Podajemy z dodatkiem grubego makaronu i surówki z tartej marchwi z chrzanem.

liczba porcji / 4

czas przygotowania / 80 min

stopień trudności / średniotrudne

kaloryczność / średniokaloryczne

koszt / średniodrogie

Karp w pikantnym sosie

s k ł a d n i k i : żywy karp o wadze do 1,5 kg • sól • pieprz lub przyprawa do ryb • mąka krupczatka • oliwa i masło do smażenia

s o s : 2 łyżki masła • kopiasta łyżka mąki • 2 cebule • średniej wielkości szklanka drobno posiekanych pieczarek • duża łyżka koncentratu pomidorowego • 1/2 szklanki śmietany

w y w a r : duża pietruszka (może być z nacią) • kilka ziaren pieprzu • 3 ziarna ziela angielskiego • liść laurowy • sól

Z oczyszczonego karpia wycinamy 4 zgrabne filety. Głowę, po dokładnym oczyszczeniu, oraz pozostałe resztki (ości grzbietowe, płetwy) zalewamy niewielką ilością wody (2 i 1/2 szklanki), dodajemy przyprawy, rozdrobnioną pietruszkę, gotujemy wywar.

Filety oprószamy solą i pieprzem lub przyprawą do ryb, obtaczamy w mące (nadmiar mąki strząsamy) i smażymy, rumieniąc z obu stron.

Prosto z patelni rybę przekładamy do rondla, pozostały po smażeniu filetów tłuszcz uzupełniamy, podsmażamy w nim pokrojoną w piórka cebulę i rozdrobnione pieczarki, dodajemy płaską łyżkę mąki i razem zasmażamy, aż mąka lekko się zrumieni. Zasmażkę rozprowadzamy przecedzonym wywarem z ryby w takiej ilości, by sos miał właściwą konsystencję. Zagotowujemy, dodajemy koncentrat pomidorowy i, gdy trzeba, doprawiamy do smaku. Sosem zalewamy ułożoną w rondlu rybę, przykrywamy, dusimy na niewielkim ogniu przez 5-7 min, zdejmujemy z ognia, gdy trzeba, lekko doprawiamy, dodajemy spienioną śmietanę.

Podajemy z młodymi ziemniakami obficie posypanymi koperkiem.

liczba porcji / 4

czas przygotowania / 80 min

stopień trudności / średniotrudne

kaloryczność / średniokaloryczne

koszt / średniodrogie

Karp w piwie
według przepisu
z kuchni staropolskiej

(według tego przepisu możemy przygotować dzikiego karpia – sazana)

s k ł a d n i k i : żywy karp o wadze do 1,5 kg • butelka (0,5 l) jasnego, pełnego piwa • duża cebula • 2 goździki • łyżka masła • 1/2 szklanki rodzynek (bezpestkowych – sułtanek!) • łyżka orzeszków pistacjowych • łyżka drobno roztartego, suchego czarnego chleba • łyżeczka skórki otartej z cytryny • sok z cytryny • biały pieprz • sól • cukier • goździki

Sprawionego karpia dzielimy na dzwonka, odrzucamy grubą część grzbietową, przekładamy plasterkami cebuli z wbitymi goździkami, odstawiamy na godzinę w chłodne miejsce.

Do szerokiego, płaskiego rondla (ważne!) wlewamy piwo, dodajemy masło, zagotowujemy. Do wrzątku wkładamy porcje karpia, dodajemy cebulę, którą ryba była przełożona, rodzynki, orzeszki, suchy chleb, stawiamy na niewielkim ogniu i gotujemy, aż ryba będzie miękka, ale nierozgotowana. Rybę wykładamy na podłużny półmisek, dzielimy na zgrabne porcje. Sos doprawiamy sokiem i otartą z cytryny skórką, solą, pieprzem, cukrem – powinien mieć wyraźny smak z lekko przebijającą nutą słodyczy. Gorącym polewamy karpia. Podajemy z ziemniakami purée, musem jabłkowym z chrzanem lub ze smażonymi borówkami.

liczba porcji / 4
czas przygotowania / 90 min
stopień trudności / średniotrudne
kaloryczność / średniokaloryczne
koszt / średniodrogie

Karp smażony
– przepis z kuchni staropolskiej

s k ł a d n i k i : żywy karp o wadze do 2 kg • 4 duże cebule • łyżeczka zmiażdżonych w moździerzu przypraw: liść laurowy, ziarna czarnego pieprzu, ziarna ziela angielskiego, kilka ziaren kolendry • kostka (25 dag) masła • masło i oliwa (pół na pół) do smażenia • sól • mąka • jajka • tarta bułka

Oczyszczoną, wymytą rybę kroimy w zgrabne dzwonka. Cebulę kroimy w cienkie krążki. Porcje ryby nacieramy przygotowanymi przyprawami i solą, układamy w kamiennym garnku na przemian z krążkami cebuli, naczynie przykrywamy i trzymamy do następnego dnia w chłodzie.
Na godzinę przed planowanym podaniem obsypujemy każdy kawałek ryby mąką (nadmiar mąki strząsamy), panierujemy w roztrzepanych jajkach i tartej bułce, smażymy na dobrze rozgrzanym tłuszczu, rumieniąc z obu stron. Usmażone porcje przekładamy do rondla, na każdą wkładamy kawałek masła, szczelnie przykrywamy i trzymamy w cieple. Na pozostałym ze smażenia ryby tłuszczu rumienimy wcześniej wypłukane i dokładnie odsączone krążki cebuli, którymi ryba była przełożona. Karpia podajemy na wygrzanym półmisku, otoczonego smażoną cebulą.

• o p r ó c z   c z a s u   n a   s m a ż e n i e

liczba porcji / 6
czas przygotowania / 75 min •
stopień trudności / średniotrudne
kaloryczność / średniokaloryczne
koszt / średniodrogie

Karp zapiekany w jarzynach

s k ł a d n i k i : 4 filety z karpia • 25 dag pieczarek • 50 dag fasolki szparagowej • 2 marchewki • liść laurowy • kilka ziaren pieprzu • 2 ziarna ziela angielskiego • sól • pieprz • szczypta przyprawy do ryb • tłuszcz do wysmarowania naczynia do zapiekania • cebula i masło do zasmażenia pieczarek

s o s : szklanka śmietany lub śmietany i jogurtu (pół na pół) • 3 żółtka • mała łyżeczka mąki ziemniaczanej lub kukurydzianej

liczba porcji / 4
czas przygotowania / 80 min
stopień trudności / średniotrudne
kaloryczność / średniokaloryczne
koszt / średniodrogie

Jarzyny zalewamy wodą, dodajemy przyprawy, zagotowujemy, gotujemy ok. 10 min, wkładamy porcje karpia i gotujemy, aż ryba będzie miękka, ale nierozgotowana (czas zależy od wielkości i grubości filetów). Naczynie przykrywamy, odstawiamy w ciepłe miejsce.

Posiekaną cebulę zasmażamy na maśle, dodajemy pieczarki, całość smażymy, aż połowa wytworzonego przez grzyby sosu wyparuje.

Przygotowujemy sos: śmietanę, żółtka i mąkę lekko ubijamy, aż sos będzie jednolity i lekko spieniony. Duże żaroodporne naczynie obficie smarujemy tłuszczem. Na spód wkładamy odsączoną fasolkę i posiekaną marchewkę, na jarzynach układamy filety, na nich porcje pieczarek w taki sposób, by na każdym kawałku ryby była ich taka sama ilość, całość zalewamy sosem i wstawiamy na 20 min do nagrzanego do temp. 180ºC piekarnika. Potrawa jest gotowa, gdy sos lekko się zrumieni. Podajemy z dodatkiem młodych ziemniaków, obficie posypanych zieleniną.

Karp w sosie winnym
– przepis z kuchni staropolskiej

s k ł a d n i k i : żywy karp o wadze do 1,5 kg • 4 duże pieczarki • cebula • łyżeczka masła • marchew • korzeń pietruszki • 1/2 średniej wielkości selera • biała część pora • duża cebula • 2 i 1/2 szklanki czerwonego, wytrawnego wina • kilka ziaren pieprzu • 4 ziarna ziela angielskiego • sól • pieprz • kopiasta łyżka masła • duża łyżka mąki • 50 dag najmniejszych pieczarek

Karpia, po oczyszczeniu, patroszymy, odrzucamy oczy, suszymy, nacieramy lekko wewnątrz i z zewnątrz przyprawami, odstawiamy w chłodne miejsce.

Na maśle smażymy bardzo drobno posiekaną cebulę i 4 pieczarki, przyprawiamy, chłodzimy. Karpia nadziewamy chłodnym farszem, zszywamy lub spinamy szpadkami, układamy w rynience. Jarzyny ucieramy na tarce

liczba porcji / 4
czas przygotowania / 90 min
stopień trudności / trudne
kaloryczność / średniokaloryczne
koszt / drogie

z dużymi otworami, cebulę siekamy, jarzynami posypujemy rybę, zalewamy szklanką wody i 2 szklankami wina, dodajemy przyprawy, stawiamy na niewielkim ogniu i gotujemy bez przykrycia przez ok. 30 min (czas gotowania zależy od wielkości ryby). Wywar, w którym ryba się gotuje, powinien w połowie wyparować.

Ugotowanego karpia wyjmujemy, układamy w naczyniu do zapiekania. Jarzyny z pozostałym wywarem przecieramy przez perlonowe sito. Z mąki i masła robimy lekko brunatną zasmażkę, rozprowadzamy przetartym wywarem, dodajemy wino (1/2 szklanki) i, gdy trzeba, doprawiamy sos do smaku.

Gęstym sosem polewamy przygotowanego do zapiekania karpia i wstawiamy na 20 min do nagrzanego piekarnika.

Oddzielnie, na maśle, smażymy małe pieczarki (powinny lekko zbrunatnieć). Zapieczoną rybę wykładamy na podłużny półmisek, przybrany zieleniną, dzielimy na zgrabne porcje, obkładamy pieczarkami. Podajemy z młodymi ziemniakami posypanymi koperkiem lub z ziemniakami purée.

Kalmary
w pikantnym sosie

s k ł a d n i k i : 1 kg tuszek kalmarów • sól

s o s : 1/2 szklanki oliwy lub oleju • 2 duże cebule • 2 ząbki czosnku • 2 świeże papryki • mała papryczka pepperoni • 4 duże pomidory • 2 łyżki keczupu • szczypta pieprzu cayenne lub chili • mielona ostra papryka • mielona słodka papryka • roztarta w dłoniach przyprawa prowansalska • szczypta imbiru • 1/2 łyżeczki cukru • 2 łyżki posiekanej natki pietruszki (może być mrożona)

Tuszki kalmarów gotujemy przez 30 min w lekko osolonej wodzie, odstawiamy do wychłodzenia.
Przygotowujemy sos: do rondla wlewamy oliwę, gdy się rozgrzeje, dodajemy pokrojoną w piórka cebulę i, często mieszając, lekko rumienimy. Do cebuli dodajemy pokrojone w cienkie paseczki papryki i rozdrobnioną papryczkę pepperoni, całość przez chwilę zasmażamy, dodajemy obrane ze skórki i pozbawione pestek pomidory, wszystkie przyprawy i, często mieszając, dusimy przez 10 min na niewielkim ogniu. Pod koniec dodajemy keczup, posiekany czosnek i posiekaną pietruszkę.
Pokrojone w cienkie krążki lub paski tuszki kalmarów dodajemy do sosu, mieszamy i trzymamy przez 5-7 min na niewielkim ogniu, aż smaki dobrze się połączą. Gdy trzeba, potrawę przyprawiamy – powinna mieć wyraźny, pikantny smak.

liczba porcji / 4
czas przygotowania / 90 min
stopień trudności / średniotrudne
kaloryczność / średniokaloryczne
koszt / drogie

Kalmary
w sosie pomidorowym

s k ł a d n i k i : 1 kg tuszek kalmarów • sól

s o s : 1/2 filiżanki oliwy lub oleju • 2 cebule • ząbek czosnku • 3 duże łyżki (średniej wielkości puszka) koncentratu pomidorowego • 3 łyżki pikantnego keczupu • szklanka rosołu (może być z koncentratu) • sól • pieprz • mielona słodka papryka • mielona ostra papryka • tymianek • 1/2 łyżeczki przyprawy typu „Jarzynka" • 1/2 łyżeczki cukru pudru • pieprz cayenne

W lekko osolonej wodzie gotujemy przez 30 min tuszki kalmarów. Odstawiamy do przechłodzenia.
Przygotowujemy sos: w rondlu z grubym dnem podgrzewamy oliwę, dodajemy drobno posiekane cebule i czosnek i, często mieszając, zasmażamy, aż się zeszklą.
Dodajemy koncentrat pomidorowy, keczup, całość zasmażamy przez minutę, dodajemy rosół i przyprawy – sos powinien mieć wyraźny pomidorowy smak i zapach, a także piękny, czerwony kolor. Na końcu dodajemy roztarty w dłoniach tymianek.
Do gotowego sosu dodajemy pokrojone w cienkie krążki lub paseczki kalmary, całość przez chwilę trzymamy na niewielkim ogniu, potrząsając często rondlem, by potrawa nie przywarła do dna.
Podajemy z ugotowanym na sypko ryżem lub domowym, grubym makaronem oraz zieloną sałatą, polaną spienionym sosem jogurtowym.

liczba porcji / 4
czas przygotowania / 90 min
stopień trudności / średniotrudne
kaloryczność / średniokaloryczne
koszt / drogie

liczba porcji / 4
czas przygotowania / 90 min
stopień trudności / średniotrudne
kaloryczność / średniokaloryczne
koszt / drogie

Kalmary w śmietanie

s k ł a d n i k i : 1 kg tuszek kalmarów • 50 dag pieczarek lub kapeluszy świeżych, leśnych grzybów • 2 ząbki czosnku • 2 duże cebule • 2 kopiaste łyżki masła • szklanka rosołu (może być z koncentratu) • łyżka mąki • sól • przyprawa prowansalska • czubata łyżeczka przyprawy typu „Jarzynka" • pieprz cayenne lub chili

Wypłukane tuszki gotujemy przez 30 min w wodzie z solą, odstawiamy do przechłodzenia.

Na maśle podsmażamy drobno posiekaną cebulę, gdy się zeszkli, dodajemy pokrojone w cienkie plasterki pieczarki lub świeże, leśne grzyby i drobno posiekany, ale niezmiażdżony czosnek, całość zasmażamy, często mieszając, przez kilka minut. Gdy 1/2 soku puszczonego przez pieczarki wyparuje, wlewamy rosół, dodajemy wszystkie przyprawy, zagotowujemy.

Dodajemy śmietanę wymieszaną z mąką, zagotowujemy raz jeszcze i, gdy trzeba, doprawiamy. Do gotowego sosu dodajemy pokrojone w cienkie krążki lub w paseczki kalmary. Potrawę trzymamy przez kilka minut (pod przykryciem) na niewielkim ogniu, od czasu do czasu mieszając, by smaki dobrze się połączyły.

Podajemy z ziemniakami purée lub z ziemniakami z wody, obficie posypanymi zieleniną.

Bigosik z kalmarów

s k ł a d n i k i : 1 kg tuszek kalmarów • 2 duże cebule • duża marchew • 2 łyżki koncentratu pomidorowego • 2 łyżki keczupu • szklanka rosołu (może być z koncentratu) • kopiasta łyżka masła • sól • pieprz • pieprz cayenne • utłuczone w możdzierzu: liść laurowy i 5 ziaren ziela angielskiego • szczypta przyprawy ziołowej (prowansalska lub Fines Herbes) lub przyprawy do ryb

Tuszki kalmarów gotujemy przez 30 min w wodzie z solą, cedzimy. Po przestudzeniu kroimy w cienkie paseczki. Do szerokiego rondla wkładamy masło, pokrojoną w cienkie piórka cebulę i zasmażamy, aż się zeszkli. Dodajemy koncentrat pomidorowy, keczup, wszystkie przyprawy, utartą na tarce z dużymi otworami marchew, mieszamy, składniki dusimy przez 5 min, wkładamy kalmary i wlewamy rosół. Bigosik gotujemy przez 5-7 min na niewielkim ogniu i, gdy trzeba, doprawiamy do smaku – potrawa powinna mieć wyraźny, pikantny smak z dominującą nutą pomidorów.

Podajemy z ziemniakami purée lub z ziemniakami z wody, obficie posypanymi zieleniną.

liczba porcji / 4
czas przygotowania / 90 min
stopień trudności / średniotrudne
kaloryczność / średniokaloryczne
koszt / drogie

Flaczki z kalmarów

s k ł a d n i k i : 1 kg tuszek kalmarów • porcja włoszczyzny
• duża cebula • 1/2 filiżanki suszonych grzybów • szklanka śmietany
• kopiasta łyżka masła • łyżka mąki • sól • pieprz • mielona
słodka papryka • mielona ostra papryka • gałka muszkatołowa
• duża kostka rosołowa lub 2 kostki bulionowe • imbir • majeranek

Grzyby moczymy przez godzinę w niewielkiej ilości letniej wody. Po tym czasie gotujemy do miękkości w wodzie, w której się moczyły.
Umyte tuszki kalmarów wrzucamy do ciepłej, osolonej
wody i gotujemy (odkryte!) przez 30 min, odstawiamy
do przechłodzenia.
Na maśle podsmażamy pokrojoną w piórka cebulę, gdy
się zeszkli, dodajemy rozdrobnioną włoszczyznę, całość
przez chwilę zasmażamy, dodajemy pokrojone w paseczki, ugotowane wcześniej grzyby wraz z wodą, w której
się gotowały. Składniki dusimy pod przykryciem na niewielkim ogniu.
W 1 l wody rozpuszczamy kostkę rosołową lub kostki bulionowe, dodajemy wcześniej odsączone, pokrojone w paseczki kalmary, podduszone jarzyny i wszystkie przyprawy. Flaczki gotujemy na niewielkim ogniu nie dłużej niż przez 10 min. Pod koniec gotowania zaciągamy mąką wymieszaną ze śmietaną i, gdy trzeba, doprawiamy do smaku. Flaczki są tak pożywne, że podajemy je bez dodatków.

liczba porcji / 4
czas przygotowania / 120 min
stopień trudności / średniotrudne
kaloryczność / średniokaloryczne
koszt / drogie

liczba porcji / 4
czas przygotowania / 40 min
stopień trudności / średniotrudne
kaloryczność / średniokaloryczne
koszt / średniodrogie

Jajka zapiekane po wiejsku

s k ł a d n i k i : 4 jajka • 8-10 ugotowanych ziemniaków
• 1/2 szklanki pełnego mleka • duża cebula • 2 kopiaste łyżki
drobno pokrojonego, chudego boczku • 2 łyżki oliwy • szklanka
śmietany • wiórki zamrożonego masła • zielenina • tłuszcz
do wysmarowania formy • sól • pieprz

Gorące ziemniaki ucieramy z mlekiem na puszyste purée.
Na oliwie podsmażamy boczek, gdy się lekko zrumieni,
dodajemy posiekaną cebulę i smażymy razem, często mieszając, aż się zeszkli. Łączymy z utartymi ziemniakami
i przyprawiamy do smaku. Masę wykładamy na spód wysmarowanej tłuszczem formy, wyrównujemy powierzchnię, za pomocą łyżki wazowej robimy 4 wgłębienia, w każde wbijamy po jajku, posypujemy przyprawami, zalewamy lekko spienioną śmietaną. Na wierzch rzucamy wiórki mrożonego masła i od razu wstawiamy na 10-12 min
do nagrzanego piekarnika. Danie jest gotowe, gdy masło
i śmietana lekko się zrumienią. Podajemy z dodatkiem sałatki z pomidorów i cebuli lub ze świeżych ogórków.

• oprócz czasu na zapiekanie

Jajka zapiekane z pieczarkami

s k ł a d n i k i : 4 jajka • 6 średniej wielkości ziemniaków ugotowanych w mundurkach • cebula • 30 dag pieczarek • łyżka masła do zasmażenia • szklanka gęstej, kwaśnej śmietany • 1/2 szklanki drobno utartego, żółtego sera • zielenina • sól • pieprz • tłuszcz do wysmarowania formy

Na maśle podsmażamy pokrojoną w piórka cebulę, gdy się zeszkli, dodajemy pokrojone w plasterki pieczarki, całość smażymy, często mieszając, aż odparuje 1/2 wytworzonego przez grzyby sosu. Doprawiamy solą i pieprzem. Na spodzie wysmarowanej tłuszczem formy do zapiekania układamy pokrojone w cienkie półplasterki ziemniaki, posypujemy przyprawami, na nich równomiernie rozkładamy zasmażone pieczarki, powierzchnię wyrównujemy, robimy 4 wgłębienia, w każde wbijamy po jednym jajku, posypujemy solą i pieprzem, całość zalewamy śmietaną wymieszaną z utartym serem i od razu wstawiamy do nagrzanego piekarnika. Zapiekamy w temp. 180ºC przez 10-12 min (czas zależy od wysokości zapiekanej warstwy). Danie jest gotowe, gdy śmietana z serem lekko się zrumienią.
Podajemy z dodatkiem zielonej sałaty lub z sezonową, delikatną w smaku surówką.

• o p r ó c z c z a s u n a z a p i e k a n i e

Jajka zapiekane z ryżem

s k ł a d n i k i : 2 porcje ryżu w woreczkach • czubata łyżka masła • 4 jajka • czubata łyżka drobno posiekanej zieleniny (koperek lub kompozycja) • szklanka gęstej śmietany • szklanka żółtego sera, utartego na tarce z drobnymi otworami (ważne!) • sól • pieprz • tłuszcz do wysmarowania formy

Ugotowany na sypko ryż łączymy z masłem, przyprawami i zieleniną, wykładamy na spód wysmarowanego tłuszczem naczynia do zapiekania.
Powierzchnię wyrównujemy, łyżką cedzakową formuje-

my 4 wgłębienia, do każdego wbijamy jajko, delikatnie solimy i wstawiamy do nagrzanego do temp. 180ºC piekarnika. Gdy białka jajek się zetną (po 5-7 min), potrawę zalewamy śmietaną wymieszaną z utartym serem i ponownie wstawiamy na kilka minut do piekarnika. Danie jest gotowe, gdy sos śmietanowo-serowy lekko się zrumieni.
Podajemy w naczyniu, w którym potrawa się zapiekała, z dodatkiem sałatki z pomidorów.

• o p r ó c z c z a s u n a z a p i e k a n i e

Kotleciki z jajek

liczba porcji / 4

czas przygotowania / 40 min

stopień trudności / średniotrudne

kaloryczność / średniokaloryczne

koszt / drogie

s k ł a d n i k i : 8 jajek ugotowanych na twardo • 2 cebule • 2 jajka • szklanka (mały słoik) pieczarek w zalewie naturalnej • kopiasta łyżka posiekanego koperku • tarta bułka do panierowania • masło i olej (pół na pół) do smażenia • sól • pieprz

Odsączone pieczarki oraz jajka ugotowane na twardo drobno siekamy. Na tłuszczu smażymy drobno posiekaną cebulę (powinna się zeszklić, ale nie zrumienić). Składniki łączymy, dodajemy jajka, koperek, przyprawy, wyrabiamy jednolitą masę (gdy będzie zbyt ścisła, możemy dodać łyżkę śmietany). Formujemy 8 zgrabnych kotlecików (po 2 na porcję), panierujemy, dociskając, by bułka dobrze przylegała do masy, smażymy na rozgrzanym tłuszczu, rumieniąc z obu stron.

Kotleciki najlepiej smakują bardzo gorące, prosto z patelni, z dodatkiem młodych, obficie posypanych koperkiem ziemniaków i delikatnej, sezonowej surówki.

Naleśniki z nadzieniem jajecznym
– przepis z kuchni staropolskiej

s k ł a d n i k i : szklanka mleka • szklanka wody (mineralnej niegazowanej) • 2 jajka • 2 łyżki oliwy lub oleju • szklanka mąki • szczypta soli • oliwa lub olej do smażenia • masło do zrumienienia

n a d z i e n i e : 5 jajek ugotowanych na twardo • jajko • 2 kopiaste łyżki posiekanego koperku • 2 łyżki gęstej, kwaśnej śmietany • sól • pieprz

Mleko z wodą łączymy z jajkami, oliwą, solą, dodajemy mąkę. Gdy ciasto będzie zbyt ścisłe, dolewamy wody (ciasto powinno mieć gęstość naturalnej śmietany). Odstawiamy na 20 min.

Przygotowujemy nadzienie: ugotowane na twardo jajka bardzo drobno siekamy lub ucieramy na tarce z dużymi otworami, dodajemy jajko, koperek, śmietanę, przyprawy, całość dokładnie mieszamy, gdy trzeba, doprawiamy (nadzienie powinno mieć wyraźny, pikantny smak). Z ciasta (gdy w czasie odpoczynku lekko zgęstnieje, dolewamy trochę wody) smażymy cienkie naleśniki, każdy nadziewamy masą jajeczną, składamy w „chusteczkę". Tuż przed podaniem rumienimy na maśle z obu stron. Podajemy na wygrzanych talerzach z dodatkiem zielonej sałaty, polane spienioną śmietaną lub jogurtem.

liczba porcji / 12–14

czas przygotowania / 60 min

stopień trudności / średniotrudne

kaloryczność / średniokaloryczne

koszt / tanie

Jajka z kalafiorem na gorąco
– przepis z kuchni staropolskiej

s k ł a d n i k i : 2 dorodne kalafiory • 4 jajka ugotowane na twardo • czubata łyżka masła • łyżka tartej bułki • 2 kopiaste łyżki posiekanego koperku lub natki pietruszki (mogą być mrożone) • 2 duże lub 4 małe pomidory • sól • cukier • sok z cytryny • łyżka oliwy

liczba porcji / **4**

czas przygotowania / **30 min**

stopień trudności / **średniotrudne**

kaloryczność / **średniokaloryczne**

koszt / **tanie**

Wymoczone w wodzie z dodatkiem soli kalafiory dzielimy na różyczki, odrzucamy grubsze, twarde łodygi, wrzucamy na gorącą, z dodatkiem soli, cukru i oliwy wodę i gotujemy przez 12-15 min. Kalafiorowe różyczki powinny być miękkie, ale nierozgotowane! Okrągły półmisek ogrzewamy na parze lub w piekarniku, na środku układamy odsączone różyczki kalafiora, natychmiast kropimy cytryną. Po bokach układamy warstwę jeszcze ciepłych, ugotowanych na twardo, posiekanych jajek, całość polewamy zrumienioną na maśle bułką, przybieramy cząstkami pomidora i posypujemy zieleniną. Podajemy z dodatkiem młodych ziemniaków i maślanki lub kefiru.

Omlety – kilka rad

Omlet będzie bardzo delikatny, jeżeli przygotujemy go z dodatkiem pełnego mleka lub słodkiej śmietanki. Zawsze w takiej samej proporcji: 1 duże jajko na 1 łyżkę mleka lub śmietanki.

Osoby, które preferują kuchnię niskokaloryczną, mogą, zamiast mleka, dodać do ubijanych jajek wodę mineralną lub stołową.

Dokładnie umyte, całe jajka ubijamy delikatnie i krótko (długotrwałe ubijanie powoduje twardość omletu) widelcem. Omlety smażymy na patelni z grubym dnem. Suchą patelnię bardzo dobrze rozgrzewamy. Gdy będzie gorąca, wkładamy masło i w chwili, gdy się rozpuści, wlewamy ubite jajka – ta procedura powoduje, że omlet się zrumieni, a nie przypali! W czasie smażenia lekko potrząsamy patelnią (trzymaną tuż nad ogniem), a ścinające się brzegi omletu zawijamy łopatką do środka. Omlety smażymy bardzo krótko, aby ich wewnętrzna strona pozostała miękka i pulchna. Gotowe nadziewamy przygotowanym wcześniej farszem, podwijamy boki do środka, zsuwamy na wygrzany talerz i natychmiast podajemy.

liczba porcji / **2**
czas przygotowania / **30 min**
stopień trudności / **łatwe**
kaloryczność / **średniokaloryczne**
koszt / **tanie**

Omlet dla smakosza

s k ł a d n i k i : biała część dorodnego pora • łyżka masła
• sól • pieprz • mielona słodka papryka • łyżka pikantnego keczupu
• 4 jajka • 4 łyżki mleka

Dokładnie umyty por kroimy w cienkie krążki, zasmażamy na maśle, często mieszając. Gdy krążki pora dobrze zwiotczeją, doprawiamy solą, pieprzem, mieloną papryką, keczupem i dusimy przez 5-6 min pod przykryciem, od czasu do czasu mieszając.

Jajka lekko ubijamy z mlekiem, aż się spienią i dokładnie połączą. Jaieczną masą zalewamy usmażone pory, patelnię przykrywamy i na niewielkim ogniu smażymy omlet tak długo, aż wierzch będzie ścięty.

Podajemy na wygrzanym talerzu, przekrojony na połowę, z dodatkiem sałatki z pomidorów z cebulką lub polany gorącym sosem pomidorowym.

Omlet luksusowy z migdałami

s k ł a d n i k i : 5 jajek • 5 łyżek mleka • łyżka masła
do smażenia • sól

f a r s z : 2 średniej wielkości cebule • ząbek czosnku
• 1/2 szklanki czerwonego, wytrawnego wina • szklanka migdałów
• przyprawa prowansalska lub natka pietruszki • sól • tłuszcz
do zasmażenia

Migdały zalewamy wrzątkiem, po 5 min cedzimy, obieramy ze skórki, grubo siekamy. Cebulę kroimy w piórka, czosnek siekamy.

Na rozgrzanym tłuszczu zasmażamy cebulę z czosnkiem, gdy się zeszkli, dodajemy migdały, przyprawy i wino. Całość prużymy na niewielkim ogniu, aż farsz zgęstnieje. Trzymamy w cieple.

Na zrumieniony od spodu, dobrze ścięty i pulchny omlet wykładamy, rozprowadzając równomiernie, farsz, zaginamy boki do środka, zsuwamy na wygrzany półmisek, dzielimy na 2 części. Podajemy z dodatkiem zielonej sałaty polanej spienioną śmietaną lub z inną sezonową surówką.

liczba porcji / **2**
czas przygotowania / **40 min**
stopień trudności / **średniotrudne**
kaloryczność / **średniokaloryczne**
koszt / **średniodrogie**

liczba porcji / 1
czas przygotowania / 10 min
stopień trudności / średniotrudne
kaloryczność / średniokaloryczne
koszt / tanie

Omlet muślinowy

s k ł a d n i k i : 2 jajka • 3 łyżki słodkiej śmietany kremowej • czubata łyżeczka masła • sól

Żółtka oddzielamy od białek. Białka z dodatkiem szczypty soli ubijamy na bardzo sztywną pianę. Żółtka łączymy ze śmietaną, energicznie mieszając, aż masa lekko się spieni. Do żółtek dodajemy pianę z białek, całość delikatnie, ale dokładnie mieszamy – najlepiej drewnianą łyżką. Przygotowaną masę wylewamy na bardzo dobrze rozgrzaną patelnię z roztopionym masłem, przez minutę trzymamy na niewielkim ogniu, zestawiamy i natychmiast wsuwamy na 2-3 min do dobrze nagrzanego piekarnika. Gorący omlet delikatnie przekładamy na wygrzany talerz. Podajemy z konfiturami, domowym dżemem lub marmoladą. Doskonale smakuje polany gęstym, domowym, owocowym sokiem lub lekko oprószony cukrem pudrem i polany śmietaną.

Omlet ze słoninką

s k ł a d n i k i : 5 dużych jajek • 5 łyżek pełnego mleka • masło do smażenia • sól

f a r s z : łyżka oliwy • 2 czubate łyżki pokrojonej w drobną kostkę słoniny • 2 cebule • łyżka koncentratu pomidorowego lub 2 łyżki keczupu • szczypta suszonego tymianku • mielona słodka papryka • sól • pieprz

Przygotowujemy farsz: na rozgrzanej oliwie smażymy słoninę, często mieszając (skwarki powinny być delikatne i kruche). Do lekko zrumienionej dodajemy pokrojoną w cienkie półplasterki cebulę i całość zasmażamy, aż cebula lekko się zrumieni. Doprawiamy koncentratem pomidorowym lub keczupem, ziołami, solą, pieprzem, papryką. Odstawiamy w ciepłe miejsce albo do wodnej kąpieli.
Na zrumieniony od spodu, całkowicie ścięty, pulchny omlet wykładamy gorący farsz, boki zawijamy do środka, zsuwamy na wygrzany półmisek, kroimy na połowę i od razu, bardzo gorący, podajemy.

liczba porcji / 2
czas przygotowania / 25 min
stopień trudności / średniotrudne
kaloryczność / średniokaloryczne
koszt / tanie

Omlet
z kapustą włoską
– przepis z kuchni
staropolskiej

s k ł a d n i k i : szklanka z „czubem" drobno
posiekanych liści (ze środka) kapusty włoskiej • cebula
• 2 kopiaste łyżki drobno pokrojonego, chudego
wędzonego boczku • 2 łyżki oliwy • 2 łyżki białego,
wytrawnego wina • 5 jajek • pieprz • sól • szczypta
gałki muszkatołowej

Na rozgrzanej oliwie lekko rumienimy ko-
steczki boczku, gdy będą złociste i kruche,
wyjmujemy łyżką cedzakową, a na wytopiony tłuszcz wrzucamy pokrojoną w piórka cebulę, zasmażamy, aż się dokładnie zeszkli. Dodajemy kapustę, podlewamy winem, całość
prużymy na niewielkim ogniu, często mieszając, aż nadmiar sosu wyparuje.
Jajka ubijamy na jednolitą masę wraz z przyprawami, masą zalewamy kapustę i smażymy pod przykryciem, aż wierzch omletu będzie dokładnie ścięty.
Podajemy przekrojony na połowę, na 2 wygrzanych talerzach, posypany chrupiącymi
skwarkami z boczku, z dodatkiem sałatki z pomidorów z cebulką lub innej, pikantnej surówki.

Omlet z szynką

s k ł a d n i k i : gruby plaster (15 dag)
gotowanej szynki z tłuszczykiem • 4 jajka • 4 łyżki
mleka lub śmietanki • szczypta gałki muszkatołowej
• łyżka masła • sól

Na dobrze rozgrzaną patelnię wkładamy masło, gdy się roztopi, wlewamy masę jajeczną
i od razu posypujemy pokrojoną w bardzo
drobną kostkę szynką.
Gdy omlet jest gotowy, zawijamy boki do
środka i zsuwamy na dobrze wygrzany półmisek, dzielimy na 2 części i od razu podajemy. Dobrze smakuje z dodatkiem sałatki z pomidorów i cebulki.

Omlet z migdałami

s k ł a d n i k i : 5 dużych, świeżych jajek • 5 łyżek mleka lub śmietanki • szczypta soli • płaska łyżka masła

f a r s z : 2 czerwone cebule • duża filiżanka migdałów • ząbek czosnku • 1/3 szklanki słodkiej śmietany • łyżeczka posiekanych listków bazylii • pieprz • sól • łyżka oliwy do zasmażenia • 1/2 filiżanki migdałowych płatków zrumienionych na suchej patelni

Przygotowujemy farsz: migdały parzymy wrzątkiem, obieramy z łupinek, niezbyt drobno siekamy. Cebulę i czosnek kroimy w cienkie półplasterki i podsmażamy na rozgrzanej oliwie, gdy się zeszklą, dodajemy migdały, posiekane świeże zioła, podlewamy śmietanką i prużymy na niewielkim ogniu, aż farsz lekko zgęstnieje. Przykrywamy i trzymamy w cieple.

Przygotowujemy omlet: jajka, rozbite z mlekiem i solą, wylewamy na bardzo gorącą patelnię z rozpuszczonym masłem. Gdy spód omletu lekko się zrumieni, a wierzch będzie ścięty, nakładamy ciepły farsz, zaginamy boki do środka i od razu zsuwamy na wygrzany półmisek. Gorący omlet posypujemy zrumienionymi płatkami migdałowymi, kroimy na połowę, każdą porcję przybieramy gałązką zieleniny i dużym, obranym z łupiny migdałem.

To luksusowe danie możemy podać na wystawny obiad lub jako gorącą, elegancką przystawkę.

liczba porcji / 2
czas przygotowania / 30 min
stopień trudności / średniotrudne
kaloryczność / wysokokaloryczne
koszt / średniodrogie

Omlet z zielonym groszkiem

s k ł a d n i k i : 5 dużych jajek • 5 łyżek pełnego mleka lub śmietanki • szczypta gałki muszkatołowej • sól • puszka zielonego groszku konserwowego • kopiasta łyżeczka masła • cukier • zielenina • łyżeczka masła do smażenia omletu

Groszek wraz z zalewą przekładamy do rondelka, podgrzewamy. Gorący odsączamy, dodajemy masło i cukier do smaku, lekko zasmażamy. Trzymamy w ciepłym miejscu lub w kąpieli wodnej (groszek powinien być gorący).

Zrumieniony omlet nadziewamy groszkiem, zwijamy brzegi i od razu przekładamy na wygrzany półmisek. Posypujemy zieleniną, dzielimy na porcje, natychmiast podajemy na wygrzanych talerzach.

liczba porcji / 2
czas przygotowania / 15 min
stopień trudności / łatwe
kaloryczność / średniokaloryczne
koszt / tanie

Ziemniaczane knedelki
– przepis z kuchni staropolskiej

s k ł a d n i k i : 8 średniej wielkości ugotowanych ziemniaków
• 2 żółtka • szklanka + 2 kopiaste łyżki mąki pszennej • łyżeczka
mąki ziemniaczanej • szczypta soli • szczypta imbiru

f a r s z : 20 dag dobrze odciśniętego białego sera • 2 kopiaste
łyżki utartego na tarce żółtego sera • duża cebula • oliwa lub olej
do zasmażenia cebuli • sól • biały pieprz • żółtko lub małe jajko

Przygotowujemy farsz: drobno posiekaną cebulę lekko
rumienimy, często mieszając. Gdy przestygnie, rozcieramy z białym serem, dodajemy do masy utarty żółty ser,
żółtko i przyprawy. Farsz powinien być pikantny, o wyraźnym, serowym smaku.
Przygotowujemy ciasto: roztarte w malakserze ziemniaki łączymy z żółtkami, dodajemy obie mąki, sól i imbir,
ciasto zagniatamy jak na kopytka.
Na podsypanej mąką stolnicy toczymy gruby wałek, kroimy w niezbyt grube plastry, każdy lekko rozpłaszczamy,
nadziewamy porcją farszu, dokładnie zlepiamy i układamy – miejscem zlepionym do dołu – na stolnicy. Uformowane knedelki oprószamy mąką, gdy trzeba, raz jeszcze
formujemy w dłoniach i wrzucamy na wrzącą, osoloną wodę. Gotujemy na średnim ogniu – od chwili, gdy wypłyną
– jeszcze przez 3 min. Podajemy gorące, polane zasmażoną na oliwie cebulką lub skwarkami ze świeżej słoniny.

liczba porcji / 4

czas przygotowania / 60 min

stopień trudności / średniotrudne

kaloryczność / średniokaloryczne

koszt / średniodrogie

Placki ziemniaczane z kabaczkiem lub cukinią

s k ł a d n i k i : średniej wielkości kabaczek lub cukinia
(do 50 cm) • 6 dużych, młodych ziemniaków • 3 jajka • 2 ugotowane
ziemniaki • cebula • olej do zasmażenia cebuli • 2 ząbki czosnku
• sól • pieprz • szczypta majeranku lub roztartej w dłoniach
przyprawy prowansalskiej • łyżka tartej bułki • olej do smażenia

Z obranych ze skórki kabaczka lub cukinii usuwamy pestki i miąższ i ucieramy na tarce do jarzyn z dużymi otworami. Ziemniaki ucieramy na tarce, przekładamy na sito,
odsączamy. Cebulę drobno siekamy, podsmażamy na tłuszczu (powinna się zeszklić, ale nie zrumienić), czosnek drobno siekamy. Gotowane ziemniaki rozcieramy z podsmażo-
ną cebulą i żółtkami na puszystą masę, dodajemy przyprawy i pozostałe składniki, wyrabiamy jednolite ciasto. Pod koniec dodajemy pianę ubitą z 2 białek. Gdy masa będzie zbyt lekka, dodajemy tartą
bułkę.
Na gorącym tłuszczu smażymy niewielkie placuszki, rumieniąc z obu stron na złoty kolor. Najlepiej
smakują prosto z patelni, są wtedy chrupiące i delikatne. Podajemy z sezonową, lekko doprawio-
ną surówką lub na słodko, z domowym dżemem lub ubitą śmietaną.

liczba porcji / 20

czas przygotowania / 60 min

stopień trudności / średniotrudne

kaloryczność / średniokaloryczne

koszt / średniodrogie

liczba porcji / 4

czas przygotowania / 45 min•

stopień trudności / średniotrudne

kaloryczność / średniokaloryczne

koszt / średniodrogie

Babka ziemniaczana z gotowanych ziemniaków

s k ł a d n i k i : 8 ugotowanych w mundurkach, średniej wielkości ziemniaków (mogą być z poprzedniego dnia) • duża łyżka masła • 2 kopiaste, duże łyżki utartego, pikantnego, żółtego sera • 2 łyżki śmietany • 2 jajka • sól • biały pieprz • imbir • tłuszcz do wysmarowania formy

Rozdrobnione w malakserze ziemniaki ucieramy z żółtkami na jednolitą, gładką i pulchną masę, dodajemy śmietanę, masło, utarty ser i przyprawy.
Do masy dodajemy pianę ubitą z białek, całość delikatnie łączymy (najlepiej drewnianą łyżką), przekładamy do wysmarowanego tłuszczem naczynia, wyrównujemy powierzchnię i zapiekamy przez 25-30 min (czas zależy od wysokości zapiekanej warstwy) w piekarniku. Wyjętą z piekarnika babkę „wyrzucamy" na wygrzany półmisek i od razu, gorącą, podajemy. Najlepiej smakuje z porcją pieczeni oraz pieczeniowego sosu, a także – w formie dania dietetycznego – z kefirem, naturalnym jogurtem lub maślanką oraz ze szpinakiem i sadzonym jajkiem.

• o p r ó c z   c z a s u   n a   z a p i e k a n i e

Babka z surowych ziemniaków

s k ł a d n i k i : 8-10 dużych, surowych ziemniaków (ok. 1 kg) • 2 duże cebule • 2 duże ząbki czosnku • 2 kopiaste łyżki mąki krupczatki • sól • pieprz • 1/2 łyżeczki zmiażdżonego w moździerzu kminku • 2 jajka • 3 łyżki gorącego, ale niezrumienionego masła • tłuszcz do wysmarowania formy babowej

Utarte na tarce (ważne!) ziemniaki przekładamy na sito, dokładnie odsączamy (powinny być prawie suche). Do ziemniaków dodajemy żółtka, drobno posiekaną, surową cebulę i czosnek, jajka, mąkę, przyprawy, całość delikatnie mieszamy i wyrabiamy na jednolitą masę. Przekładamy do wysmarowanej tłuszczem formy, polewamy obficie ciepłym masłem i wstawiamy do nagrzanego piekarnika na 35-50 min (czas zapiekania zależy od wysokości zapiekanej masy).
Podajemy gorącą, pokrojoną w zgrabne romby, z gorącym, pikantnym sosem (grzybowym, pieczarkowym, myśliwskim) lub z usmażoną na podrumienionym, pokrojonym w kosteczkę boczku jajecznicą i delikatną, sezonową surówką.

• o p r ó c z   c z a s u   n a   z a p i e k a n i e

liczba porcji / 4

czas przygotowania / 40 min•

stopień trudności / średniotrudne

kaloryczność / średniokaloryczne

koszt / średniodrogie

Bliny ziemniaczane

s k ł a d n i k i : 2 czerstwe, małe bułki • 2 szklanki ciepłego mleka • 6 dużych ziemniaków • 2 żółtka • 2 dag drożdży • gałka muszkatołowa • sól • pieprz • oliwa lub olej • 2-3 ząbki czosnku

W łyżce mleka z dodatkiem szczypty cukru rozcieramy drożdże. Bułki dzielimy na części, zalewamy ciepłym mlekiem. Obrane ziemniaki ucieramy na tarce, przekładamy na sito, odsączamy.

Namoczone bułeczki rozcieramy w malakserze na jednolitą masę, dodajemy odsączone ziemniaki, drożdże, żółtka, przyprawy, wyrabiamy jednolite ciasto. Przykrywamy ściereczką, odstawiamy na godzinę w ciepłe miejsce (powinno powiększyć objętość).

Na dobrze rozgrzanym tłuszczu smażymy średniej wielkości, niezbyt grube bliny, rumieniąc z obu stron. Podajemy gorące, prosto z patelni, koniecznie na wygrzanych talerzach.

Najlepiej smakują z dodatkiem sosu wiosennego, sosu śmietanowego lub smażonych, czerwonych borówek, polane łyżką gęstej, kwaśnej śmietany.

• oprócz czasu na smażenie

liczba porcji / 15
czas przygotowania / 30 min •
stopień trudności / średniotrudne
kaloryczność / średniokaloryczne
koszt / średniodrogie

Luksusowa zapiekanka z ziemniaków

s k ł a d n i k i : 8 średniej wielkości ziemniaków • 30 dag młodych, zamkniętych pieczarek • 30 dag mielonego mięsa (może być wieprzowo-drobiowe) • 3 cebule • duża filiżanka utartego, żółtego sera • jajko • szklanka śmietany • sól • pieprz • 2 łyżki keczupu • kopiasta łyżka tartej bułki • wiórki zamrożonego masła • oliwa do wysmarowania formy

Mięso łączymy z keczupem, jajkiem, przyprawami, wyrabiamy na jednolitą masę. Pieczarki kroimy w cienkie paski, cebulę w piórka, ziemniaki w cieniutkie talarki (można na tarce do rozdrabniania ogórków na mizerię). Naczynie do zapiekania obficie smarujemy oliwą, na spodzie rozkładamy połowę ziemniaków, na nich warstwę cebuli, pieczarki, doprawione mięso i, na wierzchu, pozostałe ziemniaki. Każdą warstwę opruszamy przyprawami. Ułożone produkty zalewamy śmietaną lekko spienioną z jajkiem i utartym serem, wierzch posypujemy tartą bułką i wiórkami masła.

Wstawiamy do nagrzanego piekarnika, zapiekamy przez 50 min w temp. 180-200ºC. Podajemy, gdy wierzch jest zrumieniony, a boki potrawy lekko odstają od formy. Najlepiej smakuje z dodatkiem sezonowej surówki i szklanki soku warzywnego.

• oprócz czasu na zapiekanie

liczba porcji / 4
czas przygotowania / 30 min •
stopień trudności / średniotrudne
kaloryczność / średniokaloryczne
koszt / średniodrogie

Zapiekanka oszczędna
według Pani Rejentowej

s k ł a d n i k i : 8 średniej wielkości ziemniaków (mogą być z poprzedniego dnia) • 2 żółtka • łyżka mąki ziemniaczanej • kopiasta łyżka mąki pszennej • sól • pieprz • imbir • szklanka utartego, żółtego sera • tłuszcz do wysmarowania formy

f a r s z : gotowane mięso z rosołu • duża cebula • biała część pora • 2 białka • 2 łyżki pikantnego keczupu • łyżka koncentratu pomidorowego • 2 kopiaste łyżki pokrojonego w kostkę, wędzonego boczku • 2 łyżki oliwy • sól • pieprz • szczypta roztartych w dłoniach ulubionych przypraw ziołowych

Przygotowujemy farsz: na oliwie podsmażamy boczek, zrumienione skwarki wyjmujemy za pomocą łyżki cedzakowej, na tłuszczu podsmażamy pokrojony w cienkie (ważne!) krążki por i piórka cebuli. Gdy się zeszklą, dodajemy rozdrobnione (można przepuścić przez maszynkę) mięso, keczup, koncentrat, białka i przyprawy. Zasmażony farsz powinien mieć zdecydowany, pikantny smak z przebijającą lekko pomidorową nutą.

Ziemniaki rozcieramy z żółtkami w malakserze, dodajemy obie mąki, przyprawy, dzielimy na 2 części – mniejszą i większą.

Na spodzie wysmarowanego tłuszczem naczynia do zapiekania rozkładamy większą część ziemniaków, wyrównujemy powierzchnię, nakładamy farsz, na wierzchu układamy pozostałą warstwę ziemniaków, posypujemy skwarkami wytopionymi z boczku i tartym serem. Całość wstawiamy do nagrzanego piekarnika i zapiekamy przez 25-30 min (czas zapiekania zależy do wysokości zapiekanej warstwy) w temp. 180ºC. Podajemy z pikantnym, gorącym sosem (grzybowym lub pomidorowym) i sezonową, delikatną surówką.

• o p r ó c z   c z a s u   n a   z a p i e k a n i e

liczba porcji / 4
czas przygotowania / 50 min •
stopień trudności / średniotrudne
kaloryczność / średniokaloryczne
koszt / średniodrogie

Placki ziemniaczane z grzybowym farszem

s k ł a d n i k i : lekko pikantny grzybowy farsz z cebuli, świeżych kapeluszy grzybów lub pieczarek • litrowy pojemnik ugotowanych ziemniaków (mogą być z poprzedniego dnia) • 2 żółtka • łyżka mąki ziemniaczanej • łyżka mąki pszennej • szczypta gałki muszkatołowej • mąka krupczatka do panierowania • oliwa lub olej

Ziemniaki, żółtka, obie mąki oraz szczyptę gałki muszkatołowej ucieramy w malakserze. Ciasto powinno być jednolite, gładkie, sprężyste.

Wykładamy na lekko posypaną mąką stolnicę, formujemy gruby wałek, dzielimy na 20 kawałków. Każdą część rozwałkowujemy na placek o średnicy 20 cm, nadziewamy farszem i zlepiamy boki, formując zgrabne pierogi. Na dużej, głębokiej patelni rozgrzewamy tłuszcz. Każdy placek oprószamy mąką (trzeba docisnąć dłonią, by mąka dokładnie przylgnęła) i smażymy, rumieniąc z obu stron. Przekładamy do naczynia do zapiekania i wstawiamy na 10 min do nagrzanego piekarnika (by doszły).

Podajemy gorące, na wygrzanych talerzach, z pikantnymi, gorącymi sosami oraz delikatną w smaku surówką.

liczba porcji / 20
czas przygotowania / 60 min
stopień trudności / średniotrudne
kaloryczność / średniokaloryczne
koszt / średniodrogie

Placki ziemniaczane zaparzane

s k ł a d n i k i : 10 dużych surowych ziemniaków • 4 ziemniaki ugotowane • szklanka mleka • 3 dag drożdży • 3 żółtka • 2 łyżki mąki ziemniaczanej • sól • pieprz • duża szczypta roztartego w dłoniach cząbru lub przyprawy prowansalskiej • 2 drobno posiekane ząbki czosnku • oliwa lub olej

Lekko podgrzewamy 1/2 szklanki mleka, dodajemy drożdże, mieszamy, odstawiamy w ciepłe miejsce. Utarte surowe ziemniaki przekładamy na sito, odsączamy z nadmiaru soku, przekładamy do miseczki, zalewamy pozostałym, wrzącym mlekiem. Gdy przestygną, dodajemy utarte na puch ugotowane ziemniaki, żółtka, wyrośnięte drożdże, mąkę ziemniaczaną i przyprawy. Całość wyrabiamy na jednolite ciasto. Gdy będzie zbyt lekkie, dodajemy łyżkę tartej bułki.

Na dobrze rozgrzanym tłuszczu smażymy średniej wielkości placki, rumieniąc z obu stron. Najlepiej smakują gorące, podane prosto z patelni, z dodatkami według własnych upodobań, np.: z sosem śmietanowo-czosnkowym, ze świeżą, gęstą śmietaną, z pieczarkami w śmietanie lub z sosem wiosennym.

liczba porcji / 20
czas przygotowania / 60 min
stopień trudności / średniotrudne
kaloryczność / średniokaloryczne
koszt / średniodrogie

Ziemniaki po nelsońsku

s k ł a d n i k i : 8 dużych surowych ziemniaków • szklanka suszonych grzybów (najlepiej borowików) • 2 duże cebule • łyżka tłuszczu do zasmażki • łyżka mąki • 1/2 szklanki śmietany • sól • pieprz • szczypta utartej gałki muszkatołowej • szklanka mleka do moczenia grzybów • tłuszcz do wysmarowania formy

Obrane ziemniaki kroimy w cienką „pomarańczkę" lub w „zapałki" (jak na delikatne frytki), zalewamy wrzącą wodą z dodatkiem soli i gotujemy przez 10 min. Cedzimy na sicie, odstawiamy do przechłodzenia. Namoczone wcześniej w mleku z wodą (pół na pół) grzyby gotujemy do miękkości w płynie, w którym się moczyły. Cedzimy na sicie. Wywar z grzybów pozostawiamy. Przygotowujemy sos: z tłuszczu i mąki robimy zasmażkę, często mieszając i pilnując, by mąka się nie zrumieniła, tylko straciła smak surowizny. Zasmażoną mąkę rozprowadzamy przecedzonym wywarem z grzybów, mieszamy, zagotowujemy, trzymamy na niewielkim ogniu przez 3 min. Do sosu dodajemy roztrzepaną śmietanę i przyprawiamy do smaku – powinien być lekko zawiesisty, mieć zdecydowany grzybowy smak i wspaniały aromat.

W naczyniu do zapiekania, obficie wysmarowanym tłuszczem, rozkładamy: ziemniaki, pokrojone w paseczki grzyby, piórka cebuli – każdą warstwę oprószamy przyprawami. Ostatnią warstwą powinny być ziemniaki. Całość zalewamy sosem, wstawiamy do nagrzanego piekarnika i trzymamy w temp. 180ºC przez 30 min. Podajemy z dodatkiem delikatnej w smaku, sezonowej surówki.

liczba porcji / 4–6
czas przygotowania / 60 min
stopień trudności / średniotrudne
kaloryczność / średniokaloryczne
koszt / średniodrogie

D A N I A z z i e m n i a k ó w

Ziemniaczane tosty

s k ł a d n i k i : 8 średniej wielkości surowych ziemniaków • szklanka ugotowanych ziemniaków (mogą być z poprzedniego dnia) • jajko • czubata łyżka mąki pszennej • płaska łyżka mąki ziemniaczanej • sól • pieprz • szczypta gałki muszkatołowej • tłuszcz do smażenia

f a r s z : szklanka drobno posiekanych kapeluszy świeżych grzybów lub pieczarek • cebula • 2 łyżki koncentratu pomidorowego • łyżka pikantnego keczupu • łyżka posiekanej natki pietruszki (może być mrożona) • sól • pieprz • lekko podsuszony, utarty na tarce żółty ser (w dowolnej ilości)

Utarte na tarce surowe ziemniaki przekładamy na sito, odsączamy. Ugotowane ziemniaki ucieramy w malakserze z jajkiem i przyprawami, dodajemy dokładnie odsączone surowe ziemniaki, mąkę pszenną i ziemniaczaną, wyrabiamy masę.

Na rozgrzanym tłuszczu smażymy małe, wielkości spodeczka, cienkie, ziemniaczane placuszki, rumieniąc je z obu stron. Usmażone trzymamy w ciepłym miejscu pod przykryciem.

Przygotowujemy farsz: na tłuszczu podsmażamy posiekaną cebulę, gdy się zeszkli, dodajemy posiekane grzyby i całość, często mieszając, zasmażamy. Gdy grzyby będą miękkie, dodajemy keczup, koncentrat, przyprawiamy do smaku (farsz powinien być pikantny).

Na połowę upieczonych wcześniej placuszków nakładamy, w równych ilościach, farsz. Każdy nakrywamy drugim plackiem, układamy na blasze do pieczenia, posypujemy obficie utartym serem i wstawiamy na 12-15 min do nagrzanego piekarnika. Podajemy, gdy ser lekko się roztopi i podrumieni. Podajemy na wygrzanych talerzach, posypane zieleniną, z dodatkiem filiżanki gorącego rosołu.

liczba porcji / 4
czas przygotowania / 60 min
stopień trudności / średniotrudne
kaloryczność / średniokaloryczne
koszt / średniodrogie

liczba porcji / 10
czas przygotowania / 60 min
stopień trudności / średniotrudne
kaloryczność / średniokaloryczne
koszt / średniodrogie

Krokiety z kapustą
(tzw. dziadowskie)
- przepis z kuchni staropolskiej

s k ł a d n i k i : czubata szklanka ugotowanej na sypko kaszy • szklanka ugotowanych ziemniaków (mogą być z poprzedniego dnia) • szklanka zasmażonej, kwaszonej kapusty • 10 kapeluszy pieczarek lub świeżych grzybów • 2 cebule • 2 jajka • sól • pieprz • 1/2 łyżeczki zmiażdżonego kminku • tarta bułka • tłuszcz do smażenia – smalec i olej (pół na pół)

Na niewielkiej ilości tłuszczu podsmażamy rozdrobnioną cebulę, dodajemy oczyszczone, rozdrobnione grzyby. Kaszę, ziemniaki, zasmażoną kapustę oraz zasmażoną cebulę z grzybami przepuszczamy przez maszynkę lub rozbijamy w malakserze. Do masy dodajemy jajko, doprawiamy według własnych upodobań smakowych (powinna być pikantna), wyrabiamy. Z masy formujemy 10 zgrabnych krokietów, panierujemy w roztrzepanym jajku i tartej bułce. Smażymy na mocno rozgrzanym tłuszczu, rumieniąc z obu stron. Podajemy z dodatkiem filiżanki czerwonego barszczu lub z pikantnym sosem, np. grzybowym, pieczarkowym czy myśliwskim.

Krokiety orzechowe
- przepis ze staropolskiej kuchni magnackiej

liczba porcji / 8

czas przygotowania / 45 min

stopień trudności / średniotrudne

kaloryczność / wysokokaloryczne

koszt / tanie

s k ł a d n i k i : 2 czubate szklanki ugotowanej na sypko kaszy • szklanka posiekanych orzechów • 2 jajka • sól • tarta bułka • oliwa lub oliwa i masło (pół na pół)

Zmieloną kaszę łączymy z orzechami, dodajemy jajko, szczyptę soli. Całość wyrabiamy, aż masa stanie się jednolita. Wykładamy na wysypaną niewielką ilością tartej bułki stolnicę, formujemy 8 zgrabnych krokietów, panierujemy w jajku i tartej bułce. Smażymy zaraz po przygotowaniu na dobrze rozgrzanym, tzw. głębokim tłuszczu, rumieniąc z obu stron. Podajemy na wygrzanych talerzach, prosto z patelni, z dodatkiem pieczarek lub świeżych grzybów w śmietanie i lampką czerwonego wina.

Krokiety à la Potocki
- przepis ze staropolskiej kuchni magnackiej

s k ł a d n i k i : 2 czubate szklanki ugotowanej kaszy gryczanej • szklanka pieczonego mięsa z dzikiego ptactwa lub drobiu • szklanka wątróbki drobiowej lub cielęcej • 3 żółtka • 3 łyżki słodkiej śmietany • tarta bułka • sól • pieprz • 3 łyżki rodzynek • 2 jajka i tarta bułka do panierowania • oliwa i masło (pół na pół) do smażenia

Wątróbkę podsmażamy na tłuszczu, pilnując, by się zbyt mocno nie zrumieniła. Mięso z dzikiego ptactwa lub drobiu obieramy z kostek i skóry. Zimną wątróbkę, kaszę oraz mięso przepuszczamy przez maszynkę (można rozbić w malakserze!), dodajemy 3 łyżki tartej bułki, śmietanę, żółtka i rodzynki, całość wyrabiamy. Gdy masa będzie zbyt ścisła, dodajemy żółtko lub śmietanę, a gdy zbyt luźna – tartą bułkę.

Gotową masę wykładamy na posypaną tartą bułką stolnicę, formujemy zgrabny wałek, kroimy krokiety, panierujemy w jajku i tartej bułce i od razu smażymy na gorącym, tzw. głębokim tłuszczu, rumieniąc z obu stron.

Usmażone przekładamy do rondla i trzymamy w cieple ok. 5 min (trzymane dłużej mogą stracić kruchość!). Podajemy jako samodzielne danie z dodatkiem sałaty ze śmietaną, sałatki z pomidorów lub innej, sezonowej surówki.

liczba porcji / 10–12

czas przygotowania / 60 min

stopień trudności / średniotrudne

kaloryczność / średniokaloryczne

koszt / średniodrogie

Kasza gryczana ze świeżymi grzybami

s k ł a d n i k i : czubata szklanka kaszy gryczanej • 2 szklanki wody • duża łyżka czystego smalcu • 1 kg kapeluszy świeżych grzybów (waga po oczyszczeniu) • 2 cebule • szklanka śmietany kremowej • jajko • 2 kopiaste łyżki utartego, żółtego sera • sól • pieprz • płaska łyżeczka przyprawy myśliwskiej • tłuszcz do wysmarowania formy • tłuszcz do podsmażenia cebuli i grzybów

Na gotującą się wodę z dodatkiem soli i smalcu sypiemy kaszę, wolno gotujemy, często mieszając, aż płyn zostanie wchłonięty przez ziarenka. Odstawiamy, pod przykryciem, w ciepłe miejsce. Oczyszczone, wypłukane kapelusze grzybów kroimy w plasterki, cebulę siekamy. Na rozgrzanym tłuszczu podsmażamy cebulę, gdy się zeszkli, dodajemy grzyby, często mieszając, podsmażamy. Podlewamy niewielką ilością wody i dusimy przez 10 min. Doprawiamy do smaku według upodobania. Wszystkie składniki dokładnie łączymy i układamy w wysmarowanym tłuszczem żaroodpornym naczyniu. Wyrównanę powierzchnię zalewamy śmietaną wymieszaną z żółtkiem i żółtym serem. Wstawiamy do piekarnika o temp. 180 ºC i zapiekamy ok. 20 min. Danie jest gotowe, gdy jego wierzch się zarumieni.

* oprócz czasu na zapiekanie

Kasza gryczana zapiekana
– przepis z kuchni staropolskiej

s k ł a d n i k i : czubata szklanka suchej kaszy gryczanej • 1 i 1/2 szklanki wody • łyżka czystego smalcu lub 2 łyżki oliwy • szklanka śmietany kremowej • sól • pieprz • 2 łyżki drobno posiekanej zieleniny (może być kompozycja) • 50 dag białego, tłustego sera • 2 jajka • szczypta mielonej papryki • tłuszcz do wysmarowania formy

W rondlu rozgrzewamy tłuszcz, sypiemy suchą kaszę i, cały czas mieszając, smażymy przez 3 min. Zalewamy gorącą wodą, dodajemy przyprawy i, często mieszając, gotujemy na najmniejszym ogniu do chwili, aż ziarenka wchłoną cały płyn. Odstawiamy, pod przykryciem, w ciepłe miejsce.
Ser rozdrabniamy, mieszamy z całymi, wcześniej spienionymi z niewielką ilością soli i pieprzu, jajkami oraz z zieleniną.
Na spód wysmarowanej tłuszczem formy wykładamy 1/2 kaszy, na nią cały ser, na wierzch pozostałą kaszę. Powierzchnię wyrównujemy, zalewamy śmietaną kremową i wstawiamy do nagrzanego do temp. 180°C piekarnika na 20-25 min (czas zależy od wysokości zapiekanej warstwy). Potrawa jest gotowa, gdy śmietana lekko się zrumieni. Podajemy z dodatkiem zsiadłego mleka lub kefiru oraz z delikatną surówką.

* oprócz czasu na zapiekanie

Kasza z wątróbką
– przepis z kuchni staropolskiej

s k ł a d n i k i : 2 duże kapelusze suszonych borowików
• mleko i woda (pół na pół) do namoczenia grzybów • czubata
szklanka kaszy perłowej • 2 szklanki wywaru z grzybów
• 35 dag świeżej wątróbki z drobiu • 2 cebule • szklanka śmietany
kremowej • tłuszcz i tarta bułka do wysmarowania formy • sól
• pieprz • przyprawa ziołowa • oliwa lub olej

Namoczone wcześniej grzyby gotujemy w wodzie, w której się moczyły. Miękkie wyjmujemy łyżką cedzakową,
wywar uzupełniamy do 2 szklanek, lekko solimy, sypiemy kaszę, zagotowujemy i, często mieszając, gotujemy,
aż cały płyn wsiąknie w ziarenka.
Na rozgrzanym tłuszczu smażymy posiekaną cebulę, gdy się
zeszkli, zdejmujemy z patelni. Uzupełniamy ilość tłuszczu
i smażymy pokrojoną w mniejsze kawałki wątróbkę, rumieniąc ze wszystkich stron. Do wątróbki dodajemy cebulę i, przez ok. 5 min, całość zasmażamy, opruszamy solą, pieprzem i szczyptą ulubionych ziół.
Miękką, sypką kaszę łączymy z wątróbką, gdy trzeba, jeszcze doprawiamy, wykładamy do przygotowanego naczynia do zapiekania, wyrównujemy powierzchnię. Śmietanę lekko ubijamy z żółtkami, zalewamy kaszę, wstawiamy na ok. 25 min do nagrzanego do temp. 180ºC piekarnika. Potrawa jest gotowa, gdy wierzch lekko się zrumieni. Podajemy z dodatkiem zielonej sałaty, polanej
śmietaną lub sosem jogurtowym lub z niezbyt pikantną, sezonową surówką.

liczba porcji / 4
czas przygotowania / 50 min*
stopień trudności / średniotrudne
kaloryczność / średniokaloryczne
koszt / średniodrogie

* o p r ó c z   c z a s u   n a   z a p i e k a n i e

Kasza zapiekana
według przepisu mojej Babci

s k ł a d n i k i : szklanka kaszy perłowej • 3 szklanki wody
z dodatkiem 3 małych kostek maggi • 2 cebule • 0,5 l (waga
po oczyszczeniu i rozdrobnieniu) kapeluszy świeżych grzybów
• 15 dag pokrojonego w cienkie plastry chudego, wędzonego boczku
• 3 łyżki oliwy do podsmażenia boczku • 1/2 szklanki kremowej
śmietany • łyżka koncentratu pomidorowego • sól • pieprz
• tłuszcz do wysmarowania formy • tarta bułka do posypania formy

Na gorącą wodę z rozpuszczonymi w niej kostkami maggi sypiemy kaszę, gotujemy na niewielkim ogniu, od czasu do czasu mieszając, aż wyparuje cały płyn.
Na niewielkiej ilości tłuszczu podsmażamy posiekaną cebulę, gdy się zeszkli, dodajemy grzyby, całość smażymy,
często mieszając i, gdy trzeba, podlewamy 1-2 łyżkami
wody, by grzyby nie przywarły do spodu naczynia.
Na rozgrzanym na dużej patelni oleju podsmażamy plasterki boczku, rumieniąc z obu stron.
Miękką, sypką kaszę łączymy z grzybami, dodajemy tłuszcz wytopiony z boczku, doprawiamy do
smaku. Kasza powinna mieć pikantny, z dominującą grzybową nutą, smak. Połowę kaszy rozkładamy na spodzie przygotowanego naczynia do zapiekania, wyrównujemy powierzchnię, rozkładamy,
miejsce przy miejscu, plasterki zrumienionego boczku, na nich – pozostałą kaszę. Wyrównaną powierzchnię polewamy lekko spienioną śmietaną z koncentratem pomidorowym, wstawiamy do nagrzanego do temp. 180ºC piekarnika i zapiekamy przez 25-30 min. Podajemy z sałatką ze świeżych pomidorów z cebulą i śmietaną lub z inną, sezonową surówką.

liczba porcji / 4
czas przygotowania / 50 min*
stopień trudności / średniotrudne
kaloryczność / średniokaloryczne
koszt / średniodrogie

* o p r ó c z   c z a s u   n a   z a p i e k a n i e

liczba porcji / 4
czas przygotowania / 50 min*
stopień trudności / średniotrudne
kaloryczność / średniokaloryczne
koszt / średniodrogie

Kasza zapiekana po staropolsku

s k ł a d n i k i : szklanka suchej kaszy perłowej • 5 kapeluszy suszonych borowików lub szklanka rozdrobnionych, suszonych grzybów (mieszanka) • gotowana lub pieczona pierś kurczaka pozbawiona skóry • puszka zielonego groszku konserwowego • szklanka mleka • szklanka śmietany • sól • pieprz • natka pietruszki • tłuszcz do wysmarowania formy • tarta bułka do posypania formy

W mleku z dodatkiem wody (pół na pół) moczymy grzyby przez 30 min, następnie gotujemy na niewielkim ogniu do miękkości. Cedzimy na sicie. Wywar z grzybów uzupełniamy wodą do 3 szklanek, stawiamy na ogniu. Do gorącego sypiemy kaszę i gotujemy, często mieszając, aż cały płyn zostanie wchłonięty przez ziarenka. Kurczaka i miękkie grzyby kroimy w cienkie paseczki. Groszek odsączamy. Kaszę łączymy z grzybami, mięsem i groszkiem, doprawiamy do smaku, dodajemy zieleninę i przekładamy do przygotowanej formy. Powierzchnię wyrównujemy, zalewamy lekko spienioną śmietaną i od razu wstawiamy na 20-25 min do nagrzanego do temp. 180°C piekarnika. Podajemy z sałatką z pomidorów po staropolsku, zieloną sałatą lub z inną, sezonową surówką.

* oprócz czasu na zapiekanie

Kasza zapiekana z mięsem

s k ł a d n i k i : szklanka suchej kaszy perłowej • 2 szklanki rosołu (może być z koncentratu) lub wywaru z jarzyn • płaska łyżeczka przyprawy typu „Jarzynka" • 25 dag mielonego mięsa wołowego lub wieprzowego (lub pół na pół) • 2 łyżki koncentratu pomidorowego • 2 łyżki pikantnego keczupu • tłuszcz do podsmażenia cebuli i mięsa • kilka wiórków mrożonego masła • kilka świeżych pomidorów • 2 cebule • tłuszcz do wysmarowania formy • tarta bułka do posypania formy • pieprz • sól

Na gorący rosół z dodatkiem przyprawy sypiemy kaszę, mieszamy, gotujemy na niewielkim ogniu, aż płyn wsiąknie, przykrywamy, trzymamy w cieple.

liczba porcji / 4
czas przygotowania / 50 min*
stopień trudności / średniotrudne
kaloryczność / średniokaloryczne
koszt / średniodrogie

Na niewielkiej ilości tłuszczu podsmażamy drobno posiekaną cebulę. Gdy się zeszkli, dodajemy mięso i, często mieszając, zasmażamy, aż składniki lekko się zrumienią. Dodajemy koncentrat pomidorowy, keczup i przyprawy – masa powinna mieć zdecydowany, lekko pikantny smak. Masę łączymy z kaszą, całość wykładamy do obficie wysmarowanej masłem i wysypanej tartą bułką formy do zapiekania, powierzchnię wyrównujemy. Na wierzchu rozkładamy dość grube plastry świeżych pomidorów (wcześniej obranych ze skórki), posypujemy wiórkami masła i od razu wstawiamy formę do nagrzanego piekarnika na około 25-30 min (czas zapiekania zależy od wysokości zapiekanej warstwy).
Podajemy z zieloną sałatą lub z inną, sezonową, delikatną w smaku surówką.

* oprócz czasu na zapiekanie

Kasza zapiekana z boczkiem
według Pani Rejentowej

liczba porcji / 4
czas przygotowania / 50 min*
stopień trudności / średniotrudne
kaloryczność / średniokaloryczne
koszt / średniodrogie

s k ł a d n i k i : szklanka suchej kaszy perłowej • 2 szklanki lekko osolonej wody • kawałek (15 dag) chudego, wędzonego boczku • duża łyżka oliwy do zasmażenia boczku • duża cebula • 2 jajka • 2 łyżki posiekanego koperku • szklanka śmietany • puszka zielonego groszku konserwowego • szklanka utartego, żółtego sera • przyprawy • tłuszcz do wysmarowania formy • tarta bułka do posypania formy

Na gorącą, osoloną wodę sypiemy kaszę i gotujemy na niewielkim ogniu, często mieszając, aż kasza wchłonie cały płyn. Na oliwie topimy pokrojony w drobną kostkę boczek, gdy skwarki lekko się zrumienią, wlewamy całość do ugotowanej kaszy, mieszamy, naczynie owijamy w gazetę, ustawiamy pod kocem.

Posiekaną cebulę lekko zasmażamy (powinna się zeszklić), groszek odsączamy z zalewy. Do miękkiej kaszy dodajemy cebulę i groszek oraz pianę ubitą z białek, całość lekko doprawiamy. Składniki delikatnie mieszamy i wykładamy do przygotowanej formy do zapiekania. Powierzchnię dokładnie wyrównujemy.

Przygotowujemy sos: śmietanę lekko ubijamy z żółtkami, dodajemy ser, koperek, gdy trzeba, doprawiamy, zalewamy kaszę sosem, wstawiamy naczynie do nagrzanego piekarnika i zapiekamy w temp. 180ºC przez ok. 20-25 min. Podajemy, gdy sos lekko się zrumieni, z sezonową surówką lub sałatką z pomidorów, papryki i cebuli.

* o p r ó c z   c z a s u   n a   z a p i e k a n i e

liczba porcji / 6
czas przygotowania / 20 min
stopień trudności / średniotrudne
kaloryczność / średniokaloryczne
koszt / tanie

Farsz pikantny z białego sera

s k ł a d n i k i : 50 dag białego, dobrze odsączonego sera • 3 cebule • 3 łyżki oleju do przesmażenia cebuli • 2 łyżki kwaśnej śmietany • sól • pieprz

Lekko zrumienioną cebulę oraz ser przepuszczamy przez maszynkę lub rozbijamy w malakserze, dodajemy śmietanę, przyprawy, składniki dokładnie wyrabiamy. Masa serowa powinna być pulchna i jednolita. Gdy farsz będzie zbyt lekki, dodajemy łyżkę tartej bułki.

Pierogi podajemy polane cebulką zrumienioną na tłuszczu lub ze skwarkami ze świeżej słoniny. Dobrze smakują z gęstą, kwaśną śmietaną, a także ze śmietanowym sosem wiosennym z młodą zieleniną.

czas przygotowania / **25 min**

stopień trudności / **łatwe**

kaloryczność / **średniokaloryczne**

koszt / **tanie**

Farsz
z gotowanych jajek

s k ł a d n i k i : 4 jajka ugotowane na twardo
• 1/2 szklanki tartej bułki • 1/2 szklanki ciepłego
mleka • 2 cebule • łyżka masła do podsmażenia
cebuli • kopiasta łyżka posiekanego koperku • sól
• pieprz • szczypta pieprzu cayenne

Tartą bułkę zalewamy ciepłym mlekiem, odstawiamy. Posiekaną drobno cebulę podsmażamy na maśle, uważając, by się zbyt mocno
nie zrumieniła. Gorącą zalewamy namoczoną tartą bułkę, mieszamy. Dodajemy drobno
posiekane jajka, zieleninę, przyprawy. Składniki lekko ucieramy – farsz powinien być jednolity i puszysty.

Farsz z ryżu

s k ł a d n i k i : czubata szklanka ugotowanego
na sypko ryżu (może być z poprzedniego dnia)
• 1/2 szklanki utartego, pikantnego żółtego sera
• 2 cebule • 2 łyżki oleju do podsmażenia cebuli
• jajko • 2 łyżki pikantnego keczupu • kopiasta łyżka
posiekanego koperku • sól • pieprz

Bardzo drobno posiekaną cebulę podsmażamy na oleju, powinna się tylko lekko zrumienić. Cebulą z tłuszczem, na którym się rumie-
niła, zalewamy ryż, dodajemy keczup, jajko,
utarty ser, składniki dokładnie mieszamy, dodajemy zieleninę, przyprawy – wyrabiamy
farsz (powinien być jednolity i puszysty).
Nadziane tym farszem pierogi podajemy polane skwarkami ze świeżej słoniny, zrumienionym, czystym masłem lub gorącym, pikantnym sosem pomidorowym.

czas przygotowania / **25 min**

stopień trudności / **łatwe**

kaloryczność / **średniokaloryczne**

koszt / **tanie**

Farsz
z pieczarek

s k ł a d n i k i : 50 dag pieczarek • 2 cebule • 2 łyżki oleju
do podsmażenia cebuli • sól • pieprz • łyżka tartej bułki

Drobno posiekaną cebulę podsmażamy na rozgrzanym
oleju. Gdy się zeszkli, dodajemy pokrojone w cienkie paseczki pieczarki i, często mieszając, zasmażamy na średnim ogniu, aż z grzybów wyparuje sok.
Farsz delikatnie przyprawiamy do smaku solą i pieprzem.
Gdy będzie zbyt lekki, dodajemy tartą bułkę.
Pierogi z tym farszem podajemy polane zrumienionym
masłem. Doskonałym dodatkiem będzie surówka z kwaszonej kapusty lub sałatka z pomidorów i cebuli.

czas przygotowania / 20 min
stopień trudności / łatwe
kaloryczność / średniokaloryczne
koszt / tanie

Farsz z żółtego sera

s k ł a d n i k i : 2 szklanki ugotowanych ziemniaków (mogą
być z poprzedniego dnia) • szklanka drobno utartego, żółtego,
pikantnego sera • 2 cebule • 2 łyżki oleju do podsmażenia cebuli
• sól • pieprz • majeranek

Drobno posiekaną cebulę zasmażamy na tłuszczu, uważając, by się zbyt mocno nie zrumieniła. Gorącą, wraz
z tłuszczem, wlewamy na ugotowane ziemniaki, rozcieramy na jednolitą, gładką masę, dodajemy utarty ser,
przyprawy, całość dokładnie wyrabiamy. Gdy trzeba, dodajemy do masy łyżkę śmietany.
Pierogi z farszem z żółtego sera doskonale smakują polane chrupiącymi skwarkami ze świeżej słoniny i wędzonego, chudego boczku (pół na pół) lub okraszone masłem zrumienionym z bułeczką oraz z pikantną sałatką
z pomidorów i cebulki.

czas przygotowania / 15 min
stopień trudności / łatwe
kaloryczność / średniokaloryczne
koszt / średniodrogie

Farsz do pierogów ruskich

s k ł a d n i k i : szklanka ugotowanych ziemniaków (mogą być z poprzedniego dnia) • 25 dag białego, dokładnie odsączonego sera • 2 cebule • 2 łyżki oleju do zasmażenia cebuli • sól • pieprz

Drobno posiekaną cebulę zasmażamy na rozgrzanym tłuszczu, powinna się lekko zrumienić. Ziemniaki i ser przepuszczamy przez maszynkę lub rozbijamy w malakserze, dodajemy cebulę i przyprawy – farsz powinien być jednolity, pulchny, lekko pikantny.
Pierogi podajemy polane skwarkami ze świeżej słoniny lub cebulą, zrumienioną na tłuszczu, albo z gęstą, kwaśną śmietaną.

czas przygotowania / **15 min**
stopień trudności / **łatwe**
kaloryczność / **średniokaloryczne**
koszt / **tanie**

liczba porcji / **25-30 sztuk**
czas przygotowania / **25 min**
stopień trudności / **średniotrudne**
kaloryczność / **średniokaloryczne**
koszt / **średniodrogie**

Ciasto na pierogi

s k ł a d n i k i : 2 i 1/2 szklanki z lekkim „czubem" mąki pszennej • jajko • 1/2 szklanki letniej wody • 2 łyżki oliwy • szczypta soli • mąka do posypania stolnicy

Składniki ciasta wrzucamy do malaksera, włączamy na wysokie obroty. Po 2 min wyjmujemy doskonale wyrobione ciasto. Gotowe wykładamy na posypaną mąką stolnicę, dzielimy na 3 części – jedną przeznaczamy do rozwałkowania, pozostałe przykrywamy miseczką, by nie obeschły.
Z rozwałkowanego ciasta wykrawamy zgrabne krążki, nadziewamy przygotowanym wcześniej farszem, zlepiamy brzegi, karbujemy je palcami. Tak przygotowane pierogi rozkładamy na wyłożonej ściereczką tacy. Gdy są zrobione wszystkie, gotujemy, wrzucając na wrzącą, osoloną wodę. Od chwili, gdy wypłyną na powierzchnię, gotujemy przez 5-6 min (czas gotowania zależy od wielkości pierogów).

Pierogi leniwe

s k ł a d n i k i : 50 dag białego sera • 2 żółtka • 2 łyżki mąki ziemniaczanej • szklanka mąki pszennej • 2 czubate szklanki ugotowanych ziemniaków (mogą być z poprzedniego dnia) • sól • 2 łyżki oliwy do wody

liczba porcji / 4

czas przygotowania / 40 min

stopień trudności / średniotrudne

kaloryczność / średniokaloryczne

koszt / średniodrogie

Ser i ziemniaki przepuszczamy przez maszynkę lub rozbijamy w malakserze. Do masy dodajemy żółtka, obie mąki, sól i wyrabiamy. Ciasto powinno być jednolite, sprężyste i lśniące. Na posypanej mąką stolnicy formujemy zgrabny wałek, kroimy pierogi i zaraz po przygotowaniu wrzucamy na wrzątek z solą i tłuszczem. Od chwili, gdy wypłyną, gotujemy przez 5 min. Wyjmujemy łyżką cedzakową na wygrzane talerze. Podajemy polane zrumienioną z masłem tartą bułką lub ze skwarkami ze świeżej słoniny.

Pierogi z kapustą i grzybami
– przepis z kuchni staropolskiej

s k ł a d n i k i : 3 szklanki mąki pszennej • 2 żółtka • szczypta soli • łyżka oleju • 3/4 szklanki ciepłej wody • sól i 2 łyżki oleju do gotowania pierogów

f a r s z : 0,5 l kwaszonej, odciśniętej z nadmiaru soku kapusty • 3 kapelusze suszonych borowików • szklanka mleka • cebula • olej • sól • pieprz • liść laurowy • zrumieniona na oleju cebula lub zrumienione masło do polania pierogów

Przygotowujemy farsz: rozdrobnioną kapustę zalewamy ciepłą wodą, dodajemy liść laurowy, gotujemy przez 10 min na dużym ogniu, cedzimy na sicie, liść odrzucamy. Grzyby, namoczone wcześniej w mleku z wodą (pół na pół), gotujemy. Gdy będą miękkie, cedzimy na sicie, wywar odstawiamy, kapelusze drobno siekamy. Na oleju podsmażamy posiekaną cebulę. Gdy się zeszkli, dodajemy kapustę, całość zasmażamy przez 2 min, dodajemy posiekane grzyby i nadal zasmażamy, często mieszając, aż wyparuje nadmiar soku. Przyprawiamy do smaku, odstawiamy do przechłodzenia.

Przygotowujemy ciasto: składniki wkładamy do malaksera, dobrze wyrobione ciasto dzielimy na 2 części, rozwałkowujemy. Z cienkich placków wykrawamy szklanką krążki, na każdy nakładamy farsz, zlepiamy, układamy na oprószonej mąką desce.

Gotujemy w dużej ilości wody z solą i olejem – od chwili wypłynięcia przez 3 min. Ugotowane wyjmujemy łyżką cedzakową, układamy na wygrzanym półmisku i przed podaniem polewamy zrumienioną na oleju cebulą lub zrumienionym masłem.

liczba porcji / 6

czas przygotowania / 60 min

stopień trudności / średniotrudne

kaloryczność / średniokaloryczne

koszt / średniodrogie

Kulebiak
– staropolski pieróg z farszem z kapusty i grzybów

s k ł a d n i k i : 2 szklanki mąki pszennej • 3 dag drożdży • 2 żółtka • 8 dag (1/3 kostki) masła lub masła roślinnego • szczypta soli • szczypta utartej gałki muszkatołowej • 1/2 szklanki ciepłego mleka

f a r s z : 3-4 kapelusze suszonych borowików • 0,5 l kwaszonej kapusty • duża cebula • łyżka oleju • 2 jajka • sól • pieprz • tłuszcz do wysmarowania formy • kminek

Przygotowujemy ciasto: pokruszone drożdże rozprowadzamy w łyżce mleka z dodatkiem dużej szczypty cukru. Pozostałe składniki ciasta przekładamy do malaksera, dodajemy podrośnięte drożdże, wyrabiamy (przez 3 min) jednolite, gładkie ciasto, wykładamy na lekko posypaną mąką stolnicę, przykrywamy ściereczką, trzymamy w cieple do wyrośnięcia.

Przygotowujemy farsz: namoczone wcześniej i ugotowane w wodzie, w której się moczyły, grzyby odsączamy i drobno siekamy. Kapustę gotujemy. Gdy będzie prawie miękka, odsączamy z wody, siekamy. Równie drobno siekamy cebulę. Na rozgrzanym oleju podsmażamy cebulę, gdy się zeszkli, dodajemy grzyby, kapustę i przez chwilę smażymy, cały czas mieszając, aż składniki nabiorą odpowiedniej konsystencji. Zestawiamy z ognia do przechłodzenia, dodajemy jajko, żółtko, przyprawy. Farsz powinien być lekko pikantny, o wyraźnym smaku.

Wąską, długą blachę smarujemy tłuszczem. Wyrośnięte ciasto rozciągamy palcami w kształt prostokąta, na środku ciasta układamy, formując wałek, przygotowany, ciepły farsz, brzegi ciasta zlepiamy w ozdobny grzebień i przekładamy ostrożnie do przygotowanej formy. Wierzch ciasta smarujemy roztrzepanym białkiem, posypujemy kminkiem i wstawiamy na 35-40 min do nagrzanego do temp. 160ºC piekarnika. Upieczony, gorący pieróg kroimy w zgrabne porcje i podajemy jako dodatek do filiżanki czerwonego barszczu.

liczba porcji / 6-8
czas przygotowania / 90 min •
stopień trudności / **trudne**
kaloryczność / **średniokaloryczne**
koszt / **średniodrogie**

• o p r ó c z   c z a s u   n a   p i e c z e n i e

Makaron pod beszamelem

s k ł a d n i k i : 50 dag makaronu (może być średniej grubości) • 2 puszki markowych, np. marokańskich, sardynek • 2 kopiaste łyżki koperku • łyżka masła • tłuszcz do wysmarowania formy • tarta bułka do posypania formy

s o s : 2 łyżki masła • kopiasta łyżka mąki • szklanka mleka • 2 łyżki śmietany • płaska łyżeczka przyprawy typu „Jarzynka" • szklanka utartego, żółtego sera • sól • biały pieprz • szczypta gałki muszkatołowej

Makaron gotujemy o 5 min krócej, niż zaleca przepis umieszczony na opakowaniu, cedzimy na sicie, wykładamy do dużej salaterki, łączymy z masłem. Sardynki rozdrabniamy widelcem i wraz z oliwą z zalewy dodajemy do makaronu, całość posypujemy koperkiem, doprawiamy do smaku i przekładamy do wysmarowanej tłuszczem i wysypanej tartą bułką formy. Wyrównujemy powierzchnię.

Przygotowujemy sos: na maśle zasmażamy mąkę, cały czas mieszając. Nie powinna się zrumienić, tylko stracić smak surowizny. Zasmażkę rozprowadzamy mlekiem i, cały czas mieszając, zagotowujemy. Dodajemy do sosu śmietanę, utartą gałkę muszkatołową, w niewielkiej ilości przyprawy (sól, pieprz, przesianą przez sito „Jarzynkę"). Dobrze doprawiony, pikantny sos zestawiamy z ognia, przez chwilę ubijamy, by był lekko puszysty i pulchny, łączymy z utartym serem i równomiernie rozkładamy na makaronie. Zapiekamy w temp. 180ºC przez 15-20 min (czas zapiekania zależy od wysokości makaronowej warstwy).

liczba porcji / 8
czas przygotowania / 45 min •
stopień trudności / **średniotrudne**
kaloryczność / **średniokaloryczne**
koszt / **średniodrogie**

• o p r ó c z   c z a s u   n a   z a p i e k a n i e

Makaron zapiekany z musem jabłkowym

liczba porcji / 8
czas przygotowania / 15 min •
stopień trudności / średniotrudne
kaloryczność / średniokaloryczne
koszt / średniodrogie

s k ł a d n i k i : średniej wielkości salaterka ugotowanego makaronu • 50 ml musu jabłkowego • 2 kopiaste łyżki smażonej skórki pomarańczowej • cukier waniliowy • cynamon • cukier puder • szklanka 12% słodkiej śmietany • płaska łyżka budyniowego proszku o smaku waniliowym • jajko • tłuszcz do wysmarowania formy • tarta bułka do posypania formy

Makaron dzielimy na 2 części. Większą wykładamy na spód wysmarowanej masłem i wysypanej tartą bułką tortownicy. Mus jabłkowy łączymy ze skórką pomarańczową, wykładamy na makaron, posypujemy cynamonem, rozkładamy pozostały makaron, wyrównujemy powierzchnię.

Przygotowujemy sos: śmietanę dokładnie łączymy z jajkiem i budyniowym proszkiem, dodajemy cukier waniliowy i cukier puder, całość ubijamy, aż się lekko spieni. Gotowym sosem zalewamy makaron i od razu wstawiamy na 25-30 min do nagrzanego do temp. 200ºC piekarnika. Podajemy, gdy jest zrumieniony, a boki lekko odstają od formy.

• oprócz czasu na zapiekanie

Węgierski przysmak
według przepisu mojej Babci

s k ł a d n i k i : 2 szklanki tłustego, dobrze odciśniętego białego sera • szklanka pszennej, luksusowej mąki • 4 jajka • 2 kopiaste łyżki świeżego (nie może być topione!) masła • łyżka oliwy z oliwek • szklanka lekko kwaśnej, gęstej śmietany • skórka otarta z całej cytryny • 2 kopiaste łyżki rodzynek sułtanek • kieliszek koniaku lub wódki • 4 łyżki cukru • sól • tłuszcz do wysmarowania formy • tarta bułka do posypania formy

Rodzynki zalewamy koniakiem lub wódką, odstawiamy na godzinę (można nieco dłużej). Z sera, mąki, jajka, łyżki śmietany i szczypty soli zagniatamy ciasto. Gdy będzie sprężyste i pulchne, okrywamy ściereczką i ustawiamy na godzinę w chłodnym miejscu, najlepiej w lodówce. Wychłodzone ciasto wałkujemy na posypanej mąką stolnicy i, wychłodzonymi w zimnej wodzie rękami, kroimy średniej grubości makaron. Gotujemy krótko w wodzie z solą i oliwą, cedzimy i wykładamy na półmisek.

Przygotowujemy masę: masło ucieramy z cukrem, dodajemy żółtka, śmietanę, otartą z cytryny skórkę, odsączone z alkoholu rodzynki, całość lekko ucieramy i łączymy z pianą ubitą z białek. Gotową masę lekko mieszamy z przechłodzonym makaronem, przekładamy do wysmarowanej tłuszczem i wysypanej tartą bułką formy, wyrównujemy wierzch i od razu wstawiamy do nagrzanego do temp. 160ºC piekarnika. Zapiekamy przez 20-25 min, aż całość lekko się zrumieni.

Podajemy na podwieczorek. Równie doskonałe na zimno, jak i na ciepło.

liczba porcji / 4
czas przygotowania / 60 min
stopień trudności / średniotrudne
kaloryczność / wysokokaloryczne
koszt / średniodrogie

liczba porcji / 4
czas przygotowania / 25 min
stopień trudności / łatwe
kaloryczność / średniokaloryczne
koszt / tanie

Kluseczki z kaszy manny
– przepis z kuchni staropolskiej

s k ł a d n i k i : czubata szklanka kaszy manny • kopiasta łyżka masła lub masła roślinnego • 1 l wody • sól

Do 1 l gotującej, osolonej wody wsypujemy, cały czas mieszając, kaszę mannę. Gdy stanie się gęsta, dodajemy masło, zmniejszamy ogień, mieszamy i jeszcze przez kilka minut trzymamy na niewielkim ogniu, aż będzie miękka. Wylewamy na duży, płaski półmisek i rozprowadzamy równomiernie w taki sposób, aby warstwa była cienka. Odstawiamy do wychłodzenia.

Zimną kroimy w kostkę i podajemy jako dodatek do wszelkiego rodzaju czystych zup.

W staropolskiej kuchni tak przygotowaną kaszkę podawano na słodki podwieczorek. Krojono w większą kostkę, panierowano w mące (nadmiar mąki strząsano), roztrzepanym jajku i tartej bułce i smażono na gorącym tłuszczu, rumieniąc z obu stron. Podawano z konfiturami, domowym dżemem lub dobrym sokiem.

liczba porcji / 4
czas przygotowania / 25 min
stopień trudności / średniotrudne
kaloryczność / średniokaloryczne
koszt / tanie

Kluseczki z tartej bułki
– przepis z kuchni staropolskiej

s k ł a d n i k i : 2 łyżki masła lub masła roślinnego • jajko • żółtko • płaska łyżeczka cukru • sól • tarta bułka • sól i łyżka oliwy do wody

Masło ucieramy na puch (najlepiej w głębokiej miseczce), łączymy z jajkiem, żółtkiem i solą. Mieszamy, dodajemy cukier i tyle tartej bułki, by ciasto było gęste. Całość lekko wyrabiamy, by składniki dokładnie się połączyły, i natychmiast wrzucamy, nabierając małe porcje na metalową łyżkę, na wrzącą, z dodatkiem soli i oliwy wodę. Kluseczki są gotowe, gdy wypłyną na wierzch i „raz się przewrócą". Wyjmujemy łyżką cedzakową. Są znakomitym dodatkiem do czystych zup, a także mięs przygotowanych w sosie. Doskonale smakują z wołowym gulaszem i zasmażaną, białą kapustą.

Kluseczki śmietanowe
według przepisu mojej Babci

liczba porcji / 6
czas przygotowania / 45 min
stopień trudności / średniotrudne
kaloryczność / średniokaloryczne
koszt / średniodrogie

s k ł a d n i k i : szklanka śmietany • 3 łyżki masła lub masła roślinnego • 2 łyżki mleka • 5-6 kopiastych łyżek pszennej mąki (ilość mąki zależy od jej wilgotności) • łyżeczka cukru • sól • 3 jajka • łyżeczka masła i sól do wody

W głębokiej miseczce rozcieramy masło z łyżką śmietany. Gdy składniki się połączą, dodajemy pozostałą śmietanę, mąkę (najlepiej po łyżce), mleko, sól, cukier i całe jajka (po jednym!). Po dokładnym wymieszaniu ciasto lekko wybijamy, najlepiej drewnianą łyżką, by nabrało gładkości i sprężystości. Już po kilku ruchach ciasto jest gotowe.

Na wrzącą, z dodatkiem soli i łyżeczki masła, wodę wrzucamy małe kluseczki. Wyjmujemy, gdy wypłyną na wierzch, najlepiej za pomocą łyżki cedzakowej. Kluseczki są doskonałym dodatkiem do różnego rodzaju zup. Z mlekiem i odrobiną cukru waniliowego tworzą pyszną, mleczną zupę, a polane roztopionym masłem i posypane serem – to lekkie, nietuczące danie obiadowe. Równie dobrze smakują ze świeżymi owocami lub polane gęstą śmietaną i posypane cukrem pudrem.

liczba porcji / duża salaterka
czas przygotowania / 25 min
stopień trudności / średniotrudne
kaloryczność / średniokaloryczne
koszt / tanie

Kluski kładzione
według przepisu z kuchni staropolskiej

s k ł a d n i k i : 3 szklanki mąki • 2 jajka • 1/2 szklanki mleka • woda (ile ciasto wchłonie) • sól i 2 łyżki oliwy do wody

Do przesianej mąki dodajemy rozmieszane w mleku jajka i sól, ubijamy drewnianą łyżką niezbyt ścisłe ciasto. Gdy trzeba, dodajemy w niewielkich ilościach wodę, pamiętając, by utrzymać odpowiednią, niezbyt ścisłą konsystencję ciasta, które powinno być puszyste, gładkie i lśniące. Gotujemy, zaraz po przygotowaniu, w wodzie z dodatkiem oliwy i soli, kładąc na wrzątek, ostrą, metalową łyżeczką, wąskie kluseczki. Gotujemy przez ok. 5 min, cedzimy na sicie, przelewamy wrzącą wodą, odsączamy. Gotowe wykładamy na wygrzane talerze. Podajemy jako dodatek do gulaszu, do mięs z sosem, a także polane skwarkami ze świeżej słoniny i posypane serem.

Kluski na parze
według Cioci Godziszewskiej

s k ł a d n i k i : 2 czubate szklanki doskonałej pszennej mąki • 2 żółtka • 2 dag drożdży • 2 łyżki płynnego masła • szczypta soli • 2 płaskie łyżki cukru • szklanka mleka • mąka do posypania stolnicy

W ciepłym mleku z dodatkiem cukru i łyżki mąki mieszamy rozkruszone drożdże. Do wyrośniętych dodajemy żółtka, sól, mąkę, wyrabiamy lekkie ciasto, dodajemy masło, przez chwilę całość wyrabiamy. Naczynie z ciastem odstawiamy w ciepłe miejsce, przykrywamy i pozostawiamy do wyrośnięcia.

Gdy ciasto podwoi objętość, dzielimy na części, każdą wyjmujemy na posypaną mąką stolnicę, lekko wyrabiamy (przez minutę!), rozwałkowujemy na wysokość centymetra, wykrawamy szklanką zgrabne krążki, przenosimy na wyłożoną ściereczką i oprószoną mąką tacę, trzymamy w ciepłym miejscu.

Szeroki garnek napełniamy do połowy ciepłą wodą, przykrywamy złożoną kilkakrotnie gazą, umocowujemy na brzegu, związując mocną tasiemką. Gdy woda w naczyniu się zagotuje, kładziemy na przygotowanej gazie (po kilka) wyrośnięte kluski, przykrywamy wysoką pokrywą i „parujemy" przez 5-7 min (czas zależy od wielkości klusek). Podajemy do pieczonej kaczki, pieczonej gęsi z jabłkami, pieczeni wieprzowej lub gulaszu.

liczba porcji /	20-24 kluski
czas przygotowania /	50 min
stopień trudności /	średniotrudne
kaloryczność /	średniokaloryczne
koszt /	tanie

liczba porcji /	duża salaterka
czas przygotowania /	50 min
stopień trudności /	średniotrudne
kaloryczność /	średniokaloryczne
koszt /	tanie

Kluski drożdżowe

s k ł a d n i k i : 50 dag mąki pszennej • 2 dag drożdży • 2 jajka • 2 szklanki mleka • łyżka roztopionego masła • 1/2 łyżeczki soli • sól i masło lub oliwa do wody, w której kluski będą się gotowały

Do miseczki wlewamy ciepłe mleko, dodajemy pokruszone drożdże, sól, roztopione letnie masło. Składniki mieszamy, dodając w kilku partiach mąkę, i wyrabiamy ciasto tak długo i dokładnie, aż się zrobi gładkie i lśniące. Wyrobione ciasto przykrywamy ściereczką, ustawiamy w ciepłym miejscu do wyrośnięcia. Gdy podwoi objętość, łyżką umoczoną w gorącej wodzie wrzucamy niewielkie porcyjki ciasta na wrzącą, z dodatkiem soli i masła lub oliwy wodę. Gotujemy przez 5-7 min (czas zależy od wielkości klusek). Ugotowaną porcję klusek wyjmujemy łyżką cedzakową na wygrzaną salaterkę. Podajemy na słodko, np. polane zrumienionym masłem z kwaśną śmietaną i cukrem lub z sosem śmietanowym, pieczarkowym czy pomidorowym.

Kluski krajane wstążki
według Cioci Godziszewskiej

s k ł a d n i k i : 3 szklanki doskonałej mąki pszennej • jajko
• 2 żółtka • duży kieliszek mleka • 1/2 łyżeczki soli • letnia woda
(ile ciasto wchłonie) • sól i łyżeczka masła do wody • mąka
do posypania stolnicy

Z przesianej na stolnicę mąki formujemy kopczyk, robimy w środku wgłębienie, dodajemy sól, jajko, pozbawione całkowicie białek żółtka i, dolewając w niewielkich ilościach, mleko, wyrabiamy ciasto – początkowo nożem,
następnie za pomocą rąk. Gdy trzeba, dla uzyskania odpowiedniej konsystencji dolewamy niewielkie ilości ciepłej wody. Ciasto powinno być tak gęste, by nie lepiło się
do stolnicy i do rąk. Wyrobione ciasto powinno być jednolite, sprężyste, z pęcherzykami powietrza wewnątrz.
Gotowe dzielimy na porcje, każdą z nich rozwałkowujemy, posypujemy mąką, rozcieramy mąkę dłonią, każdy
placek zwijamy w rulonik, tniemy ostrym nożem szerokie na 1,5-2 cm długie „wstążki" i od razu rozrzucamy,
by się nie zlepiały. Gdy wszystkie „wstążki" są pokrojone,
gotujemy je w dużej ilości posolonej, z dodatkiem masła, wody, przez 5 min. Ugotowane wylewamy na durszlak, przelewamy wrzącą wodą i, po dokładnym odsączeniu, wykładamy na salaterkę.
Podajemy do pieczeni w sosie lub z dodatkiem panierowanych kotletów schabowych albo kotletów
z drobiu, polewamy zrumienionym masłem z bułeczką lub samym masłem. Najlepiej smakują z dodatkiem smażonych borówek, marynowanych gruszek lub owocowej sałatki.

liczba porcji / **duża salaterka**
czas przygotowania / **60 min**
stopień trudności / **średniotrudne**
kaloryczność / **średniokaloryczne**
koszt / **tanie**

Kluski krajane
– przepis z kuchni staropolskiej

s k ł a d n i k i : 3 szklanki mąki • jajko • letnia woda (ile ciasto
wchłonie) • łyżeczka miękkiego masła • 1/2 łyżeczki soli

Z przesianej na stolnicę mąki sypiemy kopczyk, robimy
w środku wgłębienie, dodajemy jajko, sól, miękkie masło, nożem wyrabiamy ciasto, dodając bardzo powoli letnią wodę. Powinno być tak gęste, żeby nie lepiło się do
stolnicy i do rąk. Podsypujemy ciasto niewielką ilością
mąki i wyrabiamy nadal, aż stanie się jednolite, sprężyste,
z pęcherzykami powietrza wewnątrz. Gotowe, dobrze
wyrobione ciasto dzielimy na kilka części. Każdą porcję
rozwałkowujemy, posypujemy mąką, rozcieramy mąkę
ręką, kroimy na szerokie na 2-3 palce paski, składamy ra-
zem po kilka, tniemy ostrym nożem i od razu rozrzucamy, by się nie zlepiały. Kluski powinny być jednej długości i szerokości, wówczas najlepiej się ugotują.
Gdy kluski są pokrojone, gotujemy przez 5 min we wrzącej, osolonej wodzie, z dodatkiem łyżeczki masła lub łyżki oliwy. Cedzimy, przelewamy na sicie wrzącą wodą, dokładnie odsączamy i podajemy na stół. Dobrze smakują polane zrumienionym masłem i posypane serem, polane sosem
pieczarkowym, pomidorowym lub ze świeżych grzybów, a także jako dodatek do pieczeni w sosie.

liczba porcji / **duża salaterka**
czas przygotowania / **40 min**
stopień trudności / **średniotrudne**
kaloryczność / **średniokaloryczne**
koszt / **tanie**

liczba porcji / 6
czas przygotowania / 50 min
stopień trudności / średniotrudne
kaloryczność / wysokokaloryczne
koszt / średniodrogie

Kluski z makiem

s k ł a d n i k i : 50 dag suchego makaronu (krajanki) • sól
i olej do gotowania • szklanka suchego maku • szklanka mleka
• 1/2 szklanki cukru pudru • cukier waniliowy • 3 łyżki płynnego
miodu • 3 łyżki rodzynek • łyżka smażonej skórki pomarańczowej
• aromat pomarańczowy • 1/3 szklanki śmietany kremowej
• posiekane orzechy lub lekko zrumienione płatki migdałowe

Mleko z wodą (pół na pół) wlewamy do garnka, zagotowujemy, sypiemy mak i trzymamy na małym ogniu
przez 10 min (mak powinien tylko „mrugać"), cedzimy
na gęstym sicie. Lekko przechłodzony przepuszczamy
dwukrotnie przez maszynkę. Za drugim razem dodajemy na przemian z makiem po łyżce cukru pudru i cukru
waniliowego. Doprawiamy mak miodem, bakaliami, aromatem pomarańczowym i śmietaną.
Ugotowane, dobrze odsączone kluski wrzucamy (ciepłe!)
do maku. Gdy trzeba, doprawiamy do smaku lub dodajemy ulubione bakalie. Makiełki podajemy posypane posiekanymi orzechami lub zrumienionymi, migdałowymi
płatkami.

liczba porcji / 12
czas przygotowania / 15 min*
stopień trudności / średniotrudne
kaloryczność / średniokaloryczne
koszt / średniodrogie

Makaron zapiekany z musem brzoskwiniowym

s k ł a d n i k i : średniej wielkości salaterka ugotowanego
makaronu • 0,5 l musu brzoskwiniowego • cukier waniliowy • cukier
puder • szklanka 12% słodkiej śmietany • płaska łyżka budyniowego
proszku o smaku waniliowym • jajko • tłuszcz do wysmarowania formy
• tarta bułka do posypania formy

Trochę więcej niż połowę makaronu wykładamy na spód wysmarowanej masłem i posypanej tartą bułką tortownicy. Mus
brzoskwiniowy wykładamy na makaron. Na wierzchu rozkładamy pozostały makaron, wyrównujemy powierzchnię.
Przygotowujemy sos: śmietanę dokładnie łączymy z jajkiem
i budyniowym proszkiem, dodajemy cukier waniliowy i cukier puder, całość ubijamy, aż się lekko spieni. Gotowym sosem zalewamy makaron i od razu wstawiamy na 25-30 min
do nagrzanego do temp. 200ºC piekarnika. Podajemy, gdy
wierzch jest zrumieniony, a boki lekko odstają od formy.
* o p r ó c z   c z a s u   n a   z a p i e k a n i e

Staropolski makaron rosołowy

liczba porcji / 4
czas przygotowania / 45 min
stopień trudności / średniotrudn
kaloryczność / średniokaloryczn
koszt / tanie

s k ł a d n i k i : 1 i 1/2 szklanki wybornej mąki pszennej
• 3 żółtka • jajko

W usypanej w kopczyk mące robimy dołek, wbijamy całe jajko, 3 dokładnie odłączone od białek żółtka i zagniatamy ciasto, początkowo nożem, a następnie za pomocą rąk. Ciasto powinno być twarde, sprężyste, jednolite, z pęcherzykami powietrza wewnątrz. Doskonale wyrobione rozdzielamy na mniejsze kawałki i bardzo cienko wałkujemy. Odkładamy, by lekko przeschło.
Przesuszone krążki ciasta kroimy na połowę, zwijamy, kroimy w nitki i gotujemy w dużej ilości wody z dodatkiem soli i łyżeczki świeżego masła. Cedzimy na sicie, przelewamy wrzącą wodą, dokładnie odsączamy. Makaron podajemy do rosołu z kury lub wołowiny.

liczba porcji / 12
czas przygotowania / 15 min•
stopień trudności / średniotrudne
kaloryczność / średniokaloryczne
koszt / średniodrogie

Naleśniki śmietanowe

s k ł a d n i k i : 0,5 l słodkiej 12% śmietany • łyżka oliwy
• szklanka mąki • 4 żółtka • 4 białka • sól • kopiasta łyżka
posiekanej natki pietruszki • oliwa lub kawałek słoniny
do smarowania rozgrzanej patelni • utarty parmezan
lub czerwony kawior

Do miksera wlewamy śmietanę, sól, żółtka, oliwę. Składniki miksujemy na średnich obrotach, aż się połączą, dodajemy mąkę i miksujemy nadal, aż ciasto będzie jednolite i gładkie o płynnej konsystencji. Ciasto przelewamy do miski, łączymy z posiekaną pietruszką oraz pianą ubitą z białek, dokładnie, ale delikatnie mieszamy drewnianą łyżką i od razu smażymy na dobrze wygrzanej, wysmarowanej kawałkiem słoniny patelni, rumieniąc każdy naleśnik z obu stron. Podajemy gorące, na wygrzanych talerzach. Oddzielnie podajemy utarty parmezan lub czerwony kawior.

• o p r ó c z c z a s u n a s m a ż e n i e

liczba porcji / 10-12

czas przygotowania / 15 min •

stopień trudności / średniotrudne

kaloryczność / wysokokaloryczne

koszt / średniodrogie

Naleśniki z zaścianka
– przepis z kuchni staropolskiej

s k ł a d n i k i : 2 szklanki „zbieranego", czyli pełnego (3,2%) mleka • szczypta soli • 4 jajka • łyżka sklarowanego masła • mąka (ile wchłonie płyn, tak dozowanej, aby ciasto miało niezbyt gęstą konsystencję) • oliwa lub kawałek słoniny do smarowania rozgrzanej patelni

Mleko, sól, całe jajka i płynne masło spieniamy w mikserze, dodajemy, niewielkimi partiami, mąkę. Ciasto ubijamy na średnich obrotach, aż będzie jednolite, gładkie i lśniące. Odstawiamy na 20 min, by „wypoczęło"! Smażymy na bardzo dobrze rozgrzanej patelni, posmarowanej oliwą lub kawałkiem słoniny, rumieniąc z obu stron. Podajemy z domowymi powidłami lub owocową marmoladą, a w sezonie z miękkimi, świeżymi owocami (truskawki, maliny, poziomki, czarne jagody) posypanymi cukrem pudrem i, oddzielnie, z porcją bitej śmietany.

• o p r ó c z   c z a s u   n a   s m a ż e n i e

Naleśniki z jabłkami

Przepis przywiozła w okresie międzywojennym jedna z ciotecznych sióstr mojej mamy z Francji. Często je smażyła, a my za nimi wprost przepadaliśmy, teraz uwielbiają je moje wnuczki.

s k ł a d n i k i : 2 szklanki mąki • 2 jajka • 2 łyżki oliwy • szczypta soli • szklanka mleka (gdy mąka jest bardzo sucha, można dodać nieco więcej mleka) • 3 duże jabłka (antonówki lub renety) • 2 łyżki cukru pudru • 2 łyżki soku z cytryny wymieszanego z łyżką płynnego miodu • masło i oliwa (pół na pół) do smażenia • cukier puder do posypania

Przygotowujemy ciasto: do głębokiej miski sypiemy przez sito mąkę, dodajemy 1/2 szklanki mleka, roztrzepane całe jajka, sól, oliwę i ucieramy ciasto drewnianą łyżką, aż składniki dokładnie się połączą. Dodajemy małymi partiami pozostałe mleko (gdy trzeba, dodajemy nieco więcej niż w przepisie). Dobrze wyrobione ciasto odstawiamy na 2 godz. w chłodne miejsce.

liczba porcji / 20

czas przygotowania / 25 min •

stopień trudności / średniotrudne

kaloryczność / średniokaloryczne

koszt / średniodrogie

Z umytych, obranych ze skórki jabłek usuwamy gniazda nasienne i kroimy w krążki, tak cienkie jak kartka papieru. Układamy je na talerzu, przesypujemy cukrem pudrem, polewamy sokiem z cytryny z miodem, przykrywamy i odstawiamy na 2 godz. w chłodne miejsce.

Na dużej patelni i dobrze rozgrzanym tłuszczu rozlewamy niewielką ilość ciasta, formujemy, ruszając patelnią, naleśnik. Na każdy nakładamy 4 krążki jabłek. Gdy spodnia strona naleśnika dobrze się zrumieni, przerzucamy go na drugą stronę i dosmażamy. Najlepiej smakują prosto z patelni, podane na wygrzanym talerzu, posypane cukrem pudrem.

• o p r ó c z   c z a s u   n a   s m a ż e n i e

Kompot z marchwi

s k ł a d n i k i : 2 dorodne, tzw. cukrowe marchewki • duża, jędrna pomarańcza • szklanka cukru • cytryna • szklanka suszonych, bezpestkowych śliwek • szklanka soku wyciśniętego z jabłek

Wymyte śliwki zalewamy letnim, wcześniej zagotowanym sokiem z jabłek, odstawiamy w chłodne miejsce. Dokładnie obraną marchew kroimy wzdłuż na połowę, bardzo drobno szatkujemy (ważne!), zalewamy wrzątkiem, obgotowujemy przez 3 min, cedzimy na sicie. Z pomarańczy zdejmujemy cienką warstwę skórki, szatkujemy, zalewamy ciepłą wodą, obgotowujemy przez 5 min, cedzimy na sicie.
Z cukru i 3 szklanek wody gotujemy syrop, dodajemy łyżeczkę skórki otartej z cytryny i wyciśnięty sok. Na wrzątek wrzucamy odsączone marchewki, skórkę z pomarańczy i gotujemy całość przez 10-12 min. Po zdjęciu z ognia dodajemy sok wyciśnięty z pomarańczy i śliwki wraz z sokiem, w którym się moczyły. Gdy trzeba, lekko doprawiamy do smaku łyżką płynnego miodu. Podajemy w dużych kompotierkach, niezbyt silnie schłodzony.

liczba porcji / 1,5 l
czas przygotowania / 60 min
stopień trudności / średniotrudne
kaloryczność / średniokaloryczne
koszt / średniodrogie

Kompot
z surowych owoców
nazywany magnackim

s k ł a d n i k i : 2 czubate szklanki bardzo dokładnie przebranych, dorodnych, miękkich owoców (brzoskwinie, poziomki, truskawki, delikatne w smaku gruszki lub morele); kompot można przygotować z jednego rodzaju owoców lub z owocowej kompozycji, np. poziomki i morele • 4 kopiaste łyżki cukru pudru • 3/4 butelki białego, słodkiego lub półsłodkiego wina

Przygotowane owoce rozkładamy w równych ilościach w kompotierkach, oprószamy cukrem pudrem, odstawiamy w chłodne miejsce (nie do lodówki), przykrywamy ściereczką. Przed podaniem zalewamy wychłodzonym winem.
Kompot podawano na zakończenie wystawnego obiadu. Był wysoko ceniony przez biesiadników z uwagi na lekko wytrawny smak i wspaniały aromat.

• oprócz czasu na macerację owoców

liczba porcji / 4
czas przygotowania / 15 min•
stopień trudności / łatwe
kaloryczność / średniokaloryczne
koszt / średniodrogie

Kompot z truskawek

s k ł a d n i k i : 50 dag (waga po obraniu z szypułek) dorodnych truskawek • 1/2 szklanki cukru • 2 i 1/2 szklanki wody (najlepiej stołowej) • 50 g koniaku lub aromatycznego rumu

Dokładnie opłukane i odsączone owoce rozkładamy w równych ilościach w kompotierkach, kropimy koniakiem lub rumem, odstawiamy w chłodne miejsce (nie do lodówki), przykrywamy ściereczką. Owoce mogą stać godzinę lub nieco dłużej.

Z wody i cukru gotujemy syrop, chłodnym zalewamy owoce. Kompot powinien mieć temperaturę pokojową.

• o p r ó c z   c z a s u   n a   m a c e r a c j ę   o w o c ó w

Kompot z jabłek z ananasem

s k ł a d n i k i : 50 dag jabłek, najlepiej różnych gatunków, uzyskanych z tzw. spadów (waga po obraniu i usunięciu gniazd nasiennych) • puszka ananasów w zalewie • 6 szklanek wody stołowej lub oligoceńskiej • szklanka cukru • 2 goździki • cienko skrojona skórka z cytryny • sok z całej cytryny

Do zagotowanej wody z cukrem, goździkami i skórką z cytryny wrzucamy skropione sokiem z cytryny jabłka, zagotowujemy i trzymamy na niewielkim ogniu nie dłużej niż 5 min (owoce nie muszą być rozgotowane).

Ananasy wyjmujemy z zalewy, krążki rozdrabniamy i, wraz z zalewą, dodajemy do gotujących się jabłek. Całość gotujemy przez 2-3 min. Odstawiamy z ognia, chłodzimy. Podajemy w głębokiej salaterce. Kompot powinien mieć temperaturę pokojową, zbyt silnie wychłodzony straci delikatny aromat.

Kompot wiosenny

s k ł a d n i k i : 1,5 l wody stołowej lub oligoceńskiej
• 2 szklanki pokrojonego w drobną kostkę rabarbaru malinowego
• szklanka średnio dojrzałego agrestu • szklanka cukru • 2 łyżki
rodzynek • szklanka białego, słodkiego wina

Przebrane rodzynki zalewamy winem, odstawiamy na
godzinę. Z wody i cukru gotujemy syrop, na gorący wrzucamy przygotowane owoce, zagotowujemy, trzymamy
na ogniu nie dłużej niż 5 min, dodajemy namoczone rodzynki wraz z winem, zagotowujemy raz jeszcze, zestawiamy z ognia i, pod przykryciem, wychładzamy.
Podajemy w głębokich kompotierkach, przybrany świeżym listkiem melisy. Kompot powinien mieć temperaturę pokojową, zbyt mocno wychłodzony może stracić swój
wytworny aromat.

liczba porcji / 1,5 l
czas przygotowania / 40 min
stopień trudności / łatwe
kaloryczność / średniokaloryczne
koszt / średniodrogie

liczba porcji / 1 l
czas przygotowania / 25 min
stopień trudności / łatwe
kaloryczność / średniokaloryczne
koszt / średniodrogie

Kompot śliwkowy

s k ł a d n i k i : 0,5 l przepołowionych, pozbawionych pestek,
dorodnych śliwek • 6 suszonych fig • 3 szklanki wody • 3 kopiaste
łyżki cukru • kawałek skórki cienko skrojonej z cytryny • szklanka
białego, słodkiego lub półsłodkiego wina

Pokrojone w drobną kostkę (ważne!) figi zalewamy
szklanką letniej wody, odstawiamy na godzinę lub, gdy
owoce są bardzo przesuszone, na nieco dłużej. Figi powinny być napęczniałe i miękkie.
Wodę zagotowujemy z cukrem, do wrzącego syropu
wkładamy namoczone wcześniej figi i wypestkowane
śliwki, dodajemy skórkę z cytryny, zagotowujemy, zmniejszamy ogień, gotujemy przez 5-7 min (śliwki powinny
być miękkie, ale nierozgotowane). Zdejmujemy z ognia,
dodajemy wino, mieszamy i, pod przykryciem, chłodzimy. Gdy trzeba, kompot dosładzamy łyżką płynnego miodu. Podajemy w głębokich kompotierkach.

Morele w mlecznych chmurkach

s k ł a d n i k i : 8 dorodnych moreli (mogą być z syropu)
• pojemnik serka homogenizowanego • sok z cytryny • kieliszek
(4 duże łyżki) gęstego soku malinowego • 8 łyżeczek konfitur
lub dżemu malinowego • listki świeżej melisy

Z moreli odrzucamy pestki. Serek łączymy z cukrem pudrem, sokiem z malin i łyżeczką soku z cytryny. Całość ubijamy na puszystą masę. Część kremu rozkładamy na spodzie pucharków, na nim układamy połówki moreli, w miejsce po odrzuconych pestkach kładziemy malinowy dżem lub konfitury, przykrywamy pozostałym kremem, schładzamy przez 10 min. Przybieramy listkami melisy.

liczba porcji /	**4**
czas przygotowania /	**25 min**
stopień trudności /	**łatwe**
kaloryczność /	**średniokaloryczne**
koszt /	**średniodrogie**

liczba porcji /	**4**
czas przygotowania /	**15 min**
stopień trudności /	**łatwe**
kaloryczność /	**średniokaloryczne**
koszt /	**średniodrogie**

Deser mleczny z winogronami

s k ł a d n i k i : kiść białych, dorodnych winogron (50 dag)
• pojemnik serka homogenizowanego • szklanka śmietany kremowej
• 2 kopiaste łyżki cukru pudru • łyżeczka soku z cytryny • listki
świeżej melisy

Z umytych, dokładnie odsączonych winogron oddzielamy kilkanaście najładniejszych owoców do przybrania deseru. Pozostałe owoce rozkładamy w równych ilościach w pucharkach. Śmietanę ubijamy na gęsty puch, dodając w czasie ubijania cukier i sok z cytryny, łączymy z serkiem, całość ubijamy jeszcze przez kilka sekund, aż krem będzie jednolity i pulchny. Porcje kremu rozkładamy na owocach, przybieramy winogronami i listkami melisy, podajemy nie później niż 10 min po przygotowaniu.

Krem cytrynowy

s k ł a d n i k i : pojemnik serka homogenizowanego • 2 żółtka
• płaska łyżka masła • 3 łyżki cukru pudru • skórka otarta z cytryny
• 1/2 łyżeczki esencji cytrynowej • kopiasta łyżeczka żelatyny
• 1/3 szklanki mleka • krążki cytryny i rurki waflowe do przybrania

Masło z cukrem ucieramy na puch, dodajemy żółtka,
skórkę otartą z cytryny. Gdy składniki dokładnie się połączą, dodajemy serek, rozpuszczoną w gorącym mleku
żelatynę, całość mieszamy. Krem nakładamy do pucharków i wstawiamy do lodówki. Przed podaniem przybieramy plasterkami cytryny, mocno zanurzonymi w miałkim cukrze i rurkami waflowymi.

liczba porcji / **4**

czas przygotowania / **25 min**

stopień trudności / **średniotrudne**

kaloryczność / **średniokaloryczne**

koszt / **tanie**

liczba porcji / **4**

czas przygotowania / **25 min**

stopień trudności / **średniotrudne**

kaloryczność / **średniokaloryczne**

koszt / **średniodrogie**

Krem cytrynowo-bananowy

s k ł a d n i k i : pojemnik serka homogenizowanego
• 2 dojrzałe banany • czubata łyżeczka żelatyny • 1/3 szklanki mleka
• 2 żółtka • 3 łyżki cukru pudru • duża cytryna • małe biszkopciki
szampanki do przybrania

Namoczoną w zimnej wodzie, napęczniałą żelatynę rozpuszczamy w gorącym mleku, odstawiamy do wychłodzenia. Żółtka ucieramy z cukrem na puszysty kogel-mogel,
dodajemy serek, łyżeczkę otartej z cytryny skórki oraz
sok. Składniki delikatnie mieszamy, dodajemy rozpuszczoną żelatynę i mieszamy ponownie. Na spód każdego
pucharka wkładamy plasterki banana, na nie warstwę
kremu, ponownie plasterki banana, całość przykrywamy
kremem i wstawiamy na 30 min do lodówki. Przed podaniem, gdy deser jest przeznaczony dla osób dorosłych,
każdą porcję polewamy łyżką likieru bananowego lub
cytrynowego. Podajemy z biszkopcikami.

Deser słoneczny

s k ł a d n i k i : puszka brzoskwiń w syropie • duży (400 ml) pojemnik serka homogenizowanego o smaku naturalnym • 4 łyżki cukru pudru • sok z całej cytryny • szklanka śmietany kremowej + zagęstnik • 3 łyżki zrumienionych płatków migdałowych

Wyjęte z soku brzoskwinie odsączamy z nadmiaru syropu, kroimy w cienkie plasterki lub w drobną kostkę, trzymamy na dużym talerzu. Serek, cukier i sok z cytryny ubijamy malakserem na jednolity, pulchny krem. Oddzielnie ubijamy śmietanę, dodajemy zagęstnik, łączymy z serkiem. Całość ucieramy przez 30 s, by krem miał jednolitą konsystencję.
Krem i części brzoskwiń na przemian rozkładamy niezbyt dużymi warstwami w wysokich szklanych pucharkach. Pucharki wstawiamy na 30 min do lodówki. Przed podaniem deser posypujemy zrumienionymi płatkami migdałowymi.

liczba porcji /	6
czas przygotowania /	25 min
stopień trudności /	średniotrudne
kaloryczność /	średniokaloryczne
koszt /	średniodrogie

liczba porcji /	6
czas przygotowania /	30 min*
stopień trudności /	średniotrudne
kaloryczność /	średniokaloryczne
koszt /	średniodrogie

Deser jogurtowy orzeźwiający

s k ł a d n i k i : 400 ml jogurtu o smaku naturalnym • szklanka śmietany kremowej • 2 kopiaste łyżki cukru pudru • skórka otarta z cytryny (łyżeczka) • 2 łyżki soku wyciśniętego z cytryny • 2 czubate łyżeczki mielonej żelatyny • 3 łyżki gorącego mleka • kilka mandarynek i dorodna cytryna do przybrania deseru

W 2 łyżkach zimnej wody moczymy żelatynę, by napęczniała. Dokładnie wyszorowaną w gorącej wodzie cytrynę kroimy w bardzo cienkie półplasterki, cząstki mandarynek obieramy z białej błonki. Śmietanę ubijamy na puch. Napęczniałą żelatynę rozpuszczamy w gorącym mleku i, cały czas ubijając, łączymy ze śmietaną.
Do jogurtu dodajemy cukier i sok z cytryny. Gdy składniki się spienią, łączymy z ubitą śmietaną, nakładamy porcje do pucharków i wstawiamy do lodówki.
Przed podaniem krem oprószamy otartą z cytryny skórką i przybieramy plasterkami cytryny i cząstkami mandarynek.

* o p r ó c z   c z a s u   n a   s c h ł o d z e n i e

Deser jogurtowy

s k ł a d n i k i : 2 kopiaste łyżki cukru • 1/2 szklanki wody
• 400 ml jogurtu • szklanka śmietany kremowej + zagęstnik
• sezonowe owoce

Cukier rumienimy w rondelku, gdy stanie się mocno
brunatny, zalewamy wodą i, cały czas mieszając, czekamy,
aż karmel całkowicie się rozpuści. Gotujemy karmel przez
3 min w odkrytym naczyniu, odstawiamy do wychłodzenia.
Śmietanę ubijamy z dodatkiem zagęstnika, dodajemy jogurt. Krem przez chwilę ubijamy, rozkładamy do pojem-
ników, odstawiamy do wychłodzenia. Tuż przed podaniem krem zalewamy zimnym sosem karmelowym i przybieramy świeżymi owocami.

liczba porcji /	4
czas przygotowania /	15 min
stopień trudności /	średniotrudne
kaloryczność /	średniokaloryczne
koszt /	tanie

liczba porcji /	4
czas przygotowania /	25 min
stopień trudności /	średniotrudne
kaloryczność /	średniokaloryczne
koszt /	średniodrogie

Deser kawowy LUX

s k ł a d n i k i : 12 małych, okrągłych biszkoptów • 2 łyżeczki
kawy rozpuszczalnej dobrego gatunku • czubata łyżka cukru
• 4 kopiaste łyżki wydrylowanych wiśni (pasteryzowanych lub lekko
odsączonych wiśniowych konfitur) • bita śmietana • tarta gorzka
czekolada

Kawę zalewamy wrzątkiem (1/2 szklanki), dodajemy cukier, mieszamy. Na spodzie szerokich pucharków układamy po 3 małe, okrągłe biszkopty, zalewamy 2 łyżkami
kawy, przykrywamy, odstawiamy w chłodne miejsce, aż
kawa zostanie całkowicie wchłonięta przez ciasteczka.
Przed podaniem rozkładamy w pucharkach przygotowane wiśnie, deser przybieramy bitą śmietaną, wisienką
i oprószamy tartą czekoladą. Gdy deser przygotowujemy dla osób dorosłych, można na nasączone kawą biszkopciki wlać łyżkę likieru kawowego lub brandy.

liczba porcji / 4
czas przygotowania / 40 min
stopień trudności / łatwe
kaloryczność / średniokaloryczne
koszt / średniodrogie

Galaretka kawowa
- przepis z kuchni staropolskiej

s k ł a d n i k i : 2 szklanki pełnego mleka • 2 łyżeczki kawy rozpuszczalnej • 2 łyżki cukru • 3 czubate łyżeczki mielonej żelatyny • 3 łyżki zimnego mleka • 8 kostek twardej, gorzkiej czekolady • 1/2 szklanki rodzynek • kieliszek ciemnego, aromatycznego rumu

Na spodzie pucharków rozkładamy lekko rozdrobnione kostki czekolady. Rodzynki zalewamy rumem. W 3 łyżkach zimnego mleka moczymy żelatynę, odstawiamy, by napęczniała.

Mleko zagotowujemy z cukrem, do wrzącego dodajemy kawę, dokładnie mieszamy, zestawiamy z ognia, dodajemy napęczniałą żelatynę i ponownie mieszamy, aż żelatyna się dokładnie rozpuści i nie pozostaną nawet najmniejsze grudki. Galaretkę rozkładamy do pucharków z czekoladą, odstawiamy w chłodne miejsce. Przed podaniem posypujemy odsączonymi rodzynkami. Osoby dorosłe mogą polać deser rumem, w którym moczyły się rodzynki.

liczba porcji / 6
czas przygotowania / 50 min
stopień trudności / średniotrudne
kaloryczność / średniokaloryczne
koszt / średniodrogie

Krem kawowy
mojej Babci

s k ł a d n i k i : czubata łyżeczka mielonej żelatyny • szklanka pełnego mleka • szklanka śmietany kremowej • kopiasta łyżeczka mąki ziemniaczanej • kopiasta łyżeczka dobrej gatunkowo kawy rozpuszczalnej • 4 jajka • 1/2 szklanki cukru pudru • kopiasta łyżeczka cukru pudru i szczypta soli do ubicia piany z białek

W 3 łyżkach wrzątku rozpuszczamy kawę, odstawiamy do wychłodzenia. Żelatynę moczymy w łyżce zimnej wody, odstawiamy, by napęczniała. Żółtka ucieramy z cukrem pudrem na puch. Mąkę ziemniaczaną rozprowadzamy w 2 łyżkach zimnego mleka, pozostałe mleko zagotowujemy, dodajemy rozprowadzoną w mleku mąkę, zagotowujemy, trzymamy na ogniu przez minutę, aż mąka straci smak surowizny. Do lekko przechłodzonej masy dodajemy wychłodzoną kawę, utarte żółtka, rozpuszczoną we wrzątku żelatynę, składniki mieszamy i odstawiamy do wychłodzenia.

Śmietanę ubijamy na gęsty puch. Oddzielnie ubijamy białka ze szczyptą soli i cukrem pudrem. Zimną masę kawową łączymy (najłatwiej malakserem) z ubitymi białkami i śmietanowym puchem. Gdy całość dokładnie się połączy, napełniamy kremem pucharki i wstawiamy do lodówki. Krem jest najsmaczniejszy bez dodatkowych ingrediencji. Osoby dorosłe mogą polać krem kieliszkiem likieru kawowego.

Krem z twarożku

s k ł a d n i k i : pojemnik serka homogenizowanego
• 1/2 szklanki śmietany kremowej • zagęstnik do śmietany
• cukier waniliowy • 2 kopiaste łyżki cukru pudru

s o s   o w o c o w y : 50 dag miękkich owoców (mogą być
mrożone), np. truskawek, malin, czarnych jagód, poziomek
• 1/2 szklanki cukru • 3/4 szklanki wody

Przygotowujemy sos: z wody i cukru gotujemy syrop.
Gdy cukier całkowicie się rozpuści, wrzucamy owoce,
mieszamy, zagotowujemy i natychmiast zdejmujemy
z ognia (owoce powinny się tylko raz „przewrócić" we
wrzącym syropie). Odstawiamy do przechłodzenia.
Śmietanę ubijamy z cukrem pudrem i cukrem waniliowym, dodajemy zagęstnik i, cały czas ubijając, serek homogenizowany. Gdy masa będzie jednolita i puszysta,
nakładamy do pucharków i wstawiamy do lodówki.
Przed podaniem wychłodzony krem polewamy zimnymi owocami w syropie. Jeżeli deser jest przeznaczony dla
osób dorosłych, do owocowego syropu możemy dodać
kieliszek dobrego alkoholu.

liczba porcji /	4
czas przygotowania /	30 min
stopień trudności /	średniotrudne
kaloryczność /	średniokaloryczne
koszt /	średniodrogie

liczba porcji /	4
czas przygotowania /	25 min
stopień trudności /	średniotrudne
kaloryczność /	średniokaloryczne
koszt /	średniodrogie

Owocowe ptasie mleczko

s k ł a d n i k i : opakowanie galaretki o smaku kiwi
lub wiśniowym • 0,5 l zsiadłego mleka lub kefiru • szklanka
odsączonych z soku wiśni • duże kiwi • listki świeżej melisy
do przybrania • szklanka ubitej śmietany kremowej

Galaretkę rozpuszczamy w połowie wody podanej
w przepisie, dokładnie mieszamy, by całkowicie się rozpuściła, odstawiamy. Zsiadłe mleko lub kefir ubijamy
mikserem, aż się spieni i, cały czas ubijając, wlewamy
bardzo powoli jeszcze ciepłą galaretkę. Masa dwukrotnie powiększy objętość, będzie puszysta i lekka. Zaraz po
przygotowaniu napełniamy masą przygotowane pucharki i wstawiamy do lodówki. Przed podaniem przybieramy kopczykiem bitej śmietany, wiśniami, plasterkami kiwi i listkami melisy.

Owoce
w mlecznym puchu

s k ł a d n i k i : pojemnik serka homogenizowanego
• 1/2 szklanki cukru pudru • skórka otarta z cytryny • 2 łyżki soku
wyciśniętego z cytryny • szklanka śmietany kremowej • owoce
(dorodne śliwki węgierki, banany, kiwi, winogrona)

W pucharkach rozkładamy lekko rozdrobnione, pozbawione pestek owoce, ustawiamy w chłodnym miejscu.
Jedno kiwi odkładamy do przybrania pucharków.
Mikserem ucieramy serek z dodatkiem cukru pudru, skórki otartej z cytryny i cytrynowego soku. Oddzielnie ubijamy śmietanę na gęsty puch. Serek i śmietanę łączymy,
równomiernie rozkładamy na wychłodzonych owocach
i odstawiamy na 30 min (nie dłużej!) w chłodne miejsce.
Podajemy przybrany krążkami kiwi i świeżymi listkami
melisy.

liczba porcji / 6
czas przygotowania / 25 min
stopień trudności / łatwe
kaloryczność / średniokaloryczne
koszt / średniodrogie

Galaretka mleczna

s k ł a d n i k i : opakowanie galaretki o wyraźnym, ciemnym
zabarwieniu (wiśniowej lub z czarnej porzeczki) • 2 pełne łyżeczki
mielonej żelatyny • 0,5 l zsiadłego mleka lub kefiru • łyżka cukru
pudru • cukier waniliowy • konfitury lub drylowane wiśnie • 3 łyżki
gorącego mleka • świeże listki melisy

Galaretkę przygotowujemy według przepisu na opakowaniu, wylewamy na talerz, odstawiamy do wychłodzenia. Żelatynę moczymy w niewielkiej ilości zimnej wody, gdy napęcznieje, rozprowadzamy w gorącym mleku
i odstawiamy. Zsiadłe mleko lub kefir roztrzepujemy z cukrem pudrem, cukrem waniliowym, rozpuszczoną żelatyną i miksujemy, aż składniki się lekko spienią.
Na spód każdego pucharka kładziemy łyżeczkę konfitur,
zalewamy połową dobrze spienionej, mlecznej galaretki, rozkładamy posiekaną galaretkę, zalewamy pozostałą galaretką mleczną, odstawiamy pucharki do wychłodzenia. Przed podaniem dekorujemy łyżeczką konfitur
i przybieramy świeżymi listkami melisy.

liczba porcji / 4
czas przygotowania / 15 min
stopień trudności / średniotrudne
kaloryczność / średniokaloryczne
koszt / tanie

Truskawki
w kremie

liczba porcji / 4

czas przygotowania / 15 min

stopień trudności / średniotrudne

kaloryczność / średniokaloryczne

koszt / średniodrogie

s k ł a d n i k i : 400 ml jogurtu • opakowanie galaretki o smaku truskawkowym • 40 dag dorodnych, średniej wielkości truskawek (waga owoców po usunięciu szypułek) • szklanka wrzącej wody

W szklance wrzącej wody rozpuszczamy całą galaretkę, bardzo dokładnie mieszamy, odstawiamy do lekkiego wychłodzenia. Jogurt ubijamy w malakserze, gdy się spieni, bardzo powoli wlewamy galaretkę. Całość ubijamy, aż powstanie jednolita, puszysta masa, którą od razu nalewamy do pucharków. Do tężejącej masy wciskamy, czubkami do góry (powinny wystawać na 1-1,5 cm), bardzo gęsto, owoce. Odstawiamy do wychłodzenia. Podajemy z porcją bitej śmietany lub polane truskawkowym sosem.

Deser
serowo-miodowy

s k ł a d n i k i : pojemnik serka homogenizowanego • 2 łyżki pełnego mleka lub słodkiej śmietanki • łyżeczka cukru • łyżeczka cukru waniliowego • 1/3 łyżeczki cynamonu • sok z 1/2 cytryny • duża łyżka płynnego miodu • rurki waflowe lub kruche ciasteczka do przybrania

Składniki deseru umieszczamy w malakserze i na średnich obrotach ubijamy na gęsty, jednolity puch. Rozkładamy do pucharków, wstawiamy na godzinę lub nieco dłużej do lodówki. Podajemy przybrany rurkami waflowymi lub kruchymi ciasteczkami.

liczba porcji / 2

czas przygotowania / 15 min

stopień trudności / łatwe

kaloryczność / średniokaloryczne

koszt / tanie

Krem mleczny z poziomkami

s k ł a d n i k i : 0,5 l dorodnych, świeżych poziomek
• 400 ml jogurtu o smaku naturalnym • kopiasta łyżeczka mielonej
żelatyny • 2 łyżki gorącego mleka • 2 czubate łyżki cukru pudru
• bita śmietana i utarta, gorzka czekolada do przybrania

Żelatynę moczymy w minimalnej ilości zimnej wody, gdy
napęcznieje, rozprowadzamy w gorącym mleku, odstawiamy. Owoce rozkładamy w pucharkach. Jogurt ubijamy
z cukrem pudrem, gdy się spieni, dodajemy rozpuszczoną żelatynę, całość ubijamy jeszcze przez 30 s, zalewamy
owoce, odstawiamy w chłodne miejsce do zastygnięcia.
Przed podaniem każdą porcję przybieramy utartą czekoladą i porcją bitej śmietany.

liczba porcji /	**4**
czas przygotowania /	**25 min**
stopień trudności /	**średniotrudne**
kaloryczność /	**średniokaloryczne**
koszt /	**tanie**

liczba porcji /	**6**
czas przygotowania /	**25 min**
stopień trudności /	**średniotrudne**
kaloryczność /	**średniokaloryczne**
koszt /	**średniodrogie**

Winogrona w sosie jogurtowym

s k ł a d n i k i : duża kiść winogron (80 dag) • opakowanie
serka homogenizowanego o smaku naturalnym • 400 ml naturalnego
jogurtu • 2 łyżki cukru pudru • cukier waniliowy • kieliszek
aromatycznego alkoholu

Z winogron wybieramy kilkanaście dorodnych owoców
do przybrania deseru, pozostałe owoce, po dokładnym
umyciu i osuszeniu, kroimy na połowę, odrzucamy pestki, rozkładamy na spodzie pucharków, polewamy łyżeczką alkoholu, przykrywamy szczelnie folią i trzymamy
w chłodnym miejscu nawet przez kilka godzin.
Przed podaniem deseru ubijamy serek homogenizowany z jogurtem, cukrem pudrem i cukrem waniliowym.
Dobrze spienionym sosem zalewamy wychłodzone owoce, wierzch przybieramy odłożonymi winogronami i od
razu podajemy.

Deser z winogronami

s k ł a d n i k i : 2 szklanki mleka • 1/2 szklanki wody
• 1/2 szklanki kaszy manny • 3 kopiaste łyżki cukru • duży cukier
waniliowy • sól • skórka otarta z cytryny • 2 łyżki soku z cytryny
• szklanka śmietany kremowej • winogrona w ilości według upodobań

Mleko łączymy z wodą, sypiemy sól, cukier i cukier waniliowy, mieszamy, dodajemy kaszę mannę, stawiamy
na ogniu i, cały czas mieszając, zagotowujemy. Gęstą kaszkę trzymamy na ogniu, często mieszając, aż będzie miękka, zdejmujemy z ognia, łączymy z otartą skórką i sokiem
z cytryny, wylewamy na szeroki, płaski talerz i formujemy cienką warstwę. Im cieńsza, tym deser smaczniejszy.
Odstawiamy do przechłodzenia.
Z winogron odrzucamy pestki. Zimną kaszkę kroimy
w drobną kostkę (1x1 cm) i układamy w szerokich pucharkach, na przemian z przygotowanymi winogronami
(na wierzchu powinny być owoce). Przybieramy ubitą
śmietaną i podajemy bez chłodzenia.

liczba porcji / 4

czas przygotowania / 45 min

stopień trudności / średniotrudne

kaloryczność / średniokaloryczne

koszt / średniodrogie

Mus z kaszy manny z sokiem

s k ł a d n i k i : szklanka mleka • 2 łyżki kaszy manny
• 2 łyżki cukru • szczypta soli • jajko • 1/3 szklanki gęstego soku
owocowego (malinowego, wiśniowego, porzeczkowego)

Na mleku z dodatkiem łyżeczki cukru i szczypty soli gotujemy na gęsto kaszę mannę, odstawiamy do całkowitego wychłodzenia. Żółtko ucieramy z pozostałym cukrem
na puszysty kogel-mogel. Oddzielnie ubijamy białko, z dodatkiem małej szczypty soli, na sztywną pianę.
Wychłodzoną kaszkę ubijamy mikserem, gdy zacznie się
robić puszysta, dodajemy, cały czas ubijając, żółtko utarte z cukrem, następnie, lejąc bardzo powoli, sok. Gdy
składniki dobrze się połączą i lekko spienią, dodajemy
pianę ubitą z białek i, mieszając drewnianą łyżką, łączymy z musem. Zaraz po przygotowaniu rozkładamy porcje do salaterek i podajemy. Deser można przybrać świeżymi owocami, najlepiej o smaku dobrze komponującym
się z sokiem.

liczba porcji / 2

czas przygotowania / 35 min

stopień trudności / średniotrudne

kaloryczność / średniokaloryczne

koszt / tanie

liczba porcji / **2**

czas przygotowania / **30 min**

stopień trudności / **średniotrudne**

kaloryczność / **średniokaloryczne**

koszt / **tanie**

Mus pomarańczowy z poziomkami

s k ł a d n i k i : szklanka mleka • 2 łyżki kaszy manny • sól • 2 łyżki cukru • jajko • sok i skórka otarta z pomarańczy • szklanka świeżych poziomek

Do zimnego mleka dodajemy szczyptę soli, łyżeczkę cukru i kaszę mannę, mieszamy, stawiamy na średnim ogniu, zagotowujemy. Gotujemy, cały czas mieszając, aż kaszka będzie miękka. Odstawiamy do wychłodzenia. Żółtko ucieramy z pozostałym cukrem na kogel-mogel. Białko, z dodatkiem małej szczypty soli, ubijamy na gęstą pianę. Z pomarańczy ocieramy skórkę (łyżeczka!) i wyciskamy sok.
Zimną kaszkę ubijamy robotem, do lekko spulchnionej dodajemy utarte żółtko, skórkę z pomarańczy i, lejąc bardzo powoli, sok. Gdy składniki się połączą, łączymy masę, najlepiej mieszając drewnianą łyżką, z pianą i od razu rozkładamy w pucharkach. Wierzch posypujemy warstwą poziomek i natychmiast podajemy.

liczba porcji / **4**

czas przygotowania / **30 min**

stopień trudności / **średniotrudne**

kaloryczność / **średniokaloryczne**

koszt / **tanie**

Mus bananowy

s k ł a d n i k i : 1 i 1/2 szklanki pełnego mleka • 3 łyżki kaszy manny • sól • 2 łyżki cukru • sok i skórka otarta z cytryny • 3 duże, bardzo dojrzałe banany (mogą być z lekko zbrązowiałą skórką!) • świeże listki melisy

Wymieszaną z zimnym mlekiem kaszę mannę stawiamy na średnim ogniu, dodajemy szczyptę soli i cukier, zagotowujemy, cały czas mieszając. Gdy zgęstnieje, gotujemy nadal, mieszając od czasu do czasu, do miękkości. Odstawiamy do wychłodzenia.
Banany rozdrabniamy w malakserze na jednolitą masę z dodatkiem soku i skórki z cytryny.
Chłodną kaszkę ubijamy robotem, gdy się spulchni, dodajemy małymi partiami banany i nadal ubijamy, aż powstanie puszysty, o pięknej barwie mus. Rozkładamy do pucharków zaraz po przygotowaniu, wierzch deseru przybieramy świeżym listkiem melisy. Deser przeznaczony dla osób dorosłych możemy polać kieliszkiem likieru bananowego lub pomarańczowego.

Deser wiosenny

liczba porcji / 6
czas przygotowania / 60 min
stopień trudności / średniotrudne
kaloryczność / średniokaloryczne
koszt / tanie

s k ł a d n i k i : 2 dorodne laski malinowego rabarbaru
• 1/2 szklanki cukru (gdy trzeba, nieco więcej) • 2 goździki
• szklanka soku jabłkowego (może być z kartonika) • szklanka kaszy
manny • sos jogurtowy

Do emaliowanego naczynia (ważne!) wlewamy 4 szklanki wody (stołowej lub oligoceńskiej), dodajemy cukier, goździki, mieszamy, dodajemy pokrojony w drobną kostkę rabarbar, zagotowujemy. Jeżeli rabarbar jest zbyt kwaśny,
dodajemy trochę cukru i ponownie zagotowujemy. Na
gotujący się rabarbar sypiemy, cały czas mieszając, kaszę mannę. Gdy zgęstnieje, zmniejszamy ogień i gotujemy nadal, do miękkości. Pod koniec gotowania dodajemy sok jabłkowy i, gdy trzeba, całość dosładzamy. Z ugotowanej kaszki odrzucamy goździki, rozlewamy gorącą
do zwilżonych zimną wodą salaterek i odstawiamy
w chłodne miejsce (nie do lodówki!). Przed podaniem
porcje wykładamy na płaskie talerzyki i polewamy spienionym sosem jogurtowym.

Malinowa pianka

s k ł a d n i k i : 2 szklanki pełnego mleka • 4 łyżki kaszy
manny • 2 opakowania cukru waniliowego • 1/2 szklanki gęstego,
aromatycznego soku z malin • 2 łyżeczki mielonej żelatyny • 2 białka
• 2 łyżki cukru pudru • sok do polania pianki • świeże owoce
• świeże listki melisy

Zimne mleko mieszamy z cukrem waniliowym, sypiemy kaszę mannę, zagotowujemy, cały czas mieszając.
Zmniejszamy ogień, gotujemy do miękkości. Odstawiamy do wychłodzenia.
W łyżce zimnej wody moczymy żelatynę, gdy napęcznieje, rozpuszczamy nad parą, łączymy, dokładnie mieszając, z sokiem. Białka ubijamy z cukrem pudru na bardzo gęstą pianę.
Zimną kaszkę ubijamy mikserem, dodajemy sok, a gdy
składniki dokładnie się połączą, dodajemy ubitą z białek pianę, całość mieszamy (drewnianą łyżką!), rozkładamy w pucharkach, wstawiamy do lodówki.
Piankę podajemy dobrze wychłodzoną, polaną sokiem,
przybraną listkiem świeżej melisy lub świeżymi malinami.

liczba porcji / 4
czas przygotowania / 50 min
stopień trudności / średniotrudne
kaloryczność / średniokaloryczne
koszt / średniodrogie

Winogronowy smakołyk

s k ł a d n i k i : szklanka soku z winogron (może być z kartonika) • szklanka mleka • szklanka słodkiej, 12% śmietany • 1/2 szklanki kaszy manny • 1/2 szklanki cukru • 2 łyżeczki soku z cytryny • dorodne winogrona

Mleko łączymy z sokiem, dodajemy kaszę mannę, mieszamy, odstawiamy na godzinę. Do napęczniałej kaszki dodajemy cukier, stawiamy na średnim ogniu, zagotowujemy, i, cały czas mieszając, gotujemy do miękkości (kaszka powinna być bardzo gęsta). Po zestawieniu z ognia kaszkę wychładzamy. Gdy uzyska temperaturę pokojową, ubijamy (robotem!) na puch, dodając w czasie ubijania śmietanę i sok z cytryny. Gdy składniki się połączą i spienią, rozkładamy porcje do pucharków, wierzch przybieramy winogronami. Podajemy deser niewyziębiony.

* o p r ó c z c z a s u n a m o c z e n i e k a s z y m a n n y

liczba porcji /	**6**
czas przygotowania /	**25 min***
stopień trudności /	**średniotrudne**
kaloryczność /	**średniokaloryczne**
koszt /	**średniodrogie**

Mus ananasowy z kaszy manny

s k ł a d n i k i : 2 szklanki pełnego mleka • 1/2 szklanki wody • 1/2 szklanki kaszy manny • 1/2 szklanki cukru • sok z całej cytryny • puszka ananasów w syropie • 6 łyżeczek pomarańczowego dżemu • bita śmietana • wiórki czekoladowe

Zimne mleko mieszamy z wodą, cukrem, kaszą manną, zagotowujemy, często mieszamy, zmniejszamy ogień i gotujemy nadal, aż kaszka będzie miękka. Odstawiamy do wychłodzenia.
Ananasy odsączamy, odkładamy 3 krążki, pozostałe drobno siekamy. Chłodną kaszkę ubijamy z sokiem z cytryny i syropem z ananasów. Gdy stanie się puszysta i jednolita, dodajemy posiekane ananasy, całość przez minutę ubijamy, rozkładamy do pucharków. Na wierzch kładziemy, lekko wciskając, półkrążek ananasa. W środek krążka nakładamy łyżeczkę pomarańczowego dżemu, całość przybieramy bitą śmietaną, posypujemy czekoladowymi wiórkami i podajemy (nie wychładzamy deseru w lodówce!). Osoby dorosłe mogą polać deser kieliszkiem ananasowego lub pomarańczowego likieru.

liczba porcji /	**6**
czas przygotowania /	**50 min**
stopień trudności /	**średniotrudne**
kaloryczność /	**średniokaloryczne**
koszt /	**średniodrogie**

Puchowa kaszka z owocami

liczba porcji / 6
czas przygotowania / 25 min•
stopień trudności / średniotrudne
kaloryczność / średniokaloryczne
koszt / tanie

s k ł a d n i k i : szklanka wody • 2 szklanki pełnego mleka • 1/2 szklanki kaszy manny • 1/2 szklanki cukru • sok z całej cytryny • 2 duże, bezpestkowe mandarynki • 2 dorodne banany • 2 kiwi

Do naczynia, w którym będzie się gotowała kaszka, wlewamy wodę, sypiemy kaszę mannę, mieszamy, odstawiamy na godzinę. Po tym czasie naczynie z napęczniałą kaszką stawiamy na średnim ogniu, dodajemy mleko, cukier, szczyptę soli, zagotowujemy i, często mieszając, gotujemy przez 10-12 min, aż kaszka będzie miękka. Po zdjęciu z ognia łączymy z sokiem z cytryny, mieszamy, odstawiamy do przechłodzenia. Letnią (o temperaturze pokojowej) kaszkę ubijamy na puch, rozkładamy w pucharkach i przybieramy owocami.

* o p r ó c z c z a s u n a m o c z e n i e k a s z y m a n n y

RISI-PISI

s k ł a d n i k i : szklanka suchego ryżu • 2 szklanki pełnego mleka • szczypta soli • 2 opakowania cukru waniliowego • puszka ananasów w syropie • 3 łyżki rodzynek • kieliszek białego, słodkiego wina • sok z cytryny • cukier • płaska łyżeczka mąki ziemniaczanej • świeże listki melisy

Wypłukane, odsączone z wody rodzynki zalewamy winem, odstawiamy. W mleku z dodatkiem soli i cukru waniliowego gotujemy ryż. Gdy cały płyn wsiąknie w ziarenka, naczynie owijamy w gazetę i kocyk, odstawiamy na godzinę (ryż będzie miękki i sypki).
Ananasy cedzimy, syrop przelewamy do rondelka. Przygotowany ryż łączymy z rodzynkami i winem, w którym się moczyły, oraz z pokrojonymi ananasami, gdy trzeba, lekko doprawiamy sokiem z cytryny. Gotowy rozkładamy w pucharkach.
Syrop z ananasów łączymy z wodą w proporcji pół na pół, dodajemy sok i cukier, w ilości potrzebnej do uzyskania odpowiedniego smaku, zagotowujemy, zagęszczamy płaską łyżeczką mąki ziemniaczanej, rozprowadzonej w minimalnej ilości zimnej wody, całość gotujemy przez minutę, często mieszając. Gorącym sosem zalewamy ryż, odstawiamy porcje w chłodne miejsce (nie do lodówki). Przed podaniem przybieramy listkami melisy.

* o p r ó c z c z a s u n a g o t o w a n i e r y ż u

liczba porcji / 6
czas przygotowania / 45 min•
stopień trudności / średniotrudne
kaloryczność / średniokaloryczne
koszt / średniodrogie

liczba porcji / 6
czas przygotowania / 90 min
stopień trudności / średniotrudne
kaloryczność / średniokaloryczne
koszt / średniodrogie

Brzoskwiniowe delicje

s k ł a d n i k i : 2 szklanki ryżu ugotowanego na mleku z dodatkiem cukru waniliowego • puszka brzoskwiń w syropie • masło i przetarte przez ostre sito biszkopty • 6 łyżek śmietany kremowej

s o s : syrop z brzoskwiń • łyżka płynnego miodu • sok z cytryny • płaska łyżeczka mąki ziemniaczanej • 2 świeże brzoskwinie pokrojone w cienkie plasterki

Kokilki smarujemy masłem i opruszamy roztartymi biszkoptami (obficie!). Brzoskwinie odcedzamy z syropu, drobno siekamy, łączymy z ryżem, wkładamy w równych ilościach do przygotowanych kokilek, każdą porcję polewamy łyżką kremowej śmietany i wstawiamy na 20-25 min do nagrzanego do temp. 180ºC piekarnika. Gdy wierzch deseru lekko się zrumieni, wyłączamy dopływ ciepła, ale kokilki pozostawiamy w piecu.

Przygotowujemy sos: syrop z brzoskwiń łączymy z 3 łyżkami wody wymieszanej z mąką ziemniaczaną, zagotowujemy, trzymamy na ogniu przez minutę. Lekko przechłodzony sos łączymy z płynnym miodem i sokiem z cytryny.

Wyjmujemy deser z kokilek na płaskie talerzyki, polewamy sosem, brzegi talerzyków dekorujemy plasterkami świeżych owoców. Podajemy na gorąco lub na zimno.

Deser ryżowy
Pani Rejentowej

s k ł a d n i k i : szklanka suchego ryżu • 4 duże, dojrzałe banany • 2 łyżki oliwy • 2 czubate łyżki cukru • 2 opakowania cukru waniliowego • 1/2 łyżeczki mielonego cynamonu • 2 szklanki pełnego mleka • 1/2 szklanki słodkiej, 12% śmietany • gęsta, kwaskowa śmietana • rodzynki

liczba porcji / 6
czas przygotowania / 40 min•
stopień trudności / średniotrudne
kaloryczność / średniokaloryczne
koszt / średniodrogie

Na łyżce oliwy lekko przesmażamy opłukany ryż, cały czas mieszając. Po minucie zalewamy mlekiem (ciepłym) wymieszanym z cukrem i cukrem waniliowym, zmniejszamy ogień i gotujemy, aż mleko zostanie całkowicie wchłonięte przez ryż. Zestawiamy z ognia, wlewamy do ryżu podgrzaną śmietankę, dokładnie mieszamy, naczynie szczelnie przykrywamy, owijamy w gazetę i kocyk, trzymamy w cieple przez godzinę.

Przed podaniem deseru banany kroimy w plasterki, lekko podsmażamy na łyżce oliwy, gdy się zeszklą, mieszamy z miękkim, sypkim ryżem, doprawiamy cynamonem i od razu wykładamy na talerzyki. Ryż jest najsmaczniejszy na ciepło. Podajemy obficie polany kwaskową śmietaną, wymieszaną z rodzynkami.

• oprócz czasu na gotowanie ryżu

Gruszki
à la Richelieu

liczba porcji / 16

czas przygotowania / 120 min

stopień trudności / średniotrudne

kaloryczność / **wysokokaloryczne**

koszt / średniodrogie

s k ł a d n i k i : 1 i 1/2 szklanki ugotowanego na sypko ryżu • 2 filiżanki sparzonych, obranych z łupinek i posiekanych migdałów • 10 dużych, soczystych, dojrzałych gruszek (klapsy) • 4 brzoskwinie (świeże lub z syropu) lub 4 duże łyżki brzoskwiniowego dżemu • 3 żółtka • 1/2 szklanki cukru pudru • piana ubita z 3 białek z dodatkiem szczypty soli • 3 łyżki grubego cukru kryształu • masło do wysmarowania tortownicy • 3 łyżki przetartych przez ostre sito biszkoptów

Ryż mieszamy z posiekanymi migdałami. Tortownicę smarujemy masłem, oprószamy przetartymi biszkoptami. Połowę ryżu rozkładamy na spodzie, na warstwie ryżu rozkładamy obrane ze skórki, pozbawione pestek i szypułek gruszki, polewamy je przetartymi brzoskwiniami lub brzoskwiniowym dżemem i przykrywamy pozostałym ryżem. Powierzchnię dokładnie wyrównujemy. Z żółtek i cukru pudru ucieramy kogel-mogel, dodajemy ubitą na sztywno pianę z białek, całość wylewamy na ryż, wierzch posypujemy grubymi kryształkami cukru i wstawiamy na 20-30 min do dobrze nagrzanego, ale niegorącego piekarnika. Czas zapiekania zależy od wysokości zapiekanej warstwy.
Podajemy na gorąco lub na zimno.

Legumina
ze świeżymi
owocami

s k ł a d n i k i : krążek biszkoptowego ciasta (może być upieczone poprzedniego dnia) • 2 szklanki poziomek • szklanka czarnych jagód • 2 szklanki (0,5 l) śmietany kremowej • zagęstnik do śmietany • opakowanie cukru waniliowego • 2 duże łyżki aromatycznej, słodkiej herbaty wymieszanej z 2 łyżkami białego, deserowego wina

Ułożony na paterze krążek biszkoptowego ciasta nasączamy herbatą z winem, na nim rozkładamy nieco mniej niż połowę ubitej śmietany, następnie część owoców, pozostałą śmietanę i pozostałe owoce. Podajemy nie później niż 30 min po przygotowaniu.

liczba porcji / 8

czas przygotowania / 15 min

stopień trudności / **łatwe**

kaloryczność / **średniokaloryczne**

koszt / średniodrogie

Legumina z rabarbaru
– przepis z kuchni staropolskiej

s k ł a d n i k i : 3 laski dorodnego, malinowego rabarbaru • 1/2 szklanki soku malinowego • 1/2 szklanki cukru • kawałek suchej skórki pomarańczowej • goździk • opakowanie cukru waniliowego • szklanka kaszy manny • szklanka śmietany kremowej

W 1 l wody zagotowujemy cukier z dodatkiem skórki pomarańczowej i goździka, na wrzący wrzucamy drobno pokrojony rabarbar i wlewamy sok malinowy. Gdy kompot jest zbyt kwaśny, dodajemy trochę cukru do smaku. Całość lekko rozgotowujemy. Na wrzący rabarbar sypiemy, cały czas mieszając, kaszę mannę i gotujemy, na niewielkim ogniu, często mieszając, aż kasza będzie miękka, a całość szklista. Odrzucamy skórkę i goździk, rozlewamy leguminę do wypłukanych zimną wodą kokilek, odstawiamy do wychłodzenia.
Przed podaniem ubijamy śmietanę na gęsty puch. Porcje leguminy wykładamy na płaskie talerzyki, przybieramy bitą śmietaną. Deser możemy dodatkowo posypać rodzynkami lub polać gęstym sokiem malinowym.

Legumina
według Pani Rejentowej

s k ł a d n i k i : 2 szklanki ugotowanej na gęsto kaszy manny • szklanka słodkiej, 18% śmietany • 2 żółtka • 2 duże łyżki cukru • kopiasta łyżka skórki otartej z pomarańczy • łyżeczka esencji pomarańczowej • szklanka rodzynek • tłuszcz • przetarte przez sito biszkopty

Ugotowaną wcześniej kaszkę przekładamy do emaliowanego naczynia (ważne!), zalewamy śmietaną, ustawiamy na wierzchu większego naczynia, wypełnionego wrzącą wodą (spód naczynia nie może dotykać wody) i ogrzewamy na parze. W ciągu godziny cała śmietana zostanie wchłonięta przez kaszkę (jeżeli trochę jej zostanie, nie szkodzi). Żółtka ucieramy z cukrem na puch, dodajemy skórkę otartą z pomarańczy i esencję zapachową. Napęczniałą od śmietany kaszkę łączymy z utartymi żółtkami, dodajemy rodzynki, całość lekko mieszamy i od razu przekładamy do przygotowanej wcześniej, wysmarowanej tłuszczem i wysypanej tartymi biszkoptami formy do zapiekania. Wstawiamy na ok. 30 min do ciepłego piekarnika. Dobrze zapieczona legumina powinna być delikatnie zrumieniona na wierzchu i odstawać od boków formy. Na gorąco podajemy z sokiem owocowym lub z konfiturami, a na zimno z dodatkiem sałatki owocowej.

• oprócz czasu na zapiekanie i parowanie

Legumina śmietanowo–bananowa

liczba porcji / 8
czas przygotowania / 25 min
stopień trudności / średniotrudne
kaloryczność / średniokaloryczne
koszt / średniodrogie

s k ł a d n i k i : 2 i 1/2 szklanki pełnego mleka • 4 łyżki cukru • 2 żółtka • łyżeczka masła • opakowanie cukru waniliowego • łyżka mąki pszennej • łyżka mąki ziemniaczanej • piana ubita z 2 białek i łyżeczki cukru • 2 dorodne, pokrojone w półplasterki banany

Żółtka ucieramy z 2 łyżkami cukru, dodajemy obie mąki, ucieramy, rozprowadzamy w 1/2 szklanki zimnego mleka, pilnując, by nie było nawet najmniejszej grudki. Pozostałe mleko zagotowujemy z pozostałym cukrem, cukrem waniliowym i masłem. Gdy zaczyna wrzeć, zestawiamy z ognia, łączymy z masą żółtkowo-mączną, naczynie ponownie stawiamy na najmniejszym ogniu i, cały czas mieszając, zagotowujemy. Trzymamy na ogniu przez 2-3 min, aż legumina zgęstnieje, a mąka straci smak surowizny. Zdejmujemy z ognia i odstawiamy do lekkiego wychłodzenia. Jeszcze ciepłą łączymy z przygotowanymi bananami oraz pianą ubitą z białek, przekładamy do pucharków, odstawiamy do całkowitego wychłodzenia. Najlepiej smakuje polana domowym sokiem z wiśni lub malin, a także z gorącym sosem czekoladowym lub sosem z przetartych truskawek.

Legumina bananowa

s k ł a d n i k i : 3 duże, bardzo dojrzałe (ważne!) banany • 3 jajka • 6 dużych łyżek cukru • tłuszcz do wysmarowania formy • opakowanie cukru waniliowego • 0,5 l śmietany kremowej • płaski talerz ugotowanej na gęsto kaszy manny (warstwa kaszy nie powinna być wyższa niż centymetr)

Na spodzie wysmarowanej tłuszczem formy do zapiekania rozkładamy połowę pokrojonych w półplasterki bananów, na nich – pokrojoną w drobną kostkę kaszę mannę, na wierzchu pozostałe banany.
Jajka ubijamy z cukrem i cukrem waniliowym na puch. Gdy masa będzie gęsta i jednolita, dodajemy, cały czas ubijając, śmietanę, którą zalewamy przygotowane do zapiekania banany i kaszkę. Danie wstawiamy do nagrzanego do temp. 160-170ºC piekarnika i zapiekamy przez ok. 30 min. Podajemy na gorąco.

• o p r ó c z   c z a s u   n a   z a p i e k a n i e

liczba porcji / 6
czas przygotowania / 30 min•
stopień trudności / średniotrudne
kaloryczność / średniokaloryczne
koszt / średniodrogie

liczba porcji / 8

czas przygotowania / 25 min•

stopień trudności / średniotrudne

kaloryczność / średniokaloryczne

koszt / średniodrogie

Legumina królewska

s k ł a d n i k i : 4 dorodne jabłka (najlepiej antonówki lub szare renety) • 4 żółtka • 4 kopiaste łyżki biszkoptów, przetartych przez ostre sito • 8 łyżeczek domowych konfitur z wiśni lub z czarnej porzeczki • piana ubita z 4 białek i szczypty soli • tłuszcz do wysmarowania formy

Z jabłek zdejmujemy skórkę (im cieńszą, tym lepiej), kroimy na połowę, odrzucamy gniazda nasienne, w ich miejsce nakładamy łyżeczkę konfitur i układamy w wysmarowanym masłem naczyniu do zapiekania, wypukłą stroną do góry.
Żółtka z cukrem ucieramy na gęsty kogel-mogel, dodajemy ubitą z białek pianę, całość lekko mieszamy, dodajemy biszkopty. Dokładnie wymieszanym ciastem zalewamy przygotowane owoce. Wstawiamy do ciepłego piekarnika i w temp. 150-160°C zapiekamy przez 20-25 min (czas zapiekania zależy od wysokości zapiekanej warstwy). Pięknie zrumienioną leguminę podajemy na gorąco, posypaną cukrem pudrem lub na zimno, z dodatkiem porcji ubitej śmietany.

• o p r ó c z   c z a s u   n a   z a p i e k a n i e

Legumina z razowego chleba

s k ł a d n i k i : szklanka zmielonego, przesianego przez sito, wcześniej wysuszonego, razowego chleba • 1/2 szklanki słodkiej, 18% śmietany • kopiasta łyżka masła • kieliszek aromatycznego rumu • płaska łyżeczka aromatycznych przypraw (kompozycja z goździków, cynamonu, gałki muszkatołowej i imbiru) • 4 jajka • 1/2 szklanki cukru • tłuszcz do wysmarowania formy • dżem morelowy lub pomarańczowy • konfitury z wiśni lub bita śmietana

Chleb łączymy ze śmietaną i rumem, odstawiamy na kilka minut. Żółtka z cukrem ucieramy na bardzo gęsty kogel-mogel, dodajemy spulchniony chleb, przyprawy i rozpuszczone, chłodne masło. Całość ucieramy, aż składniki dokładnie się połączą. Do masy dodajemy pianę, mieszamy delikatnie, najlepiej drewnianą łyżką, i od razu wykładamy na przygotowaną formę do zapiekania. Wstawiamy do wygrzanego, niegorącego piekarnika, zapiekamy w temp. 160-170°C przez 30-35 min (czas zależy od wysokości zapiekanej warstwy). Ładnie zrumienioną leguminę podajemy na gorąco z dodatkiem ulubionego dżemu, konfitur lub bitej śmietany.

liczba porcji / 6

czas przygotowania / 25 min

stopień trudności / średniotrudne

kaloryczność / średniokaloryczne

koszt / średniodrogie

Luksusowa legumina z jabłek
według przepisu mojej Babci

liczba porcji / 4
czas przygotowania / 25 min •
stopień trudności / łatwe
kaloryczność / średniokaloryczne
koszt / średniodrogie

s k ł a d n i k i : 4 dorodne jabłka (najlepiej antonówki lub szare renety) • mały kieliszek rumu • 4 łyżeczki miałkiego cukru lub cukru pudru • smażona skórka pomarańczowa • bita śmietana • drobne, kruche ciasteczka lub biszkopciki szampanki

Obrane (bardzo cienko) ze skórki jabłka kroimy na połowę, wydrążamy gniazda nasienne, w ich miejsce sypiemy 1/2 łyżeczki cukru i układamy w szerokim rondlu. W miejsce, gdzie jest cukier, wlewamy łyżkę rumu, na wierzchu układamy porcję smażonej skórki pomarańczowej w taki sposób, by utworzył się zgrabny kopczyk, całość wstawiamy do piekarnika nagrzanego do temp. 150ºC i zapiekamy przez 40-45 min. Zrumienione, aromatyczne połówki jabłek układamy na talerzykach, oddzielnie podajemy bitą śmietanę, kruche ciasteczka lub biszkopciki.

• o p r ó c z c z a s u n a z a p i e k a n i e

Legumina z dyni
według Pani Rejentowej

s k ł a d n i k i : 50 dag dorodnej dyni (waga po odrzuceniu skóry i pestek) • czubata łyżka masła • 4 jajka • 4 łyżki cukru • 1/2 szklanki migdałów (wcześniej sparzonych, obranych z łupinek i posiekanych) • 2 łyżki smażonej skórki pomarańczowej • kieliszek (100 ml) aromatycznego rumu • 1/2 szklanki drobnej kaszy krakowskiej lub kaszy manny

Pokrojoną w kostkę dynię rozgotowujemy w niewielkiej ilości wody. Miękką przecieramy przez sito (powinny być 2 szklanki gęstego przecieru). Żółtka z cukrem ucieramy na puszysty kogel-mogel, dodajemy miękkie, ale nieroztopione masło, migdały, skórkę pomarańczową, rum i kaszę. Składniki razem ucieramy, dodajemy pianę ubitą z białek, całość delikatnie, ale dokładnie mieszamy (najlepiej drewnianą łyżką) i przekładamy do wysmarowanej tłuszczem formy. Pieczemy w nagrzanym do temp. 160-170ºC piekarniku przez 40-45 min (czas pieczenia zależy od wysokości zapiekanej warstwy). Legumina jest upieczona, gdy wierzch się zrumieni, a ciasto odstaje od boków formy. Podajemy gorącą. Osoby dorosłe mogą polać swoją porcję kieliszkiem pomarańczowego likieru.

• o p r ó c z c z a s u n a z a p i e k a n i e

liczba porcji / 6
czas przygotowania / 50 min •
stopień trudności / średniotrudne
kaloryczność / średniokaloryczne
koszt / średniodrogie

Legumina śmietankowa
– przepis z kuchni staropolskiej

s k ł a d n i k i : 2 łyżki masła • szklanka drobnej (przesianej przez sito) tartej bułki • szklanka słodkiej, 18% śmietany • 6 jajek • 1/2 szklanki cukru • 2 łyżki smażonej skórki pomarańczowej • 1/2 szklanki domowych, smażonych bez cukru powideł • gęsta, kwaśna śmietana • cukier puder

Rozpuszczamy masło, dodajemy tartą bułkę, śmietanę, mieszamy, odstawiamy.

Żółtka z cukrem ucieramy na gęsty kogel-mogel, dodajemy powidła i skórkę pomarańczową. Składniki łączymy z napęczniałą tartą bułką, dodajemy ubitą na sztywno pianę z białek, całość delikatnie, ale dokładnie mieszamy (najlepiej drewnianą łyżką) i od razu wykładamy do wysmarowanej tłuszczem formy do zapiekania, wstawiamy do nagrzanego piekarnika. Zapiekamy w temp. 150-160°C przez 40-45 min (czas zapiekania zależy od wysokości zapiekanej warstwy).

Po wyjęciu z piekarnika leguminę kroimy w zgrabne porcje. Podajemy gorącą, polaną śmietaną i posypaną cukrem pudrem.

• o p r ó c z   c z a s u   n a   z a p i e k a n i e

liczba porcji / **6**
czas przygotowania / **25 min** •
stopień trudności / **średniotrudne**
kaloryczność / **średniokaloryczne**
koszt / **średniodrogie**

Legumina piankowa
według przepisu mojej Babci

s k ł a d n i k i : 4 jajka • 3/4 szklanki cukru • kieliszek aromatycznego rumu • 1/2 szklanki płatków migdałowych • 1/2 szklanki domowych powideł, smażonych bez cukru • tłuszcz do wysmarowania półmiska (stalowego lub żaroodpornego)

Żółtka z cukrem ucieramy na gęsty, puszysty kogel-mogel, dodajemy rum i powidła, dokładnie ubijamy, aż masa będzie jednolita i puszysta. Do tak przygotowanej masy dodajemy pianę ubitą z białek, całość dokładnie (najlepiej drewnianą łyżką) mieszamy i wykładamy, w formie kopczyków, na wysmarowany tłuszczem półmisek do zapiekania. Wierzch posypujemy płatkami migdałowymi i zapiekamy przez 25-30 min w niezbyt gorącym, nagrzanym do temp. 150-160°C piekarniku. Podajemy na gorąco, bezpośrednio z naczynia, w którym legumina się zapiekała.

• o p r ó c z   c z a s u   n a   z a p i e k a n i e

liczba porcji / **6**
czas przygotowania / **40 min** •
stopień trudności / **średniotrudne**
kaloryczność / **średniokaloryczne**
koszt / **średniodrogie**

Legumina rumowa
według Cioci Godziszewskiej

liczba porcji / 6
czas przygotowania / 30 min •
stopień trudności / średniotrudne
kaloryczność / średniokaloryczne
koszt / średniodrogie

s k ł a d n i k i : szklanka mąki tortowej • szklanka cukru pudru • 5 jajek • kieliszek (100 ml) aromatycznego rumu • 2 szklanki mleka • 3 jabłka (najlepiej antonówki lub szare renety) • kopiasta łyżka cukru pudru • cynamon • tłuszcz do wysmarowania formy

W malakserze ucieramy jajka z 3/4 ilości cukru, mąką, mlekiem i rumem – ciasto powinno mieć konsystencję ciasta naleśnikowego. Gdy będzie zbyt lekkie, dodajemy łyżkę tartej bułki. Odstawiamy, by „odpoczęło".
Obrane jabłka kroimy w cienkie plasterki, rozkładamy na spodzie wysmarowanego masłem naczynia do zapiekania, przesypując cukrem i cynamonem. Zalewamy przygotowanym ciastem, posypujemy pozostałym cukrem i wstawiamy do wygrzanego piekarnika. Zapiekamy w temp. 200ºC przez 30-35 min (czas zależy od wysokości zapiekanej warstwy). Legumina jest upieczona, gdy wierzch ładnie się zrumieni, a boki lekko odstają od brzegów formy. Podajemy na gorąco lub na zimno z dodatkiem bitej śmietany.

• oprócz czasu na zapiekanie

Legumina z rumianych jabłek
– przepis z kuchni staropolskiej

s k ł a d n i k i : 6 jabłek (najlepiej antonówki lub szare renety) • skórka i sok z dużej cytryny • 1/2 kostki (12,5 dag) masła • 3 kopiaste łyżki cukru

c i a s t o : 4 jajka • mąka • cukier i masło (tyle, ile ważą jajka) • szczypta soli

W naczyniu do zapiekania rozpuszczamy masło, na nim rozkładamy obrane ze skórki, pozbawione gniazd nasiennych połówki jabłek, kropimy sokiem z cytryny i smażymy, z obu stron, na złoty kolor. Zrumienione posypujemy cukrem i stawiamy na niewielkim ogniu, by wytworzył się karmel, odstawiamy z ognia.
W malakserze ubijamy jajka z cukrem i szczyptą soli na gęsty, jednolity puch, dodajemy skórkę otartą z cytryny, miękkie (ale nieroztopione) masło i mąkę, całość wyrabiamy – ciasto powinno być gładkie i jednolite. Gotowym ciastem zalewamy rozłożone w naczyniu jabłka i od razu wstawiamy do nagrzanego do temp. 200ºC piekarnika na 25-30 min (czas zapiekania zależy od wysokości zapiekanej warstwy). Upieczona legumina powinna mieć ładnie zrumieniony wierzch, a jej boki powinny lekko odstawać od formy. Podajemy na gorąco.

• oprócz czasu na zapiekanie

liczba porcji / 6
czas przygotowania / 30 min •
stopień trudności / średniotrudne
kaloryczność / średniokaloryczne
koszt / średniodrogie

liczba porcji / 6
czas przygotowania / 25 min •
stopień trudności / średniotrudne
kaloryczność / średniokaloryczne
koszt / średniodrogie

Legumina cytrynowa

s k ł a d n i k i : 2 dorodne, duże cytryny • 4 jajka
• 1/2 szklanki cukru pudru • szklanka tartej bułki przygotowanej
z mlecznych bułek i przesianej przez sito • tłuszcz do wysmarowania
formy • krążki cytryny i cukier kryształ do przybrania

Z przygotowanych cytryn ocieramy skórkę. Żółtka z cukrem ucieramy na bardzo puszysty kogel-mogel, dodajemy sok wyciśnięty z cytryn, otartą skórkę, mieszamy z pianą i tartą bułką. Całość delikatnie mieszamy drewnianą łyżką i przekładamy do wysmarowanej masłem formy do zapiekania. Deser wstawiamy do nagrzanego do temp. 150ºC piekarnika na 30-35 min (czas zapiekania zależy od wysokości zapiekanej warstwy). Legumina jest gotowa, gdy wierzch lekko się zrumieni, a boki odstają od brzegów formy.
Podajemy na gorących talerzykach, przybranych połówkami cienkich plasterków cytryny, obficie otoczonych cukrem.

• o p r ó c z   c z a s u   n a   z a p i e k a n i e

Legumina piankowa
– przepis z kuchni staropolskiej

s k ł a d n i k i : 0,5 l słodkiej, 18% śmietany • 1/2 szklanki mąki krupczatki lub mąki tortowej • 4 jajka • kieliszek aromatycznego rumu • 1/2 szklanki cukru pudru • sok z cytryny • skórka otarta z cytryny • konfitury z wiśni

Żółtka oddzielamy od białek, przekładamy do kubeczka, mieszamy z dodatkiem szczypty (czubek noża!) soli. Białka z cukrem ubijamy na sztywną pianę. Mąkę łączymy ze śmietaną. Gdy składniki się połączą i nie będzie nawet najmniejszych grudek, stawiamy na niewielkim ogniu i, cały czas lekko ubijając, zagotowujemy. Trzymamy na ogniu przez ok. 3 min, aż mąka się rozgotuje i straci smak surowizny. Odstawiamy do przechłodzenia. Do ciepłej, ale niegorącej masy dodajemy żółtka i skórkę otartą z cytryny, składniki lekko ubijamy, dodajemy pianę ubitą z białek. Całość delikatnie mieszamy drewnianą łyżką i układamy, w formie kopczyków, na metalowej tacce lub w żaroodpornym półmisku. Wstawiamy do nagrzanego do temp. 150-160ºC piekarnika i zapiekamy przez 30 min. Wyjmujemy, gdy lekko się zrumieni. Podajemy na gorąco, polaną sokiem z cytryny lub rumem, z dodatkiem konfitur.
Rada: jeżeli w czasie gotowania śmietany z mąką utworzą się grudki, masę należy dogotować, przetrzeć przez sito lub rozbić na puch w malakserze.

• o p r ó c z   c z a s u   n a   z a p i e k a n i e

liczba porcji / 6
czas przygotowania / 45 min •
stopień trudności / średniotrudne
kaloryczność / średniokaloryczne
koszt / średniodrogie

Tort bezowy z lodami

s k ł a d n i k i : 2 suche krążki bezowe (wielkości dużego, płaskiego talerza) • 0,5 l śmietany kremowej • łyżka cukru pudru • zagęstnik do śmietany • opakowanie cukru waniliowego • świeże owoce • 1 l lodów waniliowych lub śmietankowych

Owoce płuczemy, odsączamy na sicie, kilkanaście najbardziej dorodnych odkładamy do przybrania tortu. Krążek bezowy układamy na płaskim talerzu, otaczamy go kilkucentymetrowej wysokości paskiem folii aluminiowej, brzegi paska spinamy rzepami. Na wierzchu bezowego krążka układamy warstwę lodów, do środka wkładamy owoce, na nich rozkładamy pozostałe lody i całość natychmiast wstawiamy do zamrażarki.

Śmietanę ubijamy z dodatkiem cukru pudru, cukru waniliowego i zagęstnika. Na wierzchnim, bezowym krążku układamy część bitej śmietany i natychmiast wstawiamy do zamrażarki.

Tuż przed podaniem wyjmujemy dolny krążek, zdejmujemy foliową taśmę, wierzch i boki otaczamy bitą śmietaną, nakładamy górny krążek, przybieramy dekoracyjnie pozostałą bitą śmietaną i owocami.

Kawałki lodowego tortu kroimy ostrym, cienkim, dobrze rozgrzanym nożem i natychmiast podajemy.

liczba porcji / 12

czas przygotowania / 40 min

stopień trudności / średniotrudne

kaloryczność / wysokokaloryczne

koszt / średniodrogie

Lody z bananami w czekoladzie

s k ł a d n i k i : 4 banany • 4 porcje lodów śmietankowych • kieliszek aromatycznego rumu • 2 łyżki cukru • kopiasta łyżeczka dobrego gatunkowo, ciemnego kakao • 1/2 tabliczki (5 dag) twardej, gorzkiej czekolady • łyżeczka kawy rozpuszczalnej

Zagotowujemy 1/2 szklanki wody z cukrem i rumem, na wrzątek wrzucamy pokrojone w skośne plastry banany, trzymamy na ogniu minutę (w żadnym wypadku dłużej!), odstawiamy do lekkiego przechłodzenia.

Wyjęte łyżką cedzakową ciepłe plasterki bananów rozkładamy w równych ilościach na płaskich, wychłodzonych w lodówce, talerzykach, a do syropu, w którym banany się gotowały, dodajemy pokruszoną czekoladę, kakao, kawę i, cały czas mieszając, podgrzewamy, aż składniki się połączą i powstanie gęsty, aromatyczny, o aksamitnej konsystencji sos. Przed podaniem deseru, na talerzykach z zimnymi bananami kładziemy porcje lodów i zalewamy sosem. Podajemy bez innych dodatków.

liczba porcji / 4

czas przygotowania / 35 min

stopień trudności / średniotrudne

kaloryczność / średniokaloryczne

koszt / średniodrogie

liczba porcji / 6
czas przygotowania / 25 min
stopień trudności / średniotrudne
kaloryczność / średniokaloryczne
koszt / średniodrogie

Bomba bananowo-lodowa

s k ł a d n i k i : 6 małych bananów lub 3 duże • 6 porcji lodów waniliowych lub śmietankowych • szklanka śmietany kremowej • 1/2 szklanki konfitury malinowej

s o s   c z e k o l a d o w y : mała filiżanka wody • mała filiżanka cukru • 4 łyżeczki dobrego gatunkowo, ciemnego kakao • opakowanie cukru waniliowego • łyżeczka masła

Przygotowujemy sos: wszystkie składniki sosu dajemy do rondelka, stawiamy na niewielkim ogniu i, cały czas mieszając, zagotowujemy. Od chwili zagotowania trzymamy na niewielkim ogniu (sos powinien tylko lekko „mrugać"), cały czas mieszając, przez ok. 3 min, aż nabierze odpowiedniej konsystencji. Odstawiamy, ale od czasu do czasu mieszamy, by na sosie nie wytworzył się lekki kożuszek.

Na deserowych talerzykach rozkładamy plasterki bananów, na nich robimy dekoracyjne „kleksiki" z konfitur, nakładamy lodowe kule, całość przybieramy bitą śmietaną, polewamy sosem czekoladowym (gorącym lub zimnym) i od razu podajemy. Dodatkiem mogą być cienkie, kruche ciasteczka lub waflowe rurki.

liczba porcji / 6
czas przygotowania / 15 min
stopień trudności / łatwe
kaloryczność / średniokaloryczne
koszt / średniodrogie

Deser lodowy z ananasami

s k ł a d n i k i : 6 plastrów ananasa z syropu • 6 łyżek świeżych poziomek, drobnych truskawek lub malin • 0,5 l lodów śmietankowych lub waniliowych • szklanka śmietany kremowej • utarta, gorzka czekolada

Plasterki ananasa kroimy na części i układamy na spodzie szerokich pucharków, w taki sposób, by tworzyły cały krążek. W środek każdego kładziemy porcję świeżych owoców, boki ananasa otaczamy małymi, lodowymi kulkami, przybieramy bitą śmietaną, posypujemy utartą czekoladą i podajemy zaraz po przygotowaniu.

Rada: kulki lodowe najłatwiej uformować za pomocą okrągłej, ostrej łyżeczki do drążenia ziemniaków.

Luksusowy deser lodowy

liczba porcji / 6
czas przygotowania / 15 min•
stopień trudności / łatwe
kaloryczność / wysokokaloryczne
koszt / średniodrogie

s k ł a d n i k i : 6 dużych połówek gruszek z kompotu
• 6 łyżeczek konfitur • kieliszek dobrego alkoholu (winiak, brandy,
koniak) • 6 porcji lodów waniliowych lub śmietankowych • 6 porcji
lodów czekoladowych • 2 szklanki świeżych, miękkich owoców
(poziomki, truskawki, maliny, czarne jagody) • bita śmietana

Dokładnie wypłukane, odsączone świeże owoce przekładamy do salaterki, zalewamy alkoholem, odstawiamy w chłodne miejsce (nawet na godzinę).
Tuż przed podaniem deseru ubijamy śmietanę – powinna być ścisła i puszysta.
Na spodzie każdego pucharka układamy połowę gruszki, do środka po usuniętych gniazdach nasiennych wkładamy porcję konfitur oraz porcję lodów – jasnych i ciemnych. Całość przybieramy bitą śmietaną. Wierzch posypujemy nasączonymi, świeżymi owocami i natychmiast
podajemy.

• o p r ó c z   c z a s u   n a   m a c e r a c j ę   o w o c ó w

Mus czekoladowy z lodami

s k ł a d n i k i : 4 jajka • szklanka cukru • 1/2 szklanki cukru
pudru • 2 szklanki pełnego mleka lub mleka i słodkiej, 12% śmietany
(pół na pół) • 3 kopiaste łyżeczki dobrego gatunkowo, ciemnego
kakao lub mielonej czekolady • 4 kopiaste łyżeczki mielonej żelatyny
• cukier waniliowy • 0,5 l lodów śmietankowych lub waniliowych
• bita śmietana

Żelatynę moczymy w 4 łyżkach zimnej wody. Gdy napęcznieje, naczynie z żelatyną stawiamy na garnuszku z wrzątkiem (powinna się rozpuścić). Mleko i śmietanę zagotowu-

liczba porcji / 8
czas przygotowania / 40 min•
stopień trudności / średniotrudne
kaloryczność / wysokokaloryczne
koszt / średniodrogie

jemy z cukrem waniliowym. Żółtka ucieramy z cukrem, dodajemy kakao lub czekoladę, a gdy składniki dokładnie się połączą, dodajemy, lejąc bardzo powoli i cały czas ubijając, ciepłe mleko i rozpuszczoną żelatynę. Składniki nadal ubijamy, aż powstanie jednolity, bardzo puszysty mus, który od razu
wstawiamy na 10 min do lodówki. W tym czasie ubijamy białka z cukrem pudru, aż powstanie
ścisła i lśniąca piana. Mieszamy delikatnie, najlepiej drewnianą łyżką, z wychłodzonym musem
i natychmiast przekładamy do lekko zwilżonej, wysypanej miałkim cukrem, karbowanej formy i wstawiamy na kilka godzin (można do następnego dnia) do lodówki.
Mus kroimy w zgrabne porcje i wykładamy na płaski talerz. Podajemy na talerzykach lub w pucharkach, przybrany porcją lodów i bitą śmietaną. Osoby dorosłe mogą polać mus małym kieliszkiem aromatycznego rumu lub innym, ulubionym alkoholem.

• o p r ó c z   c z a s u   n a   w y c h ł o d z e n i e

liczba porcji / 4
czas przygotowania / 25 min
stopień trudności / średniotrudne
kaloryczność / średniokaloryczne
koszt / średniodrogie

Puchar brzoskwiniowo-lodowy

s k ł a d n i k i : puszka brzoskwiń w syropie (8 połówek owocu) • szklanka śmietany kremowej • 8 kulek waniliowych lodów (lub na przemian – waniliowe i śmietankowe) • łyżka utartej, gorzkiej czekolady • duży kieliszek (100 ml) dobrego alkoholu (winiak lub brandy) • płaska łyżeczka mąki ziemniaczanej • cukier • sok z cytryny

Odsączone brzoskwinie układamy w szerokich pucharkach stroną przeciętą do góry.
Przygotowujemy sos: do soku, odsączonego z brzoskwiń, dodajemy alkohol, zagotowujemy, łączymy z mąką ziemniaczaną, rozprowadzoną w niewielkiej ilości zimnej wody, zagotowujemy i trzymamy na ogniu przez minutę, by mąka straciła smak surowizny. Sos doprawiamy do smaku sokiem z cytryny i cukrem, odstawiamy do przechłodzenia.
Przed podaniem deseru ubijamy śmietanę. Owoce polewamy zimnym sosem, do wgłębień po pestkach wkładamy lodowe kulki, całość przybieramy bitą śmietaną i posypujemy utartą czekoladą. Oddzielnie podajemy pozostałą śmietanę.

Lody herbaciane

s k ł a d n i k i : 1/2 szklanki cukru • 2 łyżki cukru pudru do białek • 2 płaskie łyżki dobrej gatunkowo, aromatycznej, suchej herbaty • 2 szklanki pełnego mleka • szklanka śmietany kremowej • mała laska wanilii • 4 jajka • tarta czekolada

Wanilię dzielimy na cząstki, dajemy do mleka, zagotowujemy i wrzącym zalewamy listki herbaty. Naczynie przykrywamy, odstawiamy na 10 min do zaparzenia, cedzimy przez gęste sito.

liczba porcji / 1 l
czas przygotowania / 40 min
stopień trudności / średniotrudne
kaloryczność / wysokokaloryczne
koszt / średniodrogie

Żółtka ucieramy z cukrem na puszysty, gęsty kogel-mogel, łączymy z przechłodzoną, mleczną herbatą, lejąc bardzo powoli i cały czas ubijając. Naczynie wstawiamy na garnek z gorącą wodą i nadal ubijamy, aż masa zgęstnieje. Przekładamy do większego naczynia i odstawiamy w chłodne miejsce. Śmietanę ubijamy na puch, oddzielnie ubijamy białka z cukrem pudru. Do masy mleczno-jajecznej dodajemy ubitą śmietanę i białka, składniki delikatnie, ale dokładnie mieszamy (najlepiej drewnianą łyżką), przekładamy do formy lub salaterki i wstawiamy do zamrażalnika.
Lody najlepiej smakują następnego dnia. Przygotowane porcje oprószamy utartą czekoladą.

Płonące lody

s k ł a d n i k i : 6 kulek lodów waniliowych • 6 kulek lodów owocowych • 2 kiwi • duży banan • 6 łyżek sezonowych, miękkich owoców (maliny, truskawki, poziomki, czarne jagody, winogrona pozbawione pestek) • szklanka śmietany kremowej • 6 kostek cukru • 6 kawałków suchego wafla, nieco większych od kostek cukru • łyżka spirytusu

Na spodzie pucharków rozkładamy kulki lodów, posypujemy drobnymi owocami. Na nich formujemy zgrabny kopczyk z ubitej na bardzo gęsty puch śmietany, otaczamy plasterkami kiwi i bananów. Na czubku śmietanowego kopczyka kładziemy suchy wafel, na nim nasączoną spirytusem kostkę cukru i, wnosząc deser na stół, cukrowe kostki zapalamy. Lody prezentują się najpiękniej, gdy podajemy je o zmierzchu.

liczba porcji / **6**
czas przygotowania / **20 min**
stopień trudności / **łatwe**
kaloryczność / **średniokaloryczne**
koszt / **średniodrogie**

Lody z gorącą czekoladą

s k ł a d n i k i : 4 porcje lodów pistacjowych • 4 kiwi • duży banan

s o s : szklanka słodkiej, 18% śmietany • tabliczka (10 dag) twardej, gorzkiej czekolady • kieliszek likieru bananowego lub białego rumu

Lody układamy w pucharkach, obkładamy w sposób dekoracyjny plasterkami owoców i ustawiamy w zamrażalniku lodówki.
W rondelku rozgrzewamy śmietanę, nie dopuszczając, by się zagotowała. Do gorącej dodajemy pokruszoną czekoladę, mieszamy, aż całość dobrze się połączy, wlewamy alkohol, nadal mieszamy.
Wychłodzone porcje lodów wyjmujemy z lodówki, polewamy gorącym sosem i natychmiast podajemy.

liczba porcji / **4**
czas przygotowania / **15 min**
stopień trudności / **łatwe**
kaloryczność / **średniokaloryczne**
koszt / **średniodrogie**

Purée z ananasów z lodami

s k ł a d n i k i : puszka ananasów w plastrach • 4 kulki lodów śmietankowych • szklanka śmietany kremowej • kieliszek białego, wytrawnego wina • płaska łyżeczka mąki ziemniaczanej • sok z cytryny • cukier do smaku

Ananasy odsączamy na sicie.

Przygotowujemy sos: sok z ananasów łączymy z winem, zagotowujemy, łączymy z mąką ziemniaczaną, wymieszaną z minimalną ilością zimnej wody, zagotowujemy, trzymamy na ogniu przez 2 min, by mąka straciła smak surowizny. Doprawiamy do smaku sokiem z cytryny i cukrem. Odstawiamy do wychłodzenia.

Przed podaniem deseru plastry ananasa rozbijamy w malakserze na mus, rozkładamy do szerokich, wyziębionych pucharków. W środku musu robimy lekkie wgłębienie, nakładamy kulkę lodów, całość przybieramy bitą śmietaną i polewamy sosem. Podajemy z rurkami waflowymi lub biszkopcikami szampankami.

liczba porcji / 4
czas przygotowania / 25 min
stopień trudności / średniotrudne
kaloryczność / średniokaloryczne
koszt / średniodrogie

Kisiel truskawkowy

s k ł a d n i k i : 0,5 l truskawek pasteryzowanych w cukrze • 2 szklanki dobrej wody • sok z cytryny i cukier do smaku • łyżka mąki ziemniaczanej • 400 ml naturalnego jogurtu • łyżeczka skórki otartej z cytryny

Truskawki i wodę podgrzewamy. Ciepłe przecieramy przez perlonowe sito, gdy trzeba, doprawiamy do smaku cukrem i sokiem z cytryny.

Przetarte truskawki stawiamy na ogień, zagotowujemy, dodajemy mąkę ziemniaczaną wymieszaną z niewielką ilością wody i ponownie zagotowujemy. Trzymamy na ogniu przez 2 min (mąka powinna stracić smak surowizny). Gorący kisiel rozlewamy do salaterek, odstawiamy do przechłodzenia.

Przed podaniem polewamy sosem jogurtowym, lekko spienionym ze skórką otartą z cytryny.

liczba porcji / 6
czas przygotowania / 25 min
stopień trudności / średniotrudne
kaloryczność / średniokaloryczne
koszt / tanie

Kisiel z jabłkowego soku z bakaliami

liczba porcji / 2
czas przygotowania / 30 min
stopień trudności / średniotrudne
kaloryczność / średniokaloryczne
koszt / średniodrogie

s k ł a d n i k i : 1 i 1/2 szklanki soku z jabłek (może być z kartonika) • 1/2 szklanki dobrej wody • 2 łyżeczki mąki ziemniaczanej + 2 łyżki wody • 2 łyżki cukru • łyżka rodzynek • 2 suszone morele • 5 migdałów • kieliszek białego, deserowego wina

W 1/2 szklanki wody z dodatkiem kieliszka wina gotujemy pokrojone w cienkie paseczki morele, miękkie odstawiamy do przechłodzenia. Do letnich moreli dodajemy rodzynki, by napęczniały. Migdały parzymy, zdejmujemy skórkę, kroimy w paseczki.

Sok zagotowujemy z cukrem, dodajemy wszystkie bakalie wraz z winem, w którym się moczyły, zalewamy wodą wymieszaną z mąką ziemniaczaną, całość gotujemy, cały czas mieszając, przez 2 min, aż mąka straci smak surowizny. Gorący kisiel rozlewamy do miseczek, lekko chłodzimy. Podajemy letni. Deser można polać łyżeczką słodkiej śmietanki.

liczba porcji / 6
czas przygotowania / 30 min•
stopień trudności / średniotrudne
kaloryczność / średniokaloryczne
koszt / tanie

Krem rabarbarowy

s k ł a d n i k i : 50 dag dorodnego, malinowego rabarbaru • galaretka • 2 szklanki dobrej wody • skórka okrojona z całej cytryny • 2 goździki • 1/2 szklanki cukru • szklanka soku malinowego • szklanka śmietany kremowej

Umytego rabarbaru nie obieramy, kroimy w bardzo drobną kostkę. Zagotowujemy 2 szklanki wody, dodajemy cukier, cienko okrojoną skórkę z cytryny i sok malinowy, zagotowujemy, wrzucamy rabarbar i na średnim ogniu gotujemy przez 4-5 min. Zdejmujemy z ognia, do gorącego sypiemy galaretkę, dokładnie mieszamy, aż całość się rozpuści, odstawiamy do przechłodzenia. Wcześniej odrzucamy skórkę z cytryny i goździki.

Gdy masa rabarbarowa będzie zimna, ubijamy śmietanę, łączymy delikatnie, ale dokładnie mieszając, rozkładamy porcje w pucharkach. Krem podajemy dobrze wychłodzony, przybrany świeżymi malinami lub łyżeczką malinowych konfitur.

• oprócz czasu na wychłodzenie

Mus jabłkowy

s k ł a d n i k i : 2 szklanki jasnego musu jabłkowego
(z papierówek lub antonówek) • szklanka soku jabłkowego (może
być z kartonika) • szklanka białego, deserowego wina • łyżka cukru
• galaretka o smaku cytrynowym • 400 ml naturalnego jogurtu
• łyżka cukru pudru • cukier waniliowy • smażone wiśnie z konfitur
• świeże listki melisy

Sok z jabłek, wino i cukier mocno podgrzewamy, nie dopuszczając, by się zagotowały. Zestawiamy z ognia, sypiemy galaretkę i mieszamy, aż całkowicie się rozpuści.
Galaretkę wylewamy na płaski talerz, odstawiamy do zastygnięcia.
Wychłodzoną, twardą galaretkę kroimy w drobną kostkę, łączymy z musem, rozkładamy w pucharkach. Jogurt
lekko ubijamy z cukrem pudrem i cukrem waniliowym,
polewamy deser, na wierzchu układamy odsączone z konfitur wiśnie, całość przybieramy listkiem świeżej melisy.
Oddzielnie możemy podać małe biszkopciki.

• oprócz czasu na zastygnięcie galaretki

liczba porcji /	6
czas przygotowania /	20 min •
stopień trudności /	średniotrudne
kaloryczność /	średniokaloryczne
koszt /	średniodrogie

liczba porcji /	6
czas przygotowania /	20 min
stopień trudności /	średniotrudne
kaloryczność /	średniokaloryczne
koszt /	średniodrogie

Mus ananasowy
wykwintny

s k ł a d n i k i : puszka ananasów w plastrach • 2 kopiaste
łyżeczki mielonej żelatyny • rum • rodzynki • bita śmietana • wiórki
z gorzkiej czekolady

W niewielkiej ilości zimnej wody spulchniamy żelatynę,
gdy napęcznieje, rozpuszczamy w 2 łyżkach wrzątku
i mieszamy, aż znikną wszelkie grudki.
Ananasy wraz z syropem z zalewy miksujemy, gdy mus
będzie jednolity, dodajemy rozpuszczoną żelatynę, całość
miksujemy przez 30 s, by składniki dobrze się połączyły, od razu przelewamy do dużej salaterki i wstawiamy
do lodówki (nawet na kilka godzin). Po wychłodzeniu
mus nie powinien być zbyt ścisły.
Przed podaniem porcje musu rozkładamy w pucharkach,
posypujemy rodzynkami, kropimy rumem, przybieramy
bitą śmietaną i posypujemy czekoladowymi wiórkami.

liczba porcji / 6
czas przygotowania / 15 min
stopień trudności / średniotrudne
kaloryczność / średniokaloryczne
koszt / średniodrogie

Mus ananasowy

s k ł a d n i k i : puszka ananasów w plastrach • szklanka śmietany kremowej • rurki waflowe do dekoracji

Ananasy lekko odsączamy z soku, przekładamy do malaksera i rozbijamy na puszysty mus. Gdy będzie zbyt ścisły, dodajemy łyżkę soku. Gotowy wykładamy do pucharków, wstawiamy do lodówki, dobrze schładzamy. Przed podaniem ubijamy śmietanę, na porcje musu nakładamy zgrabny „śmietanowy czub", przybieramy listkiem świeżej melisy.

Krem pomarańczowy z bananami
według Cioci Godziszewskiej

s k ł a d n i k i : 4 jajka • 4 kopiaste łyżeczki mielonej żelatyny
• szklanka naturalnego soku pomarańczowego • sok z całej
cytryny • 3 duże łyżki cukru pudru • szklanka śmietany kremowej
• 2 duże, bezpestkowe pomarańcze • 3 dorodne banany

Żelatynę moczymy w niewielkiej ilości zimnej wody, odstawiamy, by napęczniała. Obrane banany kroimy w ukośne plasterki. Dokładnie wyszorowane pod gorącą wodą pomarańcze kroimy w cienkie krążki. Żółtka z cukrem pudrem ucieramy na puszysty kogel-mogel. Sok z pomarańczy wraz z sokiem z cytryny podgrzewamy, nie dopuszczając, by się zagotował. Do gorącego soku dodajemy napęczniałą żelatynę, dokładnie mieszamy.

Ubite żółtka ustawiamy na naczyniu z gorącą wodą, dolewamy bardzo powoli, cały czas ubijając, soki z żelatyną, całość ubijamy przez 3 min, aż składniki dobrze się połączą. Odstawiamy do wychłodzenia. Zimny krem łączymy z ubitą śmietaną i ubitymi oddzielnie na sztywną pianę białkami, całość delikatnie mieszamy i natychmiast nakładamy do pucharków, przekładając krążkami pomarańczy i plasterkami bananów w taki sposób, by na wierzchu była kompozycja z owoców. Krem podajemy dobrze wychłodzony, nie później niż godzinę po przygotowaniu.

liczba porcji / 8
czas przygotowania / 45 min
stopień trudności / średniotrudne
kaloryczność / wysokokaloryczne
koszt / średniodrogie

Krem winogronowy

s k ł a d n i k i : duża kiść (60 dag) winogron • szklanka
śmietany kremowej • zagęstnik do śmietany • 3/4 szklanki cukru
pudru • sok z cytryny • 2 łyżki lekko zrumienionych płatków
migdałowych

Z winogron wybieramy i odkładamy 12 najładniejszych
owoców do przybrania deseru, pozostałe pozbawiamy
pestek i miksujemy na mus. Pod koniec miksowania do
owoców dodajemy połowę cukru i sok z cytryny. Kre-
mówkę ubijamy wraz z pozostałym cukrem i zagęstnikiem. Ubitą śmietanę z winogronami delikatnie, ale dokładnie mieszając, od razu przekładamy do pucharków,
przybieramy winogronami i posypujemy migdałowymi
płatkami. Podajemy zaraz po przygotowaniu.

liczba porcji / 6

czas przygotowania / 20 min

stopień trudności / średniotrudne

kaloryczność / **wysokokaloryczne**

koszt / średniodrogie

Krem winny

s k ł a d n i k i : 4 jajka • szklanka cukru pudru • szklanka
białego, wytrawnego wina • skórka otarta z cytryny (płaska łyżeczka)
• rurki waflowe lub małe biszkopciki szampanki do przybrania

W misce ubijamy jajka z cukrem pudrem. Gdy masa jajeczna stanie się jednolita i puszysta, stawiamy miskę na
naczyniu z wrzącą wodą i, cały czas ubijając, wlewamy
małymi partiami wino. Skórkę otartą z cytryny dokładamy pod koniec ubijania.
Dobrze ubity, gęsty krem, zaraz po zdjęciu z „podgrzewacza" rozlewamy do pucharków i, jeszcze ciepły, podajemy. Oddzielnie dajemy rurki waflowe i biszkopciki.

liczba porcji / 4

czas przygotowania / 15 min

stopień trudności / łatwe

kaloryczność / **wysokokaloryczne**

koszt / średniodrogie

Krem kawowy
według przepisu mojej Babci

s k ł a d n i k i : łyżka mielonej żelatyny • szklanka pełnego mleka • szklanka śmietany kremowej • łyżka mąki ziemniaczanej • czubata łyżeczka kawy rozpuszczalnej • 4 jajka • 1/2 szklanki cukru pudru • łyżeczka cukru pudru do ubicia piany z białek

Żelatynę mieszamy z łyżką zimnej wody, odstawiamy, by napęczniała. Kawę rozpuszczamy w 3 łyżkach wrzątku, odstawiamy do przechłodzenia. Żółtka z cukrem pudrem ucieramy na gęsty kogel-mogel. Mąkę ziemniaczaną rozprowadzamy w 2 łyżkach zimnego mleka i, mieszając, gotujemy przez 2 min, aż mąka straci smak surowizny.
Do zagęszczonego mleka dodajemy kawę, mieszamy, dodajemy utarte żółtka, rozpuszczoną na parze żelatynę, naczynie zestawiamy z ognia i odstawiamy do wychłodzenia.
Śmietanę ubijamy na puch, oddzielnie ubijamy białka z cukrem pudrem. Zimną masę kawową łączymy ze śmietaną i białkami, dokładnie mieszamy drewnianą łyżką, przekładamy krem do pucharków, odstawiamy w chłodne miejsce do stężenia.
Podajemy wraz z filiżanką świeżo parzonej, aromatycznej, czarnej kawy. Osoby dorosłe mogą polać krem likierem kawowym lub ajerkoniakiem.

liczba porcji /	6
czas przygotowania /	45 min
stopień trudności /	średniotrudne
kaloryczność /	średniokaloryczne
koszt /	średniodrogie

Krem malinowy

s k ł a d n i k i : 60 dag dorodnych, świeżych malin (waga po przebraniu owoców) • szklanka cukru • sok i skórka otarta z cytryny • galaretka malinowa • szklanka śmietany kremowej • świeże listki melisy

Przebrane, wypłukane maliny przekładamy do szerokiego rondla, zasypujemy cukrem, odstawiamy na kilka godzin w ciepłe miejsce. Gdy puszczą sok, dodajemy do nich szklankę dobrej wody (ważne!) oraz sok i skórkę otartą z cytryny, trzymamy przez 10 min na średnim ogniu i od razu przecieramy przez gęste sito. Galaretkę mieszamy w 1/2 szklanki zimnej wody, dokładnie wymieszaną dodajemy do gorącego syropu. Mieszamy tak długo, aż całość się rozpuści.
Porcje rozlewamy do pucharków, odstawiamy do wychłodzenia. Przed podaniem przybieramy ubitą śmietaną, świeżymi owocami i listkami melisy.

liczba porcji /	6
czas przygotowania /	35 min
stopień trudności /	średniotrudne
kaloryczność /	średniokaloryczne
koszt /	średniodrogie

Krem „ptasie mleczko"

s k ł a d n i k i : szklanka surowych białek • 3/4 szklanki cukru pudru • szklanka śmietany kremowej • 1/2 opakowania galaretki owocowej o ulubionym smaku • 1/2 szklanki dobrej wody • rurki waflowe w czekoladzie

W 1/2 szklanki gorącej wody rozpuszczamy galaretkę, mieszamy bardzo dokładnie, odstawiamy. Śmietanę ubijamy na bardzo gęstą, puszystą masę. Oddzielnie ubijamy białka z cukrem pudrem. Gdy piana jest bardzo ścisła, łączymy, cały czas ubijając, z chłodną, płynną galaretką, dodajemy ubitą śmietanę, składniki delikatnie, ale dokładnie mieszamy i od razu rozkładamy deser do pucharków. Wstawiamy do lodówki, nawet na kilka godzin.

liczba porcji /	6
czas przygotowania /	50 min
stopień trudności /	średniotrudne
kaloryczność /	średniokaloryczne
koszt /	średniodrogie

Krem cytrynowy
według Cioci Godziszewskiej

s k ł a d n i k i : 3 dorodne, o gładkiej skórce cytryny • szklanka cukru pudru • 5 dużych jajek • kieliszek (100 ml) białego rumu lub wytrawnej cytrynówki • czubata łyżka mielonej żelatyny • 2 łyżki cukru (grubego kryształu)

Żelatynę moczymy w 2 łyżkach wody, gdy napęcznieje, dodajemy 2 łyżki wrzątku, mieszamy, stawiamy na naczyniu z wrzącą wodą, aż całkowicie się rozpuści.
Z umytych wrzątkiem cytryn ścieramy skórkę, wyciskamy sok, uważając, by nie dostały się pestki.
Białka z cukrem pudrem ubijamy na sztywną pianę, dodajemy, po jednym, całe żółtka, następnie, cały czas ubijając, skórkę i sok z cytryny, alkohol i, jako ostatni produkt, rozpuszczoną żelatynę. Całość bardzo dokładnie mieszamy, najlepiej drewnianą łyżką i od razu przelewamy do opłukanej zimną wodą i wysypanej grubym cukrem salaterki. Deser wstawiamy do lodówki na 2 godz. lub nieco dłużej. Przed wyłożeniem na talerz zanurzamy na moment formę we wrzącej wodzie i kroimy krem w zgrabne romby, jak tort.

liczba porcji /	średniej wielkości salaterka
czas przygotowania /	30 min
stopień trudności /	średniotrudne
kaloryczność /	wysokokaloryczne
koszt /	średniodrogie

Krem cytrynowy
orzeźwiający

s k ł a d n i k i : 0,5 l śmietany kremowej • zagęstnik
do śmietany • 2 białka • 1/2 szklanki cukru pudru • otarta skórka
i sok z 2 dużych cytryn • 6 bardzo cienkich plasterków cytryny,
obficie otoczonych cukrem

Śmietanę ubijamy na bardzo sztywną pianę, dodajemy
2 łyżki cukru pudru, otartą skórkę i cały sok wyciśnięty
z owoców. Łączymy z pianą ubitą z białek wraz z pozostałym cukrem pudrem i przecedzonym sokiem z cytryny. Do kremu nie należy dodawać żelatyny, białko wspaniale usztywni i nada puszystości.
Przygotowany krem rozkładamy w pucharkach, wstawiamy na kilka minut do lodówki. Przed podaniem przybieramy plasterkami otoczonej cukrem cytryny.

liczba porcji / 6
czas przygotowania / 20 min
stopień trudności / średniotrudne
kaloryczność / wysokokaloryczne
koszt / średniodrogie

Krem cytrynowy
wyborny

s k ł a d n i k i : szklanka śmietany kremowej • zagęstnik
do śmietany • 2 jajka • łyżka świeżego masła • 3 łyżki cukru pudru
• łyżeczka mielonej żelatyny • sok i skórka otarta z całej, dużej
cytryny • 1/2 łyżeczki esencji cytrynowej • 6 plasterków cytryny
• cukier (gruby kryształ) • opakowanie galaretki cytrynowej
• 2 łyżki wrzącego mleka

Galaretkę rozpuszczamy w 1 i 1/2 szklanki gorącej wody, rozlewamy na płaskim talerzu, odstawiamy w chłodne miejsce. Żelatynę moczymy, gdy napęcznieje, rozpuszczamy bardzo dokładnie we wrzącym mleku.
Masło ucieramy na puch, dodajemy cukier puder, żółtka,
skórkę otartą z cytryny, składniki ucieramy, dodajemy
rozpuszczoną żelatynę, esencję cytrynową i wyciśnięty
z cytryny sok. Składniki dokładnie, ale delikatnie mieszamy, dodajemy pianę ubitą z białek i od razu rozkładamy krem w pucharkach. Wstawiamy do lodówki, nawet na 30 min. Przed podaniem pucharki przybieramy
plasterkami cytryny, zanurzonymi w grubym cukrze i posypujemy całość drobno posiekaną galaretką.

liczba porcji / 6
czas przygotowania / 20 min
stopień trudności / średniotrudne
kaloryczność / wysokokaloryczne
koszt / średniodrogie

Wytrawny krem wiśniowy
tylko dla dorosłych

s k ł a d n i k i : 2 szklanki drylowanych, odsączonych z nadmiaru soku wiśni • duży kieliszek (100 ml) likieru wiśniowego lub wiśniaku na rumie • 2 łyżki cukru pudru • szklanka śmietany kremowej • zagęstnik do śmietany • wiórki czekoladowe • rurki waflowe

Śmietanę ubijamy na bardzo gęstą i puszystą masę, dodajemy zagęstnik i cukier puder. Pod koniec ubijania łączymy, lejąc bardzo powoli i cały czas ubijając, z alkoholem.
Wiśnie rozkładamy w pucharkach, przybieramy ubitym kremem, wstawiamy porcje do lodówki (nawet na 30 min). Krem podajemy posypany wiórkami czekoladowymi z dodatkiem waflowych rurek.

liczba porcji / **4**
czas przygotowania / **20 min**
stopień trudności / **średniotrudne**
kaloryczność / **wysokokaloryczne**
koszt / **średniodrogie**

Krem brzoskwiniowy

s k ł a d n i k i : puszka brzoskwiń w syropie • szklanka śmietany kremowej • zagęstnik do śmietany • 2 kopiaste łyżki cukru pudru • sok z całej cytryny • kieliszek likieru brzoskwiniowego lub innego alkoholu (brandy, winiak) • świeże listki melisy

Najbardziej dorodne 2 połówki brzoskwiń odkładamy do przybrania deseru, pozostałe owoce wraz z 2 łyżkami syropu rozbijamy w malakserze na jednolity mus z sokiem z cytryny i alkoholem. Śmietanę ubijamy z cukrem pudrem i zagęstnikiem. Gdy będzie bardzo ścisła, łączymy z musem z brzoskwiń, składniki dokładnie mieszamy. Krem rozkładamy w pucharkach i wstawiamy do lodówki.
Przed podaniem porcje przybieramy cząstkami brzoskwiń i listkami melisy.

liczba porcji / **6**
czas przygotowania / **25 min**
stopień trudności / **średniotrudne**
kaloryczność / **wysokokaloryczne**
koszt / **średniodrogie**

Owoce
w rumowym cieście

liczba porcji / ok. 25 sztuk
czas przygotowania / 75 min
stopień trudności / średniotrudne
kaloryczność / średniokaloryczne
koszt / średniodrogie

s k ł a d n i k i : szklanka mleka • 2 średniej wielkości kieliszki ciemnego rumu • szczypta soli • 2 łyżki cukru pudru • 8 kopiastych łyżek mąki tortowej • płaska łyżeczka proszku do pieczenia • 2 łyżki oliwy • puszka ananasów w syropie • puszka brzoskwiń • kilka dorodnych, dojrzałych gruszek • dobry olej do smażenia

Przygotowujemy ciasto: do miksera wlewamy mleko, rum, dodajemy sól i cukier puder. Gdy składniki się spienią, siejemy przez sito mąkę z proszkiem oraz oliwę. Wyrabiamy ciasto (3-4 min) – nieco bardziej ścisłe niż na naleśniki. Odstawiamy na kilka minut, by „odpoczęło". Gruszki obieramy ze skórki, kroimy wzdłuż, odrzucamy gniazda nasienne i ogonki, ananasy i brzoskwinie odsączamy na sicie (nie dzielimy na części!).
W głębokim rondlu rozgrzewamy tłuszcz. Na gorący kładziemy otoczone ciastem kawałki owoców, najłatwiej wbijając każdy na ostry widelec, i smażymy z obu stron, aż będą rumiane i chrupiące. Wyjmujemy na warstwę bibuły, odsączamy z nadmiaru tłuszczu, układamy na paterze, lekko oprószamy cukrem pudrem. Podajemy ciepłe.

Owoce
w sosie jogurtowym

s k ł a d n i k i : 2 duże, bezpestkowe pomarańcze • 2 duże banany • 20 dużych, dojrzałych śliwek węgierek • 2 kieliszki (100 ml) likieru pomarańczowego lub innego, dobrego alkoholu • posiekane orzeszki pistacjowe wymieszane z utartą, gorzką czekoladą

s o s : 400 ml naturalnego jogurtu • 2 łyżki cukru pudru • sok z cytryny • 1/2 łyżeczki skórki otartej z cytryny

Obrane z białych błon cząstki pomarańczy kroimy na połowę, rozkładamy w pucharkach, delikatnie kropimy alkoholem. Pokrojone w cienkie półplasterki banany rozkładamy na cząstkach pomarańczy, także kropimy alkoholem. Pozbawione pestek i pokrojone w cząstki śliwki rozkładamy na wierzchu, kropimy pozostałym alkoholem, przykrywamy i wstawiamy do lodówki.
Przed podaniem jogurt z cukrem pudrem lekko ubijamy, doprawiamy sokiem i skórką otartą z cytryny. Spienionym sosem polewamy wychłodzone owoce, posypujemy orzeszkami pistacjowymi zmieszanymi z utartą czekoladą.

liczba porcji / 6
czas przygotowania / 25 min
stopień trudności / średniotrudne
kaloryczność / średniokaloryczne
koszt / średniodrogie

liczba porcji / 6
czas przygotowania / 30 min
stopień trudności / średniotrudne
kaloryczność / wysokokaloryczne
koszt / średniodrogie

Jesienny poemat

s k ł a d n i k i : 50 dag dorodnych śliwek węgierek (waga bez pestek) • 50 dag winogron (same owoce) • 1 i 1/2 szklanki pełnego mleka • 4 łyżki cukru • opakowanie cukru waniliowego • łyżeczka masła • budyń waniliowy • szklanka śmietany kremowej • kilka owoców w całości i świeże listki melisy do przybrania deseru

Szklankę mleka zagotowujemy z cukrem, cukrem waniliowym i masłem. Do wrzącego mleka wsypujemy budyń, rozprowadzony w pozostałym, zimnym mleku i cały czas mieszając, gotujemy przez 2 min bardzo gęsty budyń, aż straci smak surowizny. Przekładamy do miseczki, odstawiamy w chłodne miejsce. Letni budyń ubijamy mikserem ze śmietaną, aż masa budyniowo-kremowa stanie się pulchna.
Śliwki po wypestkowaniu kroimy w cienkie paseczki, winogrona kroimy na połowę, odrzucamy pestki.
Letni budyń ubijamy, gdy masa się spulchni, dodajemy przygotowane owoce, całość delikatnie, najlepiej drewnianą łyżką, mieszamy, rozkładamy w pucharkach, przybieramy owocami i świeżymi listkami melisy. Podajemy niewychłodzony, nie później niż 10 min po przygotowaniu.

liczba porcji / 6
czas przygotowania / 25 min
stopień trudności / łatwe
kaloryczność / średniokaloryczne
koszt / średniodrogie

Deser śliwkowy

s k ł a d n i k i : 35 dag białego, dobrze odciśniętego sera (nie może być pokruszony!) • 60 dag dorodnych śliwek węgierek (waga po odrzuceniu pestek) • duży banan • filiżanka drobno posiekanych bakalii • szklanka śmietany kremowej • kopiasta łyżka cukru pudru • opakowanie cukru waniliowego • orzeszki pistacjowe

Wymyte, wytarte do sucha, pozbawione pestek śliwki kroimy w „makaronik", banana w cienkie półplasterki, ser w zgrabne, niezbyt duże kostki.
Na spodzie pucharków rozkładamy kostki sera i warstwami: półplasterki banana i śliwki. Śmietanę lekko spieniamy, dodając cukier puder i cukier waniliowy. Sosem zalewamy deser, wierzch posypujemy rozdrobnionymi orzeszkami pistacjowymi. Podajemy zaraz po przygotowaniu.

Śliwki po królewsku

s k ł a d n i k i : 32 duże, dojrzałe, jędrne śliwki węgierki
• kieliszek winiaku lub brandy • szklanka posiekanych bakalii (figi,
daktyle, morele, rodzynki sułtanki) • szklanka śmietany kremowej
do ubicia lub śmietana deserowa w sprayu

Umyte śliwki wycieramy do sucha, usuwamy pestki, układamy w salaterce, zalewamy alkoholem, szczelnie przykrywamy aluminiową folią i ustawiamy na godzinę
w chłodnym miejscu. Drobno posiekane bakalie mieszamy z rodzynkami. Nasiąknięte alkoholem śliwki kroimy
w cienkie paseczki, rozkładamy w szklanych pucharkach,
posypujemy bakaliami, zalewamy alkoholem, w którym
śliwki się moczyły, i ponownie stawiamy w chłodnym
miejscu. Przed podaniem przybieramy ubitą śmietaną.

• oprócz czasu na macerację bakalii

liczba porcji / 4
czas przygotowania / 20 min •
stopień trudności / średniotrudne
kaloryczność / wysokokaloryczne
koszt / drogie

Gruszki w aromatycznym sosie

s k ł a d n i k i : 4 dorodne gruszki • 2 kopiaste łyżki cukru
• kawałek cienko okrojonej skórki z cytryny • 4 dorodne śliwki
węgierki • łyżka drobno posiekanych daktyli

s o s : szklanka pełnego mleka • łyżka cukru • łyżeczka masła
• kopiasta łyżeczka budyniowego proszku (może być waniliowy)
• 2 łyżki zimnego mleka

Obrane gruszki kroimy wzdłuż na połowę, odrzucamy
szypułki i gniazda nasienne. Do szerokiego rondla wlewamy 2 szklanki dobrej wody, dodajemy cukier i skórkę
z cytryny, zagotowujemy, dodajemy połówki gruszek i gotujemy na niewielkim ogniu, aż owoce będą szkliste (czas
gotowania zależy od wielkości i gatunku gruszek). Wyjmujemy z syropu gorące, łyżką cedzakową, rozkładamy
po 2 połówki na płaskich, deserowych talerzykach, miejscem po gniazdach nasiennych do góry. Do wnętrza owoców kładziemy łyżeczkę posiekanych daktyli, przykrywamy połówką śliwki, odstawiamy w chłodne miejsce.
Przygotowujemy sos: w zimnym mleku rozprowadzamy

budyń. Mleko zagotowujemy z cukrem, dodajemy syrop, w którym gotowały się gruszki, i masło,
zalewamy wymieszaną z mlekiem budyniową mączką, dokładnie mieszamy i gotujemy całość na
niewielkim ogniu przez 2 min, cały czas mieszając.

Przechłodzonym, letnim sosem zalewamy przygotowane owoce. Deser najlepiej smakuje podany
w temperaturze pokojowej.

liczba porcji / 4
czas przygotowania / 35 min
stopień trudności / średniotrudne
kaloryczność / średniokaloryczne
koszt / średniodrogie

liczba porcji / 4
czas przygotowania / 20 min
stopień trudności / średniotrudne
kaloryczność / wysokokaloryczne
koszt / średniodrogie

Morelowy specjał

s k ł a d n i k i : 8 dorodnych, dojrzałych moreli
• mały słoik malinowego, domowego dżemu
lub malinowej, naturalnej galaretki • 4 łyżeczki koniaku
lub brandy • bita śmietana • zagęstnik do śmietany
• świeże listki melisy

Morele kroimy na połowę, odrzucamy pestki, rozkładamy w płaskich, szerokich pucharkach, po 4 połówki w każdym, stroną wewnętrzną do góry. Do wgłębienia po pestce nakładamy łyżeczkę malinowego dżemu lub galaretki. Owoce kropimy alkoholem, przykrywamy, w sposób dekoracyjny, bitą śmietaną i przybieramy świeżymi listkami melisy. Podajemy nie później niż 10 min po przygotowaniu.

Biszkopciki
z morelowym
puchem

s k ł a d n i k i : szklanka suszonych moreli
• 1/3 szklanki cukru • mały kieliszek (50 ml) brandy
• mały kieliszek (50 ml) likieru pomarańczowego
• 2 łyżki śmietany kremowej

Morele zalewamy szklanką letniej, przegotowanej wody, odstawiamy (można na całą

liczba porcji / 4
czas przygotowania / 20 min *
stopień trudności / średniotrudne
kaloryczność / średniokaloryczne
koszt / drogie

noc!). Do napęczniałych owoców sypiemy cukier i na niewielkim ogniu rozgotowujemy (czas zależy od wielkości i stopnia wysuszenia owoców). Miękkie przecieramy przez perlonowe sito, doprawiamy alkoholem, dodajemy śmietanę i całość delikatnie ubijamy.
Na spodzie pucharków układamy po jednym, płaskim biszkopciku, na nim formujemy zgrabną piramidkę morelowego puchu, deser odstawiamy w chłodne miejsce, ale nie do lodówki. Podajemy nie później niż 30 min po przygotowaniu.

* o p r ó c z   c z a s u   n a   r o z g o t o w a n i e   o w o c ó w

Galaretka karmelowa z mandarynkami

liczba porcji / 4
czas przygotowania / 30 min
stopień trudności / średniotrudne
kaloryczność / średniokaloryczne
koszt / średniodrogie

s k ł a d n i k i : 2 szklanki pełnego mleka • 4 łyżki cukru • cukier waniliowy • 2 kopiaste łyżeczki mielonej żelatyny • 2 łyżki zimnego mleka • 4 dorodne, bezpestkowe mandarynki • 4 płaskie łyżeczki cukru pudru

Żelatynę mieszamy z zimnym mlekiem, odstawiamy, by napęczniała. Mandarynki obieramy ze skórki, z cząstek zdejmujemy białą błonkę. Do każdego pucharka wkładamy obrane cząstki mandarynki, zasypujemy cukrem pudrem, odstawiamy w chłodne miejsce.
Na suchej patelni rumienimy łyżkę cukru, gdy mocno zbrązowieje, zalewamy 1/3 szklanki zimnej wody, zagotowujemy, cały czas mieszając, aż cukier całkowicie się rozpuści. Mleko zagotowujemy z cukrem i cukrem waniliowym, dodajemy karmel i napęczniałą żelatynę, mieszamy, aż składniki całkowicie się połączą, a żelatyna rozpuści, odstawiamy na kilka minut.
Przechłodzoną galaretką zalewamy przygotowane w pucharkach mandarynki, porcje odstawiamy do lodówki. Podajemy z „kleksikiem" bitej śmietany.

Brzoskwinie w winie
według Pana Wojewody

s k ł a d n i k i : puszka brzoskwiń w syropie • kopiasta łyżka cukru pudru • 2 szklanki (może być nieco więcej) białego, deserowego lub półsłodkiego wina • szklanka śmietany kremowej • zagęstnik do śmietany

Brzoskwinie kroimy na cząstki (z każdej połówki robimy 6 cząstek), układamy w szklanej salaterce, posypujemy cukrem pudrem, zalewamy winem, owijamy szczelnie w folię aluminiową i wstawiamy do lodówki, do wychłodzenia, nawet na 2 godz.
Przed podaniem deseru ubijamy śmietanę wraz z zagęstnikiem, gdy dobrze zgęstnieje i nabierze puszystości, wlewamy bardzo powoli, cały czas ubijając, syrop z brzoskwiń. Śmietanę, zaraz po ubiciu, rozkładamy w sposób dekoracyjny na wierzchu salaterki z wychłodzonymi owocami. Deser przekładamy głęboką łyżką do szklanych pucharków. Oddzielnie możemy podać niewielkie porcje biszkoptowego ciasta lub małe biszkopciki szampanki.

* o p r ó c z   c z a s u   n a   w y c h ł o d z e n i e

liczba porcji / 8
czas przygotowania / 15 min *
stopień trudności / średniotrudne
kaloryczność / wysokokaloryczne
koszt / średniodrogie

Brzoskwinie w sosie królewskim

s k ł a d n i k i : puszka brzoskwiń w syropie • bita śmietana
• zrumienione płatki migdałowe

s o s : 3 łyżki syropu z brzoskwiń • 3 łyżki białego, deserowego
wina • 3 łyżki płynnego miodu • łyżeczka cukru

Brzoskwinie rozkładamy w pucharkach, wgłębieniem po
pestkach do góry.
Przygotowujemy sos: syrop, cukier, miód i wino zagotowujemy, cały czas mieszając. Gdy składniki się połączą,
a cukier rozpuści, zdejmujemy z ognia. Wgłębienia po
pestkach napełniamy chłodnym sosem, pucharki ustawiamy w chłodnym miejscu (najlepiej w lodówce). Przed
podaniem przybieramy bitą śmietaną, posypujemy płatkami migdałowymi i polewamy pozostałym sosem. Dodatkiem mogą być rurki waflowe.

liczba porcji /	**4**
czas przygotowania /	**25 min**
stopień trudności /	**średniotrudne**
kaloryczność /	**średniokaloryczne**
koszt /	**średniodrogie**

liczba porcji /	**6**
czas przygotowania /	**35 min**
stopień trudności /	**średniotrudne**
kaloryczność /	**średniokaloryczne**
koszt /	**drogie**

Sorbet waniliowy

s k ł a d n i k i : 6 kulek lodów waniliowych • szklanka śmietany
kremowej • 1/2 laski wanilii • 2 łyżki cukru pudru • 2 dojrzałe banany
• butelka półsłodkiego szampana • 2 kieliszki rumu (może być biały)
Rada: wszystkie składniki sorbetu powinny być dobrze schłodzone

Na niewielkim ogniu gotujemy śmietanę z cukrem i rozdrobnioną wanilią (wanilię można utłuc w moździerzu!),
po 3 min zestawiamy z ognia i odstawiamy do wystudzenia. Z zimnej śmietany odrzucamy wanilię (można
przecedzić!), wlewamy do miksera, dodajemy rozdrobnione banany, lody, chwilę miksujemy. Gdy składniki dokładnie się połączą, wlewamy szampan i rum, ponownie miksujemy i natychmiast nalewamy do dobrze wychłodzonych, szklanych pucharków. Podajemy natychmiast po przygotowaniu.

Truskawki
w szampanie

s k ł a d n i k i : 1 kg dorodnych truskawek • szklanka cukru
• sok z całej cytryny • szklanka szampana

Z pozbawionych szypułek, umytych i odsączonych truskawek odkładamy najładniejsze i niezbyt duże, które rozkładamy na spodzie pucharków. Pozostałe wraz z cukrem wrzucamy do malaksera i ubijamy, aż powstanie jednolity puch, do którego dodajemy, lejąc bardzo powoli i cały czas ubijając, szampan. Gdy składniki się połączą, rozlewamy płyn do pucharków z truskawkami i od razu podajemy – najlepiej z wysoką, koktajlową łyżeczką.

liczba porcji / 6
czas przygotowania / 15 min
stopień trudności / średniotrudne
kaloryczność / średniokaloryczne
koszt / średniodrogie

liczba porcji / 4
czas przygotowania / 15 min
stopień trudności / łatwe
kaloryczność / średniokaloryczne
koszt / średniodrogie

Wytrawny deser
dla smakoszy

s k ł a d n i k i : szklanka białego, deserowego lub półsłodkiego wina • opakowanie galaretki owocowej o dowolnym smaku • bita śmietana • wisienki koktajlowe • świeże listki melisy

W szklance gorącej wody rozpuszczamy galaretkę, bardzo dokładnie mieszając, by nie było grudek. Jeszcze ciepłą ubijamy z winem i natychmiast rozlewamy do wychłodzonych pucharków. Stawiamy w chłodnym miejscu. Przed podaniem przybieramy sporym kleksem bitej śmietany, zwieńczonym koktajlową wisienką i świeżym listkiem melisy.

Kutia

s k ł a d n i k i : szklanka ziaren łuskanej pszenicy • szklanka suchego maku • szklanka cukru pudru • 4 łyżki płynnego miodu • mały kieliszek (50 ml) winiaku lub brandy • 10 dag rodzynek sułtanek • 3 kopiaste łyżki posiekanych orzechów • 3 kopiaste łyżki smażonej skórki pomarańczowej • szklanka śmietany kremowej • suszone owoce (morele, daktyle, śliwki) do przybrania deseru

Umytą pszenicę moczymy w letniej wodzie, odstawiamy na całą noc. Następnego dnia cedzimy, zalewamy świeżą wodą i gotujemy do miękkości, zmieniając w czasie gotowania trzykrotnie wodę. Gdy ziarna będą miękkie, odsączamy na sicie.

Wypłukany mak zalewamy 2 szklankami wrzątku, trzymamy przez 20 min na niewielkim ogniu, odstawiamy do wychłodzenia. Rodzynki zalewamy alkoholem, odstawiamy do nasączenia.

Miękki, chłodny mak odsączamy na bardzo gęstym sicie, przepuszczamy dwukrotnie przez maszynkę, po raz drugi na przemian z cukrem pudrem. Zmielony mak łączymy z miodem, odsączonymi rodzynkami, skórką pomarańczową, śmietaną i orzechami, całość łączymy z odsączoną pszenicą, układamy na okrągłym półmisku, kształtując zgrabny „kopczyk", i wstawiamy do lodówki. Przed podaniem brzegi „kopczyka" otaczamy rozdrobnionymi, suszonymi owocami, a całość kropimy alkoholem, w którym moczyły się rodzynki.

liczba porcji / 6
czas przygotowania / 50 min*
stopień trudności / trudne
kaloryczność / wysokokaloryczne
koszt / drogie

* oprócz czasu na moczenie i gotowanie pszenicy oraz na gotowanie maku

liczba porcji / 6
czas przygotowania / 45 min
stopień trudności / średniotrudne
kaloryczność / wysokokaloryczne
koszt / średniodrogie

Krem makowy
z kuchni staropolskiej

s k ł a d n i k i : szklanka śmietany kremowej • 2 żółtka • 4 łyżki cukru pudru • cukier waniliowy • szklanka maku, przygotowanego jak na makowiec (sparzony, ugotowany, zmielony przez maszynkę, bez jakichkolwiek dodatków) • 2 płaskie łyżeczki żelatyny • 2 szklanki posiekanych bakalii • cała, utarta, gorzka lub deserowa czekolada • miniaturowe, kruche ciasteczka

Żółtka z cukrem pudrem ucieramy na kogel-mogel. Śmietanę z dodatkiem cukru waniliowego ubijamy na puszystą pianę, dodając, pod koniec ubijania, rozpuszczoną w minimalnej ilości wrzątku żelatynę, utarte żółtka i mak. Całość delikatnie, ale dokładnie mieszamy i rozkładamy do szklanych pucharków. Porcje kremu ustawiamy w chłodnym miejscu (najlepiej w lodówce) nawet na kilka godzin. Przed podaniem każdą porcję posypujemy bardzo obficie bakaliami i utartą czekoladą i przybieramy miniaturowymi, kruchymi ciasteczkami.

Wigilijny kompot
z suszonych owoców
– przepis z kuchni staropolskiej

liczba porcji / 2 l
czas przygotowania / 30 min
stopień trudności / średniotrudne
kaloryczność / średniokaloryczne
koszt / średniodrogie

s k ł a d n i k i : 15 dag suszonych śliwek bez pestek
• 15 dag suszonych jabłek • 20 dag suszonych gruszek • 2 kopiaste
łyżki rodzynek • cytryna

Suszone owoce dokładnie myjemy. Każdy rodzaj zalewamy 2 szklankami przegotowanej wody. Gdy zmiękną, gotujemy w oddzielnych naczyniach. Owoce przekładamy do szklanej wazy za pomocą łyżki cedzakowej, płyny cedzimy przez gęste sito do jednego naczynia, wrzucamy rodzynki, dodajemy cukier i, mieszając, zagotowujemy, pilnując, by cukier całkowicie się rozpuścił. Płynem zalewamy odsączone owoce. Do całości dodajemy obraną ze skórki i białego miąższu, pokrojoną w bardzo cienkie plasterki i pozbawioną pestek, cytrynę. Odstawiamy w chłodne miejsce (nawet na kilka godzin), wówczas smaki połączą się i wyzwoli się wspaniały aromat. Podajemy w kompotierkach.

Pascha
według Pani Rejentowej

s k ł a d n i k i : 1 l kwaskowej, 18% śmietany • 1 l tłustego
mleka • 6 jajek • kostka (25 dag) masła • szklanka cukru pudru
• 10 dag przebranych rodzynek sułtanek • 5 dag migdałów
(sparzonych, obranych z łupinek, niezbyt drobno posiekanych) • szklanka bakalii (figi, daktyle, morele, suszone śliwki – wszystkie drobno posiekane)

liczba porcji / 12
czas przygotowania / 120 min*
stopień trudności / trudne
kaloryczność / wysokokaloryczne
koszt / drogie

Jajka wbijamy do miseczki, dodajemy śmietanę, składniki bardzo dokładnie ubijamy. Masa powinna być jednolita i puszysta. Tak przygotowaną masę zalewamy, cały czas ubijając, wrzącym mlekiem, stawiamy na niewielkim ogniu i, nadal ubijając, podgrzewamy przez 3 min, aż utworzy się kilkucentymetrowy kożuszek – serek twarożek. Durszlak wykładamy kilkakrotnie złożonym płatem gazy, wylewamy przygotowaną masę, dodajemy twarożek, który pozostał na spodzie i bokach naczynia, odstawiamy do odsączenia.

W makutrze ucieramy masło z cukrem. Gdy składniki się połączą, dodajemy, cały czas ucierając, po łyżce wystudzony twarożek, a pod koniec ucierania przygotowane bakalie. Średnią karbowaną formę babową wykładamy zwilżoną, dokładnie odciśniętą gazą, wykładamy masę serową, mocno i dokładnie uciskamy, przyciskamy ciężarkiem i odstawiamy na kilka godzin w chłodne miejsce, aż stężeje. Wyjmujemy, wyciągając paschę na gazie, przekładamy na talerz, gazę usuwamy, przybieramy konfiturami i kandyzowanymi owocami lub posypujemy obficie utartą czekoladą.

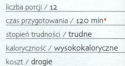

* oprócz czasu na stężenie

liczba porcji / 10
czas przygotowania / 25 min
stopień trudności / średniotrudne
kaloryczność / wysokokaloryczne
koszt / średniodrogie

Pascha z galaretką

s k ł a d n i k i : 50 dag tłustego, dokładnie roztartego, białego sera • 1/2 szklanki 18% śmietany • 1/2 szklanki cukru pudru • cukier waniliowy • 3 żółtka • jasna galaretka (agrestowa lub cytrynowa) • czubata szklanka rozdrobnionych bakalii

Galaretkę rozpuszczamy według przepisu na opakowaniu, biorąc o 1/2 szklanki wody mniej, odstawiamy do wychłodzenia.
Żółtka z cukrem pudrem ucieramy na kogel-mogel. Ser miksujemy ze śmietaną, dodajemy utarte żółtka, cukier waniliowy, wlewamy chłodną galaretkę i bakalie. Całość bardzo dokładnie mieszamy, wylewamy do chłodnej, zwilżonej zimną wodą salaterki i wstawiamy na kilka godzin do lodówki. Pascha najlepiej smakuje dzień po przygotowaniu.

Sos czekoladowy

s k ł a d n i k i : szklanka pełnego mleka • 3 kopiaste łyżeczki kakao • płaska łyżka mąki ziemniaczanej • 1/2 laski najdrobniej posiekanej (lub utłuczonej w moździerzu) laski wanilii • 4 kopiaste łyżki cukru pudru • 2 żółtka • łyżka masła

Mąkę, kakao, 2 łyżki cukru pudru rozcieramy z 2 łyżkami zimnej wody. Mleko zagotowujemy z rozdrobnioną na puch wanilią. Wrzące łączymy, cały czas mieszając, z roztartą mąką z kakao i cukrem, całość zagotowujemy. Żółtka ucieramy z pozostałym cukrem pudrem na puszysty kogel-mogel, dodajemy, cały czas lekko ubijając, gorące kakao (składniki połączą się bardzo szybko). Naczynie z sosem zdejmujemy z ognia, dodajemy masło, składniki łączymy, wstawiamy naczynie do garnka z zimną wodą i, delikatnie ubijając, sos studzimy.
Ważne: sos czekoladowy straci na smaku, gdy zamiast wanilii dodamy cukier waniliowy.

liczba porcji / duża sosjerka
czas przygotowania / 30 min
stopień trudności / średniotrudne
kaloryczność / wysokokaloryczne
koszt / średniodrogie

Sos malinowy

liczba porcji / średniej wielkości sosjerka
czas przygotowania / 25 min
stopień trudności / średniotrudne
kaloryczność / średniokaloryczne
koszt / średniodrogie

s k ł a d n i k i : duża szklanka świeżych lub mrożonych malin • kieliszek (50 ml) likieru maraskino • duży kieliszek (100 ml) czerwonego, wytrawnego wina • płaska łyżeczka mąki ziemniaczanej • 2 łyżki cukru pudru • łyżka wody

Maliny (świeże lub rozmrożone) przecieramy przez perlonowe sito, przelewamy łyżką letniej wody i ponownie przecieramy – na sicie powinny pozostać wyłącznie pestki. Do przetartych owoców dodajemy cukier, wino, zagotowujemy, zagęszczamy mąką ziemniaczaną wymieszaną z łyżką zimnej wody i, cały czas mieszając, gotujemy przez minutę. Odstawiamy z ognia, dodajemy do sosu likier. Sos bardzo dobrze smakuje na zimno i na ciepło.

Sos bananowy

s k ł a d n i k i : 2 dojrzałe banany • 2 płaskie łyżki śmietany kremowej • kieliszek (100 ml) białego, wytrawnego wina • kieliszek (100 ml) naturalnego soku pomarańczowego • 2 łyżki cukru pudru

Obrane, rozdrobnione banany wkładamy do malaksera, dodajemy pozostałe składniki sosu i miksujemy (do 3 min), aż sos nabierze odpowiedniej konsystencji. Podajemy do lodów, deserów z kaszy manny i ryżu oraz do owocowych sałatek.

liczba porcji / średniej wielkości dzbanek
czas przygotowania / 15 min
stopień trudności / łatwe
kaloryczność / średniokaloryczne
koszt / średniodrogie

Sos wiśniowy

s k ł a d n i k i : 0,5 l słoika wydrylowanych wiśni w syropie
• 2 goździki • mały kawałek (1,5 cm) kory cynamonowej
• 1/2 szklanki soku z winogron (może być z kartonika) • płaska łyżka
budyniu w proszku o smaku wiśniowym lub śmietankowym • sok
z cytryny • cukier • mały kieliszek (50 ml) wytrawnej wiśniówki
lub wiśniaku na rumie

Odsączone z soku wiśnie odstawiamy w chłodne miejsce,
do soku z wiśni dodajemy aromatyczne korzenie, skórkę
i sok z cytryny oraz sok z winogron. Gdy składniki się zagotują, łączymy z rozprowadzonym w 3 łyżkach zimnej
wody budyniem, zagotowujemy, trzymamy na ogniu przez
2 min, by budyń stracił smak surowizny. Zdejmujemy
z ognia, odrzucamy korzenie, dodajemy wiśnie, wlewamy
alkohol i, gdy trzeba, doprawiamy do smaku cukrem i sokiem z cytryny. Podajemy na ciepło – do czekoladowych
lodów, musu z kaszy manny, budyniu i omletów.

liczba porcji / **duża szklanka**
czas przygotowania / **25 min**
stopień trudności / **średniotrudne**
kaloryczność / **średniokaloryczne**
koszt / **średniodrogie**

liczba porcji / **średniej wielkości sosjerka**
czas przygotowania / **25 min**
stopień trudności / **średniotrudne**
kaloryczność / **średniokaloryczne**
koszt / **średniodrogie**

Sos morelowy

s k ł a d n i k i : puszka (0,33 l) moreli w syropie
• szklanka białego, słodkiego lub deserowego wina • sok i skórka
otarta z cytryny • łyżeczka cukru • kieliszek (100 ml) gęstego,
malinowego soku

Morele wraz z syropem dajemy do malaksera, miksujemy na puch. Wino podgrzewamy z dodatkiem skórki
i soku z cytryny oraz cukru, zagotowujemy, odstawiamy
z ognia, łączymy z malinowym sokiem i zmiksowanymi
owocami. Podajemy w sosjerce, na zimno, do kremów,
budyniu, omletu, a także jako polewę do lodów.

Sos brzoskwiniowy

liczba porcji / średniej wielkości sosjerka
czas przygotowania / 25 min
stopień trudności / łatwe
kaloryczność / średniokaloryczne
koszt / średniodrogie

s k ł a d n i k i : 3/4 szklanki syropu z brzoskwiń • 3/4 szklanki białego, słodkiego lub deserowego wina • kieliszek (50 ml) winiaku lub brandy • cukier i sok z cytryny do smaku • 2 łyżki zimnej wody • płaska łyżeczka mąki ziemniaczanej

W rondelku zagotowujemy syrop, gdy zacznie wrzeć, zalewamy zimną wodą, wymieszaną z mąką ziemniaczaną, zagotowujemy, trzymamy na ogniu przez minutę, cały czas mieszając. Mąka powinna stracić smak surowizny. Po zdjęciu z ognia łączymy sos z winem, alkoholem, doprawiamy sokiem z cytryny i cukrem, przelewamy do sosjerki. Podajemy do omletów, legumin, kaszy manny, kisielu czy owocowych sałatek.

Drożdżowy placek
mojej Babci

s k ł a d n i k i : 1 kg mąki pszennej • szklanka mleka • 10 żółtek • 8 dag drożdży • szklanka cukru pudru • 1/2 szklanki roztopionego masła • szczypta soli • skórka otarta z 2 cytryn • starta laska wanilii • tłuszcz do wysmarowania formy • jajko • rodzynki

Rozkruszone drożdże z dodatkiem łyżki cukru pudru rozprowadzamy w 1/3 szklanki ciepłego mleka, odstawiamy w ciepłe miejsce do wyrośnięcia. Do miski wsypujemy 2 szklanki mąki, pozostałe mleko zagotowujemy, wrzącym zalewamy mąkę, rozcieramy drewnianą łyżką, by nie było grudek, odstawiamy do przechłodzenia. Letnie łączymy z wyrośniętymi drożdżami, przykrywamy, stawiamy w ciepłym miejscu, by wyrosło. Żółtka z cukrem pudrem ucieramy na puch, łączymy z wyrośniętym zaczynem, dodajemy pozostałą mąkę, przesianą przez drobne sito wanilię, skórkę z cytryny i wyrabiamy ciasto (ok. 5 min). Gdy składniki się połączą, dodajemy letni tłuszcz i wyrabiamy nadal, aż ciasto będzie jednolite, sprężyste i lśniące. Stawiamy w cieple do ponownego wyrośnięcia. Gdy podwoi objętość, wykładamy do dokładnie wysmarowanej tłuszczem średniej formy (ciasta nie powinno być więcej niż na 1/3 wysokości). Smarujemy wierzch roztrzepanym z 2 łyżkami wody jajkiem, posypujemy wcześniej przebranymi rodzynkami, wstawiamy do nagrzanego, niezbyt gorącego piekarnika, pieczemy przez 70-80 min w temp. 160ºC, aż ciasto się zrumieni, a boki lekko odstają od formy. Wyjęte z piekarnika zbyt wcześnie opadnie. Studzimy w formie, wyjmujemy zimne, dzielimy na zgrabne porcje, układamy na paterze. Podajemy z konfiturami, powidłami lub domowym dżemem. Ciasto nie traci świeżości nawet przez kilka dni.

• oprócz czasu na wyrośnięcie i pieczenie

liczba porcji / 30
czas przygotowania / 60 min•
stopień trudności / średniotrudne
kaloryczność / średniokaloryczne
koszt / średniodrogie

Placek drożdżowy
wiosenny

s k ł a d n i k i : 2 szklanki i 2 kopiaste łyżki mąki tortowej
• 3 żółtka • niepełna szklanka mleka • 4 dag drożdży • 3 kopiaste
łyżki cukru pudru • cukier waniliowy • 1/2 kostki (12,5 dag) masła
lub masła roślinnego • szczypta soli

k r u s z o n k a : 1/2 kostki (12,5 dag) masła • 1/2 szklanki
cukru pudru • cukier waniliowy • szklanka mąki krupczatki

o w o c e : obrany, pokrojony w drobną kostkę rabarbar malinowy
lub obrany agrest (w potrzebnej ilości)

liczba porcji / 16
czas przygotowania / 70 min•
stopień trudności / trudne
kaloryczność / średniokaloryczne
koszt / średniodrogie

Roztopiony tłuszcz odstawiamy do przechłodzenia. W ciepłym mleku rozprowadzamy łyżeczkę mąki, łyżeczkę cukru pudru i rozdrobnione drożdże, odstawiamy w ciepłe miejsce. Do wyrośniętego zaczynu dodajemy cukier puder i cukier waniliowy, żółtka, sól, składniki łączymy, dodajemy przesianą przez sito mąkę, całość wyrabiamy (5 min), dodajemy tłuszcz i wyrabiamy nadal, aż ciasto go wchłonie i stanie się gładkie i lśniące. Odstawiamy do wyrośnięcia.
Przygotowujemy kruszonkę: masło siekamy z mąką, cukrem pudrem i cukrem waniliowym, rozdrobnione składniki zagniatamy czubkami palców, aż powstanie kruszonka.
Na wysmarowanej obficie tłuszczem formie rozkładamy wyrośnięte ciasto, wyrównujemy powierzchnię, nakładamy przygotowane owoce, posypujemy kruszonką i ponownie odstawiamy, by wyrosło. Pieczemy w nagrzanym do temp. 160ºC piekarniku przez ok. 50 min (gdy trzeba, nieco dłużej). Wyjmujemy, gdy powierzchnia jest delikatnie zrumieniona, a boki odstają od formy.

• o p r ó c z c z a s u n a w y r o ś n i ę c i e i p i e c z e n i e

Placek drożdżowy
z jabłkami

s k ł a d n i k i : 3 szklanki mąki tortowej • szklanka mleka
• 1/2 kostki (12,5 dag) masła lub masła roślinnego • 5 dag drożdży
• 3 żółtka • 1/2 szklanki cukru pudru • cukier waniliowy • szczypta
soli • 3-4 dorodne jabłka: antonówki lub szare renety (pokrojone
w cienkie cząstki) • cynamon • tłuszcz do wysmarowania formy

k r u s z o n k a : 1/2 szklanki mąki krupczatki • 1/2 szklanki
cukru pudru • cukier waniliowy • 1/3 kostki (8 dag) masła

liczba porcji / 30
czas przygotowania / 70 min•
stopień trudności / średniotrudne
kaloryczność / średniokaloryczne
koszt / średniodrogie

Roztopiony tłuszcz odstawiamy do przechłodzenia. Do rozkruszonych w ciepłym mleku drożdży dodajemy łyżkę cukru pudru i łyżkę mąki, mieszamy, odstawiamy w ciepłe miejsce do wyrośnięcia. Do zaczynu dodajemy pozostały cukier puder i cukier waniliowy, żółtka, sól, składniki łączymy, dodajemy przesianą mąkę, wyrabiamy (ok. 5 min), wlewamy tłuszcz, wyrabiamy nadal, aż ciasto wchłonie tłuszcz, stanie się jednolite i lśniące, odstawiamy do wyrośnięcia.
Przygotowujemy kruszonkę: masło siekamy z mąką, cukrem pudrem i cukrem waniliowym, gdy składniki się rozdrobnią, zagniatamy czubkami palców kruszonkę, odstawiamy w ciepłe miejsce.
Gdy ciasto podwoi objętość, wykładamy do wysmarowanej tłuszczem średniej wielkości formy, rozprowadzamy, wyrównujemy powierzchnię, nakładamy (miejsce przy miejscu) cząstki jabłek, posypujemy cynamonem, przykrywamy wierzch kruszonką i odstawiamy na kilka minut w ciepłe miejsce, by ciasto „ruszyło". Wstawiamy do nagrzanego piekarnika, pieczemy w temp. 160ºC przez 50-60 min (w zależności od wysokości warstwy ciasta), wyjmujemy, gdy się zrumieni, a boki lekko odstają od brzegów formy.

• o p r ó c z c z a s u n a w y r o ś n i ę c i e i p i e c z e n i e

Placek ze śliwkami

liczba porcji / 30
czas przygotowania / 60 min•
stopień trudności / średniotrudne
kaloryczność / średniokaloryczne
koszt / średniodrogie

s k ł a d n i k i : 3 szklanki mąki tortowej • szklanka mleka • szklanka cukru pudru • 3 żółtka • 5 dag drożdży • 1/2 kostki (12,5 dag) masła lub masła roślinnego • szczypta soli • skórka otarta z cytryny • wypestkowane śliwki węgierki (w potrzebnej ilości) • cukier waniliowy i cukier puder (pół na pół) do posypania ciasta • tłuszcz do wysmarowania formy

Roztopiony tłuszcz odstawiamy do przechłodzenia. W ciepłym mleku rozprowadzamy rozkruszone drożdże, wymieszane z łyżeczką mąki i łyżeczką cukru pudru, odstawiamy w ciepłe miejsce do wyrośnięcia. Zaczyn łączymy z żółtkami, skórką z cytryny, cukrem pudrem i solą, gdy składniki się połączą, dodajemy przesianą mąkę i wyrabiamy ciasto (ok. 5 min), następnie dodajemy letni tłuszcz i jeszcze przez chwilę wyrabiamy, aż ciasto stanie się gładkie i lśniące. Odstawiamy w ciepłe miejsce do wyrośnięcia. Średniej wielkości formę smarujemy tłuszczem, wykładamy do niej wyrośnięte ciasto, wyrównujemy powierzchnię, układamy bardzo ściśle śliwki, odstawiamy do wyrośnięcia. Gdy podwoi objętość, wstawiamy do nagrzanego piekarnika, pieczemy w temp. 160ºC przez 45-50 min (w zależności od wysokości warstwy ciasta). Po wyjęciu z piekarnika i lekkim wychłodzeniu dzielimy placek na zgrabne porcje i obficie posypujemy cukrem pudrem z wanilią.

•oprócz czasu na wyrośnięcie i pieczenie

Placek z dynią
oszczędny

s k ł a d n i k i : 4 szklanki mąki tortowej • 2 szklanki dyni (utartej na drobnej tarce jarzynowej lub rozdrobnionej w malakserze) • szklanka mleka • szklanka cukru pudru • 10 dag drożdży • 3 jajka • 6 łyżek oleju sojowego • esencja zapachowa (rumowa lub arakowa) • duża szczypta soli • tłuszcz do wysmarowania formy • cukier puder do posypania ciasta

Do rozkruszonych, rozprowadzonych w ciepłym mleku drożdży dodajemy łyżkę cukru pudru i łyżkę mąki, odstawiamy w ciepłe miejsce do wyrośnięcia. Do zaczynu dodajemy jajka, cukier puder, olej, esencję zapachową, składniki mieszamy, gdy się połączą, dodajemy dynię, sól i przesianą mąkę. Wyrabiamy ciasto (można robotem nastawionym na najniższe obroty) przez 5 min, gdy będzie jednolite i lśniące, wykładamy do wysmarowanej tłuszczem dużej formy i odstawiamy w ciepłe miejsce. Wyrośnięte wstawiamy do ciepłego piekarnika, pieczemy w temp. 160ºC przez 60 min, pamiętając, że czas pieczenia zależy od wysokości warstwy ciasta. Wyjmujemy, gdy ciasto lekko się zrumieni, a boki odstają od formy. Wychłodzone dzielimy na zgrabne porcje i obficie posypujemy cukrem pudrem.

•oprócz czasu na wyrośnięcie i pieczenie

liczba porcji / 40
czas przygotowania / 60 min•
stopień trudności / średniotrudne
kaloryczność / średniokaloryczne
koszt / tanie

Placek słoneczny

s k ł a d n i k i : 3 szklanki mąki tortowej • 1/3 szklanki mleka • 5 dag drożdży • 1/2 kostki (12,5 dag) masła lub masła roślinnego • 3/4 szklanki cukru pudru • 1/2 szklanki przecieru z dyni • 3 żółtka • cukier waniliowy • sól • tłuszcz do wysmarowania formy • jajko • gruby cukier kryształ do posypania ciasta

Masło podgrzewamy, gdy się roztopi, odstawiamy do przechłodzenia. W ciepłym mleku rozprowadzamy drożdże z dodatkiem łyżki cukru pudru, łyżki mąki i przecieru z dyni, odstawiamy w ciepłe miejsce do wyrośnięcia.

liczba porcji / 12
czas przygotowania / 50 min •
stopień trudności / **trudne**
kaloryczność / średniokaloryczne
koszt / średniodrogie

Do zaczynu, gdy podwoi objętość, dodajemy żółtka, pozostały cukier puder, cukier waniliowy i sól. Gdy składniki się połączą, sypiemy przez sito wygrzaną mąkę, wyrabiamy przez kilka minut, dodajemy letni tłuszcz i nadal wyrabiamy, aż ciasto będzie jednolite, sprężyste i lśniące. Odstawiamy w ciepłe miejsce do wyrośnięcia. Gdy podwoi objętość, przekładamy do wysmarowanej tłuszczem średniej wielkości formy, wyrównujemy powierzchnię, smarujemy jajkiem roztrzepanym z 2 łyżkami letniej wody, posypujemy grubym cukrem i od razu wstawiamy do ciepłego piekarnika. Pieczemy w temp. 160ºC przez godzinę lub nieco dłużej (czas zależy od wysokości warstwy ciasta). Zrumienione, z lekko odchodzącymi od formy bokami, wyjmujemy z piekarnika. Po wychłodzeniu kroimy w zgrabne romby i układamy na paterze. Ciasto zachowuje świeżość przez 2 dni.

• oprócz czasu na wyrośnięcie i pieczenie

Drożdżowy przekładaniec
według Cioci Godziszewskiej

s k ł a d n i k i : 50 dag mąki tortowej • 1/2 kostki (12,5 dag) masła • 1/2 szklanki cukru pudru • 5 dag drożdży • 6 żółtek • szklanka mleka • skórka otarta z cytryny • szczypta soli • tłuszcz do wysmarowania formy • jajko • gruby cukier kryształ (na wierzch) • do przełożenia (wg upodobań): odsączone konfitury, powidła ze śliwek, masa orzechowa lub migdałowa, rodzynki zmieszane ze smażoną skórką pomarańczową

Ciepłe mleko łączymy z rozkruszonymi drożdżami, łyżeczką cukru pudru i łyżeczką mąki, mieszamy, odstawiamy w ciepłe miejsce do wyrośnięcia. Do wygrzanej, przesianej przez sito mąki dodajemy wyrośnięte drożdże, cukier puder, żółtka, sól, ciasto lekko wyrabiamy, dodajemy roztopiony, letni tłuszcz, skórkę z cytryny, całość przez chwilę wyrabiamy, a gdy masa stanie się lśniąca i sprężysta, odstawiamy do wyrośnięcia w ciepłe, pozbawione przewiewów miejsce. Wyrośnięte ciasto dzielimy na 3 części, jedną (nieco większą od pozostałych) rozkładamy na spodzie wysmarowanej

liczba porcji / 16
czas przygotowania / 75 min •
stopień trudności / średniotrudne
kaloryczność / średniokaloryczne
koszt / średniodrogie

tłuszczem dużej tortownicy, rozciągamy maczanymi w tłuszczu palcami, nakładamy warstwę nadzienia, na nim następną warstwę ciasta i następne nadzienie, przykrywamy trzecią warstwą ciasta, wierzch wyrównujemy, smarujemy jajkiem roztrzepanym z 2 łyżkami wody, posypujemy obficie grubym cukrem kryształem. Całość odstawiamy do wyrośnięcia. Przekładaniec, w zależności od liczby warstw i temperatury, rośnie od 30 do 120 min. Wyrośnięty wstawiamy do ciepłego piekarnika, pieczemy w temp. 160ºC przez ok. 90 min (czas pieczenia zależy od wysokości pieczonego ciasta), do momentu, gdy wierzch równomiernie się zrumieni, a boki lekko odstają od formy. Podajemy, krojąc w romby, jak tort. Ciasto przez kilka dni zachowuje świeżość, a jego smak zależy od przełożenia.

• oprócz czasu na wyrośnięcie i pieczenie

Placek przekładaniec

s k ł a d n i k i : 3 szklanki mąki tortowej • 1/2 kostki
(12,5 dag) masła lub masła roślinnego • 5 żółtek • 5 dag drożdży
1/3 szklanki cukru pudru • niepełna szklanka mleka • skórka
otarta z całej cytryny • szczypta soli

p r z e ł o ż e n i e : według upodobań lub zasobów spiżarni:
odsączone konfitury, dobrze wysmażone powidła śliwkowe,
posiekane bakalie, bardzo gęsta marmolada z jabłek itp. • tłuszcz
do wysmarowania formy • jajko

Z ciepłego mleka, drożdży, łyżki cukru pudru i łyżki mąki
przygotowujemy zaczyn, odstawiamy w ciepłe miejsce do wyrośnięcia. Masło topimy, odstawiamy
do przechłodzenia. Do wyrośniętego zaczynu dodajemy pozostały cukier puder, żółtka, sól, skórkę
otartą z cytryny, składniki łączymy, dodajemy przesianą mąkę, wyrabiamy jednolite ciasto (przez
ok. 5 min), dodajemy roztopiony, letni tłuszcz i ponownie wyrabiamy, aż ciasto stanie się jednolite, sprężyste i lśniące. Odstawiamy w ciepłe, pozbawione przewiewów miejsce do wyrośnięcia.
Do wysmarowanej tłuszczem średniej wielkości formy wykładamy 2/3 ciasta, w taki sposób, by boki
były nieco podniesione, nakładamy przygotowane nadzienie (na wysokość centymetra), na wierzchu
rozkładamy pozostałe ciasto (można w sposób dekoracyjny), odstawiamy w ciepłe miejsce. Gdy lekko podrośnie, wierzch smarujemy jajkiem roztrzepanym w 2 łyżkach letniej wody i wstawiamy do
wygrzanego, ale niegorącego piekarnika. Pieczemy w temp. 160ºC przez godzinę lub nieco dłużej
(czas zależy od wysokości warstwy ciasta). Wyjmujemy zrumienione, lekko odstające od boków formy. Po przechłodzeniu kroimy w zgrabne porcje.

*oprócz czasu na wyrośnięcie i pieczenie

liczba porcji / 12
czas przygotowania / 50 min •
stopień trudności / trudne
kaloryczność / średniokaloryczne
koszt / średniodrogie

liczba porcji / 30
czas przygotowania / 50 min •
stopień trudności / średniotrudne
kaloryczność / średniokaloryczne
koszt / średniodrogie

Placek migdałowy

s k ł a d n i k i : 3 szklanki mąki tortowej • szklanka mleka • 5 żółtek • 1/2 kostki
(12,5 dag) masła lub masła roślinnego • 1/2 szklanki cukru pudru • 5 dag drożdży
• 5 dag migdałów lub migdałowych wiórków • szczypta soli • skórka otarta z cytryny

k r u s z o n k a : 1/2 szklanki mąki krupczatki • 1/2 kostki (12,5 dag) masła
• 5 dag posiekanych migdałów lub migdałowych płatków • 1/2 szklanki cukru pudru

Sparzone migdały obieramy z łupinek, obsuszamy, drobno siekamy. Masło
topimy, odstawiamy do przechłodzenia. Do ciepłego mleka dodajemy rozkruszone drożdże, łyżkę cukru pudru, łyżkę mąki, odstawiamy w ciepłe miejsce do wyrośnięcia. Do zaczynu dodajemy cukier puder, żółtka, sól, skórkę
z cytryny, składniki mieszamy, dodajemy przesianą mąkę, wyrabiamy ciasto. Gdy składniki dobrze się połączą (po ok. 5 min wyrabiania), dodajemy posiekane migdały i letni tłuszcz, wyrabiamy, aż ciasto stanie się jednolite. Przykrywamy ściereczką, odstawiamy w ciepłe miejsce do wyrośnięcia.
Przygotowujemy kruszonkę: masło siekamy z mąką i cukrem pudrem, gdy
składniki się rozdrobnią, wyrabiamy czubkami palców, aż powstanie kruszonka, dodajemy posiekane migdały i ponownie przez chwilę wyrabiamy.
Wyrośnięte ciasto wykładamy do wysmarowanej tłuszczem średniej wielkości formy, wyrównujemy powierzchnię, posypujemy kruszonką, odstawiamy w ciepłe miejsce do wyrośnięcia. Pieczemy w nagrzanym piekarniku, w temp. 160ºC, przez ok. 55-60 min (czas pieczenia zależy od wysokości warstwy ciasta). Zrumienione na wierzchu, lekko odstające od formy wychładzamy, dzielimy na zgrabne porcje i lekko oprószamy cukrem pudrem.
Zawinięte w folię zachowa świeżość i aromat przez kilka dni.

*oprócz czasu na wyrośnięcie i pieczenie

Placek drożdżowy z bakaliami

s k ł a d n i k i : 3 szklanki mąki tortowej • 5 dag drożdży • szklanka mleka • 5 żółtek • szklanka cukru pudru • 1/2 kostki (12,5 dag) masła lub masła roślinnego • szczypta soli • szklanka drobno posiekanych bakalii (morele, figi, daktyle, rodzynki, pozbawione pestek śliwki) • 1/2 szklanki cukru • 1/2 szklanki wody • filiżanka posiekanych orzechów do posypania ciasta • tłuszcz do wysmarowania formy

liczba porcji /	30
czas przygotowania /	60 min •
stopień trudności /	średniotrudne
kaloryczność /	wysokokaloryczne
koszt /	średniodrogie

liczba porcji /	40
czas przygotowania /	30 min •
stopień trudności /	średniotrudne
kaloryczność /	średniokaloryczne
koszt /	średniodrogie

Zagotowujemy wodę z cukrem, do wrzącego syropu wrzucamy rozdrobnione bakalie, smażymy na niewielkim ogniu, aż nabiorą konsystencji marmolady, odstawiamy do wychłodzenia. Przygotowujemy ciasto: 3 łyżki ciepłego mleka, drożdże, łyżkę mąki i łyżkę cukru pudru mieszamy, odstawiamy w ciepłe miejsce do wyrośnięcia. Pozostałą mąkę przesiewamy do miski, dodajemy cukier puder, żółtka, sól, wyrośnięty zaczyn i pozostałe letnie mleko, wyrabiamy ciasto (można robotem nastawionym na niskie obroty). Gdy wszystkie składniki dokładnie się połączą, dodajemy roztopiony, letni tłuszcz, wyrabiamy, aż zostanie wchłonięty przez ciasto, przykrywamy ściereczką i ustawiamy w ciepłym miejscu do wyrośnięcia. Do wysmarowanej tłuszczem średniej wielkości formy nakładamy nieco więcej niż połowę ciasta, wyrównujemy powierzchnię, rozsmarowujemy wychłodzone bakalie, całość przykrywamy pozostałym ciastem, rozprowadzamy je równomiernie palcami zwilżonymi w tłuszczu, wierzch smarujemy roztrzepanymi białkami, posypujemy orzechami i od razu wstawiamy do niezbyt gorącego piekarnika. Po 15 min, gdy ciasto „ruszy", podwyższamy temperaturę do 160ºC i pieczemy przez ok. 60 min, aż ładnie się zrumieni, a boki będą lekko odstawały od formy.

• o p r ó c z c z a s u n a w y r o ś n i ę c i e i p i e c z e n i e

Placek drożdżowy z kruszonką
– przepis dla zapracowanych

s k ł a d n i k i : 10 dag drożdży • szklanka mleka • kostka (25 dag) masła lub masła roślinnego • szklanka cukru pudru • 2 duże cukry waniliowe • 4 jajka • szczypta soli • 4 lub 4 i 1/2 szklanki (zależnie od wilgotności) mąki pszennej • bakalie • tłuszcz do wysmarowania formy

k r u s z o n k a : 1/2 kostki (12,5 dag) masła lub masła roślinnego • 1/2 szklanki cukru pudru • 3/4 szklanki mąki krupczatki • duży cukier waniliowy

Do miski wkładamy rozkruszone drożdże, dodajemy letnie mleko, cukier puder, cukier waniliowy, składniki mieszamy, wlewamy roztopiony, letni tłuszcz i całe jajka, składniki ponownie mieszamy, a gdy się połączą (nie wyrabiamy!), przykrywamy ściereczką i odstawiamy do wyrośnięcia w miejsce o temperaturze pokojowej (najlepiej na noc). Następnie dodajemy przesianą mąkę, dokładnie mieszamy (ciasto powinno mieć konsystencję jak na kładzione kluski), dodajemy sól, bakalie, całość jeszcze raz mieszamy i od razu wykładamy do wysmarowanej tłuszczem dużej formy.
Przygotowujemy kruszonkę: masło siekamy z mąką, cukrem pudrem i cukrem waniliowym, gdy składniki się rozdrobnią, czubkami palców zagniatamy kruszonkę i odstawiamy w ciepłe miejsce. Wierzch ciasta wyrównujemy, posypujemy obficie kruszonką i wstawiamy na godzinę do średnio nagrzanego piekarnika. Czas pieczenia zależy od wysokości ciasta i może być nieco dłuższy. Wyjmujemy, gdy placek będzie pięknie wyrośnięty, pulchny i pachnący.

• o p r ó c z c z a s u n a w y r o ś n i ę c i e i p i e c z e n i e

Placek drożdżowy z rodzynkami

s k ł a d n i k i : 3 szklanki mąki tortowej • 1/2 szklanki cukru pudru • 4 dag drożdży • szklanka mleka • 3 żółtka • szczypta soli • 1/3 kostki (8 dag) masła lub masła roślinnego • 3 łyżeczki cukru waniliowego • 10 dag rodzynek

k r u s z o n k a : 1/2 szklanki mąki krupczatki • 1/2 szklanki cukru pudru • cukier waniliowy • 1/3 kostki (8 dag) masła • tłuszcz do wysmarowania formy

Rodzynki przelewamy na sicie wrzątkiem, odstawiamy do wychłodzenia. Do ciepłego mleka dodajemy pokruszone drożdże, łyżkę cukru pudru i łyżkę mąki, mieszamy, odstawiamy w ciepłe miejsce do wyrośnięcia. Do zaczynu dodajemy żółtka, cukier puder, cukier waniliowy, sól, składniki mieszamy, gdy dokładnie się połączą, dodajemy (w 2 partiach) przesianą mąkę, następnie (ok. 5 min) wyrabiamy ciasto (najlepiej drewnianą łyżką), aż stanie się jednolite. Dodajemy letni, roztopiony tłuszcz i wyrabiamy tak długo, aż zostanie całkowicie wchłonięty przez ciasto. Naczynie przykrywamy ściereczką i odstawiamy do wyrośnięcia w ciepłe, pozbawione przewiewów miejsce. Przygotowujemy kruszonkę: masło siekamy z mąką, cukrem pudrem i cukrem waniliowym, gdy składniki się połączą, zagniatamy czubkami palców kruszonkę, odstawiamy w ciepłe miejsce. Do wysmarowanej tłuszczem średniej wielkości formy wykładamy wyrośnięte ciasto, wyrównujemy powierzchnię, posypujemy rodzynkami i kruszonką, ponownie ustawiamy w ciepłym miejscu. Gdy placek podwoi objętość, wstawiamy do nagrzanego, ale niegorącego piekarnika, pieczemy przez ok. 45-50 min w temp. 160ºC. Zrumieniony schładzamy w formie, podajemy pokrojony w zgrabne porcje.

• o p r ó c z   c z a s u   n a   w y r o ś n i ę c i e   i   p i e c z e n i e

liczba porcji / 30
czas przygotowania / 60 min •
stopień trudności / średniotrudne
kaloryczność / średniokaloryczne
koszt / średniodrogie

liczba porcji / 20
czas przygotowania / 60 min •
stopień trudności / średniotrudne
kaloryczność / średniokaloryczne
koszt / średniodrogie

Bułeczki mleczne

s k ł a d n i k i : 3 szklanki mąki tortowej • 3 dag drożdży • 2 żółtka • 3 łyżki cukru pudru • 1/3 kostki (8 dag) masła lub masła roślinnego • szklanka mleka • skórka otarta z cytryny • szczypta soli • tłuszcz do wysmarowania formy • mąka do podsypania

Roztopiony tłuszcz odstawiamy do przechłodzenia. W ciepłym mleku rozprowadzamy pokruszone drożdże z dodatkiem łyżeczki mąki i łyżeczki cukru pudru, odstawiamy w ciepłe miejsce do wyrośnięcia. Gdy zaczyn podwoi objętość, dodajemy żółtka, pozostały cukier puder, skórkę otartą z cytryny, sól, składniki mieszamy, dodajemy przesianą mąkę, wyrabiamy ciasto (ok. 5 min), dodajemy roztopiony, letni tłuszcz i nadal wyrabiamy, aż będzie jednolite, sprężyste i lśniące. Odstawiamy w ciepłe miejsce, by wyrosło. Gdy ciasto podwoi objętość, dzielimy je na równe części, na posypanej mąką stolnicy formujemy zgrabne bułeczki, układamy na wysmarowanej tłuszczem blasze, odstawiamy, by wyrosły. Przed wstawieniem do nagrzanego piekarnika smarujemy wierzchy roztrzepanym białkiem, pieczemy w temp. 160ºC przez ok. 30 min. Bułeczki powinny być lekko zrumienione i wyrośnięte. Po przestudzeniu układamy je w koszyczku. Podajemy wraz z masłem, miodem i domowym dżemem.

• o p r ó c z   c z a s u   n a   w y r o ś n i ę c i e   i   p i e c z e n i e

Bułeczki mleczne z nadzieniem

s k ł a d n i k i : 3 szklanki mąki tortowej • 3 jajka • 3 dag drożdży • 1/2 szklanki cukru pudru • 1/4 kostki (6 dag) masła lub masła roślinnego • szklanka mleka • cukier waniliowy • szczypta soli • odsączone konfitury lub dobrze wysmażone powidła

k r u s z o n k a : 1/2 szklanki mąki krupczatki • 1/4 kostki (6 dag) masła • 1/3 szklanki cukru pudru

Do ciepłego mleka dodajemy pokruszone drożdże z dodatkiem łyżeczki mąki i łyżeczki cukru pudru, odstawiamy w ciepłe miejsce do wyrośnięcia. Białka (oddzielone od żółtek), z dodatkiem szczypty soli, ubijamy na sztywną pianę. Wyrośnięty zaczyn łączymy z pozostałym cukrem pudrem, cukrem waniliowym, żółtkami i przesianą mąką, składniki lekko wyrabiamy, gdy się połączą, dodajemy letni tłuszcz, pianę z białek, całość wyrabiamy na jednolitą masę, odstawiamy do wyrośnięcia. Kiedy ciasto

liczba porcji / 25
czas przygotowania / 75 min•
stopień trudności / średniotrudne
kaloryczność / średniokaloryczne
koszt / średniodrogie

podwoi objętość, wykładamy je na stolnicę, formujemy wałek, dzielimy na równe części, każdą lekko rozwałkowujemy, na środek kładziemy łyżeczkę nadzienia, zlepiamy brzegi, układamy na wysmarowanej tłuszczem blasze, miejscem zlepienia do spodu, odstawiamy do wyrośnięcia.
Przygotowujemy kruszonkę, posypujemy bułeczki, wstawiamy do nagrzanego piekarnika, pieczemy w temp. 160ºC przez 30 min lub nieco dłużej. Zrumienione, dobrze wyrośnięte, układamy w koszyczku.

• o p r ó c z   c z a s u   n a   w y r o ś n i ę c i e   i   p i e c z e n i e

liczba porcji / 20
czas przygotowania / 40 min•
stopień trudności / średniotrudne
kaloryczność / średniokaloryczne
koszt / średniodrogie

Śniadaniowa babka niedzielna

s k ł a d n i k i : 3 szklanki mąki tortowej • szklanka cukru pudru • 3/4 kostki (18 dag) masła lub masła roślinnego • 3 żółtka • 1/2 szklanki dobrego mleka • 4 dag drożdży • 2 kopiaste łyżki smażonej skórki pomarańczowej • 3 kopiaste łyżki rodzynek • tłuszcz do wysmarowania formy

k r u s z o n k a : 2 kopiaste łyżki mąki krupczatki • 2 kopiaste łyżki masła • 3 łyżki cukru pudru

W ciepłym mleku rozprowadzamy drożdże. Masło ucieramy z cukrem pudrem (najłatwiej robotem ustawionym na średnie obroty), dodajemy (po jednym) żółtka. Gdy składniki się połączą, dodajemy mleko z drożdżami, sól i sypiemy, najlepiej przez sito, wygrzaną mąkę. Wyrabiamy ciasto, aż będzie jednolite, dodajemy odsączoną skórkę pomarańczową i wcześniej opłukane i odsączone rodzynki i wyrabiamy nadal (w sumie co najmniej 10 min). Przekładamy do wysmarowanej tłuszczem podłużnej formy, wyrównujemy powierzchnię, stawiamy w cieple. Przygotowujemy kruszonkę: masło siekamy z mąką i cukrem pudrem, czubkami palców zagniatamy kruszonkę, zaraz po przygotowaniu rozsypujemy na ciasto.

Gdy babka podwoi objętość, wstawiamy do nagrzanego piekarnika i pieczemy w temp. 160ºC przez ok. 60 min lub nieco dłużej. Ciasto jest upieczone, gdy wierzch się zrumieni, a boki lekko odstają od formy. Babka jest najsmaczniejsza z filiżanką kakao lub cienko posmarowana masłem albo dżemem, z kubkiem mlecznej kawy.

• o p r ó c z   c z a s u   n a   w y r o ś n i ę c i e   i   p i e c z e n i e

Drożdżowa babka śniadaniowa

s k ł a d n i k i : 3 szklanki mąki tortowej • 4 dag drożdży
• niepełna (centymetr mniej) szklanka mleka • 1/2 szklanki cukru
pudru • duży cukier waniliowy • 2 jajka • żółtko • 1/2 kostki
(12,5 dag) masła lub masła roślinnego • 1/2 filiżanki rodzynek
• szczypta soli • tłuszcz do wysmarowania formy

W ciepłym mleku z dodatkiem łyżeczki cukru pudru rozprowadzamy pokruszone drożdże, odstawiamy w ciepłe
miejsce do wyrośnięcia. Tłuszcz trzymamy przez chwilę
w ciepłym miejscu, powinien być miękki. Wyrośnięte drożdże miksujemy z tłuszczem, cukrem pudrem, jajkami, żółtkiem, cukrem waniliowym, solą i mąką przez 5-7 min (nie
dłużej) – ciasto powinno być lśniące i lekko odstawać od
boków naczynia. Dodajemy wcześniej opłukane i odsączone rodzynki, łączymy z ciastem, całość przekładamy do
wysmarowanej tłuszczem średniej wielkości podłużnej for-
my, przykrywamy ściereczką, odstawiamy do wyrośnięcia. Gdy podwoi objętość, smarujemy wierzch
roztrzepanym w łyżce wody białkiem i wstawiamy do nagrzanego piekarnika. Pieczemy w temp.
160°C przez ok. 40-50 min (czas pieczenia zależy od wysokości ciasta i może być nieco dłuższy). Pięknie zrumienione wystudzamy przez kilka minut w formie, w której się piekło, wyjmujemy na deskę
do całkowitego wychłodzenia.

liczba porcji / 20
czas przygotowania / 50 min•
stopień trudności / średniotrudne
kaloryczność / średniokaloryczne
koszt / średniodrogie

• o p r ó c z   c z a s u   n a   w y r o ś n i ę c i e   i   p i e c z e n i e

Drożdżowe rożki z owocami

s k ł a d n i k i : 2 szklanki i 2 łyżki mąki tortowej
• 4 dag drożdży • 2 żółtka • 2 kopiaste łyżki cukru • cukier waniliowy
• 3/4 szklanki mleka • szczypta soli • 1/3 kostki (8 dag) masła
roślinnego • cukier puder • mąka do podsypania • tłuszcz
do wysmarowania blachy • białka ubite z łyżką wody
do posmarowania rożków • owoce (jabłka, śliwki) • cynamon

Do rozkruszonych drożdży dodajemy cukier, żółtka, cukier waniliowy, przesianą mąkę i sól, składniki mieszamy,
dolewamy mleko, gdy się połączą, dodajemy letni tłuszcz
i wyrabiamy jednolite, gładkie ciasto (najłatwiej robotem
nastawionym na średnie obroty), odstawiamy do wyrośnięcia. Gdy podwoi objętość, dzielimy na 2 części, każdą
(w miarę cienko) rozwałkowujemy na posypanej mąką
stolnicy, kroimy w zgrabne kwadraty, na każdym kładziemy przygotowane wcześniej owoce (nadziewać możemy cząstkami jabłek: antonówki, papierówki, szare renety, obficie posypanymi cukrem pudrem z cynamonem lub śliwkami węgierkami, sypiąc w miejsce po wydrylowanej pestce cukier z do-
mieszką cynamonu), rogi zlepiamy na wierzchołku i układamy dość luźno (wyrosną!) na wysmarowanej tłuszczem blasze. Odstawiamy ponownie w ciepłe miejsce. Gdy wyrosną, smarujemy wierzchy białkiem, wsuwamy do nagrzanego piekarnika, pieczemy w temp. 180°C przez 30-35 min,
zrumienione zsuwamy z blachy i, jeszcze ciepłe, oprószamy cukrem pudrem lub lukrujemy.

liczba porcji / 16
czas przygotowania / 50 min•
stopień trudności / średniotrudne
kaloryczność / średniokaloryczne
koszt / średniodrogie

• o p r ó c z   c z a s u   n a   w y r o ś n i ę c i e   i   p i e c z e n i e

Rogale z powidłami

składniki: 3 szklanki mąki tortowej • 4 dag drożdży • 3/4 szklanki mleka • 3 żółtka • 3 łyżki cukru pudru • 1/3 kostki (8 dag) masła lub masła roślinnego • szczypta soli • mąka do podsypania • tłuszcz do wysmarowania blachy • dobrze wysmażone, domowe powidła ze śliwek lub agrestu • lukier

Do ciepłego mleka dodajemy rozkruszone drożdże, łyżeczkę cukru pudru i łyżeczkę mąki, mieszamy, odstawiamy w ciepłe miejsce do wyrośnięcia. Gdy zaczyn podwoi objętość, dodajemy żółtka, cukier puder, sól i, siejąc przez sito, mąkę. Wyrabiamy przez kilka minut, gdy składniki się połączą, dodajemy roztopiony, letni tłuszcz i jeszcze przez chwilę wyrabiamy (ciasto powinno być jednolite, gładkie i sprężyste). Przykrywamy serwetką, odstawiamy do wyrośnięcia. Dobrze wyrośnięte wykładamy na posypaną mąką stolnicę, wałkujemy niezbyt grube placki, kroimy w zgrabne trójkąty, na każdy nakładamy porcję powideł. Zwinięte w rogaliki układamy na wysmarowanej tłuszczem blasze, odstawiamy do wyrośnięcia. Wstawiamy do nagrzanego piekarnika, pieczemy w temp. 160ºC przez 25-30 min. Upieczone mają piękny, złoty kolor. Zsuwamy na stolnicę i, jeszcze ciepłe, smarujemy białym lukrem. Przygotowujemy lukier: szklankę cukru pudru rozcieramy z 2 białkami i łyżeczką soku z cytryny, gdy lukier jest zbyt gęsty, dodajemy jeszcze jedno białko.

liczba porcji / 16
czas przygotowania / 40 min•
stopień trudności / średniotrudne
kaloryczność / średniokaloryczne
koszt / średniodrogie

• oprócz czasu na wyrośnięcie i pieczenie

Rogale drożdżowe zatapiane

składniki: 50 dag mąki tortowej • kostka (25 dag) dobrej margaryny lub masła roślinnego • 2 żółtka • 2 łyżki cukru pudru lub bardzo drobnego kryształu • 1/2 szklanki ciepłego mleka • 6 dag drożdży • szczypta soli • dobrze wysmażone domowe powidła z agrestu lub śliwek • dobrze wysmażona marmolada lub odsączone konfitury • tłuszcz do wysmarowania formy • mąka do podsypania

Mleko, rozkruszone drożdże, cukier i 3 łyżki mąki oraz sól łączymy, odstawiamy do wyrośnięcia. Gdy zaczyn podwoi objętość, dodajemy żółtka, roztopiony letni tłuszcz, pozostałą mąkę (siejąc przez sito) i wyrabiamy ciasto do czasu, gdy utworzy się lepka, tłusta kula. Ciasto zawijamy w ściereczkę w taki sposób, by gdy w czasie „zatopienia" będzie rosło, nie wypłynęło. Tak przygotowaną kulę ciasta wkładamy do naczynia z bardzo zimną wodą i trzymamy do chwili, aż wypłynie (ok. 15 min, czasami nieco dłużej). Po wyjęciu ciasta z wody i odrzuceniu ściereczki kroimy je na 4 części, każdą rozwałkowujemy na posypanej mąką stolnicy, kroimy w zgrabne trójkąty, rozkładamy nadzienie i wstawiamy do nagrzanego piekarnika. Pieczemy w temp. 160ºC przez 25-30 min. Ładnie zrumienione zsuwamy na stolnicę i, jeszcze ciepłe, smarujemy białym lukrem o ulubionym smaku.

• oprócz czasu na „zatapianie" i pieczenie

liczba porcji / 40
czas przygotowania / 50 min•
stopień trudności / trudne
kaloryczność / średniokaloryczne
koszt / średniodrogie

Rogale drożdżowe

s k ł a d n i k i : 3 szklanki mąki tortowej • 2 kopiaste łyżki
cukru pudru • 1/4 kostki (6 dag) masła lub masła roślinnego
• 3 żółtka • 3 dag drożdży • skórka otarta z cytryny • szczypta soli
• 1/2 szklanki i 2 łyżki mleka • mąka do podsypania • tłuszcz
do wysmarowania blachy • jajko wymieszane z łyżką wody
do posmarowania rogali • lukier o smaku pomarańczowym
lub arakowym

n a d z i e n i e : domowe, dobrze wysmażone powidła
lub dobrze wysmażona marmolada, albo dokładnie odsączone
konfitury z wiśni

Do wygrzanej, przesianej mąki dodajemy rozkruszone
drożdże, żółtka, cukier puder, skórkę z cytryny i sól,
wszystko lekko mieszamy, wlewamy ciepłe mleko i wyrabiamy jednolite ciasto. Pod koniec dodajemy roztopione, letnie masło i jeszcze przez chwilę wyrabiamy, aż
tłuszcz zostanie całkowicie wchłonięty, przykrywamy ściereczką, odstawiamy do wyrośnięcia.
Gdy ciasto podwoi objętość, odrywamy od niego małe kawałki, rozwałkowujemy, tworząc zgrabne
trójkąty, od razu smarujemy lekko podgrzanym nadzieniem, zwijamy dość ciasno, rożki składamy ku
sobie i układamy (w sporych odstępach) na wysmarowanej tłuszczem blasze. Gdy rogale podwoją objętość, tuż przed wstawieniem do piekarnika, smarujemy delikatnie wierzchy jajkiem wymieszanym
z wodą, pieczemy w temp. 160-180ºC przez 25-30 min. Pięknie zrumienione zsuwamy z blachy i,
jeszcze ciepłe, smarujemy lukrem o ulubionym smaku.

liczba porcji / 15
czas przygotowania / 40 min•
stopień trudności / średniotrudne
kaloryczność / średniokaloryczne
koszt / średniodrogie

• o p r ó c z   c z a s u   n a   w y r o ś n i ę c i e   i   p i e c z e n i e

Babka na białkach
– przepis z kuchni staropolskiej

s k ł a d n i k i : 4 szklanki mąki krupczatki (ważne!)
• 2 szklanki mleka • 6 dag drożdży • szklanka cukru pudru • kostka
(25 dag) masła lub masła roślinnego • 10 dag migdałów (mogą być
migdałowe płatki) • szklanka surowych białek • szczypta soli
• tłuszcz do wysmarowania foremek

W ciepłym mleku rozprowadzamy pokruszone drożdże
wraz z łyżką cukru pudru i łyżką mąki, odstawiamy w ciepłe miejsce do wyrośnięcia. Białka z pozostałym cukrem
pudrem ubijamy na bardzo sztywną pianę, dodajemy, wraz
z wyrośniętymi drożdżami, do wygrzanej mąki, lekko mieszamy, dodajemy sól, posiekane migdały i wyrabiamy ciasto (najłatwiej robotem nastawionym na niskie obroty).
Do dobrze wyrobionego ciasta dodajemy roztopiony letni tłuszcz i przez chwilę wyrabiamy razem (ciasto nie wymaga zbyt długiego ubijania), odstawiamy do wyrośnię-
cia. Gdy podwoi objętość, nakładamy do 2 średniej wielkości wysmarowanych tłuszczem foremek,
odstawiamy w ciepłe miejsce, by wyrosło ponownie (ważne!), wstawiamy do nagrzanego piekarnika
i pieczemy w temp. 160ºC przez ok. 60 min. Babki są gotowe, gdy wierzch się zrumieni, a boki odstają od foremek. Babkę możemy „podrasować", posypując, przed pieczeniem, wierzch kruszonką
lub, już po upieczeniu, przekładając ciasto domowym dżemem, powidłami albo lekkim kremem.

liczba porcji / 25
czas przygotowania / 50 min•
stopień trudności / średniotrudne
kaloryczność / średniokaloryczne
koszt / średniodrogie

• o p r ó c z   c z a s u   n a   w y r o ś n i ę c i e   i   p i e c z e n i e

C I A S T A   drozdżowe

Drożdżowa baba czekoladowa
klasyczna

s k ł a d n i k i : 7 żółtek • 1/2 szklanki cukru pudru • 12 dag czekolady w proszku albo cała tabliczka i 1/5 czekolady gorzkiej lub deserowej • 1 i 1/2 szklanki mąki tortowej • 4 dag drożdży • 1/2 szklanki mleka • 10 dag rodzynek sułtanek • 2 łyżki smażonej, odsączonej skórki pomarańczowej • 1/2 laski wanilii • tłuszcz do wysmarowania formy

W ciepłym mleku rozprowadzamy rozkruszone drożdże z dodatkiem łyżki mąki i łyżki cukru pudru, mieszamy, odstawiamy w ciepłe miejsce do wyrośnięcia.

Czekoladę rozdrabniamy w malakserze lub ucieramy na tarce. Żółtka z cukrem pudrem ucieramy na puszysty kogel-mogel, dodajemy czekoladę i utłuczoną w moździerzu wanilię. Składniki łączymy, dodajemy wyrośnięte drożdże i, cały czas ubijając (najłatwiej robotem nastawionym na najniższe obroty), sypiemy przez sito wygrzaną mąkę i nadal ubijamy, aż ciasto stanie się jednolite. Dodajemy przebrane, wypłukane rodzynki, skórkę pomarańczową, dokładnie mieszamy i od razu nakładamy do średniej wielkości, wysmarowanej tłuszczem formy. Do ciasta nie dodajemy tłuszczu. Gdy ciasto podwoi objętość, wstawiamy do nagrzanego piekarnika i pieczemy w temp. 180°C przez ok. 40-50 min (czas pieczenia zależy od wysokości baby). Gotową możemy posypać cukrem pudrem lub polać lukrem rumowym czy pomarańczowym. Najsmaczniejsza jest polana czekoladą.

liczba porcji / 25
czas przygotowania / 50 min •
stopień trudności / średniotrudne
kaloryczność / wysokokaloryczne
koszt / średniodrogie

• o p r ó c z c z a s u n a w y r o ś n i ę c i e i p i e c z e n i e

Babka migdałowa

s k ł a d n i k i : 1 i 1/2 szklanki mąki tortowej • 5 dag drożdży • szklanka mleka • 1/2 kostki (12,5 dag) masła • 1/2 szklanki cukru pudru • 10 dag migdałów • 1/2 laski wanilii • 4 jajka • tłuszcz do wysmarowania formy

Do ciepłego mleka dodajemy pokruszone drożdże, łyżeczkę mąki i łyżeczkę cukru pudru, składniki mieszamy. Zaczyn odstawiamy w ciepłe miejsce do wyrośnięcia. Migdały zalewamy wrzątkiem, cedzimy na sicie, obieramy z łupinek, niezbyt drobno siekamy. Wanilię ubijamy w moździerzu na pył (nie należy zastępować jej cukrem waniliowym, bo zepsuje smak ciasta). Do wyrośniętego zaczynu dodajemy utłuczoną wanilię, pozostały cukier puder, żółtka, wygrzaną mąkę i wyrabiamy ciasto (najłatwiej robotem nastawionym na najniższe obroty). Gdy uzyska jednolitą konsystencję, dodajemy letni tłuszcz, posiekane migdały, całość nadal wyrabiamy, aż cały tłuszcz zostanie wchłonięty, a ciasto stanie się pulchne, sprężyste, z pęcherzykami powietrza w środku. Dodajemy ubitą z białek pianę wraz ze szczyptą soli, łączymy z ciastem delikatnymi ruchami, od razu napełniamy formę i odstawiamy do wyrośnięcia w ciepłe miejsce. Średniej wielkości forma na babkę powinna być odpowiednio dobrana, by ciasto, rosnąc, nie wypłynęło. Wstawiamy do nagrzanego piekarnika, pieczemy w temp. 160°C przez 60 min lub nieco dłużej. Zrumienioną, z bokami lekko odstającymi od formy, chłodzimy w wyłączonym, z uchylonymi drzwiczkami, piekarniku, zimną wyjmujemy z formy. Na paterze delikatnie oprószamy cukrem pudrem.

liczba porcji / 25
czas przygotowania / 50 min •
stopień trudności / średniotrudne
kaloryczność / średniokaloryczne
koszt / średniodrogie

• o p r ó c z c z a s u n a w y r o ś n i ę c i e i p i e c z e n i e

Babka ponczowa

s k ł a d n i k i : 3 szklanki mąki tortowej • 5 jajek • szklanka mleka • 1/2 kostki (12,5 dag) masła lub masła roślinnego • 6 dag drożdży • 1/2 szklanki cukru pudru • 2 cukry waniliowe • 2 kopiaste łyżki smażonej, odsączonej skórki pomarańczowej • szczypta soli • tłuszcz do wysmarowania formy

p o n c z : 1/2 szklanki cukru • szklanka wody • sok z dużej cytryny • kieliszek rumu

Do ciepłego mleka dodajemy rozkruszone drożdże, po łyżce cukru pudru i mąki, mieszamy, odstawiamy w ciepłe miejsce do wyrośnięcia. Zmiękczone masło rozcieramy w donicy, dodajemy oba cukry waniliowe, żółtka, ucieramy (można robotem nastawionym na średnie obroty), gdy składniki się połączą, dodajemy wyrośnięty zaczyn i przesianą, wygrzaną mąkę, dokładnie wyrabiamy, dodajemy skórkę pomarańczową i, ubite na sztywną pianę, białka. Całość dokładnie, ale delikatnie mieszamy. Ciasto powinno być gładkie, z pęcherzykami powietrza w środku. Nakładamy ciasto do 2 form babowych wysmarowanych tłuszczem, odstawiamy do wyrośnięcia. Gdy się wypełnią, wstawiamy do nagrzanego piekarnika i pieczemy w temp. 180°C przez ok. 60 min lub nieco dłużej. Zrumienione, z bokami lekko odstającymi od formy, babki pozostawiamy w wyłączonym piekarniku, gdy przestygną, wykładamy na paterę. Ponczem nasączamy je następnego dnia, na godzinę przed podaniem. Przygotowujemy poncz: cukier zagotowujemy z wodą, gdy się całkowicie rozpuści, odstawiamy. Do przestygłego dodajemy sok z cytryny i rum, mieszamy i od razu nasączamy babki, wcześniej nakłute zaostrzonym patyczkiem w kilku miejscach (wówczas poncz szybciej wsiąknie i nasączy ciasto).

• oprócz czasu na wyrośnięcie i pieczenie

liczba porcji / 25
czas przygotowania / 75 min •
stopień trudności / średniotrudne
kaloryczność / wysokokaloryczne
koszt / średniodrogie

Staropolska baba parzona

s k ł a d n i k i : 4 i 1/2 szklanki mąki tortowej • 1/2 kostki (12,5 dag) masła • szklanka cukru pudru • 6 żółtek • 6 dag drożdży • szklanka mleka • cukier waniliowy • szczypta soli • 2 kopiaste łyżki rodzynek • 2 kopiaste łyżki smażonej, odsączonej skórki pomarańczowej • tłuszcz do wysmarowania formy

Podgrzewamy 1/2 szklanki mleka, dodajemy rozkruszone drożdże, łyżeczkę cukru pudru i łyżeczkę mąki, mieszamy, odstawiamy w ciepłe miejsce do wyrośnięcia. Pozostałe mleko zagotowujemy, wrzącym zalewamy szklankę mąki, całość bardzo dokładnie rozcieramy, odstawiamy. Do letniej masy dodajemy wyrośnięty zaczyn, ponownie lekko wyrabiamy i odstawiamy do wyrośnięcia. Ucieramy żółtka z cukrem pudrem na kogel-mogel. Gdy zaczyn podwoi objętość, dodajemy utarte żółtka, przesianą pozostałą mąkę, cukier waniliowy, sól i wyrabiamy ciasto (można robotem nastawionym na najniższe obroty). Gdy składniki dokładnie się połączą, wlewamy letni tłuszcz i wyrabiamy nadal, aż zostanie całkowicie wchłonięty. Przy wyrabianiu ciasta nie należy się spieszyć. W gotowym cieście robimy w środku dołek, sypiemy doń rodzynki (wcześniej przebrane, wypłukane i osuszone) i skórkę pomarańczową, składniki lekko łączymy, przekładamy do dużej formy babowej z kominkiem wysmarowanej tłuszczem (do 1/3 wysokości, aby ciasto nie wypłynęło), ustawiamy ją w ciepłym miejscu, ale nie przy źródle ciepła, przykrywamy ściereczką. Gdy ciasto urośnie i wypełni formę, wierzch smarujemy żółtkiem wymieszanym z łyżką letniej wody i delikatnie wstawiamy babę do nagrzanego piekarnika. Pieczemy w temp. 180°C przez 60 min lub nieco dłużej, wyłączamy piekarnik, gdy wierzch się zrumieni, a boki lekko odstają od formy. Ciasto trzymamy w piekarniku, przy uchylonych drzwiczkach, aż trochę przestygnie. Po przechłodzeniu w formie wyjmujemy, kładziemy na paterze, posypujemy obficie cukrem pudrem.

• oprócz czasu na wyrośnięcie i pieczenie

liczba porcji / 16
czas przygotowania / 50 min •
stopień trudności / średniotrudne
kaloryczność / średniokaloryczne
koszt / średniodrogie

Babka bakaliowa

s k ł a d n i k i : 50 dag mąki tortowej • 6 dag świeżych drożdży • 10 żółtek • 1/2 szklanki cukru pudru • 1/2 kostki (12,5 dag) masła lub masła roślinnego • szklanka mleka • 20 dag rodzynek • 2 kopiaste łyżki smażonej, dokładnie odsączonej skórki pomarańczowej • szczypta soli • tłuszcz do wysmarowania formy

Do ciepłego mleka dodajemy pokruszone drożdże, łyżkę mąki i łyżkę cukru pudru, mieszamy, odstawiamy w ciepłe miejsce do wyrośnięcia. Żółtka ubijamy z pozostałym cukrem pudrem na kogel-mogel (robotem), dodajemy wraz z wyrośniętymi drożdżami do wygrzanej, przesianej mąki, lekko wyrabiamy (można robotem nastawionym na najniższe obroty). Gdy składniki dokładnie się połączą, a ciasto stanie się jednolite, z pęcherzykami powietrza w środku, dodajemy sól, roztopione letnie masło i nadal wyrabiamy (ok. 7 min). Pod koniec dodajemy bakalie, składniki lekko łączymy i odstawiamy do ponownego wyrośnięcia. Gdy ciasto podwoi objętość, przekładamy do dużej formy babowej z kominkiem wysmarowanej tłuszczem i ponownie odstawiamy, aż wypełni formę. Po tym czasie wstawiamy (bardzo delikatnie – bez najmniejszych wstrząsów) do nagrzanego piekarnika i pieczemy w temp. 180°C przez 60 min lub nieco dłużej. Czas pieczenia zależy od wysokości bakaliowej baby. Zrumienioną, z bokami lekko odstającymi od formy, pozostawiamy w wyłączonym piekarniku z uchylonymi drzwiczkami. Wystawiamy, gdy jest jeszcze ciepła, a dopiero zimną wyjmujemy z formy, przekładamy na paterę, oprószamy cukrem pudrem lub lukrujemy.

• o p r ó c z   c z a s u   n a   w y r o ś n i ę c i e   i   p i e c z e n i e

liczba porcji / 16
czas przygotowania / 40 min •
stopień trudności / średniotrudne
kaloryczność / wysokokaloryczne
koszt / średniodrogie

Pączki z zaścianka

s k ł a d n i k i : 3 szklanki mąki tortowej • 3 żółtka • 3 łyżki cukru pudru • 1/3 kostki (8 dag) masła lub masła roślinnego • 1 i 1/3 szklanki mleka • 3 łyżki słodkiej śmietanki • 4 dag drożdży • szczypta soli • skórka otarta z cytryny • 1 kg smalcu • domowe powidła • cukier puder wymieszany z cukrem waniliowym do posypania • mąka do podsypania

W ciepłym mleku rozprowadzamy pokruszone drożdże z dodatkiem łyżeczki mąki i łyżeczki cukru pudru, odstawiamy w ciepłe miejsce do wyrośnięcia. Gdy zaczyn podwoi objętość, dodajemy cukier puder, żółtka, letnią śmietankę, sól i skórkę z cytryny, składniki mieszamy, sypiemy przez sito wygrzaną mąkę, wyrabiamy ciasto o jednolitej konsystencji, wlewamy letni tłuszcz i wyrabiamy, aż będzie gładkie, lśniące i sprężyste (ciasto powinno być luźne). Gotowe odstawiamy do wyrośnięcia. Gdy podwoi objętość, nabieramy łyżką porcje ciasta i kładziemy na lekko oprószonej mąką dłoni, formujemy zgrabny, cienki placuszek, nadziewamy powidłami, zlepiamy i układamy stroną zlepioną na posypanej mąką stolnicy. Gdy pączki zaczynają powoli rosnąć, kładziemy je na rozgrzany smalec i smażymy, rumieniąc z obu stron. Wykładamy łyżką cedzakową na warstwę ligniny, gdy spłynie z nich nadmiar tłuszczu, posypujemy obficie cukrem pudrem i układamy na paterze.

• o p r ó c z   c z a s u   n a   w y r o ś n i ę c i e   i   s m a ż e n i e

liczba porcji / 22
czas przygotowania / 150 min •
stopień trudności / średniotrudne
kaloryczność / wysokokaloryczne
koszt / średniodrogie

Pączki parzone

s k ł a d n i k i : 3 szklanki mąki tortowej • 4 dag drożdży • 8 żółtek • 2 jajka
• 1/2 szklanki cukru pudru • 1/2 kostki (12,5 dag) masła lub masła roślinnego
• 2 szklanki mleka • kieliszek rumu • skórka otarta z cytryny • szczypta soli • mąka
do podsypania • 1 kg + kopiasta łyżka smalcu • konfitury z wiśni albo róży
lub domowe powidła • cukier puder wymieszany z cukrem waniliowym do posypania

Z drożdży, 1/3 szklanki ciepłego mleka, łyżeczki cukru pudru i łyżeczki mąki przygotowujemy zaczyn, odstawiamy w ciepłe miejsce do wyrośnięcia. Pozostałe mleko zagotowujemy, wrzącym zaparzamy szklankę mąki, rozcieramy dokładnie, żeby nie było grudek, odstawiamy do wychłodzenia. Do zaparzonej, letniej mąki
dodajemy wyrośnięte drożdże, składniki dokładnie łączymy i ponownie odstawiamy w ciepłe miejsce do wyrośnięcia (znacznego).
Żółtka i całe jajka ucieramy z cukrem pudrem na kogel-mogel, dodajemy do
wyrośniętego zaczynu, dorzucamy sól, skórkę z cytryny, rum, składniki łączymy, dodajemy mąkę, siejąc przez sito, i wyrabiamy ciasto. Gdy będzie
gładkie, z pęcherzykami powietrza w środku, dodajemy roztopiony tłuszcz,
wyrabiamy, aż zostanie całkowicie wchłonięty przez ciasto i ponownie odstawiamy do wyrośnięcia. Gdy podwoi objętość, nabieramy łyżką porcje ciasta, nadziewamy na dłoni powidłami, zlepiamy, układamy na posypanej mą-
ką stolnicy miejscem zlepienia ku dołowi. Smażymy, gdy pączki zaczynają lekko powiększać objętość, na dobrze rozgrzanym tłuszczu, rumieniąc z obu stron. Wyjmujemy łyżką cedzakową na warstwę ligniny, gdy spłynie nadmiar tłuszczu, układamy na paterze i obficie opruszamy cukrem pudrem.

• oprócz czasu na wyrośnięcie i smażenie

liczba porcji / 35
czas przygotowania / 150 min•
stopień trudności / średniotrudne
kaloryczność / średniokaloryczne
koszt / średniodrogie

Pączki mojej Babci

s k ł a d n i k i : 50 dag mąki tortowej • 1/2 szklanki mleka • 8 dag drożdży
• 8 żółtek • szklanka słodkiej śmietanki • 1/2 kostki (12,5 dag) masła • 4 łyżki cukru pudru
• 1/2 laski wanilii • szczypta soli • kieliszek spirytusu (ważne!) • skórka otarta z cytryny
• konfitury z róży lub wiśni • 2 litry smalcu + kieliszek spirytusu • cukier puder z utłuczoną
na pył wanilią • mąka do podsypania

Z drożdży, mleka, łyżki cukru pudru i łyżki mąki przygotowujemy zaczyn.
Gdy wyrośnie, dodajemy utarte z cukrem pudrem żółtka, podgrzaną śmietankę, utłuczoną w moździerzu wanilię oraz sianą przez sito, wygrzaną mąkę. Do lekko wyrobionych składników dodajemy płynny tłuszcz, spirytus
oraz skórkę otartą z cytryny, wyrabiamy ciasto, aż zacznie lekko odstawać
od ręki (powinno być niezbyt gęste, lśniące i elastyczne), nakrywamy, odstawiamy do wyrośnięcia. Gdy podwoi objętość, przygotowujemy pączki.
Łyżką nabieramy porcję ciasta, w dłoni formujemy mały krążek, nakładamy nadzienie, zlepiamy, uformowaną kulkę układamy miejscem zlepienia
ku dołowi na posypanej mąką stolnicy. Nadzienie do pączków powinno
być lekko podgrzane (różnica temperatury pomiędzy ciastem a nadzieniem
może spowodować, że w pączku zrobi się zakalec). Do smażenia przystę-
pujemy, gdy wszystkie pączki są lekko wyrośnięte.
W szerokim rondlu rozgrzewamy smalec, dodajemy spirytus. Gdy tłuszcz ma odpowiednią temperaturę, wrzucamy pączki – po kilka sztuk, by swobodnie pływały. Gdy się zrumienią, odwracamy
na drugą stronę. Wyjmujemy łyżką cedzakową na grubą warstwę ligniny, układamy na paterze i obficie posypujemy cukrem pudrem.

• oprócz czasu na wyrośnięcie i smażenie

liczba porcji / 30
czas przygotowania / 150 min•
stopień trudności / średniotrudne
kaloryczność / średniokaloryczne
koszt / drogie

Pączki domowe

s k ł a d n i k i : 3 szklanki mąki tortowej • mąka do podsypania • 3 łyżki cukru pudru • 5 żółtek • 1/4 kostki (6 dag) masła lub masła roślinnego • szklanka mleka • 4 dag drożdży • szczypta soli • cukier waniliowy lub skórka otarta z cytryny • lekko podgrzane powidła śliwkowe albo konfitury z wiśni • 1 kg + czubata łyżka czystego smalcu

W podgrzanym mleku rozprowadzamy pokruszone drożdże z dodatkiem łyżeczki cukru pudru i łyżeczki mąki, odstawiamy w ciepłe miejsce do wyrośnięcia. Do zaczynu dodajemy żółtka, cukier puder, sól oraz sianą przez sito, wygrzaną mąkę. Wyrabiamy ciasto, aż ukażą się pęcherzyki powietrza, dodajemy płynny tłuszcz, cukier waniliowy lub skórkę otartą z cytryny i wyrabiamy całość, aż tłuszcz całkowicie się wchłonie. Ciasto, przykryte ściereczką, stawiamy w ciepłym miejscu do wyrośnięcia.

Gdy podwoi objętość, wykładamy na posypaną mąką stolnicę, formujemy wałek, kroimy na 25 (czasem wyjdzie nieco więcej) części, z każdej lepimy zgrabny, niezbyt gruby placuszek, nakładamy podgrzane powidła (nie powinno być różnicy temperatur), zlepiamy i układamy na stolnicy do wyrośnięcia. Na mocno rozgrzanym tłuszczu smażymy pączki, aż będą zrumienione z obu stron, wyjmujemy łyżką cedzakową na tacę, wyłożoną papierowymi ręcznikami. Po odsączeniu z nadmiaru tłuszczu posypujemy obficie cukrem pudrem i układamy na paterze.

liczba porcji / 25
czas przygotowania / 150 min•
stopień trudności / średniotrudne
kaloryczność / średniokaloryczne
koszt / średniodrogie

• oprócz czasu na wyrośnięcie i smażenie

Ciasto drożdżowe z gruszkami

s k ł a d n i k i : 3 szklanki mąki tortowej • 2 żółtka • 2 kopiaste łyżki cukru pudru • szczypta soli • 5 dag drożdży • szklanka mleka • 1/2 kostki (12,5 dag) masła lub masła roślinnego • cukier waniliowy • 4 duże, niezbyt soczyste gruszki • 20 śliwek węgierek • czubata łyżka dżemu morelowego lub konfitur z róży • 2 kopiaste łyżki cukru pudru do posypania

Na niewielkim ogniu podgrzewamy mleko z tłuszczem, aż tłuszcz się całkowicie rozpuści, odstawiamy do przechłodzenia. Mleko powinno być letnie.

Do przesianej mąki dodajemy rozkruszone drożdże, cukier puder i cukier waniliowy, wszystkie suche składniki dokładnie mieszamy, dodajemy żółtka, letnie mleko z masłem i, najlepiej za pomocą robota nastawionego na niskie obroty, wyrabiamy ciasto. Gotowe powinno mieć jednolitą, ścisłą konsystencję. Odstawiamy w ciepłe miejsce do wyrośnięcia.

Gruszki obieramy, usuwamy gniazda nasienne, kroimy w zgrabne cząstki, śliwki kroimy na połowę, usuwamy pestki.

Wyrośnięte ciasto wykładamy do wyłożonej folią dużej tortownicy, wyrównujemy powierzchnię, na wierzchu układamy, ściśle obok siebie, ale w sposób dekoracyjny, owoce (powinny przykryć całe ciasto), wstawiamy do nagrzanego piekarnika i pieczemy w temp. 180ºC. Po 20 min zwiększamy temperaturę do 200ºC i pieczemy nadal, aż ciasto będzie rumiane, a boki będą lekko odstawały od brzegów tortownicy. Studzimy w formie, w której się piekło.

Dżemem morelowym zmieszanym z łyżką wrzącej wody smarujemy jeszcze ciepłe ciasto, posypujemy obficie cukrem pudrem.

Rada: całkowicie wychłodzone, ale bardzo świeże ciasto można zamrozić, w całości lub pokrojone na części, owinięte szczelnie w folię. Przechowa się doskonale przez 6-8 tygodni.

liczba porcji / 16
czas przygotowania / 60 min•
stopień trudności / średniotrudne
kaloryczność / wysokokaloryczne
koszt / średniodrogie

• oprócz czasu na wyrośnięcie i pieczenie

Szarlotka
według przepisu mojej Babci

s k ł a d n i k i : 2 szklanki mąki tortowej • 3/4 szklanki cukru pudru • 2 jajka • 1/2 kostki (12,5 dag) masła lub masła roślinnego • 2 dag drożdży • łyżka oliwy lub dobrego oleju • szczypta soli • cukier waniliowy • płaska łyżeczka proszku do pieczenia • 6 dorodnych, lekko kwaskowych i kruchych jabłek (antonówki lub inne) • sok z cytryny • kopiasta łyżka cukru • łyżeczka cynamonu • tłuszcz do wysmarowania formy

Przygotowujemy jabłka: umyte, obrane ze skórki, pozbawione gniazd nasiennych ucieramy na tarce jarzynowej z dużymi otworami, od razu skrapiamy sokiem z cytryny, by nie ściemniały, dodajemy cukier, odstawiamy w chłodne miejsce.

Do przesianej mąki dodajemy rozkruszone drożdże, cukier puder, jajka, drobno posiekany tłuszcz, składniki mieszamy, dodajemy oliwę, sól, proszek do pieczenia i zagniatamy ciasto. Jest gotowe, gdy wszystkie składniki dokładnie się połączą. 3/5 ciasta wykładamy na spód wysmarowanej tłuszczem dużej tortownicy, podnosząc boki na ok. 3-4 cm. Na wierzch kładziemy przygotowane jabłka, opruszone cynamonem, wyrównujemy powierzchnię, rozkładamy pozostałe ciasto w formie lekko rozwałkowanego krążka i natychmiast po przygotowaniu wstawiamy do nagrzanego piekarnika. Pieczemy w temp. 180°C przez ok. 50 min lub nieco dłużej. Ciasto jest gotowe, gdy wierzch się lekko zrumieni, a boki odstają od formy. Wyjmujemy je z formy, gdy ostygnie. Szarlotka jest najsmaczniejsza z dodatkiem bitej śmietany.

* oprócz czasu na pieczenie

liczba porcji / 16
czas przygotowania / 60 min•
stopień trudności / średniotrudne
kaloryczność / średniokaloryczne
koszt / średniodrogie

Ciasto biszkoptowe trzepane

s k ł a d n i k i : szklanka mąki tortowej • 4 jajka • szklanka cukru pudru • 2 łyżki mąki ziemniaczanej • 4 łyżki oliwy lub dobrego oleju • czubata łyżeczka proszku do pieczenia • lukier o smaku rumowym lub cytrynowym • tłuszcz do wysmarowania formy • tarta bułka do posypania formy

Jajka, cukier puder, oliwę lub olej dokładnie ubijamy trzepaczką albo robotem nastawionym na średnie obroty. Gdy składniki się połączą, dodajemy, siejąc przez sito, mąkę tortową i ziemniaczaną, proszek, całość nadal dokładnie ubijamy.

Gdy ciasto stanie się jednolite i pulchne, wlewamy je do przygotowanej formy (duża tortownica), wstawiamy do nagrzanego, ale niegorącego piekarnika i pieczemy w temp. 180°C przez ok. 35-40 min. Gdy się zrumieni na wierzchu, a boki lekko odstają od formy, wyjmujemy z pieca i pozostawiamy do wychłodzenia. Podajemy pokrojone w romby. Oddzielnie możemy podać bitą śmietanę, lody owocowe, domowy dżem, konfitury lub owocową sałatkę.

* oprócz czasu na pieczenie

liczba porcji / 16
czas przygotowania / 30 min•
stopień trudności / średniotrudne
kaloryczność / średniokaloryczne
koszt / średniodrogie

Rolada czekoladowa

s k ł a d n i k i : 4 jajka • 4 łyżki zimnej wody • łyżka soku z cytryny • szczypta soli • szklanka cukru pudru • 5 płaskich łyżek kakao • 5 płaskich łyżek mąki ziemniaczanej • 1/2 szklanki mąki tortowej • czubata łyżeczka proszku do pieczenia • tłuszcz do wysmarowania pergaminu na spód blachy

n a d z i e n i e : duża szklanka śmietany kremowej • zagęstnik do śmietany • 2 łyżki cukru pudru • dobrze wysmażony dżem brzoskwiniowy lub marmolada • tarta czekolada do posypania

Białka, wodę, sok z cytryny i sól ubijamy robotem, gdy piana stanie się bardzo sztywna, dodajemy cukier puder i, cały czas ubijając, po jednym żółtku. Gdy piana ze składnikami dobrze się połączy, sypiemy (przez sito) mąkę ziemniaczaną, mąkę tortową, kakao i proszek, ciasto delikatnie mieszamy drewnianą łyżką, gdy składniki dobrze się połączą, wylewamy na przygotowaną wcześniej blachę, wyłożoną pergaminem posmarowanym tłuszczem, wstawiamy do nagrzanego piekarnika, pieczemy w temp. 160°C przez 15-20 min.

Po wyjęciu z piekarnika ciasto wykładamy na ułożoną na stolnicy ściereczkę wierzchem na spód, zdejmujemy pergamin i od razu, ciepłe, rolujemy razem ze ściereczką.

Na 2 godz. przed podaniem rolady ubijamy śmietanę z dodatkiem cukru pudru i zagęstnika, ciasto lekko rozwijamy, uważając, by nie było pęknięć, smarujemy cienko dżemem, nakładamy śmietanę, pozostawiając 2 łyżki, i ponownie zawijamy. Przed podaniem smarujemy wierzch rolady pozostawioną śmietaną, posypujemy obficie czekoladą. Kroimy w zgrabne porcje ostrym, cienkim nożem, podgrzanym we wrzątku.

*oprócz czasu na pieczenie

---

liczba porcji / 12
czas przygotowania / 50 min*
stopień trudności / średniotrudne
kaloryczność / wysokokaloryczne
koszt / średniodrogie

Owoce zalewane biszkoptowym ciastem

s k ł a d n i k i : szklanka mąki pszennej • szklanka cukru pudru • 5 jajek • 1/2 łyżeczki proszku do pieczenia • 15 dorodnych śliwek węgierek • 2 duże, kwaskowe jabłka • tłuszcz do wysmarowania formy • tarta bułka do posypania formy • cukier puder z cukrem waniliowym do posypania ciasta

Tortownicę smarujemy bardzo dokładnie tłuszczem i opruszamy tartą bułką, wstawiamy do lodówki do wychłodzenia. Umyte, suche owoce rozdrabniamy: śliwki kroimy na połowę, usuwamy pestki, jabłka po obraniu i usunięciu gniazd nasiennych kroimy w cienkie cząstki, odstawiamy w chłodne miejsce. Jajka ubijamy z cukrem pudrem na puszysty kogel-mogel, na masę sypiemy przez sito mąkę z proszkiem, ciasto delikatnie mieszamy drewnianą łyżką i odstawiamy na 5 min, by „odpoczęło".

Na spodzie wychłodzonej średniej wielkości tortownicy układamy połówki śliwek stroną przeciętą do góry i cząstki jabłek (owoce można lekko oprószyć cynamonem), zalewamy ubitym ciastem, wstawiamy do ciepłego, ale niegorącego piekarnika, pieczemy przez ok. 30 min lub nieco dłużej w temp. 160°C. Gdy ciasto będzie zrumienione, a boki będą lekko odstawały od formy, wyjmujemy z pieca, chłodzimy w formie, letnie wykładamy „do góry dnem" (żeby warstwa owoców była w górnej części) i posypujemy obficie cukrem pudrem. Przed podaniem kroimy w zgrabne romby, układamy na porcjowych talerzykach i podajemy ze śmietankowymi lub waniliowymi lodami.

Owinięte w folię, ułożone w chłodnym miejscu (nie w lodówce!), doskonale przechowa się do następnego dnia.

*oprócz czasu na pieczenie

---

liczba porcji / 12
czas przygotowania / 20 min*
stopień trudności / średniotrudne
kaloryczność / średniokaloryczne
koszt / średniodrogie

Biszkopcik bananowy

s k ł a d n i k i : 4 duże jajka (albo 5 małych) • 1/2 szklanki cukru pudru • 4 budynie o smaku bananowym • łyżeczka proszku do pieczenia • tłuszcz do wysmarowania formy • tarta bułka do posypania formy • sałatka z bananów skropiona likierem bananowym i sokiem z cytryny

Białka z dodatkiem cukru pudru ubijamy na bardzo sztywną pianę, dodajemy po jednym żółtku, cały czas ubijając. Na pulchną masę jajeczną sypiemy przez sito budynie i proszek, składniki delikatnie, ale dokładnie łączymy drewnianą łyżką, przelewamy do przygotowanej średniej wielkości tortownicy i wstawiamy do nagrzanego, ale niegorącego piekarnika. Pieczemy w temp. 150°C przez ok. 35-40 min. Zrumienione, z bokami lekko odstającymi od formy, ciasto wyjmujemy z piekarnika, chłodzimy częściowo w formie i dopiero, gdy będzie letnie, wyjmujemy z tortownicy na paterę. Podajemy pokrojone w zgrabne romby z dodatkiem bananowej sałatki, skropionej likierem.

* o p r ó c z   c z a s u   n a   p i e c z e n i e

liczba porcji / 12
czas przygotowania / 25 min*
stopień trudności / średniotrudne
kaloryczność / średniokaloryczne
koszt / średniodrogie

Biszkopt orzechowy

s k ł a d n i k i : 6 dużych jajek • 6 kopiastych łyżek cukru pudru • szklanka drobno posiekanych (niemielonych!) orzechów – mogą być laskowe i włoskie (pół na pół) • 2 kopiaste łyżki drobnej tartej bułki • sok z 1/2 dużej cytryny • tłuszcz do wysmarowania formy • tarta bułka do posypania formy • cukier puder do posypania ciasta

Dużą tortownicę smarujemy bardzo dokładnie (można dwukrotnie) tłuszczem i opruszamy bardzo dokładnie tartą bułką. Żółtka z cukrem pudrem ucieramy na puszysty kogel-mogel, dodajemy sok z cytryny, składniki łączymy. Na masę nakładamy ubitą z białek pianę, tartą bułkę i orzechy, ciasto delikatnie, ale dokładnie mieszamy (najlepiej drewnianą łyżką), przekładamy do przygotowanej formy, wstawiamy do nagrzanego piekarnika, pieczemy w temp. 160°C przez 30 min lub nieco dłużej. Wychładzamy w formie, letnie zsuwamy na paterę, posypujemy cukrem pudrem. Podajemy pokrojone w zgrabne porcje z dodatkiem śmietanowego kremu bakaliowego lub porcji lodów. Owinięte w folię i ułożone w chłodnym miejscu (nie w lodówce!) można przechować przez kilka dni.

* o p r ó c z   c z a s u   n a   p i e c z e n i e

liczba porcji / 16
czas przygotowania / 40 min*
stopień trudności / średniotrudne
kaloryczność / wysokokaloryczne
koszt / średniodrogie

Biszkopt cytrynowy

s k ł a d n i k i : 5 jajek • 3/4 szklanki cukru pudru • 2 kisiele cytrynowe • 2 budynie cytrynowe • łyżeczka proszku do pieczenia • tłuszcz do wysmarowania formy • tarta bułka do posypania formy • konfitury z moreli lub dżem pomarańczowy • szklanka śmietany kremowej • zagęstnik

Białka z cukrem pudrem ubijamy na sztywną pianę, dodajemy, cały czas ubijając (najwygodniej robotem), żółtka (po jednym) – masa powinna być jednolita i pulchna. Sypiemy na nią, przez sito, obydwa kisiele, obydwa budynie i proszek. Całość delikatnie, ale dokładnie mieszamy drewnianą łyżką, wlewamy do odpowiednio przygotowanej średniej wielkości formy, wstawiamy do nagrzanego, ale niegorącego piekarnika. Pieczemy w temp. 160ºC przez ok. 30 min lub nieco dłużej. Zrumienione, lekko odstające od formy, ciasto wyjmujemy, po niewielkim przechłodzeniu wykładamy na deskę. Na 30 min przed podaniem smarujemy wierzch konfiturami lub dżemem, kroimy ciasto w zgrabne porcje, dekorujemy ubitą śmietaną. Ciasto ma orzeźwiający, cytrynowy smak, jest lekkie i puszyste.

* o p r ó c z   c z a s u   n a   p i e c z e n i e

liczba porcji / **24**

czas przygotowania / **30 min**•

stopień trudności / **średniotrudne**

kaloryczność / **wysokokaloryczne**

koszt / **średniodrogie**

Biszkopt czekoladowy

s k ł a d n i k i : 6 jajek • 6 kopiastych łyżek cukru pudru • 4 kopiaste łyżki mąki krupczatki • kopiasta łyżka kakao • 2 cukry waniliowe • 2 płaskie łyżeczki proszku do pieczenia • tłuszcz do wysmarowania formy • tarta bułka do posypania formy • 0,5 l śmietany kremowej • zagęstnik • łyżeczka cukru waniliowego • wiórki czekoladowe do posypania

Średniej wielkości tortownicę bardzo dokładnie smarujemy tłuszczem i oprószamy tartą bułką. Z białek z dodatkiem cukru pudru i cukru waniliowego ubijamy sztywną pianę (robotem) i, cały czas ubijając, dodajemy (po jednym) żółtka. Gdy składniki się połączą, a masa będzie puszysta i ścisła, sypiemy przez sito mąkę, proszek, kakao, składniki łączymy delikatnie, ale dokładnie, najlepiej drewnianą łyżką, od razu przekładamy do przygotowanej formy, wyrównujemy powierzchnię, wstawiamy do nagrzanego (niegorącego) piekarnika. Pieczemy w temp. 150-160ºC przez 40 min lub nieco dłużej. Lekko zrumienione ciasto, z bokami odstającymi od formy, wyjmujemy i po niewielkim przechłodzeniu (ok. 5 min) wykładamy na deskę do góry dnem.
Przed podaniem dzielimy ciasto na 2 krążki, na dolny nakładamy połowę ubitej śmietany, przykrywamy drugim krążkiem, nakładamy pozostałą śmietanę, posypujemy obficie czekoladowymi wiórkami.

* o p r ó c z   c z a s u   n a   p i e c z e n i e

liczba porcji / **12**

czas przygotowania / **40 min**•

stopień trudności / **średniotrudne**

kaloryczność / **wysokokaloryczne**

koszt / **średniodrogie**

Biszkopt piaskowy

s k ł a d n i k i : 4 duże jajka (albo 5 mniejszych) • szklanka cukru pudru • 1/2 szklanki mąki pszennej • 4 łyżki mąki ziemniaczanej • budyń śmietankowy • łyżeczka proszku do pieczenia • tłuszcz do wysmarowania formy • tarta bułka do posypania formy

Żółtka wraz z cukrem pudrem ubijamy robotem na gęsty kogel-mogel, na masę jajeczną siejemy przez sito obie mąki, budyń i proszek, cały czas ubijając ciasto. Gdy jest dobrze wyrobione, bez śladu grudek, łączymy je z pianą ubitą z białek, mieszając delikatnie drewnianą łyżką, wylewamy do przygotowanej średniej wielkości formy, wstawiamy do ciepłego, ale niegorącego (ważne!) piekarnika. Pieczemy w temp. 160ºC przez 30-35 min. Zrumienione, z bokami lekko odstającymi od brzegów formy, ciasto wyjmujemy z piekarnika, wychładzamy i wykładamy na deskę. Podajemy pokrojone w zgrabne romby, oddzielnie podajemy sałatkę owocową, lekko skropioną alkoholem, z ubitą śmietaną.

* oprócz czasu na pieczenie

liczba porcji / 24
czas przygotowania / 35 min*
stopień trudności / średniotrudne
kaloryczność / średniokaloryczne
koszt / średniodrogie

Biszkopt dietetyczny

s k ł a d n i k i : 4 duże jajka (albo 5 małych) • 1/2 szklanki cukru pudru • 1/2 szklanki mąki kukurydzianej • cukier waniliowy • tłuszcz do wysmarowania formy • kaszka kukurydziana do posypania formy • cukier puder do posypania ciasta

Żółtka z cukrem pudrem i cukrem waniliowym ubijamy na gęsty kogel-mogel, dodajemy ubite na pianę białka, składniki łączymy dokładnie, ale delikatnie, na masę siejemy przez sito mąkę kukurydzianą, składniki mieszamy, najlepiej drewnianą łyżką. Przelewamy ciasto do przygotowanej średniej wielkości formy, wstawiamy do nagrzanego, ale niegorącego piekarnika. Pieczemy w temp. 150ºC przez 30-35 min, wyjmujemy, gdy się zrumieni, a boki lekko odstają od formy, chłodzimy. Podajemy posypane cukrem pudrem, bez innych dodatków.

* oprócz czasu na pieczenie

liczba porcji / 24
czas przygotowania / 25 min*
stopień trudności / łatwe
kaloryczność / średniokaloryczne
koszt / średniodrogie

liczba porcji / **40**
czas przygotowania / **45 min•**
stopień trudności / **łatwe**
kaloryczność / **niskokaloryczne**
koszt / **tanie**

Biszkoptowe ciasteczka

s k ł a d n i k i : 2 duże jajka • 3 kopiaste łyżki cukru pudru • 2 kopiaste łyżki mąki tortowej • cukier waniliowy • tłuszcz do wysmarowania blachy

Białka z cukrem pudrem ubijamy na bardzo sztywną pianę (najłatwiej robotem), dodajemy, cały czas ubijając, żółtka (po jednym), cukier waniliowy i, siejąc przez sito, mąkę, delikatnie zarabiamy ciasto, najlepiej drewnianą łyżką. Gdy składniki się połączą, małą łyżeczką nakładamy porcje ciasta na przygotowaną blachę, formując zgrabne ciasteczka. Wstawiamy do nagrzanego piekarnika, pieczemy w temp. 150ºC przez 15 min, wyjmujemy, gdy nabiorą lekko złocistego koloru, zsuwamy na deseczkę, by wystygły. Przed podaniem możemy ciasteczka „podrasować" – nadziewać kawowym lub orzechowym kremem i składać po 2 albo nadziewać wysmażoną marmoladą lub masą bakaliową i, po złożeniu, polać czekoladą.

• o p r ó c z c z a s u n a p i e c z e n i e

Biszkopcik cynamonowy

s k ł a d n i k i : 2 szklanki + 2 płaskie łyżki mąki pszennej • 3/4 szklanki cukru pudru • 2 jajka • szklanka mleka • 3/4 kostki (18 dag) masła lub masła roślinnego • 2 płaskie łyżeczki mielonego cynamonu • 3 kopiaste łyżeczki kakao • 2 płaskie łyżeczki sody oczyszczonej • 0,3 l domowych powideł lub gęstej marmolady • tłuszcz do wysmarowania formy • tarta bułka do posypania formy • czekolada do polania ciasta • wiórki czekoladowe do oprószenia

liczba porcji / **24**
czas przygotowania / **35 min•**
stopień trudności / **średniotrudne**
kaloryczność / **wysokokaloryczne**
koszt / **średniodrogie**

Masło razem z powidłami ucieramy robotem nastawionym na średnie obroty. Gdy składniki się połączą, dodajemy, cały czas ucierając, po jednym jajku, cukier puder oraz – w niewielkich porcjach – mleko. Mąkę wraz z kakao, cynamonem i sodą siejemy przez sito na utartą masę, cały czas ucieramy, aż składniki się połączą. Wyrobione ciasto powinno być niezbyt gęste i gładkie. Wylewamy do przygotowanej średniej wielkości formy, wstawiamy do nagrzanego piekarnika, pieczemy w temp. ok. 150ºC przez 40 min lub nieco dłużej. Wyrośnięte ciasto, z wierzchem lekko zrumienionym i bokami odstającymi od brzegów formy, wyjmujemy z piekarnika, chłodzimy, letnie wykładamy na deskę wyłożoną pergaminem, odwracamy, polewamy płynną czekoladą i posypujemy czekoladowymi wiórkami.

• o p r ó c z c z a s u n a p i e c z e n i e

Biszkopcik śliwkowy
według Cioci Godziszewskiej

s k ł a d n i k i : 1 i 1/2 szklanki mąki pszennej • 2 płaskie łyżeczki proszku do pieczenia • 2 łyżki wrzącej wody • 1/2 szklanki mleka • 3 żółtka • 1/2 szklanki cukru pudru • 1/3 kostki (8 dag) masła lub masła roślinnego • 1/2 szklanki cukru pudru do ubicia białek • białka z 3 jajek • świeże śliwki • cynamon • tłuszcz do wysmarowania formy • tarta bułka do posypania formy

Masło topimy. Średniej wielkości tortownicę bardzo obficie smarujemy tłuszczem i posypujemy tartą bułką. Żółtka ucieramy z cukrem pudrem na puszysty kogel-mogel. Do miseczki siejemy przez sito mąkę, zalewamy wrzącą wodą (ważne!), po minucie dodajemy mleko, składniki ciasta mieszamy (najłatwiej robotem nastawionym na średnie obroty). Gdy stanie się jednolite, dodajemy, cały czas ucierając, utarte żółtka, płynny tłuszcz i proszek. Całość ubijamy, aż ciasto stanie się gładkie i lśniące. Przekładamy do przygotowanej formy, wstawiamy do wygrzanego, ale niegorącego piekarnika, pieczemy w temp. 160ºC przez ok. 30 min. Lekko zrumienione wystawiamy, by przestygło. Na wychłodzone ciasto układamy, bardzo gęsto, połówki śliwek, delikatnie opruszamy cynamonem, przykrywamy owoce pianą ubitą z białek i cukru pudru i ponownie wstawiamy do ciepłego piekarnika, nastawionego na temp. 110-120ºC, lekko uchylamy drzwiczki (na centymetr) i podpiekamy przez 20 min, aż piana lekko się wysuszy i podrumieni. Po ponownym wychłodzeniu wyjmujemy ciasto z formy, układamy na paterze, podajemy pokrojone w zgrabne romby.

* o p r ó c z   c z a s u   n a   p i e c z e n i e

liczba porcji / 12
czas przygotowania / 30 min •
stopień trudności / średniotrudne
kaloryczność / wysokokaloryczne
koszt / średniodrogie

Ciasto biszkoptowe z musem bakaliowym

s k ł a d n i k i : 4 jajka • szklanka cukru pudru • 1/2 szklanki mąki tortowej • budyń waniliowy • 2 kopiaste łyżki mąki ziemniaczanej • łyżeczka proszku do pieczenia • cukier waniliowy • tłuszcz do wysmarowania formy • tarta bułka do posypania formy • cukier puder do posypania ciasta

m u s : 2 szklanki musu jabłkowego • filiżanka rodzynek • filiżanka drobno posiekanych daktyli • 2 łyżki smażonej skórki pomarańczowej

Białka z cukrem pudrem ubijamy mikserem na bardzo sztywną pianę. Podczas ubijania dodajemy (po jednym) żółtka, cukier waniliowy. Gdy masa stanie się jednolita i puszysta, dodajemy, siejąc przez sito, obie mąki, budyń i proszek, całość lekko mieszamy (najlepiej drewnianą łyżką), wylewamy do przygotowanej średniej wielkości tortownicy. Wstawiamy do nagrzanego piekarnika, pieczemy w temp. 160ºC przez 30 min lub nieco dłużej. Wyjmujemy, gdy wierzch się zrumieni, a boki lekko odstają od brzegów formy. Po wychłodzeniu w formie wyjmujemy i rozkrawamy na połowę. Mus bakaliowy nakładamy równomiernie na połowę ciasta, przykrywamy drugą połową, lekko obciążamy, opruszamy cukrem pudrem i, w miarę szybko, podajemy. Ciasto nie nadaje się do przechowywania.

* o p r ó c z   c z a s u   n a   p i e c z e n i e

liczba porcji / 12
czas przygotowania / 30 min •
stopień trudności / średniotrudne
kaloryczność / średniokaloryczne
koszt / średniodrogie

Biszkopt
z truskawkami

s k ł a d n i k i : 4 duże jajka (albo 5 małych) • kostka (25 dag) masła lub masła roślinnego • szklanka cukru pudru • 2 szklanki mąki tortowej • łyżeczka proszku do pieczenia • sok z 1/2 dużej cytryny • tłuszcz do wysmarowania formy • tarta bułka do posypania formy • kilka łyżek konfitur z truskawek lub dżemu truskawkowego • 0,5 l śmietany kremówki • cukier waniliowy • świeże truskawki

Formę smarujemy obficie tłuszczem i posypujemy tartą bułką. Białka z cukrem pudrem ubijamy mikserem na bardzo sztywną pianę, zalewamy wrzącym, roztopionym tłuszczem, po minucie delikatnie mieszamy, aż składniki się połączą, odstawiamy do przechłodzenia, dodajemy, ubijając, żółtka (po jednym), sok z cytryny i, siejąc przez sito, mąkę z proszkiem. Lekko ubite ciasto, gdy składniki się połączą, ma konsystencję ciasta naleśnikowego. Natychmiast wylewamy do przygotowanej dużej tortownicy, wstawiamy do nagrzanego, ale niegorącego piekarnika, pieczemy w temp. 160ºC przez 50 min lub nieco dłużej. Wyjmujemy, gdy ciasto się zrumieni, a boki lekko odstają od brzegów formy. Wychłodzone ciasto wyjmujemy z formy, układamy na płaskim talerzu (ważne!), wierzch smarujemy warstwą konfitur lub dżemu, okrywamy folią i stawiamy w chłodnym miejscu, nie w lodówce. Przed podaniem na wierzchu biszkoptu rozkładamy warstwę śmietany ubitej z cukrem waniliowym, w śmietanę wciskamy, tworząc dekoracyjny wzór, świeże owoce – im więcej, tym ciasto smaczniejsze. Soczyste, aromatyczne ciasto nie nadaje się do przechowywania.

liczba porcji / 16

czas przygotowania / 30 min •

stopień trudności / średniotrudne

kaloryczność / wysokokaloryczne

koszt / średniodrogie

• o p r ó c z   c z a s u   n a   p i e c z e n i e

Biszkopt owocowy
ze śmietaną

s k ł a d n i k i : 3 jajka • szklanka cukru pudru • szklanka mąki tortowej • łyżka oliwy lub oleju • łyżeczka octu • łyżeczka proszku do pieczenia • sezonowe, miękkie owoce • szklanka śmietany • tłuszcz do wysmarowania formy • tarta bułka do posypania formy • cukier puder do posypania ciasta

Białka z cukrem pudrem ubijamy na sztywną pianę (mikserem), dodajemy (po jednym) żółtka, cały czas ubijając. Gdy masa stanie się jednolita i puszysta, dodajemy, lejąc strumyczkiem, oliwę i ocet, ubijamy nadal przez 2 min. Dodajemy, siejąc przez sito, mąkę z proszkiem i nadal ubijamy. Jednolite, pulchne ciasto przekładamy do przygotowanej średniej wielkości tortownicy, wstawiamy do nagrzanego, niegorącego piekarnika, pieczemy w temp. 160ºC przez 40 min lub nieco dłużej. Wyjmujemy, gdy wierzch się zrumieni, a boki lekko odstają od brzegów formy. Wychłodzone ciasto kroimy w poprzek na 2 części, na dolnym krążku układamy owoce, na nie, łyżeczką, lejemy gęstą, zwykłą śmietanę, przykrywamy drugim krążkiem, nakrywamy talerzem, odwracamy (spód będzie na wierzchu) i przez 60 min (nie dłużej) schładzamy – najlepiej na dolnej półce w lodówce. Podajemy posypane cukrem pudrem, pokrojone w zgrabne romby, jak tort. Znakomite, soczyste ciasto należy skonsumować na przysłowiowym jednym posiedzeniu.

liczba porcji / 12

czas przygotowania / 30 min •

stopień trudności / średniotrudne

kaloryczność / wysokokaloryczne

koszt / średniodrogie

• o p r ó c z   c z a s u   n a   p i e c z e n i e

Biszkopt
z owocowym musem

s k ł a d n i k i : kostka (25 dag) masła lub masła roślinnego
• szklanka cukru pudru • 4 jajka • 2 szklanki mąki tortowej • 2 łyżki
mąki ziemniaczanej • 2 płaskie łyżeczki proszku do pieczenia
• 3 szklanki musu jabłkowego, jabłkowo-dyniowego lub jabłkowo-
-gruszkowego • tłuszcz do wysmarowania formy • tarta bułka
do posypania formy

Miękkie masło rozcieramy (mikserem) z cukrem pudrem,
gdy się połączą, dodajemy, cały czas ucierając, całe jajka
(po jednym). Do jednolitej masy siejemy przez sito obie
mąki i proszek, nadal ubijamy, aż ciasto będzie jednolite
i lśniące. Do przygotowanej średniej wielkości tortownicy
wlewamy 3/5 ciasta, wyrównujemy powierzchnię, rozkładamy mus, a na nim pozostałe ciasto. Gdy
jest zbyt ścisłe, dodajemy łyżkę lub 2 słodkiej śmietanki albo roztrzepane jajko. Całość wstawiamy do
nagrzanego, niegorącego piekarnika, pieczemy w temp. 200ºC przez ok. 35-40 min (czas pieczenia
zależy od wysokości warstwy ciasta). Zrumienione, z bokami lekko odstającymi od brzegów formy,
chłodzimy w formie, w której się piekło. Podajemy pokrojone w zgrabne romby, posypane lekko cukrem pudrem.

liczba porcji / 16
czas przygotowania / 30 min•
stopień trudności / średniotrudne
kaloryczność / średniokaloryczne
koszt / średniodrogie

• o p r ó c z   c z a s u   n a   p i e c z e n i e

Biszkopt
z kremem śliwkowym

s k ł a d n i k i : 5 jajek • 5 kopiastych łyżek cukru pudru
• 4 kopiaste łyżki mąki krupczatki • płaska łyżeczka proszku
do pieczenia • sok z 1/2 cytryny • tłuszcz do wysmarowania formy
• tarta bułka do posypania formy

k r e m : kostka (25 dag) masła lub masła roślinnego • 1 i 1/2
szklanki mleka • 1/2 szklanki cukru • budyń śmietankowy • sok
z cytryny • kieliszek spirytusu lub dobrego alkoholu • 2 szklanki
suszonych śliwek bez pestek • kieliszek wina

p o l e w a : 1/2 tabliczki gorzkiej czekolady • 2 łyżeczki mleka

Przygotowujemy ciasto: żółtka ucieramy z cukrem pudrem
na puszysty kogel-mogel, dodajemy sok z cytryny oraz, sy-
piąc przez sito, mąkę z proszkiem i pianę ubitą z białek. Całość delikatnie, ale dokładnie mieszamy
drewnianą łyżką i przekładamy do wysmarowanej tłuszczem i posypanej tartą bułką dużej tortownicy. Wstawiamy do ciepłego, ale niegorącego piekarnika na 35-40 min i pieczemy w temp. 160ºC.
Śliwki drobno siekamy, moczymy w winie.
Przygotowujemy krem: zagotowujemy szklankę mleka z cukrem i łyżeczką masła, dodajemy rozprowadzony w pozostałym mleku budyń, zagotowujemy, odstawiamy do wychłodzenia. Masło
ucieramy na puch (robotem!), dodajemy, cały czas ucierając, zimny budyń, dokładnie odsączone
z wina śliwki, doprawiamy do smaku sokiem z cytryny i alkoholem.
Wychłodzony biszkopt nasączamy winem, w którym moczyły się śliwki (2-3 łyżki), na wierzch ciasta
dekoracyjnie nakładamy cały krem, ciasto schładzamy. Zimne polewamy gorącą czekoladą w formie
cieniutkich, ciekawie uformowanych „niteczek" i ponownie lekko schładzamy. Ciasto podajemy w dniu
przygotowania.

liczba porcji / 16
czas przygotowania / 40 min•
stopień trudności / średniotrudne
kaloryczność / wysokokaloryczne
koszt / średniodrogie

• o p r ó c z   c z a s u   n a   p i e c z e n i e

Biszkopt parzony

s k ł a d n i k i : 6 jajek • szklanka cukru pudru • szklanka mąki krupczatki • cukier waniliowy • tłuszcz do wysmarowania formy • pergamin do wyłożenia formy • cukier puder do posypania ciasta

Całe jajka wbijamy do miseczki, dodajemy cukier puder, stawiamy miseczkę na naczyniu z gorącą wodą w taki sposób, by dochodziła tylko para, ubijamy mikserem nastawionym na średnie obroty. Gdy masa się podgrzeje, zestawiamy z naczynia z wrzątkiem i ubijamy nadal, aż stanie się gęsta i chłodna. Na masę sypiemy, najlepiej przez sito, mąkę i pozostałe składniki, bardzo delikatnie mieszamy (najlepiej drewnianą łyżką), wylewamy do przygotowanej dużej tortownicy i wstawiamy do nagrzanego, niegorącego piekarnika. Pieczemy w temp. 160ºC przez ok. 40 min, wyjmujemy, gdy wierzch się lekko zrumieni, a boki odstają od brzegów formy, chłodzimy w formie ułożonej do góry dnem.
Podajemy pokrojone w romby, oprószone cukrem pudrem. Oddzielnie podajemy bitą śmietanę i domowe konfitury.

• o p r ó c z   c z a s u   n a   p i e c z e n i e

liczba porcji /	16
czas przygotowania /	20 min•
stopień trudności /	łatwe
kaloryczność /	średniokaloryczne
koszt /	tanie

Biszkopt oszczędny

s k ł a d n i k i : 6 surowych białek • 1/2 szklanki cukru pudru • 3 pełne łyżki mąki krupczatki • cukier waniliowy • tłuszcz do wysmarowania formy • pergamin do wyłożenia formy • cukier puder do posypania ciasta

Białka z dodatkiem łyżki cukru pudru ubijamy na bardzo ścisłą pianę, dodajemy, siejąc przez sito, mąkę z pozostałym cukrem pudrem, składniki lekko łączymy (najlepiej drewnianą łyżką). Gotowe ciasto przekładamy do przygotowanej dużej tortownicy, wstawiamy do ciepłego, ale niegorącego piekarnika i pieczemy w temp. 160ºC przez ok. 30 min. Upieczone wykładamy na deskę, chłodzimy w formie (najlepiej do góry dnem). Wyłożone na paterę ciasto posypujemy cukrem pudrem, kroimy w zgrabne romby, podajemy z dodatkiem musu jabłkowego, marmolady z dyni i jabłek lub galaretki owocowej ucieranej na surowo.

liczba porcji /	16
czas przygotowania /	20 min•
stopień trudności /	łatwe
kaloryczność /	średniokaloryczne
koszt /	tanie

• o p r ó c z   c z a s u   n a   p i e c z e n i e

Biszkopcik z owocami

liczba porcji / 8
czas przygotowania / 30 min*
stopień trudności / średniotrudne
kaloryczność / średniokaloryczne
koszt / średniodrogie

s k ł a d n i k i : 4 jajka • 1/2 szklanki cukru pudru
• 3/4 szklanki mąki krupczatki • 1/2 łyżeczki proszku do pieczenia
• tłuszcz do wysmarowania formy • pergamin do wyłożenia formy
• owoce: winogrona, poziomki, drobne truskawki, czarne jagody,
jeżyny • szklanka śmietany kremowej • zagęstnik

Białka ubijamy na sztywną pianę, pod koniec dodajemy
cukier puder i żółtka (po jednym). Ubijamy, aż masa jajeczna będzie puszysta, siejemy przez sito mąkę z proszkiem, całość mieszamy (delikatnie, ale dokładnie) drewnianą łyżką, wylewamy do przygotowanej małej tortownicy, wstawiamy do nagrzanego, ale niegorącego piekarnika, pieczemy w temp. 160ºC przez ok. 25-30 min. Gdy
ciasto się zrumieni, a boki lekko odstają od brzegów formy, wykładamy na deskę, chłodzimy w formie ułożonej
do góry dnem.
Przed podaniem rozprowadzamy na wierzchu biszkop-
cika ubitą śmietanę i przybieramy owocami.

*oprócz czasu na pieczenie

Babka piaskowa w polewie

s k ł a d n i k i : 4 jajka • 2 szklanki mąki tortowej • budyń
cytrynowy • szklanka cukru pudru • 1/2 kostki (12,5 dag) masła
lub masła roślinnego • łyżeczka proszku do pieczenia • łyżeczka
skórki otartej z cytryny • sok wyciśnięty z całej cytryny • tłuszcz
do wysmarowania formy • tarta bułka do posypania formy

p o l e w a : 1/2 kostki (12,5 dag) masła lub masła roślinnego
• 4 łyżeczki cukru • 4 łyżeczki wody • 4 łyżeczki ciemnego kakao
• mały kieliszek ciemnego, aromatycznego rumu

Do utartego (robotem) masła z cukrem pudrem dodajemy, cały czas ucierając, żółtka (po jednym), sok z cytryny i cytrynową skórkę. Do puszystej masy dodajemy, sypiąc przez sito i cały czas ucierając, przesianą mąkę z budyniem i proszkiem do pieczenia. Do utartego już ciasta
dodajemy pianę ubitą z białek, a gdy składniki dokład-

liczba porcji / 12
czas przygotowania / 50 min*
stopień trudności / średniotrudne
kaloryczność / średniokaloryczne
koszt / średniodrogie

nie się połączą, przekładamy do przygotowanej średniej wielkości formy babowej i wstawiamy
do nagrzanego piekarnika.
Pieczemy w temp. 180ºC przez 45-50 min lub nieco dłużej. Babka powinna być ładnie zrumieniona, z odstającymi od formy bokami. Wyjętą z piekarnika chłodzimy w formie przez 10 min, a następne wykładamy na deskę.
Przygotowujemy polewę: do rondelka wkładamy masło, dodajemy cukier, kakao i wodę. Stawiamy
na niewielkim ogniu i, od momentu, gdy składniki się zagotują, trzymamy, cały czas mieszając, przez
7 min. Polewę zdejmujemy z ognia, przez minutę ucieramy, dodajemy rum, dokładnie mieszamy i gorącą oblewamy przechłodzoną babkę.
Rada: owinięta w folię, trzymana w chłodnym miejscu (nie w lodówce!) znakomicie się przechowa przez kilka dni – zachowa świeżość i aromat.

*oprócz czasu na pieczenie

Babka piaskowa rodzinna

s k ł a d n i k i : 50 dag mąki pszennej • 1 i 1/2 szklanki cukru pudru • 1/2 kostki (12,5 dag) masła lub masła roślinnego • 2 łyżki oliwy • 2 jajka • 2 opakowania kisielu cytrynowego lub budyniu o ulubionym smaku (jasny!) • szklanka pełnego mleka • szklanka słodkiej, 12% śmietany • 2 łyżeczki proszku do pieczenia • esencja zapachowa zgodna z zapachem budyniu lub kisielu (dla tego, kto lubi ciasto bardzo aromatyczne) • tłuszcz do wysmarowania formy • tarta bułka do posypania formy • cukier puder do posypania ciasta

Do utartego (robotem) na puch masła z cukrem pudrem dodajemy oliwę i, cały czas ucierając, na przemian całe jajka (po jednym) i łyżkę śmietany. Gdy masa będzie jednolita, gładka i pulchna, dodajemy, sypiąc przez sito, mąkę, proszek do pieczenia i budynie lub kisiele. Składniki cały czas ucieramy, dolewając, bardzo powoli, mleko i, ewentualnie, kilka kropel esencji zapachowej. Dobrze utarte ciasto wykładamy na przygotowaną dużą formę babową, wstawiamy do nagrzanego piekarnika i pieczemy w temp. 180ºC. Zrumienioną, lekko pękniętą przez środek babkę wystawiamy z piekarnika, chłodzimy przez 10 min, wykładamy na deskę i obficie posypujemy cukrem pudrem.

liczba porcji / 16
czas przygotowania / 30 min•
stopień trudności / średniotrudne
kaloryczność / średniokaloryczne
koszt / średniodrogie

• oprócz czasu na pieczenie

Babka piaskowa pomarańczowa

s k ł a d n i k i : szklanka mąki pszennej • szklanka mąki ziemniaczanej • kostka (25 dag) masła lub masła roślinnego • 2 płaskie łyżeczki proszku do pieczenia • szklanka cukru pudru • 4 jajka • 2 łyżeczki skórki otartej z pomarańczy • 2 łyżki soku świeżo wyciśniętego z pomarańczy • tłuszcz do wysmarowania formy • tarta bułka do posypania formy

l u k i e r : 1/2 szklanki cukru pudru • łyżeczka wrzącej wody • 2 łyżki lekko odsączonej, smażonej skórki pomarańczowej

Do utartego robotem masła z cukrem pudrem dodajemy, cały czas ucierając, żółtka (po jednym) oraz sok pomarańczowy. Na pulchną, jednolitą masę sypiemy przez sito obie mąki i proszek, składniki ciasta ucieramy przez 4 min, pod koniec dodajemy otartą z pomarańczy skórkę i pianę ubitą z białek. Składniki łączymy, przekładamy do przygotowanej średniej wielkości formy babowej, wstawiamy do nagrzanego piekarnika i pieczemy przez 50 min lub nieco dłużej w temp. 180ºC. Zrumienioną, z lekkim pęknięciem i odstającymi od formy bokami babkę wystawiamy z piekarnika, chłodzimy przez 10 min w formie i wykładamy na deskę. Przygotowujemy lukier: cukier puder rozprowadzamy w łyżce wrzącej wody, dodajemy skórkę pomarańczową, dokładnie mieszamy i polewamy jeszcze ciepłą babkę. Owinięta w folię, trzymana w chłodnym miejscu, zachowa aromat i świeżość przez kilka dni.

liczba porcji / 12
czas przygotowania / 40 min•
stopień trudności / średniotrudne
kaloryczność / średniokaloryczne
koszt / średniodrogie

• oprócz czasu na pieczenie

Babka piaskowa
w czekoladzie

s k ł a d n i k i : szklanka mąki tortowej • 1/2 szklanki mąki
ziemniaczanej • 2 budynie śmietankowe • szklanka cukru pudru
• kostka (25 dag) masła lub masła roślinnego • 4 jajka • kopiasta
łyżeczka proszku do pieczenia • tłuszcz do wysmarowania formy
• tarta bułka do posypania formy • czekolada do polania babki

Do utartego (robotem) masła z cukrem pudrem dodajemy, cały czas ucierając, żółtka (po jednym). Gdy składniki się połączą, dodajemy, sypiąc przez sito, obie mąki,
budynie i proszek do pieczenia, całość wyrabiamy przez
ok. 4 min. Pod koniec dodajemy pianę ubitą z białek.
Ciasto rozkładamy w przygotowanej średniej wielkości
formie babowej, wstawiamy do nagrzanego, ale niegorącego piekarnika i pieczemy w temp. 180ºC przez 50 min
lub nieco dłużej. Zrumienioną, z małym pęknięciem i bokami lekko odstającymi od formy, babkę wyjmujemy,
pozostawiamy przez 10 min w formie, wykładamy na
deskę i, jeszcze ciepłą, polewamy czekoladą.

* o p r ó c z   c z a s u   n a   p i e c z e n i e

liczba porcji /	12
czas przygotowania /	30 min*
stopień trudności /	średniotrudne
kaloryczność /	średniokaloryczne
koszt /	średniodrogie

Babka piaskowa
świąteczna

s k ł a d n i k i : kostka (25 dag) masła lub masła roślinnego
• szklanka mąki pszennej • szklanka mąki ziemniaczanej • szklanka
cukru pudru • 2 jajka • szklanka słodkiej, 12% śmietany
lub szklanka pełnego mleka • 2 łyżeczki proszku do pieczenia
• esencja arakowa lub rumowa • tłuszcz do wysmarowania formy
• tarta bułka do posypania formy • lukier rumowy lub arakowy

Ucieramy (robotem) masło i cukier puder. Gdy składniki dokładnie się połączą, dodajemy, cały czas ucierając,
jajka (po jednym) i śmietanę. Do jednolitej, puszystej
masy dodajemy, siejąc przez sito, obie mąki i proszek
i nadal ucieramy przez ok. 4 min, dodając pod koniec
esencję zapachową. Ciasto od razu przekładamy do przygotowanej średniej wielkości formy babowej, wstawia-
my do nagrzanego piekarnika i pieczemy w temp. 180ºC przez 50 min lub nieco dłużej. Zrumienioną, z lekkim pęknięciem na środku i bokami odstającymi od formy, babkę wyjmujemy z piekarnika, chłodzimy przez 10 min, wyjmujemy z formy, układamy na desce i, jeszcze letnią, polewamy
lukrem.

* o p r ó c z   c z a s u   n a   p i e c z e n i e

liczba porcji /	12
czas przygotowania /	30 min*
stopień trudności /	średniotrudne
kaloryczność /	średniokaloryczne
koszt /	średniodrogie

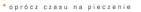

liczba porcji / 12
czas przygotowania / 25 min
stopień trudności / średniotrudne
kaloryczność / średniokaloryczne
koszt / średniodrogie

Parzona babka waniliowa

s k ł a d n i k i : 5 jajek • szklanka cukru pudru • 2 płaskie łyżeczki proszku do pieczenia • kostka (25 dag) margaryny typu palma lub masła roślinnego • szklanka mąki ziemniaczanej • 3 budynie o smaku waniliowym • 1/2 szklanki mąki pszennej (może być krupczatka) • tłuszcz do wysmarowania formy • tarta bułka do posypania formy • cukier puder z wanilią do posypania babki

Robotem ubijamy całe jajka z cukrem pudrem i cukrem waniliowym. Gdy będą puszyste, dodajemy, siejąc przez sito, obie mąki, budynie i proszek, całość ubijamy przez 3 min. Na wyrobione ciasto wylewamy wrzący tłuszcz, po minucie lekko ubijamy, aż składniki dokładnie się połączą, i od razu przekładamy do przygotowanej średniej wielkości formy babowej. Wstawiamy do nagrzanego piekarnika, pieczemy w temp. 160ºC przez 50 min lub nieco dłużej. Pięknie zrumienioną wyjmujemy z piekarnika, przez 10 min chłodzimy w formie, w której babka się piekła, wykładamy na paterę i obficie posypujemy cukrem pudrem zmieszanym z wanilią.

• o p r ó c z   c z a s u   n a   p i e c z e n i e

Babka piaskowa delikatesowa

s k ł a d n i k i : szklanka mąki pszennej (najlepiej tortowej) • szklanka mąki ziemniaczanej • 1 i 1/2 szklanki cukru pudru • 5 jajek • 2 płaskie łyżeczki proszku do pieczenia • esencja arakowa • kostka (25 dag) masła roślinnego lub margaryny typu palma • tłuszcz do wysmarowania formy • tarta bułka do posypania formy • lukier rumowy lub arakowy

liczba porcji / 12
czas przygotowania / 25 min •
stopień trudności / średniotrudne
kaloryczność / średniokaloryczne
koszt / średniodrogie

Robotem ubijamy białka z cukrem pudrem. Do ścisłej piany dodajemy, cały czas ubijając, po jednym żółtku. Gdy masa stanie się puszysta i jednolita, sypiemy przez sito obie mąki i proszek, całość wyrabiamy i na gotowe ciasto lejemy wrzący tłuszcz. Po minucie, lekko ubijając (średnie obroty!), składniki ciasta łączymy, dodajemy esencję zapachową, wylewamy do przygotowanej średniej wielkości formy babowej. Wstawiamy do nagrzanego piekarnika i pieczemy przez 50 min lub nieco dłużej w temp. 160ºC. Po wyjęciu z piekarnika upieczoną babę chłodzimy przez 10 min w formie, wyjmujemy i polewamy obficie lukrem o ulubionym smaku.

• o p r ó c z   c z a s u   n a   p i e c z e n i e

Baba piaskowa
według Cioci Godziszewskiej

liczba porcji / **12**
czas przygotowania / **25 min**•
stopień trudności / **średniotrudne**
kaloryczność / **średniokaloryczne**
koszt / **średniodrogie**

s k ł a d n i k i : 1/2 kostki (12,5 dag) masła lub masła roślinnego • 3 duże jajka • 12,5 dag cukru pudru • 15 dag mąki pszennej • 10 dag mąki ziemniaczanej • szklanka pełnego mleka • 2 płaskie łyżeczki proszku do pieczenia • 1/2 laski wanilii • tłuszcz do wysmarowania formy • tarta bułka do posypania formy • lukier cytrynowy, pomarańczowy lub arakowy

Do utartego (robotem) masła z cukrem pudrem dodajemy, cały czas ucierając, żółtka (po jednym) i rozbitą w moździerzu, przesianą wanilię. Na dobrze ubite składniki siejemy przez sito obie mąki i proszek, ucieramy, od czasu do czasu dolewając mleko. Doskonale wyrobione ciasto (niezbyt ścisłe!) przekładamy do przygotowanej średniej wielkości formy babowej, wstawiamy do nagrzanego piekarnika i pieczemy w temp. 160ºC przez 50 min lub nieco dłużej.
Zrumienione, z odstającymi od formy bokami ciasto wyjmujemy z piekarnika, przez 10 min chłodzimy w formie, wykładamy na deskę i, jeszcze ciepłe, polewamy lukrem o ulubionym smaku.

• o p r ó c z   c z a s u   n a   p i e c z e n i e

liczba porcji / **12**
czas przygotowania / **25 min**•
stopień trudności / **średniotrudne**
kaloryczność / **średniokaloryczne**
koszt / **średniodrogie**

Babka piaskowa śmietankowa

s k ł a d n i k i : 1/2 szklanki mąki pszennej • 1/2 szklanki mąki ziemniaczanej • 2 budynie śmietankowe • czubata łyżeczka proszku do pieczenia • 3 jajka • 1/2 kostki (12,5 dag) masła lub masła roślinnego • szklanka cukru pudru • 1/2 szklanki słodkiej, 12% śmietany • tłuszcz do wysmarowania formy • tarta bułka do posypania formy • cukier puder do posypania ciasta

Do utartego na puch masła i cukru pudru dodajemy, cały czas ucierając (robotem), po jednym, żółtka. Gdy składniki się połączą, wlewamy, w mniejszych porcjach, śmietanę i nadal ucieramy. Dodajemy, siejąc przez sito, obie mąki, budynie i proszek. Ciasto wyrabiamy przez ok. 8 min. Pod koniec dodajemy pianę ubitą z białek i lekko, ale dokładnie, łączymy z ciastem.
Przekładamy do przygotowanej średniej wielkości formy babowej, wstawiamy do nagrzanego piekarnika i pieczemy w temp. 160ºC przez 45 min lub nieco dłużej. Wyjmujemy, gdy wierzch babki jest zrumieniony (mogą być na nim małe pęknięcia!), a boki odstają od formy. Chłodzimy przez ok. 10 min, wykładamy na deskę i posypujemy obficie cukrem pudrem.

• o p r ó c z   c z a s u   n a   p i e c z e n i e

Babka piaskowa cytrynowa

s k ł a d n i k i : kostka (25 dag) masła lub masła roślinnego
• 6 jajek • szklanka cukru pudru • 1/2 szklanki mąki ziemniaczanej
• 2 budynie o smaku cytrynowym • 3 łyżki mąki tortowej • sok
i skórka otarta z dużej cytryny • kopiasta łyżeczka proszku
do pieczenia • tłuszcz do wysmarowania formy • tarta bułka
do posypania formy • lukier cytrynowy

Masło z cukrem pudrem ucieramy robotem. Gdy składniki się połączą, dodajemy, cały czas ucierając, po jednym, żółtka, sok oraz skórkę otartą z cytryny. Całość ucieramy jeszcze przez 2 min, siejemy przez sito obie mąki, budynie i proszek do pieczenia, nadal ucieramy. Gdy ciasto będzie gładkie i jednolite, dodajemy pianę ubitą z białek, którą delikatnie łączymy z ciastem. Całość przekładamy do przygotowanej średniej wielkości formy babowej, wstawiamy do nagrzanego piekarnika i pieczemy w temp. 180ºC przez 50 min lub nieco dłużej. Upieczoną babkę wyjmujemy z piekarnika, chłodzimy w formie przez 10 min, wykładamy na deskę i polewamy lukrem cytrynowym.

• o p r ó c z   c z a s u   n a   p i e c z e n i e

liczba porcji /	**12**
czas przygotowania /	**25 min** •
stopień trudności /	**średniotrudne**
kaloryczność /	**średniokaloryczne**
koszt /	**średniodrogie**

Babka piaskowa luksusowa

s k ł a d n i k i : 1/2 kostki (12,5 dag) masła roślinnego
• 4 jajka • 12 dag cukru pudru • 24 dag mąki pszennej • łyżeczka
proszku do pieczenia • 1/2 laski wanilii • 1/2 szklanki pełnego mleka
• tłuszcz do wysmarowania formy • tarta bułka do posypania formy
• cukier puder z cukrem waniliowym do posypania ciasta

Masło z cukrem pudrem ucieramy (robotem) na puch, dodajemy, cały czas ucierając, jajka (po jednym), utłuczoną i przesianą przez sito wanilię. Gdy składniki dokładnie się połączą, sypiemy przez sito mąkę z proszkiem, ucieramy, dolewając do ciasta, małymi partiami, mleko. Gotowe ciasto przekładamy do przygotowanej małej formy babowej, wstawiamy do nagrzanego piekarnika i pie-

liczba porcji /	**8**
czas przygotowania /	**30 min** •
stopień trudności /	**średniotrudne**
kaloryczność /	**średniokaloryczne**
koszt /	**średniodrogie**

czemy w temp. 180ºC przez 40 min lub nieco dłużej. Zrumienione ciasto, z lekkim pęknięciem na wierzchu i bokami odstającymi od formy, wyjmujemy z piekarnika i przez 10 min chłodzimy w formie, w której się piekło. Wykładamy na deskę i posypujemy cukrem pudrem zmieszanym z cukrem waniliowym.

• o p r ó c z   c z a s u   n a   p i e c z e n i e

Kruchy placek luksusowy

s k ł a d n i k i : 50 dag mąki krupczatki
• 1/2 szklanki cukru pudru • kostka (25 dag) masła
lub masła roślinnego • kopiasta łyżka czystego smalcu
• 5 żółtek • 2 łyżeczki proszku do pieczenia
• 2 cukry waniliowe • tłuszcz do wysmarowania formy

p r z e ł o ż e n i e   c i a s t a : białka
z 5 jajek • 3/4 szklanki cukru pudru

Do przesianej przez sito mąki z dodatkiem proszku, cukru pudru i cukru waniliowego dodajemy
żółtka, niezbyt twarde masło i smalec. Składniki
wyrabiamy, najłatwiej w malakserze, na niezbyt
ścisłe ciasto. Gdy stanie się jednolite i sprężyste, owijamy w folię i odstawiamy w chłodne miejsce.
Z białek i cukru pudru ubijamy pianę, powinna być ścisła i lśniąca.
Na wysmarowanej tłuszczem średniej wielkości blaszce rozkładamy 3/5 wychłodzonego ciasta, wyrównujemy powierzchnię – lekko uklepując, nakładamy na ciasto ubitą pianę, którą przykrywamy
pozostałą częścią wychłodzonego ciasta, utartego na tarce do jarzyn z dużymi otworami. Placek
wstawiamy do nagrzanego piekarnika i pieczemy w temp. 200ºC przez 45 min lub nieco dłużej.
Wyjmujemy, gdy wierzch będzie równomiernie zrumieniony, a piana wysuszona. Chłodzimy, posypujemy obficie cukrem pudrem. Placek jest najsmaczniejszy następnego dnia po upieczeniu.

• o p r ó c z   c z a s u   n a   w y c h ł o d z e n i e   i   p i e c z e n i e

liczba porcji / 12

czas przygotowania / 35 min

stopień trudności / średniotrudne

kaloryczność / średniokaloryczne

koszt / średniodrogie

Kruchy placek z kruszonką

s k ł a d n i k i : 1/2 kostki (12,5 dag) masła
lub masła roślinnego • cukier waniliowy • szklanka
pełnego mleka • 2 szklanki mąki krupczatki • szklanka
cukru pudru • 2 jajka • 2 łyżeczki proszku do pieczenia
• tłuszcz do wysmarowania formy

k r u s z o n k a : 1/2 kostki (12,5 dag) masła
• 1/2 szklanki cukru • 3/4 szklanki mąki krupczatki
• 2 cukry waniliowe

Do garnuszka wlewamy mleko, dodajemy
tłuszcz, cukier waniliowy, stawiamy na małym
ogniu i, od czasu do czasu mieszając, doprowadzamy do zagotowania. W miseczce mieszamy mąkę z cukrem pudrem, zalewamy
wrzącym mlekiem z dodatkami, składniki dokładnie mieszamy – powinna utworzyć się jednolita, pozbawiona grudek, gęsta masa. Odstawiamy do wychłodzenia. Do zimnej masy dodajemy proszek do
pieczenia, całe jajka, całość dokładnie mieszamy, gotowe ciasto od razu wykładamy na przygotowaną średniej wielkości blaszkę, wyrównujemy powierzchnię i posypujemy kruszonką.
Przygotowujemy kruszonkę: wszystkie składniki dokładnie siekamy. Gdy lekko się rozdrobnią, zarabiamy czubkami palców i, zaraz po przygotowaniu, tak przygotowaną kruszonką posypujemy ciasto.
Pieczemy przez 45 min lub nieco dłużej w temp. 180ºC. Wyjmujemy, gdy placek równomiernie się
zrumieni.

• o p r ó c z   c z a s u   n a   w y c h ł o d z e n i e   i   p i e c z e n i e

liczba porcji / 12

czas przygotowania / 50 min•

stopień trudności / średniotrudne

kaloryczność / średniokaloryczne

koszt / średniodrogie

liczba porcji / średnia forma

czas przygotowania / 45 min •

stopień trudności / średniotrudne

kaloryczność / średniokaloryczne

koszt / drogie

Kruchy placek królewski

s k ł a d n i k i : 50 dag mąki pszennej • 50 dag cukru pudru • 50 dag (2 kostki) masła lub masła roślinnego • 8 jajek • 20 dag bezpestkowych rodzynek • alkohol (brandy, koniak) do namoczenia rodzynek • tłuszcz do wysmarowania formy • cukier puder do posypania ciasta

Rodzynki zalewamy alkoholem. Cukier puder z tłuszczem ucieramy na jednolity puch i, cały czas ucierając, dodajemy, po jednym, całe jajka. Na dobrze połączone składniki sypiemy, siejąc przez sito, mąkę i przez 2 min całość ucieramy. Ciasto wylewamy na przygotowaną średniej wielkości blaszkę, wierzch posypujemy odsączonymi z alkoholu rodzynkami, wstawiamy do nagrzanego piekarnika i pieczemy w temp. 180°C przez ok. 40 min lub nieco dłużej.

Wyjmujemy, gdy wierzch się zrumieni, a boki odstają od formy. Letnie ciasto posypujemy obficie cukrem pudrem. Uwaga: do ciasta nie dodajemy proszku do pieczenia!

• oprócz czasu na pieczenie

Kruchy placek z jabłkami

s k ł a d n i k i : 2 szklanki mąki krupczatki • 1/2 kostki (12,5 dag) masła lub masła roślinnego • 1/2 szklanki cukru pudru • kopiasta łyżeczka proszku do pieczenia • 2 żółtka • 2 łyżki zsiadłego mleka lub kefiru • 2 cukry waniliowe • 3 szklanki dobrze wysmażonego musu jabłkowego • 3 dorodne, kwaskowe jabłka • łyżka grubego cukru do posypania owoców • tłuszcz do wysmarowania formy

Przesianą przez sito mąkę z proszkiem siekamy z cukrem pudrem, cukrem waniliowym, tłuszczem, zsiadłym mlekiem lub kefirem i żółtkami. Gdy składniki się połączą, zagniatamy ciasto do czasu, aż stanie się jednolite i sprężyste. Jeżeli się lekko kruszy, dodajemy 1-2 łyżki kefiru. Całość wyrabiamy przez chwilę, by konsystencja ciasta była właściwa, formujemy kulę, owijamy w folię i wstawiamy na 30 min lub nieco dłużej do lodówki.

Jabłka obieramy ze skórki, usuwamy gniazda nasienne, kroimy w cienkie krążki.

Na wysmarowanej średniej wielkości blaszce rozkładamy wychłodzone, rozwałkowane ciasto, wyrównujemy powierzchnię, nakładamy mus, na nim – krążki jabłek w taki sposób, by nachodziły na siebie, całość posypujemy grubym cukrem i od razu wstawiamy do nagrzanego piekarnika. Pieczemy w temp. 180°C przez 50 min lub nieco dłużej (czas pieczenia zależy od wysokości warstwy ciasta oraz gatunku jabłek). Placek wyjmujemy z piekarnika, gdy będzie równomiernie zrumieniony. Najlepiej smakuje następnego dnia.

liczba porcji / 12

czas przygotowania / 35 min •

stopień trudności / średniotrudne

kaloryczność / średniokaloryczne

koszt / średniodrogie

• oprócz czasu na wychłodzenie i pieczenie

Kruchy placek
z bakaliami

liczba porcji / 12
czas przygotowania / 35 min*
stopień trudności / średniotrudne
kaloryczność / średniokaloryczne
koszt / średniodrogie

s k ł a d n i k i : 3 szklanki mąki krupczatki • kostka (25 dag) masła lub masła roślinnego • szklanka cukru pudru • 2 żółtka • 2-3 łyżki kwaśnej śmietany lub naturalnego jogurtu – gdy ciasto będzie zbyt ścisłe lub będzie się kruszyć (zależy od suchości mąki i wielkości żółtek) • 2 szklanki posiekanych bakalii (rodzynki, figi, daktyle, morele) • 2 białka • 2 łyżki cukru pudru do ubicia białek • tłuszcz do wysmarowania formy

Przesianą mąkę łączymy z rozdrobnionym, miękkim tłuszczem i siekamy, aż składniki się połączą. Dodajemy cukier puder i żółtka, palcami delikatnie zagniatamy ciasto. Gdy będzie się kruszyć, dodajemy śmietanę lub jogurt. Dokładnie wyrobione, sprężyste i jednolite, zawijamy w folię i wkładamy na godzinę do lodówki. Wychłodzone rozwałkowujemy, układamy na przygotowanej średniej wielkości blaszce, wstawiamy do dobrze nagrzanego piekarnika i pieczemy w temp. 210ºC przez 25 min (powinno się delikatnie zrumienić). Upieczone ciasto wyjmujemy, lekko przechładzamy, obficie posypujemy bakaliami, przykrywamy pianą ubitą z białek i cukru pudru i ponownie wstawiamy (20-25 min) do przechłodzonego piekarnika, nastawionego na temp. 120ºC i pieczemy, aż piana się lekko zrumieni. Przed podaniem placek posypujemy cukrem pudrem. Najlepiej smakuje następnego dnia.

* o p r ó c z   c z a s u   n a   w y c h ł o d z e n i e   i   p i e c z e n i e

Kruchy placek
z agrestem

s k ł a d n i k i : kostka (25 dag) masła lub masła roślinnego • szklanka cukru pudru • 3 jajka • 2 czubate szklanki mąki krupczatki • łyżeczka proszku do pieczenia • 2 łyżki zsiadłego mleka lub kefiru (gdy trzeba) • 3 szklanki agrestu (może być mrożony) • tłuszcz do wysmarowania formy • cukier puder do posypania ciasta

Robotem ucieramy tłuszcz z cukrem pudrem, dodajemy, cały czas ucierając, po jednym, całe jajka. Gdy składniki dokładnie się połączą, siejemy przez sito mąkę z proszkiem do pieczenia i wyrabiamy ciasto. Gdy będzie zbyt ścisłe lub będzie się lekko kruszyć, dodajemy zsiadłe mleko lub kefir w potrzebnej ilości.
Dokładnie wyrobione, jednolite i sprężyste ciasto rozkładamy na przygotowanej średniej wielkości blaszce,

wyrównujemy powierzchnię, na wierzch sypiemy przygotowany agrest i od razu wstawiamy do nagrzanego piekarnika. Pieczemy w temp. 180ºC przez 45 min lub nieco dłużej. Upieczony placek pozostawiamy w formie do wychłodzenia. Podajemy pokrojony w zgrabne romby, obficie posypane cukrem pudrem.

* o p r ó c z   c z a s u   n a   p i e c z e n i e

liczba porcji / 12
czas przygotowania / 25 min*
stopień trudności / średniotrudne
kaloryczność / średniokaloryczne
koszt / średniodrogie

Wiosenny kruchy placuszek

s k ł a d n i k i : 2 czubate szklanki mąki krupczatki • 2 jajka
• szklanka cukru pudru • kostka (25 dag) masła lub masła roślinnego
• kopiasta łyżeczka proszku do pieczenia • cukier waniliowy • 2 łyżki
gęstej, kwaśnej śmietany • wiosenne owoce (agrest lub rabarbar)
• tłuszcz do wysmarowania formy • cukier puder do posypania ciasta

k o k o s o w a   k r u s z o n k a : 1/3 szklanki mąki
krupczatki • 2/3 szklanki wiórków kokosowych • 1/2 kostki
(12,5 dag) masła • 1/2 szklanki cukru pudru

Masło z cukrem pudrem i cukrem waniliowym ucieramy
robotem na puch. Dodajemy, cały czas ucierając, po jednym, jajka. Gdy składniki dokładnie się połączą, siejemy
przez sito mąkę z proszkiem, ciasto ucieramy, gdy trzeba,
dodajemy kwaśną śmietanę i ucieramy jeszcze przez minutę. Gotowe, wykładamy na przygotowaną średniej wielkości blaszkę, wyrównujemy powierzchnię, rozkładamy
owoce (agrest w całości, rabarbar pokrojony w kostkę)
i posypujemy kokosową kruszonką.

liczba porcji / 12
czas przygotowania / 25 min•
stopień trudności / średniotrudne
kaloryczność / średniokaloryczne
koszt / średniodrogie

Przygotowujemy kruszonkę: wszystkie składniki delikatnie siekamy, gdy się połączą, czubkami palców wyrabiamy kruszonkę i od razu posypujemy nią ciasto.
Wstawiamy do ciepłego piekarnika, pieczemy w temp. 180ºC przez 45 min lub nieco dłużej (czas
pieczenia zależy od wysokości warstwy ciasta). Przed podaniem placek posypujemy cukrem pudrem.

• o p r ó c z   c z a s u   n a   p i e c z e n i e

Kruchy torcik z rabarbarem

s k ł a d n i k i : 2 szklanki mąki tortowej • 1/2 kostki
(12,5 dag) masła lub masła roślinnego • szczypta soli • 6 dużych
łyżek lodowatej (ważne!) wody – np. chłodzonej przez 20 min
w zamrażalniku lodówki

n a d z i e n i e : 1 kg malinowego rabarbaru • sok i skórka
otarta z 1/2 pomarańczy • 1/2 szklanki rodzynek • 2 kopiaste łyżki
cukru pudru • cukier waniliowy • 2 łyżki mąki ziemniaczanej
• lukier pomarańczowy

Dokładnie umyty rabarbar kroimy w drobną kostkę, łączymy z pozostałymi składnikami nadzienia, odstawiamy w chłodne miejsce.

liczba porcji / 12
czas przygotowania / 45 min•
stopień trudności / średniotrudne
kaloryczność / średniokaloryczne
koszt / średniodrogie

Z suchych składników ciasta robimy kruszonkę (najłatwiej
w malakserze), dodajemy lodowatą wodę, zagniatamy ciasto i od razu rozwałkowujemy 2 placki.
Większym wykładamy spód przygotowanej wcześniej średniej wielkości tortownicy, nakłuwamy ciasto w kilku miejscach widelcem, rozkładamy w miarę równomiernie przygotowany rabarbar, przykrywamy mniejszym krążkiem, dociskamy brzegi i wstawiamy do nagrzanego piekarnika. Pieczemy przez ok. 45 min w temp. 200ºC. Torcik wyjmujemy, gdy się pięknie zrumieni.
Jeszcze ciepły polewamy lukrem pomarańczowym, utartym z 1/2 szklanki cukru pudru i 2 łyżecz-
kami soku z pomarańczy.

• o p r ó c z   c z a s u   n a   p i e c z e n i e

Kruchy placek nadziewany

s k ł a d n i k i : 3 szklanki mąki krupczatki • szklanka cukru pudru • kostka (25 dag) masła lub masła roślinnego • 2 żółtka • 1/3 szklanki gęstej, kwaśnej śmietany • szczypta soli • 2 szklanki dobrze wysmażonych, domowych powideł (może być owocowa marmolada lub dobrze wysmażony dżem jabłkowo-dyniowy) • tabliczka czekolady delikatesowej lub gorzkiej • 2 łyżeczki słodkiej śmietany • tłuszcz do wysmarowania formy

Do malaksera sypiemy przez sito mąkę, dodajemy rozdrobniony, schłodzony tłuszcz. Gdy składniki się połączą (kruszonka!), dodajemy cukier puder, żółtka, śmietanę i nadal wyrabiamy, aż powstanie jednolita, sprężysta kula. Owijamy ciasto w folię i wkładamy, najlepiej na całą noc, do zamrażalnika lodówki.

Przed pieczeniem przygotowujemy średniej wielkości blaszkę, wychłodzone ciasto dzielimy. 3/5 całości ścieramy na tarce z dużymi otworami, wyrównujemy powierzchnię, lekko dociskamy, na cieście rozprowadzamy równomiernie przygotowane nadzienie, posypujemy pozostałą częścią utartego ciasta, lekko uciskamy i od razu wstawiamy do nagrzanego piekarnika. Pieczemy w temp. 200ºC przez 45 min lub nieco dłużej. Wystawiamy, gdy wierzch jest zrumieniony, a boki ciasta lekko odstają od formy.

Lekko przestudzone polewamy czekoladą, rozpuszczoną w słodkiej śmietance, tworząc na powierzchni ciekawy wzorek. Ciasto najlepiej smakuje następnego dnia.

• o p r ó c z   c z a s u   n a   p i e c z e n i e

liczba porcji / **12**
czas przygotowania / **45 min •**
stopień trudności / **średniotrudne**
kaloryczność / **średniokaloryczne**
koszt / **średniodrogie**

Kruchy placek z jabłkami z pianką

s k ł a d n i k i : 2 szklanki mąki krupczatki • 1/2 kostki (12,5 dag) masła lub masła roślinnego • 2 żółtka • 1/2 szklanki cukru pudru • 3 kwaskowe jabłka • sok z cytryny • 2 łyżki grubego cukru kryształu • 2 łyżki rodzynek • 2 białka • 1/2 szklanki cukru pudru do ubicia piany • tłuszcz do wysmarowania formy

Przesianą przez sito mąkę siekamy z miękkim tłuszczem, dodajemy utarte na puch żółtka z cukrem pudrem, ciasto szybko zagniatamy (czubkami palców), owijamy w folię i wkładamy na godzinę do lodówki. Obrane ze skórki, pozbawione gniazd nasiennych jabłka ucieramy na tarce jarzynowej z dużymi otworami, obficie skrapiamy sokiem z cytryny, dodajemy cukier i podsmażamy na niewielkim ogniu, często mieszając, aż staną się szkliste. Dodajemy przebrane rodzynki, mieszamy, odstawiamy do wychłodzenia.

Wychłodzone ciasto rozwałkowujemy na grubość 2 cm, rozkładamy na przygotowanej małej blaszce, wstawiamy do nagrzanego piekarnika i pieczemy przez 20 min w temp. 200ºC, aż nabierze złocistego koloru. Upieczony placek wyjmujemy z piekarnika, schładzamy, rozkładamy na powierzchni przygotowane jabłka, na nich, równomiernie, pianę ubitą z białek i ponownie wstawiamy do niezbyt gorącego (120ºC) piekarnika i pieczemy do czasu, aż piana lekko się zrumieni.

Podajemy na gorąco z dodatkiem porcji lodów lub na zimno z porcją ubitej śmietany.

• o p r ó c z   c z a s u   n a   p i e c z e n i e

liczba porcji / **8**
czas przygotowania / **35 min •**
stopień trudności / **średniotrudne**
kaloryczność / **średniokaloryczne**
koszt / **średniodrogie**

Kruchy placek z powidłami

s k ł a d n i k i : 3 szklanki mąki tortowej • łyżeczka proszku do pieczenia • 4 żółtka • szklanka cukru pudru • 4/5 kostki (20 dag) masła lub masła roślinnego • 4 białka • 3/4 szklanki cukru pudru • 1 i 1/2 szklanki domowych, dobrze wysmażonych, bezcukrowych powideł • tłuszcz do wysmarowania formy

Do roztartego z cukrem pudrem masła dodajemy, cały czas ucierając, po jednym, żółtka. Gdy składniki się połączą, siejemy przez sito mąkę z proszkiem i zarabiamy ciasto. Gdy będzie zbyt ścisłe, dodajemy 1-2 łyżki kwaśnej śmietany. Ciasto dzielimy na 4 części, każdą cienko rozwałkowujemy, rozkładamy w lekko wysmarowanej tłuszczem średniej wielkości tortownicy i pieczemy (każdy placek oddzielnie) w gorącym, nagrzanym do temp. 220ºC, piekarniku przez 20-22 min (czas pieczenia krążków zależy od ich grubości). Upieczone, zsuwamy delikatnie na stolnicę i chłodzimy.

Białka z cukrem pudrem ubijamy na bardzo sztywną pianę, łączymy z powidłami, delikatnie ucieramy. Tak przygotowaną masą smarujemy upieczone krążki, układamy jeden na drugim, posypujemy cukrem pudrem. Przed podaniem kroimy bardzo ostrym, cienkim nożem w zgrabne romby.

liczba porcji / 12
czas przygotowania / 60 min•
stopień trudności / średniotrudne
kaloryczność / średniokaloryczne
koszt / średniodrogie

* oprócz czasu na pieczenie

Kruchy torcik wiśniowo–jagodowy

s k ł a d n i k i : 3 szklanki mąki krupczatki • kostka (25 dag) masła lub masła roślinnego • 1 i 1/2 szklanki cukru pudru • 3 żółtka • cukier waniliowy • 2 szklanki wydrążonych, odsączonych z nadmiaru soku wiśni • szklanka przebranych, czarnych jagód • tłuszcz do wysmarowania formy

liczba porcji / 16
czas przygotowania / 45 min•
stopień trudności / średniotrudne
kaloryczność / średniokaloryczne
koszt / średniodrogie

Przesianą mąkę, połowę cukru pudru i masło siekamy (najlepiej w malakserze). Gdy wytworzy się drobna kruszonka, dodajemy żółtka i wyrabiamy ciasto. Jeżeli będzie zbyt ścisłe, dodajemy 1-2 łyżki kwaśnej śmietany lub zsiadłego mleka, zawijamy w folię, wstawiamy na 2 godz. do zamrażalnika lodówki.

Z wychłodzonego ciasta odkrawamy 1/5, ponownie wkładamy do lodówki, pozostałe ciasto rozwałkowujemy, wykładamy na spód przygotowanej dużej tortownicy i od razu wstawiamy do nagrzanego do temp. 200ºC piekarnika na 20-25 min (czas pieczenia zależy od grubości ciasta). Zrumienione wyjmujemy, odstawiamy do wychłodzenia. Na cieście rozkładamy przygotowane owoce, przykrywamy ubitą na sztywno pianą i posypujemy utartym na tarce z dużymi otworami pozostałym ciastem. Całość ponownie wstawiamy do piekarnika nastawionego na 160ºC i pieczemy, aż wierzch ciasta i piana z białek lekko się zrumienią. Ciasto jest najsmaczniejsze kilka godzin po upieczeniu.

* oprócz czasu na wychłodzenie i pieczenie

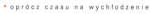

Kruche ciasto migdałowe
według Cioci Godziszewskiej

s k ł a d n i k i : szklanka wcześniej sparzonych, obranych
z łupinek, posiekanych migdałów • 1/2 szklanki cukru pudru
• 1/2 szklanki mąki tortowej • 8 dużych (lub 9 małych) jajek
• płaska łyżeczka proszku do pieczenia • tłuszcz do wysmarowania
formy • tarta bułka do posypania formy

Żółtka ucieramy z cukrem pudrem na kogel-mogel, dodajemy migdały. Gdy składniki się połączą, siejemy przez
sito mąkę z proszkiem, chwilę ucieramy, dodajemy pianę ubitą ze wszystkich białek (do piany można dodać szczyptę soli), składniki delikatnie, ale dokładnie, najlepiej drewnianą łyżką, łączymy i od
razu wylewamy do przygotowanej średniej wielkości formy babowej.
Wstawiamy do nagrzanego, ale niegorącego piekarnika, pieczemy w temp. 180ºC przez 35 min
lub nieco dłużej (czas pieczenia zależy od wysokości warstwy ciasta).
Uwaga: podczas pieczenia w żadnym wypadku nie należy uchylać drzwiczek piekarnika, ciasto może natychmiast opaść.
Ciasto jest gotowe, gdy wierzch się zrumieni, a boki lekko odstają od formy. Przez 15 min schładzamy ciasto w formie, w otwartym piekarniku, następnie wyjmujemy i schładzamy do całkowitego wyziębienia. Podajemy pokrojone w romby, oprószone cukrem pudrem.
• o p r ó c z   c z a s u   n a   p i e c z e n i e

liczba porcji / 12
czas przygotowania / 55 min •
stopień trudności / średniotrudne
kaloryczność / średniokaloryczne
koszt / średniodrogie

Kruche ciasto z mrożonymi owocami

s k ł a d n i k i : 2 szklanki mąki krupczatki • kostka (25 dag)
masła lub masła roślinnego • 3/4 szklanki cukru pudru • żółtko
• szczypta soli • opakowanie mrożonych owoców (truskawki,
wydrylowane wiśnie lub śliwki, agrest) • 2 łyżki cukru pudru
do przesypania owoców • 8 okrągłych, podsuszonych biszkoptów,
przetartych przez ostre, rzadkie sito • tłuszcz do wysmarowania
formy • tarta bułka do posypania formy

Składniki ciasta siekamy lub rozdrabniamy w malakserze.
Dobrze połączone wyrabiamy, aż powstanie jednolite,
sprężyste ciasto. Gdy będzie zbyt suche, dodajemy 1-2
łyżki kwaśnej śmietany, formujemy z ciasta kulę i wkładamy do lodówki (można na całą noc).
Przed pieczeniem 3/5 ciasta wykładamy na przygotowaną dużą tortownicę, wyrównujemy powierzchnię, posypujemy przetartymi biszkoptami, na których rozkładamy
zamrożone owoce, całość lekko oprószamy cukrem
pudrem, na wierzch sypiemy pozostałe ciasto, utarte na
tarce z dużymi otworami i natychmiast wstawiamy do nagrzanego piekarnika. Pieczemy w temp.
180ºC przez 40 min lub nieco dłużej. Wyjmujemy, gdy ciasto się pięknie zrumieni.
Rada: zamiast mrożonych owoców można ułożyć na cieście warstwę domowych powideł lub musu jabłkowo-dyniowego.
• o p r ó c z   c z a s u   n a   p i e c z e n i e

liczba porcji / 16
czas przygotowania / 40 min •
stopień trudności / średniotrudne
kaloryczność / średniokaloryczne
koszt / średniodrogie

Placek cytrynowy

s k ł a d n i k i : 4 duże jajka • szklanka cukru pudru • kostka (25 dag) masła lub masła roślinnego • 2 szklanki mąki tortowej • czubata łyżeczka proszku do pieczenia • sok i skórka otarta z 2 dorodnych cytryn • tłuszcz do wysmarowania formy • tarta bułka do posypania formy

Z dokładnie wymytych wrzątkiem cytryn ocieramy skórkę, sok wyciskamy, uważając, by nie dostały się pestki. Białka, najlepiej robotem, ubijamy na bardzo ścisłą pianę, zalewamy wrzącym tłuszczem, odstawiamy na 2 min. Po tym czasie delikatnie ubijamy, by składniki się połączyły, dodajemy żółtka, sok i skórkę z cytryny i, cały czas lekko ubijając, siejemy przez sito mąkę z proszkiem. Gdy wszystkie składniki dokładnie się połączą i ciasto stanie się puszyste i jednolite, wylewamy na przygotowaną średniej wielkości formę i wstawiamy do nagrzanego piekarnika. Pieczemy w temp. 160ºC przez 35-40 min lub nieco dłużej. Zrumienione ciasto pozostawiamy przez 10 min w piekarniku z otwartymi drzwiczkami, następnie wyjmujemy, przechładzamy i dopiero wówczas wyjmujemy z formy. Znakomicie smakuje posypane cukrem pudrem lub polane cytrynowym lukrem, a przekrojone i przełożone lekkim, cytrynowym kremem – to prawdziwa pyszność.

• o p r ó c z   c z a s u   n a   p i e c z e n i e

Placek śmietanowy

s k ł a d n i k i : szklanka + kopiasta łyżka mąki tortowej • 2 budynie o smaku śmietankowym • 3/4 szklanki cukru pudru • 3 jajka • 1/2 kostki (12,5 dag) masła śmietankowego • kopiasta łyżeczka proszku do pieczenia • tłuszcz do wysmarowania formy • tarta bułka do posypania formy • cukier puder do posypania ciasta

Robotem ucieramy na puch masło z cukrem pudrem. Dodajemy, cały czas ucierając, po jednym, jajka. Gdy składniki się połączą, siejemy przez sito mąkę, budynie i proszek, całość nadal ucieramy. Dokładnie utarte, puszyste ciasto przelewamy do przygotowanej średniej wielkości formy, wstawiamy do nagrzanego piekarnika i pieczemy w temp. 160ºC przez 45 min lub nieco dłużej.

Chłodzimy przez kilka minut w piekarniku przy otwartych drzwiczkach. Po wyjęciu lekko chłodzimy i niezbyt ciepłe wykładamy na stolnicę. Kroimy w zgrabne porcje i opruszamy obficie cukrem pudrem.

• o p r ó c z   c z a s u   n a   p i e c z e n i e

Kruche ciasto do kawy

liczba porcji / 12
czas przygotowania / 30 min•
stopień trudności / średniotrudne
kaloryczność / średniokaloryczne
koszt / średniodrogie

s k ł a d n i k i : 2 szklanki mąki tortowej • 1/2 szklanki cukru pudru • 2 duże (lub 3 małe) jajka • 1/2 kostki (12,5 dag) masła lub masła roślinnego • 1/2 szklanki kwaśnej, 12% śmietany lub naturalnego jogurtu • 2 płaskie łyżeczki proszku do pieczenia • 2 cukry waniliowe • tłuszcz do wysmarowania formy • tarta bułka do posypania formy

Do miseczki siejemy przez sito mąkę z proszkiem, dodajemy cukier puder i cukry waniliowe, składniki mieszamy, dodajemy roztopiony, letni tłuszcz, ucieramy robotem, dodając po jednym, jajka i, niewielkimi porcjami, śmietanę. Dokładnie wyrobione ciasto (powinno mieć konsystencję ciasta babowego) od razu przekładamy do przygotowanej średniej wielkości formy, wyrównujemy powierzchnię, wstawiamy do nagrzanego piekarnika i pieczemy w temp. 160°C przez ok. 45 min lub nieco dłużej. Wyjmujemy, gdy wierzch jest delikatnie zrumieniony, a boki odstają od formy. Kroimy w zgrabne porcje. Podajemy z dodatkiem domowych konfitur lub morelowego dżemu, albo powideł śliwkowych i bitej śmietany.

• o p r ó c z   c z a s u   n a   p i e c z e n i e

Kruche ciasto z rodzynkami

s k ł a d n i k i : 4 jajka • kostka (25 dag) masła lub masła roślinnego • 2 szklanki mąki tortowej • budyń o smaku waniliowym • cukier waniliowy • 3/4 szklanki cukru pudru • czubata łyżeczka proszku do pieczenia • 15 dag rodzynek sułtanek • kieliszek białego, słodkiego wina • tłuszcz do wysmarowania formy • cukier puder do posypania ciasta

Rodzynki zalewamy winem, odstawiamy. Białka ubijamy z cukrem pudrem na lśniącą i ścisłą pianę, zalewamy wrzącym tłuszczem, pozostawiamy przez 2 min. Całość ubijamy, aż składniki się połączą, dodajemy, cały czas ubijając, po jednym, żółtka, przesianą przez sito mąkę z proszkiem i budyniem, cukier waniliowy i ubijamy, aż ciasto stanie się gładkie i nabierze konsystencji gęstego ciasta naleśnikowego. Przelewamy do przygotowanej średniej wielkości formy, wierzch posypujemy odsączonymi rodzynkami i wstawiamy do nagrzanego piekarnika. Pieczemy w temp. 160°C przez 45 min lub nieco dłużej. Zrumienione, z bokami lekko odstającymi od formy, wychładzamy w formie, w której się piekło. Letnie ciasto wykładamy na stolnicę, kroimy w zgrabne porcje, każdą nasączamy łyżeczką wina, w którym moczyły się rodzynki, ustawiamy na paterze i oprószamy obficie cukrem pudrem.

liczba porcji / 12
czas przygotowania / 25 min•
stopień trudności / średniotrudne
kaloryczność / średniokaloryczne
koszt / średniodrogie

• o p r ó c z   c z a s u   n a   p i e c z e n i e

Kruchy placek delikates

s k ł a d n i k i : 40 dag mąki krupczatki • 4/5 kostki (20 dag) masła lub masła roślinnego • 10 dag cukru pudru • 2 żółtka • szczypta soli • gdy trzeba (w przypadku bardzo suchej mąki lub niewielkich żółtek), łyżka gęstej, kwaśnej śmietany • filiżanka odsączonej, smażonej skórki pomarańczowej • filiżanka połówek orzechów włoskich • cukier puder do posypania ciasta

Uwaga: ciasto będzie delikatne i bardzo kruche, gdy zachowamy podaną wagę potrzebnych produktów!

liczba porcji / 12
czas przygotowania / 25 min •
stopień trudności / średniotrudne
kaloryczność / średniokaloryczne
koszt / średniodrogie

Mąkę i lekko posiekany, dobrze schłodzony tłuszcz dajemy do malaksera, dodajemy cukier puder, żółtka i szczyptę soli, wyrabiamy ciasto. Gdy będzie zbyt ścisłe, dodajemy łyżkę śmietany. Gotowe ciasto owijamy w folię i wkładamy na 2 godz. do zamrażalnika lodówki.

Dobrze wychłodzone wałkujemy w prostokąt wielkości średniej formy do pieczenia, przenosimy na wałku, wyrównujemy powierzchnię, rozsypujemy skórkę pomarańczową, lekko nakłuwamy widelcem i wciskamy połówki orzechów. Od razu wstawiamy do nagrzanego piekarnika, pieczemy w temp. 220ºC przez 30 min lub nieco dłużej. Zrumienione ciasto wyjmujemy, zsuwamy na deskę, przykrywamy ściereczką. Najlepiej smakuje następnego dnia.

• oprócz czasu na wychłodzenie i pieczenie

Kruche ciasto przekładane
według Cioci Godziszewskiej

s k ł a d n i k i : szklanka + łyżka mąki krupczatki • 1/2 kostki (12,5 dag) masła lub masła roślinnego • 1/2 szklanki cukru pudru • cukier waniliowy • surowe żółtko

p r z e ł o ż e n i e : szklanka wody • 2 szklanki cukru • 75 dag owoców (jabłka, gruszki, truskawki, poziomki, czarne jagody, malinowy rabarbar, drylowane wiśnie lub ich kompozycja) – waga po przygotowaniu owoców • filiżanka posiekanych migdałów • tłuszcz do wysmarowania formy • tarta bułka do posypania formy • lukier cytrynowy

Mąkę, tłuszcz i cukier puder siekamy. Gdy składniki się połączą, dodajemy żółtko i cukier waniliowy. Ciasto wyrabiamy robotem, formujemy kulę, owijamy w folię, wkładamy na 2 godz. do zamrażalnika lodówki. Wychłodzone, dzielimy na 2 części, każdą rozwałkowujemy w taki sposób, by powstały krążki wielkości spodu małej tortownicy, wstawiamy do nagrzanego piekarnika, pieczemy przez 20-25 min w temp. 220ºC. Zrumienione, zsuwamy na stolnicę.

Sparzone migdały obieramy z łupinek, siekamy. Z wody i cukru gotujemy syrop, gdy cukier całkowicie się rozpuści, dodajemy owoce i smażymy na niewielkim ogniu, często mieszając, aż masa zgęstnieje, dodajemy przygotowane migdały, zasmażamy razem przez minutę, odstawiamy do wychłodzenia. Przechłodzoną, ciepłą masę wykładamy na upieczony krążek, przykrywamy drugim, obciążamy deseczką i ciężarkiem i odstawiamy w chłodne miejsce, najlepiej – do następnego dnia. „Sprasowane" ciasto pokrywamy lukrem lub oprószamy cukrem pudrem.

liczba porcji / 2 małe tortownice
czas przygotowania / 25 min •
stopień trudności / średniotrudne
kaloryczność / średniokaloryczne
koszt / średniodrogie

• oprócz czasu na smażenie owoców i pieczenie

Kruchy torcik z pianką

liczba porcji / 16
czas przygotowania / 30 min•
stopień trudności / średniotrudne
kaloryczność / średniokaloryczne
koszt / średniodrogie

s k ł a d n i k i : 2 szklanki mąki krupczatki • 4/5 kostki (20 dag) masła lub masła roślinnego • 1/2 szklanki cukru pudru • 2 żółtka ugotowane na twardo • skórka otarta z całej cytryny • 5 białek • szklanka cukru pudru • filiżanka posiekanych orzechów • wysmażona marmolada z rabarbaru z rodzynkami • powidła lub wysmażony dżem morelowy • tłuszcz do wysmarowania formy

Mąkę, rozdrobniony na kawałki tłuszcz oraz cukier puder siekamy w malakserze. Gdy składniki się połączą, dodajemy przetarte przez sito żółtka i skórkę z cytryny, wyrabiamy ciasto, aż będzie jednolite i gładkie, formujemy kulę, owijamy folią, wkładamy na 2 godz. do zamrażalnika lodówki.

Z białek i cukru pudru ubijamy bardzo sztywną pianę. Wychłodzone ciasto wałkujemy w taki sposób, by wypełniło spód dużej tortownicy, nakłuwamy w kilku miejscach widelcem, wstawiamy do nagrzanego piekarnika i pieczemy w temp. 220ºC przez ok. 30 min. Zrumienione wyjmujemy, lekko schładzamy (ok. 10 min), smarujemy obficie marmoladą, na wierzchu rozkładamy piankę, posypujemy posiekanymi orzechami, ponownie wstawiamy do piekarnika, wychłodzonego do temp. 120ºC i trzymamy przy lekko uchylonych drzwiczkach, by piana tylko lekko się zrumieniła i wysuszyła.

* oprócz czasu na wychłodzenie i pieczenie

Kruche ciasteczka z migdałkiem

s k ł a d n i k i : 30 dag mąki krupczatki • 3/5 kostki (15 dag) masła • 10 dag cukru pudru • 2 żółtka • łyżka gęstej, 18% kwaśnej śmietany • łyżeczka cukru waniliowego • szczypta soli • 10 dag migdałów sparzonych wrzątkiem i obranych z łupinek • gruby cukier kryształ

Do malaksera wkładamy dokładnie odważone składniki i, na średnich obrotach, wyrabiamy jednolite, gładkie ciasto. Gotowe formujemy w zgrabny wałek o średnicy 5-6 cm, owijamy w folię, wstawiamy na godzinę do lodówki. Dobrze wychłodzone ciasto kroimy ostrym, cienkim nożem w 0,5 cm grubości plasterki, każdy zanurzamy w cukrze i układamy na blasze do pieczenia. W środek ciasteczka wciskamy przygotowany migdał, blaszkę wstawiamy do nagrzanego piekarnika i pieczemy w temp. 200ºC przez ok. 15-18 min. Zrumienione ciasteczka zsuwamy z blachy i układamy w zgrabny „kopiec" na paterze.

liczba porcji / 30-35 ciasteczek
czas przygotowania / 30 min•
stopień trudności / średniotrudne
kaloryczność / średniokaloryczne
koszt / średniodrogie

* oprócz czasu na wychłodzenie i pieczenie

liczba porcji / 30 ciasteczek

czas przygotowania / 25 min •

stopień trudności / łatwe

kaloryczność / średniokaloryczne

koszt / tanie

Kruche ciasteczka z cukrem

s k ł a d n i k i : 2 żółtka • kostka (25 dag) masła • 25 dag cukru pudru • 25 dag mąki krupczatki • mąka do posypania formy • żółtko rozbite z wodą (pół na pół) • gruby cukier kryształ do posypania ciastek

Do malaksera wkładamy wszystkie składniki i wyrabiamy, aż ciasto stanie się jednolite i gładkie. Formujemy zgrabny wałek (nieco grubszy, jak na kopytka), wstawiamy na godzinę lub nieco dłużej do lodówki. Wychłodzone ciasto kroimy w zgrabne, cienkie talarki, rozkładamy na oprószonej mąką blasze, wierzch smarujemy (najłatwiej pędzelkiem) roztrzepanym z wodą żółtkiem, posypujemy grubo cukrem (cukier można docisnąć do ciasta) i wstawiamy na 15-18 min do nagrzanego do temp. 200ºC piekarnika. Zrumienione ciastka zsuwamy z blaszki i układamy na paterze.

* o p r ó c z   c z a s u   n a   w y c h ł o d z e n i e   i   p i e c z e n i e

liczba porcji / 30-35 ciasteczek

czas przygotowania / 30 min •

stopień trudności / średniotrudne

kaloryczność / średniokaloryczne

koszt / średniodrogie

Ciasteczka rumowe

s k ł a d n i k i : 20 dag mąki krupczatki • 20 dag cukru pudru • 4/5 kostki (20 dag) masła lub masła roślinnego • 3 żółtka • 3 łyżki aromatycznego rumu • 10 dag rodzynek • tłuszcz do wysmarowania formy • mąka do posypania formy • cukier puder do posypania ciastek

Przebrane rodzynki zalewamy rumem, odstawiamy w ciepłe miejsce. Masło ucieramy z cukrem pudrem na puch, dodajemy, cały czas ucierając, po jednym – żółtka. Gdy składniki się połączą i masa będzie jednolita, siejemy przez sito mąkę i cały czas ucieramy. Do ciasta dodajemy lekko odsączone z rumu rodzynki, składniki delikatnie łączymy.

Na przygotowanej blasze układamy łyżeczką, w odległości 4 cm od siebie, małe porcyjki ciasta, każdą porcję lekko wyrównujemy. Wstawiamy do nagrzanego piekarnika i pieczemy w temp. 200ºC przez ok. 15-18 min. Zrumienione ciastka zsuwamy z blachy i jeszcze ciepłe posypujemy obficie cukrem pudrem. Ułożone w blaszanym pudle doskonale się przechowają nawet przez kilka tygodni, nie tracąc niepowtarzalnego, maślano-rumowego smaku.

* o p r ó c z   c z a s u   n a   p i e c z e n i e

Kruche ciasteczka
z makiem

liczba porcji / 30 ciasteczek
czas przygotowania / 35 min •
stopień trudności / łatwe
kaloryczność / średniokaloryczne
koszt / tanie

s k ł a d n i k i : 2 szklanki mąki krupczatki • kostka (25 dag) masła • 2 żółtka • szklanka cukru pudru • 1/2 łyżeczki esencji waniliowej • 1/2 szklanki cukru kryształu • 1/2 szklanki suchego maku

W malakserze siekamy lekko rozdrobnione masło z cukrem pudrem i żółtkami. Gdy składniki się połączą, sypiemy przez sito mąkę, dodajemy aromat i zarabiamy niezbyt ścisłe ciasto. Uformowane w zgrabny prostokąt, owijamy w folię i kładziemy na pół dnia do lodówki. Przed pieczeniem nagrzewamy piekarnik do temp. 200ºC, a blaszki do pieczenia wykładamy pergaminem. Wychłodzone ciasto kładziemy na stolnicy, bardzo ostrym i cienkim nożem kroimy wąskie (0,5 cm) plastry, jedną stronę panierujemy, dość mocno przyciskając, w cukrze wymieszanym z makiem i układamy, w odstępach, na blasze. Pieczemy w temp. 200ºC przez 15 min. Zrumienione ciastka zsuwamy na stolnicę i pozostawiamy do wychłodzenia. Przed podaniem układamy na paterze w zgrabny kopczyk.

• o p r ó c z   c z a s u   n a   w y c h ł o d z e n i e   i   p i e c z e n i e

Kruche rożki
według Pani Rejentowej

s k ł a d n i k i : 2 szklanki mąki krupczatki • szklanka cukru pudru • 2 łyżeczki proszku do pieczenia • 2 łyżki kwaśnej, gęstej, 18% śmietany • żółtko • czubata szklanka zmielonych orzechów • kostka (25 dag) zamrożonego masła • cukier puder i cukier waniliowy (pół na pół) do oprószenia ciasteczek

Z mąki, przesianej na stolnicę z proszkiem do pieczenia, cukru pudru, żółtka i śmietany wyrabiamy ciasto (powstanie kruszonka), dodajemy, utarte na tarce do jarzyn o dużych otworach, zamrożone masło i orzechy, składniki wyrabiamy czubkami palców do chwili, aż ciasto będzie jednolite i gładkie. Owijamy folią i wkładamy na kilka godzin do lodówki.

liczba porcji / 30 małych rożków
czas przygotowania / 25 min •
stopień trudności / średniotrudne
kaloryczność / średniokaloryczne
koszt / średniodrogie

Z wychłodzonego ciasta formujemy zgrabne rożki – rozwałkowujemy na cienki placek i wycinamy szklanką lub dużym kieliszkiem półksiężyce. Tak przygotowane układamy na wysmarowanej tłuszczem blaszce i pieczemy w temp. 180ºC przez 15 min. Zrumienione ciastka zsuwamy z blachy, od razu posypujemy cukrem pudrem z cukrem waniliowym i układamy na paterze.

• o p r ó c z   c z a s u   n a   w y c h ł o d z e n i e   i   p i e c z e n i e

liczba porcji / 40 małych babeczek

czas przygotowania / 50 min•

stopień trudności / średniotrudne

kaloryczność / średniokaloryczne

koszt / średniodrogie

Kruche babeczki

s k ł a d n i k i : 3 szklanki mąki krupczatki • kostka (25 dag) masła lub masła roślinnego • 3 żółtka • szczypta soli • szklanka cukru pudru • sklarowane masło do wysmarowania foremek

Suche składniki umieszczamy w malakserze i dokładnie siekamy. Gdy się połączą, dodajemy żółtka i szybko zagniatamy końcami palców ciasto. Jednolite i gładkie ciasto owijamy pergaminem lub folią i wstawiamy na godzinę do lodówki.

Foremki bardzo starannie natłuszczamy (najlepiej pędzelkiem), stawiamy obok siebie. Wychłodzone ciasto wałkujemy nie grubiej niż na 0,3 cm, nawijamy na wałek, przenosimy na foremki, na nich ciasto lekko rozwałkowujemy, następnie wciskamy do środka. Napełnione ciastem babeczki wstawiamy, ustawione obok siebie na blasze, do nagrzanego piekarnika, pieczemy w temp. 200°C przez 12-15 min. Zrumienione układamy na stolnicy do góry dnem, aby po przestudzeniu łatwo wyszły z formy. Nadziewamy, gdy są całkiem zimne, porcją ubitej śmietany, sezonowymi owocami, posiekanymi bakaliami lub smakowym kremem (według własnych upodobań).

• o p r ó c z c z a s u n a w y c h ł o d z e n i e i p i e c z e n i e

Kruche rożki z morelami

liczba porcji / 24-26 rożków

czas przygotowania / 40 min•

stopień trudności / średniotrudne

kaloryczność / średniokaloryczne

koszt / średniodrogie

s k ł a d n i k i : 2 i 1/2 szklanki mąki krupczatki • 25 dag (kostka) masła lub masła roślinnego • pojemniczek (25 dag) serka homogenizowanego o smaku waniliowym • 12-13 dorodnych, dojrzałych moreli

l u k i e r : 3/4 szklanki cukru pudru • łyżeczka soku z cytryny • łyżeczka spirytusu lub innego, dobrego alkoholu

Umyte, wytarte do sucha morele kroimy wzdłuż na połowę, usuwamy pestki. Masło rozbijamy w malakserze, dodajemy serek. Do połączonych składników dodajemy, siejąc przez sito, mąkę, wyrabiamy ciasto. Gdy będzie jednolite i ścisłe, owijamy w folię, wkładamy na 2 godz. do lodówki. Wychłodzone, dzielimy na 2 części, każdą rozwałkowujemy na podsypanej niewielką ilością mąki stolnicy, wykrawamy zgrabne kwadraty, na środku każdego umieszczamy połówkę moreli, składamy na połowę, zlepiamy boki. Układamy rożki na czystej (bez smarowania tłuszczem!) blasze, wstawiamy do nagrzanego piekarnika, pieczemy w temp. 200°C przez ok. 25-30 min, aż się zrumienią.

Upieczone rożki zsuwamy na stolnicę i, jeszcze ciepłe, lukrujemy.

• o p r ó c z c z a s u n a w y c h ł o d z e n i e i p i e c z e n i e

Kruche rożki orzechowe

liczba porcji / 25-28 rożków
czas przygotowania / 30 min •
stopień trudności / średniotrudne
kaloryczność / średniokaloryczne
koszt / średniodrogie

s k ł a d n i k i : 2 szklanki mąki krupczatki • 4/5 kostki (20 dag) masła lub masła roślinnego • 1/2 szklanki cukru pudru • szklanka posiekanych orzechów – mogą być włoskie i laskowe (pół na pół) • cukier puder do posypania rożków

Wszystkie składniki ciasta wraz z lekko rozmiękczonym tłuszczem zagniatamy na jednolite ciasto (łatwo!), formujemy kulę, owijamy w folię, wkładamy na godzinę lub nieco dłużej do lodówki. Wychłodzone ciasto dzielimy na części i na lekko oprószonej mąką stolnicy kształtujemy cienkie wałeczki. Każdy kroimy na niewielkie (ok. 5 cm) kawałki, formujemy zgrabne rożki, układamy na czystej blasze (nie smarujemy tłuszczem!), wstawiamy do nagrzanego piekarnika i pieczemy w temp. 200ºC przez ok. 20 min. Zrumienione rożki zsuwamy z blaszki i od razu obficie posypujemy cukrem pudrem. Gdy ostygną, układamy na paterze. Najlepiej smakują następnego dnia.

• o p r ó c z c z a s u n a w y c h ł o d z e n i e i p i e c z e n i e

Kruche rożki bananowe

s k ł a d n i k i : 2 szklanki mąki krupczatki • 3/4 szklanki cukru pudru • 1/2 kostki (12,5 dag) masła lub masła roślinnego • jajko • skórka otarta z cytryny • szczypta soli • 1-2 łyżki kwaśnej śmietany (gdy ciasto będzie zbyt ścisłe) • 8-10 bananów • sok z całej cytryny • jajko roztrzepane z łyżką wody • gruby cukier kryształ • tłuszcz do wysmarowania formy

Wszystkie składniki ciasta siekamy w malakserze. Gdy się połączą, wyrabiamy czubkami palców ciasto, powinno być jednolite, sprężyste i lśniące. Owijamy w folię i wkładamy na godzinę lub nieco dłużej do lodówki. Banany obieramy ze skórki, skrapiamy sokiem z cytryny.

liczba porcji / ok. 20
czas przygotowania / 35 min •
stopień trudności / średniotrudne
kaloryczność / średniokaloryczne
koszt / średniodrogie

Wychłodzone ciasto dzielimy na 2 części, rozwałkowujemy cienko na podsypanej mąką stolnicy, wykrawamy prostokąty o długości dopasowanej do bananów, kładziemy połówkę owocu, brzegi smarujemy roztrzepanym jajkiem, zalepiamy dekoracyjnie w zgrabny rożek i układamy na wysmarowanej tłuszczem blasze. Wierzch smarujemy roztrzepanym jajkiem, posypujemy grubym cukrem, wstawiamy do nagrzanego piekarnika i pieczemy w temp. 220ºC przez ok. 25-35 min (czas zależy od rozmiaru rożków). Zrumienione rożki zsuwamy z blaszki i układamy na paterze. Podajemy na gorąco, z porcją lodów lub na zimno.

• o p r ó c z c z a s u n a w y c h ł o d z e n i e i p i e c z e n i e

liczba porcji / 30
czas przygotowania / 40 min•
stopień trudności / średniotrudne
kaloryczność / średniokaloryczne
koszt / średniodrogie

Kruche rożki
z powidłami

s k ł a d n i k i : 2 i 1/2 szklanki mąki krupczatki • kostka (25 dag) masła śmietankowego • pojemnik (25 dag) serka homogenizowanego o smaku naturalnym • szklanka dobrze wysmażonych powideł • 1/2 szklanki cukru pudru i łyżeczka soku z cytryny na lukier

W malakserze siekamy mąkę z lekko rozdrobnionym masłem, dodajemy serek, składniki łączymy. Wyrobione, jednolite ciasto owijamy w folię i wkładamy na godzinę lub nieco dłużej do lodówki.

Wychłodzone, rozwałkowujemy na delikatnej podsypce z mąki, wykrawamy zgrabne kwadraty, dzielimy je na połowę, na każdy powstały trójkąt kładziemy łyżeczkę powideł, zwijamy od szerszej strony i, zbliżając do siebie końce, formujemy rożek. Układamy na blaszce bez tłuszczu, wstawiamy do nagrzanego piekarnika i pieczemy w temp. 200°C przez ok. 20-25 min. Zrumienione, zsuwamy na stolnicę. Gdy przestygną, lukrujemy. Rożki nie nadają się do dłuższego przechowywania.

• o p r ó c z c z a s u n a w y c h ł o d z e n i e i p i e c z e n i e

Kruche ciasteczka
orzechowe

s k ł a d n i k i : 60 dag mąki krupczatki • 1 i 3/5 kostki (40 dag) masła śmietankowego • 20 dag cukru pudru • 3 żółtka • szczypta soli • szklanka rozdrobnionych, ale niezmielonych orzechów

Mąkę siekamy z rozdrobnionym, wychłodzonym masłem (najlepiej w malakserze), dodajemy cukier puder, sól, żółtka, składniki łączymy, wyjmujemy z malaksera i czubkami palców wyrabiamy ciasto. Gdy będzie się kruszyć, dodajemy 1-2 łyżki gęstej, kwaśnej śmietany. Całość owijamy w folię i wkładamy na godzinę do lodówki.

Wychłodzone ciasto dzielimy na części, rozwałkowujemy nie grubiej niż na 0,5 cm, posypujemy orzechami, które lekko wciskamy wałkiem, i kroimy radełkiem zgrabne ciasteczka. Układamy na blaszce, wstawiamy do nagrzanego piekarnika, nastawionego na temp. 200°C i pieczemy przez 15-18 min.

Zrumienione, zsuwamy na stolnicę. Ułożone w dużym, blaszanym pudle – przechowają się przez kilka tygodni.

• o p r ó c z c z a s u n a w y c h ł o d z e n i e i p i e c z e n i e

liczba porcji / 60
czas przygotowania / 40 min•
stopień trudności / średniotrudne
kaloryczność / średniokaloryczne
koszt / tanie

Ciasteczka migdałowe
według kuchni staropolskiej

liczba porcji / 25
czas przygotowania / 20 min•
stopień trudności / średniotrudne
kaloryczność / średniokaloryczne
koszt / średniodrogie

s k ł a d n i k i : 4 żółtka ugotowane na twardo • kostka (25 dag) masła śmietankowego • żółtko • szklanka cukru pudru • szklanka + kopiasta łyżka mąki krupczatki • skórka otarta z całej cytryny • sok wyciśnięty z całej cytryny • filiżanka drobno posiekanych migdałów (wcześniej sparzonych i obranych z łupinek) • białko

Ugotowane żółtka przecieramy przez ostre sito. Masło ucieramy na puch, dodajemy cukier puder. Gdy składniki się połączą, dodajemy przetarte żółtka, skórkę i sok z cytryny oraz surowe żółtko. Składniki łączymy, sypiemy, siejąc przez sito, mąkę i wyrabiamy ciasto (powinno być lekkie). Ukształtowaną kulę owijamy folią i wkładamy na 2 godz. do lodówki. Wychłodzone, dzielimy na części, cienko rozwałkowujemy, wykrawamy zgrabne ciasteczka, układamy na suchej blaszce, wierzch smarujemy roztrzepanym białkiem, posypujemy posiekanymi migdałami, wstawiamy do nagrzanego piekarnika. Pieczemy w temp. 200ºC przez 15-18 min, aż ciastka się zrumienią. Przechowywane w blaszanej puszce, zachowają świeżość przez długi czas.

• o p r ó c z   c z a s u   n a   w y c h ł o d z e n i e   i   p i e c z e n i e

Kruche ciasteczka luksusowe

s k ł a d n i k i : 30 dag mąki krupczatki • 4/5 kostki (20 dag) masła lub masła roślinnego • 10 dag cukru pudru • ugotowane na twardo żółtko • mały kieliszek (25 ml) koniaku lub spirytusu • filiżanka orzechów

Żółtko rozcieramy z alkoholem na jednolitą masę. Orzechy lekko przypiekamy na suchej patelni i lekko rozdrabniamy, ale nie przepuszczamy przez maszynkę. Składniki ciasta rozdrabniamy w malakserze, dodajemy roztarte z alkoholem żółtko i orzechy, ciasto delikatnie zarabiamy, formujemy wałeczki, owijamy w pergamin i wstawiamy na godzinę do lodówki. Z wychłodzonego ciasta formujemy ciasteczka lub zgrabne rożki, układamy na suchej blaszce, wstawiamy do nagrzanego piekarnika i pieczemy w temp. 220ºC przez 12-15 min. Zrumienione, zsuwamy z blaszki, układamy na paterze. Ciasteczka można posypać cukrem pudrem.

liczba porcji / ok. 30
czas przygotowania / 25 min•
stopień trudności / średniotrudne
kaloryczność / średniokaloryczne
koszt / średniodrogie

• o p r ó c z   c z a s u   n a   w y c h ł o d z e n i e   i   p i e c z e n i e

Ciasteczka Prababci

s k ł a d n i k i : 3 szklanki mąki krupczatki • kostka (25 dag) masła • 2 żółtka • 2 łyżki kwaśnej, gęstej, 12% śmietany • 1/2 szklanki cukru pudru • 2 cukry waniliowe • tłuszcz do wysmarowania formy

Wszystkie składniki ciasta siekamy w malakserze. Gdy ciasto nabierze jednolitej, gładkiej konsystencji, zawijamy w folię i wkładamy na 2 godz. do zamrażalnika lodówki. Wychłodzone, dzielimy na części, cienko rozwałkowujemy, wycinamy ciekawe kształty i układamy na delikatnie posmarowanej tłuszczem blaszce. Pieczemy w nagrzanym piekarniku w temp. 200ºC przez ok. 15 min. Zrumienione zdejmujemy z blaszki łopatką, układamy na paterze w piękny, wysoki stos. Ciasteczka można posypać cukrem pudrem. W blaszanym pudełku przechowają się doskonale nawet przez kilka tygodni.

* oprócz czasu na wychłodzenie i pieczenie

Kruche ciasteczka z morelami

s k ł a d n i k i : 20 dag mąki krupczatki • 3/5 kostki (15 dag) masła lub masła roślinnego • 2 kopiaste łyżki cukru pudru • żółtko • szczypta soli • 15-18 połówek dorodnych moreli • gruboziarnisty cukier

Uwaga: produkty na ciasto powinny być odważone ściśle według przepisu

Składniki ciasta wkładamy do malaksera, gdy w czasie wyrabiania ciasto się kruszy, dodajemy łyżkę śmietany lub żółtko. Dokładnie wyrobione owijamy w folię i wkładamy na godzinę do zamrażalnika lodówki. Wychłodzone, dzielimy na 2-3 części, rozwałkowujemy na lekko oprószonej mąką stolnicy, wykrawamy krążki, których brzegi zagniatamy do środka, na każdy krążek kładziemy połówkę moreli, posypujemy grubym cukrem, układamy na blaszce i pieczemy w nagrzanym piekarniku, nastawionym na 180ºC przez 20-22 min. Zrumienione, zsuwamy z blachy, układamy na paterze. Owinięte w folię ciasteczka doskonale przechowają się przez kilka dni.

* oprócz czasu na wychłodzenie i pieczenie

Sernik z aromatem rumowym

s k ł a d n i k i : 75 dag utartego, białego, tłustego sera • jajko
• 4 żółtka • 1 i 1/2 szklanki cukru pudru • 2 cukry waniliowe
• 1/2 szklanki kaszy manny • kieliszek (50 ml) ciemnego,
aromatycznego rumu • skórka otarta z cytryny • tłuszcz
do wysmarowania tortownicy • tarta bułka do posypania tortownicy

Jajko i żółtka ucieramy z cukrem pudrem i cukrem waniliowym na puszysty kogel-mogel, dodajemy rum, otartą
z cytryny skórkę i, cały czas ucierając, dużymi łyżkami –
ser. Gdy składniki dokładnie się połączą, wlewamy roztopione, letnie masło, dodajemy kaszę mannę i ubitą na
sztywno pianę z białek. Całość dokładnie, ale delikatnie łączymy (najlepiej drewnianą łyżką), przekładamy masę do przygotowanej średniej wielkości tortownicy i wstawiamy do nagrzanego piekarnika.
Pieczemy w temp. 180°C przez godzinę lub nieco dłużej (czas pieczenia zależy od wysokości ciasta).
Wyjmujemy, gdy sernik jest ładnie zrumieniony, a boki ciasta odstają od formy. Chłodzimy w tortownicy. Zimne ciasto przekładamy na paterę i posypujemy cukrem pudrem.

* o p r ó c z   c z a s u   n a   p i e c z e n i e

liczba porcji / 12
czas przygotowania / 35 min *
stopień trudności / średniotrudne
kaloryczność / średniokaloryczne
koszt / średniodrogie

Serowiec w kruchym cieście
z kuchni staropolskiej

s k ł a d n i k i : 30 dag mąki pszennej • 10 dag masła
lub masła roślinnego • 1/2 szklanki kwaśnej, 18% śmietany
• 2 żółtka • kopiasta łyżka cukru pudru

s e r : 70 dag dokładnie zmielonego sera • 1/2 kostki (12,5 dag)
masła lub masła roślinnego • 4 jajka • szklanka cukru pudru • cukier
waniliowy • tłuszcz do wysmarowania formy

l u k i e r : 1/2 szklanki cukru pudru • białko • łyżeczka soku
z cytryny

Składniki ciasta wyrabiamy w malakserze. Gdy stanie się
jednolite i sprężyste, owijamy ukształtowaną kulę w folię
i przez godzinę wychładzamy w lodówce.

Przygotowujemy ser: masło ucieramy z cukrem pudrem i cukrem waniliowym (robotem!) na puch,
dodajemy (po jednym), cały czas ucierając, żółtka na przemian z serem. Do połączonych składników
dodajemy ubite na pianę białka, dokładnie, ale delikatnie mieszamy drewnianą łyżką, by składniki
się połączyły.

Wychłodzone ciasto dzielimy na 2 nierówne części. Nieco większą, po rozwałkowaniu, wykładamy spód
dużej tortownicy, nakłuwamy ciasto w kilku miejscach widelcem i podpiekamy w nagrzanym, nastawionym na 200°C piekarniku przez 10-12 min (placek powinien delikatnie się zrumienić). Pozostałą część
ciasta rozwałkowujemy na cienki placek, trzymamy w chłodzie. Na podpieczony, lekko wychłodzony
(3 min) spód wykładamy masę serową, wyrównujemy powierzchnię, przykrywamy rozwałkowanym,
surowym ciastem, lekko nakłuwamy widelcem. Całość wstawiamy na 70 min do nagrzanego do temp.
180°C piekarnika. Zrumienione ciasto, jeszcze ciepłe, polewamy lukrem utartym z cukru pudru, białka
i soku z cytryny. Zimny sernik przekładamy na paterę i podajemy pokrojony w zgrabne romby.

* o p r ó c z   c z a s u   n a   p i e c z e n i e

liczba porcji / 16
czas przygotowania / 35 min *
stopień trudności / trudne
kaloryczność / średniokaloryczne
koszt / średniodrogie

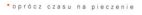

liczba porcji / 12

czas przygotowania / 25 min•

stopień trudności / średniotrudne

kaloryczność / średniokaloryczne

koszt / średniodrogie

Sernik ananasowy

s k ł a d n i k i : 2 duże filiżanki pokruszonych herbatników • masło do wysmarowania formy • 3 opakowania serka homogenizowanego (po 25 dag) o smaku naturalnym • 3/4 szklanki cukru pudru • 3 jajka • łyżka mąki ziemniaczanej • łyżka mąki krupczatki • skórka otarta z całej cytryny • sok z całej cytryny • puszka ananasów

Spód oraz boki średniej wielkości tortownicy smarujemy bardzo obficie (dwukrotnie!) tłuszczem, wysypujemy pokruszonymi herbatnikami. Resztę ciastek pozostawiamy na spodzie formy. Tak przygotowaną tortownicę odstawiamy do wychłodzenia do lodówki. Ananasy kroimy w drobną kostkę i przekładamy na sito, by się dokładnie odsączyły.

Serki ucieramy z cukrem pudrem, dodajemy, cały czas ucierając, po jednym, jajka, skórkę i sok z cytryny. Dodajemy, siejąc przez sito, obie mąki i całość dokładnie, ale delikatnie mieszamy, najlepiej drewnianą łyżką. Masę przekładamy do wychłodzonej średniej wielkości tortownicy, wyrównujemy powierzchnię, na wierzch sypiemy przygotowane ananasy, wstawiamy do nagrzanego piekarnika i pieczemy w temp. 180ºC przez godzinę lub nieco dłużej. Wyjmujemy, gdy sernik będzie zrumieniony, a boki odstają od formy. Chłodzimy w formie, zimny przekładamy na paterę, podajemy pokrojony w zgrabne romby.

• o p r ó c z c z a s u n a p i e c z e n i e

Sernik delikatesowy

s k ł a d n i k i : 75 dag tłustego, białego sera • 1/2 kostki (12,5 dag) masła lub masła roślinnego • 6 jajek • 1 i 1/2 szklanki cukru pudru • cukier waniliowy • łyżeczka proszku do pieczenia • 4 średniej wielkości ugotowane ziemniaki • budyń o smaku waniliowym • tłuszcz do wysmarowania formy • tarta bułka do posypania formy

liczba porcji / 16

czas przygotowania / 40 min•

stopień trudności / średniotrudne

kaloryczność / średniokaloryczne

koszt / średniodrogie

Ser i ugotowane ziemniaki rozbijamy w malakserze na bardzo puszystą masę. Robotem ucieramy masło z cukrem pudrem i cukrem waniliowym, dodajemy, cały czas ucierając, żółtka na przemian z masą serowo-ziemniaczaną. Do masy serowej dodajemy, siejąc przez sito, budyń z proszkiem do pieczenia, nakładamy pianę ubitą z białek, całość delikatnie, ale dokładnie mieszamy i od razu wkładamy do przygotowanej dużej tortownicy.

Sernik wstawiamy do nagrzanego piekarnika, pieczemy w temp. 160ºC przez godzinę lub nieco dłużej. Zrumieniony, z lekko odstającymi od formy bokami, wyjmujemy z pieca, chłodzimy. Zimny przekładamy na paterę. Ciasto można posypać cukrem pudrem.

• o p r ó c z c z a s u n a p i e c z e n i e

Sernik z migdałami

liczba porcji / 16
czas przygotowania / 40 min•
stopień trudności / średniotrudne
kaloryczność / średniokaloryczne
koszt / średniodrogie

s k ł a d n i k i : 1 kg tłustego, dobrze roztartego, białego sera
• 2 szklanki cukru pudru • 1/2 kostki (12,5 dag) masła lub masła
roślinnego • szklanka posiekanych migdałów (sparzonych,
obranych z łupinek i niezbyt drobno posiekanych) • 2 cukry waniliowe
• 2 szklanki białek • 3 łyżki mąki krupczatki • lukier pomarańczowy
wymieszany z drobno posiekaną, smażoną skórką pomarańczową
• tłuszcz do wysmarowania formy • tarta bułka do posypania formy

Białka z dodatkiem szklanki cukru pudru ubijamy na bardzo sztywną pianę. Masło ucieramy (robotem) z pozostałym cukrem pudrem i cukrem waniliowym, dodając,
małymi partiami, ser. Do połączonych składników dodajemy migdały, pianę z białek, całość posypujemy mąką
krupczatką. Składniki dokładnie, ale delikatnie (najlepiej
drewnianą łyżką) mieszamy, przelewamy do przygotowanej dużej tortownicy i wstawiamy do nagrzanego, ale
niegorącego piekarnika.
Pieczemy w temp. 160ºC przez godzinę lub nieco dłużej.
Zrumienione, z lekko odstającymi od formy bokami, ciasto
wyjmujemy z piekarnika, chłodzimy, przekładamy na paterę i polewamy lukrem pomarańczowym wymieszanym
ze skórką pomarańczową. Podajemy pokrojone w romby.
Semik, owinięty w folię i trzymany w chłodnym miejscu,
zachowuje świeżość przez kilka dni.

• o p r ó c z c z a s u n a p i e c z e n i e

Sernik o smaku waniliowym

s k ł a d n i k i : 3 opakowania serka homogenizowanego
o smaku naturalnym (całość ok. 75 dag) • opakowanie serka
homogenizowanego o smaku waniliowym (ok. 25 dag)
• 4 jajka • 2 szklanki cukru pudru • 2 budynie waniliowe • cukier
waniliowy • płaska łyżeczka proszku do pieczenia • 2 szklanki
pokruszonych herbatników • tłuszcz do wysmarowania formy
• tarta bułka do posypania formy

Żółtka ucieramy z cukrem pudrem i cukrem waniliowym
na puch, białka z dodatkiem szczypty soli ubijamy na bardzo ścisłą pianę. Serki mieszamy, dodajemy, sypiąc przez
sito, budynie z proszkiem, ubite żółtka, pianę, składniki
delikatnie, ale dokładnie mieszamy. Na spodzie przygotowanej dużej tortownicy (wysmarowanej tłuszczem i oprószonej tartą bułką) rozkładamy pokruszone herbatniki, wy-
lewamy masę, wyrównujemy powierzchnię i wstawiamy na godzinę do ciepłego, nagrzanego do temp.
160ºC piekarnika. Sernik jest upieczony, gdy wierzch się równo zrumieni, a boki odstają od formy.
Wychłodzony, przekładamy na paterę, kroimy w romby i lekko opruszamy cukrem pudrem.
Do tego sernika nie dodajemy tłuszczu!

• o p r ó c z c z a s u n a p i e c z e n i e

liczba porcji / 16
czas przygotowania / 40 min•
stopień trudności / średniotrudne
kaloryczność / średniokaloryczne
koszt / średniodrogie

Sernik na biszkoptowym spodzie

s k ł a d n i k i : małe, okrągłe biszkopciki do wyłożenia spodu dużej tortownicy • wysmażony dżem morelowy • 1 kg tłustego, dobrze utartego, białego sera • 10 żółtek • 5 białek • 1 i 1/2 szklanki cukru pudru • szklanka rozdrobnionych bakalii • 1/2 kostki (12,5 dag) masła lub masła roślinnego • 3 kopiaste łyżki kaszy manny • 2 cukry waniliowe • szczypta soli do ubicia piany • tłuszcz do wysmarowania formy • tarta bułka do posypania formy

Masło z cukrem pudrem i cukrem waniliowym ucieramy robotem, gdy składniki się połączą, dodajemy, cały czas ucierając, po jednym, żółtka na przemian z serem. Do gotowej masy dodajemy kaszę mannę, bakalie i pianę ubitą z białek. Składniki delikatnie, ale dokładnie łączymy (najlepiej drewnianą łyżką) i wykładamy na przygotowaną dużą tortownicę, wyłożoną biszkopcikami pokrytymi warstwą morelowego dżemu. Wstawiamy do nagrzanego piekarnika i pieczemy w temp. 180ºC przez godzinę lub nieco dłużej. Wyjmujemy, gdy wierzch jest zrumieniony, a boki lekko odstają od formy. Studzimy w tortownicy. Zimny sernik przekładamy na paterę. Podajemy pokrojony w zgrabne romby.

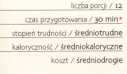

liczba porcji / 16
czas przygotowania / 50 min*
stopień trudności / średniotrudne
kaloryczność / **wysokokaloryczne**
koszt / średniodrogie

* o p r ó c z c z a s u n a p i e c z e n i e

Sernik wiedeński oszczędny

s k ł a d n i k i : 50 dag tłustego, dobrze utartego twarogu • szklanka cukru pudru • 4 jajka • 4/5 kostki (20 dag) masła lub masła roślinnego • cukier waniliowy • kopiasta łyżka mąki ziemniaczanej • filiżanka rodzynek • 2 kopiaste łyżki odsączonej, smażonej skórki pomarańczowej • tłuszcz do wysmarowania formy • tarta bułka do posypania formy

Z białek z dodatkiem szczypty soli ubijamy pianę. Żółtka ucieramy z cukrem pudrem i cukrem waniliowym, dodajemy zmiękczony tłuszcz i, cały czas ucierając, ser i mąkę ziemniaczaną. Gdy składniki się połączą, a masa serowa będzie pulchna i jednolita, dodajemy pianę ubitą z białek i bakalie. Całość delikatnie, ale dokładnie łączymy, przelewamy masę do przygotowanej średniej wielkości tortownicy. Wstawiamy do nagrzanego piekarnika i pieczemy w temp. 180ºC przez godzinę lub nieco dłużej. Wyjmujemy, gdy wierzch jest zrumieniony, a boki lekko odstają od formy. Po przechłodzeniu przekładamy na paterę i kroimy w zgrabne romby.

* o p r ó c z c z a s u n a p i e c z e n i e

liczba porcji / 12
czas przygotowania / 30 min*
stopień trudności / średniotrudne
kaloryczność / średniokaloryczne
koszt / średniodrogie

Sernik wiedeński
według Cioci Godziszewskiej

liczba porcji / **16**
czas przygotowania / **50 min**•
stopień trudności / **średniotrudne**
kaloryczność / **średniokaloryczne**
koszt / **drogie**

s k ł a d n i k i : 80 dag tłustego, doskonale zmielonego, białego sera • 8 żółtek • 4 białka • 1 i 1/2 szklanki cukru pudru • 1/2 kostki (12,5 dag) masła • cukier waniliowy • kopiasta łyżka mąki ziemniaczanej • kopiasta łyżka budyniowego proszku o smaku waniliowym • filiżanka rodzynek sułtanek • filiżanka smażonej skórki pomarańczowej • kieliszek likieru pomarańczowego • tłuszcz do wysmarowania formy • tarta bułka do posypania formy

Odsączoną skórkę pomarańczową łączymy z likierem. Masło ucieramy z cukrem pudrem i cukrem waniliowym na puch, dodajemy, po jednym, cały czas ucierając – żółtka na przemian z utartym serem. Gdy masa stanie się puszysta, dodajemy, siejąc przez sito, mąkę ziemniaczaną, budyniowy proszek, bakalie i pianę ubitą z białek. Składniki dokładnie łączymy (najlepiej drewnianą łyżką) i przekładamy do przygotowanej dużej tortownicy. Wstawiamy do nagrzanego piekarnika, pieczemy w temp. 180ºC przez 75 min lub nieco dłużej. Wychłodzony w formie sernik wykładamy na paterę, podajemy pokrojony w zgrabne romby.

• o p r ó c z c z a s u n a p i e c z e n i e

liczba porcji / **16**
czas przygotowania / **50 min**•
stopień trudności / **średniotrudne**
kaloryczność / **średniokaloryczne**
koszt / **drogie**

Sernik wiedeński puszysty

s k ł a d n i k i : 1 kg tłustego, doskonale zmielonego, białego sera • 10 jajek • kostka (25 dag) masła lub masła roślinnego • 2 szklanki cukru pudru • 2 kopiaste łyżki mąki krupczatki • budyń waniliowy • cukier waniliowy • rodzynki i smażona skórka pomarańczowa (razem 2 szklanki) • tłuszcz do wysmarowania formy • tarta bułka do posypania formy

Masło z cukrem pudrem i cukrem waniliowym ucieramy na puch, dodajemy, cały czas ucierając, po jednym, żółtka. Gdy masa będzie jednolita, dodajemy, w kilku częściach, ser i, cały czas ucierając, siejemy przez sito mąkę i budyń. Na końcu dodajemy pianę ubitą z 5 białek. Do utartej, pulchnej masy dodajemy bakalie, całość wylewamy na przygotowaną dużą tortownicę, wstawiamy do nagrzanego piekarnika i pieczemy w temp. 180ºC przez 80 min. Sernik jest upieczony, gdy wierzch się zrumieni, a boki lekko odstają od formy. Wychłodzony, przekładamy na paterę. Podajemy z porcją bitej śmietany.

• o p r ó c z c z a s u n a p i e c z e n i e

Sernik wiedeński klasyczny

s k ł a d n i k i : 80 dag tłustego, doskonale zmielonego, białego sera • 8 dużych jajek (9 małych) • 1 i 1/2 szklanki cukru pudru • 1/2 kostki (12,5 dag) masła lub masła roślinnego • 2 kopiaste łyżki mąki ziemniaczanej • szklanka rodzynek • szklanka odsączonej, smażonej skórki pomarańczowej • tłuszcz do wysmarowania formy • tarta bułka do posypania formy • tabliczka gorzkiej lub deserowej czekolady • 2 łyżki słodkiej śmietany na polewę

Masło ucieramy z cukrem pudrem na puch, dodajemy, cały czas ucierając, po jednym, żółtka i, po łyżce, ser. Gdy składniki się połączą, oprószamy mąką ziemniaczaną, sypiemy bakalie, nakładamy pianę ubitą z białek i delikatnie, ale dokładnie (drewnianą łyżką) łączymy składniki. Masę wylewamy na przygotowaną dużą tortownicę, wstawiamy do nagrzanego do temp. 180°C piekarnika i pieczemy przez godzinę lub nieco dłużej (czas zależy od wysokości serowej warstwy). W czasie pieczenia nie należy uchylać drzwiczek piekarnika czy poruszać ciastem (może opaść).

Upieczony sernik chłodzimy w formie, wyjmujemy, gdy jeszcze ciepły, przekładamy na paterę i polewamy czekoladą rozpuszczoną w słodkiej śmietanie.

• oprócz czasu na pieczenie

Sernik z bakaliami

s k ł a d n i k i : małe, okrągłe biszkopciki do dokładnego wyłożenia spodu średniej wielkości tortownicy • 3 opakowania (75 dag) serka homogenizowanego o smaku naturalnym • 3 żółtka • szklanka cukru pudru • kostka (25 dag) masła • szklanka rodzynek • szklanka smażonej skórki pomarańczowej • tabliczka gorzkiej czekolady • 2 łyżki słodkiej śmietanki

Rodzynki przelewamy na sicie wrzątkiem, odstawiamy do odsączenia i przechłodzenia. Spód średniej wielkości tortownicy wykładamy, miejsce przy miejscu, biszkopcikami. Masło z cukrem pudrem ucieramy (robotem!) na puch, dodajemy żółtka. Gdy składniki się połączą, dodajemy ser i bakalie. Całość dokładnie mieszamy i przekładamy do formy. Powierzchnię wyrównujemy, wstawiamy sernik do lodówki nawet na kilka godzin. Dobrze wychłodzony, polewamy rozpuszczoną w śmietance, pokruszoną czekoladą i ponownie wstawiamy do lodówki na godzinę. Kroimy nożem wygrzanym we wrzątku.

• oprócz czasu na wychłodzenie

Sernik dietetyczny z rodzynkami

s k ł a d n i k i : 3 opakowania (75 dag) serka homogenizowanego o smaku naturalnym • opakowanie (25 dag) serka homogenizowanego o smaku waniliowym • cukier waniliowy • 1 i 1/2 szklanki cukru pudru • szklanka mleka • 2 czubate łyżeczki mielonej żelatyny • 2 szklanki rodzynek • 3 szklanki dokładnie rozkruszonych herbatników

Opłukane rodzynki przelewamy na sicie ciepłą wodą, odstawiamy do odsączenia. Żelatynę moczymy w 2 łyżkach zimnego mleka, gdy napęcznieje – zalewamy pozostałym, wrzącym mlekiem, dokładnie mieszamy, by się całkowicie rozpuściła, dodajemy cukier waniliowy, schładzamy. Dużą tortownicę wykładamy pokruszonymi herbatnikami w takiej ilości, aby cały spód był dokładnie przykryty. Serki łączymy z cukrem pudrem, wychłodzonym mlekiem z żelatyną, połową rodzynek, wykładamy do przygotowanej formy, powierzchnię wyrównujemy, na wierzch sypiemy, w miarę równomiernie, pozostałe rodzynki, lekko dociskamy i wstawiamy do lodówki, nawet na kilka godzin. Przed podaniem sernik kroimy ostrym, cienkim, wygrzanym we wrzątku nożem.

• o p r ó c z   c z a s u   n a   w y c h ł o d z e n i e

liczba porcji / 16
czas przygotowania / 30 min•
stopień trudności / średniotrudne
kaloryczność / średniokaloryczne
koszt / średniodrogie

Torcik serowy z brzoskwiniami

s k ł a d n i k i : biszkopciki do wyłożenia spodu dużej tortownicy • 3 opakowania (75 dag) serka homogenizowanego o smaku naturalnym • kostka (25 dag) masła • 1 i 1/2 szklanki cukru pudru • 2 kopiaste łyżeczki żelatyny • 1/2 szklanki mleka • 5 żółtek • puszka brzoskwiń w syropie • kilka łyżeczek odsączonych konfitur z wiśni • opakowanie galaretki brzoskwiniowej

Brzoskwinie odsączamy na sicie. W 2 łyżkach zimnego mleka moczymy żelatynę, gdy napęcznieje, zalewamy pozostałym, wrzącym mlekiem, dokładnie mieszamy, by nie było grudek, odstawiamy do przechłodzenia. Galaretkę rozpuszczamy we wrzącej wodzie z dodatkiem soku z brzoskwiń, odstawiamy do przechłodzenia. Spód dużej tortownicy wykładamy biszkopcikami. Masło ucieramy z cukrem pudrem, dodajemy, cały czas ucierając, po jednym żółtku na przemian z łyżką sera, następnie rozpuszczoną w mleku żelatynę, składniki dokładnie łączymy. Masę serową wylewamy na przygotowany spód, wyrównujemy powierzchnię i wstawiamy do lodówki. Na wierzchu lekko stężonego sernika układamy połówki brzoskwiń wybrzuszeniem do spodu, w środek owoców, w miejsce po wyjęciu pestek, nakładamy konfitury, całość zalewamy tężejącą galaretką i ponownie wstawiamy do lodówki. Przed podaniem kroimy ostrym, cienkim, wygrzanym we wrzątku nożem.

• o p r ó c z   c z a s u   n a   w y c h ł o d z e n i e

liczba porcji / 16
czas przygotowania / 30 min•
stopień trudności / średniotrudne
kaloryczność / średniokaloryczne
koszt / średniodrogie

Torcik serowy z galaretką

s k ł a d n i k i : 50 dag tłustego, dokładnie utartego, białego sera • 3 jajka • 1 i 1/2 szklanki cukru pudru • kopiasta łyżka (1/3 kostki lub 8 dag) masła • 2 owocowe galaretki (jasna – cytrynowa lub morelowa i ciemna – wiśniowa lub z czarnej porzeczki) • 2 szklanki dokładnie pokruszonych herbatników • świeże owoce (truskawki, poziomki, czarne jagody, winogrona)

Jasną galaretkę rozpuszczamy w 1/2 szklanki wrzącej wody, a galaretkę ciemną w ilości wody podanej w przepisie, odstawiamy w chłodne miejsce do lekkiego stężenia. Spód tortownicy wysypujemy pokruszonymi herbatnikami. Masło z częścią cukru pudru ucieramy (robotem!) na puch, dodajemy, cały czas ucierając, po jednym, żółtka oraz pozostały cukier. Gdy masa będzie jednolita i pulchna, dodajemy, niewielkimi partiami, cały czas ucierając, ser, pianę ubitą z białek oraz lekko tężejącą, jasną galaretkę. Składniki dokładnie łączymy i od razu przekładamy do przygotowanej formy, posypujemy przygotowanymi owocami i zalewamy tężejącą, ciemną galaretką. Wstawiamy na kilka godzin do lodówki.

• o p r ó c z   c z a s u   n a   w y c h ł o d z e n i e

Jabłecznik z bakaliami

s k ł a d n i k i : 2 szklanki mąki krupczatki • 3/4 szklanki cukru pudru • 2/3 kostki (16 dag) masła lub masła roślinnego • jajko • skórka otarta z całej cytryny • sok z całej cytryny • 3 dorodne, kwaskowe jabłka (antonówki) • 1/2 szklanki posiekanych migdałów (wcześniej sparzonych i obranych z łupinek) • 1/2 szklanki rodzynek • 2 łyżki cukru pudru • tłuszcz do wysmarowania formy

Rozdrobniony tłuszcz, cukier puder i mąkę rozcieramy w malakserze, dodajemy jajko, skórkę otartą z cytryny, wyrabiamy niezbyt ściśle ciasto, formujemy kulę, zawijamy w folię i wkładamy na godzinę lub nieco dłużej do lodówki.

Jabłka obrane ze skórki i pozbawione gniazd nasiennych kroimy w cienkie plasterki, łączymy z cukrem pudrem, posiekanymi migdałami, rodzynkami i sokiem z cytryny, odstawiamy w chłodne miejsce. Wychłodzone ciasto dzielimy na 2 części. Rozwałkowujemy jedną część ciasta, którym wykładamy spód przygotowanej średniej wielkości tortownicy w taki sposób, by brzegi były podwinięte na 4-5 cm do góry. Na cieście układamy przygotowane jabłka, całość przykrywamy drugą, rozwałkowaną częścią. Brzegi ciasta lekko przyciskamy do boków i od razu wstawiamy do nagrzanego piekarnika. Pieczemy w temp. 180ºC przez 45-50 min lub nieco dłużej (czas pieczenia zależy od wysokości warstwy ciasta). Wyjmujemy, gdy wierzch jest równo zrumieniony, a boki lekko odstają od formy. Wychłodzone w formie ciasto przekładamy na paterę. Jabłecznik możemy oprószyć cukrem pudrem lub polać cytrynowym lukrem.

• o p r ó c z   c z a s u   n a   w y c h ł o d z e n i e   i   p i e c z e n i e

Jabłecznik królewski

liczba porcji / 16
czas przygotowania / 35 min•
stopień trudności / średniotrudne
kaloryczność / średniokaloryczne
koszt / średniodrogie

s k ł a d n i k i : kostka (25 dag) masła lub masła roślinnego • szklanka cukru pudru • 4 jajka • 2 szklanki mąki tortowej • 2 łyżki mąki ziemniaczanej • 2 płaskie łyżeczki proszku do pieczenia • dobrze wysmażone jabłkowe konfitury lub marmolada z jabłek • płaska łyżeczka cynamonu • tłuszcz do wysmarowania formy

Tłuszcz lekko rozgrzewamy, by był miękki, dodajemy cukier puder i ucieramy, dodając (po jednym) jajka. Do jednolitej, dokładnie utartej masy dodajemy, sypiąc przez sito, obie mąki i proszek, wyrabiamy ciasto. Większą część wykładamy na przygotowaną dużą tortownicę, dokładnie wyrównujemy. Na tak przygotowanej powierzchni rozkładamy konfitury lub marmoladę z jabłek, oprószamy cynamonem, na wierzch kładziemy, za pomocą łyżki, pozostałą część ciasta, wyrównujemy powierzchnię i od razu wstawiamy do nagrzanego, ale niezbyt gorącego piekarnika. Pieczemy w temp. 160ºC przez 45-50 min. Zrumienione ciasto, z bokami lekko odstającymi od formy, wyjmujemy i chłodzimy. Jabłecznik owinięty w folię i ustawiony w chłodnym miejscu będzie aromatyczny i świeży nawet przez 3 dni.

• o p r ó c z   c z a s u   n a   p i e c z e n i e

liczba porcji / 12
czas przygotowania / 30 min•
stopień trudności / średniotrudne
kaloryczność / średniokaloryczne
koszt / średniodrogie

Jabłecznik

s k ł a d n i k i : 1/2 kostki (12,5 dag) masła lub masła roślinnego • szklanka cukru pudru • 3 duże jajka • szklanka mąki tortowej • 1/2 szklanki mąki ziemniaczanej • łyżeczka proszku do pieczenia • 2 duże, winne jabłka (najlepiej antonówki) • szczypta cynamonu • tłuszcz do wysmarowania formy • cukier puder do oprószenia ciasta

Robotem rozcieramy rozdrobniony tłuszcz z cukrem pudrem. Do połączonych składników dodajemy, po jednym, całe jajka i, siejąc przez sito, obie mąki z proszkiem. Całość dokładnie wyrabiamy. Gdy ciasto będzie zbyt ścisłe, dodajemy 1-2 łyżki gęstej, kwaśnej śmietany. Tak przygotowane ciasto od razu wykładamy na przygotowaną średniej wielkości blaszkę, wyrównujemy powierzchnię, układamy (bardzo ciasno) cienkie cząstki przygotowanych jabłek, wstawiamy do nagrzanego piekarnika i pieczemy w temp. 160ºC przez ok. 35 min (czas pieczenia zależy od wysokości warstwy ciasta). Wyjmujemy z piekarnika, gdy ciasto jest zrumienione, a boki lekko odstają od formy. Zimne, oprószamy cukrem pudrem.

• o p r ó c z   c z a s u   n a   p i e c z e n i e

Szarlotka delikatesowa

s k ł a d n i k i : 3 szklanki mąki krupczatki • kostka (25 dag) masła lub masła roślinnego • 6 żółtek • szklanka cukru pudru • 2 płaskie łyżeczki proszku do pieczenia • 2 łyżki gęstej, kwaśnej śmietany • dobrze wysmażona jabłkowa marmolada • 6 białek • 3/4 szklanki cukru pudru • tłuszcz do wysmarowania formy

Rozdrobniony tłuszcz, mąkę, proszek i cukier puder rozcieramy w malakserze. Do dobrze połączonych składników dodajemy żółtka i śmietanę, wyrabiamy gładkie, niezbyt ścisłe ciasto, formujemy kulę, owijamy folią i wstawiamy na 30 min lub nieco dłużej do lodówki.
Do przygotowanej dużej tortownicy wkładamy 2/3 wychłodzonego ciasta, na cieście rozkładamy jabłkową marmoladę, powierzchnię wyrównujemy, pokrywamy warstwą piany ubitej z białek, całość posypujemy utartym na tarce z dużymi otworami pozostałym, wychłodzonym

liczba porcji /	**16**
czas przygotowania /	**40 min•**
stopień trudności /	**średniotrudne**
kaloryczność /	**wysokokaloryczne**
koszt /	**średniodrogie**

ciastem i wstawiamy do nagrzanego piekarnika. Pieczemy w temp. 200ºC przez ok. 45-50 min, aż całość się zrumieni, a boki będą lekko odstawały od formy. Podajemy na zimno z porcją bitej śmietany.

• o p r ó c z   c z a s u   n a   w y c h ł o d z e n i e   i   p i e c z e n i e

Szarlotka aromatyczna

s k ł a d n i k i : 2 szklanki mąki krupczatki • 2/3 kostki (16 dag) masła lub masła roślinnego • 1/2 szklanki cukru pudru • cukier waniliowy • żółtko • dobrze wysmażony mus jabłkowy lub jabłkowe konfitury • filiżanka rodzynek • 2 łyżki smażonej skórki pomarańczowej • gruby cukier kryształ do posypania ciasta • 2 łyżki tartej bułki

Mąkę, cukier puder, cukier waniliowy i rozdrobniony tłuszcz siekamy w malakserze, dodajemy żółtko. Gdy składniki dokładnie się połączą, formujemy z ciasta kulę, owijamy w folię i wkładamy na 30 min lub nieco dłużej do lodówki. 2/3 ciasta kroimy w cienkie plastry, wykładamy spód i boki przygotowanej średniej wielkości tortownicy, miejsca łączenia plastrów zgniatamy czubkami palców, nakłuwamy w kilku miejscach widelcem i wstawiamy do nagrzanego do temp. 200ºC piekarnika, aż podpiecze i lekko zrumieni. Lekko przechłodzone, posypujemy łyżką tartej bułki, nakładamy warstwę jabłek z rodzynkami i smażoną, pomarańczową skórką, wyrównujemy powierzchnię, posypujemy pozostałą tartą bułką. Całość przykrywamy bardzo cienkimi plasterkami pozostałego, wychłodzonego ciasta, posypujemy grubym cukrem kryształem i ponownie wstawiamy do piekarnika, nastawionego na temp. 160ºC. Pieczemy przez 20-25 min, aż wierzch będzie zrumieniony, a boki lekko odstają od formy. Podajemy na gorąco lub na zimno.

liczba porcji /	**12**
czas przygotowania /	**30 min•**
stopień trudności /	**średniotrudne**
kaloryczność /	**średniokaloryczne**
koszt /	**średniodrogie**

• o p r ó c z   c z a s u   n a   w y c h ł o d z e n i e   i   p i e c z e n i e

Szarlotka domowa

liczba porcji / 12
czas przygotowania / 40 min•
stopień trudności / średniotrudne
kaloryczność / średniokaloryczne
koszt / średniodrogie

s k ł a d n i k i : 2 szklanki mąki krupczatki • szklanka cukru pudru • kostka (25 dag) masła lub masła roślinnego • 2 płaskie łyżeczki proszku do pieczenia • 2 jajka • 2 żółtka • smażone jabłka lub gęsta, dobrze wysmażona jabłkowa marmolada • szczypta cynamonu • gruby cukier kryształ do posypania • tłuszcz do wysmarowania formy

Mąkę, proszek, rozdrobnione masło i cukier puder rozcieramy w malakserze, dodajemy żółtka i całe jajka. Z wyrobionego ciasta formujemy zgrabny „pakiecik" i wkładamy na godzinę lub nieco dłużej do lodówki. Wychłodzone ciasto dzielimy na 5 części – 3/5 wykładamy na spód wysmarowanej tłuszczem średniej wielkości tortownicy, lekko podnosimy boki, nakłuwamy w kilku miejscach widelcem, wstawiamy do nagrzanego, nastawionego na temp. 200°C piekarnika i podpiekamy, aż się lekko zrumieni (ok. 20-22 min). Pozostałe 2/5 ciasta trzymamy w lodówce.

Na zrumienione, przechłodzone ciasto nakładamy przygotowane jabłka, posypujemy cynamonem i utartym na tarce z dużymi otworami wychłodzonym ciastem, całość oprószamy grubym cukrem kryształem i wstawiamy do nagrzanego piekarnika. Pieczemy w temp. 160°C przez 25-30 min, aż wierzch się zrumieni. Podajemy na gorąco, z porcją lodów śmietankowych lub waniliowych lub na zimno, z bitą śmietaną.

• o p r ó c z   c z a s u   n a   w y c h ł o d z e n i e   i   p i e c z e n i e

Pierniczki całuski

s k ł a d n i k i : 2 szklanki mąki pszennej • 1/2 szklanki płynnego miodu • jajko • 1/2 szklanki cukru pudru • łyżka masła • 1/2 łyżeczki sody oczyszczonej • kopiasta łyżeczka utłuczonych korzeni • jajko wymieszane z wodą (pół na pół) do smarowania pierniczków • połówki włoskich orzechów lub całe, wcześniej sparzone i obrane z łupinek migdały • tłuszcz do wysmarowania blachy

Masło, miód i cukier puder lekko podgrzewamy, gdy składniki będą jednolite i płynne, odstawiamy do lekkiego przechłodzenia. Do masy dodajemy jajko, rozpuszczoną w łyżce letniej wody sodę, korzenie i, siejąc przez sito, mąkę. Całość wyrabiamy (robotem!) na jednolite i gładkie ciasto nie krócej niż przez 10 min.

liczba porcji / ok. 50
czas przygotowania / 45 min•
stopień trudności / średniotrudne
kaloryczność / średniokaloryczne
koszt / średniodrogie

Przygotowane ciasto lekko schładzamy (nie w lodówce!), wykładamy na oprószoną mąką stolnicę, wałkujemy cienki placek (grubość jak na kluski), wycinamy różne kształty ciasteczek, każde smarujemy jajkiem roztrzepanym z wodą, wciskamy do środka połówkę orzecha lub migdał, układamy na przygotowanej blasze i pieczemy w nagrzanym piekarniku w temp. 180°C przez 12-15 min. Gdy ciasto na ciasteczka zostało dobrze wyrobione, całuski w czasie pieczenia pięknie wyrosną.

Po upieczeniu pierniczki są twarde. Ułożone w szklanym słoju, skruszeją po kilku dniach i będą wspaniałe.

• o p r ó c z   c z a s u   n a   w y c h ł o d z e n i e ,   w y k r a w a n i e   i   p i e c z e n i e

Staropolski piernik na piwie

s k ł a d n i k i : 4 czubate szklanki mąki pszennej • kopiasta łyżeczka sody oczyszczonej • 1/2 kostki (12,5 dag) masła lub masła roślinnego • 2 kopiaste łyżki cukru pudru • 6 jajek • 0,5 l płynnego miodu • szklanka porteru lub ciemnego piwa karmelowego • łyżeczka mielonych goździków • łyżeczka mielonego cynamonu • 1/2 łyżeczki imbiru • 1/2 łyżeczki kolendry • duża szklanka posiekanych bakalii • tłuszcz do wysmarowania formy

Masło z cukrem pudrem ucieramy robotem na puch, dodajemy, cały czas ucierając, po jednym, żółtka, piwo, wymieszaną z 2 łyżkami letniej wody sodę i, sypiąc przez sito, mąkę. Do dokładnie wyrobionego ciasta dodajemy korzenie i bakalie oraz pianę ubitą z białek. Składniki dokładnie, ale delikatnie łączymy (najlepiej mieszając drewnianą łyżką), przekładamy do przygotowanych 2 form keksowych i od razu wstawiamy do niezbyt gorącego piekarnika. Pieczemy w temp. 150ºC przez godzinę lub nieco dłużej (czas pieczenia zależy od wysokości warstwy ciasta). Przechłodzone ciasto przekładamy z form na deskę, owijamy w papier pergaminowy i lnianą ściereczkę. Trzymamy w chłodnym miejscu. Przed podaniem można ciasto polać rozpuszczoną czekoladą lub przekroić wzdłuż i nadziewać powidłami albo kremem.

liczba porcji / 20
czas przygotowania / 60 min•
stopień trudności / średniotrudne
kaloryczność / średniokaloryczne
koszt / drogie

• o p r ó c z   c z a s u   n a   p i e c z e n i e

Piernik toruński
według Cioci Godziszewskiej

s k ł a d n i k i : 0,5 l pszczelego miodu • 1 i 1/2 szklanki cukru • 1 kg mąki pszennej • kieliszek (100 ml) ciemnego, aromatycznego rumu • 3 jajka • 1/3 kostki (8 dag) masła lub masła roślinnego • czubata łyżeczka sody oczyszczonej • 2 łyżki mleka do rozpuszczenia sody • skórka otarta z całej cytryny • sok z całej cytryny • kopiasta łyżeczka utłuczonych przypraw (cynamon, goździk, kardamon) • tłuszcz do wysmarowania formy

Miód, masło, cukier, skórkę otartą z cytryny i zapachy korzenne umieszczamy w dużym naczyniu (ważne!), stawiamy na niewielkim ogniu i, cały czas mieszając, podgrzewamy do wrzenia, nie dopuszczając do zagotowania. Odstawiamy do wychłodzenia.

Do chłodnej masy dodajemy rum, sok z cytryny, jajka, rozpuszczoną w ciepłym mleku sodę, składniki mieszamy, przez sito siejemy mąkę i robotem wyrabiamy ciasto (nie krócej niż 10 min). Gotowe ciasto powinno być jednolite, gładkie i lśniące. Odstawiamy na kilka godzin w chłodne miejsce,

liczba porcji / 25
czas przygotowania / 120 min•
stopień trudności / średniotrudne
kaloryczność / średniokaloryczne
koszt / drogie

ale nie do lodówki. Wychłodzone, wykładamy na przygotowaną dużą formę, wstawiamy do nagrzanego, niezbyt gorącego piekarnika, pieczemy w temp. nieprzekraczającej 160ºC przez godzinę lub nieco dłużej (czas zależy od wysokości warstwy ciasta). Upieczone, wykładamy na warstwę pergaminu, zawijamy szczelnie w papier, owijamy lnianą ściereczką i trzymamy w chłodnym, ciemnym miejscu przez kilka dni. Po tym czasie piernik będzie delikatny, rozpływający się w ustach, aromatyczny. Przed podaniem można polać piernik czekoladą lub czekoladowym lukrem.

• o p r ó c z   c z a s u   n a   „ o d p o c z y n e k "   i   p i e c z e n i e

Piernik czekoladowy

liczba porcji / 25
czas przygotowania / 50 min*
stopień trudności / średniotrudne
kaloryczność / wysokokaloryczne
koszt / drogie

s k ł a d n i k i : tabliczka (10 dag) twardej, gorzkiej czekolady
• szklanka płynnego miodu • 2 duże (lub 3 małe) jajka • szklanka
cukru • 2 czubate szklanki mąki pszennej • 2 łyżeczki proszku
do pieczenia • 10 dag migdałów (sparzonych, obranych z łupinek
i posiekanych) • kopiasta łyżeczka utłuczonych korzeni (goździki,
cynamon, kardamon) • tłuszcz do wysmarowania formy
• duża filiżanka morelowego dżemu • cukier puder do posypania

Miód, jajka, cukier, korzenie miksujemy. Gdy składniki
dokładnie się połączą, dodajemy, sypiąc przez sito, mąkę z proszkiem oraz utartą na tarce czekoladę. Ciasto wyrabiamy robotem. Gdy stanie się gładkie i lśniące, dodajemy migdały, przekładamy na obficie wysmarowaną
tłuszczem dużą blaszkę, wyrównujemy powierzchnię
i wstawiamy do nagrzanego piekarnika. Pieczemy przez
godzinę lub nieco dłużej w temp. 160°C. Pozostawiamy
w formie do wychłodzenia. Wyjęte na deskę ciasto smarujemy rozgrzanym morelowym dżemem, a gdy lekko za-
schnie, posypujemy obficie cukrem pudrem. Podajemy
pokrojone w zgrabne romby.

* o p r ó c z   c z a s u   n a   p i e c z e n i e

Piernikowa bomba z bakaliami

s k ł a d n i k i : 1 kg pszczelego miodu • 50 dag cukru
• 2 kostki (50 dag) masła lub masła roślinnego • 1,5 kg mąki
pszennej (lub krupczatki) • kopiasta łyżeczka sody oczyszczonej
• 2 łyżki mleka do rozpuszczenia sody • 2 kopiaste łyżeczki
utłuczonych goździków i cynamonu • filiżanka rodzynek • filiżanka
posiekanych fig • filiżanka posiekanych daktyli • filiżanka
posiekanych moreli • filiżanka smażonej skórki pomarańczowej
• otarta skórka i sok z całej cytryny • tłuszcz do wysmarowania formy

W dużym naczyniu rozpuszczamy miód, cukier, masło, korzenie. Składniki, często mieszając, doprowadzamy do wrzenia, ale nie zagotowujemy. Odstawiamy do wychłodzenia.
Do zimnej masy siejemy przez sito mąkę, wlewamy rozpuszczoną w mleku sodę i robotem wyrabiamy ciasto, przez
co najmniej 10 min. Następnie dodajemy rozdrobnione
bakalie, skórkę i sok z cytryny, mieszamy i odstawiamy na
kilka godzin w chłodne miejsce, ale nie do lodówki.
Schłodzone ciasto przekładamy do wysmarowanej tłuszczem dużej tortownicy, wyrównujemy powierzchnię, wsta-
wiamy do niezbyt gorącego piekarnika i pieczemy w temp. nieprzekraczającej 160°C przez godzinę
lub nieco dłużej (czas pieczenia zależy od wysokości warstwy ciasta). Bomba jest upieczona, gdy
wierzch jest zrumieniony, boki lekko odstają od formy, a zanurzony w cieście patyczek suchy. Przed
podaniem możemy bombę polać czekoladą lub czekoladowym lukrem. Ciasto przechowywane
w chłodnym miejscu, owinięte pergaminem, zachowa świeżość przez tydzień.

liczba porcji / 16
czas przygotowania / 180 min*
stopień trudności / średniotrudne
kaloryczność / wysokokaloryczne
koszt / drogie

* o p r ó c z   c z a s u   n a   w y c h ł o d z e n i e   i   p i e c z e n i e

Ciasto piernikowe z bakaliami

s k ł a d n i k i : 2 i 1/2 szklanki mąki krupczatki • 1/2 szklanki cukru • 3 duże łyżki miodu • 1/2 kostki (12,5 dag) masła lub masła roślinnego • jajko • 3 łyżki ciemnego kakao • 2 płaskie łyżeczki proszku do pieczenia • 2 kopiaste łyżki rodzynek • 2 kopiaste łyżki posiekanych fig • 2 kopiaste łyżki posiekanych daktyli • 2 kopiaste łyżki posiekanych migdałów (wcześniej sparzonych i obranych z łupinek) • 2 kopiaste łyżki posiekanych orzechów • 2 kopiaste łyżki posiekanych suszonych moreli • czubata łyżeczka utłuczonych goździków i cynamonu • 1/2 szklanki wody oligoceńskiej lub niegazowanej stołowej • tłuszcz do wysmarowania formy • tarta bułka do posypania formy

liczba porcji / 12
czas przygotowania / 150 min •
stopień trudności / trudne
kaloryczność / średniokaloryczne
koszt / drogie

W szerokim rondlu rumienimy cukier, gdy zbrązowieje, dodajemy wodę, zagotowujemy, cały czas mieszając, robimy karmel, chłodzimy. Do zimnego dodajemy miód, kakao, stawiamy na niewielkim ogniu i, często mieszając, podgrzewamy (nie dopuszczając do zagotowania), odstawiamy do wychłodzenia. Następnie siejemy przez sito mąkę z proszkiem i przyprawami, dodajemy jajko, wyrabiamy (robotem!) lekkie ciasto, dodajemy rozpuszczony, letni tłuszcz i, gdy składniki się połączą, bakalie. Wysmarowaną tłuszczem średniej wielkości tortownicę oprószamy tartą bułką, wykładamy ciasto, wyrównujemy powierzchnię i od razu wstawiamy do ciepłego, ale niegorącego piekarnika. Pieczemy w temp. nieprzekraczającej 160ºC przez godzinę lub nieco dłużej (czas pieczenia zależy od wysokości warstwy ciasta). Upieczone, wychłodzone ciasto wyjmujemy na deskę. Przed podaniem możemy ciasto polać czekoladą, a także czekoladowym lub pomarańczowym lukrem.

* oprócz czasu na pieczenie

Piernik staropolski

s k ł a d n i k i : 0,5 l miodu • 2 szklanki cukru • kostka (25 dag) czystego smalcu • 1 kg mąki pszennej • 3 jajka • 3 płaskie łyżeczki sody oczyszczonej rozpuszczonej w 1/2 szklance ciepłego mleka • duża szczypta soli • 2 kopiaste łyżeczki utłuczonych przypraw (cynamon, goździki, imbir) • szklanka rodzynek • szklanka posiekanych orzechów • szklanka smażonej skórki pomarańczowej • szklanka posiekanych fig i daktyli

Miód, cukier, smalec kładziemy do garnka, stawiamy na małym ogniu i powoli podgrzewamy, od czasu do czasu mieszając. Nie dopuszczamy do zagotowania, odstawiamy. Do zimnej masy dodajemy, siejąc przez sito, mąkę, jajka, rozpuszczoną w mleku sodę, przyprawy. Ciasto wyrabiamy robotem przez 7 min, dodajemy bakalie, nadajemy ciastu kształt kuli, wkładamy do kamiennego garnka, przykrywamy ściereczką i ustawiamy w chłodnym miejscu (nie w lodówce!), by ciasto „dojrzało", nawet na 10 dni.

liczba porcji / 25
czas przygotowania / 150 min •
stopień trudności / trudne
kaloryczność / średniokaloryczne
koszt / drogie

Pieczemy na tydzień przed świętami. Dzielimy ciasto na części, rozkładamy na wysokość 2 cm na blachach wysmarowanych tłuszczem i pieczemy przez 50-55 min w ciepłym, nieprzekraczającym temp. 150ºC piekarniku. Po upieczeniu placki są twarde, ale, zawinięte w pergamin, skruszeją już po 2 dniach. Będą delikatne, kruche, wprost rozpływające się w ustach. Przed podaniem możemy ciasto polać czekoladą i posypać posiekanymi orzechami lub złączyć 2 placki warstwą domowych powideł i polać czekoladą.

* oprócz czasu na „dojrzewanie" i pieczenie

Tort cynamonowy

s k ł a d n i k i : 2 szklanki + 2 płaskie łyżki mąki tortowej
• 3/4 szklanki cukru pudru • 2 jajka • szklanka pełnego mleka
• 3/4 kostki (18 dag) masła lub masła roślinnego • 2 łyżeczki
mielonego cynamonu • 3 łyżki kakao • 2 łyżeczki sody oczyszczonej
• szklanka + 2 łyżki powideł śliwkowych • kostka (25 dag) masła
• 4 białka • 3/4 szklanki cukru pudru • kieliszek koniaku lub winiaku
• dżem morelowy • tabliczka gorzkiej lub deserowej czekolady
• łyżka śmietanki • tłuszcz do wysmarowania formy • tarta bułka
do posypania formy

Przygotowujemy ciasto: masło miksujemy z powidłami,
dodajemy, po jednym, całe jajka, cukier puder i, cały
czas miksując, małymi partiami, mleko. Do jednolitej masy sypiemy przez sito mąkę, kakao, cynamon i sodę.
Składniki dokładnie, ale delikatnie mieszamy, przekładamy do przygotowanej średniej wielkości tortownicy, wsta-
wiamy do nagrzanego piekarnika i pieczemy w temp. 160ºC przez 40 min. Ciasto jest upieczone,
gdy wierzch się lekko zrumieni, a boki odstają od formy. Odstawiamy do wychłodzenia.
Przygotowujemy krem: białka z cukrem pudrem ubijamy na bardzo sztywną pianę. Masło ucieramy na puch, dodajemy, cały czas ucierając, porcjami, ubite białka. Gdy krem stanie się jednolity
i puszysty, dodajemy alkohol w ilości według własnego uznania.
Zimne ciasto kroimy na 4 cienkie krążki, 3 smarujemy kremem, krążek wierzchni grubą warstwą
dżemu, wstawiamy ciasto do lodówki. Dobrze wychłodzone zalewamy czekoladą rozpuszczoną ze
śmietanką i ponownie odstawiamy do zastygnięcia.

• o p r ó c z   c z a s u   n a   p i e c z e n i e

liczba porcji /	12
czas przygotowania /	90 min•
stopień trudności /	**trudne**
kaloryczność /	**wysokokaloryczne**
koszt /	średniodrogie

Tort rumowo-waniliowy

s k ł a d n i k i : 3 jajka • 3 łyżki przegotowanej, ciepłej wody
• szklanka cukru • cukier waniliowy • 3/4 szklanki mąki krupczatki
• budyń waniliowy • płaska łyżeczka proszku do pieczenia
• kostka (25 dag) masła • szklanka cukru pudru • 2 żółtka
• 50 ml aromatycznego, ciemnego rumu • szklanka konfitur z moreli
lub wysmażonego, morelowego dżemu • 2 łyżki rumu • utarta gorzka
czekolada • tłuszcz do wysmarowania formy • tarta bułka
do posypania formy

Żółtka z cukrem ucieramy na puch, dodajemy ciepłą
wodę, cukier waniliowy i ucieramy, aż masa będzie puszysta. Dodajemy, siejąc przez sito, mąkę, budyń i proszek, a na końcu pianę ubitą z białek i delikatnie, ale
dokładnie łączymy składniki. Ciasto przekładamy do
przygotowanej małej tortownicy, wstawiamy do nagrzanego piekarnika i pieczemy w temp. 180ºC
przez 30 min lub nieco dłużej (czas pieczenia zależy od wysokości warstwy ciasta).
Przygotowujemy krem: masło ucieramy z cukrem pudrem, dodajemy, cały czas ucierając, po jednym żółtku i bardzo powoli lejemy rum.
Wychłodzone ciasto dzielimy na 3 krążki. Spodni smarujemy lekko podgrzanymi konfiturami, wymieszanymi z 2 łyżkami rumu, drugi krążek i wierzch smarujemy kremem, pozostałym kremem mo-
delujemy boki tortu, wierzch kształtujemy w zgrabne fale i posypujemy obficie utartą czekoladą.

• o p r ó c z   c z a s u   n a   p i e c z e n i e

liczba porcji /	8
czas przygotowania /	80 min•
stopień trudności /	**średniotrudne**
kaloryczność /	**wysokokaloryczne**
koszt /	średniodrogie

Tort śmietankowy

s k ł a d n i k i : 8 jajek • szklanka + łyżka cukru pudru • szklanka mąki krupczatki • 2 budynie o smaku śmietankowym • sok z całej cytryny • 1/2 łyżeczki proszku do pieczenia • kostka (25 dag) masła • 1 i 1/2 szklanki pełnego mleka • budyń o smaku śmietankowym • szklanka cukru • łyżka masła • mały kieliszek spirytusu • szklanka śmietany kremowej • zagęstnik do śmietany • dżem morelowy • tłuszcz do wysmarowania formy • tarta bułka do posypania formy

liczba porcji / 16
czas przygotowania / 90 min
stopień trudności / trudne
kaloryczność / wysokokaloryczne
koszt / drogie

Białka ubijamy z cukrem pudrem, do sztywnej piany dodajemy, cały czas ubijając, po jednym, żółtka. Do jednolitej masy dodajemy, siejąc przez sito, mąkę, budynie i proszek do pieczenia. Składniki dokładnie, ale delikatnie łączymy, przekładamy do przygotowanej dużej tortownicy i wstawiamy do nagrzanego piekarnika. Pieczemy w temp. 160ºC przez 40-45 min. Biszkopt jest upieczony, gdy wierzch się równomiernie zrumieni, a boki lekko odstają od formy. Po wystawieniu z piekarnika przez 10 min wychładzamy w formie, następnie wykładamy na deskę do góry dnem i pozostawiamy do wychłodzenia.

Przygotowujemy krem: szklankę mleka zagotowujemy ze szklanką cukru i łyżką masła, na wrzące mleko lejemy rozprowadzony w pozostałym, zimnym mleku budyń, zagotowujemy, trzymamy na ogniu przez minutę, odstawiamy do wychłodzenia. Masło ucieramy na puch, dodajemy, cały czas ucierając, po jednej łyżce zimnego budyniu, podnosimy smak dodatkiem spirytusu.

Zimny biszkopt kroimy na 3 cienkie krążki, każdy smarujemy dżemem i warstwą kremu, pozostałym kremem smarujemy (cienko) wierzch tortu i boki, a za pomocą specjalnej szprycy dekoracyjnej do ciasta robimy obwódkę na obrzeżu. Na wierzchu rozkładamy w sposób dekoracyjny ubitą śmietanę. Podajemy, gdy tort jest dobrze wychłodzony.

• o p r ó c z   c z a s u   n a   p i e c z e n i e

Tort cytrynowy
z truskawkowym kremem

s k ł a d n i k i : 2 szklanki mąki tortowej • 3/4 szklanki mąki ziemniaczanej • 1/2 kostki (12,5 dag) masła lub masła roślinnego • 4 jajka • 2 szklanki cukru pudru • szklanka śmietany • 2 łyżeczki proszku do pieczenia • 2 cytryny • kostka (25 dag) masła śmietankowego • 2 szklanki truskawkowych konfitur lub gęstego, truskawkowego dżemu • 1/2 szklanki cukru pudru • kieliszek spirytusu • sok z cytryny do smaku • świeże truskawki do przybrania (w sezonie) • tłuszcz do wysmarowania formy • tarta bułka do posypania formy

liczba porcji / duża tortownica
czas przygotowania / 90 min•
stopień trudności / trudne
kaloryczność / wysokokaloryczne
koszt / średniodrogie

Sparzone wrzątkiem cytryny suszymy, ścieramy skórkę, wyciskamy sok, łączymy. Białka ubijamy na bardzo sztywną pianę wraz z 2 łyżkami cukru pudru. Pozostały cukier ucieramy z masłem na puch, dodajemy, cały czas ubijając, po jednym, żółtka, śmietanę, sok i skórkę z cytryny, składniki łączymy. Obie mąki i proszek siejemy przez sito na przygotowaną masę i delikatnie, ale dokładnie mieszamy. Gotowe ciasto przekładamy do przygotowanej dużej tortownicy, wstawiamy do nagrzanego piekarnika i pieczemy w temp. 180ºC przez 50 min lub nieco dłużej (czas pieczenia zależy od wysokości warstwy ciasta). Wyjmujemy, gdy wierzch jest zrumieniony, a boki odstają od formy. Studzimy przez 15 min w formie, wykładamy na deskę, pozostawiamy do całkowitego wychłodzenia.

Przygotowujemy krem: masło ucieramy z cukrem pudrem na puch, dodajemy, cały czas ucierając, szklankę truskawkowych konfitur lub dżemu, doprawiamy do smaku spirytusem i sokiem z cytryny. Zimne ciasto kroimy na równej grubości 3 krążki, pierwszy smarujemy kremem, drugi – konfiturami, wierzchni – kremem, ładnie modelując boki tortu. W sezonie przybieramy świeżymi owocami.

• o p r ó c z   c z a s u   n a   p i e c z e n i e

Tort czekoladowo–rumowy

s k ł a d n i k i : czubata szklanka mąki tortowej • 5 jajek
• 3/4 szklanki cukru pudru • 1/2 łyżeczki proszku do pieczenia
• tłuszcz do wysmarowania formy • tarta bułka do posypania formy

k r e m : 1 i 1/2 szklanki pełnego mleka • 1/2 szklanki cukru
• cukier waniliowy • łyżka masła • łyżka kakao • kostka (25 dag)
masła śmietankowego • kieliszek aromatycznego rumu • słoik
morelowego dżemu

Przygotowujemy ciasto: białka ubijamy z 1/2 porcji cukru pudru, dodajemy, cały czas ubijając, po jednym, żółtka i pozostały cukier. Gdy masa stanie się jednolita i pulchna, sypiemy przez sito mąkę z proszkiem, całość delikatnie, ale dokładnie mieszamy, wylewamy do przygotowanej średniej wielkości tortownicy, wstawiamy do nagrzanego piekarnika i pieczemy w temp. 160ºC przez 35-40 min lub nieco dłużej (czas pieczenia zależy od wysokości warstwy ciasta). Upieczone, zrumienione na wierzchu i lekko odstające od brzegów formy ciasto wychładzamy przez 10 min w tortownicy, następnie „wyrzucamy" na deskę do góry dnem, pozostawiamy do zupełnego wychłodzenia, najlepiej do następnego dnia. Przygotowujemy krem: do szklanki mleka dodajemy cukier, cukier waniliowy, łyżkę masła, całość podgrzewamy. W pozostałym mleku rozprowadzamy budyń i kakao. Gdy mleko zacznie się gotować, wlewamy budyń i, cały czas mieszając, gotujemy nie dłużej niż przez minutę – powinien być gęsty, bardzo ciemny i aromatyczny. Masło ucieramy na puch i, cały czas ucierając, dodajemy, po łyżce – zimny budyń. Gdy składniki dokładnie się połączą, wlewamy alkohol.
Ciasto kroimy na 3 cienkie krążki, każdy smarujemy cienką warstwą dżemu i kremem. Wierzch i boki smarujemy pozostałym kremem i przybieramy według własnych upodobań.

• o p r ó c z c z a s u n a p i e c z e n i e

liczba porcji / 12
czas przygotowania / 90 min •
stopień trudności / trudne
kaloryczność / wysokokaloryczne
koszt / drogie

Tort Sachera
według Cioci Godziszewskiej

s k ł a d n i k i : 12,5 dag czekolady gorzkiej lub deserowej
• 1/2 szklanki cukru pudru • 1/2 kostki (12,5 dag) świeżego masła
• 5 jajek • cukier waniliowy • 1/2 szklanki mąki pszennej
• 1/2 szklanki najdrobniej zmielonych migdałów (wcześniej
sparzonych i obranych z łupinek) • szklanka morelowego dżemu
• mały kieliszek dobrego alkoholu (koniak, winiak, spirytus) • polewa
czekoladowa • tłuszcz do wysmarowania formy • mąka krupczatka
do posypania formy

Przygotowujemy ciasto: żółtka z cukrem pudrem ucieramy na puch, czekoladę rozpuszczamy na parze, aż będzie płynna. Masło ucieramy z cukrem waniliowym, dodajemy, cały czas ucierając, po jednym, żółtka i rozpuszczoną czekoladę, składniki łączymy, dodajemy, siejąc przez sito, mąkę, migdały, rozkładamy pianę ubitą z białek i składniki dokładnie, ale delikatnie (drewnianą łyżką) łączymy. Przekładamy ciasto do obficie wysmarowanej tłuszczem i opróżnionej mąką średniej wielkości tortownicy, wstawiamy do nagrzanego piekarnika i pieczemy przez ok. 40-45 min w temp. 160ºC. Wyjmujemy, gdy wierzch jest lekko zrumieniony, a boki odstają od formy. Chłodzimy w tortownicy przez 5 min i wykładamy na deskę.
Dżem lekko podgrzewamy, łączymy z alkoholem, smarujemy obficie wierzch i boki ciasta, odstawiamy do wychłodzenia. Wierzch i boki przestudzonego tortu smarujemy roztopioną czekoladą i wychładzamy. Podajemy z porcją bitej śmietany.

• o p r ó c z c z a s u n a p i e c z e n i e

liczba porcji / 12
czas przygotowania / 90 min •
stopień trudności / trudne
kaloryczność / wysokokaloryczne
koszt / drogie

Tort Sachera
według mojej Babci

s k ł a d n i k i : 18 dag czekolady gorzkiej lub deserowej
• 18 dag świeżego masła • 18 dag cukru • 18 dag mąki pszennej
• 8 jajek • 2 szklanki marmolady morelowej • tabliczka czekolady
gorzkiej lub deserowej (10 dag) • 10 dag cukru • 1/2 szklanki
śmietanki • tłuszcz do wysmarowania formy
Uwaga: tort uda się doskonale, gdy produkty będą bardzo dokładnie
odważone.

Przygotowujemy ciasto: masło ucieramy z cukrem na puch.
Gdy masa stanie się jednolita i gładka, dodajemy rozgrzaną, płynną czekoladę i, cały czas ucierając, dodajemy, po jednym, żółtka.
Do puszystej, jednolitej masy dodajemy połowę piany ubitej z białek,
na nią siejemy przez sito mąkę, na wierzch nakładamy pozostałą część piany i składniki dokładnie, lecz delikatnie (drewnianą łyżką) mieszamy. Ciastem na-

liczba porcji / 16
czas przygotowania / 90 min •
stopień trudności / trudne
kaloryczność / wysokokaloryczne
koszt / drogie

pełniamy przygotowaną dużą tortownicę, wstawiamy do nagrzanego, niezbyt gorącego piekarnika i pieczemy w temp. 160ºC przez ok. 40-45 min.
Wyjmujemy, gdy wierzch jest lekko zrumieniony, a boki odstają od formy. Gorące wykładamy na
deskę, wierzch i boki smarujemy morelową marmoladą, odstawiamy do wychłodzenia. Po kilku
godzinach lub następnego dnia tort polewamy roztopioną czekoladą.
Przygotowujemy czekoladową polewę: pokruszoną czekoladę, cukier i śmietankę rozpuszczamy, od
chwili zagotowania trzymamy na ogniu przez 3 min. Za pomocą szerokiego noża smarujemy wierzch
i boki tortu czekoladową polewą, odstawiamy do zastygnięcia. Podajemy z porcją bitej śmietany.

• o p r ó c z   c z a s u   n a   p i e c z e n i e

Tort owocowy kruchy

s k ł a d n i k i : 1 i 1/2 szklanki mąki • 1/2 kostki (12,5 dag)
masła lub masła roślinnego • 1/2 szklanki cukru pudru • cukier
waniliowy • łyżka śmietany lub żółtko • tłuszcz do wysmarowania
2 form • tarta bułka do posypania 2 form • lukier cytrynowy
lub cukier puder

p r z e ł o ż e n i e : 2 szklanki cukru • szklanka wody
(niegazowanej stołowej) • 75 dag miękkich owoców • filiżanka
posiekanych orzechów

Przygotowujemy ciasto: masło siekamy z mąką, cukrem
pudrem, cukrem waniliowym i śmietaną lub żółtkiem.
Gdy składniki się połączą, zlepiamy czubkami palców, aż
będzie jednolite, kształtujemy kulę, wstawiamy na godzinę lub nieco dłużej do lodówki. Wychłodzone, dzielimy na połowę, rozwałkowujemy 2 cienkie placki rozmiaru tortownicy, każdy oddzielnie pieczemy w wysma-

liczba porcji / 12
czas przygotowania / 80 min •
stopień trudności / średniotrudne
kaloryczność / wysokokaloryczne
koszt / średniodrogie

rowanych tłuszczem i obficie wysypanych tartą bułką średniej wielkości tortownicach w bardzo gorącym piekarniku przez 18-20 min. Zrumienione, bardzo kruche ciasto delikatnie wykładamy na
deskę, chłodzimy. Z wody i cukru gotujemy syrop, dodajemy owoce i orzechy, smażymy na średnim ogniu, często mieszając, aż masa stanie się szklista. Lekko przechłodzoną, szklistą masę wykładamy na kruchy placek, wyrównujemy powierzchnię, przykrywamy drugim plackiem, przycis-
my deseczką, lekko obciążamy i odstawiamy w chłodne miejsce. Po kilku godzinach, gdy torcik się
odpowiednio „sprasuje", lukrujemy lub oprószamy cukrem pudrem.

• o p r ó c z   c z a s u   n a   w y c h ł o d z e n i e   i   p i e c z e n i e

Tort rumowy

s k ł a d n i k i : szklanka mąki tortowej • 2 kopiaste łyżki mąki ziemniaczanej • 5 jajek • 3/4 szklanki cukru pudru • 1/2 kostki (12,5 dag) masła lub masła roślinnego • 4 płaskie łyżki ciemnego kakao • 2 płaskie łyżeczki proszku do pieczenia • sok z 1/2 cytryny • mały kieliszek aromatycznego rumu • 0,5 l śmietany kremowej • 2 zagęstniki do śmietany • łyżka cukru pudru • 2 łyżeczki cukru waniliowego • tłuszcz do wysmarowania formy • tarta bułka do posypania formy

p o n c z : 1/2 szklanki świeżo parzonej, lekkiej herbaty • duży kieliszek aromatycznego rumu • sok z cytryny • 2 łyżki cukru

Masło ucieramy z cukrem pudrem, dodając podczas ucierania po jednym żółtku. Do pulchnej masy dodajemy sok z cytryny i rum, składniki łączymy, dodajemy, sypiąc przez sito, mąkę, proszek i kakao. Całość delikatnie mieszamy, dodajemy pianę ubitą z białek, a gdy składniki dokładnie się połączą, wykładamy na przygotowaną średniej wielkości tortownicę. Formę z ciastem wstawiamy do nagrzanego piekarnika, nastawionego na temp. 160ºC i pieczemy przez 40-45 min. Ciasto jest upieczone, gdy wierzch się zrumieni, a boki odstają od formy. Wychładzamy w tortownicy, ciepłe wykładamy na deskę, odstawiamy w chłodne miejsce. Śmietanę ubijamy z cukrem pudrem i cukrem waniliowym, pod koniec ubijania dodajemy zagęstniki. Zimne ciasto dzielimy na 3 równej grubości krążki, nasączamy ponczem, smarujemy śmietaną, nakładamy krążki jeden na drugi, pozostałą częścią śmietany smarujemy wierzch i boki tortu i przybieramy według własnych upodobań. Odstawiamy w chłodne miejsce na 2-3 godz. Podajemy pokrojony w zgrabne romby.

*oprócz czasu na pieczenie

liczba porcji / 12
czas przygotowania / 120 min •
stopień trudności / trudne
kaloryczność / wysokokaloryczne
koszt / drogie

Tort orzechowy z czekoladą

s k ł a d n i k i : 5 jajek • 2 i 1/2 szklanki drobno posiekanych orzechów • 3/4 szklanki cukru pudru • sok z całej cytryny • 2 kopiaste łyżki tartej bułki • tłuszcz do wysmarowania formy • tarta bułka do posypania formy • 2 tabliczki twardej, gorzkiej czekolady • 2 łyżki słodkiej śmietanki • połówki orzechów lub kandyzowane owoce do przybrania

Orzechy mieszamy z tartą bułką. Żółtka ucieramy z cukrem pudrem na kogel-mogel, dodajemy sok z cytryny, składniki łączymy, na wierzch sypiemy przygotowane orzechy, nakładamy pianę z białek, składniki delikatnie mieszamy i od razu przekładamy do wysmarowanej tłuszczem i obficie wysypanej tartą bułką średniej wielkości tortownicy, wstawiamy do nagrzanego piekarnika, nastawionego na temp. 160ºC i pieczemy przez 50-55 min (czas pieczenia zależy od wysokości warstwy ciasta). Ciasto jest upieczone, gdy wierzch się ładnie zrumieni, a boki lekko odstają od formy. Chłodzimy przez kilka minut w tortownicy, wyjmujemy na deskę, całkowicie wychładzamy. Zimne ciasto układamy na aluminiowej folii, zalewamy roztopioną wraz ze śmietaną czekoladą w taki sposób, by na wierzchu była dość gruba, czekoladowa warstwa, przybieramy połówkami orzechów lub kandyzowanymi owocami. Podajemy z porcją ubitej śmietany.

*oprócz czasu na pieczenie

liczba porcji / 12
czas przygotowania / 80 min •
stopień trudności / średniotrudne
kaloryczność / wysokokaloryczne
koszt / średniodrogie

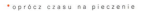

Torcik jesienny luksusowy

liczba porcji / **12**
czas przygotowania / **60 min** •
stopień trudności / **trudne**
kaloryczność / **wysokokaloryczne**
koszt / **średniodrogie**

s k ł a d n i k i : małe biszkopciki do dokładnego wyłożenia spodu formy • kieliszek winiaku • 2 kieliszki wody stołowej • sok z cytryny do smaku

k r e m : 4 jajka • kostka (25 dag) masła lub masła roślinnego • szklanka cukru pudru • cukier waniliowy • 3 jabłka (najlepiej szare renety) • kiść winogron • galaretka owocowa w jasnym kolorze

Na spodzie wyłożonej aluminiową folią tortownicy rozkładamy, miejsce przy miejscu, biszkopciki. Winiak łączymy z wodą i sokiem z cytryny, kropimy biszkopty, odstawiamy w chłodne miejsce.

Galaretkę rozpuszczamy we wrzątku (według przepisu na opakowaniu). Jabłka, obrane i pozbawione gniazd nasiennych, ucieramy na tarce z dużymi otworami, kropimy sokiem z cytryny, by nie ściemniały. Robotem rozcieramy masło z cukrem pudrem i cukrem waniliowym, dodajemy, po jednym, całe jajka i, cały czas ucierając, przygotowane jabłka. Całość łączymy, natychmiast przekładamy do średniej wielkości tortownicy i wkładamy do lodówki.

Z winogron usuwamy pestki. Gdy galaretka zacznie tężeć, nakładamy na krem winogrona, zalewamy galaretką i ponownie wstawiamy do lodówki. Podajemy, gdy galaretka na torciku stężeje. Po wyjęciu z formy i ułożeniu na paterze kroimy w zgrabne romby. Doskonale smakuje z porcją bitej śmietany.

• o p r ó c z c z a s u n a w y c h ł o d z e n i e

Torcik galaretkowy z wiśniami

liczba porcji / **12**
czas przygotowania / **30 min** •
stopień trudności / **średniotrudne**
kaloryczność / **średniokaloryczne**
koszt / **średniodrogie**

s k ł a d n i k i : 2 galaretki o smaku wiśniowym • 2 szklanki wydrylowanych wiśni zasmażonych w zalewie (dobrze odsączonych) • szklanka śmietany kremowej • zagęstnik do śmietany • wiórki czekoladowe

Wiśnie dokładnie odsączamy na sicie, do soku dodajemy taką ilość wody, by były razem 4 szklanki, zagotowujemy, rozpuszczamy galaretki, odstawiamy do przechłodzenia. Na spód średniej wielkości tortownicy, wyłożonej dokładnie folią aluminiową, wlewamy połowę tężejącej galaretki, nakładamy owoce, zalewamy pozostałą galaretką, wstawiamy do lodówki. Przed podaniem wyjmujemy torcik na paterę, przybieramy ubitą śmietaną, posypujemy wiórkami z czekolady.

• o p r ó c z c z a s u
n a w y c h ł o d z e n i e

Torcik bezowy
z lodami

liczba porcji / **12**

czas przygotowania / **50 min**•

stopień trudności / **łatwe**

kaloryczność / **wysokokaloryczne**

koszt / **średniodrogie**

s k ł a d n i k i : 2 gotowe, suche krążki bezowe mniejsze
od patery, na której podamy tort • 0,5 l śmietany kremowej
• łyżka cukru pudru • 2 zagęstniki do śmietany • miękkie owoce
(truskawki, poziomki, jeżyny, czarne jagody) • 1 l lodów
waniliowych lub śmietankowych

Bezowy krążek układamy na paterze, otaczamy go kil-
kucentymetrowym krążkiem z folii lekko podwiniętej pod
spód krążka, folię dokładnie łączymy (można taśmą lub
szpadkami). Na placek nakładamy warstwę lodów, do
środka dajemy przygotowane owoce, przykrywamy pozostałymi lodami i natychmiast wstawiamy do zamrażalnika.

Ubitą śmietanę z cukrem i zagęstnikiem układamy na
drugim bezowym krążku, przybieramy dekoracyjnie odłożonymi, dorodnymi owocami i także wstawiamy do zamrażalnika. Przed podaniem z dolnego krążka zdejmujemy opaskę z folii, nakładamy krążek z bitą śmietaną
i od razu podajemy, pokrojony ostrym, cienkim, wygrzanym we wrzątku nożem. Wspaniale smakuje!

• o p r ó c z   c z a s u   n a   m r o ż e n i e

Torcik z winogronami

s k ł a d n i k i : 2 szklanki pokruszonych, czerstwych
biszkoptów • tabliczka (10 dag) białej czekolady • łyżka słodkiej
śmietany • szklanka morelowego dżemu • 30 dag dorodnych
jasnych i ciemnych winogron • 0,5 l słodkiej śmietany kremowej
• 2 zagęstniki • galaretka o smaku morelowym

Spód i boki średniej wielkości tortownicy wykładamy
aluminiową folią, chłodzimy w lodówce. Pokruszoną czekoladę oraz śmietanę rozpuszczamy na niewielkim ogniu,
gdy się dokładnie połączą, zalewamy biszkopty, mieszamy. Przygotowaną masę wykładamy na spód tortownicy, wstawiamy do lodówki do wychłodzenia. Gdy spód
będzie twardy, smarujemy morelowym dżemem. Z winogron usuwamy pestki. Kilka dorodnych owoców pozostawiamy do przybrania, pozostałe rozkładamy na dże-
mie, chłodzimy. Galaretkę rozpuszczamy, chłodzimy, gdy
zaczyna tężeć, zalewamy owoce i ponownie odstawiamy do lodówki. Na godzinę przed podaniem nakładamy na owoce warstwę ubitej śmietany z zagęstnikiem,
przybieramy dorodnymi winogronami. Podajemy na paterze, pokrojony ostrym, cienkim, wygrzanym we wrzątku nożem, z biszkoptami lub porcją lodów.

• o p r ó c z   c z a s u   n a   w y c h ł o d z e n i e

liczba porcji / **12**

czas przygotowania / **50 min**•

stopień trudności / **średniotrudne**

kaloryczność / **wysokokaloryczne**

koszt / **średniodrogie**

liczba porcji / 12
czas przygotowania / 45 min•
stopień trudności / średniotrudne
kaloryczność / średniokaloryczne
koszt / średniodrogie

Torcik kolorowy

s k ł a d n i k i : galaretka ciemna • galaretka zielona
• 2 galaretki jasne • puszka ananasów • puszka brzoskwiń
• 0,5 l śmietany kremowej

Galaretkę ciemną i zieloną rozpuszczamy w oddzielnych naczyniach, wylewamy na talerze, wychładzamy (można poprzedniego dnia). Owoce odsączamy, kroimy w drobną kostkę. Spód tortownicy i brzegi wykładamy aluminiową folią. Jasne galaretki rozpuszczamy w połowie wody przewidzianej w przepisie. Gdy przestygną i zaczną tężeć, dodajemy lekko spienioną śmietanę, dokładnie mieszamy, dodajemy pokrojone w drobną kostkę pozostałe 2 galaretki i owoce, po wymieszaniu całość przelewamy do przygotowanej średniej wielkości tortownicy i wstawiamy do stężenia do lodówki, nawet na kilka godzin. Przed podaniem odpinamy bok formy, wyjmujemy torcik z folii, przekładamy na paterę, kroimy w zgrabne porcje. Doskonale smakuje z dodatkiem biszkopcików i porcji bitej śmietany.

• o p r ó c z   c z a s u   n a   w y c h ł o d z e n i e

Torcik serowy
z owocami

s k ł a d n i k i : herbatniki typu „Alberty" do wyłożenia formy
• 1/2 szklanki morelowego dżemu • 3 opakowania serka
homogenizowanego o smaku naturalnym • kostka (25 dag) masła
• 1 i 1/2 szklanki cukru pudru • 2 kopiaste łyżeczki żelatyny
• 4 łyżki mleka • 5 żółtek • puszka brzoskwiń • galaretka morelowa

Brzoskwinie odsączamy na sicie. Żelatynę moczymy w niewielkiej ilości zimnej wody, gdy napęcznieje, rozpuszczamy we wrzącym mleku.
Spód dużej tortownicy wykładamy herbatnikami w taki sposób, by był całkowicie przykryty, smarujemy równomiernie dżemem.
Masło ucieramy z cukrem pudrem, dodajemy, cały czas ucierając, po jednym, żółtka, do spulchnionej masy dodajemy, partiami, serek, rozpuszczoną i przechłodzoną żelatynę. Całość delikatnie, ale dokładnie mieszamy i od razu wykładamy na przygotowany spód. Wyrównujemy powierzchnię i wstawiamy do lodówki.
Sok z brzoskwiń uzupełniamy wodą do ilości 2 szklanek, zagotowujemy, rozpuszczamy galaretkę, odstawiamy do wychłodzenia. Brzoskwinie kroimy w sposób dekoracyjny. Na dobrze ściętej warstwie sera rozkładamy, układając zgrabny wzór, brzoskwinie, całość zalewamy gęstniejącą galaretką i ponownie wstawiamy do lodówki.

• o p r ó c z   c z a s u   n a   w y c h ł o d z e n i e

liczba porcji / 16
czas przygotowania / 50 min•
stopień trudności / średniotrudne
kaloryczność / średniokaloryczne
koszt / średniodrogie

Torcik makowo-bakaliowy

liczba porcji / **12**

czas przygotowania / **80 min**

stopień trudności / **trudne**

kaloryczność / **wysokokaloryczne**

koszt / **drogie**

s k ł a d n i k i : 50 dag suchego maku • szklanka cukru pudru
• 1/2 kostki (12,5 dag) masła lub masła roślinnego • 2 żółtka
• 6 dużych łyżek płynnego miodu • 2 kopiaste łyżki rodzynek
• 2 kopiaste łyżki smażonej skórki pomarańczowej • 2 kopiaste łyżki
posiekanych daktyli • 2 kopiaste łyżki posiekanych fig • 2 szklanki
mleka • tabliczka twardej czekolady • łyżka śmietany do polania
torciku

Mak zalewamy wrzącą wodą, dokładnie mieszamy, trzymamy przez 2 min, zlewamy wodę, odsączamy, zalewamy gorącym mlekiem i gotujemy, często mieszając, na
niewielkim ogniu, przez 15 min. Cedzimy na gęstym sicie i przechładzamy. Zimny mak przepuszczamy dwukrotnie przez maszynkę. Masło ucieramy z połową cukru
pudru na puch, dodajemy, po jednym, żółtka, pozostały cukier. Gdy masa stanie się jednolita, dodajemy miód,
mak i wszystkie bakalie. Masę wykładamy na wyłożoną
folią średniej wielkości tortownicę, ugniatamy i wyrównujemy powierzchnię, ustawiamy w lodówce, nawet do
następnego dnia. Po przełożeniu torcika na paterę polewamy cały czekoladą, rozpuszczoną ze śmietanką i ponownie chłodzimy, aż polewa zastygnie. Kroimy ostrym,
cienkim, wygrzanym we wrzątku nożem. Podając, można dodać do torcika porcję bitej śmietany.

Torcik makowy

s k ł a d n i k i : 2 szklanki suchego maku • 2 szklanki cukru
pudru • 1/2 kostki (12,5 dag) masła lub masła roślinnego • 2 żółtka
• 3 łyżki cukru • 4 łyżki płynnego miodu • filiżanka rodzynek • 3 łyżki
smażonej skórki pomarańczowej • 3 kopiaste łyżki posiekanych
bakalii (figi, daktyle, morele, orzechy)

p o l e w a : 4 łyżeczki kakao • 4 łyżeczki wody • 4 kopiaste
łyżeczki masła • 1/2 szklanki cukru • cukier waniliowy

Mak zalewamy wrzątkiem, stawiamy na najmniejszym
ogniu i gotujemy (powinien tylko lekko „mrugać") przez
10 min, odsączamy na gęstym sicie. Wychłodzony, przepuszczamy trzykrotnie przez maszynkę. Podczas trzecie-

liczba porcji / **12**

czas przygotowania / **80 min**

stopień trudności / **średniotrudne**

kaloryczność / **średniokaloryczne**

koszt / **średniodrogie**

go mielenia dodajemy cukier puder, na zmianę: łyżka maku i łyżka cukru. Masło ucieramy robotem na puch, dodajemy cukier, po jednym, żółtka i, cały czas ucierając, miód, mak i wszystkie bakalie – nie dodajemy innych zapachów. Utartą masę makową wykładamy do wyłożonej folią średniej wielkości tortownicy, mocno ugniatamy, wstawiamy do lodówki (można do następnego dnia).
Po wyjęciu torcika na paterę polewamy masą kakaową i ponownie schładzamy. Podajemy pokrojony w zgrabne porcje.
Przygotowujemy polewę: składniki polewy umieszczamy w rondelku, podgrzewamy, często mieszając. Od chwili zagotowania trzymamy na niewielkim ogniu przez 7 min, cały czas mieszając. Po
zdjęciu z ognia rondelek wstawiamy na minutę do zimnej wody i ucieramy, aż masa zacznie gęstnieć. Gotową natychmiast polewamy torcik.

liczba porcji / 12
czas przygotowania / 55 min•
stopień trudności / **średniotrudne**
kaloryczność / **wysokokaloryczne**
koszt / średniodrogie

Torcik truskawkowy

s k ł a d n i k i : tabliczka twardej, gorzkiej czekolady
• 2 szklanki pokruszonych herbatników • łyżka słodkiej śmietany
• 3 łyżki truskawkowego dżemu • szklanka kremówki • zagęstnik
do śmietany • świeże owoce • opakowanie galaretki o smaku
truskawkowym

Spód średniej wielkości tortownicy wykładamy aluminiową folią, trzymamy w lodówce (powinien być zimny). W rondelku rozgrzewamy pokruszoną czekoladę
z dodatkiem śmietany, gdy składniki się rozpuszczą, wrzucamy pokruszone herbatniki, mieszamy. Rozkładamy na
wychłodzonej folii, rozprowadzamy, by spodnia warstwa
była równomierna, ponownie wstawiamy do lodówki.
Galaretkę przygotowujemy według przepisu na opakowaniu, odstawiamy do przechłodzenia. Owoce myjemy,
dokładnie odsączamy, śmietanę ubijamy na puch, dodając, pod koniec ubijania, zagęstnik.
Spód smarujemy dżemem, wykładamy śmietanę, wstawiamy do lodówki. Gdy zastygnie, rozkładamy przygotowane owoce, zalewamy ścinającą się galaretką i ponownie wstawiamy do lodówki. Przed podaniem wysu-
wamy torcik z formy na paterę, podajemy pokrojony
ostrym, cienkim, wygrzanym we wrzątku nożem w zgrabne romby.

• o p r ó c z   c z a s u   n a   w y c h ł o d z e n i e

Torcik malinowy

s k ł a d n i k i : biszkopty szampanki w ilości potrzebnej
do dwukrotnego wyłożenia spodu tortownicy • 4 łyżki malinowego
soku • 4 łyżki owocowego, słodkiego wina • 0,5 l śmietany kremówki
• 4 łyżeczki żelatyny lub 2 zagęstniki do śmietany • szklanka konfitur
z malin

Żelatynę moczymy w minimalnej ilości zimnej wody, gdy
napęcznieje, zalewamy 3 łyżkami wrzątku, wstawiamy
do naczynia z wrzącą wodą, mieszamy, by całkowicie się
rozpuściła i nie zaczęła się zbyt szybko ścinać.

liczba porcji / 12
czas przygotowania / 40 min•
stopień trudności / **średniotrudne**
kaloryczność / **średniokaloryczne**
koszt / średniodrogie

Spód średniej wielkości tortownicy wykładamy aluminiową folią, układamy biszkopty w taki sposób, by wierzchnia strona była na zewnątrz, odstępy uzupełniamy pokruszonymi ciastkami. Sok
mieszamy z winem, kropimy biszkopty, wstawiamy do lodówki.
Śmietanę ubijamy na puch, do gęstej dodajemy, małymi partiami, cały czas ubijając, rozpuszczoną
żelatynę. Gdy składniki się połączą, część śmietany wykładamy na wychłodzone biszkopty, na śmietanie rozkładamy, w miarę równomiernie, konfitury, na nich układamy pozostałe szampanki, polewamy pozostałym sokiem z winem i wstawiamy na godzinę do lodówki. Oddzielnie wstawiamy pozostałą część ubitej śmietany. Przed podaniem rozpinamy formę, zsuwamy torcik na paterę, wierzch
przykrywamy w sposób dekoracyjny bitą śmietaną, przybieramy konfiturami i od razu podajemy,
pokrojony w romby bardzo ostrym, cienkim, wygrzanym we wrzątku nożem.

• o p r ó c z   c z a s u   n a   w y c h ł o d z e n i e

Pierniczki świąteczne
mojej Babci

s k ł a d n i k i : 1 kg pszczelego miodu • 2 kostki (50 dag)
masła lub masła roślinnego • mąka (ile ciasto zabierze, ok. 1-2 kg)
• 1 kg cukru • 2 łyżeczki sody oczyszczonej • 4 jajka
• 2 łyżeczki mielonych goździków • 2 łyżeczki cynamonu
• 2 łyżeczki imbiru • sok i skórka otarta z całej cytryny • smażona
skórka pomarańczowa • 2 szklanki posiekanych bakalii
• tłuszcz do przygotowania formy

Do dużego, płaskiego rondla (ważne!) wlewamy miód,
gdy się lekko rozgrzeje, dodajemy cukier, masło i, cały
czas mieszając, podgrzewamy, aż cukier całkowicie się rozpuści i składniki dokładnie się połączą. Nie dopuszczamy,
by masa się zagotowała. Odstawiamy do wychłodzenia.
Do chłodnej masy dodajemy jajka, rozpuszczoną w 3 łyż-
kach letniej wody sodę, przyprawy, sok i skórkę z cytryny, mieszamy. Dosypujemy, siejąc przez sito,
mąkę, wyrabiamy ciasto. Gdy stanie się gładkie i jednolite, dodajemy bakalie i jeszcze przez chwilę
wyrabiamy. Odstawiamy ciasto na godzinę. Blachy do pieczenia piernikowych ciasteczek smarujemy
tłuszczem i delikatnie oprószamy mąką. Stolnicę oprószamy mąką, wykładamy część ciasta, rozwałkowujemy jak na kluski, wykrawamy piękne, tradycyjne wzory, układamy ciasteczka na blasze i pieczemy w niezbyt gorącym piekarniku, nagrzanym do temp. 180ºC. Upieczone, zsuwamy do miski
i smarujemy lukrem – czekoladowym lub białym o różnych smakach, posypujemy kolorowym, cukro-
wym „maczkiem". Ułożone w blaszanym pudle, będą aromatyczne i pulchne przez kilka tygodni.
• o p r ó c z   c z a s u   n a   „ o d p o c z y n e k " ,   w y k r a w a n i e   i   p i e c z e n i e

liczba porcji / **ok. 60**
czas przygotowania / **50 min** •
stopień trudności / **średniotrudne**
kaloryczność / **średniokaloryczne**
koszt / **drogie**

Staropolski piernik
z bakaliami

s k ł a d n i k i : 2 i 1/2 szklanki mąki pszennej • 1/2 szklanki
cukru • 3 kopiaste łyżki naturalnego miodu • 1/2 kostki (12,5 dag)
masła lub masła roślinnego • 3 łyżki kakao • jajko • 2 płaskie łyżeczki
proszku do pieczenia • 2 szklanki bakalii (bez orzechów!) – rodzynki,
rozdrobnione figi, daktyle, morele, grubo posiekane migdały
(wcześniej sparzone i obrane z łupinek) • łyżeczka cynamonu
i goździków utłuczonych w moździerzu • 1/2 szklanki wody • tłuszcz
do wysmarowania formy • tarta bułka do posypania formy

W szerokim rondlu rumienimy cukier. Gdy nabierze brązowej barwy, zdejmujemy z ognia, dodajemy wodę, stawiamy na ogniu i, cały czas mieszając, zagotowujemy, aż po-
wstanie karmel. Wychładzamy. Chłodny przelewamy do dużego garnka, dodajemy miód, kakao i, często mieszając, podgrzewamy, nie dopuszczając do zagotowania. Odstawiamy do wychłodzenia. Do zimnej masy dodajemy, siejąc przez sito, mąkę z proszkiem i przyprawy zapachowe, wyrabiamy lekkie ciasto.
Gdy składniki się połączą, dodajemy rozpuszczony, chłodny tłuszcz i nadal wyrabiamy ciasto. Gdy stanie się jednolite i lśniące, dodajemy bakalie, całość delikatnie, ale dokładnie mieszamy i od razu przekładamy na przygotowaną dużą formę babową, wyrównujemy powierzchnię i wstawiamy do nagrzanego, niezbyt gorącego piekarnika. Pieczemy przez godzinę lub nieco dłużej, w temp. 150ºC (czas pieczenia zależy od wysokości warstwy ciasta). Upieczony, po wyjęciu z formy, przechowujemy owinięty
w folię, w chłodnym miejscu. Podajemy bez innych dodatków, krojąc w plastry, jak babkę.
• o p r ó c z   c z a s u   n a   p i e c z e n i e

liczba porcji / **16**
czas przygotowania / **50 min** •
stopień trudności / **średniotrudne**
kaloryczność / **średniokaloryczne**
koszt / **średniodrogie**

Strucla z makiem
według Cioci Godziszewskiej

s k ł a d n i k i : 3 szklanki mąki tortowej • szklanka cukru pudru • 3/5 kostki (15 dag) masła lub masła roślinnego • 2 żółtka • całe jajko • 1/2 szklanki mleka • 4 dag drożdży • szczypta soli • farsz makowy • tłuszcz do wysmarowania formy • mąka do podsypania stolnicy

W malakserze ucieramy masło z cukrem pudrem. Gdy stanie się puszyste i jednolite, dodajemy, cały czas mieszając, całe jajko, żółtka, sól, rozkruszone i wymieszane z łyżką ciepłego mleka drożdże. Gdy składniki się połączą, siejemy przez sito mąkę. Utarte ciasto wykładamy na podsypaną mąką stolnicę i dokładnie wyrabiamy (nie dłużej niż przez 8 min), nakrywamy ściereczką, stawiamy w ciepłym miejscu, by wyrosło.

Gdy podwoi objętość, dzielimy na 2 równe części, wałkujemy niezbyt grube prostokąty, smarujemy każdy lekko spienionym białkiem, nakładamy równą warstwą farsz, zwijamy, końce zlepiamy, podwijamy pod spód i od razu układamy w 2 przygotowanych średniej wielkości formach babowych, stawiamy w ciepłym miejscu. Gdy podwoi objętość, wstawiamy do nagrzanego, niezbyt gorącego, nastawionego na temp. 160ºC piekarnika na 30 min. Po tym czasie podnosimy temperaturę do 200ºC i pieczemy, aż ciasto się zrumieni, a boki będą lekko odstawały od formy. Jeszcze ciepłe wykładamy na stolnicę, oprószamy cukrem pudrem lub polewamy lukrem o ulubionym smaku.

liczba porcji /	ok. 20
czas przygotowania /	50 min •
stopień trudności /	średniotrudne
kaloryczność /	średniokaloryczne
koszt /	średniodrogie

• o p r ó c z   c z a s u   n a   w y r a s t a n i e   i   p i e c z e n i e

Karnawałowe pączki
Pani Rejentowej

s k ł a d n i k i : czubata szklanka mąki tortowej • 3 żółtka • 3 płaskie łyżki cukru pudru • 2 łyżki masła • 2 dag drożdży • 4 duże łyżki tłustego mleka • szczypta soli • łyżeczka skórki otartej z cytryny • 2 łyżki spirytusu • marmolada morelowa • konfitury z róży lub z wiśni (dobrze odsączone) • cukier puder wymieszany z kawałkiem utłuczonej w moździerzu wanilii do posypania • 1 kg + kopiasta łyżka czystego smalcu

W letnim mleku rozcieramy drożdże, odstawiamy w ciepłe miejsce do wyrośnięcia. Żółtka z cukrem pudrem ucieramy na puch, dodajemy skórkę otartą z cytryny, wyrośnięte drożdże, alkohol, całość dokładnie mieszamy, dodajemy, siejąc przez sito, mąkę i sól, wyrabiamy ciasto (można robotem na niskich obrotach). Gdy stanie się pulchne i jednolite, dodajemy ciepłe, roztopione masło i ponownie wyrabiamy, aż składniki się połączą. Przykrywamy ściereczką, ustawiamy w ciepłym, pozbawionym przewiewów miejscu.

Gdy ciasto podwoi objętość, nabieramy, na jeden pączek, płaską łyżkę ciasta, rozprowadzamy na dłoni, nadziewamy lekko podgrzaną marmoladą (nie powinno być różnicy temperatur), formujemy zgrabny pączek i układamy na podsypanej mąką stolnicy – miejscem złączenia do dołu. Gdy pączki podwoją objętość, smażymy, małymi partiami, na rozgrzanym smalcu, rumieniąc z obu stron. Wyjmujemy łyżką cedzakową na tacę, wyłożoną grubą warstwą papierowych serwetek, po odsączeniu układamy na paterze, oprószamy obficie cukrem pudrem z wanilią. Podajemy z grzanym winem pachnącym aromatami Indii.

liczba porcji /	16
czas przygotowania /	120 min
stopień trudności /	trudne
kaloryczność /	wysokokaloryczne
koszt /	średniodrogie

Faworki

s k ł a d n i k i : 50 dag mąki tortowej • 2 łyżki cukru pudru • 3-4 (zależnie od wilgotności mąki) łyżki kwaśnej śmietany • duża łyżka spirytusu • 5 żółtek • łyżka miękkiego, śmietankowego masła (gdy trzeba) • cukier puder do posypania • 1 kg + kopiasta łyżka czystego smalcu

Na stolnicę sypiemy przez sito prawie całą mąkę, formujemy dołek, dodajemy cukier puder, śmietanę, spirytus, wyrabiamy lekko ciasto, dodajemy żółtka i jeszcze przez chwilę wyrabiamy. Gdy ciasto będzie zbyt ścisłe, dodajemy masło – ciasto powinno mieć konsystencję ciasta na kluski. Gdy składniki dokładnie się połączą, kładziemy ciasto na stolnicę i wybijamy wałkiem, aż zrobi się gładkie, lśniące, a po przekrojeniu będą w nim pęcherzyki.

Gotowe ciasto przykrywamy szczelnie miseczką, by nie wysychało. Od całości odkrawamy małe kawałki, wałkujemy najcieniej. Nożem lub radełkiem kroimy zgrabne, najwyżej 3 cm szerokości paski, ich wysokość dopasowujemy do rondla, w którym będziemy smażyć faworki, środek paska przecinamy na długość 2 cm, przewijamy i formujemy chruściki.

liczba porcji /	2 patery
czas przygotowania /	120 min
stopień trudności /	średniotrudne
kaloryczność /	średniokaloryczne
koszt /	średniodrogie

Gdy przygotujemy wszystkie, rozgrzewamy tłuszcz, sprawdzamy jego temperaturę plasterkiem surowego ziemniaka – gdy natychmiast wypłynie, lekko zrumieniony, wrzucamy – po kilka! chruścików. Gdy nabiorą lekko złocistego koloru, odwracamy na drugą stronę. Gotowe wyjmujemy łyżką cedzakową na plik papierowych serwetek. Odsączone z tłuszczu, układamy na paterze i obficie posypujemy cukrem pudrem.

liczba porcji /	12-14
czas przygotowania /	120 min
stopień trudności /	średniotrudne
kaloryczność /	średniokaloryczne
koszt /	średniodrogie

Róże karnawałowe

s k ł a d n i k i : czubata szklanka mąki tortowej • kopiasta łyżka cukru pudru • jajko • żółtko • kopiasta łyżka miękkiego masła • duża łyżka mocnego rumu (może być biały!) • szczypta soli • 1/2 łyżeczki skórki otartej z cytryny • odsączone z soku konfitury lub domowa, wysmażona marmolada z moreli • cukier puder do posypania • 80 dag czystego smalcu

Z całego jajka odlewamy połowę białka i wraz z pozostałymi składnikami wyrabiamy – najłatwiej robotem – gładkie i lśniące ciasto. Po wyłożeniu na stolnicę wybijamy z obu stron przez 3-4 min. Na podsypanej mąką stolnicy wałkujemy bardzo cienko i wykrawamy krążki w 3 rozmiarach. Każdy krążek lekko nacinamy w kilku miejscach, nakładamy krążki na siebie (duży, średni, mały), środek kleimy odrobiną białka i mocno przyciskamy, by sklejone płatki ciasta nie rozleciały się. Kładziemy na mocno rozgrzany tłuszcz w małych ilościach – powinny luźno pływać. Rumienimy z obu stron, wyjmujemy delikatnie łyżką cedzakową na grubą warstwę bibuły. Odsączone z nadmiaru tłuszczu układamy na paterze, do środka każdej „róży" kładziemy konfitury, posypujemy całe cukrem pudrem. Najlepiej smakują godzinę po przygotowaniu.

liczba porcji / 12

czas przygotowania / 45 min •

stopień trudności / średniotrudne

kaloryczność / wysokokaloryczne

koszt / średniodrogie

Mazurek orzechowy

s k ł a d n i k i : 3 żółtka • szklanka cukru pudru • 1/2 kostki (12,5 dag) masła • szklanka mąki krupczatki • szklanka zmielonych orzechów • 3 białka • 1/3 szklanki cukru pudru • kilkanaście dorodnych połówek orzechów

W malakserze ubijamy na puch żółtka i cukier puder, dodajemy, małymi porcjami, lekko rozmiękczone masło i, siejąc przez sito, mąkę. Gdy składniki się połączą, dodajemy orzechy. Wyrabiamy całość na jednolite, gładkie ciasto. Blachę wykładamy aluminiową folią, rozkładamy ciasto, wyrównujemy powierzchnię.

Białka ubijamy na sztywną pianę, dodajemy cukier puder. Piana powinna być bardzo ścisła. Pokrywamy pianą równomiernie ciasto, na powierzchni rozkładamy połówki orzechów. Wstawiamy do nagrzanego, niezbyt gorącego, nastawionego na temp. 150ºC piekarnika, pieczemy przez 45-50 min, uważając, by mazurek niezbyt mocno się zrumienił. Mazurek powinno się przygotować na tydzień przed podaniem – będzie wówczas delikatny i bardzo kruchy. Przybieramy, według własnych upodobań, tuż przed podaniem na stół.

• o p r ó c z   c z a s u   n a   p i e c z e n i e   i   p r z y b r a n i e

Mazurek kajmakowy

s k ł a d n i k i : 1 i 1/2 szklanki mąki krupczatki • 2 kopiaste łyżki cukru pudru • 4/5 kostki (20 dag) masła lub masła roślinnego • 3 żółtka, ugotowane na twardo

m a s a   k a j m a k o w a : kostka (25 dag) masła lub masła roślinnego • szklanka cukru • szklanka mleka w proszku • 3 żółtka

liczba porcji / 12

czas przygotowania / 80 min •

stopień trudności / trudne

kaloryczność / wysokokaloryczne

koszt / drogie

Przygotowujemy ciasto: w malakserze łączymy mąkę z masłem, gdy składniki się połączą, dodajemy cukier puder i przetarte przez ostre sito ugotowane żółtka. Wyrobione, jednolite ciasto wkładamy do lodówki – nawet na kilka godzin. Dobrze schłodzone wałkujemy na wysokość centymetra (nie wyżej), rozkładamy na prostokątnej blasze, brzegi ciasta podnosimy na wysokość 3 cm. Pieczemy w gorącym piekarniku, nastawionym na temp. 180ºC, rumieniąc na złoty kolor. Odstawiamy do wychłodzenia.

Przygotowujemy masę: cukier i masło podgrzewamy, gdy się roztopią i połączą, dodajemy mleko w proszku i gotujemy na niewielkim ogniu, aż składniki utworzą jednolitą, gładką masę. Zestawiamy z ognia, przechładzamy, często i energicznie mieszając, dodajemy – po jednym – cały czas mieszając, żółtka i natychmiast nakładamy na upieczony spód.

Rada: mazurek będzie smaczniejszy, gdy zimne, kruche ciasto, przed nałożeniem masy kajmakowej, posmarujemy dobrze wysmażoną marmoladą.

• o p r ó c z   c z a s u   n a   p i e c z e n i e

Baba staropolska
zwana królewską

s k ł a d n i k i : 4 i 1/2 szklanki mąki tortowej • 1/2 kostki (12,5 dag) masła • szklanka cukru pudru • 12 żółtek • 6 dag drożdży • 1/2 szklanki mleka • laska wanilii, idealnie zmiażdżona w moździerzu i przesiana przez sito • filiżanka rodzynek • filiżanka odsączonej, smażonej skórki pomarańczowej • płaska łyżeczka soli • tłuszcz do wysmarowania formy

2 łyżki mleka lekko podgrzewamy, dodajemy pokruszone drożdże, łyżeczkę cukru pudru, łyżeczkę mąki, mieszamy, odstawiamy do wyrośnięcia.
1/2 szklanki mąki zalewamy pozostałym, wrzącym mlekiem, masę bardzo dokładnie rozcieramy, aby nie było najmniejszej grudki. Gdy przestygnie (letnia!), łączymy z wyrośniętym rozczynem i odstawiamy do ponownego wyrośnięcia.
Żółtka, idealnie oddzielone od białek, ucieramy z cukrem pudrem na puszysty kogel-mogel, dodajemy do zaczynu, gdy już podwoi swoją objętość, lekko mieszamy, dodajemy, sypiąc przez sito, mąkę wraz z utartą wanilią, wyrabiamy. Gdy składniki dokładnie się połączą, dodajemy roztopiony letni tłuszcz, sól i wyrabiamy tak długo, aż ciasto zacznie odstawać od miski (można robotem nastawionym na niskie obroty, ale baba nie będzie tak delikatna i pulchna, jak wyrabiana sposobem tradycyjnym). Czas wyrabiania ciasta trwa przeważnie 20 min, ale nie należy się spieszyć. Smak baby zależy od włożonej w jej wyrabianie pracy. W gotowym cieście robimy w środku dołek, kładziemy przebrane rodzynki i skórkę pomarańczową, lekko łączymy wszystkie składniki i wykładamy ciasto do bardzo dokładnie wysmarowanej dużej formy babowej (ciasta nie powinno być więcej, jak na 1/3 jej wysokości). Formę umieszczamy w ciepłym miejscu i pozwalamy, by baba rosła. Tuż przed wstawieniem do nagrzanego, ale niegorącego piekarnika smarujemy wierzch baby żółtkiem, rozprowadzonym w 2 łyżkach wody, pieczemy w temp. 160°C przez godzinę lub nieco dłużej (czas pieczenia zależy od wysokości baby). Gdy nabierze złocistorumianej barwy, a wierzch będzie lekko pęknięty, wyjmujemy, posypujemy obficie cukrem pudrem lub lukrujemy.

• o p r ó c z   c z a s u   n a   w y r o ś n i ę c i e   i   p i e c z e n i e

liczba porcji / **16**

czas przygotowania / **60 min**•

stopień trudności / **trudne**

kaloryczność / **wysokokaloryczne**

koszt / **średniodrogie**

Staropolska baba świąteczna

s k ł a d n i k i : 2/5 szklanki mąki tortowej • 6 żółtek • 1/2 szklanki mleka
• 5 dag drożdży • 1/3 kostki (8 dag) masła lub masła roślinnego • 1/2 szklanki cukru pudru
• skórka otarta z dużej cytryny • szczypta soli • tłuszcz do wysmarowania formy

Przygotowany z ciepłego mleka, rozkruszonych drożdży, łyżki cukru pudru i łyżki mąki zaczyn mieszamy, odstawiamy w ciepłe miejsce do wyrośnięcia. Gdy podwoi objętość, dodajemy żółtka, pozostały cukier puder, sól, skórkę z cytryny, składniki mieszamy, sypiemy, siejąc przez sito, wygrzaną mąkę i wyrabiamy ciasto (będzie niezbyt ścisłe) robotem nastawionym na najniższe obroty. Gdy pokażą się pęcherzyki powietrza, dodajemy ciepły tłuszcz i wyrabiamy nadal, aż zostanie całkowicie wchłonięty, odstawiamy do wyrośnięcia. Gdy ciasto podwoi objętość, przekładamy je do dużej formy babowej z kominkiem, dokładnie wysmarowanej tłuszczem (ważne!), pilnując, by nie było go więcej niż na 1/3 wysokości formy i ponownie odstawiamy do wyrośnięcia. Gdy ciasto wypełni formę, wstawiamy najdelikatniej (unikając wszelkich wstrząsów) do nagrzanego piekarnika, pieczemy w temp. 180°C przez 50 min lub nieco dłużej (czas zależy od wysokości babki). Gdy się zrumieni, a boki zaczynają odstawać od formy, piekarnik wyłączamy, lekko uchylamy drzwiczki i trzymamy babkę, by dojrzała. Jeszcze ciepłą wystawiamy z piekarnika. Gdy zupełnie ostygnie, wyjmujemy z formy, ustawiamy na paterze, lukrujemy albo polewamy czekoladą, lub oprószamy cukrem pudrem (według własnych upodobań). Odpowiednio przechowywana nie traci świeżości przez kilka dni.

• o p r ó c z   c z a s u   n a   w y r o ś n i ę c i e   i   p i e c z e n i e

liczba porcji / **16**

czas przygotowania / **30 min**•

stopień trudności / **łatwe**

kaloryczność / **średniokaloryczne**

koszt / **średniodrogie**

Sernik
– przepis ze staropolskiej kuchni szlacheckiej

s k ł a d n i k i : kostka (25) dag masła • 60 dag białego, dobrego sera • 40 dag cukru pudru • 12 jajek • laska wanilii • skórka otarta z 2 cytryn • 2 kopiaste łyżki mąki pszennej • andrut do wyłożenia spodu lub kruche ciasto

Masło ucieramy na pianę, dodajemy, po łyżce, cukier puder, żółtka i przetarty przez sito ser. Do utartej serowej masy dodajemy pianę ubitą z 5 (ważne!) białek, przesypując 2 łyżkami mąki. Gotową masę serową wykładamy do dużej tortownicy wyłożonej andrutem lub bardzo cienką warstwą wcześniej upieczonego, kruchego ciasta, wstawiamy do nagrzanego, niezbyt gorącego piekarnika i pieczemy w temp. 160ºC przez 90 min. Wyjmujemy, gdy wierzch sernika jest równomiernie zrumieniony, a boki lekko odstają od formy. Podajemy lekko oprószony cukrem pudrem.

liczba porcji / 16
czas przygotowania / 50 min•
stopień trudności / średniotrudne
kaloryczność / wysokokaloryczne
koszt / drogie

• o p r ó c z   c z a s u   n a   p i e c z e n i e

Rogale marcińskie z makowym farszem

s k ł a d n i k i : 3 szklanki mąki tortowej • 2 łyżki cukru pudru • 1/4 kostki (6 dag) masła lub masła roślinnego • 3 żółtka • 3 dag drożdży • skórka otarta z cytryny • szczypta soli • 1 szklanka + 2 łyżki mleka • tłuszcz do wysmarowania formy • jajko rozprowadzone z łyżką wody do smarowania rogali • lukier o smaku rumowym lub arakowym

f a r s z   m a k o w y : 2 szklanki białego maku • 2 szklanki cukru • 2 łyżki masła • szklanka słodkiej śmietany kremowej • 1/2 laski wanilii • 3 łyżki smażonej skórki pomarańczowej • 3 łyżki rodzynek • 3 łyżki drobno posiekanych daktyli

Do przesianej, wygrzanej mąki dodajemy rozkruszone drożdże, żółtka, cukier puder, sól, skórkę z cytryny. Składniki mieszamy, podlewamy ciepłem mlekiem, wyrabiamy ciasto. Gdy stanie się jednolite i sprężyste, dodajemy roztopiony, letni tłuszcz i wyrabiamy, aż składniki się połączą. Odstawiamy w ciepłe miejsce do wyrośnięcia.

Przygotowujemy farsz: wypłukany mak zalewamy 1 l wrzątku, wstawiamy na 30 min na najmniejszy ogień (woda w maku powinna tylko lekko „mrugać").

Śmietanę wraz z pokrojoną wanilią gotujemy na najmniejszym ogniu przez 8 min, odstawiamy. Bardzo dokładnie odsączony mak przepuszczamy 2 razy przez maszynkę, przekładamy do rondla, dodajemy cukier, masło i, stale mieszając, przesmażamy na niewielkim ogniu (lubi się przypalić). Dodajemy ugotowaną śmietankę i, mieszając, smażymy razem, aż masa makowa nabierze odpowiedniej gęstości.

Do ciepłej masy dodajemy przygotowane bakalie, całość delikatnie, ale dokładnie mieszamy i, gdy trzeba, lekko doprawiamy.

Gdy ciasto podwoi swoją objętość, odrywamy małe kawałki, rozwałkowujemy, tworząc zgrabny trójkąt i od razu smarujemy letnią masą makową, ciasno zwijamy, składamy rożki ku sobie i układamy, w sporych odstępach, na wysmarowanej tłuszczem blasze. Odstawiamy w ciepłe, pozbawione przewiewów miejsce. Gdy po 15-20 min rogale wyrosną, smarujmy je jajkiem rozmieszanym z wodą i od razu wstawiamy do nagrzanego piekarnika. Pieczemy ok. 30 min (czas pieczenia zależy od wielkości rogali) w temp. 160ºC. Zrumienione rogale smarujemy lukrem.

liczba porcji / 15-18
czas przygotowania / 180 min
stopień trudności / trudne
kaloryczność / wysokokaloryczne
koszt / drogie

Koktajl z malinami

s k ł a d n i k i : 1 l schłodzonego mleka (może być pełnotłuste)
• 2 szklanki świeżych, przebranych malin lub szklanka naturalnego, malinowego soku • 2 łyżki cukru pudru • płaska łyżeczka cukru waniliowego • sok z cytryny

Maliny wrzucamy do malaksera wraz z cukrem pudrem i cukrem waniliowym, rozcieramy na średnich obrotach. Gdy masa będzie jednolita i spieniona, lejemy bardzo powoli mleko, cały czas miksując. Podajemy zaraz po przygotowaniu w wysokich, wychłodzonych szklankach.

Wersja z sokiem:
Mleko miksujemy z cukrem pudrem, gdy się spieni, dolewamy, bardzo powoli, sok. Gdy trzeba, doprawiamy do smaku sokiem z cytryny. Podajemy zaraz po przygotowaniu.

liczba porcji / 4
czas przygotowania / 10 min
stopień trudności / łatwe
kaloryczność / średniokaloryczne
koszt / tanie

liczba porcji / 4
czas przygotowania / 8 min
stopień trudności / łatwe
kaloryczność / średniokaloryczne
koszt / tanie

Koktajl bananowy

s k ł a d n i k i : 1 l schłodzonego mleka (może być pełnotłuste)
• 2 dojrzałe banany • łyżeczka cukru waniliowego • łyżeczka utartej czekolady

W malakserze rozdrabniamy banany z cukrem waniliowym i czekoladą. Do połączonych składników wlewamy, bardzo powoli, mleko, cały czas miksując. Gdy napój dobrze się spieni, nalewamy do wysokich szklanek i podajemy zaraz po przygotowaniu.

Koktajl wieloowocowy

s k ł a d n i k i : 2 szklanki owoców z kompotu lub owoców
z kompotu i owoców świeżych (np. kompot z jabłek i banan
lub kompot z jabłek i plastry ananasa) • 1 l schłodzonego mleka
(może być pełnotłuste) • sok z cytryny • cukier do smaku
• szczypta cynamonu

Owoce świeże i z kompotu miksujemy. Gdy się rozdrobnią, dodajemy, cały czas miksując, cynamon, sok z cytryny, cukier i, lejąc bardzo powoli, mleko. Podajemy, gdy
koktajl będzie doskonale spieniony, w wysokich, wychłodzonych szklankach, natychmiast po przygotowaniu.

liczba porcji / 4

czas przygotowania / 8 min

stopień trudności / łatwe

kaloryczność / średniokaloryczne

koszt / tanie

Koktajl pomidorowy

s k ł a d n i k i : 1 l maślanki • szklanka soku pomidorowego
• łyżka łagodnego keczupu • 2 kopiaste łyżki posiekanego koperku
lub kilka listków melisy • sól • pieprz

Maślankę miksujemy z dodatkiem soli, pieprzu, keczupu i soku pomidorowego. Gdy całość dokładnie się spieni, dodajemy posiekaną zieleninę. Całość miksujemy nie
dłużej niż przez 3 s. Natychmiast po przygotowaniu rozlewamy do wysokich szklanek i podajemy.

liczba porcji / 4

czas przygotowania / 8 min

stopień trudności / łatwe

kaloryczność / niskokaloryczne

koszt / tanie

Koktajl zimowy

s k ł a d n i k i : 1 l pełnotłustego mleka • mały słoik domowych konfitur (z malin, truskawek, poziomek lub wiśni) lub owocowego dżemu domowej roboty • sok z cytryny

W malakserze rozcieramy konfitury (lub dżem) z dodatkiem soku z cytryny. Gdy masa owocowa stanie się jednolita i pulchna, dodajemy, lejąc bardzo powoli, mleko i cały czas miksujemy. Podajemy, gdy całość doskonale się spieni.

Koktajl możemy przygotować z lekko podgrzanego mleka i podać letni, z dodatkiem kruchych ciasteczek lub porcji biszkoptowego ciasta.

liczba porcji / 4

czas przygotowania / 8 min

stopień trudności / łatwe

kaloryczność / średniokaloryczne

koszt / tanie

Koktajl „Amadeusz"

s k ł a d n i k i : 1 l pełnego mleka • cukier waniliowy
• 2 kopiaste łyżki cukru • 2 łyżeczki kawy rozpuszczalnej typu neska
• 1/2 łyżeczki zmielonej czekolady lub ciemnego kakao

W szklance wrzątku rozpuszczamy cukier i kawę, odstawiamy do lekkiego przechłodzenia. Mleko miksujemy z dodatkiem cukru waniliowego i zmielonej czekolady lub kakao. Gdy składniki się spienią, dodajemy, lejąc bardzo powoli i cały czas miksując, przechłodzoną kawę. Koktajl podajemy dobrze spieniony, w wysokich szklankach.

liczba porcji / 4

czas przygotowania / 10 min

stopień trudności / łatwe

kaloryczność / średniokaloryczne

koszt / tanie

Koktajl wiosenny

s k ł a d n i k i : 1 l maślanki • 3 kopiaste łyżki świeżej, drobno posiekanej zieleniny (koperek, natka pietruszki, szczypior, rzeżucha) • 2 ząbki czosnku • sól • pieprz

Opłukaną, obsuszoną zieleninę rozdrabniamy, czosnek siekamy. Szklankę maślanki miksujemy z dodatkiem posiekanego czosnku, ziół, soli i pieprzu. Gdy składniki się spienią, dodajemy, cały czas miksując, pozostałą część maślanki. Całość miksujemy nie dłużej niż przez 3 s. Natychmiast po przygotowaniu rozlewamy do wysokich szklanek i podajemy.

Koktajl ogórkowy
orzeźwiający

s k ł a d n i k i : 1 l maślanki • świeży ogórek • kopiasta łyżka posiekanego koperku • 2 ząbki czosnku • sól • pieprz

Do malaksera wkładamy (obrany ze skórki i pozbawiony pestek) rozdrobniony ogórek, dodajemy podzielone na kawałki ząbki czosnku, szklankę maślanki. Miksujemy przez 30 s, aż składniki dokładnie się rozdrobnią. Dolewamy pozostałą maślankę, wsypujemy przyprawy, miksujemy. Gdy całość dobrze się spieni, dodajemy koperek i miksujemy nie dłużej niż przez 3 s. Gotowy koktajl rozlewamy do wysokich szklanek i od razu podajemy.

Koktajl rubinowy

s k ł a d n i k i : 1 l maślanki • szklanka soku świeżo wyciśniętego z buraków (może być pasteryzowany) • kopiasta łyżeczka cukru pudru • sok z cytryny • sól • świeżo zmielony biały pieprz

Maślankę miksujemy z solą, pieprzem i cukrem pudrem. Gdy płyn lekko się spieni, lejemy bardzo powoli sok z buraków, dodajemy sok z cytryny. Całość miksujemy przez 3 s. Podajemy w wysokich szklankach, zaraz po przygotowaniu.

liczba porcji / **4**

czas przygotowania / **10 min**

stopień trudności / **łatwe**

kaloryczność / **niskokaloryczne**

koszt / **tanie**

Koktajl śmietanowy
naturalny

s k ł a d n i k i : 1 l maślanki • szklanka śmietany (słodkiej lub kwaśnej) • 2 ząbki czosnku • łyżka posiekanej zieleniny • sól • świeżo zmielony biały pieprz

Maślankę miksujemy z posiekanym czosnkiem, solą i pieprzem. Gdy składniki się spienią, dodajemy, lejąc bardzo powoli, śmietanę. Całość miksujemy przez 30 s. Dodajemy zieleninę i miksujemy przez 2 s. Przygotowany koktajl rozlewamy do wysokich szklanek i od razu podajemy.

liczba porcji / **4**

czas przygotowania / **10 min**

stopień trudności / **łatwe**

kaloryczność / **średniokaloryczne**

koszt / **tanie**

liczba porcji / **2**

czas przygotowania / **10 min**

stopień trudności / **łatwe**

kaloryczność / **niskokaloryczne**

koszt / **tanie**

Koktajl pikantny

s k ł a d n i k i : 400 ml kefiru lub naturalnego, zsiadłego mleka
• 2 średniej wielkości, świeże ogórki • łyżka pikantnego keczupu
• łyżeczka sosu sojowego • 2 łyżki drobno posiekanej zieleniny
(koperek, natka pietruszki, rzeżucha) • ząbek czosnku • sól • pieprz

Obrane ze skórki, pozbawione gniazd nasiennych ogórki lekko rozdrabniamy. Czosnek siekamy i wraz z keczupem, sosem sojowym, przyprawami oraz szklanką kefiru
rozbijamy w malakserze. Gdy składniki dokładnie się rozdrobnią, dodajemy pozostały kefir oraz zieleninę. Całość
miksujemy przez 3 s. Koktajl podajemy dokładnie spieniony, zaraz po przygotowaniu. Znakomicie poprawia samopoczucie.

Koktajl orzeźwiający

s k ł a d n i k i : 1 l naturalnego kefiru lub domowego, zsiadłego
mleka • 2 średniej wielkości, świeże ogórki • kilka listków świeżej
mięty • 2 ząbki czosnku • sól • pieprz • szczypta cukru do smaku

Obrane ze skórki, pozbawione gniazd nasiennych ogórki i lekko rozdrobniony czosnek miksujemy z dodatkiem
szklanki kefiru i przypraw, aż się spieni. Dodajemy pozostały kefir, posiekane listki mięty, miksujemy przez 3 s.
Podajemy zaraz po przygotowaniu.

liczba porcji / **4**

czas przygotowania / **10 min**

stopień trudności / **łatwe**

kaloryczność / **niskokaloryczne**

koszt / **tanie**

Koktajl morelowy

s k ł a d n i k i : 1 l pełnotłustego mleka • 10 dorodnych moreli • dojrzały banan • 2 łyżki płynnego miodu • sok z połowy cytryny

Do malaksera wrzucamy pozbawione pestek, lekko rozdrobnione morele, dobrze rozdrobnionego banana, miód,
sok z cytryny i szklankę mleka. Całość miksujemy, aż składniki się rozdrobnią i spienią. Dolewamy pozostałe mleko,
miksujemy przez 3 s. Podajemy zaraz po przygotowaniu,
w wysokich szklankach. Z dodatkiem biszkoptowego ciasta lub samych biszkoptów stanowi doskonałe, zdrowe,
poprawiające samopoczucie drugie śniadanie.

Miodowy koktajl zdrowia

s k ł a d n i k i : 1 l kefiru lub maślanki • 2 żółtka • 4 łyżki płynnego miodu • duża szczypta (1/2 łyżeczki)
cynamonu • szklanka soku wyciśniętego z jabłek

Żółtka i miód wlewamy do malaksera, dodajemy cynamon, miksujemy. Gdy powstanie jednolita,
pulchna masa, dodajemy, bardzo powoli, sok z jabłek (miksując na nieco mniejszych obrotach). Na
koniec wlewamy maślankę lub kefir. Podajemy z bułką lub rogalikiem posmarowanym masłem. Koktajl jest pełnowartościowym, zdrowym i wspaniałym w smaku posiłkiem.

liczba porcji / **4**
czas przygotowania / **10 min**
stopień trudności / **łatwe**
kaloryczność / **średniokaloryczne**
koszt / **tanie**

liczba porcji / **4**
czas przygotowania / **8 min**
stopień trudności / **łatwe**
kaloryczność / **niskokaloryczne**
koszt / **tanie**

Koktajl mleczny z jagodami

s k ł a d n i k i : 1 l mleka (może być pełnotłuste) • łyżeczka cukru waniliowego • 2 szklanki przebranych jagód (mogą być mrożone)

Mleko miksujemy z cukrem waniliowym, dodajemy owoce i miksujemy razem przez minutę lub kilka sekund dłużej (składniki powinny się dobrze spienić). Podajemy w wysokich szklankach, zaraz po przygotowaniu.
Do koktajlu zamiast cukru waniliowego można dodać łyżkę płynnego miodu.

liczba porcji /	**4**
czas przygotowania /	**8 min**
stopień trudności /	**łatwe**
kaloryczność /	**średniokaloryczne**
koszt /	tanie

Koktajl zdrowia

s k ł a d n i k i : 400 ml naturalnego jogurtu • kopiasta łyżka posiekanej rzeżuchy • łyżeczka sosu sojowego • szczypta soli • szczypta pieprzu

Jogurt miksujemy z dodatkiem przypraw i sosu. Gdy składniki się spienią, dodajemy posiekaną rzeżuchę, całość miksujemy przez 3 s i od razu rozlewamy do wysokich szklanek. Koktajl jest znakomitym dodatkiem do smażonych ziemniaków lub ziemniaczanych krokietów.

liczba porcji /	**2**
czas przygotowania /	**8 min**
stopień trudności /	**łatwe**
kaloryczność /	**niskokaloryczne**
koszt /	tanie

Koktajl miodowy

s k ł a d n i k i : 1 l schłodzonego, pełnego mleka • 2 duże
łyżki płynnego miodu • 1/2 łyżeczki imbiru

Mleko miksujemy z miodem i imbirem. Gdy napój dobrze się spieni, rozlewamy do wysokich, wychłodzonych
szklanek i podajemy od razu po przygotowaniu. Koktajl
doskonale smakuje, gdy sączymy go przez waflową rurkę.

liczba porcji /	4
czas przygotowania /	5 min
stopień trudności /	łatwe
kaloryczność /	średniokaloryczne
koszt /	tanie

Napój na poprawę samopoczucia

s k ł a d n i k i : 2 szklanki soku wyciśniętego z selerów
• 2 szklanki soku wyciśniętego z kwaskowych jabłek • 2 szklanki
soku z pomidorów • 1 l przegotowanej wody • sok z cytryny
• 2 łyżeczki cukru pudru • sól do smaku

Wyciśnięte w sokowirówce soki łączymy w następującej kolejności: najpierw sok z selerów z sokiem
cytrynowym i cukrem pudrem (żeby nie ściemniał), następnie sok wyciśnięty z jabłek i chłodną wodę. Składniki mieszamy. Na końcu dodajemy sok z pomidorów i całość doprawiamy do smaku. Podajemy schłodzony. Oddzielnie można podać palone w soli migdały.

liczba porcji /	6
czas przygotowania /	20 min
stopień trudności /	średniotrudne
kaloryczność /	niskokaloryczne
koszt /	tanie

Aromatyczny napój musujący
zwany monastyrskim

s k ł a d n i k i : 2 l wody stołowej lub oligoceńskiej • 50 dag aromatycznego miodu akacjowego lub lipowego • 5 dag świeżych drożdży • sok wyciśnięty z 3 cytryn • płaska łyżeczka utłuczonych w moździerzu pachnących korzeni (goździki, cynamon, ziarna ziela angielskiego i kolendry)

Zagotowujemy wodę z miodem i przyprawami, gdy trzeba, zbieramy szumowiny, odstawiamy do przechłodzenia. W łyżce letniego płynu rozprowadzamy drożdże, gdy podrosną, łączymy z chłodnym napojem, dodajemy sok wyciśnięty z cytryn, uważając, by nie dostały się pestki. Całość mieszamy, cedzimy przez sito wyłożone gazą i rozlewamy do idealnie czystych butelek, które przykrywamy gazą i trzymamy przez 12 godz. w pomieszczeniu o temperaturze pokojowej. Po tym czasie butelki z płynem szczelnie korkujemy i odstawiamy na 3 tygodnie do chłodnego, pozbawionego przewiewów miejsca. Napój podajemy dobrze schłodzony, w wysokich kieliszkach.

* o p r ó c z   c z a s u   n a   d o j r z e w a n i e   n a p o j u

liczba porcji / 3 l
czas przygotowania / 40 min*
stopień trudności / średniotrudne
kaloryczność / niskokaloryczne
koszt / średniodrogie

---

liczba porcji / 6
czas przygotowania / 10 min
stopień trudności / łatwe
kaloryczność / niskokaloryczne
koszt / średniodrogie

Staropolski napój orzeźwiający
zwany szlacheckim

s k ł a d n i k i : 2 szklanki soku pomidorowego • 2 szklanki soku z kwaszonej kapusty • 2 szklanki przegotowanej, chłodnej wody • łyżeczka przyprawy do zup • sól i cukier do smaku • kopiasta łyżka najdrobniej posiekanej zieleniny (np. kompozycja: koperek, szczypior, natka pietruszki, rzeżucha)

Odciśnięty, przecedzony przez sito sok z kapusty łączymy z sokiem pomidorowym oraz wodą, doprawiamy do smaku solą, cukrem i przyprawą do zup. Chłodzimy. Podajemy w wysokich szklankach. Wierzch oprószamy bardzo obficie zieleniną.

Napój marchwiowo-
-porzeczkowy

s k ł a d n i k i : 1 l przegotowanej, schłodzonej wody (stołowej
lub oligoceńskiej) • 2 szklanki soku wyciśniętego z marchwi
• szklanka soku z czerwonych porzeczek • szklanka soku z jabłek
• 3 duże łyżki płynnego miodu • szczypta soli

Wyciśnięty sok z marchwi łączymy z płynnym miodem, dodajemy sok z jabłek i z porzeczek. Całość miksujemy (na niewielkich obrotach), dodajemy wodę i, gdy trzeba, sól. Podajemy lekko schłodzony, do dań mięsnych oraz drobiu.

liczba porcji /	4
czas przygotowania /	8 min
stopień trudności /	łatwe
kaloryczność /	niskokaloryczne
koszt /	tanie

liczba porcji /	4
czas przygotowania /	35 min
stopień trudności /	łatwe
kaloryczność /	niskokaloryczne
koszt /	tanie

Napój cebulowy

s k ł a d n i k i : 3 duże, słodkie cebule • 2 szklanki soku
z jabłek • szklanka soku z pomidorów • sól • pieprz • najdrobniej
posiekany koperek • 1 l wody stołowej lub oligoceńskiej
• cukier puder do smaku

Obraną, rozdrobnioną cebulę rozbijamy w malakserze,
dodajemy szklankę przegotowanej, chłodnej wody, cedzimy przez gęste, wyłożone gazą sito. Gdy cały sok spłynie,
pozostałą masę łączymy z następną szklanką wody, mieszamy i powtórnie cedzimy. Do cebulowego płynu dodajemy sok z jabłek i sok z pomidorów, dodajemy pozostałą wodę, doprawiamy solą, pieprzem i odrobiną cukru pudru. Po wychłodzeniu nalewamy do bardzo wysokich szklanek, posypujemy koperkiem i podajemy ze słomką.

Napój kawowy

s k ł a d n i k i : kopiasta łyżka zmielonej na pył kawy ziarnistej (arabica) lub kopiasta łyżeczka kawy rozpuszczalnej (neska) • 1/2 szklanki cukru • kopiasta łyżka rodzynek • szklanka nektaru jabłkowego • 50 ml winiaku lub brandy • 2 dag świeżych drożdży • 1 l wody

Wymieszaną z cukrem kawę zalewamy wrzątkiem, odstawiamy (pod przykryciem) do schłodzenia. Drożdże rozcieramy z łyżeczką cukru, rozprowadzamy w łyżce kawy, dodajemy do naparu wraz z opłukanymi rodzynkami i nektarem jabłkowym. Składniki mieszamy i pozostawiamy na 12 godz. w temperaturze pokojowej. Przed podaniem płyn cedzimy przez gęste, wyłożone gazą sito, dodajemy alkohol. Podajemy lekko schłodzony – sam lub z dodatkiem kostek lodu.

* o p r ó c z   c z a s u   n a   d o j r z e w a n i e

liczba porcji /	4
czas przygotowania /	30 min*
stopień trudności /	średniotrudne
kaloryczność /	średniokaloryczne
koszt /	średniodrogie

liczba porcji /	4
czas przygotowania /	30 min*
stopień trudności /	średniotrudne
kaloryczność /	średniokaloryczne
koszt /	średniodrogie

Napój kminkowy

s k ł a d n i k i : kopiasta łyżka ziaren kminku • 1/2 szklanki cukru • sok z całej cytryny • 2 dag świeżych drożdży • kieliszek (50 ml) wytrawnego jarzębiaku • 1 l wody stołowej lub oligoceńskiej

Wypłukane ziarna kminku zalewamy wrzącą wodą, dodajemy cukier (odkładamy łyżeczkę do rozprowadzenia drożdży) i trzymamy przez 15 min na najmniejszym ogniu (kminek powinien tylko lekko „mrugać"). Cedzimy przez gęste sito wyłożone gazą, odstawiamy do schłodzenia. Drożdże rozcieramy z cukrem, dodajemy wraz z sokiem wyciśniętym z cytryny do wywaru, mieszamy. Trzymamy w temperaturze pokojowej przez 12 godz. „Dojrzały" płyn łączymy z jarzębiakiem, gdy trzeba, lekko dosładzamy miodem. Podajemy schłodzony do pieczonych mięs i ciężkostrawnych potraw, np. bigosu myśliwskiego.

* o p r ó c z   c z a s u   n a   d o j r z e w a n i e

Napój cytrynowo-
-miętowy
z kuchni staropolskiej

liczba porcji / 4
czas przygotowania / 30 min
stopień trudności / średniotrudne
kaloryczność / niskokaloryczne
koszt / tanie

s k ł a d n i k i : 1 l wody stołowej lub oligoceńskiej • 2 płaskie łyżki suszonych listków mięty pieprzowej • 2 cytryny • 2 łyżki cukru • 2 łyżki miodu

Listki mięty, cukier oraz skórkę zdjętą z jednej, dokładnie wyszorowanej w gorącej wodzie cytryny zalewamy 1 l wrzątku, przykrywamy, trzymamy w cieple lub na najmniejszym ogniu (nie dopuszczamy do zagotowania!) przez 15 min. Napój cedzimy przez gęste sito wyłożone gazą, dodajemy miód i sok wyciśnięty z cytryn. Podajemy schłodzony.

liczba porcji / 4
czas przygotowania / 25 min •
stopień trudności / łatwe
kaloryczność / średniokaloryczne
koszt / tanie

Napój malinowo-
-porzeczkowy

s k ł a d n i k i : 2 szklanki świeżych malin • 2 kopiaste łyżki cukru pudru • szklanka obranych porzeczek (białe lub czerwone) • 2 łyżki cukru • 3 szklanki wody stołowej lub oligoceńskiej

Maliny przesypujemy cukrem pudrem, przykrywamy ściereczką, odstawiamy na godzinę. Wodę zagotowujemy z cukrem, dodajemy porzeczki, gotujemy na silnym ogniu przez 3 min, odstawiamy. Całość trzymamy pod przykryciem przez 2 min. Cedzimy na sicie wyłożonym gazą.
Maliny przecieramy przez perlonowe sito, przelewamy schłodzonym wywarem z porzeczek, mieszamy. Gdy trzeba, napój doprawiamy łyżką płynnego miodu. Podajemy dobrze schłodzony.

• o p r ó c z   c z a s u   n a   m a c e r a c j ę   o w o c ó w

liczba porcji / **4**

czas przygotowania / **25 min**

stopień trudności / **średniotrudne**

kaloryczność / **średniokaloryczne**

koszt / **tanie**

Napój malinowo-
-jabłkowy

s k ł a d n i k i : 3 szklanki wody stołowej lub oligoceńskiej
• 2 pełne szklanki obranych, pokrojonych w cząstki jabłek (kilka
gatunków, tzw. spady) • 4 kopiaste łyżki cukru • szklanka
przebranych malin • kawałek cienko skrojonej skórki z cytryny
• sok z cytryny do smaku

Do zagotowanej z dodatkiem cukru i skórki z cytryny wody dodajemy jabłka i gotujemy na dużym ogniu przez 5 min. Po zestawieniu trzymamy pod przykryciem przez 2 min. Następnie cedzimy przez sito wyłożone gazą i odstawiamy do przechłodzenia.

Maliny przecieramy przez perlonowe sito, nieprzetarte owoce przepłukujemy wywarem z jabłek. Napój doprawiamy sokiem z cytryny i, gdy trzeba, łyżką płynnego miodu. Podajemy dobrze schłodzony.

Napój
z czarnych jagód

s k ł a d n i k i : 2 szklanki przebranych, opłukanych,
odsączonych czarnych jagód • 2 szklanki wody • 2 kopiaste łyżki
cukru • dorodna, dojrzała brzoskwinia • kopiasta łyżeczka cukru
pudru • mały kawałek cienko skrojonej skórki z cytryny
• sok z cytryny

Obraną ze skórki brzoskwinię dzielimy na połowę, odrzucamy pestkę, kroimy w bardzo cienkie plasterki. Plasterki owocu wkładamy na spód szklanego dzbanka, posypujemy cukrem pudru, kropimy sokiem z cytryny, odstawiamy przykryte ściereczką.

Zagotowujemy wodę z dodatkiem cukru i skórki z cytryny. Jagody przecieramy przez perlonowe sito, przelewając kilkakrotnie przegotowaną, letnią wodą, aż na sicie pozostaną małe pestki. Sokiem z wodą zalewamy zmacerowaną z cukrem brzoskwinię, całość schładzamy. Podajemy godzinę po przygotowaniu. Napój powinien mieć temperaturę pokojową.

liczba porcji / **4**

czas przygotowania / **30 min**

stopień trudności / **łatwe**

kaloryczność / **niskokaloryczne**

koszt / **tanie**

Napój truskawkowy

liczba porcji / 4
czas przygotowania / 20 min •
stopień trudności / średniotrudne
kaloryczność / średniokaloryczne
koszt / tanie

s k ł a d n i k i : 2 szklanki przebranych, umytych, odsączonych truskawek • 3 szklanki wody • cienko skrojona skórka z 1/2 cytryny • sok z całej cytryny • 4 łyżki cukru pudru

Wodę z dodatkiem cytrynowej skórki zagotowujemy, odstawiamy do schłodzenia. Opłukane, odsączone truskawki lekko rozdrabniamy, przesypujemy cukrem pudrem i, pod przykryciem, odstawiamy na godzinę. Zmacerowane z cukrem truskawki przecieramy przez perlonowe sito, kilkakrotnie przepłukujemy przegotowaną wodą, aż na sicie pozostaną wyłącznie pestki. Dodajemy sok z cytryny i, gdy trzeba, całość lekko dosładzamy łyżką płynnego miodu. Napój podajemy w wysokich szklankach. Najlepiej smakuje sączony przez słomkę.

* oprócz czasu na macerację owoców

Lód kawowy

Zimne napoje z kawy przygotowuje się prawie zawsze z dodatkiem kawowego lodu. Schładzanie zaparzonej kawy powoduje utratę aromatu i pogorszenie smaku napoju. Dodanie do napoju zwykłego lodu w kostkach rozwadnia kawę, co nie pozwala na uzyskanie pełnego smaku. Tej niedogodności uda się uniknąć, mając w zapasie kostki kawowego lodu.

s k ł a d n i k i : 10 dag mocno prażonej i drobno zmielonej kawy • 2 szklanki wrzątku

Wsypaną do dzbanka kawę zalewamy tzw. białym wrzątkiem (moment, gdy woda zaczyna wrzeć!), parzymy pod przykryciem przez 10 min, filtrujemy lub cedzimy przez bardzo gęste sito wyłożone dodatkowo gazą, studzimy, rozlewamy do foremek i zamrażamy.

czas przygotowania / 15 min
stopień trudności / łatwe
kaloryczność / niskokaloryczne
koszt / tanie

Lód kawowy z cukrem

s k ł a d n i k i : 2 kopiaste łyżki uprażonej na sposób francuski, najdrobniej zmielonej kawy • łyżka cukru pudru • szklanka wrzątku

Kawę mieszamy z cukrem pudrem, zalewamy wrzątkiem i, pod przykryciem, trzymamy w cieple przez 10 min. Filtrujemy lub cedzimy przez bardzo gęste sito wyłożone dodatkowo gazą, chłodzimy, rozlewamy do foremek

Koktajl murzynek

s k ł a d n i k i : 2 szklanki pełnego mleka • 2 kopiaste łyżki kawy rozpuszczalnej dobrego gatunku • 2 kopiaste łyżki cukru • 1/2 łyżeczki mielonego cynamonu • 4 łyżki utartej, gorzkiej czekolady • kostki kawowego lodu

Do gorącego, ale niewrzącego mleka sypiemy kawę, cukier, cynamon. Całość dokładnie mieszamy, odstawiamy w chłodne miejsce.

Przed podaniem kładziemy do szklanek kostki lodu. Oziębioną kawę miksujemy, aż się spieni, rozlewamy do szklanek, na wierzch sypiemy utartą czekoladę w taki sposób, by utworzył się gruby „kożuszek". Podajemy ze słomką.

*oprócz czasu na wychłodzenie

liczba porcji /	4
czas przygotowania /	10 min *
stopień trudności /	łatwe
kaloryczność /	wysokokaloryczne
koszt /	średniodrogie

liczba porcji /	6
czas przygotowania /	10 min *
stopień trudności /	łatwe
kaloryczność /	wysokokaloryczne
koszt /	średniodrogie

Śnieżny koktajl

s k ł a d n i k i : 2 szklanki słodkiej śmietanki • 2 szklanki pełnego mleka • 4 kopiaste łyżeczki dobrego gatunku kawy rozpuszczalnej • 2 kopiaste łyżki cukru • kostki kawowego lodu

Do bardzo gorącego, ale niewrzącego mleka sypiemy kawę i cukier, dokładnie mieszamy, odstawiamy do przechłodzenia.

Przed podaniem wkładamy do szklanek po 3 kostki kawowego lodu. Zimną kawę łączymy, ubijając, ze śmietanką. Gdy płyn się spieni, zalewamy kawowe kostki. Podajemy zaraz po przygotowaniu. Pijemy przez słomkę.

*oprócz czasu na wychłodzenie

Kawa mrożona kremowa

s k ł a d n i k i : 2 szklanki bardzo mocnej, aromatycznej kawy dobrego gatunku (może być rozpuszczalna) • 2 kopiaste łyżki cukru pudru • 2 łyżeczki cukru waniliowego • 2 szklanki śmietany kremowej • kostki słodkiej, mrożonej kawy

Zaparzoną wcześniej kawę trzymamy w chłodzie. Przed podaniem napoju ubijamy śmietanę kremową z cukrem pudrem i cukrem waniliowym na gęsty puch. Łączymy, lejąc bardzo powoli i cały czas ubijając, z zimną kawą, aż składniki doskonale się połączą. Na spodzie szklanek układamy kostki kawowego lodu, zalewamy kawową śmietanką, podajemy w wysokich szklankach z koktajlową łyżeczką, najlepiej zaraz po przygotowaniu.

liczba porcji / 6

czas przygotowania / 15 min

stopień trudności / średniotrudne

kaloryczność / wysokokaloryczne

koszt / tanie

liczba porcji / 4

czas przygotowania / 10 min•

stopień trudności / średniotrudne

kaloryczność / średniokaloryczne

koszt / tanie

Kawa mrożona

s k ł a d n i k i : 2 szklanki dobrej wody • 2 łyżki kawy rozpuszczalnej dobrego gatunku • 2 kopiaste łyżki cukru • szklanka pełnego mleka • 4 duże gałki lodów śmietankowych lub waniliowych • łyżeczka zmielonej na puder (ważne!) kawy ziarnistej

Do wrzącej (niegotującej się!) wody wsypujemy kawę i cukier, mieszamy, odstawiamy do wychłodzenia. Zimną kawę miksujemy z mlekiem tuż przed podaniem. Gdy płyn się spieni, rozlewamy do wysokich szklanek, na wierzch kładziemy gałkę lodów, posypujemy kawowym pyłem. Podajemy ze słomką.

• o p r ó c z   c z a s u   n a   w y c h ł o d z e n i e

liczba porcji / **4**

czas przygotowania / **25 min**

stopień trudności / **średniotrudne**

kaloryczność / **średniokaloryczne**

koszt / **średniodrogie**

Kawa cappuccino
według wnuczki Oleńki

s k ł a d n i k i : 4 filiżanki pełnego mleka • 4 kostki gorzkiej czekolady • 4 płaskie łyżeczki dobrego gatunku kawy rozpuszczalnej • 2 łyżeczki cukru • bita śmietana (może być z pojemnika) • utarta czekolada

Filiżanki, w których podamy kawę, trzymamy we wrzącej wodzie. Mleko podgrzewamy do momentu wrzenia, nie dopuszczając do zagotowania, zdejmujemy z ognia, dodajemy pokruszoną czekoladę, cukier i kawę. Składniki dokładnie mieszamy, aż całość lekko się spieni. Na wierzchu powinna utworzyć się lekka pianka.
Gorący płyn rozlewamy do wygrzanych filiżanek, przybieramy porcją bitej śmietanki, posypujemy obficie utartą czekoladą. Podajemy zaraz po przygotowaniu.

liczba porcji / **4**

czas przygotowania / **25 min**

stopień trudności / **łatwe**

kaloryczność / **średniokaloryczne**

koszt / **tanie**

Kawa cappuccino

s k ł a d n i k i : 2 szklanki dobrej wody (stołowej lub oligoceńskiej) • 4 łyżeczki drobno zmielonej, dobrej gatunkowo kawy • 4 kostki gorzkiej czekolady • 1/2 szklanki pełnego mleka • łyżeczka cukru (można więcej) • 4 łyżki ubitej śmietany (może być z pojemnika)

Filiżanki, w których podajemy kawę, wstawiamy do podgrzewacza lub trzymamy we wrzącej wodzie (powinny być bardzo ciepłe). Mleko podgrzewamy, powinno być gorące, ale niezagotowane. Kawę i cukier wsypujemy do dzbanka, dodajemy czekoladę, zalewamy wrzątkiem, przykrywamy, odstawiamy na kilka minut w ciepłe miejsce (np. do wygrzanego, ale niewłączonego piekarnika). Do wygrzanych filiżanek rozlewamy przecedzoną kawę, dodajemy lekko spienione, ciepłe mleko, wierzch przybieramy bitą śmietaną, podajemy natychmiast. Najlepiej smakuje podana bardzo gorąca.

Napój „Mocca"

s k ł a d n i k i : 2 łyżki mocno uprażonej, najdrobniej zmielonej kawy • 3/4 szklanki wrzątku • szczypta cynamonu • 4 kostki cukru • kostki kawowego lodu • 2 łyżki śmietany kremowej

Kawę wraz z kostkami cukru zalewamy wrzątkiem, zaparzamy, trzymamy pod przykryciem przez 10 min. Cedzimy przez bardzo gęste, wyłożone dodatkowo gazą, sito. Na spód szklanek wkładamy kostki lodu kawowego, oprószamy cynamonem, zalewamy gorącą kawą, przybieramy śmietanką. Podajemy w wysokich szklankach, ze słomką.

liczba porcji /	2
czas przygotowania /	20 min
stopień trudności /	łatwe
kaloryczność /	niskokaloryczne
koszt /	tanie

liczba porcji /	2
czas przygotowania /	20 min
stopień trudności /	łatwe
kaloryczność /	niskokaloryczne
koszt /	średniodrogie

Napój kawowy „Morrocco"

s k ł a d n i k i : 4 łyżki świeżo palonej, bardzo drobno zmielonej kawy • 2 łyżeczki brandy • 2 kostki cukru • szklanka wrzątku • kostki kawowego lodu

Do wygrzanego tygielka wsypujemy kawę, dodajemy cukier, zalewamy wrzątkiem, trzymamy w cieple (kawa powinna się zaparzać, ale nie gotować!) przez 10 min. Cedzimy przez bardzo gęste sito, dodatkowo wyłożone gazą.
Do wysokich szklanek wkładamy kostki kawowego lodu, kropimy brandy, zalewamy gorącą kawą. Podajemy ze słomką.

Napój malinowy

s k ł a d n i k i : 2 szklanki bardzo mocnej, aromatycznej, świeżo parzonej herbaty • szklanka malinowego, „wystanego" soku • 4 łyżeczki cukru pudru • 4 krążki cytryny • kostki lodu z przegotowanej wody

Na spodzie szklanek układamy krążki cytryny, posypujemy cukrem pudrem, odstawiamy – cukier powinien się roztopić.
W dzbanku łączymy chłodną herbatę z sokiem, składniki dokładnie mieszamy.
Na spód szklanek wrzucamy kilka kostek lodu, zalewamy herbatą z sokiem (krążek cytryny może wypłynąć!). Podajemy ze słomką.

Nektar
mórz południowych

s k ł a d n i k i : 4 kopiaste łyżeczki suchej, dobrego gatunku herbaty lub kompozycja kilku gatunków • 12 kostek cukru • mała laska wanilii • 6 niepełnych szklanek wody • kostki lodu z przegotowanej wody

Zagotowujemy 2 szklanki wody z cukrem i wanilią, trzymamy pod przykryciem przez 10 min.
Suchą herbatę sypiemy do imbryka, zalewamy wrzątkiem, parzymy przez 5 min. Cedzimy do dzbanka, dodajemy syrop (wanilię odrzucamy!), całość mieszamy i rozlewamy do wysokich szklanek. Napój podajemy bardzo zimny, z dodatkiem kostek lodu i słomki.

Koktajl Ceylon Tea

s k ł a d n i k i : 2 filiżanki bardzo mocnej, aromatycznej, świeżo
zaparzonej, lekko schłodzonej herbaty • sok z 2 cytryn • szczypta
imbiru • 4 kieliszki po 50 ml araku • 4 plasterki cytryny • cukier
• kostki lodu z przegotowanej wody

Bardzo zimną herbatę, sok z cytryn, arak oraz imbir miksujemy nie krócej niż przez 30 s. Rozlewamy do wysokich szklanek napełnionych do 1/3 wysokości kostkami
lodu, na wierzchu kładziemy plasterek cytryny obficie
oprószony cukrem. Podajemy ze słomką.

liczba porcji /	4
czas przygotowania /	8 min
stopień trudności /	łatwe
kaloryczność /	średniokaloryczne
koszt /	średniodrogie

liczba porcji /	6
czas przygotowania /	20 min
stopień trudności /	łatwe
kaloryczność /	niskokaloryczne
koszt /	średniodrogie

Koktajl herbaciany

s k ł a d n i k i : 2 szklanki bardzo mocnej, aromatycznej,
świeżo zaparzonej, ciemnej, lekko przechłodzonej herbaty
• 3/4 butelki białego, wytrawnego wina • 4 kopiaste łyżeczki cukru
pudru • sok z 2 dużych cytryn • kostki lodu z przegotowanej wody

Do szklanego dzbanka wlewamy sok wyciśnięty z cytryn,
zasypujemy cukrem pudrem, dodajemy herbatę, dokładnie mieszamy, dolewamy wino, mieszamy ponownie.
Całość odstawiamy na kilka minut. Rozlewamy do wysokich szklanek, podajemy z kostkami lodu.

Napój „Ambasador"

s k ł a d n i k i : 6 kopiastych łyżeczek suchej herbaty (może być kompozycja z kilku gatunków) • 6 kostek cukru • 6 goździków • 6 ziaren ziela angielskiego • szczypta cynamonu • 2 szklanki wrzątku • kostki lodu z przegotowanej wody • cytryna pokrojona w krążki

Herbatę wsypujemy do specjalnego imbryka, dodajemy kostki cukru, zalewamy wrzątkiem, dodajemy przyprawy, imbryk przykrywamy i parzymy przez 5 min. Napar cedzimy do dzbanka, odstawiamy do wychłodzenia. Zimny napój rozlewamy do wysokich szklanek napełnionych do 3/4 wysokości kostkami lodu. Na wierzchu kładziemy krążek cytryny. Podajemy ze słomką.

liczba porcji / 6
czas przygotowania / 30 min
stopień trudności / **łatwe**
kaloryczność / **niskokaloryczne**
koszt / **tanie**

liczba porcji / 8
czas przygotowania / 30 min
stopień trudności / **średniotrudne**
kaloryczność / **niskokaloryczne**
koszt / **średniodrogie**

Kruszon herbaciany

s k ł a d n i k i : 4 płaskie łyżki suchej herbaty (może być darjeeling) • 4 łyżki cukru • 4 szklanki wody stołowej lub oligoceńskiej • cząstki pomarańczy i mandarynek obranych z białych błon • listki świeżej mięty • cienkie plasterki cytryny • kostki lodu z przegotowanej wody

W szklance wody zagotowujemy cukier. Gdy się całkowicie rozpuści, odstawiamy do wychłodzenia. Suchą herbatę sypiemy do specjalnego imbryka, zalewamy pozostałą, wrzącą wodą, parzymy pod przykryciem.
Na spód dzbanka wkładamy przygotowane owoce (w dowolnej ilości), zalewamy syropem, dodajemy przecedzoną, aromatyczną herbatę, mieszamy.
Do szklanek wkładamy kostki lodu, dodajemy mały listek mięty, zalewamy herbatą. Podajemy ze słomką.

Koktajl śniadaniowy wielowarzywny

s k ł a d n i k i : szklanka soku z jabłek • szklanka soku z selera
• sok z 1/2 cytryny • szklanka soku pomidorowego • szklanka
naturalnego jogurtu • 2 łyżki płynnego miodu • szczypta soli
• szczypta pieprzu

Do wyciśniętego soku z jabłek dodajemy świeżo wyciśnięty sok z selera i sok z cytryny (by nie ściemniał!). Całość
dokładnie mieszamy w mikserze, dodajemy sok z pomidorów, jogurt i płynny miód. Składniki ubijamy, aż się lekko spienią, doprawiamy do smaku. Podajemy bezpośrednio po przygotowaniu. Napój powinien mieć temperaturę pokojową.

liczba porcji / **4**
czas przygotowania / **15 min**
stopień trudności / **średniotrudne**
kaloryczność / **średniokaloryczne**
koszt / **średniodrogie**

liczba porcji / **4**
czas przygotowania / **15 min***
stopień trudności / **średniotrudne**
kaloryczność / **średniokaloryczne**
koszt / **tanie**

Owocowy koktajl śniadaniowy

s k ł a d n i k i : kubek (400 ml) naturalnego jogurtu
• 2 szklanki pełnego mleka • sok z 2 pomarańczy • 2 łyżki
płynnego miodu

Przegotowane mleko studzimy. W letnim rozpuszczamy
miód, odstawiamy w chłodne miejsce. Z pomarańczy
wyciskamy sok. W mikserze ubijamy jogurt z mlekiem,
miodem i sokiem z pomarańczy. Gdy koktajl dokładnie
się spieni, rozlewamy do szklanek. Podajemy chłodny,
z dodatkiem wysokiej łyżki koktajlowej.

* o p r ó c z   c z a s u   n a   w y c h ł o d z e n i e   m l e k a

Napój orzeźwiający ze świeżej mięty

s k ł a d n i k i : 3 szklanki wody stołowej lub oligoceńskiej • 4 duże listki świeżej mięty • 4 łyżki płynnego miodu • szklanka soku jabłkowego (może być z kartonika)

Listki mięty zaparzamy 2 szklankami wrzątku, odstawiamy do wychłodzenia. Miód rozprowadzamy w szklance przegotowanej, letniej wody.
Z chłodnego naparu z mięty wyjmujemy listki, cedzimy do dzbanka, dodajemy wodę z miodem i sok jabłkowy, mieszamy. By wydobyć orzeźwiający smak napoju, zwiększamy nieco ilość miodu lub jabłkowego soku. Lekko schłodzony rozlewamy do szklanek. Podajemy ze słomką.
* o p r ó c z   c z a s u   n a   w y c h ł o d z e n i e

liczba porcji /	4
czas przygotowania /	10 min*
stopień trudności /	łatwe
kaloryczność /	niskokaloryczne
koszt /	tanie

liczba porcji /	6
czas przygotowania /	35 min
stopień trudności /	średniotrudne
kaloryczność /	średniokaloryczne
koszt /	tanie

Napój z soku marchwiowego

s k ł a d n i k i : 0,75 l soku świeżo wyciśniętego z marchwi • szklanka przegotowanej wody (stołowej lub oligoceńskiej) • 4 łyżki płynnego miodu • sok wyciśnięty z całej pomarańczy • łyżeczka skórki otartej z pomarańczy • sok z cytryny

W letniej, przegotowanej wodzie rozprowadzamy miód, odstawiamy w chłodne miejsce (nie do lodówki!). Z dokładnie umytej pomarańczy ścieramy skórkę i wyciskamy sok, podobnie wyciskamy sok z oczyszczonej, opłukanej marchwi. Soki łączymy, dodajemy wodę z miodem, doprawiamy do smaku sokiem z cytryny i, bezpośrednio po przygotowaniu, rozlewamy do szklanek. Wierzch napoju oprószamy otartą z pomarańczy skórką, podajemy ze słomką. Napój powinien mieć temperaturę pokojową.

Kwas miodowy

liczba porcji / 6 l
czas przygotowania / 120 min•
stopień trudności / średniotrudne
kaloryczność / niskokaloryczne
koszt / średniodrogie

s k ł a d n i k i : 50 dag aromatycznego miodu lipowego lub akacjowego
• 10 dag świeżych drożdży • 10 dag rodzynek • 2 duże cytryny • 4 goździki • kawałek
kory cynamonowej • 6 l dobrej wody (stołowej, oligoceńskiej, źródlanej)

Do łyżki ciepłej wody sypiemy pokruszone drożdże, mieszamy, dodajemy
łyżkę miodu, ucieramy, aż składniki się połączą, odstawiamy na 10 min
w ciepłe miejsce do wyrośnięcia.

Miód przekładamy do dużego naczynia, zagotowujemy, zdejmujemy za
pomocą łyżki cedzakowej powstałą pianę, dodajemy goździki, korę cyna-
monową, zalewamy całą wodą, zagotowujemy ponownie, usuwamy raz
jeszcze powstałą pianę i odstawiamy do wychłodzenia. Letni płyn przelewamy do kamiennego garnka, dodajemy wyrośnięte drożdże, mieszamy,
nakrywamy naczynie ściereczką i odstawiamy na całą dobę w ciepłe, pozbawione przewiewów miejsce.

Ze sfermentowanego płynu usuwamy powstałą pianę, dodajemy sok wyciśnięty z cytryn, mieszamy.

Do dokładnie umytych, suchych butelek ze szczelnym zamknięciem wrzucamy po kilka rodzynek, nalewamy płyn do wysokości 7/8 butelki, szczelnie zamykamy i odstawiamy w chłodne miejsce, najlepiej do ciemnej,
pozbawionej przewiewów piwnicy. Kwas jest doskonały już po 2 dniach.

• oprócz czasu na fermentację

Kwas chlebowy

s k ł a d n i k i : 1 kg razowego chleba • czubata łyżka suchej mięty pieprzowej
• 2 szklanki cukru • 2 dag drożdży • 10 l dobrej wody (stołowej, oligoceńskiej, źródlanej)

Pokrojony w średniej grubości kromki chleb rumienimy w piekarniku lub
na suchej patelni, kładziemy do dużego słoja, dodajemy miętę i zalewamy
2 l wrzątku. Odstawiamy na 12 godz. Po tym czasie cedzimy przez bardzo
gęste, dodatkowo wyłożone gazą sito i przelewamy do kamiennego garnka. Do 1 l przegotowanej wody dodajemy cukier oraz rozprowadzone w niewielkiej ilości letniej wody drożdże, mieszamy i wraz z pozostałą, przegotowaną wcześniej, letnią wodą, dodajemy do odcedzonego naparu mięty,
mieszamy, odstawiamy. Gdy na powierzchni płynu zacznie wytwarzać się
piana, zbieramy ją łyżką cedzakową. Płyn rozlewamy do idealnie czystych,
z dobrym zamknięciem, butelek, napełniając je do 7/8 wysokości. Szczelnie zamykamy i przenosimy w chłodne, pozbawione przewiewów miejsce.
Kwas jest najsmaczniejszy po 2 dniach, ale, gdy stoi w chłodnej, przewiew-
nej piwnicy, można go przetrzymać nawet do 10 dni.

• oprócz czasu na fermentację

liczba porcji / 9 l
czas przygotowania / 120 min•
stopień trudności / średniotrudne
kaloryczność / niskokaloryczne
koszt / tanie

liczba porcji / **10**
czas przygotowania / **20 min**
stopień trudności / **łatwe**
kaloryczność / **wysokokaloryczne**
koszt / **średniodrogie**

Grzane wino z korzeniami

s k ł a d n i k i : butelka czerwonego, wytrawnego lub półsłodkiego wina • szklanka wody stołowej (woda z kranu może popsuć smak!) • 2 kopiaste łyżki cukru • 2 duże łyżki płynnego miodu • 20 goździków (można mniej!) • 1/2 małej laski wanilii • wiórek kwiatu muszkatołowego • kawałek suchej skórki z pomarańczy

Do emaliowanego, bez najmniejszego śladu odbicia garnka wlewamy wodę, dodajemy wszystkie przyprawy, zagotowujemy i odstawiamy z ognia. Wlewamy wino, składniki mieszamy, naczynie szczelnie przykrywamy i ustawiamy na najmniejszym ogniu – płyn powinien się lekko podgrzewać i naciągać smakiem oraz aromatem korzeni, ale nie może się zagotować. Podajemy w wygrzanych kamionkowych kokilkach lub w wygrzanych, małych filiżankach.

Konfitury z pigwy

s k ł a d n i k i : 1 kg obranych, wypestkowanych owoców pigwy • 5 szklanek cukru • 1/2 łyżeczki kwasku cytrynowego

Umyte owoce obieramy ze skórki, usuwamy gniazda nasienne, kroimy w cząstki, odważamy, przekładamy do kamionkowej miseczki. Zalewamy wrzątkiem w takiej ilości, by owoce były przykryte, i trzymamy w cieple do 30 min, aż zmiękną. Wyjmujemy łyżką cedzakową do naczynia z zimną wodą, odstawiamy. Do wody, w której blanszowały się owoce, kładziemy obrane skórki i gniazda nasienne, gotujemy na niewielkim ogniu przez 30 min, cedzimy przez sito wyłożone płatkami gazy, do przecedzonego wywaru dodajemy cukier i, mieszając, gotujemy syrop. Wychłodzone, wcześniej zblanszowane owoce przekładamy do rondla przeznaczonego do smażenia konfitur, zalewamy gorącym syropem, odstawiamy na 30 min. Następnie stawiamy naczynie na średnim ogniu i smażymy konfitury – od momentu zagotowania przez 8 min. Czynimy to czterokrotnie, zawsze po 8 godz. przerwy. W czasie ostatniego smażenia dodajemy kwasek cytrynowy. Do słoików nakładamy, gdy są jeszcze ciepłe, wierzch przykrywamy krążkiem celofanu nasączonego spirytusem, szczelnie zamykamy, ustawiamy w chłodnym i ciemnym miejscu.

Konfitury królewskie
– przepis z kuchni staropolskiej

s k ł a d n i k i : 1,5 kg cukru • 2 szklanki naturalnego, świeżo wyciśniętego soku z jabłek
• 6 dużych jabłek (najlepiej antonówek) • 6 dużych gruszek (najlepiej klapsów)
• 20 dag rodzynek sułtanek • 20 dag migdałów (sparzonych, obranych z łupinek, niezbyt drobno
posiekanych) • 6 goździków lub 1/2 laski wanilii • płaska łyżeczka kwasku cytrynowego

Do miseczki z wodą wsypujemy kwasek cytrynowy. Jabłka obieramy ze skórki, usuwamy gniazda nasienne, kroimy w półplasterki i od razu wkładamy do
naczynia z kwaśną wodą, by nie ściemniały.
W szerokim, płaskim rondlu gotujemy syrop z soku jabłkowego i cukru, dodajemy wanilię lub goździki. Gdy cukier całkowicie się rozpuści i syrop zacznie
wrzeć, wkładamy dokładnie odsączone jabłka – koniecznie małymi partiami, gotujemy na niewielkim
ogniu przez ok. 10 min i odstawiamy do wychłodzenia. Następnego dnia doprowadzamy konfitury do
wrzenia, wyjmujemy goździki lub wanilię, dodajemy przebrane, wypłukane rodzynki, posiekane migdały, pokrojone w kostkę gruszki i smażymy na małym ogniu przez 10 min od chwili zagotowania, odstawiamy. Trzeciego dnia konfitury podgrzewamy i, cały czas na niewielkim ogniu, smażymy, aż będą
szkliste, gęste, o barwie ciemnego miodu, z owocami zawieszonymi w syropie. Gorące przekładamy
do idealnie czystych, wygrzanych słoików, na wierzch kładziemy krążek celofanu skropiony spirytusem
i dokładnie zamykamy. W chłodnym, ciemnym miejscu przechowają się przez 2 lata.

Konfitury królewskie
według Pani Rejentowej

s k ł a d n i k i : 6 dużych, dojrzałych gruszek klapsów • 6 dużych, dojrzałych jabłek
antonówek • 40 dorodnych, dojrzałych śliwek węgierek • szklanka bezpestkowych
rodzynek (najlepiej sułtanek) • 2 plasterki cytryny ze skórką (bez pestek) • kieliszek
ciemnego, aromatycznego rumu • 1 kg cukru • 6 dużych łyżek wody

Przebrane rodzynki zalewamy rumem – powinien całkowicie przykryć warstwę sułtanek.
Obrane ze skórki, pozbawione gniazd nasiennych gruszki kroimy w niezbyt
grube cząstki, podobnie kroimy odpowiednio przygotowane jabłka.
Do szerokiego rondla wlewamy wodę i dodajemy plasterki cytryny, zagotowujemy – na wrzątek sypiemy połowę cukru, mieszamy. Gdy się rozpuści,
wrzucamy przygotowane gruszki, gotujemy na dużym ogniu przez 3 min, cały czas mieszając, dodajemy przygotowane jabłka, zmniejszamy ogień i smażymy owoce przez 15 min – od czasu do czasu mieszając, by nie przywierały
do dna naczynia.
Śliwki obieramy ze skórki, kroimy na połowę, odrzucamy pestki, układamy w salaterce, zasypujemy
cukrem, dokładnie mieszamy, by w miarę szybko puściły sok. Gdy smażące się jabłka i gruszki lekko
się zeszklą, dodajemy przygotowane śliwki oraz namoczone w rumie rodzynki wraz z rumem, w którym się moczyły. Składniki doprowadzamy do wrzenia, cały czas mieszając, by nie przywarły do spodu
naczynia, i trzymamy na średnim ogniu przez 20 min. Zestawiamy z ognia, przykrywamy ściereczką,
umieszczamy w chłodnym miejscu na 24 godz. Po tym czasie stawiamy naczynie z konfiturami na niewielkim ogniu i „dosmażamy" (czas zależy od jakości owoców), aż staną się szkliste, o konsystencji
lekkiej galarety i barwie ciemnego miodu. Odrzucamy pozostałości cytryny. Gorące konfitury przekładamy do idealnie wyparzonego wrzątkiem i wytartego pędzelkiem nasączonym spirytusem kamiennego garnka. Wkładamy do piekarnika nagrzanego do temp. 160°C, by zapiekła się górna warstwa,
wyjmujemy, przykrywamy dokładnie folią i trzymamy w chłodnym miejscu. O tym, jakie są pyszne,
najlepiej przekonać się samemu!

Konfitury z poziomek

składniki: 1 kg przebranych poziomek • 1 kg cukru

Poziomki płuczemy małymi partiami w następujący sposób: sypiemy część poziomek na sito i zanurzamy, delikatnie potrząsając, w często zmienianej, letniej wodzie. Dokładnie odsączone przenosimy do szklanego naczynia do zapiekania i przesypujemy cukrem. Naczynie przykrywamy podwójnie złożoną gazą i odstawiamy na 12 godz. w ciemne i chłodne miejsce. Smażymy w naczyniu, w którym leżakowały, na niewielkim ogniu, przez 15 min od chwili zagotowania. Odstawiamy do przechłodzenia. Proces podgrzewania i smażenia przez 5 min powtarzamy jeszcze nawet pięciokrotnie (możemy rozłożyć go na 2 dni). Poziomek nie mieszamy.

Konfitury są gotowe, gdy owoce są dobrze nasączone syropem, mają wyraźny ciemnoczerwony kolor, są szkliste i równomiernie zawieszone w gęstym syropie. Gorące nakładamy do idealnie czystych, ciepłych słoików i szczelnie zamykamy.

Konfitury z moreli

składniki: 1,5 kg dorodnych, dojrzałych moreli (waga z pestkami i skórką) • 2 kg cukru • 1 i 1/2 szklanki wody źródlanej lub stołowej (woda z kranu może zepsuć smak konfitur)

W naczyniu, w którym smażymy konfitury, gotujemy z wody i cukru syrop. Gdy cukier całkowicie się rozpuści, odstawiamy do wychłodzenia. Owoce zalewamy wrzątkiem, trzymamy przez 8 min, cedzimy, obieramy ze skórki, przecinamy każdy owoc wzdłuż, usuwamy pestki.

Do chłodnego syropu wkładamy obrane, wypestkowane morele, naczynie stawiamy na niewielkim ogniu i bardzo powoli podgrzewamy. Gdy się zagotują, trzymamy na ogniu przez 3 min, odstawiamy. Czynność tę powtarzamy jeszcze czterokrotnie w ciągu 2 dni. Konfitury są dobrze wysmażone, gdy owoce są szkliste, zawieszone w gęstym syropie i mają różowomiodowy kolor. Gorące rozkładamy do idealnie czystych, wygrzanych słoików, na wierzch lejemy łyżeczkę spirytusu i szczelnie zamykamy. W ciemnej i suchej piwnicy przechowają się bardzo dobrze nawet przez 2 lata.

Konfitury z winogron
luksusowe

s k ł a d n i k i : 1 kg pozbawionych pestek winogron białych lub ciemnych • 1 kg cukru • płaska łyżeczka kwasku cytrynowego • szklanka wody źródlanej lub stołowej • mały kawałek wanilii (nie dodajemy cukru waniliowego!)

Wydrylowane owoce zasypujemy cukrem, przykrywamy ściereczką, odstawiamy na 2 godz., aż puszczą tyle soku, że będą nim zakryte. Dodajemy szklankę wody, stawiamy naczynie na średnim ogniu i smażymy przez 30 min, następnie zwiększamy ogień i smażymy nadal. W czasie smażenia zbieramy szumowiny.

Gdy owoce się zeszklą, a syrop zgęstnieje, dodajemy kwasek cytrynowy i wanilię i jeszcze raz smażymy przez 5 min na małym ogniu.

Odstawiamy, przykryte ściereczką, do następnego dnia. Zimne, nakładamy do słoików, zalewamy łyżeczką spirytusu, szczelnie zamykamy. Ustawione w chłodnym, ciemnym miejscu będą się doskonale trzymać nawet przez rok.

Dżem z jarzębiny

s k ł a d n i k i : 1 kg (waga po przebraniu owoców) dorodnych, dojrzałych jagód jarzębiny, przemrożonych w lodówce przez 2-3 dni • 50 dag dorodnych, dojrzałych gruszek • 50 dag kwaskowych jabłek • 3 szklanki cukru • szklanka wody źródlanej lub stołowej

Owoce jarzębiny zalewamy wrzątkiem, odstawiamy na 10 min, cedzimy. Odsączone przekładamy do rondla, dodajemy szklankę wody i gotujemy pod przykryciem tak długo, aż zaczną pękać. Gorące, przecieramy przez perlonowe sito, najlepiej bezpośrednio do szerokiego rondla, w którym smażymy dżem. Dodajemy cukier, mieszamy. Naczynie stawiamy na niewielkim ogniu, po 5 min dodajemy pokrojone, wcześniej obrane ze skórki i pozbawione gniazd nasiennych, jabłka i gruszki. Całość smażymy, cały czas na niewielkim ogniu, aż owoce staną się szkliste. Czas smażenia dżemu zależy od gatunku jabłek, np. z dodanymi antonówkami czas smażenia wynosi 20 min i nie powinno się go przekroczyć.

Gorący dżem przekładamy do wygrzanych słoików, szczelnie zamykamy, jeżeli dysponujemy miejscem w ciemnej i chłodnej piwnicy, dżemu nie musimy pasteryzować.

Dżem malinowy

s k ł a d n i k i : 1 kg dojrzałych, dorodnych malin • szklanka
surowego soku z czerwonych porzeczek • 3 szklanki cukru

Opłukane maliny umieszczamy w rondlu, przesypujemy
cukrem i odstawiamy na 20-30 min. Po tym czasie podgrzewamy na niewielkim ogniu do chwili, aż się zagotują,
wlewamy do malin świeżo wyciśnięty surowy sok z porzeczek i razem gotujemy – od chwili zawrzenia przez 20 min.
Gorący, przekładamy do wygrzanych słoików, szczelnie zamykamy, pasteryzujemy w temp. 85ºC przez 15 min. Wychłodzone słoiki opisujemy i ustawiamy w chłodnym
i ciemnym miejscu.
Rada: jeżeli chcemy przygotować dżem malinowy bez
pestek, wówczas maliny z dodatkiem 2 łyżek wody rozprużamy, gorące przecieramy przez perlonowe sito. Dalej postępujemy tak, jak w przepisie.

Dżem z czarnych
porzeczek

s k ł a d n i k i : 1 kg obranych z łodyżek, dorodnych
czarnych porzeczek • 2 szklanki cukru

Umyte i dobrze odsączone owoce zasypujemy cukrem
w naczyniu, w którym będą się smażyły, całość lekko
miażdżymy, przykrywamy lnianą ściereczką i odstawiamy w chłodne miejsce, najlepiej do następnego dnia. Po
tym czasie rondel stawiamy na niewielkim ogniu i smażymy, od momentu, gdy owoce się zagotują, przez 20-
-25 min (czas smażenia zależy od gatunku porzeczek).
Gorący dżem przekładamy do wygrzanych słoików, szczelnie zamykamy, opisujemy i ustawiamy w chłodnym
i ciemnym miejscu. Dżemu nie musimy pasteryzować.

Dżem z leśnych owoców

s k ł a d n i k i : 2 szklanki dojrzałych, dorodnych jeżyn
• 2 szklanki czarnych jagód • 2 szklanki poziomek • 2 szklanki cukru

Przebrane owoce płuczemy na sicie i odsączamy, przekładamy do rondla przeznaczonego do smażenia prze-
tworów, przesypujemy cukrem, stawiamy na niewielkim ogniu, doprowadzamy do wrzenia i gotujemy przez
20 min, od czasu do czasu potrząsając rondlem.
Gorącym dżemem napełniamy wygrzane, idealnie czyste słoiki, pasteryzujemy w temp. 85ºC przez 15 min,
studzimy w kociołku. Wytarte do sucha opisujemy i ustawiamy w chłodnym i ciemnym miejscu.

Dżem z melona

s k ł a d n i k i : 1 kg jabłek kompotowych (mogą być spady,
waga jabłek po odrzuceniu skórek i gniazd nasiennych) • 1 kg melona
• 3 szklanki cukru • 2 łyżeczki soku wyciśniętego z cytryny

Melona kroimy w zgrabne kostki lub drążymy specjalną
łyżeczką i wrzucamy na 5 min na gotującą się wodę, odcedzamy na sicie.
Do garnka wkładamy jabłka, zalewamy niewielką ilością
wody (1/2 szklanki) i, pod przykryciem, rozgotowujemy.
Gdy trzeba, przecieramy przez perlonowe sito – mus jabłkowy powinien być jednolity.
Do rondla do smażenia dżemów dajemy mus, sypiemy
cukier i podgrzewamy, lekko mieszając, aż cukier się rozpuści. Następnie dodajemy zblanszowany melon, całość
podsmażamy na niewielkim ogniu, często mieszając.
Czas smażenia nie powinien przekroczyć 20 min od momentu zagotowania, ale gdyby w tym czasie melon nie
nabrał przejrzystości, trzeba dżem smażyć o kilka minut
dłużej. Po zdjęciu z ognia dodajemy sok z cytryny, dokładnie mieszamy, gorący dżem rozkładamy do wygrzanych słoików, szczelnie zamykamy i pasteryzujemy
w temp. 85ºC przez 10 min.

Dżem wiśniowy

s k ł a d n i k i : 1 kg wydrylowanych wiśni • szklanka surowego soku z jabłek lub czerwonych porzeczek • 2 szklanki cukru

W szerokim rondlu mieszamy sok z cukrem, cały czas podgrzewając na niewielkim ogniu. Gdy cukier całkowicie się rozpuści, dodajemy wiśnie i gotujemy na średnim ogniu przez 20-25 min (czas gotowania zależy od wielkości owoców).
Gorący dżem rozkładamy do wygrzanych, idealnie czystych słoików, dokładnie zamykamy, pasteryzujemy w temp. 90ºC przez 15 min. Po opisaniu ustawiamy w chłodnym i ciemnym miejscu.

Dżem truskawkowo-
-jagodowy

s k ł a d n i k i : 3 szklanki przebranych, pozbawionych szypułek truskawek • 2 szklanki przebranych czarnych jagód • łyżeczka cukru

Opłukane, odsączone truskawki umieszczamy w szerokim rondlu, przykrywamy, lekko rozgotowujemy, dodajemy cukier, raz jeszcze zagotowujemy, dodajemy jagody i całość smażymy na niewielkim ogniu – od chwili zagotowania przez 20 min. Na zimnym talerzyku sprawdzamy konsystencję dżemu, gdy trzeba, dosmażamy przez 2-4 min. Gorący dżem wlewamy do wygrzanych słoików, szczelnie zamykamy, pasteryzujemy w temp. 85ºC przez 15 min. Chłodzimy w kociołku. Zimne słoiki wycieramy do sucha, opisujemy i ustawiamy w chłodnym i ciemnym miejscu.

Dżem truskawkowy

s k ł a d n i k i : 1 kg przebranych, pozbawionych szypułek truskawek • szklanka surowego soku, wyciśniętego z czerwonych porzeczek • łyżeczka cukru

Do szerokiego, płaskiego rondla wlewamy sok z porzeczek, dodajemy cukier, gdy się rozpuści w czasie podgrzewania, dajemy truskawki i smażymy na niewielkim ogniu przez 20 min. Gorący dżem przekładamy do słoików, szczelnie zamykamy i pasteryzujemy w temp. 85°C przez 30 min. Studzimy w kociołku. Zimne słoiki wycieramy do sucha, opisujemy, ustawiamy w chłodnym i ciemnym miejscu.

Dżem wiśniowy
niskosłodzony

s k ł a d n i k i : 1 kg wydrylowanych wiśni • łyżeczka cukru

W szerokim, płaskim rondlu wiśnie posypujemy cukrem i smażymy na średnim ogniu, od momentu zagotowania się owoców, przez 20 min. Lejemy kroplę soku na zimny talerzyk, by sprawdzić, czy konsystencja dżemu jest właściwa. Jeżeli nie, gotujemy jeszcze przez 3-5 min. Gorący dżem rozkładamy do wygrzanych słoików, szczelnie zamykamy i pasteryzujemy w temp. 90°C przez 15 min. Studzimy w kociołku. Zimne słoiki wycieramy do sucha, opisujemy, przechowujemy w suchym i ciemnym miejscu.

Dżem agrestowy

s k ł a d n i k i : 1 kg obranego agrestu • łyżeczka cukru

Agrest płuczemy na sicie i dokładnie odsączamy. Wrzucamy do szerokiego, płaskiego rondla, dodajemy cukier,
stawiamy na niewielkim ogniu, naczynie przykrywamy.
Dżem podgrzewamy, koniecznie pod przykryciem, przez
20 min. Gorący przekładamy do wygrzanych słoików, zamykamy i pasteryzujemy w temp. 85ºC przez 15 min.
Studzimy w kociołku. Zimne słoiki wycieramy do sucha,
opisujemy i ustawiamy w chłodnym i ciemnym miejscu.

Powidła z mirabelek

s k ł a d n i k i : 2 l wydrylowanych mirabelek
• szklanka cukru

Owoce rozprużamy na niewielkim ogniu, najlepiej pod
przykryciem. Gdy puszczą sok, dodajemy cukier i smażymy, w odkrytym naczyniu, często mieszając, przez 30 min.
Odstawiamy. Czynność powtarzamy następnego dnia,
podgrzewamy i, od chwili zagotowania, smażymy na niewielkim ogniu przez 30 min. Na trzeci dzień powidła
podgrzewamy, zagotowujemy i smażymy, często mieszając, by nie przywarły do spodu naczynia, do chwili, aż
będą spadać płatami z drewnianej łyżki. Ciepłe, nakładamy do wygrzanych słoików, wstawiamy do piekarnika nagrzanego do temp. 100ºC na 10 min, by wierzch
się lekko zapiekł. Po wyjęciu gorące słoiki szczelnie zamykamy i odstawiamy w ciemne i chłodne miejsce. Prze-
chowują się doskonale, nawet przez 2 lata.

Powidła
ze śliwek węgierek

s k ł a d n i k i : co najmniej 5 kg śliwek węgierek

Dokładnie umyte i odsączone śliwki drylujemy i od razu przekładamy do rondla z grubym dnem, naczynie stawiamy na niewielkim ogniu, przykrywamy i prużymy owoce przez 30 min, od czasu do czasu mieszając. Czynność powtarzamy następnego dnia. Na trzeci dzień powidła dosmażamy w odkrytym naczyniu, pilnie uważając, by nie przywarły do spodu naczynia. Są doskonale wysmażone, gdy z drewnianej łyżki spadają dużymi płatami. Gorące przekładamy do słoików z dobrze dopasowanym zamknięciem i przechowujemy w chłodnej i ciemnej piwnicy. Powidła są najsmaczniejsze z owoców bardzo dojrzałych, o lekko pomarszczonych końcach, a przygotowywane w warunkach domowych najlepiej udaje się je wysmażyć z 5 kg śliwek.

Marmolada morelowa

s k ł a d n i k i : 2 kg moreli (waga bez pestek) • 1 kg cukru • skórka otarta z całej pomarańczy • drobno pokrojona cała pomarańcza (bez białego miąższu i pestek!)

Morele kroimy w plasterki, mieszamy z cukrem i odstawiamy na kilka godzin (można na całą noc). Stawiamy na niewielkim ogniu i, często mieszając, smażymy przez 20 min. Dodajemy skórkę otartą z pomarańczy, pokrojoną w kawałki całą pomarańczę i smażymy nadal na wolnym ogniu, aż marmolada dobrze się wysmaży i nabierze właściwej gęstości. Gorącą nakładamy do wygrzanych słoików, dokładnie zamykamy i przechowujemy w suchym, ciemnym i chłodnym miejscu.

Marmolada z renklod

s k ł a d n i k i : 1 kg renklod (waga po odrzuceniu skórek i usunięciu pestek) • 50 dag cukru

Renklody układamy na sicie, przelewamy wrzątkiem, obieramy ze skórki, usuwamy pestki, ważymy, by nie przekroczyć wagi podanej w przepisie. Do szerokiego, płaskiego rondla przekładamy owoce, sypiemy cukier i gotujemy przez 30 min na średnim ogniu, często mieszając. Lekko chłodzimy. Ciepłą marmoladę nakładamy do idealnie czystych słoików, które ustawiamy w dobrze nagrzanym, ale niewłączonym piekarniku, by na powierzchni utworzyła się lekko zapieczona warstwa. Zimne słoiki szczelnie zamykamy i ustawiamy w chłodnym i ciemnym miejscu.

Marmolada złocista

s k ł a d n i k i : 1 kg dyni (waga po obraniu – bez skóry, miąższu i pestek) • 10 dag suszonych moreli • duża cytryna • 50 dag cukru

Morele moczymy w letniej wodzie przez kilka godzin, następnie gotujemy w wodzie, w której się moczyły, do miękkości (mogą się rozgotować!). Dynię kroimy w zgrabne kostki, wrzucamy do rondla, podlewamy szklanką wody (stołowej lub źródlanej), przykrywamy i gotujemy na niewielkim ogniu, od czasu do czasu mieszając – dynia lubi się przypalać. Rozgotowaną, przecieramy przez sito, przekładamy do rondla z grubym dnem, dokładamy przetarte przez sito morele, cukier i smażymy, często mieszając, na średnim ogniu, aż marmolada zgęstnieje i nabierze odpowiedniej konsystencji. Na 10 min przed zestawieniem z ognia dodajemy sok wyciśnięty z cytryny. Gorącą marmoladę nakładamy do wygrzanych słoików, wierzch zasuszamy w gorącym, ale wyłączonym piekarniku (powinna się zrobić twarda skórka!), słoiki zamykamy i odstawiamy w ciemne, suche miejsce.

Marmolada z gruszek

składniki: 2 kg gruszek (waga po obraniu owocu
ze skórki, odrzuceniu szypułek i gniazd nasiennych)
– najodpowiedniejsze będą klapsy • 2 duże cytryny • 1 kg cukru

Obrane, wypestkowane gruszki rozbijamy w malakserze,
przekładamy do szerokiego, płaskiego rondla, wlewamy
szklankę wody (źródlanej lub stołowej) i gotujemy na
wolnym ogniu przez 20 min, od czasu do czasu mieszając. Gdy owoce się rozgotują, dodajemy cukier i smażymy przez następne 20 min, często mieszając, by marmolada nie przywarła do dna. Dodajemy skórkę otartą z cytryn i wyciśnięty sok, uważając, by nie dostały się pestki, i jeszcze przez 3 min smażymy razem na średnim
ogniu, by marmolada dobrze zgęstniała.
Gorącą napełniamy słoiki, na wierzchu kładziemy krążek
celofanu namoczony w spirytusie, słoiki szczelnie zamykamy i przechowujemy w chłodnym, ciemnym, pozbawionym przewiewów miejscu.

Galaretka z czerwonych porzeczek
na surowo

składniki: 1 kg czerwonych porzeczek • 1 kg czarnych porzeczek (waga owocu po przebraniu i odrzuceniu
szypułek) • cukier (według potrzeby)

Z dokładnie opłukanych, odsączonych z wody owoców wyciskamy sok (najlepiej wyciskarką).
Na szklankę soku bierzemy szklankę i 2 łyżki cukru i ucieramy w makutrze, aż cukier całkowicie
się rozpuści. Przelewamy do idealnie czystych słoików, natychmiast zamykamy. Przechowujemy
w suchej, chłodnej, ciemnej piwnicy.

Galaretka z malin
na surowo

s k ł a d n i k i : 50 dag malin • 50 dag czerwonych porzeczek
(waga po przebraniu i odrzuceniu ogonków) • 50 dag bardzo
miałkiego cukru kryształu

Przebrane, opłukane maliny odsączamy na sicie, sypiemy do makutry, dodajemy 2 łyżki cukru, odstawiamy
w chłodne miejsce.
Opłukane, pozbawione ogonków porzeczki miażdżymy
i wyciskamy sok (przez sito lub wyciskarkę). Do malin
dodajemy sok, dosypujemy pozostały cukier i ucieramy,
aż cukier całkowicie się rozetrze. Galaretką napełniamy
małe słoiki, odpowiednio konserwujemy i ustawiamy
w chłodnym, suchym miejscu.

Galaretka poziomkowa

s k ł a d n i k i : 1 kg obranych poziomek (najsmaczniejsze są
poziomki leśne) • 1 kg obranych, czerwonych porzeczek • 1 kg cukru

W szerokim, płaskim rondlu przesypujemy owoce cukrem, przykrywamy ściereczką i odstawiamy
na całą noc w chłodne miejsce. Następnego dnia, gdy puszczą sok, gotujemy przez 20 min na niewielkim ogniu. Duże perlonowe sito (powinny się na nim zmieścić owoce!) wykładamy złożoną gazą, wylewamy owoce i czekamy, aż się dobrze odsączą. Soku z owoców nie wyciskamy! Otrzyma-
ny sok przelewamy do małych słoików, na wierzchu kładziemy krążek celofanu zmoczony spirytusem, słoiki dokładnie zamykamy. Galaretka ma piękny, ciemnoczerwony kolor i niepowtarzalny
aromat. Przygotowana ściśle według przepisu nadaje się do przechowywania nawet przez 2 lata
(nie traci aromatu, gęstości i nie atakuje jej pleśń).

Staropolska galaretka z agrestu z różą

składniki: 2 l dorodnego, niezbyt dojrzałego agrestu • szklanka (dość ściśle nałożonych) płatków róży • cukier (według potrzeby)

Oczyszczone z żółtych części płatki róży zalewamy 1,5 l (sześć szklanek) wrzątku (woda niegazowana stołowa lub źródlana), przykrywamy, odstawiamy na 3 godz. Po tym czasie dokładnie przebrany, wypłukany agrest przekładamy do rondla, zalewamy przecedzonym naparem z płatków róży, uważając, by agrest był całkowicie przykryty. Gotujemy na niewielkim ogniu, aż owoce całkowicie się rozgotują. Cedzimy przez sito wyłożone kilkakrotnie złożoną gazą.

Na 1 l agrestowo-różanego płynu bierzemy 50 dag cukru, gotujemy w szerokim, płaskim rondlu przez 20 min. Po tym czasie robimy próbę – jeżeli galaretka zsiądzie się na zimnym talerzyku, przelewamy do wygrzanych, idealnie czystych słoików, na wierzch kładziemy krążek celofanu zanurzony w spirytusie i od razu zamykamy słoiki. Galaretka ma wyraźny, różowy kolor i różany aromat.

Galaretka porzeczkowa

składniki: 1,5 kg obranych czerwonych porzeczek • 75 dag cukru (miałki kryształ)

Zdrowe, jędrne, niezbyt dojrzałe porzeczki płuczemy, przekładamy do rondla, stawiamy na niewielkim ogniu i miażdżymy drewnianym tłuczkiem na miazgę. Od chwili zawrzenia gotujemy przez 10 min, uważając, by nie przekroczyć czasu gotowania.

Perlonowe sito wykładamy kilkakrotnie złożoną gazą i cedzimy rozgotowane porzeczki, bardzo delikatnie wyciskając sok. Do płynu dodajemy odważony cukier, mieszamy i gotujemy na najmniejszym ogniu (sok powinien tylko lekko „mrugać"). Po upływie 20 min od zagotowania zdejmujemy galaretkę z ognia, robimy próbę gęstości (kropla wylana na zimny spodek nie powinna się rozpłynąć!) i gorącą przelewamy do bardzo ciepłych, suchych słoików. Gdy wierzch galaretki w czasie stygnięcia lekko się zetnie, wlewamy na wierzch łyżeczkę spirytusu, słoiki szczelnie zamykamy i odstawiamy w chłodne i ciemne miejsce. Galaretka doskonale się przechowuje.

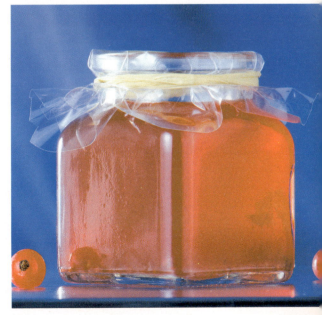

Sok malinowo-
-poziomkowy

s k ł a d n i k i : poziomki i maliny (w proporcji pół na pół) • cukier

Poziomki i maliny przebieramy, płuczemy na sicie, odsączamy, wkładamy do kamiennego garnka, tak by był wypełniony po brzegi. Owoce zalewamy wrzącą wodą (źródlaną lub stołową), przykrywamy lnianą ściereczką, stawiamy w ciepłym miejscu.

Następnego dnia cedzimy sok przez perlonowe sito, wyłożone kilkakrotnie gazą (owoców nie wyciskamy!).

Przygotowując sok, bierzemy proporcję: szklanka cukru na szklankę soku. Całość gotujemy na niewielkim ogniu (sok powinien tylko lekko „mrugać") przez 20 min. Ciepły zlewamy do idealnie czystych, gorących butelek, na wierzchu kładziemy krążek celofanu namoczony w spirytusie i natychmiast szczelnie zakręcamy. Sok nie wymaga pasteryzacji, chyba że nie dysponujemy suchą i zimną piwnicą.

Sok z czarnych
porzeczek
gotowany

s k ł a d n i k i : 1 kg czarnych porzeczek • szklanka cukru • 2 szklanki wody

Owoce przebieramy, płuczemy. Wodę z cukrem zagotowujemy. Gdy cukier całkowicie się rozpuści, wrzucamy owoce i gotujemy całość na ostrym ogniu, przez 5 min. Gorący sok przelewamy przez sito wyłożone kilkakrotnie złożoną gazą, lekko odciskamy, natychmiast przelewamy do idealnie czystych, wygotowanych butelek, zamykamy i pasteryzujemy przez 15 min w temp. 85ºC.

Sok z malin wystany

s k ł a d n i k i : maliny • cukier (na 1 część owoców 2 części cukru)

Przebrane, wypłukane, odsączone maliny układamy w 3-litrowym słoju, obficie przesypując cukrem (wierzchnią warstwę powinien stanowić cukier). Słój kilkakrotnie obwiązujemy złożoną gazą, trzymamy przy oknie w bardzo nasłonecznionym miejscu (bez przeciągów!) przez 3 tygodnie. Słojem nie potrząsamy ani nie przestawiamy go z miejsca na miejsce. Gdy lato jest chłodne i deszczowe, czas można przedłużyć do 5 tygodni. Wystany sok cedzimy przez złożoną gazę, przelewamy do idealnie czystych, wygotowanych butelek, napełniając je po sam brzeg (ważne!). Na wierzchu kładziemy zmoczony spirytusem krążek celofanu i szczelnie zamykamy. Surowy, trzymamy w chłodnym i ciemnym miejscu.

Sok z aronii

s k ł a d n i k i : 8 szklanek obranych owoców aronii • 3 szklanki cukru

Opłukane, odsączone owoce aronii sypiemy do parownika, przesypujemy cukrem, naczynie szczelnie przykrywamy i parujemy, od chwili zagotowania się wody, przez 50 min. Parownik powinien cały czas stać na niewielkim ogniu (nie dopuszczamy, by woda zbyt ostro się gotowała!). Gorący sok, bezpośrednio z parownika wlewamy do wygotowanych butelek, natychmiast szczelnie zamykamy. Przestudzony ustawiamy w chłodnym i ciemnym miejscu w piwnicy. Sok z aronii nie wymaga pasteryzowania.

Sok z truskawek i rabarbaru

s k ł a d n i k i : 1 kg obranego malinowego rabarbaru
• 1 kg obranych truskawek • 3 szklanki cukru

Umyty, obrany z grubych błon rabarbar kroimy w drobną kostkę, dokładnie umyte, pozbawione szypułek truskawki odsączamy na sicie. Do sokownika wkładamy przygotowany rabarbar, przesypujemy cukrem, rozkładamy truskawki i parujemy. Gorący sok, bezpośrednio z sokownika, zlewamy do idealnie czystych, wygotowanych butelek, szczelnie zamykamy. Gdy trzeba, pasteryzujemy przez 15 min w temp. 85ºC. Przechowujemy w piwnicy.

Morelówka

s k ł a d n i k i : 1 l spirytusu • 2 szklanki wody (stołowa niegazowana lub źródlana) • 3 szklanki cukru • 2 szklanki wypestkowanych, pokrojonych w ćwiartki, dojrzałych, dorodnych (ważne!) moreli • 5 dobrze potłuczonych pestek z moreli

Zagotowujemy szklankę wody z cukrem, wrzucamy na syrop morele, dodajemy potłuczone pestki, zagotowujemy, odstawiamy w chłodne miejsce, szczelnie przykryte. Następnego dnia syrop z moreli cedzimy przez gęste sito, przelewamy do słoja, dodajemy spirytus, 2 szklanki wody. Składniki mieszamy, odstawiamy na 3 miesiące w chłodne miejsce. Nalewka może stać nieco dłużej, bowiem z czasem nabiera aromatu i mocy.

Jarzębiak

s k ł a d n i k i : jagody jarzębiny • 1 l spirytusu • szklanka
wody źródlanej lub stołowej

Jagody jarzębiny zrywamy w miejscu oddalonym od tzw.
wpływu cywilizacji. Czynimy to w czasie, gdy są dorodne i lekko zwarzone mrozem. Przebrane, umyte, przekładamy na blaszkę, wsuwamy na kilka minut do nagrzanego do temp. 150°C piekarnika, aby przywiędły. Szklankę jagód zalewamy 1 l spirytusu i szklanką wody, szczelnie zamykamy i odstawiamy na pół roku w ciemne
miejsce. Wystana wódka jest bardzo mocna, wytrawna,
o pięknej barwie i wybornym smaku.
Jeżeli do jarzębiaku dodamy syrop ugotowany ze szklanki cukru i szklanki wody (dolewamy, gdy syrop jest zimny!) i odstawimy na dalsze 3 miesiące, wówczas otrzy-
mamy słodką wódkę, tzw. jarzębinkę.

Jałowcówka

s k ł a d n i k i : 1 l spirytusu • 50 dag cukru • szklanka
dorodnych jagód jałowca • 2 szklanki wody źródlanej, oligoceńskiej
lub stołowej (woda z kranu może popsuć smak nalewki!)

Jagody jałowca, wypłukane i wysuszone, rozdrabniamy
– najlepiej w moździerzu, przekładamy do słoja, zalewamy spirytusem, dodajemy szklankę wody, mieszamy, słój
szczelnie zamykamy i odstawiamy na tydzień w ciemne
miejsce.
Po tym czasie zagotowujemy cukier z dodatkiem szklanki wody, odstawiamy do przechłodzenia. Spirytus z jałowcem przesączamy przez sito wyłożone warstwą bibuły, łączymy z syropem, szczelnie zamykamy i odstawiamy na 10-12 miesięcy, dla tzw. „wytrawienia".

Owocówka Babci Tosi

s k ł a d n i k i : miękkie owoce (poziomki, truskawki, maliny, pokrojone i pozbawione pestek morele, jeżyny, czarne jagody, wydrylowane wiśnie) • spirytus

Do dużego, wysokiego słoja sypiemy tzw. miękkie owoce – w kolejności, jak dojrzewają, w proporcji 1:1 – owoce i spirytus, np. 2 szklanki poziomek zalane 2 szklankami spirytusu. Następnie truskawki, maliny, morele, jeżyny, czarne jagody, wiśnie – i zawsze z taką samą ilością spirytusu. Warstwa owoców w słoju powinna być nieco poniżej warstwy spirytusu. Gdy w słoju będą wszystkie owoce, szczelnie go zamykamy i ustawiamy w chłodnym miejscu na minimum 6 miesięcy. Po tym czasie owocówka ma moc, niepowtarzalny aromat i barwę szlachetnego rubinu.

Pozostałe w słoju owoce możemy zalać czystą, 40% wódką w takiej ilości, by były przykryte alkoholem i ponownie odstawić, też na 6 miesięcy. Ta druga nalewka będzie nieco mniej aromatyczna, ale równie doskonała.

Można też, zamiast wódką, zalać owoce syropem (50 dag cukru i 2 szklanki wody) oraz spirytusem w tej samej ilości, wówczas nalewka powinna postać nieco dłużej, ok. 9 miesięcy. Będzie to doskonała, słodka wódka zwana likierową.

Olej czosnkowy

s k ł a d n i k i : olej • ząbki czosnku

Do butelki z olejem wrzucamy kilka obranych z łusek i przekrojonych na połowę ząbków czosnku. Już po 2 dniach możemy używać oleju do smażenia wszystkich produktów oraz do doprawiania surówek czy sosu pomidorowego. Szczególnie smaczne są smażone na takim oleju placki ziemniaczane.

Olej ziołowy

s k ł a d n i k i : zioła (np. ząbki czosnku, majeranek, cząber, estragon, tymianek) • olej słonecznikowy lub sojowy

Do słoja dajemy zioła (mogą być suszone), zalewamy olejem, przykrywamy kilkakrotnie złożoną gazą i stawiamy w chłodnym i ciemnym miejscu (gdy do oleju dociera światło słoneczne, zachodzą w nim reakcje niekorzystne dla zdrowia). Podczas leżakowania olejem kilkakrotnie delikatnie potrząsamy. Już po tygodniu możemy przecedzić przez sito, wyłożone warstwą gazy, i przelać do butelki. Olej jest nie tylko smaczny, ale bardzo zdrowy.

Ocet winny

s k ł a d n i k i : jabłka • 2-3 gruszki

Obierzyny owoców (głównie jabłek) oraz całe owoce pokrojone w cienkie słupki przekładamy do słoja, zalewamy wrzątkiem, owijamy wierzch słoja gazą i odstawiamy w ciemne miejsce. Wody wlewamy tyle, by o centymetr przykrywała obierzyny.
Po 2 tygodniach dodajemy następną porcję obierzyn i pokrojonych w słupki owoców, dolewamy więcej wody, w takiej ilości, by o centymetr przykrywała obierzyny i owoce, obwiązujemy słój gazą i odstawiamy w ciemne, ale niewychłodzone miejsce. Po 2 miesiącach płyn w słoju stanie się doskonałym, smacznym i zdrowym octem, trzeba tylko przecedzić go przez sito, wyłożone kilkakrotnie złożoną gazą, i przelać do małych butelek.

Ocet ziołowy

s k ł a d n i k i : szklanka posiekanych ziół: estragon, seler
(liście i korzeń), koper, duży ząbek czosnku, duży pokruszony liść
laurowy • 1 l octu owocowego

Zioła zalewamy 1 l octu owocowego, odstawiamy na
2 tygodnie w chłodne i ciemne miejsce. Po tym czasie
zlewamy, filtrując przez kilkakrotnie złożoną gazę, i rozlewamy do mniejszych butelek (najlepiej z ciemnego
szkła).
Ocet ma przyjemny, lekko cytrynowy zapach i stanowi
doskonały dodatek do zakwaszenia zimnych sosów, do
sałatek, surówek, a przede wszystkim do doprawienia
czerwonego barszczu.

Ocet estragonowy

s k ł a d n i k i : liście estragonu • 1 l octu owocowego

Szklankę dorodnych, świeżych, drobno posiekanych liści estragonu zalewamy 1 l owocowego octu, przykrywamy i pozostawiamy przez miesiąc w jasnym, ale nie-
nasłonecznionym miejscu. Zlewamy do mniejszych butelek, cedząc przez złożoną gazę. Ocet jest doskonałym
dodatkiem smakowym do sałatek i surówek i w sposób
wyjątkowy podnosi smak galarety z nóżek wieprzowych.

Wiśnie w soku z czerwonych porzeczek

s k ł a d n i k i : 2 l wydrążonych, dorodnych wiśni
• 1 l obranych czerwonych porzeczek • 1 kg cukru

Wiśnie rozkładamy do średnich słoików. Porzeczki zalewamy 1 l wody (źródlanej lub niegazowanej stołowej), zagotowujemy, odstawiamy. Gdy ostygną, cedzimy na sicie, wyłożonym kilkoma warstwami gazy – owoce można lekko wycisnąć. Dodajemy do soku cukier, stawiamy na niewielkim ogniu i, cały czas mieszając, zagotowujemy – do tego momentu cukier powinien się całkowicie rozpuścić. Gorącym sokiem zalewamy przygotowane w słoikach wiśnie, zamykamy bardzo dokładnie i ustawiamy w kociołku przeznaczonym do pasteryzacji. Gdy woda w kociołku się zagotuje, zmniejszamy ogień i trzymamy słoiki przez 10 min we wrzącej, ale niegotującej się wodzie, zestawiamy z ognia i pozostawiamy do zupełnego wychłodzenia (można do następnego dnia). Tak przygotowane wiśnie mają bardzo szerokie zastosowanie – do ciast, kremów, deserów.

Pasteryzowane truskawki

s k ł a d n i k i : dojrzałe truskawki • cukier

Truskawki obieramy z szypułek i przebieramy, usuwając owoce niedojrzałe i uszkodzone, płuczemy i odsączamy na sicie. Ważymy w proporcji: 1 kg truskawek – 10 dag cukru. Osuszone przekładamy do rondla, przesypujemy cukrem, wstawiamy rondel do większego naczynia z wrzącą wodą i bardzo szybko, na dużym ogniu, ogrzewamy. W chwili, gdy owoce przykryją się wytworzonym sokiem, zestawiamy z ognia, od razu bardzo gorące przekładamy do wyparzonych, równie gorących słoików w takiej ilości, by pozostały od góry 3 cm wolnego miejsca,

dokładnie zamykamy, wstawiamy do specjalnego kociołka, zagotowujemy, zmniejszamy ogień i trzymamy przez 30 min (woda w kociołku powinna tylko lekko „mrugać"). Wychładzamy w naczyniu, w którym się gotowały. Przechowujemy w ciemnym, suchym miejscu. Pasteryzowane truskawki mają znacznie większe zastosowanie niż truskawki mrożone.

Aronia do mięsa

s k ł a d n i k i : 1 kg owoców aronii • 1 kg gruszek • 1 kg winnych jabłek (waga po odrzuceniu skórek, gniazd nasiennych i szypułek) • 1 kg cukru • szklanka wody

Przebrane owoce aronii zalewamy wrzątkiem, odstawiamy na 2 godz. W dużym, płaskim rondlu przygotowujemy syrop z wody i cukru. Gdy cukier całkowicie się rozpuści, dodajemy obrane i pokrojone w ósemki gruszki i smażymy na niewielkim ogniu, często mieszając. Po 5 min dodajemy jabłka i nadal smażymy na niewielkim ogniu, mieszając od czasu do czasu, by owoce nie przywarły do dna. Gdy owoce staną się szkliste, dorzucamy dobrze odsączone owoce aronii, doprowadzamy do wrzenia i smażymy, cały czas na niewielkim ogniu, przez 2-3 min. Odstawiamy. Następnego dnia aronię podgrzewamy i od chwili zagotowania smażymy przez 20 min. Aronia jest gotowa, gdy jabłka i gruszki zupełnie się rozgotują i utworzą piękną, ciemnoczerwoną galaretę.

Gorące owoce nakładamy do wygrzanych, idealnie czystych słoików, zabezpieczamy krążkiem celofanu zmoczonym spirytusem, szczelnie zamykamy. Aronia nie wymaga pasteryzacji. Dobrze wysmażone owoce przechowają się doskonale nawet przez kilka lat.

Marynowane śliwki
niepękające

s k ł a d n i k i : 1 kg cukru • szklanka octu winnego • 1/2 małej laski wanilii • 1/2 łyżeczki goździków • kawałek kory cynamonowej • 5 kg dorodnych śliwek węgierek

Przygotowujemy zalewę: cukier z octem winnym zagotowujemy, gotujemy przez minutę, odstawiamy.
Śliwki po dokładnym umyciu wysypujemy na sito. Gdy lekko obeschną, każdą śliwkę kilkakrotnie nakłuwamy – koniecznie nierdzewną szpileczką. Dokładne nakłucie daje gwarancję, że podczas zanurzenia we wrzącej marynacie śliwki nie popękają.
Na wrzący syrop wrzucamy po kilkanaście owoców, a gdy w nakłutych miejscach zacznie lekko sączyć się sok (trwa to z reguły ok. 30 s), natychmiast wyławiamy łyżką cedzakową i układamy w kamiennym garnku lub słoju z ciemnego szkła. Syrop ze śliwek zagotowujemy, trzymamy na ogniu przez minutę i wrzącym zalewamy owoce. Następnego dnia syrop zlewamy, dodajemy przyprawy, zagotowujemy i wrzącym zalewamy śliwki. Na trzeci dzień syrop zlewamy (przyprawy pozostawiamy w naczyniu razem ze śliwkami), zagotowujemy i wrzącym zalewamy śliwki. Czwartego dnia syrop zlewamy, uważając, by nie wpadły korzenie, zagotowujemy, trzymamy przez 5 min na ogniu, by nieco odparował. Śliwki wraz z korzeniami rozkładamy do słoików, zalewamy wrzącym syropem, wierzch przykrywamy krążkiem celofanu zanurzonego w spirytusie, dokładnie zamykamy i przechowujemy w ciemnym, chłodnym, pozbawionym przewiewów miejscu.

Marynowana dynia

s k ł a d n i k i : 1,5 kg obranej dyni (bez miąższu, pestek
i skóry) • 1 kg cukru • 2 szklanki octu winnego • przyprawy:
np. anyżek, cynamon, 2 liście laurowe, imbir, goździki, płaska łyżeczka
czarnego pieprzu w ziarenkach

Dynię kroimy w zgrabne, niezbyt duże kostki lub wydrążamy specjalną łyżką niewielkie kulki. Cukier, ocet winny i wy-
brane przyprawy zagotowujemy i trzymamy przez minutę
na ogniu. Pokrojoną dynię dzielimy na 4 części. Jedną wrzucamy do naczynia z gotującym się syropem na 2-3 min, by
się nie rozgotowała. Natychmiast wyjmujemy łyżką cedzakową na dużą miskę, a do syropu wrzucamy następną część
i postępujemy podobnie, aż do czasu, gdy cała dynia zagotuje się w syropie. Następnie ułożoną w misce dynię zalewamy przechłodzonym syropem, w którym się smażyła,
i, przykrytą, pozostawiamy w chłodnym miejscu. Następnego dnia syrop zlewamy, zagotowujemy, gotujemy przez
3 min i ponownie, gdy przestygnie, zalewamy dynię. Trzeciego dnia syrop ponownie zlewamy, gotujemy przez 5 min
(zawsze bez przykrycia). Kostki dyni przekładamy do słoików, zalewamy syropem, z którego usuwamy przyprawy,
na wierzchu kładziemy krążek celofanu zwilżony spirytusem, szczelnie zamykamy i odstawiamy w ciemne i suche
miejsce. Gdy nie mamy odpowiedniego pomieszczenia do
przechowywania zapraw, słoiki z dynią możemy zapaste-
ryzować przez 15 min w temp. 85ºC.

Ogórki marynowane
w occie koperkowo-winnym

s k ł a d n i k i : 1,5 kg niewielkich ogórków-kiszerniaków
• 3 gałązki świeżego kopru • 3 duże gałązki natki pietruszki
• gałązka świeżego lub łyżeczka suszonego rozmarynu • 2 l osolonej
wody w proporcji – łyżka soli na 1 l wody

z a l e w a   o c t o w o - w i n n a : szklanka octu 10 proc.
• szklanka białego, wytrawnego wina • 4 szklanki wody
(niegazowanej stołowej lub źródlanej) • 3 płaskie łyżeczki szarej
soli kamiennej • 1/2 szklanki cukru • łyżeczka ziaren pieprzu
lub gorczycy i pieprzu (pół na pół) • liść laurowy • kilka małych
cebulek lub duża cebula, pokrojona w piórka

Umyte ogórki zalewamy osoloną wodą, odstawiamy na
12 godz. – można na nieco dłużej, ale nie należy przekroczyć doby. Po tym czasie ogórki wyjmujemy, wycieramy do sucha i układamy w 2 l słoju wraz z gałązkami
kopru, pietruszki i rozmarynu.
Przygotowujemy zalewę: zagotowujemy wodę z octem,
winem, cukrem i przyprawami, gorącą zalewamy ogórki, zamykamy słój i odstawiamy w chłodne miejsce. Najlepiej smakują 2 tygodnie po przygotowaniu. W ciemnej,
chłodnej piwnicy przechowają się przez kilka miesięcy.

Przyprawa jarzynowo-grzybowa

s k ł a d n i k i : 1 kg marchwi (waga po obraniu) • 1 kg korzenia pietruszki (waga po obraniu) • 1 kg korzeni i liści selerów (waga po obraniu) • 1 kg białych części porów (waga po obraniu) • 1 kg cebuli (waga po obraniu) • 1 kg różyczek kalafiora • 50 dag świeżych, szlachetnych grzybów (tylko kapelusze borowików, kozaków, podgrzybków) • 50 dag szarej soli kamiennej

Dokładnie wypłukane jarzyny rozdrabniamy, przepuszczamy wraz z grzybami przez maszynkę do mięsa. Zmielone produkty delikatnie, ale dokładnie mieszamy z solą i od razu nakładamy do dużego, kamiennego garnka lub do niewielkich słoików z zamknięciem typu twist-off.

Przyprawę dodajemy do większości potraw – zup, sosów wielosmakowych, pikantnych, farszu mięsnego, jarzynowego, mielonego mięsa na kotleciki czy zrazy.